La guía es clara, concisa y completa

Use las páginas de repaso y planificación

Referencia y preparación para la lección ofrecen una estructura rica para el catequista.

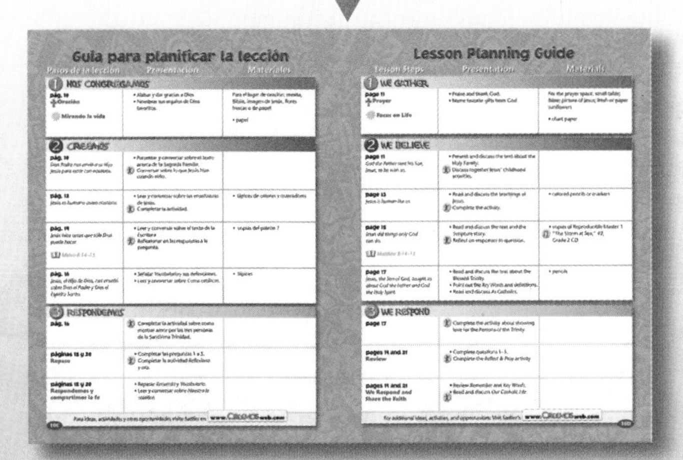

Después, use las páginas para planificar la lección

La meta del catequista y nuestra respuesta a la fe reflejan la dirección de cada lección.

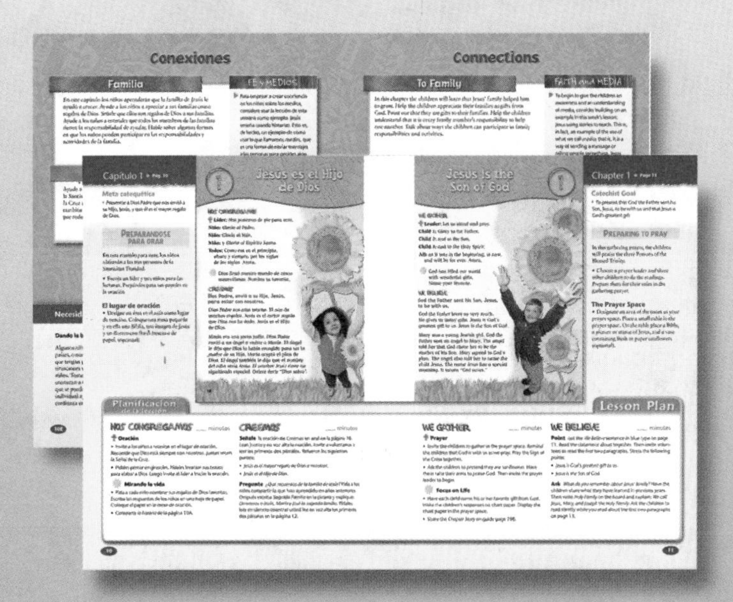

Familia

En este capítulo los niños aprenderán que la familia de Jesús le ayudó a crecer. Ayude a los niños a apreciar a sus familias como regalos de Dios. Señale que ellos son regalos de Dios a sus familias. Ayude a los niños a entender que todos los miembros de las familias tiene la responsabilidad de ayudar. Hable sobre algunas formas en que los niños pueden participar en las responsabili...

To Family

In this chapter the children will learn that Jesus' family helped him to grow. Help the children appreciate their families as gifts from God. Point out that they are gifts to their families. Help the children understand that it is every family member's responsibility to help one another. Talk about ways the children can participate in family responsibilities and activities.

Finalmente, use las páginas de recursos adicionales

La guía incluye conexiones y páginas que se pueden reproducir.

Todo lo que necesita para empezar es

1. **Libro de texto del programa *Creemos/We Believe* para cada uno de los niños en su grupo**
2. **Guía correspondiente al nivel que enseña**
3. **CD de la música del nivel en que enseña.**

Sadlier
Creemos ~ We Believe
Program Overview

Across the ages, Jesus calls to each child we teach: *"Follow me"* (Luke 9:23). Each child looks to the Church for help in answering "yes" to Jesus. Your vocation to teach young people about Jesus is an awesome one. The *Creemos/We Believe* program is designed for you.

The program integrates:

- Content that is faithful to the teachings of the Catholic Church and that holistically embraces the four pillars of the *Catechism of the Catholic Church*: Creed, Liturgy and Sacraments, Moral Life, Prayer
- Reliance on Scripture, Catholic social teaching, vocation awareness, and mission
- Music and prayer that echo and anticipate liturgical celebrations
- Reflection and activities that integrate catechesis, liturgy and life
- Media and technology used in service to faith and in the context of family
- Methodologies that engage the experience of the child, modeled on Jesus' "pedagogy of faith" (cf. *General Directory for Catechesis*, 137, 140)
- Review and assessment that reinforce the essential content of the lesson
- Activities and reflections that involve the children and their families in catechesis, prayer, and living their faith

The Theological and Catechetical Foundations

Jesus sent the apostles to "Go . . . make disciples of all nations". (Matthew 28:19).

The Church in every age has embraced this mission of evangelization and proclaimed the gospel of Jesus through its catechetical ministry.

As you carry on Jesus' mission, you can rely on *Creemos/We Believe* because it is:

- Rooted in Scripture
- Faithful to the Tradition of the Catholic Church
- Spirited by the *General Directory for Catechesis*
- **Christocentric**, centering on the Person of Jesus Christ
- **Trinitarian**, inviting relationship with God the Father, God the Son, and God the Holy Spirit
- **Ecclesial**, supporting faith that is lived in the domestic church and the universal Church.

Sadlier WE BELIEVE

CREEMOS™

Jesús comparte la vida de Dios

Jesus Shares God's Life

Guía • Segundo curso

Guide • Grade Two

Sadlier

Una división de William H. Sadlier, Inc.

Nihil Obstat
✠ Reverendísimo Robert C. Morlino

Imprimatur
✠ Reverendísimo Robert C. Morlino
Obispo de Madison
15 de febrero del 2005

The *Nihil Obstat* and *Imprimatur* are official declarations that a book or pamphlet is free of doctrinal or moral error. No implication is contained therein that those who have granted the *Nihil Obstat* and *Imprimatur* agree with the contents, opinions, or statements expressed.

El Ad Hoc Committee to Oversee the Use of the Catechism, de la United States Conference of Catholic Bishops, consideró que el contenido doctrinal de este manual del maestro, copyright 2005, está en conformidad con el *Catecismo de la Iglesia Católica.*

The Ad Hoc Committee to Oversee the Use of the Catechism, United States Conference of Catholic Bishops, has found the doctrinal content of this teacher manual, copyright 2005, to be in conformity with the *Catechism of the Catholic Church.*

Printed in the United States of America.

® is a registered trademark of William H. Sadlier, Inc.
CREEMOS™ is a registered trademark of William H. Sadlier, Inc.

William H. Sadlier, Inc.
9 Pine Street
New York, NY 10005-1002

ISBN: 0-8215-5212-0
3456789/10 09 08 07 06

El programa *Creemos/We Believe* de Sadlier fue desarrollado por un reconocido equipo de expertos en catequesis, desarrollo del niño y currículo a nivel nacional. Estos maestros y practicantes de la fe nos ayudaron a conformar cada lección a la edad de los niños. Además, un equipo de respetados liturgistas, catequistas, teólogos y ministros pastorales compartieron sus ideas e inspiraron el desarrollo del programa.

El programa está basado en la sabiduría de la comunidad e incluye personalidades tales como:

Gerard F. Baumbach, Ed.D.
Director, Centro de Iniciativas Catequéticas
Profesor de teología University of Notre Dame

Carole M. Eipers, D.Min.
Directora Ejecutiva de Catequesis
William H. Sadlier, Inc.

Consultores en liturgia y catequesis

Reverendo Monseñor John F. Barry
Párroco, Parroquia American Martyrs
Manhattan Beach, CA

Hermana Linda Gaupin, CDP, Ph.D.
Directora de Educación Religiosa
Diócesis de Orlando

Mary Jo Tully
Canciller, Arquidiócesis de Portland

Reverendo Monseñor John M. Unger
Superintendente Asociado
de Educación Religiosa
Arquidiócesis de San Luis

Consultores en currículo y desarrollo del niño

Hermano Robert R. Bimonte, FSC
Ex Superintendente de Educación Católica
Diócesis de Buffalo

Gini Shimabukuro, Ed.D.
Profesora Asociada
Institute for Catholic Educational Leadership
Escuela de Educación
Universidad de San Francisco

Consultores en la Escritura

Reverendo Donald Senior, CP, Ph.D., S.T.D.
Miembro, Comisión Bíblica Pontificia
Presidente, Catholic Theological Union
Chicago, IL

Consultores en multicultura

Reverendo Allan Figueroa Deck, SJ, Ph.D.
Director Ejecutivo
Loyola Institute for Spirituality
Orange, CA

Kirk Gaddy
Director, St. Katharine School
Baltimore, MD

Reverendo Nguyễn Việt Hưng
Comité Catequético Vietnamita

Doctrina social de la Iglesia

John Carr
Secretario, Departamento de Desarrollo
Social y Paz Mundial, USCCB

Joan Rosenhauer
Coordinadora, Proyectos Especiales
Departamento de Desarrollo Social
y Paz Mundial, USCCB

Consultores en medios y tecnología

Hermana Caroline Cerveny, SSJ, D.Min.
Directora Asociada, Tecnología Académica
St. Leo University, Florida

Hermana Judith Dieterle, SSL
Ex Presidenta, Asociación Nacional de
Profesionales en Catequesis y Medios

Hermana Jane Keegan, RDC
Editora del Internet
William H. Sadlier, Inc.

Consultores en teología

Reverendísimo Edward K. Braxton, Ph.D., S.T.D.
Consultor Teólogo Oficial
Obispo de Lake Charles

Norman F. Josaitis, S.T.D.
Equipo Teológico, William H. Sadlier, Inc.

Reverendo Joseph A. Komonchak, Ph.D.
Profesor, Escuela de Estudios Religiosos
Catholic University of America

Reverendísimo Richard J. Malone, Th.D.
Obispo de Portland

Hermana Maureen Sullivan, OP, Ph.D.
Profesora Asistente de Teología
St. Anselm College, Manchester, NH

Consultores en mariología

Hermana M. Jean Frisk, ISSM, S.T.L.
International Marian Research Institute
Dayton, OH

Consultores en catequesis bilingüe

Rosa Monique Peña, OP
Arquidiócesis de Miami

Reverendísimo James Tamayo, D.D.
Obispo de Laredo
Laredo, TX

Maruja Sedano
Directora, Educación Religiosa
Arquidiócesis de Chicago

Timoteo Matovina
Director, Cushwa Center para el Estudio del
Catolicismo en Estados Unidos
University of Notre Dame

Hermana María Luz Ortiz, MHSH
Educación Religiosa para Hispanos
Arquidiócesis de Washington

Reverendo José J. Bautista
Director, Oficina del Ministerio Hispano
Diócesis de Orlando

Traducción y adaptación

Dulce M. Jiménez-Abreu
Directora de Programas en Español
William H. Sadlier, Inc.

Indice

Contents

UNIDAD 3 Jesús se da a sí mismo en la Eucaristía

UNIDAD 4 Vivimos nuestra fe católica

UNIT 3 Jesus Gives Himself in the Eucharist

UNIT 4 We Live Our Catholic Faith

Sadlier

Creemos—We Believe

Un vistazo al programa

Jesús llama a cada niño a quien enseñamos: "Sígueme" (Lucas 9:23). Cada niño busca ayuda en la Iglesia para decir "sí" a Jesús. Su vocación de enseñarles sobre Jesús es maravillosa. El programa *Creemos/We Believe* está diseñado para usted.

El programa integra:

- Un contenido fiel a las enseñanzas de la Iglesia Católica y que abarca, en su totalidad, los cuatro pilares del *Catecismo de la Iglesia Católica:* credo, liturgia y sacramentos; y vida moral y de oración
- Basado en la Escritura, la doctrina social de la Iglesia, e inculca conciencia vocacional y de misión
- Música y oración que anticipan y repiten las celebraciones litúrgicas
- Reflexiones y actividades que integran la catequesis, la liturgia y la vida
- Tecnología y medios puestos al servicio de la fe y en conexión con la familia
- Metodología que emplea la experiencia del niño, modelada en la "pedagogía de fe" de Jesús (*Directorio General de la Catequesis,* 137, 140)
- Repasos y pruebas que refuerzan el contenido básico de la lección
- Actividades y reflexiones que involucran a los niños y sus familias en catequesis, oración y vida de fe

Bases teológicas y catequéticas

Jesús envió a los apóstoles: "Vayan. . . hagan discípulos en todas las naciones". (Mateo 28:19)

La Iglesia en todas las épocas ha abrazado su misión de evangelizar y proclamar el evangelio de Jesús como su ministerio catequético.

Al llevar la misión de Jesús podemos contar con *Creemos/We Believe* porque:

- Está basado en la Escritura
- Es fiel a la Tradición de la Iglesia Católica
- Está basado en el espíritu del *Directorio General para la Catequesis*

✠ **Cristocéntrico**, centrado en la persona de Jesucristo

✠ **Trinitario**, invita a una relación con Dios el Padre, Dios el Hijo y Dios el Espíritu Santo

✠ **Eclesiástico**, apoya la fe vivida en la Iglesia doméstica y la Iglesia universal.

Juntos siguiendo las huellas de Jesús

Para ayudarle a usted, catequista, a alimentar la relación de cada niño con Jesús y para facilitar la respuesta de fe de cada niño, este programa emplea un proceso catequético fácil para impartir cada lección: *Nos congregamos, Creemos, Respondemos.* Estas tres partes del proceso imitan la "pedagogía de fe" modelada en Jesús mismo.

NOS CONGREGAMOS

Los niños se reúnen para rezar al inicio de cada capítulo. Rezan y piensan en sus vidas. Responden al llamado de Dios en su gracia por medio de la oración y la reflexión en sus experiencias. Rezan, cantan y exploran formas en que la fe habla en sus vidas.

CREEMOS

Cada capítulo presenta las verdades de la fe católica como aparecen en la Sagrada Escritura y la Tradición y de acuerdo con el Magisterio de la Iglesia. En cada capítulo las afirmaciones de fe más importantes son subrayadas. El contenido de la fe es presentado en formas variadas, apropiadas a la edad y cultura.

1 Jesús es el Hijo de Dios

NOS CONGREGAMOS

✝ Líder: Nos ponemos de pie para orar.

Niño: Gloria al Padre,

Niño: Gloria al Hijo,

Niño: y Gloria al Espíritu Santo.

Todos: Como era en el principio, ahora y siempre, por los siglos de los siglos. Amén.

Dios llenó nuestro mundo de cosas maravillosas. Nombra tu favorita.

CREEMOS

Dios Padre, envió a su Hijo, Jesús, para estar con nosotros.

Dios Padre nos ama mucho. El nos da muchos regalos. Jesús es el mejor regalo que Dios nos ha dado. Jesús es el Hijo de Dios.

María era una joven judía. Dios Padre envió a un ángel a visitar a María. El ángel le dijo que Dios la había escogido para ser la madre de su Hijo. María aceptó el plan de Dios. El ángel también le dijo que el nombre del niño sería Jesús. El nombre *Jesús* tiene un significado especial. Quiere decir "Dios salva".

10

Jesus Is the Son of God 1

WE GATHER

✝ Leader: Let us stand and pray.

Child 1: Glory to the Father,

Child 2: and to the Son,

Child 3: and to the Holy Spirit:

All: as it was in the beginning, is now, and will be for ever. Amen.

God has filled our world with wonderful gifts. Name your favorite.

WE BELIEVE

God the Father sent his Son, Jesus, to be with us.

God the Father loves us very much. He gives us many gifts. Jesus is God's greatest gift to us. Jesus is the Son of God.

Mary was a young Jewish girl. God the Father sent an angel to Mary. The angel told her that God chose her to be the mother of his Son. Mary agreed to God's plan. The angel also told her to name the child Jesus. The name *Jesus* has a special meaning. It means "God saves."

11

Jesús vivió con su madre, María, y su padre adoptivo, José. Llamamos a Jesús, María y José la sagrada familia.

La sagrada familia vivió en un pueblo llamado Nazaret. Mientras crecía, Jesús aprendió de su familia y maestros sobre la fe judía. Aprendió y obedeció las leyes de Dios. Rezó y celebró los días de fiesta.

Habla de lo que Jesús hizo cuando era un niño.

Jesús es humano como nosotros.

Cuando Jesús tenía aproximadamente treinta años, empezó a enseñar en muchos lugares. Jesús quería que todo el mundo supiera que podía compartir el amor de Dios. Esa fue la buena nueva que Jesús dio al pueblo de Dios.

Jesús era el Hijo de Dios pero también era humano. La gente podía verlo y hablar con él, tocarlo y escucharlo. Jesús les dijo:

- Dios ama a todo el mundo.
- Dios quiere que todos amen a Dios, a ellos mismos y a los demás.
- Dios es su Padre.
- Dios debe ser lo más importante en sus vidas.

Jesús también enseñó con obras. El dio de comer a los que tenían hambre. Jesús alentó a los tristes. El cuidó de los pobres.

Jesus lived with his mother, Mary, and his foster father, Joseph. We call Jesus, Mary, and Joseph the Holy Family.

The Holy Family lived in the town of Nazareth. As Jesus grew, he learned from his family members and teachers about the Jewish faith. He learned and obeyed God's laws. He prayed and celebrated religious holidays.

Talk about what Jesus did when he was your age.

Jesus is human like us.

When Jesus was about thirty years old, he began to teach in many places. Jesus wanted everyone to know that they could share in God's great love. That was the good news Jesus gave to God's people.

Jesus was God's Son but he was also human. People could see Jesus and talk to him. They could touch him and hear him. Jesus told them:

- God loves all people.
- God wants all people to love God, themselves, and others.
- God is their Father.
- God should be the most important one in their lives.

Jesus also taught people by his actions. He fed the hungry. Jesus comforted those who were sad or lonely. He cared for the poor.

13

RESPONDEMOS

A lo largo de cada capítulo los niños son animados a responder en oración, fe y vida. Se les invita a responder al mensaje de la lección. Por medio de la oración, canciones y acciones que expresan sus creencias, los niños son llamados a vivir su discipulado en medio de sus compañeros, familiares, escuela y comunidad parroquial.

Jesús, el Hijo de Dios, nos enseñó sobre Dios el Padre y Dios el Espíritu Santo.

La noche antes de morir, Jesús compartió una comida muy especial con sus amigos. Jesús les habló sobre Dios, Padre. Después les dijo que pediría al Padre enviar al Espíritu Santo. Dios, Espíritu Santo, les ayudaría a recordar todo lo que él les había enseñado.

Jesús nos enseñó que hay un solo Dios. Pero que hay tres Personas en un Dios.

El Padre es Dios.
El Hijo es Dios.
El Espíritu Santo es Dios.
Llamamos a estas tres Personas en un solo Dios, Santísima Trinidad.

Vocabulario

sagrada familia la familia de Jesús, María y José

divino palabra usada sólo para describir a Dios

Santísima Trinidad tres Personas en un solo Dios

RESPONDEMOS

¿Cómo puedes mostrar tu amor por Dios Padre, Dios Hijo y Dios Espíritu Santo? Escríbelo aquí.

Como católicos...

Cuando Jesús enseñó usó parábolas. Parábolas son historias cortas. En estas historias, Jesús habló sobre cosas de la vida diaria. Algunas de esas cosas eran pájaros, semillas, ovejas, flores, y familias. La multitud escuchaba en silencio. Jesús usó esas parábolas para hablar sobre el amor de Dios.

¿Has escuchado algunas de las parábolas de Jesús?

16

Jesus, the Son of God, taught us about God the Father and God the Holy Spirit.

On the night before Jesus died, he shared a very special meal with his close friends. Jesus told them about God the Father. Then Jesus said that he would ask his Father to send the Holy Spirit. God the Holy Spirit would help them to remember everything that Jesus taught them.

Jesus taught us that there is only one God. But there are three Persons in one God.

The Father is God.
The Son is God.
The Holy Spirit is God.
We call the three Persons in one God the Blessed Trinity.

Words

Holy Family the family of Jesus, Mary, and Joseph

divine a word used to describe God

Blessed Trinity the three Persons in one God

WE RESPOND

How can you show your love for God the Father, God the Son, and God the Holy Spirit? Write one way here.

As Catholics...

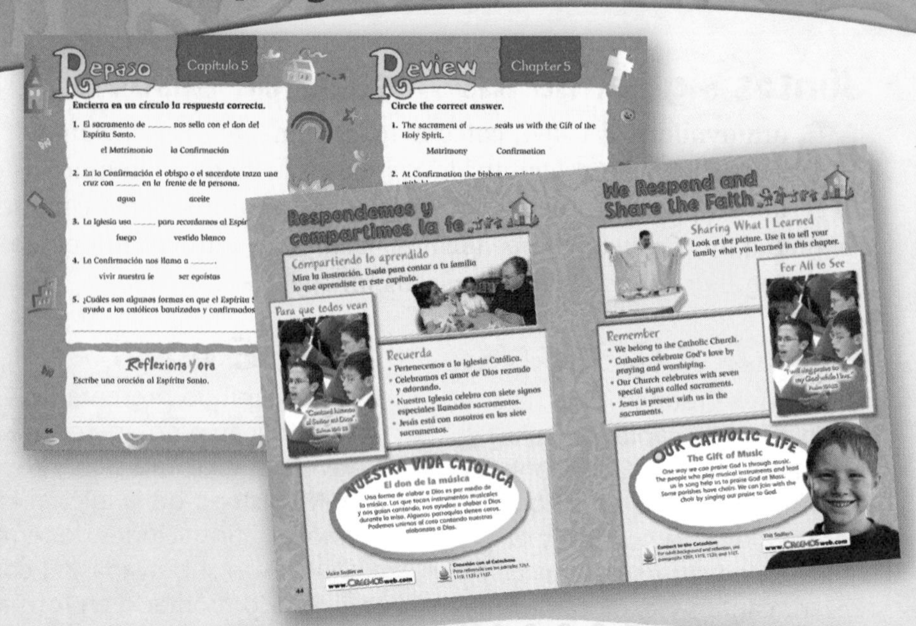

Además. . . .

Cada capítulo concluye con un *Repaso* para evaluación. Ofrece oportunidades para los niños para demostrar lo que aprendieron y a expresar su fe. Además, la página *Respondemos y compartimos la fe,* invita a los niños a recordar las cuatro afirmaciones de fe y obtienen inspiración de historias reales de católicos que viven su fe en el mundo. Las actividades en esta página invitan a los niños a compartir con sus familias lo aprendido.

Los tiempos litúrgicos y la página Web de Creemos/We Believe

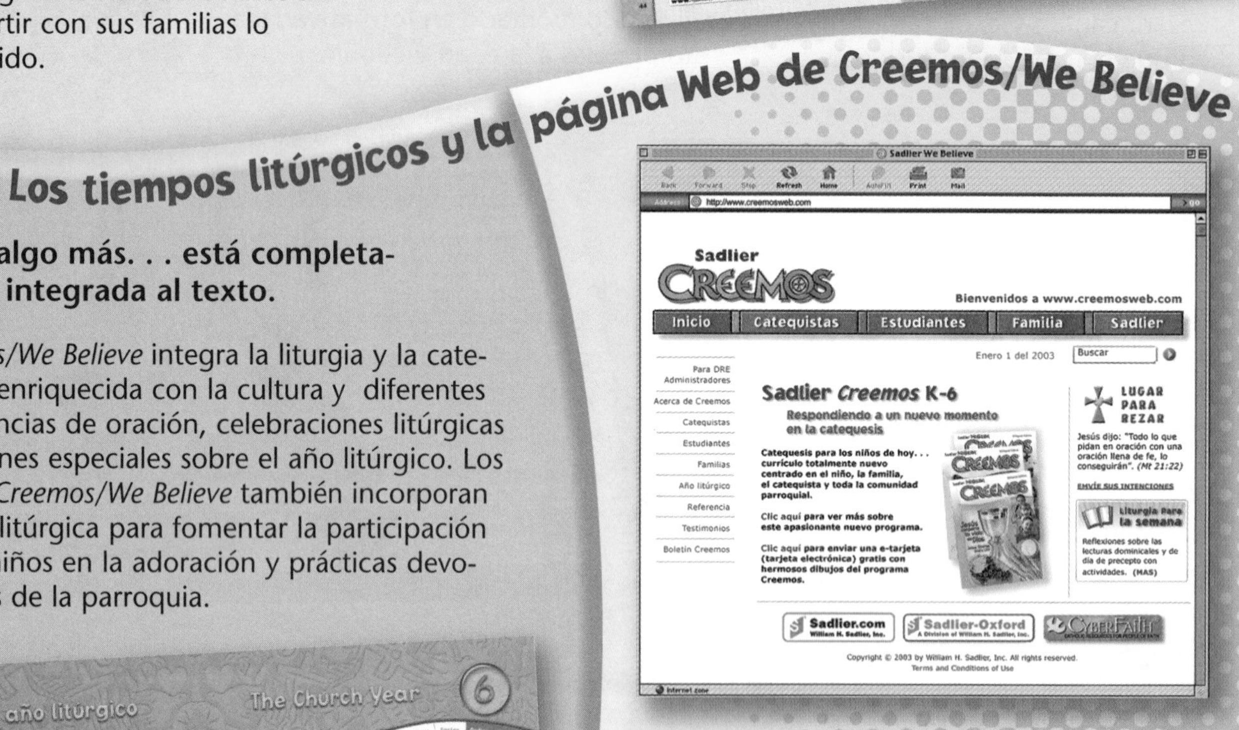

No es algo más. . . está completamente integrada al texto.

Creemos/We Believe integra la liturgia y la catequesis, enriquecida con la cultura y diferentes experiencias de oración, celebraciones litúrgicas y lecciones especiales sobre el año litúrgico. Los CD de *Creemos/We Believe* también incorporan música litúrgica para fomentar la participación de los niños en la adoración y prácticas devocionales de la parroquia.

www.CREEMOSweb.com

lo conecta a usted catequista, así como a los niños y sus familias con un sitio web que es un sistema de apoyo. Experimente una variedad de actividades educativas, complementarias para las lecciones, fuentes de oración, liturgia, retiro y proyectos. Goce de un aprendizaje en un ambiente seguro con actividades de fe que motivan y son divertidas para los niños y las familias.

Together in the footsteps of Jesus

To help you, the catechist, to nurture each child's relationship with Jesus and to facilitate each child's faith response, this program employs an easy-to-use catechetical process for each lesson: *We Gather, We Believe, We Respond*. This three-part process echoes the "pedagogy of the faith" which Jesus himself modeled.

WE GATHER

Children gather in prayer at the beginning of every chapter. They gather to pray and focus on their life. They respond to God's call and his grace through prayer and reflection on their experience. They pray, sing, and explore the ways the faith speaks to their lives.

WE BELIEVE

Each chapter presents the truths of the Catholic faith found in Sacred Scripture and Tradition, and in accordance with the Magisterium of the Church. The main faith statements of each chapter are highlighted. The content of faith is presented in ways that are age-appropriate, culturally sensitive, and varied.

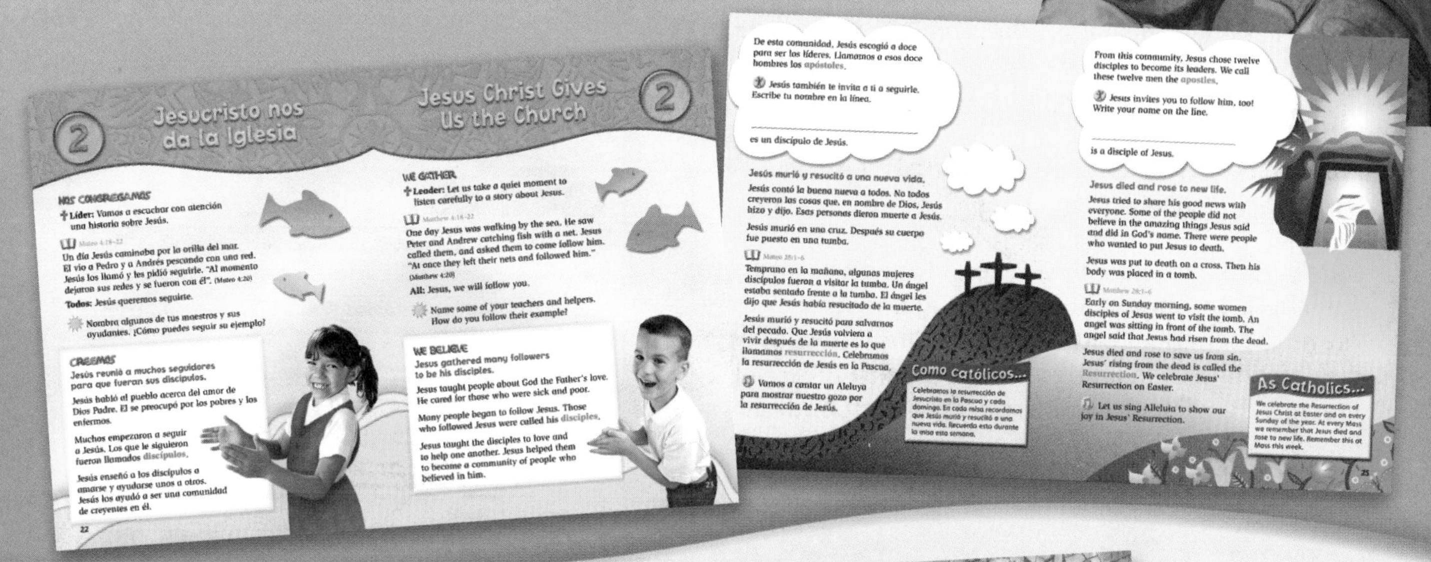

2 Jesucristo nos da la Iglesia

NOS CONGREGAMOS

Líder: Vamos a escuchar con atención una historia sobre Jesús.

Mateo 4:18–22

Un día Jesús caminaba por la orilla del mar. El vio a Pedro y a Andrés pescando con una red. Jesús los llamó y les pidió seguirle. "Al momento dejaron sus redes y se fueron con él". (Mateo 4:20)

Todos: Jesús queremos seguirte.

Nombra algunos de tus maestros y sus ayudantes. ¿Cómo puedes seguir su ejemplo?

CREEMOS

Jesús reunió a muchos seguidores para que fueran sus discípulos.

Jesús habló al pueblo acerca del amor de Dios Padre. El se preocupó por los pobres y los enfermos.

Muchos empezaron a seguir a Jesús. Los que le siguieron fueron llamados discípulos.

Jesús enseñó a los discípulos a amarse y ayudarse unos a otros. Jesús los ayudó a ser una comunidad de creyentes en él.

22

Jesus Christ Gives Us the Church 2

WE GATHER

Leader: Let us take a quiet moment to listen carefully to a story about Jesus.

Matthew 4:18–22

One day Jesus was walking by the sea. He saw Peter and Andrew catching fish with a net. Jesus called them, and asked them to come follow him. "At once they left their nets and followed him." (Matthew 4:20)

All: Jesus, we will follow you.

Name some of your teachers and helpers. How do you follow their example?

WE BELIEVE

Jesus gathered many followers to be his disciples.

Jesus taught people about God the Father's love. He cared for those who were sick and poor.

Many people began to follow Jesus. Those who followed Jesus were called his disciples.

Jesus taught the disciples to love and to help one another. Jesus helped them to become a community of people who believed in him.

23

De esta comunidad, Jesús escogió a doce para ser los líderes. Llamamos a esos doce hombres los apóstoles.

Jesús también te invita a ti a seguirle. Escribe tu nombre en la línea.

es un discípulo de Jesús.

Jesús murió y resucitó a una nueva vida.

Jesús contó la buena nueva a todos. No todos creyeron las cosas que, en nombre de Dios, Jesús hizo y dijo. Esas personas dieron muerte a Jesús.

Jesús murió en una cruz. Después su cuerpo fue puesto en una tumba.

Mateo 28:1–6

Temprano en la mañana, algunas mujeres discípulos fueron a visitar la tumba. Un ángel estaba sentado frente a la tumba. El ángel les dijo que Jesús había resucitado de la muerte.

Jesús murió y resucitó para salvarnos del pecado. Que Jesús volviera a vivir después de la muerte es lo que llamamos resurrección. Celebramos la resurrección de Jesús en la Pascua.

Vamos a cantar un Aleluya para mostrar nuestro gozo por la resurrección de Jesús.

Como católicos...

Celebramos la resurrección de Jesucristo en la Pascua y cada domingo. En cada misa recordamos que Jesús murió y resucitó a una nueva vida. Recuerda esto durante la misa esta semana.

From this community, Jesus chose twelve disciples to become its leaders. We call these twelve men the apostles.

Jesus invites you to follow him, too! Write your name on the line.

is a disciple of Jesus.

Jesus died and rose to new life.

Jesus tried to share his good news with everyone. Some of the people did not believe in the amazing things Jesus said and did in God's name. There were people who wanted to put Jesus to death.

Jesus was put to death on a cross. Then his body was placed in a tomb.

Matthew 28:1–6

Early on Sunday morning, some women disciples of Jesus went to visit the tomb. An angel was sitting in front of the tomb. The angel said that Jesus had risen from the dead.

Jesus died and rose to save us from sin. Jesus' rising from the dead is called the Resurrection. We celebrate Jesus' Resurrection on Easter.

Let us sing Alleluia to show our joy in Jesus' Resurrection.

As Catholics...

We celebrate the Resurrection of Jesus Christ at Easter and on every Sunday of the year. At every Mass we remember that Jesus died and rose to new life. Remember this at Mass this week.

25

WE RESPOND

Throughout each chapter children are encouraged to respond in prayer, faith, and life. They are invited to respond to the message of the lesson. Through prayer, song, and actions that express their beliefs, children are called to live out their discipleship among their peers, their families, and their school and parish communities.

El Espíritu Santo ayuda a la Iglesia a crecer.

La Iglesia empezó en Pentecostés. La Iglesia son todos los bautizados en Jesucristo y que siguen sus enseñanzas.

El Espíritu Santo ayudó a los primeros miembros de la Iglesia a:

- creer en Jesús y a rezar
- ser valientes seguidores de Jesús
- amar a los demás y a ser una comunidad
- enseñar y ayudar a la gente como lo hizo Jesús.

El Espíritu Santo también nos ayuda a vivir como Jesús nos enseñó. El Espíritu Santo nos ayuda a hablar de Jesús a otros.

RESPONDEMOS

Habla sobre algunas de las cosas que hace la Iglesia. Escenifica algo que te gustaría hacer como miembro de la Iglesia.

Vocabulario

discípulos los que siguen a Jesús

apóstoles doce hombres escogidos por Jesús para dirigir la Iglesia

resurrección Jesús vive después de la muerte

Iglesia todos los bautizados en Cristo y que siguen sus enseñanzas

disciples those who follow Jesus

apostles the twelve men chosen by Jesus to be the leaders of his disciples

Resurrection Jesus' rising from the dead

Church all the people who are baptized in Jesus Christ and follow his teachings

The Holy Spirit helps the Church to grow.

On Pentecost, the Church began. The Church is all the people who are baptized in Jesus Christ and follow his teachings.

The first members of the Church were helped by the Holy Spirit to

- believe in Jesus and pray
- be brave in following Jesus
- love one another and be a community
- teach and help people as Jesus did.

The Holy Spirit helps us in these ways, too. The Holy Spirit helps us to live as Jesus wants us to live. The Holy Spirit helps us to tell others about Jesus Christ.

WE RESPOND

Talk about some things members of the Church do. Act out one thing you would like to do as a member of the Church.

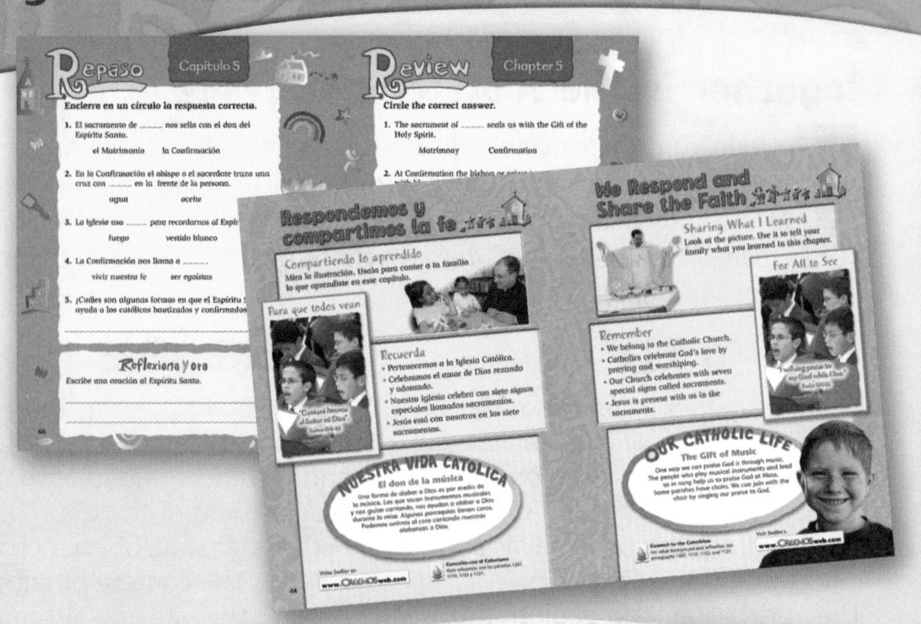

Plus . . .

The chapter concludes with a *Review* page that offers standard assessment. It provides opportunities for children to demonstrate learning and invites the children to take time to reflect and pray. In addition, on the *We Respond and Share the Faith* page they remember what they learned, including the four main doctrinal statements and gain inspiration from a true story of Catholics living out their faith in the world.

The Seasonal Chapters and the Web site for Creemos/We Believe

Not Just Added On...But Completely Integrated Within the Text.

Sadlier *Creemos/We Believe* integrates liturgy and catechesis through culturally-rich and diverse prayer experiences, ritual celebrations, and special lessons on the liturgical year and seasons. *Creemos/We Believe* Music CDs also incorporate liturgical music to foster the children's participation in parish worship and devotional practices.

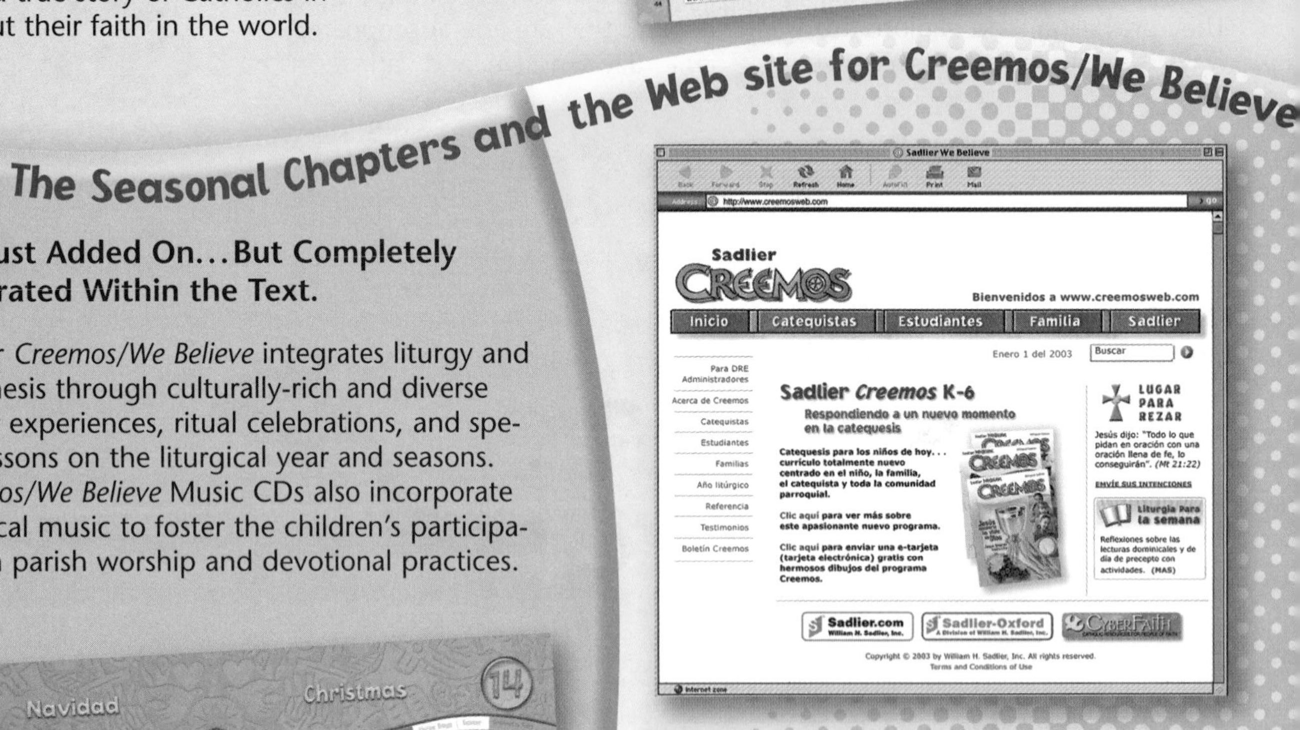

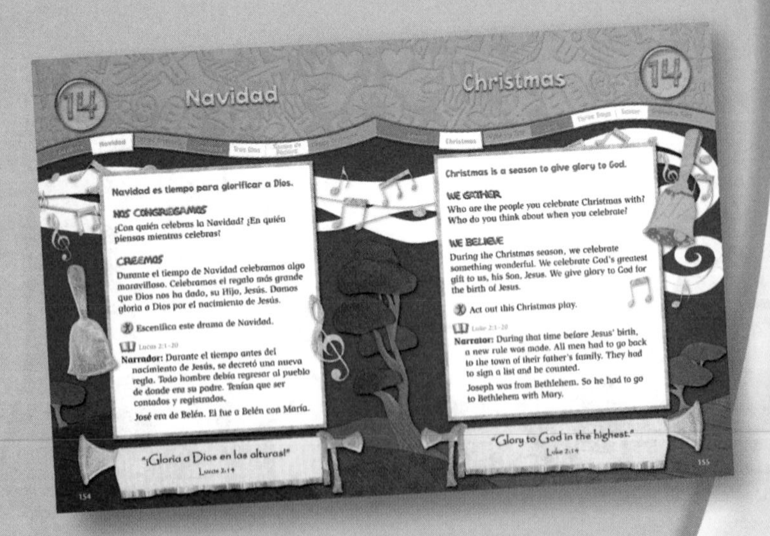

www.CREEMOSweb.com connects you, the catechist, as well as the children and their families to a Web-based support system. Explore educational activities to complement your lessons, prayer, liturgy, retreats, and projects. Enjoy a safe learning environment with faith activities that are motivating and fun for children and their families.

Your Guide—Clear, Concise, Complete !

First, Use the Overview and Planning Pages

Background and Lesson preparation Planning Guide provide enrichment and structure for the catechist.

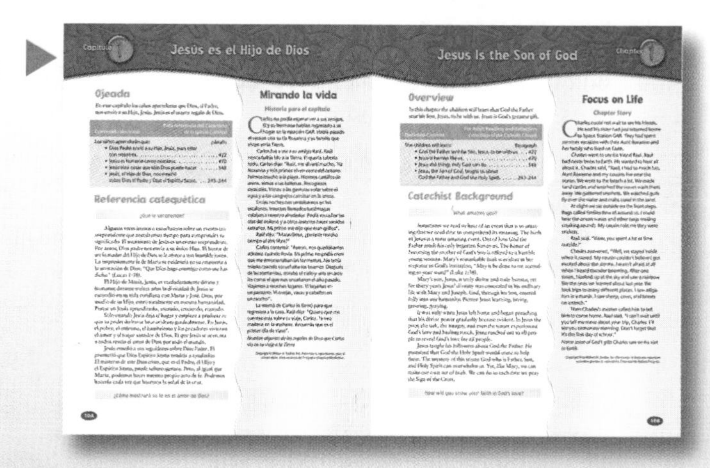

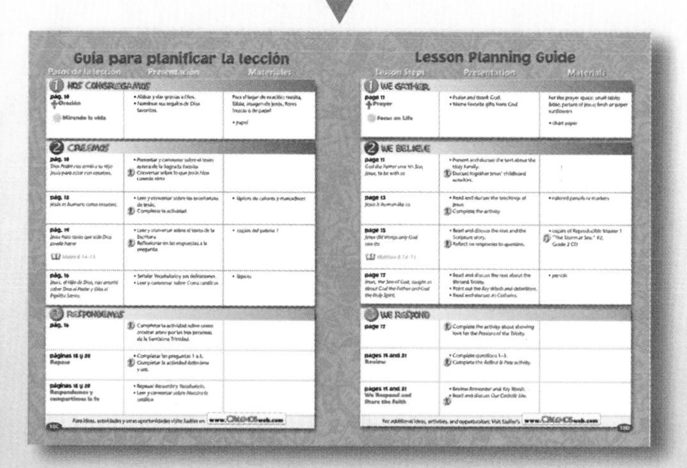

Then, Use the Additional Resource Pages

Connections and Reproducible Master pages are all in your Guide.

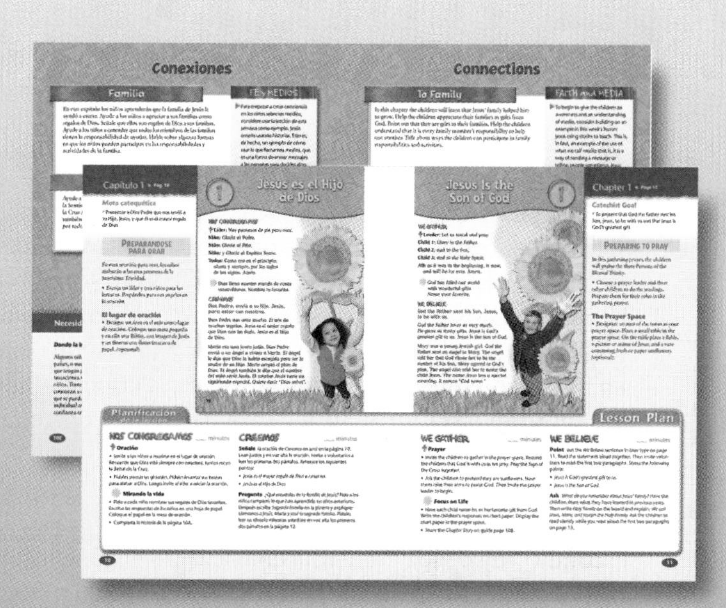

Familia

En este capítulo los niños aprenderán que la familia de Jesús le ayudó a crecer. Ayude a los niños a apreciar a sus familias como regalos de Dios. Señale que ellos son regalos de Dios a sus familias. Ayude a los niños a entender que todos los miembros de las familias tiene la responsabilidad de ayudar. Hable sobre algunas formas en que los niños pueden participar en las responsabi...

To Family

In this chapter the children will learn that Jesus' family helped him to grow. Help the children appreciate their families as gifts from God. Point out that they are gifts to their families. Help the children understand that it is every family member's responsibility to help one another. Talk about ways the children can participate in family responsibilities and activities.

Finally, Use the Lesson Plan Pages

The Catechist Goal and Our Faith Response reflect the direction of each lesson.

All you need to get started is

1. your grade level Sadlier *Creemos/We Believe* text for each child in your class
2. your grade level *Creemos/We Believe* guide
3. your grade level *Creemos/We Believe* Music CD.

Jesús es el Hijo de Dios

Ojeada

En este capítulo los niños aprenderán que Dios, el Padre, nos envió a su Hijo, Jesús. Jesús es el mayor regalo de Dios.

Contenido doctrinal	Para referencia del *Catecismo de la Iglesia Católica*
Los niños aprenderán que:	párrafo
• Dios Padre envió a su Hijo, Jesús, para estar con nosotros.	422
• Jesús es humano como nosotros.	470
• Jesús hizo cosas que sólo Dios puede hacer.	548
• Jesús, el Hijo de Dios, nos enseñó sobre Dios el Padre y Dios el Espíritu Santo.	243–244

Referencia catequética

¿Qué le sorprende?

Algunas veces leemos o escuchamos sobre un evento tan sorprendente que necesitamos tiempo para comprender su significado. El nacimiento de Jesús es un evento sorprendente. Por amor, Dios padre nos envía a su único Hijo. El honor de ser la madre del Hijo de Dios se le ofrece a una humilde joven. La impresionante fe de María se evidencia en su respuesta a la invitación de Dios: "Que Dios haga conmigo como me has dicho" (Lucas 1:38).

El Hijo de María, Jesús, es verdaderamente divino y humano; durante treinta años la divinidad de Jesús se escondió en su vida cotidiana con María y José. Dios, por medio de su Hijo, entró totalmente en nuestra humanidad. Piense en Jesús aprendiendo, amando, creciendo, rezando.

Sólo cuando Jesús deja el hogar y empieza a predicar es que su poder divino se hace evidente gradualmente. En Jesús, el pobre, el enfermo, el hambriento y los pecadores vivieron el amor y el toque sanador de Dios. El que Jesús se acercara a todos revela el amor de Dios por todo el mundo.

Jesús enseñó a sus seguidores sobre Dios Padre. El prometió que Dios Espíritu Santo vendría a ayudarlos. El misterio de este Dios trino, que es el Padre, el Hijo y el Espíritu Santo, puede sobrecogernos. Pero, al igual que María, podemos hacer nuestro propio acto de fe. Podemos hacerlo cada vez que hacemos la señal de la cruz.

¿Cómo mostrará su fe en el amor de Dios?

Mirando la vida

Historia para el capítulo

Carlos no podía esperar ver a sus amigos. El y su hermana habían regresado a su hogar en la estación GAR. Había pasado el verano con su tía Roxanna y su familia que vivían en la Tierra.

Carlos fue a ver a su amigo Raúl. Raúl nunca había ido a la Tierra. El quería saberlo todo. Carlos dijo: "Raúl, me divertí mucho. Tía Roxanna y mis primos viven cerca del océano. Fuimos mucho a la playa. Hicimos castillos de arena, vimos a las ballenas. Recogimos caracoles. Vimos a las gaviotas volar sobre el agua y a los cangrejos caminar en la arena.

En las noches nos sentábamos en los escalones. Insectos llamados luciérnagas volaban a nuestro alrededor. Podía escuchar las olas del océano y a otros insectos hacer sonidos extraños. Mi primo me dijo que eran grillos".

Raúl dijo: "Maravilloso, ¿pasaste mucho tiempo al aire libre?"

Carlos contestó: "Bueno, nos quedábamos adentro cuando llovía. Mi primo no podía creer que me emocionaban las tormentas. No tenía miedo cuando escuchaba los truenos. Después de las tormentas, miraba el cielo y veía un arco iris como el que nos enseñaron el año pasado. Viajamos a muchos lugares. Vi lagartos en un pantano. Vi ovejas, vacas y caballos en un rancho".

La mamá de Carlos lo llamó para que regresara a la casa. Raúl dijo: "Quiero que me cuentes más sobre tu viaje, Carlos. Te veo mañana en la mañana. Recuerda que es el primer día de clase".

Nombre algunos de los regalos de Dios que Carlos vio en su viaje a la Tierra.

Jesus Is the Son of God

Overview

In this chapter the children will learn that God the Father sent his Son, Jesus, to be with us. Jesus is God's greatest gift.

Doctrinal Content	For Adult Reading and Reflection *Catechism of the Catholic Church*
The children will learn:	Paragraph
• God the Father sent his Son, Jesus, to be with us.	422
• Jesus is human like us.	470
• Jesus did things only God can do.	548
• Jesus, the Son of God, taught us about God the Father and God the Holy Spirit.	243–244

Catechist Background

What amazes you?

Sometimes we read or hear of an event that is so amazing that we need time to comprehend its meaning. The birth of Jesus is a most amazing event. Out of love God the Father sends his only begotten Son to us. The honor of becoming the mother of God's Son is offered to a humble young woman. Mary's remarkable faith is evident in her response to God's invitation, "May it be done to me according to your word" (Luke 1:38).

Mary's son, Jesus, is truly divine and truly human; yet for thirty years Jesus' divinity was concealed in his ordinary life with Mary and Joseph. God, through his Son, entered fully into our humanity. Picture Jesus learning, loving, growing, praying.

It was only when Jesus left home and began preaching that his divine power gradually became evident. In Jesus the poor, the sick, the hungry, and even the sinner experienced God's love and healing touch. Jesus reached out to all people to reveal God's love for all people.

Jesus taught his followers about God the Father. He promised that God the Holy Spirit would come to help them. The mystery of this triune God who is Father, Son, and Holy Spirit can overwhelm us. Yet, like Mary, we can make our own act of faith. We can do so each time we pray the Sign of the Cross.

How will you show your faith in God's love?

Focus on Life

Chapter Story

Charles could not wait to see his friends. He and his sister had just returned home to Space Station GAR. They had spent summer vacation with their Aunt Roxanne and her family who lived on Earth.

Charles went to see his friend Raul. Raul had never been to Earth. He wanted to hear all about it. Charles said, "Raul, I had so much fun. Aunt Roxanne and my cousins live near the ocean. We went to the beach a lot. We made sand castles and watched the waves wash them away. We gathered seashells. We watched gulls fly over the water and crabs crawl in the sand.

At night we sat outside on the front steps. Bugs called fireflies flew all around us. I could hear the ocean waves and other bugs making creaking sounds. My cousin told me they were crickets.

Raul said, "Wow, you spent a lot of time outside."

Charles answered, "Well, we stayed inside when it rained. My cousin couldn't believe I got excited about the storms. I wasn't afraid at all when I heard thunder booming. After one storm, I looked up at the sky and saw a rainbow like the ones we learned about last year. We took trips to many different places. I saw alligators in a marsh. I saw sheep, cows, and horses on a ranch."

Then Charles's mother called him to tell him to come home. Raul said, "I can't wait until you tell me more about your trip, Charles. I'll see you tomorrow morning. Don't forget that it's the first day of school."

Name some of God's gifts Charles saw on his visit to Earth.

Guía para planificar la lección

Pasos de la lección	Presentación	Materiales
 **NOS CONGREGAMOS**		
pág. 10 **Oración**  **Mirando la vida**	• Alabar y dar gracias a Dios. • Nombrar sus regalos de Dios favoritos.	Para el lugar de oración: mesita, Biblia, imagen de Jesús, flores frescas o de papel • papel
 **CREEMOS**		
pág. 10 *Dios Padre envió a su Hijo, Jesús, para estar con nosotros.*	• Presentar y conversar sobre el texto acerca de la Sagrada Familia. 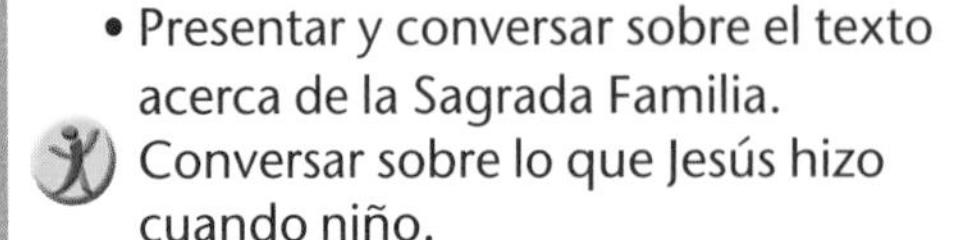 Conversar sobre lo que Jesús hizo cuando niño.	
pág. 12 *Jesús es humano como nosotros.*	• Leer y conversar sobre las enseñanzas de Jesús. 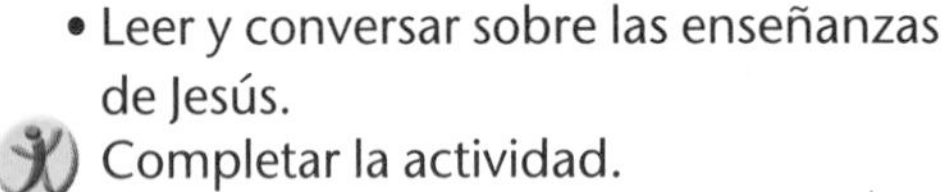 Completar la actividad.	• lápices de colores y marcadores
pág. 14 *Jesús hizo cosas que sólo Dios puede hacer.*   *Mateo 8:14–15*	• Leer y conversar sobre el texto de la Escritura. 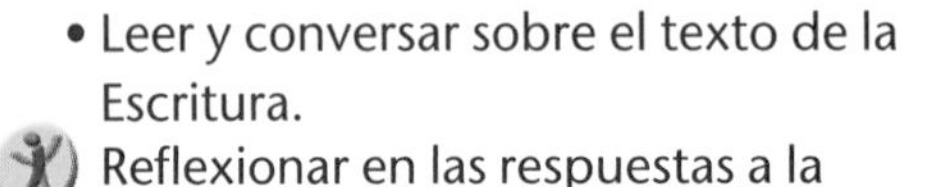 Reflexionar en las respuestas a la pregunta.	• copias del patrón 1
pág. 16 *Jesús, el Hijo de Dios, nos enseñó sobre Dios el Padre y Dios el Espíritu Santo.*	• Leer y conversar sobre el texto acerca de la Santísima Trinidad. • Señalar *Vocabulario* y sus definiciones. • Leer y conversar sobre *Como católicos.*	• lápices
3 RESPONDEMOS		
pág. 16	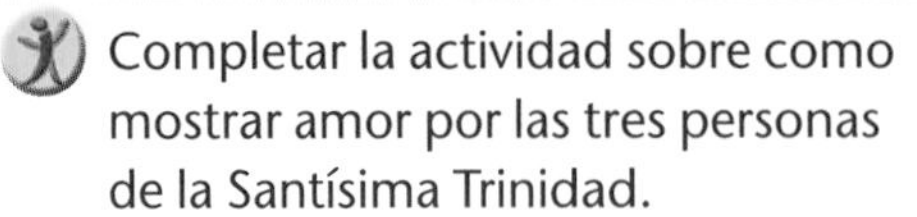 Completar la actividad sobre como mostrar amor por las tres personas de la Santísima Trinidad.	
páginas 18 y 20 **Repaso**	• Completar las preguntas 1 a 5. Completar la actividad *Reflexiona y ora.*	
páginas 18 y 20 **Respondemos y compartimos la fe**	• Repasar *Recuerda* y *Vocabulario.* • Leer y conversar sobre *Nuestra fe católica.*	

Para ideas, actividades y otras oportunidades visite Sadlier en **www.CREEMOSweb.com**

Lesson Planning Guide

Lesson Steps	Presentation	Materials
 **WE GATHER**		
page 11 **Prayer**  **Focus on Life**	• Praise and thank God. • Name favorite gifts from God.	For the prayer space: small table; Bible; picture of Jesus; fresh or paper sunflowers • chart paper

page 11 *God the Father sent his Son, Jesus, to be with us.*	• Present and discuss the text about the Holy Family. Discuss together Jesus' childhood activities.	
page 13 *Jesus is human like us.*	• Read and discuss the teachings of Jesus. Complete the activity.	• colored pencils or markers
page 15 *Jesus did things only God can do.* *Matthew 8:14–15*	• Read and discuss the text and the Scripture story. Reflect on responses to question.	• copies of Reproducible Master 1 "The Storm at Sea," #2, Grade 2 CD
page 17 *Jesus, the Son of God, taught us about God the Father and God the Holy Spirit.*	• Read and discuss the text about the Blessed Trinity. • Point out the *Key Words* and definitions. • Read and discuss *As Catholics*.	• pencils
3 WE RESPOND		
page 17	Complete the activity about showing love for the Persons of the Blessed Trinity.	
pages 19 and 21 **Review**	• Complete questions 1–5. Complete the *Reflect & Pray* activity.	
pages 19 and 21 **We Respond and Share the Faith**	• Review *Remember* and *Key Words.* • Read and discuss *Our Catholic Life.*	

For additional ideas, activities, and opportunities: Visit Sadlier's **www.CREEMOSweb.com**

Conexiones

Familia

En este capítulo los niños aprenderán que la familia de Jesús le ayudó a crecer. Ayude a los niños a apreciar a sus familias como regalos de Dios. Señale que ellos son regalos de Dios a sus familias. Ayude a los niños a entender que todos los miembros de las familias tienen la responsabilidad de ayudar. Hable sobre algunas formas en que los niños pueden participar en las responsabilidades y actividades de la familia.

Liturgia

Ayude a los niños a reconocer que rezamos a las tres Personas de la Santísima Trinidad en la misa. Señale que rezamos la Señal de la Cruz al inicio de la misa y durante la bendición final. Explique también que durante la misa alabamos y damos gracias a Dios por todo los regalos que nos da.

Liturgia para esta semana
Visite www.creemosweb.com para las lecturas bíblicas de esta semana y otros materiales propios del tiempo.

FE y MEDIOS

Para empezar a crear conciencia en los niños sobre los medios, considere usar la lección de esta semana como ejemplo. Jesús enseña usando historias. Esto es, de hecho, un ejemplo de cómo usar lo que llamamos *medios*, que es una forma de enviar mensajes a las personas para decirles algo. Jesús fue de pueblo en pueblo contando historias sobre el amor de Dios; hoy, escritores y fotógrafos ponen noticias y fotografías en el Internet para que las personas las lean y vean las últimas noticias. Deje que los niños se den cuenta de *todas* las diferentes cosas que usamos para enviar mensajes o para decir algo a otros y que son medios: videos, sitios Web, revistas, teléfonos, señales de tránsito, también fotos y mensajes en nuestras camisetas y el diseños de nuestros zapatos. Usamos todas estas cosas para enviar mensajes, para contar historias o enseñar algo.

Necesidades individuales

Dando la bienvenida a los niños

Algunos niños son tímidos, de diferentes países, o nuevos en el programa y pueden que tengan problemas para ajustarse a situaciones sociales. Sea sensible con esos niños. Tome tiempo para ayudarlos a que conozcan a otros niños del grupo con los que se puedan sentir cómodos. Esta atención individual ayudará a los niños a ganar confianza en sí mismos.

RECURSOS ADICIONALES

Video *La estrella del rey,* St. Paul Video. Una misteriosa estrella guía a los reyes Melchor, Gaspar y Baltasar en busca de un Rey recién nacido. Un joven siervo llamado Abdul los acompaña a Belén, donde el joven hace juego de manos ante el Niño Jesús. (23 minutos)

Para ideas visite Sadlier en

www.CREEMOSweb.com

Connections

To Family

In this chapter the children will learn that Jesus' family helped him to grow. Help the children appreciate their families as gifts from God. Point out that they are gifts to their families. Help the children understand that it is every family member's responsibility to help one another. Talk about ways the children can participate in family responsibilities and activities.

To Liturgy

Help the children to recognize that we pray to the three Persons of the Blessed Trinity throughout the Mass. Point out that we pray the Sign of the Cross at the beginning of Mass and during the final blessing. Also explain that during Mass we praise and thank God for his many gifts to us.

This Week's Liturgy

Visit **www.creemosweb.com** for this week's liturgical readings and other seasonal material.

FAITH and MEDIA

▶ To begin to give the children an awareness and an understanding of media, consider building on an example in this week's lesson: Jesus using stories to teach. This is, in fact, an example of the use of what we call *media*; that is, it is a way of sending a message or telling people something. Jesus walked from town to town to tell people stories about God's love; today writers and photographers place news stories and pictures on the Internet to enable people to read and see the latest news without delay. Let the children know that *all* the many different things we use to send messages, or tell people something, or show people something are media: videos, Web sites, magazines, telephone calls, highway signs—even pictures and sayings on our T-shirts and the designer names on our shoes. We use all these things to send messages, or tell stories, or teach something.

Meeting Individual Needs

Welcoming Children to the Group

Some children may have problems adjusting to social situations because they are shy, are from different backgrounds, or are new to the parish program. Be sensitive to these children. Make the time to help them meet others in the group with whom they can identify and feel comfortable. This individual attention will help shy children to gain self-confidence.

ADDITIONAL RESOURCES

Book *A Child's Life of Jesus,* Lizzi Napoli. Notre Dame, IN: Ave Maria Press, 1990. Tells the story of Jesus in simple language for a child's understanding.

Video *Jesus, the Son of God,* Nest Entertainment, 1995. From the series, *Animated Stories from The New Testament,* helps the children see what Jesus' early years were like. (30 minutes)

To find more ideas for books, videos, and other learning material visit Sadlier's

www.CREEMOSweb.com

Meta catequética

- Presentar a Dios Padre que nos envió a su Hijo, Jesús, y que él es el mayor regalo de Dios.

PREPARANDOSE PARA ORAR

En esta reunión para orar, los niños alabarán a las tres personas de la Santísima Trinidad.

- Escoja un líder y tres niños para las lecturas. Prepárelos para sus papeles en la oración

El lugar de oración

- Designe un área en el aula como lugar de oración. Coloque una mesa pequeña y en ella una Biblia, una imagen de Jesús y un florero con flores frescas o de papel. (opcional)

Jesús es el Hijo de Dios

NOS CONGREGAMOS

✝ **Líder:** Nos ponemos de pie para orar.

Niña: Gloria al Padre,

Niño: Gloria al Hijo,

Niña: y Gloria al Espíritu Santo.

Todos: Como era en el principio, ahora y siempre, por los siglos de los siglos. Amén.

Dios llenó nuestro mundo de cosas maravillosas. Nombra tu favorita.

CREEMOS

Dios Padre envió a su Hijo, Jesús, para estar con nosotros.

Dios Padre nos ama mucho. El nos da muchos regalos. Jesús es el mejor regalo que Dios nos ha dado. Jesús es el Hijo de Dios.

María era una joven judía. Dios Padre envió a un ángel a visitar a María. El ángel le dijo que Dios la había escogido para ser la madre de su Hijo. María aceptó el plan de Dios. El ángel también le dijo que el nombre del niño sería Jesús. El nombre *Jesús* tiene un significado especial. Quiere decir "Dios salva".

10

Planificación de la lección

NOS CONGREGAMOS ____ minutos

✝ **Oración**

- Invite a los niños a reunirse en el lugar de oración. Recuerde que Dios está siempre con nosotros. Juntos recen la Señal de la Cruz.
- Pídales pensar en girasoles. Pídales levantar sus brazos para alabar a Dios. Luego invite al líder a iniciar la oración.

Mirando la vida

- Pida a cada niño nombrar sus regalos de Dios favoritos. Escriba las respuestas de los niños en una hoja de papel. Coloque el papel en la mesa de oración.
- Comparta *la historia* de la página 10A.

CREEMOS ____ minutos

Señale la oración de *Creemos* en azul en la página 10. Lean juntos y en voz alta la oración. Invite a voluntarios a leer los primeros dos párrafos. Refuerce los siguientes puntos:

- *Jesús es el mayor regalo de Dios a nosotros.*
- *Jesús es el Hijo de Dios.*

Pregunte *¿Qué recuerdas de la familia de Jesús?* Pida a los niños compartir lo que han aprendido en años anteriores. Después escriba *Sagrada Familia* en la pizarra y explique: *Llamamos a Jesús, María y José la sagrada familia.* Pídales leer en silencio mientras usted lee en voz alta los primeros dos párrafos en la página 12.

Jesus Is the Son of God

1

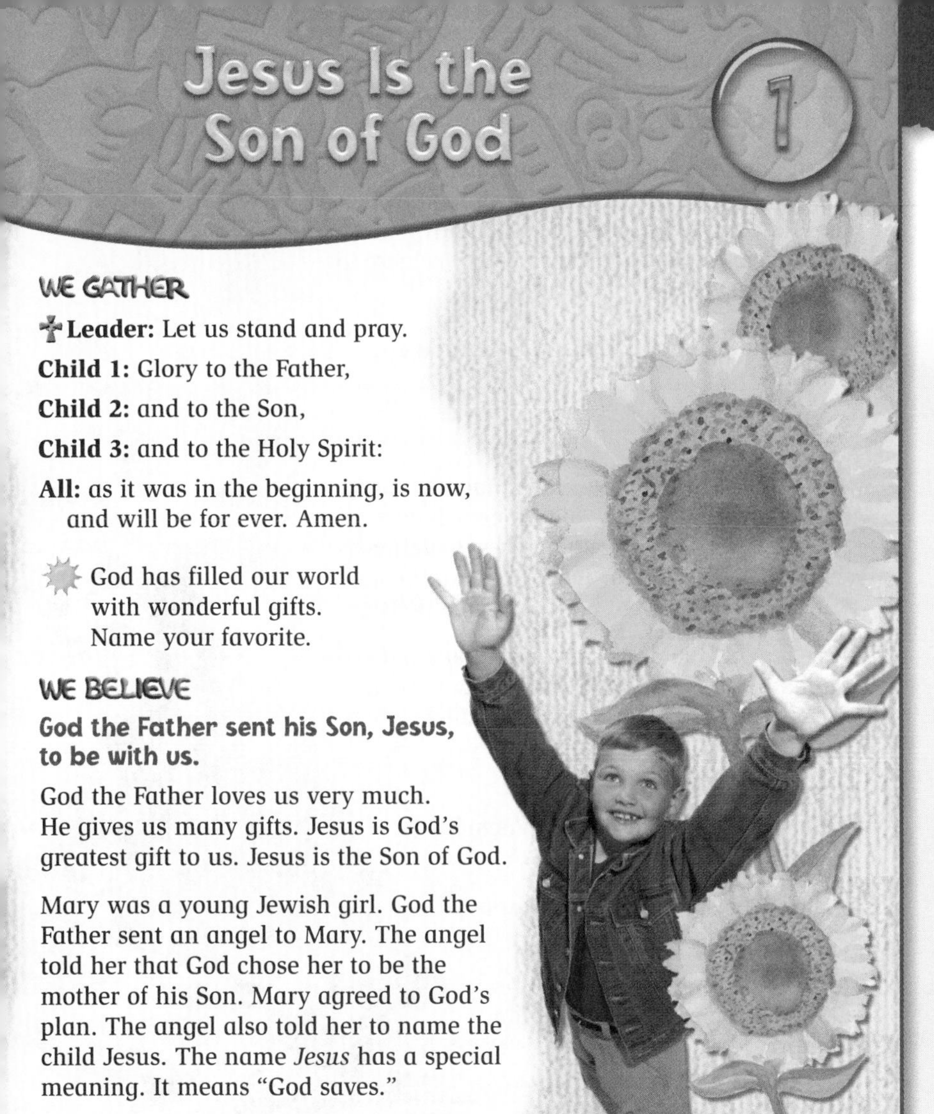

WE GATHER

✝ **Leader:** Let us stand and pray.

Child 1: Glory to the Father,

Child 2: and to the Son,

Child 3: and to the Holy Spirit:

All: as it was in the beginning, is now, and will be for ever. Amen.

God has filled our world with wonderful gifts. Name your favorite.

WE BELIEVE

God the Father sent his Son, Jesus, to be with us.

God the Father loves us very much. He gives us many gifts. Jesus is God's greatest gift to us. Jesus is the Son of God.

Mary was a young Jewish girl. God the Father sent an angel to Mary. The angel told her that God chose her to be the mother of his Son. Mary agreed to God's plan. The angel also told her to name the child Jesus. The name *Jesus* has a special meaning. It means "God saves."

11

Catechist Goal

• To present that God the Father sent his Son, Jesus, to be with us and that Jesus is God's greatest gift

Preparing to Pray

In this gathering prayer, the children will praise the three Persons of the Blessed Trinity.

• Choose a prayer leader and three other children to do the readings. Prepare them for their roles in the gathering prayer.

The Prayer Space

• Designate an area of the room as your prayer space. Place a small table in the prayer space. On the table place a Bible, a picture or statue of Jesus, and a vase containing fresh or paper sunflowers (optional).

Lesson Plan

WE GATHER ____ minutes

✝ Prayer

• Invite the children to gather in the prayer space. Remind the children that God is with us as we pray. Pray the Sign of the Cross together.

• Ask the children to pretend they are sunflowers. Have them raise their arms to praise God. Then invite the prayer leader to begin.

Focus on Life

• Have each child name his or her favorite gift from God. Write the children's responses on chart paper. Display the chart paper in the prayer space.

• Share the *Chapter Story* on guide page 10B.

WE BELIEVE ____ minutes

Point out the *We Believe* sentence in blue type on page 11. Read the statement aloud together. Then invite volunteers to read the first two paragraphs. Stress the following points:

- *Jesus is God's greatest gift to us.*
- *Jesus is the Son of God.*

Ask *What do you remember about Jesus' family?* Have the children share what they have learned in previous years. Then write *Holy Family* on the board and explain: *We call Jesus, Mary, and Joseph the Holy Family.* Ask the children to read silently while you read aloud the first two paragraphs on page 13.

Nuestra respuesta en la fe

- Mostrar amor a Dios Padre, Dios Hijo y Dios Espíritu Santo.

sagrada familia
divino
Santísima Trinidad

Materiales

- Lápices de colores
- Patrón de actividad

Jesús vivió con su madre, María, y su padre adoptivo, José. Llamamos a Jesús, María y José la **sagrada familia**.

La sagrada familia vivió en un pueblo llamado Nazaret. Mientras crecía, Jesús aprendió de su familia y maestros sobre la fe judía. Aprendió y obedeció las leyes de Dios. Rezó y celebró los días de fiesta.

Habla de lo que Jesús hizo cuando era un niño.

Jesús es humano como nosotros.

Cuando Jesús tenía aproximadamente treinta años, empezó a enseñar en muchos lugares. Jesús quería que todo el mundo supiera que podía compartir el amor de Dios. Esa fue la buena nueva que Jesús dio al pueblo de Dios.

Jesús era el Hijo de Dios pero también era humano. La gente podía verlo y hablar con él, tocarlo y escucharlo. Jesús les dijo:

- Dios ama a todo el mundo.
- Dios quiere que todos amen a Dios, a ellos mismos y a los demás.
- Dios es su Padre.
- Dios debe ser lo más importante en sus vidas.

Jesús también enseñó con obras. El dio de comer a los que tenían hambre. Jesús alentó a los tristes. El cuidó de los pobres.

12

Conexión con el hogar

Anime a los niños a compartir historias de cosas que hicieron con sus familias durante el verano.

Planificación de la lección

CREEMOS (continuación)

Pida a los niños identificar cosas que Jesús pudo haber hecho cuando tenía la edad de ellos. Escriba las respuestas en la pizarra o en una hoja de papel. Pida voluntarios para encerrar en un círculo las actividades que hacen.

Explique que Jesús viajó por muchos pueblos y villas para hablar a la gente sobre Dios Padre. Lea la afirmación de *Creemos* en la página 12. Después pida voluntarios para leer los dos primeros párrafos de *Creemos* en la página 12. Refuerce: *Muchas personas venían a ver y a escuchar a Jesús.*

Lea en voz alta con los niños la lista de lo que Jesús enseñó. Explique: *Jesús también enseñó con sus obras.* Pida un voluntario para leer el primer párrafo en la página 12 y el tercero en la página 14.

Cotejo rápido

✔ *¿Quién pertenece a la Sagrada Familia?* (Jesús, María y José)

✔ *¿Cuál fue la buena nueva que Jesús dio al pueblo?* (Que compartimos el gran amor de Dios)

✔ *¿Cuáles fueron algunas cosas que Jesús hizo por el pueblo?* (El dio de comer a los que tenían hambre, consoló a los tristes y solos, cuidó de los pobres.)

Jesus lived with his mother, Mary, and his foster father, Joseph. We call Jesus, Mary, and Joseph the **Holy Family**.

The Holy Family lived in the town of Nazareth. As Jesus grew, he learned from his family members and teachers about the Jewish faith. He learned and obeyed God's laws. He prayed and celebrated religious holidays.

Talk about what Jesus did when he was your age.

Jesus is human like us.

When Jesus was about thirty years old, he began to teach in many places. Jesus wanted everyone to know that they could share in God's great love. That was the good news Jesus gave to God's people.

Jesus was God's Son but he was also human. People could see Jesus and talk to him. They could touch him and hear him. Jesus told them:

- God loves all people.
- God wants all people to love God, themselves, and others.
- God is their Father.
- God should be the most important one in their lives.

Jesus also taught people by his actions. He fed the hungry. Jesus comforted those who were sad or lonely. He cared for the poor.

Our Faith Response

- To show love for God the Father, God the Son, and God the Holy Spirit

Holy Family
divine
Blessed Trinity

Materials

- colored pencils
- copies of Reproducible Master 1
- Grade 2 CD

Home Connection Update

Encourage the children to share special times they spent with their families during the summer.

Lesson Plan

WE BELIEVE (continued)

Ask the children to identify things Jesus may have done when he was their age. Write the responses on the board or on chart paper. Ask volunteers to circle the activities that we do today.

Explain that Jesus traveled to many towns and villages to tell people about God the Father. Read the *We Believe* statement on page 13. Then have volunteers read the first two paragraphs of *We Believe* on page 13. Stress: *Many people came to see and listen to Jesus.*

Read aloud together the list of what Jesus taught by his words. Explain: *Jesus also taught by his actions.* Then have a volunteer read the last paragraph on page 13 and the first paragraph on page 15.

Quick Check

✔ *Who belonged to the Holy Family?* (Jesus, Mary, and Joseph belonged to the Holy Family.)

✔ *What was the good news Jesus gave to God's people?* (We can share in God's great love.)

✔ *What are some things Jesus did for people?* (He fed the hungry, comforted the sad or lonely, cared for the poor.)

Banco de Actividades

Inteligencia múltiple

Espacial, interpersonal

Materiales: papel, lápices de colores y marcadores

Pida a los niños trabajar en grupos. Dé a cada grupo una hoja grande de papel para contar una forma en que Jesús pudo haber actuado cuando era pequeño. (Jesús ayudó a su madre; ayudó a José, jugó con sus amigos, comió con su familia, rezó a Dios.)

Pida a los grupos dibujar la acción asignada y escribir oraciones que digan lo que Jesús está haciendo. Exhiba los trabajos de los grupos.

La Iglesia

Prácticas culturales

Explique que personas de diferentes culturas nombran a sus hijos en honor a Jesús, María y José. Explique que algunas personas de descendencia española nombran a sus hijos Jesús, en honor a Jesús. Hablen de otras prácticas culturales y como nombran a los niños en honor a los santos o a un familiar.

Jesús quería que el pueblo supiera que Dios siempre los amaba. Jesús ayudó al pueblo a ver que ellos debían rezar a Dios, su Padre. El enseñó a la gente una oración que nosotros aún rezamos.

Organiza las letras para encontrar el nombre de la oración.

N P U D O R T E R S A E

Padre Nuestro

Jesús hizo cosas que sólo Dios puede hacer.

Jesús es el Hijo de Dios. El hizo cosas maravillosas por el pueblo. El mostró al pueblo que él era divino. **Divino** es una palabra usada sólo para describir a Dios. Significa que Jesús es Dios y que hizo cosas que sólo Dios puede hacer.

Mateo 8:14–15

Un día Jesús fue a visitar a Pedro. "Donde encontró a la suegra de este en cama y con fiebre. Jesús tocó entonces la mano de ella, y la fiebre se le quitó, así que ella se levantó y comenzó a atenderlos". (Mateo 8:14-15)

Jesús sanó a muchas personas. El resucitó personas. También perdonó los pecados.

¿Qué quieres decir a Jesús sobre las maravillas que hizo?

14

Planificación de la lección

Creemos (continuación)

Lea las direcciones para la actividad. Después ayude a los niños a completarla.

Pida a los niños leer en voz alta la afirmación *Creemos* en la página 14. En la pizarra escriba la palabra *divino.* Pida a los niños leer en silencio los dos primeros párrafos mientras usted los lee en voz alta.

Introduzca la palabra *milagro* usándola sin escribirla. Explique: *Porque Jesús era Dios él tenía poder de sanar. Llamamos milagros a la sanación que Jesús hacía.*

Dirija la atención de los niños a la ilustración de Jesús. Lea la historia bíblica en voz alta. Después pregunte: *¿Qué crees que la familia de Pedro le dijo a Jesús y unos a otros después que la mujer fue sanada?*

Explique que Jesús hizo otras cosas que sólo Dios puede hacer. Pida un voluntario para leer el siguiente párrafo de la historia bíblica.

Lea la pregunta. Pause brevemente para permitir que los niños reflexionen en sus respuestas. Invite a voluntarios a compartir lo que les gustaría decir.

Distribuya copia del patrón 1

Jesus wanted people to know that God always cares for them. Jesus helped people to know that they could always pray to God his Father. Jesus taught the people a prayer that we still pray today.

Find the name of the prayer Jesus taught. Unscramble the sets of letters.

U R O   H R A F E T

Our Father

Jesus did things only God can do.

Jesus is the Son of God. He did amazing things for people. He showed people that he was divine. **Divine** is a word we use to describe God. This means that Jesus is God and could do things only God can do.

Matthew 8:14–15

One day Jesus visited the family of Peter, one of Jesus' closest friends. "Jesus entered the house of Peter, and saw his mother-in-law lying in bed with a fever. He touched her hand, the fever left her, and she rose and waited on him." (Matthew 8:14–15)

Jesus healed many other people, too. He brought people back to life. He even forgave people their sins.

What would you like to say to Jesus about the wonderful things he did?

15

Activity Bank

Multiple Intelligences

Spatial, Interpersonal

Materials: chart paper, crayons, and markers

Have the children work in groups. Give each group a sheet of chart paper that tells one way Jesus may have acted when he was young. (Jesus helped his mother; Jesus helped Joseph; Jesus played games with his friends; Jesus shared meals with his family; Jesus prayed to God.)

Have the groups draw a picture to illustrate the assigned action and to write sentences to tell what Jesus is doing. Display all the groups' work.

The Church

Cultural Practices

Explain that people in many cultures name their sons and daughters in honor of Jesus, Mary, and Joseph. Explain that some people of Spanish descent name their sons Jesús as a way of honoring Jesus. Discuss other cultural practices such as naming children in honor of certain saints or relatives.

Lesson Plan

WE BELIEVE (continued)

Read the activity directions. Then help the children complete the activity.

Ask the children to read aloud the *We Believe* statement on page 15. On the board write the word *divine.* Ask the children to read silently as you read aloud the first paragraph.

Introduce the word *miracle* by saying it, but not writing it. Explain: *Because Jesus was God he had the power to heal people. We call Jesus' healings miracles.*

Direct the children's attention to the picture of Jesus. Read the Scripture story aloud. Then ask: *What do you think Peter's family said to Jesus and to each other after the woman was healed?*

Explain that Jesus did other things only God can do. Ask a volunteer to read the paragraph following the Scripture story.

Read the question. Pause briefly to allow children time to reflect on their responses. Invite volunteers to share what they would like to say.

Distribute copies of Reproducible Master 1.

Ideas

Tiempo de espera

Cuando haga una pregunta, haga una pausa para dar tiempo a que los niños piensen sus respuestas. Algunos niños necesitan más tiempo para procesar las preguntas. Después repita la pregunta antes de pedir a un voluntario compartir su respuesta. Esto ayuda a los niños que han perdido la concentración a concentrarse de nuevo.

Como católicos...

Enseñando como Jesús—parábolas

Después de trabajar en estas dos páginas, lea *Como católicos*. Pida voluntarios para nombrar las parábolas que puedan haber escuchado. Explique que la historia del buen samaritano (Lucas 10:29–37) es una parábola. (Esta historia es presentada en los textos para K y 1 cursos del programa *Creemos/We Believe.)*

Jesús, el Hijo de Dios, nos enseñó sobre Dios el Padre y Dios el Espíritu Santo.

La noche antes de morir, Jesús compartió una comida muy especial con sus amigos. Jesús les habló sobre Dios, Padre. Después les dijo que pediría al Padre enviar al Espíritu Santo. Dios, Espíritu Santo, les ayudaría a recordar todo lo que él les había enseñado.

Jesús nos enseñó que hay un solo Dios. Pero que hay tres Personas en un Dios.

El Padre es Dios.
El Hijo es Dios.
El Espíritu Santo es Dios.
Llamamos a estas tres Personas en un solo Dios, **Santísima Trinidad**.

Vocabulario

sagrada familia la familia de Jesús, María y José

divino palabra usada sólo para describir a Dios

Santísima Trinidad tres Personas en un solo Dios

RESPONDEMOS

¿Cómo puedes mostrar tu amor por Dios Padre, Dios Hijo y Dios Espíritu Santo? Escríbelo aquí.

____

____

Como católicos...

Cuando Jesús enseñó usó parábolas. Parábolas son historias cortas. En estas historias, Jesús habló sobre cosas de la vida diaria. Algunas de esas cosas eran pájaros, semillas, ovejas, flores, y familias. La multitud escuchaba en silencio. Jesús usó esas parábolas para hablar sobre el amor de Dios.

¿Has escuchado algunas de las parábolas de Jesús?

16

Planificación de la lección

CREEMOS (continuación)

Pida voluntarios para compartir lo que Jesús dijo a las personas sobre Dios el Padre. Después lea en voz alta el primer párrafo de la página 16.

Escriba *Santísima Trinidad* en la pizarra o en una hoja grande de papel. Explique que la palabra *santísima* significa *"muy santo"*. Encierre en un círculo las letras *tri* en Trinidad. Explique que esas letras significan *"tres"*. Refuerce: *Hay un solo Dios, pero hay tres Personas en Dios.* Pida a los niños subrayar en sus libros: *El Padre es Dios, el Hijo es Dios, el Espíritu Santo es Dios.*

Vocabulario Escriba las tres palabras del *vocabulario* en una hoja de papel o en la pizarra. Explique que les va a dar la definición o significado de una de las palabras. Los niños deben levantar sus manos si saben el nombre de la palabra definida. Confirme si la respuesta es correcta. Siga con las definiciones de las demás palabras.

RESPONDEMOS

____ minutos

Conexión con la vida Lea la pregunta en *Respondemos*. Pida a los niños escribir sus respuestas. (Posibles respuestas: rezar, decir sus nombres con respeto) Pida voluntarios para compartir lo que escribieron. Después anime a los niños a escoger una cosa que cada uno hará esta semana para mostrar su amor.

Oración Repase los gestos para rezar la Señal de la Cruz. Pida a los niños rezarla juntos.

Jesus, the Son of God, taught us about God the Father and God the Holy Spirit.

On the night before Jesus died, he shared a very special meal with his close friends. Jesus told them about God the Father. Then Jesus said that he would ask his Father to send the Holy Spirit. God the Holy Spirit would help them to remember everything that Jesus taught them.

Jesus taught us that there is only one God. But there are three Persons in one God.

The Father is God.
The Son is God.
The Holy Spirit is God.
We call the three Persons in one God the **Blessed Trinity**.

Key Words

Holy Family the family of Jesus, Mary, and Joseph

divine a word used to describe God

Blessed Trinity the three Persons in one God

WE RESPOND

How can you show your love for God the Father, God the Son, and God the Holy Spirit? Write one way here.

____

____

As Catholics...

When Jesus taught, he used parables. Parables are short stories. In these stories, Jesus talked about things from everyday life. Some of the things he talked about were flowers, seeds, birds, sheep, and families. The crowds listened carefully to these stories. Jesus used these parables to tell everyone about God's love.

Have you ever heard one of Jesus' parables?

17

Teaching Tip

Wait Time

When you ask a question, pause briefly to allow children time to think about their responses. Some children need more time to process the question you have asked. Then repeat the question before calling on volunteers to share their responses. This helps to refocus children who may have already lost their concentration.

As Catholics...

To Teach As Jesus Did—Parables

After working on these two pages, read the *As Catholics* text. Have volunteers name parables that they may have heard. Explain that the story of the good neighbor, or good Samaritan (Luke 10:29–37) is a parable. (This story is presented in the *Creemos/We Believe* texts in Grades K and 1.)

Lesson Plan

WE BELIEVE (continued)

Ask volunteers to share what Jesus told people about God the Father. Then read aloud the first paragraph on page 17.

Write *Blessed Trinity* on the board or on chart paper. Explain that the word *blessed* means "holy." Circle the letters tri- in Trinity. Explain that these letters mean "three." Stress: *There is only one God, but there are three Persons in one God.* Have the children highlight or underline in their texts: *The Father is God; the Son is God; the Holy Spirit is God.*

Key Words Write the three words in the *Key Words* box on chart paper or on the board. Explain that you are going to give the definition, or meaning, of one of the words. Children should raise their hands if they think they know which word is being defined. Confirm whether or not they are correct. Continue with the definitions of the other two words.

WE RESPOND ____ minutes

Connect to Life Read the *We Respond* question. Have the children write their responses. (Possible responses: pray, say their names respectfully.) Ask volunteers to share what they have written. Then encourage the children to choose one thing they will each do this week to show their love.

Pray Review the hand gestures for praying the Sign of the Cross. Have the children pray together the Sign of the Cross.

Banco de Actividades

Inteligencia múltiple

Movimiento corporal

Pida a los niños trabajar en grupos. Pida a los miembros de cada grupo usar sus propias palabras y acciones para dramatizar una de las historias bíblicas de la lección.

Parroquia

Orando por los enfermos

Juntos escriban una oración a Jesús pidiendo ayudar a los miembros de la familia y de la parroquia que estén enfermos. Escriba la oración en una hoja grande de papel. Colóquela en el lugar de la oración. Recuérdeles rezar con frecuencia durante la siguiente semana.

Conexion con el Hogar

Compartiendo lo aprendido

Recuerde a los niños compartir con sus familias lo aprendido en este capítulo.

Anime a los niños a mostrar *Para que todos vean* a sus familias y leer el pasaje de la Escritura. Diga a los niños que inviten a sus familias a hablar de su pasaje bíblico favorito sobre Jesús.

Para más información y actividades adicionales visite Sadlier en

www.CREEMOSweb.com

Planifique por adelantado

Lugar de oración: arena, caracoles, piedras, nidos

Materiales: patrón 2. lápices de colores

____ minutos

Repaso del capítulo Explique a los niños que el propósito del *Repaso* es revisar su comprensión de algunas ideas en el capítulo. Dígales que deben encerrar en un círculo las respuestas a las preguntas del 1–4. Si desea puede leer las preguntas en voz alta. Después dé suficiente tiempo a los niños para escoger la respuesta correcta. Ellos pueden contestar la quinta pregunta. Una vez hayan terminado, lea las respuestas correctas.

Repaso — Capítulo 1

Encierra en un círculo la respuesta correcta.

1. La sagrada familia es Jesús, María y ____.
   el Espíritu Santo — (José)
2. El nombre ____ significa "Dios salva".
   (Jesús) — Trinidad
3. Jesús trajo la ____ de que Dios ama a todo el mundo.
   (buena nueva) — mala noticia
4. Jesús nos enseñó que Dios ____ está con nosotros.
   algunas veces — (siempre)

Completa la oración.

5. Las tres Personas de la Santísima Trinidad son
   Dios, el Padre   Dios, el Hijo   Dios, el Espíritu Santo

Reflexiona y ora

Jesús quiere que hablemos con él cuando estemos tristes o preocupados. También quiere que compartamos nuestras alegrías con él. Escribe algo que quieres decir a Jesús.

18

PÁGINA DEL ESTUDIANTE 18

Reflexiona y ora Lea el párrafo en voz alta. Después explique a los niños que deben escribir algo que quieran decir a Jesús. Refuerce que deben respetar lo privado de los demás. Dé tiempo para que los niños completen la oración.

Respondemos y compartimos la fe

____ minutos

Recuerda Explique que las cuatro afirmaciones en esta sección son las afirmaciones *Creemos* del capítulo. Pida a los niños leer cada una en voz alta.

Nuestra vida católica Lea en voz alta "Respetando a todo el mundo". Diga a los niños que ellos pueden pedir a Jesús que les ayude a respetar a las demás personas. Pida a los niños decir algunas ideas para tratar a los demás con amabilidad y respeto.

Recen juntos *Dios el Padre, Dios el Hijo, y Dios el Espíritu Santo, creemos en ti.*

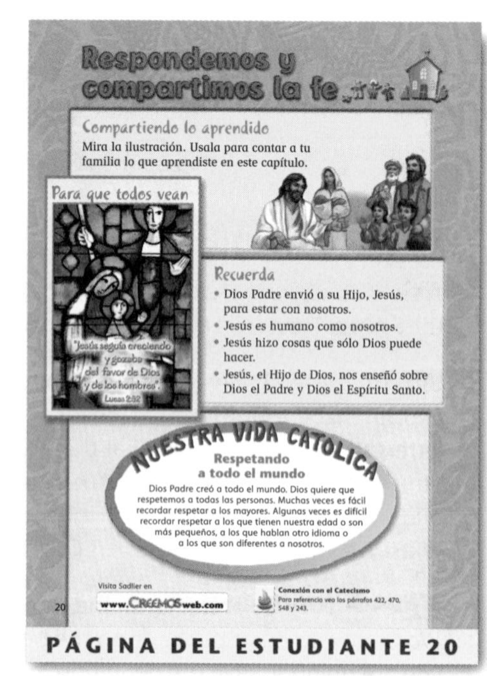
Respondemos y compartimos la fe

Compartiendo lo aprendido

Mira la ilustración. Usala para contar a tu familia lo que aprendiste en este capítulo.

Para que todos vean

"Jesús seguía creciendo y gozaba del favor de Dios y de los hombres". Lucas 2:52

Recuerda

- Dios Padre envió a su Hijo, Jesús, para estar con nosotros.
- Jesús es humano como nosotros.
- Jesús hizo cosas que sólo Dios puede hacer.
- Jesús, el Hijo de Dios, nos enseñó sobre Dios el Padre y Dios el Espíritu Santo.

Nuestra vida católica

Respetando a todo el mundo

Dios Padre creó a todo el mundo. Dios quiere que respetemos a todas las personas. Muchas veces es fácil recordar respetar a los mayores. Algunas veces es difícil recordar respetar a los que tienen nuestra edad o son más pequeños, a los que hablan otro idioma o a los que son diferentes a nosotros.

Visita Sadlier en www.CREEMOSweb.com

Conexión con el Catecismo: Para referencia vea los párrafos 422, 470, 548 y 243.

20

PÁGINA DEL ESTUDIANTE 20

_____ minutes

Chapter Review Explain to the children that the purpose of the *Review* is to check on their understanding of some ideas in the chapter. Tell the children that for questions 1–4, they are to circle the correct answer. You may choose to read each question aloud. Then give the children sufficient time to circle the correct answer. For the fifth question, they should complete the sentence. Once the children have finished writing, read each correct answer.

Reflect & Pray Read aloud the paragraph. Then explain that the children should write something that they want to tell Jesus. Stress that they should respect one another's privacy. Allow the children sufficient time to complete the prayer.

Review Chapter 1

Circle the correct answer.

1. The Holy Family is Jesus, Mary, and ____.
   the Holy Spirit (Joseph)
2. The name ____ means "God saves."
   (Jesus) Trinity
3. Jesus brought the ____ that God loves all people.
   (good news) sad news
4. Jesus taught us that God is with us ____.
   sometimes (always)

Complete the sentence.

5. The three Persons in the Blessed Trinity are
   God the Father God the Son God the Holy Spirit

Reflect & Pray

Jesus wants us to talk to him when we are feeling worried or upset. He also wants us to share with him when we are happy. Write something that you want to tell Jesus.

19

PUPIL PAGE 19

We Respond and Share the Faith

_____ minutes

Remember Explain to the children that the four sentences in this section are the *We Believe* statements for this chapter. Have the children read each statement aloud.

Our Catholic Life Read aloud to the children "We Respect All People." Tell the children that they can ask Jesus to help them respect all people. Ask the children to name some ideas they have for treating others with kindness and respect.

Pray together *God the Father, God the Son, and God the Holy Spirit, we believe in you.*

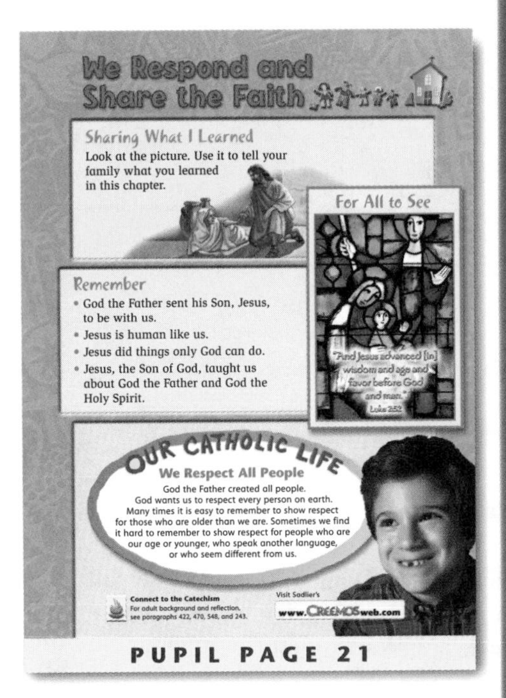
We Respond and Share the Faith

Sharing What I Learned
Look at the picture. Use it to tell your family what you learned in this chapter.

For All to See

Remember
- God the Father sent his Son, Jesus, to be with us.
- Jesus is human like us.
- Jesus did things only God can do.
- Jesus, the Son of God, taught us about God the Father and God the Holy Spirit.

Our Catholic Life
We Respect All People
God the Father created all people. God wants us to respect every person on earth. Many times it is easy to remember to show respect for those who are older than we are. Sometimes we find it hard to remember to show respect for people who are our age or younger, who speak another language, or who seem different from us.

Connect to the Catechism
For adult background and reflection, see paragraphs 422, 470, 548, and 243.

Visit Sadlier's
www.CREEMOSweb.com

PUPIL PAGE 21

Activity Bank

Multiple Intelligences

Bodily-Kinesthetic

Have the children work in groups. Ask the members of each group to use their own words and actions to dramatize one of the lesson's Scripture stories.

Parish

Praying for the Sick

Together write a prayer to Jesus asking him to help the members of the children's families and parish who are sick. Write the prayer on a sheet of poster board. Display the prayer poster in the prayer space. Remember to pray it often during the coming week.

Home Connection

Sharing What I Learned

Remind the children to share with their families what they learned in this chapter.

Invite the children to show *For All to See,* and to read the words from Scripture. Ask the children to invite their families to discuss favorite Scripture stories about Jesus.

For additional information and activities, encourage families to visit Sadlier's

www.CREEMOSweb.com

Plan Ahead for Chapter 2

Prayer Space: sand, shells, pebbles, nets

Materials: copies of Reproducible Master 2, colored pencils

Jesucristo nos da la Iglesia

Ojeada

En este capítulo los niños aprenderán sobre las obras de Jesucristo y los inicios de la Iglesia.

Contenido doctrinal	Para referencia del *Catecismo de la Iglesia Católica*
Los niños aprenderán que:	párrafo
• Jesús reunió a muchos seguidores para que fueran sus discípulos.	787
• Jesús murió y resucitó a una nueva vida.	638
• Jesús prometió enviar al Espíritu Santo.	729
• El Espíritu Santo ayuda a la Iglesia a crecer.	737

Referencia catequética

¿Qué le inspira a seguir a Jesús?

Desde el momento de su Bautismo, ha sido llamado por su nombre para seguir el camino de Jesús hacia el Padre. Lo que le hace conocer, amar y servir a Dios es el poder y la presencia del Espíritu Santo. El Espíritu Santo es quien le hace responder a su vocación de catequista.

En el Evangelio de Lucas, sobre el inicio del ministerio de Jesús leemos lo siguiente: "Se levantó para leer el siguiente pasaje del profeta Isaías:

"El Espíritu del Señor está sobre mí, porque me ha consagrado para llevar la buena noticia a los pobres" (Lucas 4:18).

El mismo Espíritu se encuentra hoy con nosotros. Enseñar como lo hizo Jesús requiere valor. Sus primeros seguidores necesitaron ese mismo valor cuando comenzaron a hablar de él en público. Antes de enfrentar la muerte en la cruz, Jesús prometió enviar al Espíritu Santo, para ayudar a todos sus seguidores. Aún después de la resurrección de Jesús, sus apóstoles y discípulos necesitaban recibir este aliento.

Cuando Jesús iba regresar junto al Padre, dijo a sus seguidores, "Cuando el Espíritu Santo venga sobre ustedes, recibirán poder" (Hechos de los apóstoles 1:8). El Espíritu Santo descendió sobre los discípulos y hoy sigue presente en la Iglesia. Cada vez que tenemos el valor de ir a enseñar la fe, experimentamos la presencia del Espíritu Santo.

¿Cómo reconoce la presencia del Espíritu Santo en su vida?

Mirando la vida

Historia para el capítulo

Con gran entusiasmo Rolando abrió el sobre y buscó su contenido. Era una carta de la Sra. Smith, su maestra de primero del año pasado. Pensó: "Es muy extraño recibir una carta de la Sra. Smith en vacaciones de verano".

¿Qué dice la carta? Preguntó su mamá al momento en que Rolando le entregaba una página que venía con la carta.

Rolando empezó a leer en voz alta:

Querido Ron:

¿Recuerdas la actividad que hicimos el último día de clase? Entregué a cada niño una lista con los nombres de sus compañeros de clase. Les pedí que escribieran al lado de cada nombre una cosa que admiren o que les guste de esa persona.

Pues bien, aquí te incluyo una lista con todas las cosas que tus compañeros dijeron de ti. Espero que disfrutes leyendo las cosas maravillosas que dijeron de ti.

Además quiero decirte que coincido con todo lo que dijeron tus compañeros.

Sra. Smith

Rolando miró a su mamá mientras ella leía. Rolando se sorprendió cuando su mamá comenzó a llorar. "Esto es maravilloso" dijo dulcemente su mamá mientras le entregaba la página a su hijo.

Rolando echó un vistazo a las cosas que dijeron sus compañeros sobre él. Leyó lo buen amigo que era, que siempre estaba dispuesto a ayudar, lo divertido e inteligente que era. La palabras gustar, admirar, fantástico y buen amigo se repetían más de una vez en la lista.

Cuando Rolando terminó de leer, sintió algo muy hermoso porque estaba orgulloso de sí mismo.

"Mamá", dijo Ron "¿crees que la Sra. Smith será mi maestra de segundo curso?"

¿Qué hizo esta buena maestra por sus estudiantes?

Jesus Christ Gives Us the Church

Overview

In this chapter the children will continue to learn about the work of Jesus and the beginning of the Church.

Doctrinal Content	For Adult Reading and Reflection *Catechism of the Catholic Church*
The children will learn:	Paragraph
• Jesus gathered many followers to be his disciples.	787
• Jesus died and rose to new life.	638
• Jesus promised to send the Holy Spirit.	729
• The Holy Spirit helps the Church to grow.	737

Catechist Background

What inspires you to follow Jesus?

From the moment of your Baptism, you have been called by name to follow Jesus' way to the Father. What moves you to know, love, and serve God is the power and presence of the Holy Spirit. The Holy Spirit moves you to respond to your vocation as a catechist.

In the Gospel of Saint Luke, we read about the beginning of Jesus' ministry. He stood up to read the following passage from the prophet Isaiah:

"The Spirit of the Lord is upon me,
because he has anointed me
to bring glad tidings to the poor."
(Luke 4:18)

The same Spirit is with us today. To teach as Jesus did takes courage. The first followers of Jesus needed this same courage as they began to speak about Jesus in public. Before he faced death on the cross, Jesus promised to send the Holy Spirit to help and encourage all his followers. Even after Jesus rose from the dead, his apostles and disciples needed such encouragement.

As he was about to return to his Father, Jesus told his followers, "You will receive power when the holy Spirit comes upon you" (Acts of the Apostles 1:8). The Holy Spirit did come upon the disciples and continues to be present in the Church today. Each time we have the courage to teach the faith, we experience the presence of the Holy Spirit.

How do you acknowledge the presence of the Holy Spirit in your life?

Focus on Life

Chapter Story

With great excitement Ron opened the envelope and quickly reached inside. There was a letter from Mrs. Smith, who had been his first grade teacher last year. "How odd," he thought, "to get a letter from Mrs. Smith during summer vacation."

"What does it say?" asked his mom as Ron handed her the page that came along with the letter. Ron began to read aloud,

Dear Ronald,

Do you remember the activity that we did on the last day of school? I gave each student a list of people in the class. I asked you to write next to each name something about the person that you liked or admired.

Well, here is the list of all the good things that people said about you! I hope you enjoy reading about what a wonderful person you are! I agree with them all!

Mrs. Smith

Ron looked up at his mother as she read the words on the page she was holding. Ron was surprised to see small tears coming from her eyes. "This is really something," his mother said softly, handing the page to her son.

Ron glanced at the list of things that his classmates had said about him. He read about what a good friend he was, how he was always willing to help, how much fun he was to be with, and how smart he was. The words like, admire, great, and good friend appeared more than once on the list.

As Ron finished reading, he felt something really wonderful inside. It was the good feeling of being proud of himself.

"Mom," Ron said, "do you think Mrs. Smith could be my second grade teacher?"

What did this kind teacher do for her students?

Guía para planificar la lección

Pasos de la lección	Presentación	Materiales
 **NOS CONGREGAMOS**		
pág. 22 **Oración**  *Mateo 4:18–22*  **Mirando la vida**	• Reunir a los niños alrededor de la mesa de oración. • Escuchar la lectura de la Sagrada Escritura. • Comentar la pregunta.	Para el lugar de oración: objetos que les recuerdan a los niños la orilla del mar
 **CREEMOS**		
pág. 22 *Jesús reunió a muchos seguidores para que fueran sus discípulos.*	• Presentar quiénes fueron los primeros discípulos de Jesús. Completar las actividades sobre ser discípulos de Jesús.	• crayones o lápices de colores • hoja grande de papel
pág. 24 *Jesús murió y resucitó a una nueva vida.* *Mateo 28:1–6*	• Leer y comentar el texto y la lectura de la Sagrada Escritura. Cantar el *Aleluya.* • Leer y comentar *Como católicos.*	
pág. 26 *Jesús prometió enviar al Espíritu Santo.* *Hechos de los apóstoles 2:1–4*	• Leer y comentar el texto y la lectura de la Sagrada Escritura. Completar la actividad del crucigrama.	
pág. 28 *El Espíritu Santo ayuda a la Iglesia a crecer.*	• Presentar y comentar las formas en que el Espíritu Santo ayuda a la Iglesia. • Señalar *Vocabulario* y sus definiciones.	• hoja grande de papel • copias del patrón 2
3 RESPONDEMOS		
pág. 28	Comentar y dramatizar lo que hacen los miembros de la Iglesia.	
páginas 30 y 32 **Repaso**	• Completar las preguntas 1 a 5. Completar la actividad *Reflexiona y ora.*	
páginas 30 y 32 **Respondemos y compartimos la fe**	• Repasar *Recuerda* y *Vocabulario.* • Leer y comentar *Nuestra vida católica.*	

Para ideas, actividades y otras oportunidades visite Sadlier en **www.CREEMOSweb.com**

Lesson Planning Guide

WE GATHER

Lesson Steps	Presentation	Materials
page 23 **Prayer**  *Matthew 4:18–22*  **Focus on Life**	• Gather at the prayer table. • Listen to the Scripture reading. • Discuss the question.	For the prayer space: items that remind children of the seashore

WE BELIEVE

Lesson Steps	Presentation	Materials
page 23 *Jesus gathered many followers to be his disciples.*	• Present who the first disciples of Jesus were. Complete the activity about being Jesus' disciples.	• crayons or colored pencils • large sheet of paper
page 25 *Jesus died and rose to new life.* *Matthew 28:1–6*	• Read and discuss the text and Scripture reading. Sing *Alleluia.* • Read and discuss *As Catholics.*	
page 27 *Jesus promised to send the Holy Spirit.* *Acts of the Apostles 2:1–4*	• Read and discuss the text and Scripture reading. Complete the puzzle activity.	
page 29 *The Holy Spirit helps the Church to grow.*	• Present and discuss the ways the Holy Spirit helps the Church. • Point out the *Key Words* and definitions.	• large sheet of paper • copies of Reproducible Master 2

3 WE RESPOND

Lesson Steps	Presentation	Materials
page 29	Discuss and act out what members of the Church do.	
pages 31 and 33 **Review**	• Complete questions 1–5. Complete the *Reflect & Pray* activity.	
pages 31 and 33 **We Respond and Share the Faith**	• Review *Remember* statements and *Key Words.* • Read and discuss *Our Catholic Life.*	

For additional ideas, activities, and opportunities: Visit Sadlier's **www.CREEMOSweb.com**

Conexiones

La doctrina social de la Iglesia

Llamado a la familia, la comunidad y la participación
Jesús nos llama a seguirlo y a convertirnos en sus discípulos. La Iglesia no sólo nos pide que seamos buenas personas, sino también que seamos los defensores de la vida y la dignidad humana. Además, nos pide que protejamos a los pobres y desamparados, que trabajemos juntos para alcanzar la paz y la justicia. Es importante que los niños aprendan a cuidar de los necesitados mientras reciben el llamado de Jesús para lograr una mejor relación con la comunidad cristiana. Sugiera a los niños de segundo curso formas concretas de vivir todos los días como responsables discípulos de Jesús.

La liturgia

A medida que los niños aprenden sobre los primeros seguidores en Jesús y los inicios de la Iglesia, pregúnteles lo que saben sobre la Iglesia. Explique que nos congregamos como comunidad de discípulos de Jesús de la misma manera que sus primeros discípulos lo hicieron. Señale que la misa es la expresión más importante de esta congregación. Muchas veces durante la misa llamamos al Espíritu Santo y escuchamos los relatos bíblicos que describen las primeras comunidades cristianas.

FE y MEDIOS

- Si lo desea, puede buscar ejemplos de personas que siguen a un líder en la televisión o en películas para niños. Comente con los niños las cualidades de estos líderes que hacen que las personas lo sigan. ¿En qué se parecen estos líderes a Jesús? Reflexione como adulto sobre los tipos de héroes que los medios de comunicación les presentan a los niños. Pida a los niños que piensen en que momentos se comportaron como líderes, por ejemplo en el patio de recreo. ¿De qué manera se pueden parecer más a Jesús?
- Sugiera a los niños que visiten el sitio web de una parroquia o una escuela en Internet para aprender más sobre la comunidad parroquial y sus líderes.

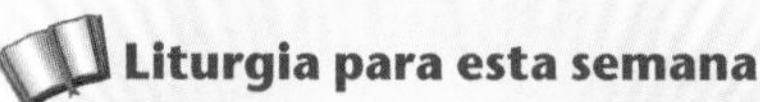

Visite **www.creemosweb.com** para las lecturas bíblicas de esta semana y otros materiales propios del tiempo.

Necesidades individuales

Niños que aprenden a leer

Es posible que los niños que están aprendiendo a leer tengan dificultades para leer textos largos. Siempre que sea posible, use visuales para facilitar la comprensión. Pida a los niños que escriban una lista o que subrayen la información más importante.

RECURSOS ADICIONALES

Video *El Espíritu de Dios está con nosotros.* Hispanic Telecommunications Network. Antes de irse al Padre, Jesús nos promete al Espíritu Santo para vivificar a la Iglesia, que somos nosotros los creyentes. (15 minutos)

Para ideas visite a Sadlier en

www.CREEMOSweb.com

Connections

To Catholic Social Teaching

Call to Family, Community, and Participation
Jesus calls us to follow him and to be his disciples. The Church does not only ask us to be good people, but also to advance the causes of human life and dignity, to defend the poor and vulnerable, to work for peace and justice. It is important for the children to practice caring for those in need as Jesus calls them to a deeper connection with the Christian community. Point out practical ways your second graders can live as responsible followers of Jesus each day.

To Liturgy

As the children learn about the first followers of Jesus and the beginning of the Church, explore with them their own understanding of the Church. Help them to see that we gather as a community of disciples of Jesus, as did the very first disciples. Point out that the most important expression of this gathering is at Mass. Numerous times at Mass we call upon the Holy Spirit. We listen to readings that describe the early Christian communities.

This Week's Liturgy
Visit **www.creemosweb.com** for this week's liturgical readings and other seasonal material.

FAITH and MEDIA

- Look for examples on television and in children's movies of people who follow a leader. Explore with the children what qualities a particular leader has that moves people to follow him or her. How similar are these leaders to Jesus as a leader? Reflect as an adult on the kinds of heroes that are presented to children in the media. Invite the children to reflect on times when they act as leaders—for example on the playground. How can they be more like Jesus?
- If a parish or school Web site exists, have the children find out more about their parish community and its leaders.

Meeting Individual Needs

English Language Learners

Children who are learning English may have difficulty reading pages with extensive text. Whenever possible, use visual aids to increase comprehension. Have the students list or underline the key information.

ADDITIONAL RESOURCES

Book *He Is Called Jesus,* P. Luigi Saggin, SJ, OCP Publications, 1993. Present particularly "The Call," pp. 23–27; "The Passion and Death," pp. 94–107; "The Resurrection," pp. 108–127.

Video *Jesus Calls His Disciples, from the series Jesus, A Kingdom Without Frontiers,* CCC of America, 1997. Jesus' followers establish the Church. (30 minutes)

To find more ideas for books, videos, and other learning material visit Sadlier's

www.CREEMOSweb.com

Meta catequética

• Explicar que como discípulos de Jesús recibimos la presencia del Espíritu Santo que nos ayuda a ser miembros activos de la Iglesia

PREPARANDOSE PARA ORAR

En la oración en Nos congregamos, los niños escucharán la palabra de Dios y responderán con palabras y gestos.

• Escoja a un líder de oración. Señale las partes que deberá leer. Dé tiempo al líder para practicar su parte.

El lugar de oración

• En el lugar de oración coloque cosas que nos recuerden el día en que Jesús llamó a sus primeros discípulos en el Mar de Galilea: arena, caracoles, piedras, barco.

Jesucristo nos da la Iglesia

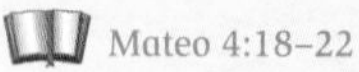

NOS CONGREGAMOS

✝ **Líder:** Vamos a escuchar con atención una historia sobre Jesús.

 Mateo 4:18–22

Un día Jesús caminaba por la orilla del mar. El vio a Pedro y a Andrés pescando con una red. Jesús los llamó y les pidió seguirle. "Al momento dejaron sus redes y se fueron con él". (Mateo 4:20)

Todos: Jesús queremos seguirte.

Nombra algunos de tus maestros y sus ayudantes. ¿Cómo puedes seguir su ejemplo?

CREEMOS

Jesús reunió a muchos seguidores para que fueran sus discípulos.

Jesús habló al pueblo acerca del amor de Dios Padre. El se preocupó por los pobres y los enfermos.

Muchos empezaron a seguir a Jesús. Los que le siguieron fueron llamados **discípulos**.

Jesús enseñó a los discípulos a amarse y ayudarse unos a otros. Jesús los ayudó a ser una comunidad de creyentes en él.

22

Planificación de la lección

NOS CONGREGAMOS ___ minutos

✝ **Oración**

• Pida a los niños que recen juntos la Señal de la Cruz. Luego, dígales que escuchen atentamente al líder de oración.

• Lea el relato bíblico en voz alta. Luego, deténgase por unos minutos. Explique: *Los seguidores de Jesús encuentran la felicidad cuando hacen lo que él les pide.*

• Pida los niños aplaudir dos veces después de leer o cantar la respuesta a la oración. Luego, recen juntos la respuesta.

Mirando la vida

• Pida a los niños decir los nombres de sus maestros y ayudantes.

• Diga a los niños que comenten con sus compañeros de qué formas siguen el ejemplo de sus maestros y ayudantes.

• Lea la *historia para el capítulo* que se encuentra en la página 22A.

CREEMOS ___ minutos

Lea la afirmación *Creemos* la en la página 22. Señale a los niños:

• *Jesús enseñó a su pueblo con su palabra y sus acciones.*

• *Era bondadoso, bueno y justo con todo el mundo.*

Escriba la palabra *discípulos* en la pizarra o en un papel cuadriculado. Diga la palabra y explique: *Se llaman discípulos a los seguidores de Jesús.*

Jesus Christ Gives Us the Church

WE GATHER

✝ **Leader:** Let us take a quiet moment to listen carefully to a story about Jesus.

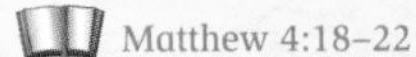

Matthew 4:18–22

One day Jesus was walking by the sea. He saw Peter and Andrew catching fish with a net. Jesus called them, and asked them to come follow him. "At once they left their nets and followed him." (Matthew 4:20)

All: Jesus, we will follow you.

Name some of your teachers and helpers. How do you follow their example?

WE BELIEVE

Jesus gathered many followers to be his disciples.

Jesus taught people about God the Father's love. He cared for those who were sick and poor.

Many people began to follow Jesus. Those who followed Jesus were called his **disciples**.

Jesus taught the disciples to love and to help one another. Jesus helped them to become a community of people who believed in him.

23

Catechist Goal

- To explain that as Jesus' disciples we are guided by the Holy Spirit to be active members of the Church

PREPARING TO PRAY

For this gathering prayer the children will listen to God's word and respond in word and action.

- Choose a prayer leader. Point out what parts the leader should read. Give the leader a few minutes to prepare.

The Prayer Space

- In the prayer space place items that will bring to mind Jesus' calling of his first disciples by the Sea of Galilee: sand, shells, pebbles, boat.

Lesson Plan

WE GATHER ____ minutes

✝ Prayer

- Invite the children to pray the Sign of the Cross together. Then ask them to listen carefully as the prayer leader begins.
- Read the Scripture passage aloud. Then pause briefly. Explain: *Followers of Jesus can be happy doing as he asks.*
- Ask the children to clap twice after reading the prayer response. Then pray the response together.

Focus on Life

- Have the children name some of their teachers and helpers.
- Have the children share ways in which they follow their teachers' and helpers' example.
- Share the *Chapter Story* on guide page 22B.

WE BELIEVE ____ minutes

Read the *We Believe* statement on page 23. Point out to the children:

- *Jesus taught people through his words and actions.*
- *He was kind, good, and fair to everyone.*

Write the word *disciples* on the board or on chart paper. Pronounce the word and explain: *Followers of Jesus are called disciples.*

Nuestra respuesta en la fe

- Reconocer que somos discípulos de Jesús y que debemos vivir como miembros de la Iglesia

discípulos
apóstoles
resurrección
Iglesia

Materiales

- lápices de colores o crayones
- hoja grande de papel
- copias del patrón 2

Como católicos...

Celebramos la resurrección

Después de trabajar en estas dos páginas, lea el texto de *Como católicos.* Comente qué importancia tiene la celebración de la resurrección en nuestras vidas.

Conexión con el hogar

Invite a los niños a compartir lo que aprendieron en el capítulo 1.

De esta comunidad, Jesús escogió a doce para ser los líderes. Llamamos a esos doce hombres los **apóstoles**.

Jesús también te invita a ti a seguirle. Escribe tu nombre en la línea.

____

es un discípulo de Jesús.

Jesús murió y resucitó a una nueva vida.

Jesús contó la buena nueva a todos. No todos creyeron las cosas que, en nombre de Dios, Jesús hizo y dijo. Esas personas dieron muerte a Jesús.

Jesús murió en una cruz. Después su cuerpo fue puesto en una tumba.

Mateo 28:1–6

Temprano en la mañana, algunas mujeres discípulos fueron a visitar la tumba. Un ángel estaba sentado frente a la tumba. El ángel les dijo que Jesús había resucitado de la muerte.

Jesús murió y resucitó para salvarnos del pecado. Que Jesús volviera a vivir después de la muerte es lo que llamamos **resurrección**. Celebramos la resurrección de Jesús en la Pascua.

Vamos a cantar un Aleluya para mostrar nuestro gozo por la resurrección de Jesús.

Como católicos...

Celebramos la resurrección de Jesucristo en la Pascua y cada domingo. En cada misa recordamos que Jesús murió y resucitó a una nueva vida. Recuerda esto durante la misa esta semana.

24

Planificación de la lección

CREEMOS (continuación)

Escoja voluntarios para leer el texto de la página 24. Recalque: *Todas las personas bautizadas son llamadas para ser seguidores o discípulos de Jesús.*

Diga a los niños que completen la actividad en la página 24 y que escriban sus nombres en el espacio en blanco.

Lluvia de ideas Diga lo que podemos hacer como discípulos de Jesús. Escriba todas las sugerencias o ideas en una hoja grande de papel. Sugiera a los niños que elijan una cosa que podrían hacer esta semana.

Pida a un voluntario leer la afirmación *Creemos* en la página 24 y los dos párrafos siguientes. Pregunte: *¿Cómo creen que se sintieron los discípulos cuando Jesús murió?*

Invite a los niños que se pongan de pie y escuchen atentamente mientras un voluntario lee el relato bíblico. Luego, pregunte: *¿Qué les dijo el ángel a las mujeres discípulas de Jesús?* (que no tuvieran miedo porque Jesús había resucitado de entre los muertos). Además, pregunte: *¿Cómo creen que se sintieron los discípulos cuando se enteraron de esta noticia?* Permítales llegar a la conclusión de que los discípulos de Jesús se sintieron felices y entusiasmados.

Pida a los niños que se sienten. Escriba la palabra *resurrección* en la pizarra. Pronuncie la palabra resurrección y pídales que la repitan. Luego, lean juntos el pasaje sobre la resurrección de Jesús.

Explique *Aleluya es la palabra que usamos para alabar a Dios.* Cantamos Aleluya para expresar nuestra felicidad porque Jesús ha resucitado.

From this community, Jesus chose twelve disciples to become its leaders. We call these twelve men the **apostles**.

Jesus invites you to follow him, too! Write your name on the line.

____

is a disciple of Jesus.

Jesus died and rose to new life.

Jesus tried to share his good news with everyone. Some of the people did not believe in the amazing things Jesus said and did in God's name. There were people who wanted to put Jesus to death.

Jesus was put to death on a cross. Then his body was placed in a tomb.

Matthew 28:1–6

Early on Sunday morning, some women disciples of Jesus went to visit the tomb. An angel was sitting in front of the tomb. The angel said that Jesus had risen from the dead.

Jesus died and rose to save us from sin. Jesus' rising from the dead is called the **Resurrection**. We celebrate Jesus' Resurrection on Easter.

Let us sing Alleluia to show our joy in Jesus' Resurrection.

As Catholics...

We celebrate the Resurrection of Jesus Christ at Easter and on every Sunday of the year. At every Mass we remember that Jesus died and rose to new life. Remember this at Mass this week.

Our Faith Response

- To identify oneself as a disciple of Jesus and to live as a member of the Church

disciples
apostles
Resurrection
Church

Materials

- colored pencils or crayons
- large sheet of paper
- Reproducible Master 2

As Catholics...

Celebrating the Resurrection

After working on these two pages, read the *As Catholics* text. Discuss the importance of the celebration of the Resurrection to all of us.

Home Connection Update

Invite the children to share what they learned in Chapter 1.

Lesson Plan

WE BELIEVE (continued)

Choose volunteers to read the text on page 25. Stress: *Every baptized person is called to be a follower or disciple of Jesus.*

Invite the children to complete the activity on page 25 by writing their names on the line provided.

Brainstorm things we can do as Jesus' disciples. Write the suggestions on a large sheet of paper. Encourage the children to choose one thing they can do this week.

Ask a volunteer to read the *We Believe* statement on page 25 and the two paragraphs that follow. Ask: *How do you think Jesus' disciples felt when Jesus died?*

Invite the children to stand and listen as a volunteer reads the Scripture story. Then ask: *What did the angel tell the women disciples?* (not to be afraid because Jesus had risen from the dead) Also ask: *How do you think the disciples felt when they heard this news?* Encourage the children to conclude that they were happy and excited.

Ask the children to be seated. Write the word *Resurrection* on the board. Say the word and ask the children to repeat it. Then read aloud together the paragraph about Jesus' Resurrection.

Explain *Alleluia is a word we use to praise God.* We sing Alleluia to express our happiness that Jesus has risen.

Banco de Actividades

Conexión multicultural

Celebraciones católicas

Materiales: ilustraciones o fotografías de celebraciones católicas de distintos países y culturas

Muestre a los niños las fotografías de celebraciones católicas de otras culturas. Coteje revistas católicas y periódicos. Asegúrese de que las personas en las fotografías estén celebrando algo especial como Pentecostés o la fiesta de María o los santos. Pida a los niños que compartan con sus compañeros sus experiencias al participar de una celebración cultural.

Inteligencia múltiple

Movimiento corporal

Diga a los niños que dramaticen los eventos que se describen en la página 26. Pida voluntarios representar el papel de Jesús, sus discípulos y el viento. Lea o explique con sus propias palabras el relato bíblico de Pentecostés mientras los niños actúan sus papeles.

Jesús prometió enviar al Espíritu Santo.

Después de resucitar, Jesús visitó a sus discípulos antes de regresar al cielo. El prometió que Dios, Espíritu Santo, vendría a ayudarlos.

Hechos de los apóstoles 2:1–4

Una mañana, los discípulos estaban reunidos. También estaban María, la madre de Jesús, y otras mujeres. De repente, escucharon un ruido como si fuera un viento fuerte. Luego vieron lo que parecía lenguas de fuego sobre las cabezas de cada uno. “Y todos quedaron llenos del Espíritu Santo”. (Hechos de los apóstoles 2:4)

Usa la clave para encontrar el día en que el Espíritu Santo vino a los discípulos.

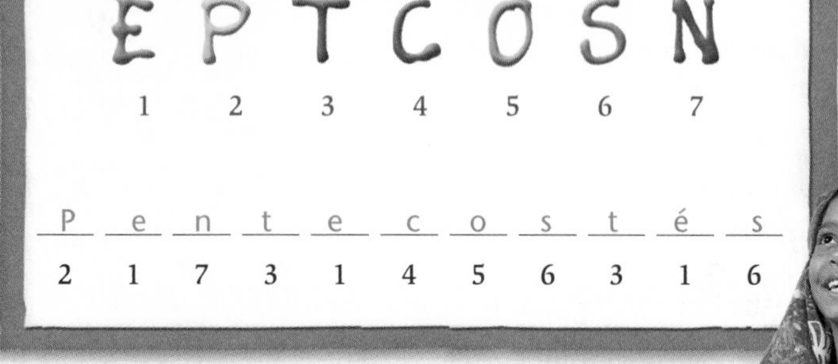

En Pentecostés, una gran multitud se reunió. Los discípulos querían hablar de Jesús a todo el mundo.

Pedro habló a la multitud. El les pidió que se bautizaran y recibieran el don del Espíritu Santo. Muchos fueron bautizados ese día.

26

Planificación de la lección

CREEMOS (continuación)

Cotejo rápido

✔ *¿Qué es un discípulo de Jesús?* (Un discípulo es una personas que sigue las enseñanzas de Jesús.)

✔ *¿Cómo se llama el ascenso de Jesús sobre la muerte?* (Se llama Resurrección.)

Recuerde a los niños que el Espíritu Santo es la tercera Persona de la Santísima Trinidad. Lean juntos la afirmación de *Creemos* que se encuentra en la página 26. Luego, diga a voluntarios que lean el primer párrafo.

Diga a un voluntario que lea el relato bíblico.

Pida a los niños que imaginen que estaban con los discípulos de Jesús cuando descendió el Espíritu Santo. Pregunte: *¿Qué hubieran hecho y dicho en ese momento?*

Lea las instrucciones de la actividad. Diga a los niños que trabajen en pares para resolver el crucigrama.

Lea en voz alta los últimos dos párrafos de la página 26 para continuar con la historia de Pentecostés. Explique que al igual que los primeros seguidores de Jesús aprendían sobre él escuchando las palabras de Pedro, nosotros también aprendemos sobre Jesús al escuchar a otras personas. Pregunte: *¿Quiénes son las personas que te han enseñado sobre Jesús?*

Jesus promised to send the Holy Spirit.

The risen Jesus visited his disciples before he returned to heaven. He promised to send the Holy Spirit to help them.

Acts of the Apostles 2:1–4

One morning, the disciples were all together. Mary, the mother of Jesus, and some women were among them. Suddenly, they heard a noise like a strong wind. Then they saw what looked like flames of fire over each of them. "And they were all filled with the holy Spirit." (Acts of the Apostles 2:4)

Use this code to find out what we call the day on which the Holy Spirit came to the disciples.

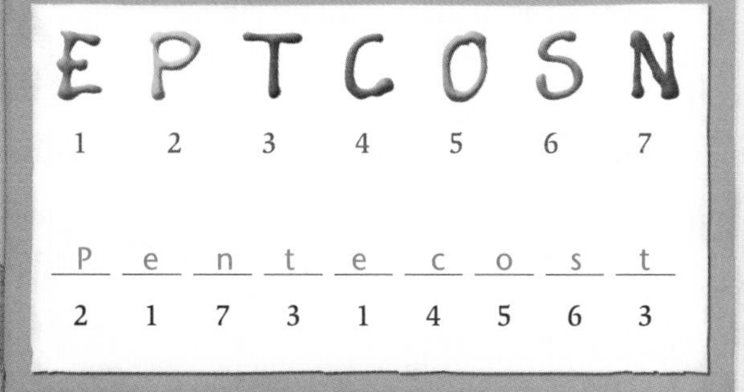

On Pentecost, a large crowd had gathered. The disciples wanted to tell the people about Jesus.

Peter spoke to the crowd. He asked them to be baptized and receive the gift of the Holy Spirit. Many people were baptized that day.

27

Activity Bank

Multicultural Connection

Catholic Celebrations

Materials: pictures of Catholic celebrations from various cultures

Show the children pictures of Catholic celebrations from a variety of cultures. Check Catholic magazines and newspapers. Make sure the people in the pictures are celebrating something special, such as Pentecost or a feast of Mary or the saints. Encourage the children to share details of any cultural celebrations in which they have participated.

Multiple Intelligences

Bodily-Kinesthetic

Invite the children to act out the events described on page 27. Ask for volunteers to take the parts of Jesus, his disciples, and the wind. Read or paraphrase the Scripture story of Pentecost, while the children act out their parts.

Lesson Plan

WE BELIEVE (continued)

Quick Check

✔ *What is a disciple of Jesus?* (A disciple is someone who follows Jesus.)

✔ *What do we call Jesus' rising from the dead?* (We call Jesus' rising from the dead the Resurrection.)

Remind the children that the Holy Spirit is the third Person of the Blessed Trinity. Read together the *We Believe* statement on page 27. Then ask a volunteer to read the first paragraph.

Ask a volunteer to read the Scripture story.

Have everyone imagine that they were with the disciples when the Holy Spirit came. Ask: *What would you have said and done?*

Read the activity directions. Have the children work in pairs to solve the puzzle.

Continue the account of Pentecost by reading aloud the last two paragraphs on page 27. Explain that just as some of the early followers of Jesus heard about him from Peter, so do we hear about Jesus from other people. Ask: *Who are some of the people who have told you about Jesus?*

Ideas

Lluvia de ideas

Permita que los niños se sientan cómodos al compartir sus ideas con sus compañeros. Recuérdeles que no deberán hacer comentarios sobre las respuestas que dan otros niños. Escriba todas las respuestas en la pizarra. Después de la lluvia de ideas, todo el grupo decidirá las ideas que son razonables. Sólo dedique dos o tres minutos para que los niños compartan sus ideas.

El Espíritu Santo ayuda a la Iglesia a crecer.

La Iglesia empezó en Pentecostés. La **Iglesia** son todos los bautizados en Jesucristo y que siguen sus enseñanzas.

El Espíritu Santo ayudó a los primeros miembros de la Iglesia a:

- creer en Jesús y a rezar
- ser valientes seguidores de Jesús
- amar a los demás y a ser una comunidad
- enseñar y ayudar a la gente como lo hizo Jesús.

El Espíritu Santo también nos ayuda a vivir como Jesús nos enseñó. El Espíritu Santo nos ayuda a hablar de Jesús a otros.

Vocabulario

discípulos los que siguen a Jesús

apóstoles doce hombres escogidos por Jesús para dirigir la Iglesia

resurrección Jesús vive después de la muerte

Iglesia todos los bautizados en Cristo y que siguen sus enseñanzas

RESPONDEMOS

Habla sobre algunas de las cosas que hace la Iglesia. Escenifica algo que te gustaría hacer como miembro de la Iglesia.

28

Planificación de la lección

CREEMOS (continuación)

Lean juntos la afirmación *Creemos* en la página 28. Escriba la palabra *Iglesia* en la pizarra. Señale la definición de esta palabra en el *Vocabulario* y pida a los niños que la memoricen. Diga a los niños que se señalen y que repitan: *Somos la Iglesia.*

Pida a un voluntario que lea las formas en que el Espíritu Santo ayudó a los primeros miembros de la Iglesia. Diga a los niños que miren la lista y que sugieran otras formas de recibir ayuda del Espíritu Santo. Recalque: *El Espíritu Santo nos ayuda todos los días a ser discípulos de Jesús.*

Vocabulario Escriba las palabras del *Vocabulario* de este capítulo una a la vez en la pizarra. Para cada palabra, pida a los niños que digan otras palabras que se les ocurran. Escriba estas palabras alrededor de la palabra del *Vocabulario.* Luego, pida que voluntarios lean en voz alta la definición de la palabra según aparece en la sección de *Vocabulario* en esta lección.

RESPONDEMOS ____ minutos

Conexión con la vida Pida a los niños mirar la fotografía en la página 28. Pregunte: *¿Qué hacen las personas de la fotografía?* Pregunte los niños las cosas que hacen los miembros de la Iglesia. Escriba todas las sugerencias en una hoja grande de papel. Pídales elegir lo que les gustaría hacer y que la dramaticen. Felicite las buenas intenciones de los niños. Sugiérales poner en práctica lo que han representado.

Distribuya el patrón 2. Diga a los niños que pueden completar la actividad ahora o en sus hogares. Recalque a los niños que deberán encontrar un mensaje en el crucigrama. (Somos la Iglesia.)

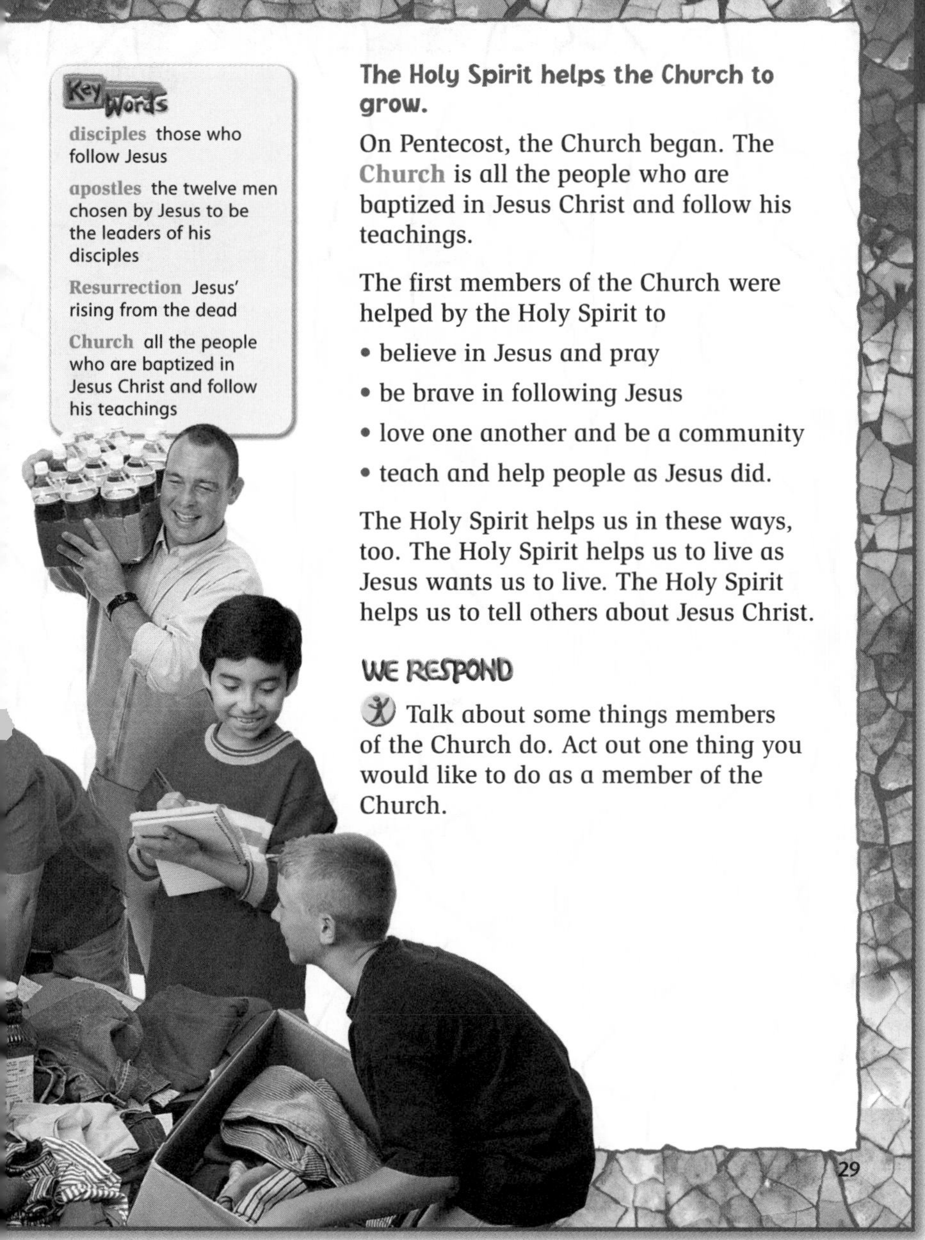

Key Words

disciples those who follow Jesus

apostles the twelve men chosen by Jesus to be the leaders of his disciples

Resurrection Jesus' rising from the dead

Church all the people who are baptized in Jesus Christ and follow his teachings

The Holy Spirit helps the Church to grow.

On Pentecost, the Church began. The **Church** is all the people who are baptized in Jesus Christ and follow his teachings.

The first members of the Church were helped by the Holy Spirit to

- believe in Jesus and pray
- be brave in following Jesus
- love one another and be a community
- teach and help people as Jesus did.

The Holy Spirit helps us in these ways, too. The Holy Spirit helps us to live as Jesus wants us to live. The Holy Spirit helps us to tell others about Jesus Christ.

WE RESPOND

Talk about some things members of the Church do. Act out one thing you would like to do as a member of the Church.

29

Teaching Tip

Brainstorming

Help the children feel comfortable in sharing their ideas during brainstorming activities. Remind the children that no comments are to be made about other people's responses. Record all responses. The group can edit after the brainstorming. Limit the sharing time to two or three minutes.

Lesson Plan

WE BELIEVE (continued)

Read together the *We Believe* statement on page 29. Write the word *Church* on the board. Point to the definition in the *Key Word* box and encourage the children to memorize this definition. Have the children point to themselves and say: *We are the Church.*

Ask a volunteer to read the list of ways the Holy Spirit helped the first members of the Church. Have the children look at the list and ask them to suggest similar ways in which we are helped by the Holy Spirit. Stress: *The Holy Spirit helps us each day to be disciples of Jesus.*

Key Words Write the *Key Words* from the chapter one at a time on the board. For each word, ask the children to name other words that come to mind. Write these words around the *Key Word.* Then ask volunteers to read aloud the definition of the word as it appears in the *Key Word* box in the lesson.

WE RESPOND

____ minutes

Connect to Life Direct attention to the photo on page 29. Ask: *What are the people doing?* Brainstorm with the children about other things members of the Church do. List the suggestions on a large sheet of paper. Invite the children to select something they would like to do. Then have each child act it out. Praise the children's good intentions. Encourage them to put into practice what they have acted out.

Distribute Reproducible Master 2. Have the children do the activity now or work on it at home. Stress the message that the children find in the puzzle (We are the Church).

Conexion con el Hogar

Compartiendo lo aprendido

Recuerde a los niños compartir con sus familias lo aprendido en este capítulo.

Anime a los niños a mostrar *Para que todos vean* a sus familias y leer el pasaje de la Escritura.

Para más información y actividades adicionales visite Sadlier en

www.CREEMOSweb.com

Planifique por adelantado

Lugar de oración: Biblia, bandera del Aleluya

Materiales: crayones o lápices de colores, cartulinas, copias del patrón 3

____ minutos

Repaso del capítulo Presente el *Repaso* diciéndoles a los niños que ahora comprobarán si entendieron los conceptos aprendidos en clase. Luego, pida a los niños que completen las preguntas 1 a 4 de la página 30 de sus libros.

Cuando los niños hayan terminado, utilice el repaso como un instrumento de aprendizaje al pedir que voluntarios repitan en voz alta las respuestas correctas. Aclare cualquier duda que surja.

Luego, lea la quinta pregunta. Pida que los niños escriban las formas en que el Espíritu Santo ayuda a la Iglesia. Cuando todos los niños hayan terminado, diga a los niños que compartan sus respuestas con el grupo.

Repaso — Capítulo 2

Encierra en un círculo la respuesta correcta.

1. Celebramos la resurrección de Jesús el día de ____. Pentecostés (Pascua)
2. Los que siguen a Jesús son llamados ____. pescadores (discípulos)
3. Jesús murió y resucitó de nuevo a la vida para ____. (salvarnos) honrarnos
4. Pentecostés fue el ____ de la Iglesia. final (inicio)

Con tus propias palabras completa la oración.

5. El Espíritu santo ayuda a la Iglesia

Vea la página 28.

Reflexiona y ora

Los discípulos de Jesús son amables y justos. Ellos están dispuestos a servir a los pobres y a los débiles. Ellos rezan y estudian sobre Jesús y la Iglesia. Como discípulo, ¿qué encuentras difícil de hacer?

Espíritu Santo, ayúdame ____

30

PÁGINA DEL ESTUDIANTE 30

Reflexiona y ora Lea en voz alta la introducción de la actividad *Reflexiona y ora*. Explique lo que tienen que hacer para completar la oración. Dé tiempo suficiente para completar la actividad o pídales que la completen en casa.

Respondemos y compartimos la fe

____ minutos

Recuerda Repase las cuatro afirmaciones *Creemos*. Pida a los niños que digan como estas creencias afectan sus vidas.

Nuestra vida católica Lea en voz alta el texto de la página 32. Pida a los niños que sugieran de que formas pueden esforzarse más en la escuela y como pueden ayudar en sus hogares.

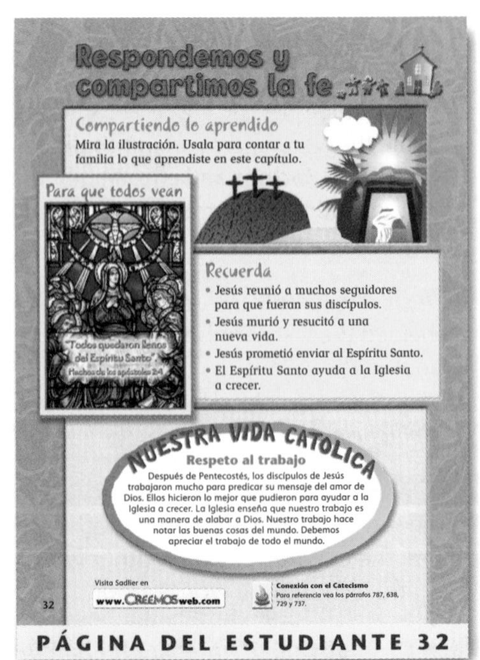

Respondemos y compartimos la fe

Compartiendo lo aprendido

Mira la ilustración. Usala para contar a tu familia lo que aprendiste en este capítulo.

Para que todos vean

"Todos quedaron llenos del Espíritu Santo". Hechos de los apóstoles 2:4

Recuerda

- Jesús reunió a muchos seguidores para que fueran sus discípulos.
- Jesús murió y resucitó a una nueva vida.
- Jesús prometió enviar al Espíritu Santo.
- El Espíritu Santo ayuda a la Iglesia a crecer.

Nuestra vida católica

Respeto al trabajo

Después de Pentecostés, los discípulos de Jesús trabajaron mucho para predicar su mensaje del amor de Dios. Ellos hicieron lo mejor que pudieron para ayudar a la Iglesia a crecer. La Iglesia enseña que nuestro trabajo es una manera de alabar a Dios. Nuestro trabajo hace notar las buenas cosas del mundo. Debemos apreciar el trabajo de todo el mundo.

Visita Sadlier en www.CREEMOSweb.com

Conexión con el Catecismo

32

PÁGINA DEL ESTUDIANTE 32

_____ minutes

Chapter Review Introduce the *Review* by telling the children that they are now going to check their understanding of what they have learned. Then have the children complete questions 1–4 on page 31 of their texts.

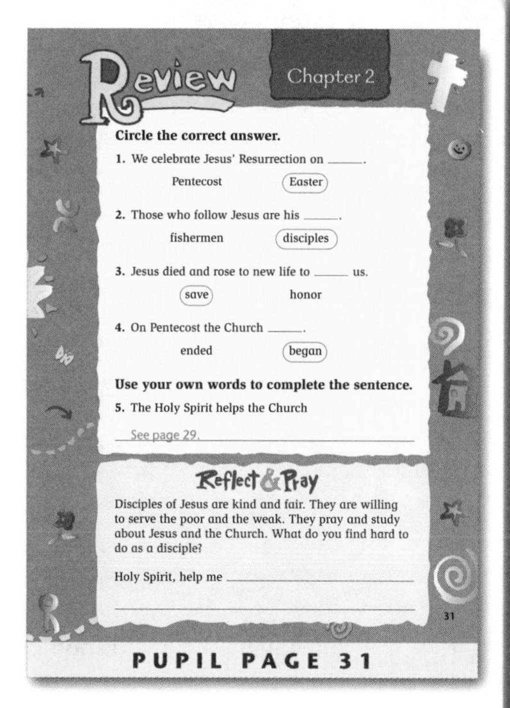

Review Chapter 2

Circle the correct answer.

1. We celebrate Jesus' Resurrection on _____.
   Pentecost (Easter)
2. Those who follow Jesus are his _____.
   fishermen (disciples)
3. Jesus died and rose to new life to _____ us.
   (save) honor
4. On Pentecost the Church _____.
   ended (began)

Use your own words to complete the sentence.

5. The Holy Spirit helps the Church
   See page 29.

Reflect & Pray

Disciples of Jesus are kind and fair. They are willing to serve the poor and the weak. They pray and study about Jesus and the Church. What do you find hard to do as a disciple?

Holy Spirit, help me _____

31

PUPIL PAGE 31

When the children are finished, use the review as a learning opportunity by asking for volunteers to say aloud each of the correct answers. Clear up any misconceptions that arise.

Then read the fifth question. Ask the children to write a few ways that the Holy Spirit helps the Church. After everyone has finished, invite the children to share their answers.

Reflect & Pray Read aloud the introduction to the *Reflect & Pray* activity. Explain what they are to do in completing the prayer. Allow the children time to complete the activity or ask them to complete it at home.

We Respond and Share the Faith

____ minutes

Remember Review the four *We Believe* statements. Ask the children to identify what differences these beliefs make in their lives.

Our Catholic Life Read aloud the text on page 33. Have the children suggest ways that they can work hard at school and ways they can help out at home.

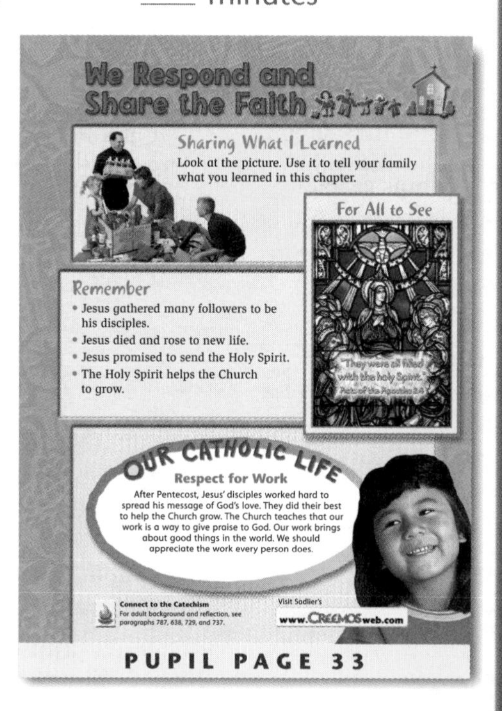

We Respond and Share the Faith

Sharing What I Learned

Look at the picture. Use it to tell your family what you learned in this chapter.

For All to See

Remember

- Jesus gathered many followers to be his disciples.
- Jesus died and rose to new life.
- Jesus promised to send the Holy Spirit.
- The Holy Spirit helps the Church to grow.

OUR CATHOLIC LIFE

Respect for Work

After Pentecost, Jesus' disciples worked hard to spread his message of God's love. They did their best to help the Church grow. The Church teaches that our work is a way to give praise to God. Our work brings about good things in the world. We should appreciate the work every person does.

Connect to the Catechism
For adult background and reflection, see paragraphs 787, 638, 729, and 737.

Visit Sadlier's
www.CREEMOSweb.com

PUPIL PAGE 33

Home Connection

Sharing What I Learned

Remind the children to share with their families what they learned in this chapter.

Invite the children to show *For All to See*, and to read the words from Scripture.

For additional information and activities, encourage families to visit Sadlier's

www.CREEMOSweb.com

Plan Ahead for Chapter 3

Prayer Space: Bible, Alleluia banner

Materials: crayons or colored pencils construction paper, copies of Reproducible Master 3

Celebramos el amor de Dios

Ojeada

En este capítulo los niños aprenderán más sobre Jesús, los sacramentos y las maneras de adorar a Dios.

Contenido doctrinal	Para referencia del *Catecismo de la Iglesia Católica*
Los niños aprenderán que:	párrafo
• Pertenecemos a la Iglesia Católica.	1267–1269
• Celebramos el amor de Dios rezando y adorando.	1119
• Nuestra Iglesia celebra con siete signos especiales llamados sacramentos.	1123
• Jesús está con nosotros en los siete sacramentos.	1127

Referencia catequética

¿Cómo está presente Jesús en los sacramentos?

De los cuatro autores del Evangelio, Juan es quizás quien mejor destaca la cualidad sacramental de las obras que Jesús realizó durante su ministerio. Juan nos cuenta que Jesús alimentó con pan del cielo a la multitud que tenía hambre (Juan 6:1–15, 22–58). Además, nos cuenta que Jesús resucitó a Lázaro y prometió a los creyentes una vida eterna (Juan 11: 1–20). Juan nos cuenta que la noche antes de morir, Jesús lavó los pies de sus discípulos y les dijo que ellos debían seguir su ejemplo (Juan 13:1–20). Jesús tocaba y sanaba los cuerpos y las almas de las personas. Sus acciones físicas tuvieron un efecto espiritual.

El Papa San León Magno destacó que las obras visibles de nuestro Redentor se hacen presentes en los sacramentos. Estas palabras nos ayudan a comprender lo que hacemos cada vez que nos reunimos a celebrar los sacramentos.

En el Bautismo, Cristo nos da la vida de Dios, que nunca morirá. Nos purifica a la vez que nos convierte en sus discípulos. En la Eucaristía, Cristo nos alimenta con el pan de vida enviado del cielo.

En los sacramentos de la Iglesia, Cristo continúa su ministerio. Nos alimenta, nos sana, perdona nuestros pecados y nos hace íntegros. Jesús está realmente con nosotros siempre que nos congregamos en su nombre para celebrar los sacramentos.

¿Qué necesita de Jesús hoy?

Mirando la vida

Historia para el capítulo

La familia Kowalski acababa de inscribirse en la parroquia de Santa Rosa de Lima. El domingo pasado después de la misa, el padre David preguntó a Carla y a su papá:

"¿Van a venir a la celebración del quincuagésimo aniversario de la parroquia?"

"Padre, no conocemos a muchas personas aquí", contestó Carla.

"Bien, vengan y conocerán a otras personas. También aprenderán más sobre nuestra parroquia", terminó diciendo el padre David.

El domingo siguiente Carla y sus padres asistieron a la celebración. Primero celebraron la misa con la comunidad parroquial. Luego, se reunieron con las personas en el salón para un almuerzo especial.

Las paredes del salón estaban cubiertas de fotografías. En algunas se veían personas celebrando los sacramentos del Bautismo y la Confirmación. En otras, había grupos de niños en el día de su primera comunión. Había una gran fotografía de la primera pareja que se casó en la parroquia. Esta pareja estaba presente en el almuerzo con sus hijos y sus nietos. Carla y sus padres conocieron a todos.

Cuando los Kowalski se sentaron a comer, Carla se sorprendió. Su nueva amiga Tamara y sus padres estaban en la misma mesa. Luego, el padre David vino a saludarlos. Invitó a Carla y a Tamara a reunirse con los otros niños al frente del salón. "Vengan a tomarse una fotografía. Necesitamos más fotos para la celebración del próximo aniversario de la parroquia".

Cuando los Kowalski estaban a de regreso a casa, la madre de Carla dijo:

"¡Qué especial es la comunidad parroquial a la que pertenecemos! Espero que podamos hacer sentir a otras personas tan bienvenidas como yo me siento ahora".

¿Le gustaría pertenecer a la parroquia de Santa Rosa de Lima? Explique su respuesta?

We Celebrate God's Love

Overview

In this chapter the children will learn more about Jesus, the sacraments, and ways we worship God.

Doctrinal Content	For Adult Reading and Reflection *Catechism of the Catholic Church*
The children will learn:	Paragraph
• We belong to the Catholic Church.	1267–1269
• Catholics celebrate God's love by praying and worshiping.	1119
• Our Church celebrates with seven special signs called sacraments.	1123
• Jesus is present with us in the sacraments.	1127

Catechist Background

How do you see Jesus in the sacraments?

Of the four gospel writers, Saint John perhaps best highlights for us the sacramental quality of the deeds that Jesus performed during his earthly ministry. John tells us that Jesus fed the hungry crowds with bread from heaven (John 6:1–15, 22–58). He tells us that Christ raised Lazarus to life and so promised believers a share in a life that will never die (John 11:1–20). He tells us that on the night before he died Jesus washed his disciples' feet and told them that this act was a model for them to follow (John 13:1–20). Jesus touched and healed peoples' bodies and souls. His physical actions had a spiritual effect.

Pope Saint Leo the Great once observed that our Redeemer's visible deeds have passed over into the sacraments. These words offer us a helpful way of understanding what we do every time we gather to celebrate the sacraments.

In Baptism Christ gives us God's life, that we might never die. He washes us clean as he makes us his disciples. In the Eucharist, Christ feeds us with his heaven-sent Bread of Life.

In the sacraments of the Church, Christ continues his ministry. He is feeding us, healing us, forgiving our sins, and making us whole. Every time we gather in his name to celebrate the sacraments, Jesus is truly with us.

What do you need from Jesus today?

Focus on Life

Chapter Story

The Kowalski family had just become members of Saint Rose of Lima parish. Last Sunday after Mass, Father Dave asked Carla and her dad, "Are you coming to the parish's fiftieth anniversary celebration?" Carla answered, "Father, we don't know many people." Father Dave said, "Well, come and you'll meet more people. You'll also learn more about our parish."

The next Sunday Carla and her parents went to the celebration. First they celebrated Mass with the parish community. Then they joined the people of the parish in the hall for a special lunch.

The walls of the hall were covered with photographs. Some showed people celebrating the sacraments of Baptism and Confirmation. Some showed groups of children on their First Holy Communion Day. There was a large photo of the first couple who were married in the parish. This couple were at the lunch with their children and their grandchildren. Carla and her parents got to meet them all.

When the Kowalskis sat down to eat, Carla was surprised. Her new friend Tamara and her family were at the same table. Then Father Dave came over to say hello. He invited Carla and Tamara to join the other children in the front of the hall. "Come and get your picture taken. We need more photos for our parish's next special anniversary celebration."

When the Kowalskis were on their way home, Carla's mom said, "What a special parish community we belong to! I hope we can do our part to make other people feel as welcome as I do right now."

Would you like to belong to Saint Rose of Lima parish? Tell why or why not.

Guía para planificar la lección

1 NOS CONGREGAMOS

Pasos de la lección	Presentación	Materiales
pág. 34 **Oración**  *Salmo 100:1–3*  **Mirando la vida**	• Reunir a los niños en el lugar de oración. • Rezar versos de los salmos. • Comentar las instrucciones y responder la pregunta.	Para el lugar de oración: bandera de Aleluya, dibujos o estatuilla de Jesús • Instrumentos de percusión: tambor, maracas, tamborín, timbales

2 CREEMOS

Pasos de la lección	Presentación	Materiales
pág. 34 *Pertenecemos a la Iglesia Católica.*	• Leer y comentar el texto y las fotografías sobre la comunidad de la Iglesia. Realizar la actividad.	• bolígrafo o lápices
pág. 36 *Celebramos el amor de Dios rezando y adorando.*  *Salmo 100:1*	• Leer y comentar el texto. • Alabar a Dios con palabras de la Sagrada Escritura. Completar la actividad. • Leer y comentar *Como católicos.*	• crayones o marcadores
pág. 38 *Nuestra Iglesia celebra con siete signos especiales llamados sacramentos.*	• Comentar los signos que usamos para las celebraciones. • Presentar el texto.	
pág. 40 *Jesús está con nosotros en los siete sacramentos.*	• Presentar los siete sacramentos. • Señalar *Vocabulario* y sus definiciones.	• crayones o marcadores • copias del patrón 3

3 RESPONDEMOS

Pasos de la lección	Presentación	Materiales
pág. 40	Comentar la pregunta de *Respondemos.* • Rezar en silencio.	
páginas 42 y 44 **Repaso**	• Completar las preguntas 1–5. Completar la actividad de *Reflexiona y ora.*	
páginas 42 y 44 **Respondemos y compartimos la fe**	• Repasar *Recuerda* y *Vocabulario.* • Leer y comentar el texto *Nuestra vida católica.*	

Para ideas, actividades y otras oportunidades visite Sadlier en **www.CREEMOSweb.com**

Lesson Planning Guide

WE GATHER

Lesson Steps	Presentation	Materials
page 35 **Prayer**  *Psalm 100:1–3*  **Focus on Life**	• Gather in the prayer space. • Pray psalm verses. • Discuss the directive and respond to the question.	For the prayer space: Alleluia banner, pictures or statue of Jesus • percussion instruments: drum, maracas, tambourine, cymbals

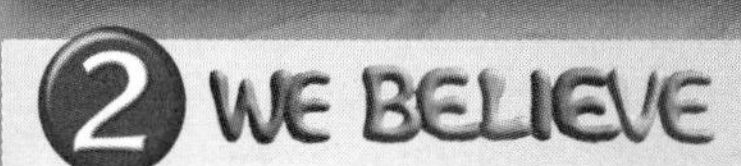

WE BELIEVE

Lesson Steps	Presentation	Materials
page 35 *We belong to the Catholic Church.*	• Read and discuss the text and photographs about the Church community. Complete the activity.	• pen or pencil
page 37 *Catholics celebrate God's love by praying and worshiping.* *Psalm 100:1*	• Read and discuss the text. • Praise God with words from Scripture. Do the activity. • Read and discuss *As Catholics.*	• crayons or highlighters
page 39 *Our Church celebrates with seven special signs called sacraments.*	• Discuss signs used for celebrations. • Present the text.	
page 41 *Jesus is present with us in the sacraments.*	• Present the seven sacraments. • Point out the *Key Words* and definitions.	• crayons or highlighters • copies of Reproducible Master 3

WE RESPOND

Lesson Steps	Presentation	Materials
page 41	Discuss the *We Respond* question. • Spend time in silent prayer.	
pages 43 and 45 **Review**	• Complete questions 1–5. Complete the *Reflect & Pray* activity.	
pages 43 and 45 **We Respond and Share the Faith**	• Review *Remember* and *Key Words.* • Read and discuss *Our Catholic Life.*	

For additional ideas, activities, and opportunities: Visit Sadlier's **www.CREEMOSweb.com**

Conexiones

La doctrina social de la Iglesia

Llamado a la familia, la comunidad y la participación
La Iglesia entrega a los miembros de la parroquia una fuente de fortaleza y sentido de comunidad. Sin embargo, recibimos un llamado aún más importante: repartir estos regalos al resto de la sociedad, especialmente a los que más los necesitan. Mientras realiza las actividades con los niños y comenta que es la parroquia y que funciones desempeña, recalque que como católicos debemos ayudar al prójimo dentro y fuera de la parroquia. Analice con los niños las diversas maneras en que pueden ayudar al prójimo.

La parroquia

Establezca una relación entre lo que los niños están aprendiendo sobre los sacramentos y la vida real de la parroquia en donde se celebran estos sacramentos durante la semana. Esta relacion incluye claramente al sacramento de la Eucaristía que se celebra todos los domingos; pero también permita que los niños se den cuenta de que este sacramento también se celebra en otros momentos de la semana. Muestre a los niños una copia del boletín parroquial para que puedan identificar cuando se celebran algunos de los otros sacramentos, tales como: el Bautismo, la Reconciliación y el Matrimonio.

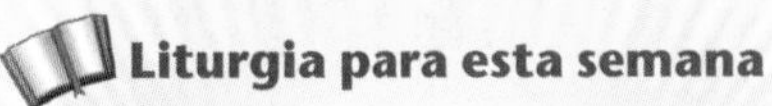

Liturgia para esta semana
Visite **www.creemosweb.com** para las lecturas bíblicas de esta semana y otros materiales propios del tiempo.

FE y MEDIOS

- Después de leer el texto *Como católicos,* diga a los niños que la parroquia utiliza dos clases de medios de comunicación para anunciar los eventos a la comunidad parroquial y para que el resto de la sociedad reciba información sobre la comunidad parroquial: el boletín parroquial (utilice uno en clase) y el sitio de la red parroquial (si su parroquia tiene un sitio en Internet, visítelo con los niños).
- Después de leer el texto *Nuestra vida católica* sobre el don de la música, recuerde a los niños que cuando cantamos y tocamos instrumentos en la misa, estamos usando nuestras voces e instrumentos para enviar un mensaje de alabanza a Dios. Además, estamos demostrando nuestro amor por Dios a todas las personas que nos escuchan. Nuestra música es otro medio de comunicación.

Necesidades individuales

Los niños con atención deficiente

Es posible que los niños con deficiencia de atención necesiten ciertas técnicas que los ayuden en su aprendizaje.

En cada reunión, comparta con los niños los objetivos de la clase. Pida a los niños con deficiencias de atención que lleven un registro de los objetivos alcanzados o no alcanzados. Elogie al niño cuando haya logrado alcanzar sus metas y anímelo cuando no lo haya hecho.

RECURSOS ADICIONALES

Video *Los sacramentos,* Paulinas. Breves dramatizaciones de los sacramentos. (44 minutos 1 video)

Para ideas visite a Sadlier en

www.CREEMOSweb.com

Connections

To Catholic Social Teaching

Call to Family, Community, and Participation
The Church provides the members of the parish with a source of strength and community. But there is a greater call: to spread these gifts to the rest of society, especially to those who need them most. As you work with the children and discuss what their parish is and what it does, stress that we have a duty as Catholics to help others within the parish and outside the parish. Explore with the children various ways they can help others.

To Parish

Connect what the children are learning about the sacraments to the real life of the parish where the sacraments are celebrated throughout the week. This most obviously involves the sacrament of the Eucharist on Sunday. But help the children to realize that this sacrament is celebrated at other times during the week. Show the children a copy of the parish bulletin in which they can identify the times at which some of the other sacraments are celebrated: such as Baptism, Reconciliation, Matrimony.

FAITH and MEDIA

- After reading *As Catholics,* tell the children about two kinds of media parishes use to tell the parish community about parish events and to tell others about the parish community: the parish bulletin (bring one to class) and the parish Web site (if your parish has one, visit the site with the children).
- After reading *Our Catholic Life* about the gift of music, remind the children that when we sing and play instruments at Mass, we are using our voices and instruments to send a message of praise to God. We are also showing our love for God to everyone who can hear us singing and playing. Our music is another example of media.

This Week's Liturgy
Visit **www.creemosweb.com** for this week's liturgical readings and other seasonal material.

Meeting Individual Needs

Children with Attention Deficit Disorder

Children who experience Attention Deficit Disorder (ADD) may need special facilitating techniques to keep them on track.

Each time you meet share goals you hope to accomplish. Help the child with ADD to record whether the goals were met. Praise the child when these goals are accomplished and encourage the child even when the goals have not been met.

ADDITIONAL RESOURCES

Book *With Jesus Always,* William H. Sadlier, Inc., 1991. Explains the Mass and prayers for receiving Eucharist along with many other Catholic prayers and practices.

Video *What Do We Do At Mass?* Liturgy Training Publications, 1999. Children explain what we do at Mass with filming of a parish Sunday Mass. (17 minutes)

To find more ideas for books, videos, and other learning material visit Sadlier's

www.CREEMOSweb.com

Meta catequética

• Enseñar que pertenecemos a la Iglesia Católica y que la Iglesia celebra los siete signos especiales llamados sacramentos

PREPARANDOSE PARA ORAR

Los niños rezarán un salmo de alabanza. Explique: *Es posible que Jesús haya rezado estos mismos versos cuando se congregaba con otros a adorar a Dios, el Padre.*

• Forme dos grupos. Pida a los niños que lean los versos de su grupo.

• Entregue instrumentos de percusión a los niños: tambor, maracas, tamborín, timbales. Elija voluntarios para tocar los instrumentos al principio y al final del salmo. Enséñeles el ritmo a seguir y déles algunos minutos para practicar.

El lugar de oración

• Pida a voluntarios que le ayuden a realizar una bandera de Aleluya. Coloque la bandera en el lugar de oración. Ponga una estatuilla o dibujo de Jesús en la mesa de oración.

3 Celebramos el amor de Dios

NOS CONGREGAMOS

✝ Nos ponemos de pie para rezar.

Grupo 1

"¡Canten al Señor con alegría,
habitantes de toda la tierra!"

Grupo 2

"Reconozcan que el Señor es Dios;
él nos hizo y somos suyos". (Salmo 100:1, 3)

Nombra algunas comunidades a las que perteneces. ¿Qué haces en esos grupos?

CREEMOS

Pertenecemos a la Iglesia Católica.

Perteneces a la comunidad llamada Iglesia Católica. Somos **católicos**. Nos hacemos miembros de la Iglesia cuando somos bautizados. Somos guiados por el papa y los obispos.

Algunas de las cosas que los católicos alrededor del mundo comparten son:

- creer que Jesús es el Hijo de Dios
- creer que Jesús sufrió, murió y resucitó para salvarnos
- que Dios es vida y amor
- que somos llamados a servir a otros como lo hizo Jesús.

34

Planificación de la lección

NOS CONGREGAMOS ___ minutos

✝ Oración

• Pida a los niños que abran sus libros en la oración de *Nos Congregamos* en la página 34. Pida a los niños del grupo 1 que se paren a un lado del lugar de oración y a los del grupo 2 que se paren otro lado. Recuérdeles: *Jesús está con nosotros.* Pida a los músicos que toquen sus instrumentos. Luego, indique con un gesto que el grupo 1 debe comenzar a leer.

• Haga una breve pausa cuando el grupo1 termine de leer. Luego, indique con un gesto que es el turno del grupo 2. Pida a los músicos que toquen sus instrumentos.

Mirando la vida

• Recuerde a los niños que las comunidades trabajan juntas por el bien de los demás. Pida a los niños que nombren algunas de las comunidades a las que pertenecen y comenten que actividades hacen. Diga a los niños que sus familias son la primera comunidad a la que pertenecen.

• Lea la *Historia para el capítulo* en la página 34A.

___ minutos

Escriba en la pizarra las palabras *Iglesia Católica.* Recalque: *La Iglesia católica es una comunidad que tiene millones de miembros en todo el mundo.* Luego, pida a un voluntario que lea el primer párrafo de la página 34.

We Celebrate God's Love

3

WE GATHER

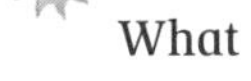

✝ Let us stand to pray.

Group 1

"Shout joyfully to the LORD, all you lands."

Group 2

"Know that the LORD is God,
our maker to whom we belong."
(Psalm 100:1, 3)

Name communities to which you belong. What do you do together in these groups?

WE BELIEVE

We belong to the Catholic Church.

We belong to the Church community that is called the Catholic Church. We are **Catholics**. We become members of the Church when we are baptized. We are led and guided by the pope and bishops.

Some of the things that Catholics throughout the world share and celebrate are:

- the belief that Jesus is the Son of God
- the belief that Jesus suffered, died, and rose again to save us
- God's life and love
- a call to help and serve others as Jesus did.

35

Catechist Goal

- To teach that we belong to the Catholic Church and that the Church celebrates with seven special signs called sacraments

Preparing to Pray

Children will pray a psalm of praise. Explain: *Jesus may have prayed these words when he joined others in worshiping God the Father.*

- Form two groups. Ask the children to read over their group's verses.
- Have available a few percussion instruments: drum, maracas, tambourine, and cymbals. Choose a volunteer to play each instrument at the beginning and end of the psalm. Give them a pattern of beats to follow and have them practice a few times together.

The Prayer Space

- Have volunteers help you to make an Alleluia banner. Display the banner in your prayer space. On the prayer table, place a picture or statue of Jesus.

Lesson Plan

WE GATHER

____ minutes

✝ Prayer

- Have the children open their books to the *We Gather* prayer on page 35. Ask Group 1 to stand on one side of the prayer space and Group 2 to stand on the other side. Remind the group: *Jesus is with us.* Have the musicians play. Then nod to indicate that Group 1 should begin reading.
- Pause briefly after Group 1 has finished. Then nod to indicate that Group 2 should begin. Ask the musicians to play.

Focus on Life

- Remind the children that communities work together for the good of others. Then ask the children to name some of the communities they belong to, and discuss what they do together in these groups. Point out that their families are the first communities to which they belong.
- Read the *Chapter Story* on guide page 34B.

WE BELIEVE

____ minutes

Write on the board *Catholic Church.* Stress: *The Catholic Church is a community that has millions of members throughout the world.* Then ask a volunteer to read the first paragraph on page 35.

Nuestra respuesta en la fe

• Nombrar las maneras en que nos preparamos para los sacramentos

católicos
parroquias
fe
culto
sacramento

Como católicos...

Nuestra parroquia

Después de trabajar en estas dos páginas, lea en voz alta el texto *Como católicos*. Recuerde a los niños que nuestra comunidad parroquial se reúne para celebrar los sacramentos.

Conexión con el hogar

Invite a voluntarios a comentar de que manera demostraron a sus familias que son seguidores de Jesús.

Adoramos y trabajamos juntos en comunidades llamadas **parroquias**. Sacerdotes dirigen nuestras comunidades parroquiales. Ellos trabajan con personas de la parroquia. La parroquia satisface las necesidades de todos, en especial los enfermos y los desamparados.

Completa la oración escribiendo el nombre de tu parroquia.

Pertenezco a la parroquia

_______________________________.

Celebramos el amor de Dios rezando y adorando.

Jesús y sus discípulos compartieron y celebraron su fe en Dios. **Fe** es un don de Dios. La fe nos ayuda a confiar en Dios y a creer todo lo que él nos dice.

Los católicos también nos congregamos a celebrar nuestra fe en Dios y su amor. Rendimos **culto** a Dios. Esto quiere decir que le damos gracias y lo alabamos. Cuando nos reunimos a adorar, Dios está con nosotros. Muchas veces alabamos a Dios con palabras de la Escritura:

"¡Canten al Señor con alegría,
habitantes de toda la tierra!"
(Salmo 100:1)

Como católicos...

En la Iglesia Católica, nuestra parroquia es como nuestro hogar. Millones de católicos alrededor del mundo se reúnen en sus comunidades parroquiales. En sus parroquias, los católicos alaban y adoran a Dios. Ellos celebran los sacramentos. Aprenden más sobre su fe. Juntos hacen buenas obras por las personas de sus comunidades y del mundo.

36

Planificación de la lección

CREEMOS (continuación)

Recalque *La Iglesia católica tiene muchos miembros y todos compartimos y celebramos ciertas cosas.* Lea en voz alta la lista en el segundo párrafo.

Explique que los católicos rezamos y trabajamos juntos en las comunidades parroquiales. Luego, pida a los niños que lean en silencio mientras Ud. lee el tercer párrafo en voz alta. Señale a los niños que ellos son miembros importantes de la parroquia. Pídales que se pongan de pie cuando el resto de la clase diga: *(nombre del niño) es un miembro importante de la Iglesia.*

Escriba el nombre de su parroquia en la pizarra o en papel cuadriculado. Pida a los niños que lo escriban en sus libros.

Pida a los niños que miren las fotografías de las páginas 36 y 37. Pregunte: *¿De qué manera muestran estas fotografías lo que los católicos hacen en sus comunidades parroquiales?*

Escriba en la pizarra la palabra *culto*. Explique: *Rendimos culto a Dios del mismo modo en que lo hacían las personas en la época de Jesús.* Pida a voluntarios que lean en voz alta los dos primeros párrafos de la afirmación *Creemos* en la página 36.

Pida a los niños que lean juntos el verso del salmo 100.

Explique *Nos congregamos en nuestra comunidad parroquial a adorar a Dios.* Lea en voz alta el primer párrafo en la página 38. Pida a los niños que marquen o subrayen las tres primeras oraciones del párrafo.

We worship and work together in communities called **parishes**. Our parish communities are led and guided by priests. They work with men and women of the parish. The whole parish serves the needs of others, especially the poor, sick, and lonely.

Complete the sentence by writing the name of your parish.

I belong to ____________ parish.

As Catholics...

In the Catholic Church, our parish is like our home. Millions of Catholics all around the world gather in their parish communities. In their parishes, Catholics praise and worship God. They celebrate the sacraments. They learn more about their faith. Together they do good works for the people in their communities and in the world.

Catholics celebrate God's love by praying and worshiping.

Jesus and his disciples often shared and celebrated their faith in God. **Faith** is a gift from God. It helps us to trust God and believe all that he tells us.

Catholics, too, gather to celebrate their faith in God and his love. We **worship** God. This means we give him thanks and praise. When we gather to worship, God is with us. We often praise God with words from Scripture:

"Shout joyfully to the LORD, all you lands." (Psalm 100:1)

37

Our Faith Response

- To name ways we will prepare for the sacraments

Key Words

Catholics
parishes
faith
worship
sacrament

As Catholics...

Our Parish

After working on this page, read aloud the *As Catholics* text. Remind the children that our parish community gathers together to celebrate the sacraments.

Home Connection Update

Invite volunteers to share how their families showed they were followers of Jesus.

Lesson Plan

WE BELIEVE (continued)

Emphasize: *There are many members of the Catholic Church, and we all share and celebrate certain things.* Read aloud the things listed in the second paragraph.

Explain: Catholics worship and work together in parish communities. Then ask the children to read silently as you read aloud the paragraph at the top of page 37. Point out to the children that they are important members of the parish. Have the children take turns standing while the other children say: *(child's name) is a very important member of the Church.*

Write the name of your parish on the board or on chart paper. Ask the children to write the name in their texts.

Invite the children to look at the pictures on pages 36–37. Ask: *How do the pictures show what Catholics do in their parish communities?*

Write the word *worship* on the board. Explain: *We worship God just as the people did in Jesus' time.* Have volunteers read aloud the first two paragraphs of the *We Believe* statement on page 37.

Invite all the children to read together the verse from Psalm 100.

Explain *We gather with our parish community to worship God.* Read aloud the paragraph at the top of page 39. Have the children highlight or underline the first three sentences of the paragraph.

Nota

Aprender sobre la Iglesia

En esta lección se incluye una breve introducción de la Iglesia en nuestros tiempos. Los niños aprenderán más sobre la Iglesia y su liderazgo en el Capítulo 23, “La Iglesia vive”.

BANCO DE ACTIVIDADES

Parroquia

Carteles de invitación

Materiales: papel afiche, crayones, marcadores

Pida a los niños que trabajen en grupos. Cada grupo hará un cartel para invitar a otras personas a ser miembros activos de la parroquia.

Escriba en la pizarra lo siguiente:

- *Acércate y reza con nosotros.*
- *Acércate y celebra el amor de Dios con nosotros.*
- *Acércate y ayudemos al prójimo.*

Pida a cada grupo elegir una oración para escribir en sus carteles. Ayúdelos a hacer y decorar sus carteles. Pida al párroco que coloque los carteles en el vestíbulo de la iglesia o en el salón de la parroquia.

Nos reunimos como comunidad parroquial todas las semanas en la misa. Celebramos lo que Jesús hizo por nosotros durante su vida, muerte y resurrección. Celebramos que Jesús está siempre con nosotros. Alabamos a Dios el Padre, por medio de su Hijo, Jesucristo, junto con el Espíritu Santo. Dios nos da la fuerza para compartir su gran amor.

Colorea esta palabra que usamos para alabar.

Aleluya

Nuestra Iglesia celebra con siete signos especiales llamados sacramentos.

La Iglesia celebra con signos. Los signos que usa la Iglesia son diferentes de los signos comunes.

Los signos especiales que la Iglesia celebra son los siete sacramentos. Un **sacramento** es un signo especial dado por Jesús. Dios nos hace santos por medio de los sacramentos. Jesús nos dio estos sacramentos para que pudiéramos compartir la vida de Dios.

Nos reunimos como comunidad de la Iglesia para celebrar estos sacramentos. Nos fortalecemos en la fe. Crecemos como seguidores de Jesús.

38

Planificación de la lección

CREEMOS (continuación)

Diga a los niños que coloreen las letras de la palabra *Aleluya.* Pregunte: *¿Qué otras palabras podemos usar para adorar a Dios?* (Respuestas posibles: Amén, Gloria, te alabamos, te agradecemos.)

Cotejo rápido

✔ *¿Cuándo nos convertimos en miembros de la Iglesia católica?* (Nos convertimos en miembros de la Iglesia cuando nos bautizamos.)

✔ *¿Cómo celebran los católicos el amor a Dios?* (Nos congregamos para adorar a Dios.)

Escriba en la pizarra o en papel cuadriculado las siguientes celebraciones: Día de San Valentín, 4 de Julio, cumpleaños. Pregunte a los niños cuál podría ser el símbolo de cada celebración. Escriba el símbolo al lado de cada celebración. (Respuestas posibles: Día de San Valentín, corazón; 4 de Julio, bandera; cumpleaños, globos.)

Escriba la palabra *sacramento* en la pizarra. Explique: *Un sacramento es un símbolo especial que nos ha dado Jesús.* Luego, pida a voluntarios que lean en voz alta los tres párrafos de la afirmación *Creemos* en página 38.

Recalque que nos congregamos como una comunidad de la Iglesia para celebrar los siete sacramentos. Pida a los niños que digan los sacramentos que conocen o que aprendieron. (Nota: El libro *Creemos* de primer grado presenta los sacramentos de el Bautismo, la Eucaristía y la Reconciliación.)

We gather as a parish community each week at Mass. We celebrate all that Jesus has done for us through his life, his death, and his Resurrection. We celebrate that Jesus is with us always. We praise God the Father, through his Son, Jesus Christ, together with the Holy Spirit. God gives us the strength to go out and share his great love.

Color this word we use in worship.

Alleluia

Our Church celebrates with seven special signs called sacraments.

The Church celebrates with signs. But the signs the Church uses are different from ordinary signs.

The special signs the Church celebrates are the seven sacraments. A **sacrament** is a special sign given to us by Jesus. God makes us holy through the sacraments. Jesus gave us these sacraments so that we can share in God's own life.

We gather as a Church community to celebrate these sacraments. We become stronger in faith. We grow as followers of Jesus.

39

Teaching Note

Learning About the Church

This lesson gives the children a brief introduction to the Church today. The children will learn more about the Church and its leadership in Chapter 23, "The Church Lives Today."

Activity Bank

Parish

Invitational Signs

Materials: poster board, crayons, markers

Have the children work in groups. Explain that each group is going to make a poster to invite others to be active members of the parish.

Write the following on the board.

- *Come worship with us.*
- *Come celebrate God's love with us.*
- *Come help us to help others.*

Have each group choose one of these sentences to print on their posters. Then help the groups make and decorate their signs. Ask the pastor to display these posters in the church vestibule or parish hall.

Lesson Plan

WE BELIEVE (continued)

Invite the children to color the letters of the word *Alleluia.* Ask: *What other words can we say to worship God?* (Possible responses: Amen; Glory; We praise you; We thank you.)

Quick Check

✔ *When do we become members of the Catholic Church?* (We become members when we are baptized.)

✔ *How do Catholics celebrate God's love?* (We gather together and worship him.)

List on the board or chart paper the following celebrations: Valentine's Day, Fourth of July, birthday. Ask the children what might be a sign of each celebration. Write each sign beside the celebration listed. (Possible responses: Valentine's Day, heart; Fourth of July, flag; birthday, balloons)

Write the word *sacrament* on the board. Explain: *A sacrament is a special sign that Jesus has given us.* Then have volunteers read aloud the three paragraphs of the *We Believe* statement on page 39.

Emphasize that we gather as a Church community to celebrate the seven sacraments. Ask the children to share the names of the sacraments they know or have learned about. (Note: The Grade 1 *We Believe* text presents the sacraments of Baptism, Eucharist, and Reconciliation.)

Nota

Momento de lectura

Cuando lleguen a la sección *Lee conmigo*, lea el texto en voz alta o pida que un lector avanzado lo lea. La sección *Lee conmigo* permite que los niños se sientan cómodos con el material. Además, se utiliza porque a los niños les gusta que les lean información.

Jesús está con nosotros en los siete sacramentos.

Por medio del don de la fe de Dios creemos que Jesús está con nosotros. Cada vez que celebramos los sacramentos, Jesús está con nosotros por medio del poder del Espíritu Santo. Los sacramentos nos ayudan a vivir como amigos de Jesús.

Los siete sacramentos

Lee conmigo

Bautismo nos hace hijos de Dios y miembros de la Iglesia. Recibimos al Espíritu Santo por primera vez.

Confirmación nos sella con el don del Espíritu Santo y nos fortalece. La Confirmación nos hace fuertes seguidores de Jesús.

Eucaristía es el sacramento del Cuerpo y la Sangre de Cristo. Recibimos a Jesús mismo en la sagrada comunión.

Penitencia y Reconciliación en este sacramento Dios perdona nuestros pecados. Decimos nuestros pecados al sacerdote. Se nos da el perdón y la paz de Dios.

Unción de los Enfermos es el sacramento para los enfermos y los que están en peligro de muerte. El sacerdote reza para que el enfermo sane en cuerpo, mente y espíritu.

Matrimonio un hombre y una mujer se comprometen a amarse y a ser fieles uno al otro.

Orden Sagrado es el sacramento en que un hombre se hace diácono, sacerdote u obispo. El sirve a la Iglesia guiando al pueblo de Dios.

Vocabulario

católicos miembros bautizados de la Iglesia, dirigidos y guiados por el papa y los obispos

parroquias comunidades que rinden culto y trabajan juntas

fe don de Dios que nos ayuda a confiar y a creer en él

culto alabar y dar gracias a Dios

sacramento signo especial dado por Jesús

RESPONDEMOS

¿Cuál de los siete sacramentos vas a celebrar este año?

Habla con Jesús sobre las formas en que te estás preparando para celebrar estos sacramentos con tu comunidad parroquial.

40

Planificación de la lección

CREEMOS (continuación)

Pida a los niños que lean en voz alta la afirmación de *Creemos* y el primer párrafo de la página 40. Luego, pídales que resalten o subrayen la segunda oración del párrafo.

Lea la explicación de cada sacramento. (Consulte la *Nota* en esta página.) Pida a los niños que resalten o subrayen el nombre del sacramento.

Anime a los niños a memorizar los siete sacramentos, pero no les pida que memoricen la explicación de cada uno. Durante todo el programa de *Creemos* los niños aprenderán sobre el significado y la celebración de los siete sacramentos.

Distribuya copias del patrón 3. Diga a los niños que pueden realizar la actividad ahora o en sus hogares. (primera oración, sacramentos; segunda oración, signos y Jesús).

Vocabulario Pida a los niños que lean las definiciones de las palabras del *Vocabulario* de este capítulo. Pida a voluntarios que utilicen las palabras en oraciones.

RESPONDEMOS

____ minutos

Conexión con la vida Explique a los niños que sus familias y la comunidad parroquial los ayudan a prepararse para celebrar ciertos sacramentos por primera vez. Pida a voluntarios que nombren estos sacramentos.

Oración Pida a los niños que cierren sus ojos y recen en silencio para agradecer a Jesús por los sacramentos. Luego, recen juntos: *Jesús, ayúdanos a recordar que siempre estás con nosotros.*

Jesus is present with us in the sacraments.

Through God's gift of faith, we believe Jesus is with us. Every time we celebrate the sacraments, Jesus is with us through the power of the Holy Spirit. The sacraments help us to live as friends of Jesus.

The Seven Sacraments

Read Along

Baptism We become children of God and members of the Church. We receive the Holy Spirit for the first time.

Confirmation This sacrament seals us with the Gift of the Holy Spirit and strengthens us. Confirmation makes us stronger followers of Jesus.

Eucharist This is the sacrament of the Body and Blood of Christ. We receive Jesus himself in Holy Communion.

Penance and Reconciliation In this sacrament, God forgives our sins. We tell our sins to the priest. We are given God's forgiveness and peace.

Anointing of the Sick This is the sacrament for those who are sick or are in danger of death. The priest prays that they may be healed in body, mind, and spirit.

Matrimony In this sacrament, a man and a woman become husband and wife. They promise to love and be faithful to each other always.

Holy Orders In this sacrament, a man becomes a deacon, a priest, or a bishop. He then serves the Church by leading and guiding God's people.

Key Words

Catholics baptized members of the Church, led and guided by the pope and bishops

parishes communities that worship and work together

faith a gift from God that helps us to trust God and believe in him

worship to give God thanks and praise

sacrament a special sign given to us by Jesus

WE RESPOND

Which of the seven sacraments are you looking forward to celebrating this year?

Talk to Jesus about ways you are getting ready to celebrate these sacraments with your parish community.

Teaching Note

Read Along

When you see *Read Along* either read the material to the children or ask a proficient reader to do so. The *Read Along* feature is used to make the children feel comfortable with the material. It is also used since many children enjoy having information read to them.

Lesson Plan

WE BELIEVE (continued)

Ask the children to read aloud the *We Believe* statement and the first paragraph on page 41. Then ask the children to highlight or underline the paragraph's second sentence.

Read the explanation of each sacrament. (See Teaching Note on this page.) Have the children highlight or underline the sacrament's name.

Encourage the children to memorize the names of the seven sacraments, but do not require that they memorize the entire explanation of each sacrament. Throughout the *We Believe* program the children will learn about the meaning and celebration of each of the seven sacraments.

Distribute copies of Reproducible Master 3. Have the children work on the activity now or at home. (first sentence, sacraments; second sentence, signs and Jesus)

Key Words Have the children read the definitions of this chapter's *Key Words*. Ask volunteers to use the words in sentences.

WE RESPOND ____ minutes

Connect to Life Explain to the children that their families and the parish community help them to prepare to celebrate certain sacraments for the first time. Ask volunteers to share what these sacraments are.

Pray Have the children close their eyes and quietly pray to Jesus to thank him for the sacraments. Then pray together: *Jesus, help us to remember that you are with us always.*

BANCO DE ACTIVIDADES

Inteligencia múltiple

Espacial

Materiales: perchas, platos de papel (3 para cada niño), hilo o cuerda, perforadora

Ayude a los niños a realizar móviles con los sacramentos. Entregue a cada niño tres platos de papel. Pida a los niños que escriban en uno de los platos: *Bautismo, Confirmación y Eucaristía.* En otro plato escribirán: *Penitencia, Reconciliación y Unción de los enfermos.* En el tercer plato escribirán: *Matrimonio y Orden Sagrado.*

Ayude a los niños a perforar la parte superior de cada plato y a utilizar el hilo o cordel para unir cada plato a la percha. Sugiera a los niños que muestren estos móviles a sus familiares y que compartan con ellos lo que aprendieron sobre los sacramentos.

CONEXION CON EL HOGAR

Compartiendo lo aprendido

Recuerde a los niños compartir con sus familias lo aprendido en este capítulo.

Sugiera a los niños que recen estas palabras del salmo 104:33 que se encuentran en *para que todos vean.*

Para más información y actividades adicionales visite Sadlier en

www.CREEMOSweb.com

Planifique por adelantado

Lugar de oración: paisajes que tengan escenas con agua, un recipiente lleno de agua bendita, una cruz

Materiales: copias del patrón 4, crayones o lápices de colores

___ minutos

Repaso del capítulo Lea cada oración y las respuestas posibles para las frases incompletas 1 a 4. Pida a los niños que encierren en círculos las respuestas correctas. Cuando hayan terminado pida a voluntarios que lean sus respuestas. Dedique unos minutos para aclarar cualquier duda que puedan tener los niños. Lea la quinta pregunta. Permita que los niños digan lo que recuerdan sobre las maneras en que los católicos rinden culto al Señor. Luego, pida a los niños que escriban las respuestas en sus libros.

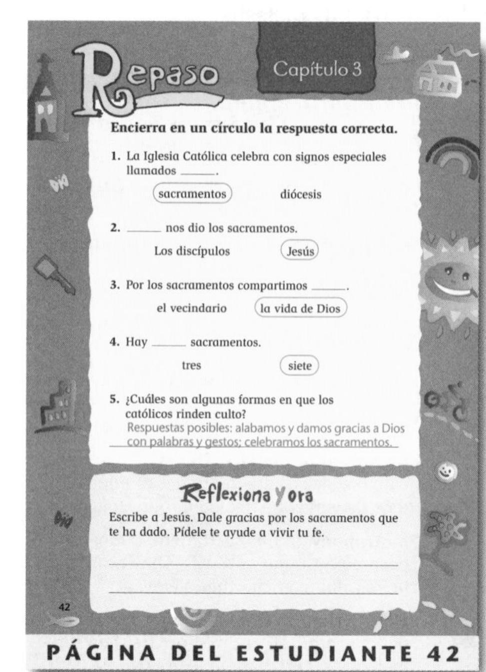

Repaso Capítulo 3

Encierra en un círculo la respuesta correcta.

1. La Iglesia Católica celebra con signos especiales llamados ____.
   (sacramentos) diócesis
2. ____ nos dio los sacramentos.
   Los discípulos (Jesús)
3. Por los sacramentos compartimos ____.
   el vecindario (la vida de Dios)
4. Hay ____ sacramentos.
   tres (siete)
5. ¿Cuáles son algunas formas en que los católicos rinden culto?
   Respuestas posibles: alabamos y damos gracias a Dios con palabras y gestos; celebramos los sacramentos.

Reflexiona y ora

Escribe a Jesús. Dale gracias por los sacramentos que te ha dado. Pídele te ayude a vivir tu fe.

42

PÁGINA DEL ESTUDIANTE 42

Reflexiona y ora Lea las instrucciones de *Reflexiona y ora.* Cuando esté seguro de que los niños saben qué hacer en esta actividad, pídales que escriban sus oraciones.

Respondemos y compartimos la fe

___ minutos

Recuerda Repase las afirmaciones de *Creemos* de este capítulo. Pregunte a los niños qué aprendieron en este capítulo.

Nuestra vida católica

Lea en voz alta "El don de la música". Pregunte: *¿Qué canciones han escuchado en misa recientemente? ¿Cuáles son tus canciones favoritas?* Si así lo desea, pida a los niños que canten sus himnos o canciones favoritas.

Respondemos y compartimos la fe

Compartiendo lo aprendido

Mira la ilustración. Usala para contar a tu familia lo que aprendiste en este capítulo.

Para que todos vean

"Cantaré himnos al Señor mi Dios".
Salmo 104:33

Recuerda

- Pertenecemos a la Iglesia Católica.
- Celebramos el amor de Dios rezando y adorando.
- Nuestra Iglesia celebra con siete signos especiales llamados sacramentos.
- Jesús está con nosotros en los siete sacramentos.

NUESTRA VIDA CATÓLICA

El don de la música

Una forma de alabar a Dios es por medio de la música. Los que tocan instrumentos musicales y nos guían cantando, nos ayudan a alabar a Dios durante la misa. Algunas parroquias tienen coros. Podemos unirnos al coro cantando nuestras alabanzas a Dios.

Visita Sadlier en www.CREEMOSweb.com

Conexión con el Catecismo
Para referencia vea los párrafos 1267, 1119, 1123 y 1127.

44

PÁGINA DEL ESTUDIANTE 44

_____ minutes

Chapter Review Read each sentence and the possible answers for questions 1–4. Have the children circle the correct answers. When they are finished, ask volunteers to share their responses. Clear up any misconceptions the children may have. Read the fifth question. Let the group share what they remember about the ways Catholics worship. Then ask the children to write their responses in their books.

Reflect & Pray Read the directions for *Reflect & Pray.* When you are assured the children know what to do, have them write their prayers.

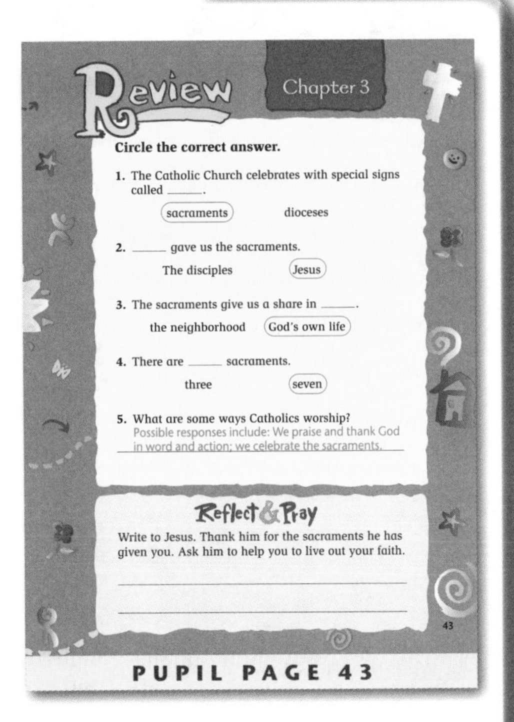

Review Chapter 3

Circle the correct answer.

1. The Catholic Church celebrates with special signs called _____.
   (sacraments) dioceses
2. _____ gave us the sacraments.
   The disciples (Jesus)
3. The sacraments give us a share in _____.
   the neighborhood (God's own life)
4. There are _____ sacraments.
   three (seven)
5. What are some ways Catholics worship?
   Possible responses include: We praise and thank God in word and action; we celebrate the sacraments.

Reflect & Pray

Write to Jesus. Thank him for the sacraments he has given you. Ask him to help you to live out your faith.

43

PUPIL PAGE 43

We Respond and Share the Faith

_____ minutes

Remember Review the chapter's *We Believe* statements. Ask the children to explain what was learned in this chapter.

Our Catholic Life Read aloud "The Gift of Music." Ask: *Which songs have you heard recently at Mass? Which songs do you especially enjoy singing?* You might want to have the children sing one of their favorite hymns or songs at this time.

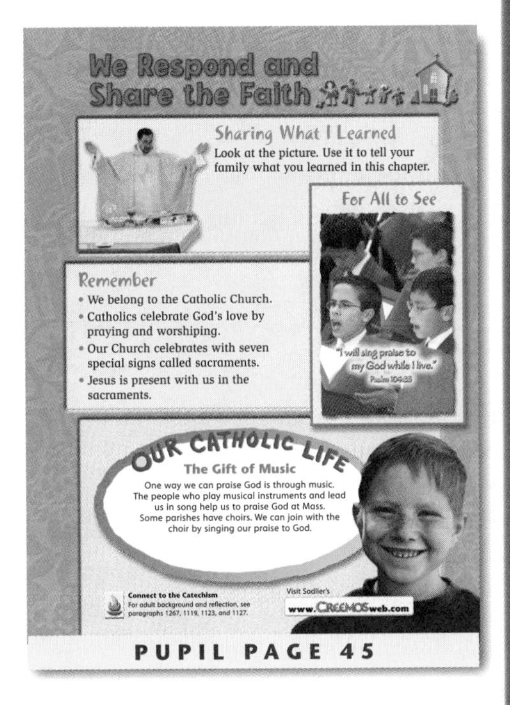

We Respond and Share the Faith

Sharing What I Learned

Look at the picture. Use it to tell your family what you learned in this chapter.

For All to See

"I will sing praise to my God while I live." Psalm 104:33

Remember
- We belong to the Catholic Church.
- Catholics celebrate God's love by praying and worshiping.
- Our Church celebrates with seven special signs called sacraments.
- Jesus is present with us in the sacraments.

Our Catholic Life

The Gift of Music

One way we can praise God is through music. The people who play musical instruments and lead us in song help us to praise God at Mass. Some parishes have choirs. We can join with the choir by singing our praise to God.

Connect to the Catechism
For adult background and reflection, see paragraphs 1267, 1119, 1123, and 1127.

Visit Sadlier's www.CREEMOSweb.com

PUPIL PAGE 45

Activity Bank

Multiple Intelligences

Spatial

Materials: hangers, paper plates (3 for each child), lengths of yarn or string, hole punch

Help the children make sacrament mobiles. Give each child three paper plates. On one of their paper plates, have the children write *Baptism, Confirmation,* and *Eucharist.* On another plate have them write *Penance and Reconciliation* and *Anointing of the Sick.* On the third plate have them write *Matrimony* and *Holy Orders.* Help the children punch a hole at the top of each plate and use a piece of string or yarn to attach each plate to the hanger. Suggest that the children show their mobiles to their families and share with them what they have learned about these sacraments.

Home Connection

Sharing What I Learned

Remind the children to share with their families what they learned in this chapter.

Encourage the children to pray the words of Psalm 104:33 in *For All to See.*

For additional information and activities, encourage families to visit Sadlier's

www.CREEMOSweb.com

Plan Ahead for Chapter 4

Prayer Space: pictures of water scenes, glass bowl filled with holy water, cross

Materials: copies of Reproducible Master 4, crayons or colored pencils

Celebramos el Bautismo

Ojeada

En este capítulo los niños aprenderán sobre el sacramento del Bautismo.

Contenido doctrinal	Para referencia del *Catecismo de la Iglesia Católica*
Los niños aprenderán que:	párrafo
• Al bautizarnos nos hacemos hijos de Dios y miembros de la Iglesia.	1213, 1267
• Con el Bautismo recibimos la gracia y compartimos la vida de Dios.	1250
• Celebramos el sacramento del Bautismo con palabras y gestos especiales.	1234–1243
• Podemos mostrar que somos hijos de Dios con lo que hacemos y decimos.	1265–1266

Referencia catequética

Si se lo pidieran, ¿por qué aceptaría ser padrino?

Entre las familias hispanas se considera un gran honor ser elegido como padrino de alguien. La persona elegida se transforma en un compadre de los padres del niño que será bautizado en la fe. Se crea un vínculo de amor y apoyo indestructible entre los padres y el compadre. Se renueva y se intensifica al compartir y trabajar juntos constantemente.

De manera similar, nos unimos cuando renovamos nuestras promesas bautismales todos los domingos. Sí, en el momento en que nos bendecimos con el agua bendita, recordamos el amor que el Padre, el Hijo, y el Espíritu Santo sienten por nosotros. Cada vez que, como comunidad fiel, recitamos el Credo, renovamos nuestra promesa bautismal de creer en Dios y su Iglesia como nuestro medio sacramental de salvación. Luego, cuando rezamos el Padrenuestro, "el resumen de todo el Evangelio, la más perfecta de las oraciones" (*CIC* 2774), reafirmamos nuestras promesas bautismales de crecer a imagen y semejanza de Dios en Cristo Jesús.

Al recordar en la misa nuestras promesas bautismales, podemos responder a la pregunta ¿tendrán fe nuestros hijos? Sí, compartirán con nosotros "un Señor, una fe, un bautismo" (Efesios 4:5).

¿De qué manera puede renovar su promesa bautismal para crecer en Cristo?

Mirando la vida

Historia para el capítulo

Anoche durante la cena la mamá de Guillermo preguntó: "¿Qué sucedió en la escuela hoy?"

Guillermo explicó que la mamá de María Santos habló sobre los Jóvenes exploradores.

"La Señora Santos nos dijo que si estábamos interesados, deberíamos asistir a la primera reunión que se realizará el lunes. Ella dijo que a veces los exploradores salen de viaje, otras veces ayudan a las personas en el vecindario, y hasta hacen artesanías".

Guillermo preguntó a su mamá si podía asistir a la reunión. Cuando salía de su casa para asistir a la primera reunión, dijo: "Espero que los exploradores mayores sean amables con los nuevos".

Cuando Guillermo llegó, María y su hermano mayor, Marcos, se acercaron a saludarlo. Marcos dijo: "Soy tu compañero explorador. Te ayudaré a aprender nuestro juramento y trabajaré contigo en algunos proyectos. Hoy nos sentaremos juntos durante la ceremonia de bienvenida. Y luego, te presentaré a los otros exploradores".

La mamá de Guillermo vino a buscarlo al finalizar la reunión. Al entrar al auto, Guillermo dijo: "¡Me gusta mucho el grupo! Espero ansioso nuestra próxima reunión. Plantaremos un árbol en el parque y luego jugaremos fútbol. Mamá, ¿podrías hacerme unas galletas para llevar?"

¿De qué manera le dio Marcos la bienvenida a Guillermo?

We Celebrate Baptism

Overview

In this chapter the children will learn about the sacrament of Baptism.

Doctrinal Content	For Adult Reading and Reflection *Catechism of the Catholic Church*
The children will learn:	Paragraph
• At Baptism we become children of God and members of the Church.	1213, 1267
• At Baptism we receive grace, a share in God's life.	1250
• We celebrate the sacrament of Baptism with special words and actions.	1234–1243
• We can show that we are children of God by what we say and do.	1265–1266

Catechist Background

If asked, why would you become a godparent?

In Hispanic families it is a great honor to be asked to become a godparent. The person chosen becomes a compadre to the parents of the child to be baptized into the faith. An indestructible bond of love and support is created between the parents and the compadre. It is renewed and intensified by constant sharing and working together.

In a similar way, we are bound to one another when we renew our baptismal promises each Sunday. Yes, the moment we bless ourselves with the holy water we recall the love the Father, Son, and Holy Spirit have for us. Each time we recite the Creed as a faith community, we renew our baptismal promises to believe in God and his Church as our sacramental means to salvation. Again, when we pray the Our Father, "truly the summary of the whole gospel, the most perfect of prayers" (CCC 2774), we affirm our baptismal vows to grow in the image and likeness of God in Christ Jesus.

By remembering our own baptismal promises at Mass, we can positively answer the question, will our children have faith? Yes, they will share with us "one Lord, one faith, one baptism" (Ephesians 4:5).

How can you renew your baptismal promise to grow in Christ?

Focus on Life

Chapter Story

Last night at supper William's mom asked, "What happened at school today?" William explained that Maria Santos's mother talked to the class about Junior Rangers. He said, "Mrs. Santos told us that if we wanted to join, we should come to the first meeting on Monday. She told us that sometimes the rangers went on trips, sometimes they helped people in the neighborhood, and sometimes they did arts and crafts."

William asked his mom if he could join. On the way to the first meeting he said, "I hope the older rangers are nice to new members."

When William walked in, Maria and her older brother Marcos came over to shake William's hand. Marcos said, "I'm your ranger partner. I'll help you learn the rangers' pledge and work with you on a few projects. Today we'll sit together during the welcome ceremony. Then I'll introduce you to the other rangers."

William's mom picked him up after the meeting. As soon as he got in the car he said, "I really like Junior Rangers! I can hardly wait for the meeting next week. We are going to plant a tree in the park and then play soccer. And Mom, could you make cookies for me to bring for snack time?"

What did Marcos do to welcome William to the Junior Rangers?

Guía para planificar la lección

NOS CONGREGAMOS

Pasos de la lección	Presentación	Materiales
pág. 46 **Oración**  **Mirando la vida**	• Profesar nuestra fe. • Comentar las respuestas a las preguntas.	Para el lugar de oración: dibujos de escenas con agua, mantel blanco, agua bendita, una cruz, vestidura y vela de bautismo

2 CREEMOS

Pasos de la lección	Presentación	Materiales
pág. 46 *Al bautizarnos nos hacemos hijos de Dios y miembros de la Iglesia.*	• Leer sobre convertirse en un miembro de la Iglesia. Completar la ficha de membresía.	• lápices o bolígrafos de colores
pág. 48 *Con el Bautismo recibimos la gracia y compartimos la vida de Dios.*	• Presentar el tema de la gracia de Dios. Comentar acerca del agua y el Bautismo.	
pág. 50 *Celebramos el sacramento del Bautismo con palabras y gestos especiales.* *El rito del Bautismo*	• Presentar el texto sobre la celebración del Bautismo. Comentar las respuestas a la pregunta.	• vídeo del Bautismo de un bebé (opcional)
pág. 52 *Podemos mostrar que somos hijos de Dios con lo que hacemos y decimos.* *El rito del Bautismo*	• Continuar la conversación sobre la celebración del Bautismo. • Señalar *Vocabulario* y sus definiciones. • Leer y comentar *Como católicos.*	• vestidura y velas blancas bautismales (opcional) • copias del patrón 4

RESPONDEMOS

Pasos de la lección	Presentación	Materiales
pág. 52	Comentar las respuestas a la pregunta.	
páginas 54 y 56 **Repaso**	• Completar las preguntas 1a 5. Realizar la actividad *Reflexiona y ora.*	
páginas 54 y 56 **Respondemos y compartimos la fe**	• Repasar *Recuerda* y *Vocabulario.* • Leer y comentar *Nuestra vida católica.*	

Para ideas, actividades y otras oportunidades visite Sadlier en **www.CREEMOSweb.com**

Lesson Planning Guide

Lesson Steps	Presentation	Materials

WE GATHER

Lesson Steps	Presentation	Materials
page 47 **Prayer** **Focus on Life**	• Profess our faith. • Share responses to the question.	For the prayer space: pictures of water scenes, white tablecloth, a small glass bowl, holy water, cross, a white baptismal garment and candle

WE BELIEVE

Lesson Steps	Presentation	Materials
page 47 *At Baptism we become children of God and members of the Church.*	• Read about becoming a member of the Church. Write names to complete the activity.	• colored pencils or pens
page 49 *At Baptism we receive grace, a share in God's life.*	• Present the text about grace. Discuss water as a sign of Baptism.	
page 51 *We celebrate the sacrament of Baptism with special words and actions.* Rite of Baptism	• Present the text about the celebration of Baptism. Share responses to the question.	• video of a baby's Baptism (option)
page 53 *We can show that we are children of God by what we say and do.* Rite of Baptism	• Continue discussing the celebration of Baptism. • Present the *Key Words* and definitions. • Read and discuss *As Catholics.*	• white baptismal garment, white candle (option) • copies of Reproducible Master 4

3 WE RESPOND

Lesson Steps	Presentation	Materials
page 53	Share responses to the question.	
pages 55 and 57 **Review**	• Complete questions 1–5. Complete the *Reflect & Pray* activity.	
pages 55 and 57 **We Respond and Share the Faith**	• Review the *Remember* statements and *Key Words.* Read and discuss *Our Catholic Life.*	

For additional ideas, activities, and opportunities: Visit Sadlier's **www.CREEMOSweb.com**

Conexiones

La familia y la parroquia

Permita que los niños se den cuentan de que con el Bautismo se crea un vínculo especial con otros católicos bautizados, ya sean miembros de sus propias familias, sus amigos, miembros de la parroquia, o personas de todo el mundo. Sugiera a los niños que pregunten a sus padres sobre la celebraciones de su propio Bautismo. Algunas preguntas podrían ser: *¿En qué parroquia fui bautizado? ¿Qué familiares o miembros de la parroquia asistieron? ¿Cómo se sintieron cuando me bautizaron?*

Administración de la creación

El agua utilizada en la celebración del Bautismo fluye de los cuerpos de agua que nos rodean. El cuidado y la buena utilización de nuestros recursos hidrológicos requieren del esfuerzo de todos, incluso de los niños. Sugiérales que piensen en maneras de cuidar el agua en sus hogares y en la comunidad. Recalque que el agua no es un recurso ilimitado. La buena utilización y el provecho del agua es una cuestión que nos atañe a todos.

FE y MEDIOS

▶ Una vez que los niños hayan leído y comentado sobre el Bautismo de Ana, recuérdeles que la familia de Ana podría utilizar los medios de comunicación para compartir este festejo especial con quienes no estén presentes y con la misma Ana cuando crezca. (Si lo desea, puede hacer este comentario y mostrar una grabación o vídeo de un Bautismo.) Explique que la familia de Ana podría filmar el Bautismo o poner fotos del mismo en un sitio de la red para que otros familiares y amigos lo visiten.

Liturgia para esta semana

Visite **www.creemosweb.com** para las lecturas bíblicas de esta semana y otros materiales propios del tiempo.

Necesidades individuales

Niños con dificultad auditiva

Es posible que los niños con dificultad auditiva tengan problemas con los cambios de actividades. Indique a estos niños mediante señales, que deberán concentrarse en otra actividad. Ponga su mano en el hombro del niño o háblele de frente cuando diga las instrucciones.

RECURSOS ADICIONALES

Video *Bautismo, semilla, promesa de abundantes frutos.* Serie "Los Sacramentos: *Por los frutos nos conocerán* (Video #2). Este video explica el significado del Bautismo y los elementos que se usan durante este sacramento: el agua, la luz, el aceite y la vestidura blanca. (20 minutos).

Para ideas visite a Sadlier en

www.CREEMOSweb.com

Connections

To Family and Parish

Help the children to realize that through Baptism they have a special bond with other baptized Catholics in their family, among their friends, in their parish, and throughout the entire world. Encourage the children to interview their parents about their own Baptism celebrations. Questions may include: *In what parish was I baptized? Which family or parish members attended? How did you feel as I was baptized?*

To Stewardship

The water used in the celebration of the sacrament of Baptism flows from the bodies of water that surround us. The care and use of our water resources requires everyone's effort, including the children's. Encourage them to find ways of conserving water at home and in the community. Emphasize that water is not an unlimited resource. It is up to all of us to use water wisely and to enjoy it.

FAITH and MEDIA

- After the children have read and talked about Ana's Baptism, remind them that Ana's family might use media to share this special celebration with family and friends who cannot be at the celebration, and with Ana herself when she is older. (You might want to do this in connection with the showing of a videotaped Baptism.) Explain that Ana's family might videotape Ana's Baptism or post pictures of the celebration on a family Web site for family and friends to visit.

This Week's Liturgy

Visit **www.creemosweb.com** for this week's liturgical readings and other seasonal material.

Meeting Individual Needs

Children with Auditory Needs

Children who are hearing-impaired may have a difficult time with changing activities. Use cues to alert these children when it is time to change focus. Put your hand on their shoulders or give them directions face-to-face.

ADDITIONAL RESOURCES

Book *Water, Come Down! The Day You Were Baptized,* Walter Wangerin, Jr., Augsburg Fortress, 1999. The whole of creation join family and friends in celebrating Baptism.

Video *Baptism, Sacrament of Belonging,* Franciscan Communications, 1988. A young Mexican boy, orphaned and scarred by fire, seeks acceptance and welcome from other orphans (15 minutes).

To find more ideas for books, videos, and other learning material visit Sadlier's

www.CREEMOSweb.com

Celebramos el Bautismo

Meta catequética

• Explicar que en el Bautismo nos convertimos en hijos de Dios y miembros de la Iglesia y que celebramos el sacramento con palabras y gestos especiales

Preparandose para orar

En esta oración de congregación, los niños profesan su creencia en las tres Personas de la Santísima Trinidad.

• Pida a tres voluntarios que lean las tres partes de la oración. Ayúdelos a prepararse para la oración.

El lugar de oración

• Coloque dibujos de escenas con agua en el lugar de oración. Coloque sobre la mesa de oración un mantel blanco, un recipiente con agua bendita, una cruz, una vestidura blanca y una vela como la que se entrega a un niño en el bautismo.

Nos congregamos

✝ La palabra *Amén* es una oración. Cuando la decimos, estamos diciendo "Sí, creo". Vamos a responder: "Amén" a estas oraciones.

Niño: Dios Padre, creemos en ti.

Niña: Dios Hijo, creemos en ti.

Niño: Dios Espíritu Santo, creemos en ti.

¿Qué harías para dar la bienvenida a un bebé en tu familia?

Creemos

Al bautizarnos nos hacemos hijos de Dios y miembros de la Iglesia.

La familia López está muy feliz. Les nació un bebé. Su nombre es Ana.

Muy pronto Ana pertenecerá a otra familia, la Iglesia Católica. Cuando Ana sea bautizada será hija de Dios y miembro de la Iglesia. Cuando fuimos bautizados también nos hicimos hijos de Dios y miembros de la Iglesia.

46

Planificación de la lección

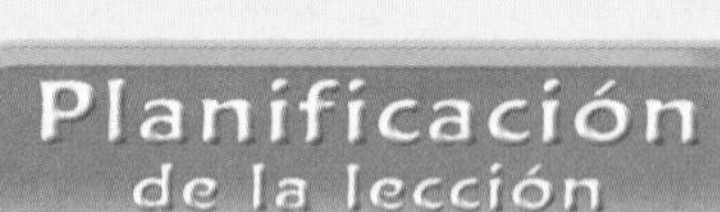

Nos congregamos ___ minutos

✝ Oración

• Reúna a los niños con sus libros en el lugar de oración. Pida que se turnen para tocar el agua bendita y hacer la señal de la cruz.

• Lea en voz alta el párrafo de introducción de la página 46. Luego, diga al primer voluntario que comience con su parte de la oración. Cuando los tres niños hayan terminado de rezar y todos hayan respondido, pida a los niños que cierren sus libros. Pídales que unan sus manos y recen: *Amén. Sí, creemos.*

Mirando la vida

• Lea y comente la pregunta. Pregunte: *¿Qué harían en una "celebración de bienvenida"?* Pida a voluntarios que compartan sus respuestas.

• Lea la *Historia para el capítulo* en la página 46A.

Creemos ___ minutos

Lea en voz alta la afirmación *Creemos* en la página 46. Pida a voluntarios que lean los dos párrafos. Luego, pregunte:

• *¿Por qué está feliz la familia López?* (Porque tienen un bebé recién nacido).

• *¿Qué esperan ansiosos todos los miembros de la familia?* (El Bautismo de Ana).

• *¿En qué se convertirá Ana cuando sea bautizada?* (Ana se convertirá en hija de Dios y miembro de la Iglesia).

We Celebrate Baptism

WE GATHER

✝ The word *Amen* is a prayer. When we pray this word, we are saying "Yes, we believe!" Let us respond "Amen" together after each of these prayers.

Child 1: God the Father, we believe in you.

Child 2: God the Son, we believe in you.

Child 3: God the Holy Spirit, we believe in you.

 What would you do to welcome a new baby to your family?

WE BELIEVE

At Baptism we become children of God and members of the Church.

The López family is very happy! They have just welcomed a new baby into their family. The baby's name is Ana.

Soon Ana will belong to another family, the Catholic Church. In Baptism Ana will become a child of God and a member of the Church. When we were baptized we became children of God and members of the Church, too.

47

Catechist Goal

- To explain that at Baptism we become children of God and members of the Church and that we celebrate the sacrament with special words and actions

PREPARING TO PRAY

In this gathering prayer the children profess their belief in the three Persons of the Blessed Trinity.

- Ask for three volunteers to read the three parts of the prayer. Help them prepare for the prayer.

The Prayer Space

- In the prayer space display pictures of water scenes. Place on the prayer table a white tablecloth, a small glass bowl filled with holy water, and a cross. On the table also place a white garment and a white candle which are given to a child at Baptism.

Lesson Plan

WE GATHER ___ minutes

✝ Prayer

- Invite the children to gather in the prayer space with their books. Have them take turns dipping their fingers in the bowl of holy water and making the sign of the cross.
- Read aloud the introductory paragraph on page 47. Then invite the first volunteer to say his or her part of the prayer. After all three children have prayed and all have responded, ask the children to put down their books. Have them join hands and pray: *Amen. Yes, we believe.*

Focus on Life

- Read and discuss the question. Ask: *What would you do at a "welcome celebration"?* Invite volunteers to share their responses.
- Read the *Chapter Story* on guide page 46B.

WE BELIEVE ___ minutes

Read aloud the *We Believe* statement on page 47. Have volunteers read the two paragraphs. Then ask:

- *Why is the López family happy?* (They have a new baby.)
- *What is everyone in the family looking forward to?* (Ana's Baptism)
- *What will Ana become when she is baptized?* (a child of God and member of the Church)

Nuestra respuesta en la fe

- Rezar por aquellas personas que nos ayudan a vivir y a crecer como buenos católicos

gracia
pecado original
Bautismo

Materiales

- crayones o lápices de colores
- copias del patrón 4

Conexión con el hogar

Pida a los niños que hablen sobre la experiencia de compartir con sus familias lo que aprendieron en el capítulo 3.

Todos en la familia de Ana están contentos de que van a llevarla a la iglesia para bautizarla. Toda la parroquia celebrará su bautismo.

Yo ______________________________,
soy un hijo de Dios.

Yo ______________________________,
soy un miembro de la Iglesia.

Con el Bautismo recibimos la gracia y compartimos la vida de Dios.

El agua es un importante signo del sacramento del Bautismo. En el Bautismo, somos sumergidos en agua o se derrama agua sobre nuestras cabezas. Dios nos da una nueva vida. Llamamos **gracia** a la vida de Dios en nosotros.

Cuando Dios creó a los primeros humanos, compartió con ellos su propia vida. Pero ellos desobedecieron a Dios. Pecaron y perdieron la gracia de Dios. Ese primer pecado es llamado **pecado original**.

Todos nacemos con el pecado original. El Bautismo nos quita el pecado original y todos los demás pecados. **Bautismo** es el sacramento que nos libra del pecado y nos da la gracia de compartir la vida de Dios.

Hablen del agua como signo de nuestro bautismo.

48

Planificación de la lección

CREEMOS (continuación)

Recalque *El Bautismo es el primer sacramento que recibimos.* Luego, lea las instrucciones para la actividad. Pida a los niños que escriban sus nombres en las fichas para miembros.

Lluvia de ideas converse con los niños sobre por qué el agua es tan importante en nuestras vidas. Recuerde al grupo: *El agua es uno de los regalos de la creación de Dios.*

Pida a voluntarios que describan otros regalos que Dios nos ha dado. Escriba en la pizarra la palabra *gracia.* Explique: *La gracia divina es un regalo especial de Dios que recibimos en el Bautismo. La gracia divina es la vida de Dios en nosotros.* Pida a los niños que lean la afirmación *Creemos* en la página 48. Luego, pida a un voluntario que lea el primer párrafo.

Explique el pecado original de un modo tan sencillo como la explicación que se encuentra en el segundo párrafo. Lea el segundo párrafo en voz alta y explique: *Todos los seres humanos nacemos con el pecado original. Al bautizarnos nos purificamos y así el pecado original y otros pecados desaparecen de nuestras vidas.*

Lea en voz alta el tercer párrafo. Pida a los niños que marquen o subrayen la definición de *Bautismo* en la última oración del párrafo.

Comente por qué el agua es un símbolo de nuestro Bautismo. Ayude a los niños a entender que cuando nos bautizamos con agua, recibimos la vida de Dios. El agua simboliza la gracia divina.

Everyone in Ana's family is looking forward to bringing the newest member of their family to the parish church for Baptism. The whole parish will celebrate her Baptism.

I, ______________________________,
am a child of God.

I, ______________________________,
am a member of the Church.

At Baptism we receive grace, a share in God's life.

Water is an important sign of the sacrament of Baptism. In the sacrament of Baptism, we are placed in water or water is poured over our foreheads. God gives us a new life. We call God's life in us **grace**.

When God made the first man and woman, he let them share in his own life. But they disobeyed God. They sinned and lost their share in God's life. That first sin is called **original sin**.

We are all born with original sin. Through Baptism, original sin and all other sins are taken away. **Baptism** is the sacrament in which we are freed from sin and given grace, a share in God's life.

Talk about why water is a sign of our Baptism.

49

Our Faith Response

- To pray for all those who help us to live and grow as good Catholics

grace
original sin
Baptism

Materials

- crayons or colored pencils
- copies of Reproducible Master 4

Home Connection Update

Ask the children to talk about their experience when sharing with their families what they learned in Chapter 3.

Lesson Plan

WE BELIEVE (continued)

Stress *Baptism is the first sacrament everyone receives.* Then read the activity directions. Have the children write their names about membership in the church.

Brainstorm with the children reasons why water is important in our lives. Remind the group: *Water is one of God's gifts of creation.*

Ask volunteers to describe other gifts God has given to us. Write the word *grace* on the board. Explain: *Grace is a special gift from God given to us at Baptism. Grace is God's life in us.* Have the children read the *We Believe* statement on page 49. Then ask a volunteer to read the first paragraph.

Keep your explanation of original sin as simple as the one presented in the second paragraph. Read aloud the second paragraph. Explain: *All human beings are born with original sin. We are not perfect. Through Baptism original sin and all other sins are removed.*

Read aloud the third paragraph. Ask the children to highlight or underline the definition of Baptism in the last sentence of the paragraph.

Discuss why water is a sign of our Baptism. Help the children to conclude that when we are baptized with water, we receive God's life within us. Water is the sign of grace.

Banco de Actividades

Conexión curricular

Ciencias

Materiales: semillas de flores, vasitos de papel, tierra, regaderas

Ayude a los niños a entender porque el agua y la luz son tan necesarias para la vida y el crecimiento. Entregue a cada niño un vasito con tierra y una o dos semillas. (Las semillas de caléndula son muy buenas para este propósito.) Pida a los niños que escriban sus nombres en los vasitos. Luego, indíqueles que planten las semillas en la tierra. Diga a los niños que lleven las plantas a sus casas y que las coloquen en el alféizar de la ventana o en algún otro lugar que tenga luz natural. Señale que deben asegurarse de que la planta reciba suficiente agua. Diga a los niños que cuando sus plantitas comiencen a florecer, pueden obsequiárselas a sus padres o padrinos.

Celebramos el sacramento del Bautismo con palabras y gestos especiales.

Lee conmigo

- El padre Ramón y la comunidad parroquial se reúnen con la familia.
- El dice a los padres y a los padrinos de Ana que deben ayudar a Ana a crecer en la fe.
- El padre hace la señal de la cruz en la frente de Ana, los padres y padrinos hacen lo mismo. Esta acción muestra que Ana ahora pertenece a Jesús en una forma especial.
- El padre Ramón lee una historia sobre Jesús y habla sobre ella.
- El padre bendice el agua en la pila bautismal.
- El les pregunta a los padres y a los padrinos de Ana si reniegan al pecado y si creen en Dios.
- Después sumerge tres veces a Ana en la pila bautismal. Dice las palabras del Bautismo. Con agua y estas palabras Ana es bautizada:

  Ana, te bautizo en el nombre del Padre,
  y del Hijo y del Espíritu Santo.

Cada uno de nosotros fue bautizado con agua y esas mismas palabras.

¿Qué crees que pasó durante tu bautismo?

50

Planificación de la lección

CREEMOS (continuación)

Cotejo rápido

✔ *¿En qué nos convertimos con el Bautismo?* (Nos convertimos en hijos de Dios y en miembros de la Iglesia.)

✔ *¿Qué es la gracia divina?* (Gracia divina es la presencia de Dios en nosotros.)

Pida a los niños que piensen en sus celebraciones favoritas y pregunte: *¿Qué dicen y qué hacen durante la celebración?* Pida a voluntarios que respondan. Luego, explique: *Utilizamos palabras y acciones en la celebración del Bautismo.*

Pida a los niños que comenten qué saben sobre el Bautismo. (En el programa *Creemos* el Bautismo se enseña primero en kinder y luego se profundiza sobre el tema primero.) Diga a los niños que leerán sobre las palabras y acciones especiales que se usan durante la celebración del Bautismo. Sugiérales que escuchen atentamente mientras lee en voz alta *Lee conmigo* en la página 52.

Diga a los niños que dramaticen los pasos del Bautismo que se describen en la página 50. Elija a niños para representar el papel del padre Ramón, miembros de la parroquia, padres y padrinos de Ana. Mientras lee el texto en voz alta, sugiera a quienes actuarán que pasen al frente y que dramaticen lo que sucede en el bautismo de Ana.

Comience el comentario de la pregunta contando quiénes estaban presentes en su bautismo. Si dispone de una filmación del bautismo de un niño, muéstrela ahora.

We celebrate the sacrament of Baptism with special words and actions.

Read Along

- Father Ramón and the parish community greeted the family.
- Father told Ana's parents and godparents that they should help Ana to keep growing in faith.
- Father traced the sign of the cross on Ana's forehead. Ana's parents and godparents did this also. This action showed that Ana now belonged to Jesus in a special way.
- Father Ramón read a story about Jesus. Father talked about the story.
- Father blessed the water in the baptismal pool.
- Father asked Ana's parents and godparents whether they reject sin and believe in God.
- Father placed Ana in the water of the baptismal pool three times. He said the words of Baptism. It was with water and these words that Ana was baptized:

  Ana, I baptize you in the name of the Father,
  and of the Son,
  and of the Holy Spirit.

Each of us was baptized with water and these same words.

What do you think happened at your Baptism?

51

Activity Bank

Curriculum Connection

Science

Materials: flower seeds, cups, potting soil, watering cans

Help the children understand why water and light are necessary for life and growth. Give each child a paper cup filled with potting soil and one or two flower seeds. (Marigold seeds are good for this purpose.) Have the children write their names on the cups. Ask the children to plant the seeds in the soil. Have the children take the plants home. Tell them to place the cups on the window sill or in another place that has light. Point out that they should make sure the plants have enough water. Tell the children that when their plants start to flower, they can give them to their parents or godparents.

Lesson Plan

We Believe (continued)

Quick Check

✔ *What do we become at Baptism?* (We become children of God and members of the Church.)

✔ *What is grace?* (Grace is God's life in us.)

Invite the children to think about a favorite kind of celebration. Ask: *What are some things you say during the celebration? What are some things you do?* Have volunteers share their responses. Then explain: *We use both words and actions in the celebration of Baptism.*

Ask the children to share what they know about Baptism. (In the *We Believe* program, Baptism is first introduced in the Kindergarten text and further developed in the Grade 1 text.) Tell the children they are now going to read about the special words and actions used in Baptism. Invite them to listen as you read aloud *Read Along* on page 51.

Invite the children to act out the steps of Baptism described on page 51. Assign the roles of Father Ramón, the members of the parish, Ana's parents, and Ana's godparents. Invite those playing roles of individuals to come to the front of the group. Explain that as you read the text, the children should act out what is happening.

Begin the discussion of the question by sharing who was at your Baptism. If a video of an infant's Baptism is available, show it now.

Como católicos...

Padrinos

Después de trabajar en estas dos páginas, lea en voz alta el texto *Como católicos*. Explique que los padrinos deben dar a sus ahijados el ejemplo de vida cristiana. Comente de qué maneras los niños pueden agradecer a sus padrinos.

Podemos mostrar que somos hijos de Dios con lo que hacemos y decimos.

Las siguientes palabras y gestos son parte de la celebración del bautismo de Ana.

Lee conmigo

- El padre Ramón viste de blanco a Ana. El dice: Este vestido muestra que Ana es amiga y sigue a Cristo.
- La madrina de Ana enciende una pequeña vela en el cirio pascual. El padre pide a los padres y a los padrinos de Ana que mantengan la luz de Cristo encendida en su vida.
- El padre invita a todos a rezar el Padrenuestro.
- El padre bendice a todos los presentes.

Estas son las palabras y los gestos de tu bautismo.

Vocabulario

gracia la vida de Dios en nosotros

pecado original primer pecado cometido por los primeros humanos desobedeciendo a Dios

bautismo sacramento que nos libera del pecado y nos da la gracia

RESPONDEMOS

¿Qué harás y dirás para compartir la luz de Cristo con otros?

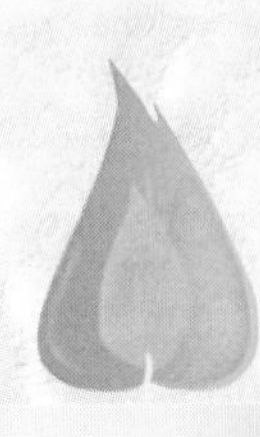

Como católicos...

Los padrinos son personas muy especiales. Son escogidos por los padres para bautizar a sus hijos. Ellos tienen un papel especial en este sacramento. Se comprometen a ayudar a los padres a enseñar al niño la fe católica. Ellos ayudan al niño a vivir como amigo de Jesús. Ayudan al niño a amar a Dios y a los demás.

52

Planificación de la lección

CREEMOS (continuación)

Continúe con la lectura sobre el bautismo de Ana en la página 52. Recalque: *Estas palabras y acciones formaron parte de nuestra celebración baustimal.* Pida a los niños que miren las fotografías de la página 53 y cuenten qué está sucediendo.

Muestre al grupo la vela y la vestidura blanca que están sobre la mesa de oración y explique: *estos objetos nos recuerdan nuestro bautismo.*

Distribuya copias del patrón 4. Anime a los niños a que lleven esta página a sus casas y hagan la actividad con la ayuda de sus familiares.

Vocabulario Escriba las palabras del *Vocabulario* en la pizarra y pida a voluntarios que digan las definiciones y utilicen las palabras en oraciones.

RESPONDEMOS ____ minutos

Conexión con la vida Señale el cirio que está en la página 52. Si asi lo desea, pida a los niños escribir en ella los nombres de las personas que los ayudan a vivir y a crecer como católicos.

Ayude a los niños a pensar en distintas maneras de compartir la luz de Cristo con los demás. Escriba las respuestas en la pizarra y pida a los niños que elijan una acción que verdaderamente realizarán.

We can show that we are children of God by what we say and do.

The following words and actions were also a part of the celebration of Ana's Baptism in her parish.

Read Along

- Father Ramón put a white garment on Ana. He said that the white garment showed that Ana was a friend and follower of Jesus.
- Ana's godmother went to the large Easter candle by the baptismal pool. She lit a smaller candle for Ana from it. Father told Ana's parents and godparents to help keep the light of Christ burning in Ana's life.
- Father Ramón invited everyone to pray the Our Father together.
- Father blessed the family and everyone in church.

These same words and actions were part of the celebration of your Baptism.

WE RESPOND

What will you do and say to share the light of Christ with others?

Key Words

grace God's life in us

original sin the first man and woman disobeyed God; the first sin

Baptism the sacrament in which we are freed from sin and given grace

As Catholics...

Godmothers and godfathers are very special people. They are chosen by the parents of the child being baptized. They have a special role in this sacrament. They agree to help the parents teach the child about their Catholic faith. The godparents help the child to live as a friend of Jesus. They help the child to love God and others.

As Catholics...

Godparents

After working on these two pages, read aloud the *As Catholics* text. Explain that godparents should give their godchildren an example of living the Christian life. Discuss ways the children can thank their godparents.

Lesson Plan

WE BELIEVE (continued)

Continue the reading about Ana's Baptism on page 53. Emphasize: *These words and actions were part of our celebrations of Baptism.* Have the children look at the photograph on page 53 and tell what is happening.

Show the group the candle and the white garment that are on the prayer table. Explain: *These objects are reminders of our Baptism.*

Distribute copies of Reproducible Master 4. Encourage the children to take the sheet home and complete the activity with their families' help.

Key Words Write the *Key Words* on the board. Ask volunteers to define the words and use the words in sentences.

WE RESPOND

____ minutes

Connect to Life Point out the large candle on page 52. You may want to ask the children to write on the candle the names of people who are helping them to live and grow as Catholics.

Help the children think of ways that they can share the light of Christ with others. Write the responses on the board. Then have children choose one thing that they will actually do.

Banco de Actividades

Liturgia

Bautismo en la parroquia

Si es posible, lleve a los niños a la Iglesia y muéstreles la fuente bautismal y el cirio pascual. Invite al párroco o a un miembro del personal de la parroquia para explicar como se celebra el Bautismo. Diga a las familias de los niños cuando se celebrará el próximo Bautismo e invítelos a asistir.

Familia

Notas de agradecimiento

Materiales: papeles o tarjetas para escribir

Pida a los niños que escriban una nota a sus padrinos para agradecerles por ser parte importante de sus vidas en la fe. Dígales que cuenten a sus padrinos lo que están aprendiendo en la clase de religión. Sugiera a los niños que pidan ayuda a sus padres para escribir y enviar las notas.

Conexion con el Hogar

Compartiendo lo aprendido

Recuerde a los niños compartir con sus familias lo aprendido en este capítulo.

Pida a los niños hablar con sus familias sobre la celebración de sus bautismos.

Para más información y actividades adicionales visite Sadlier en

www.CREEMOSweb.com

Planifique por adelantado

Lugar de oración: un recipiente con aceite de oliva, llamas hechas de papel, alfileres

Materiales: copias del patrón 5, 2–3 CD, crayones rojos

____ minutos

Repaso del capítulo lea en voz alta las oraciones 1 a 4 y permita que los niños tengan tiempo para marcar las respuestas correctas. Dígales que deberán encerrar en un círculo el signo de interrogación cuando no estén seguros de las respuestas.

Mientras los niños trabajan en la actividad, camine por el aula y observe quiénes han marcado el signo de interrogación. Pida a voluntarios que lean las respuestas y aclare cualquier duda que surja. Lea la quinta pregunta y pida a los niños que escriban sus propias ideas.

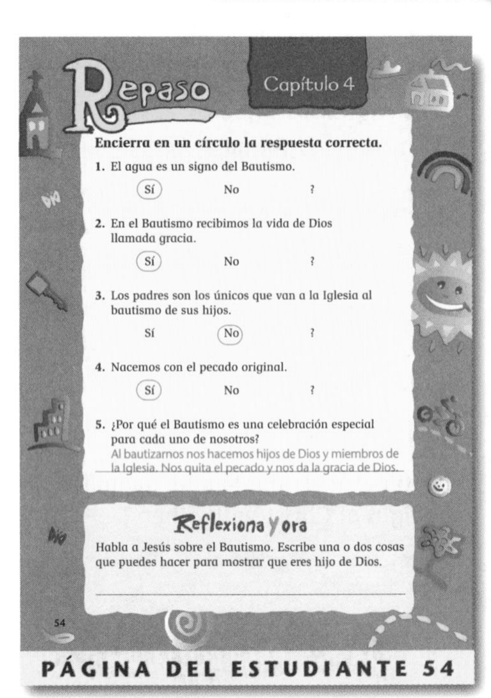
Repaso — Capítulo 4

Encierra en un círculo la respuesta correcta.

1. El agua es un signo del Bautismo.
   (Sí) No ?
2. En el Bautismo recibimos la vida de Dios llamada gracia.
   (Sí) No ?
3. Los padres son los únicos que van a la Iglesia al bautismo de sus hijos.
   Sí (No) ?
4. Nacemos con el pecado original.
   (Sí) No ?
5. ¿Por qué el Bautismo es una celebración especial para cada uno de nosotros?
   Al bautizarnos nos hacemos hijos de Dios y miembros de la Iglesia. Nos quita el pecado y nos da la gracia de Dios.

Reflexiona y ora

Habla a Jesús sobre el Bautismo. Escribe una o dos cosas que puedes hacer para mostrar que eres hijo de Dios.

54

PÁGINA DEL ESTUDIANTE 54

Reflexiona y ora Lea las instrucciones de la página 54. Permita que los niños tengan tiempo para completar la actividad y dígales que hablen con Jesús mientras escriben.

Respondemos y compartimos la fe

____ minutos

Recuerda Pida a los niños que formen pequeños grupos y que cada grupo divida una hoja de papel en cuatro partes. Pida que escriban en cada trocito de papel una de las afirmaciones de *Recuerda* y que escriban las palabras que se relacionan con cada afirmación.

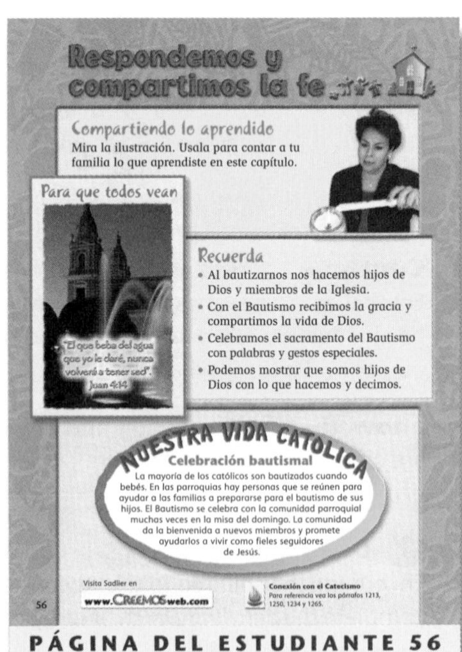
Respondemos y compartimos la fe

Compartiendo lo aprendido

Mira la ilustración. Usala para contar a tu familia lo que aprendiste en este capítulo.

Para que todos vean

"El que beba del agua que yo le daré, nunca volverá a tener sed". Juan 4:14

Recuerda

- Al bautizarnos nos hacemos hijos de Dios y miembros de la Iglesia.
- Con el Bautismo recibimos la gracia y compartimos la vida de Dios.
- Celebramos el sacramento del Bautismo con palabras y gestos especiales.
- Podemos mostrar que somos hijos de Dios con lo que hacemos y decimos.

Nuestra vida católica

Celebración bautismal

La mayoría de los católicos son bautizados cuando bebés. En las parroquias hay personas que se reúnen para ayudar a las familias a prepararse para el bautismo de sus hijos. El Bautismo se celebra con la comunidad parroquial muchas veces en la misa del domingo. La comunidad da la bienvenida a nuevos miembros y promete ayudarlos a vivir como fieles seguidores de Jesús.

Visita Sadlier en www.CREEMOSweb.com

Conexión con el Catecismo
Para referencia vea los párrafos 1213, 1250, 1234 y 1265.

56

PÁGINA DEL ESTUDIANTE 56

Nuestra vida católica

Lea en voz alta el texto "Celebración bautismal" y pregunte: *¿Les gustaría, cuando sean mayores, ayudar a las familias a prepararse para el Bautismo de sus hijos? ¿Por qué?*

Oración Reúna a los niños cerca de la mesa de oración. Recen juntos por todas las familias que se están preparando para el bautismo de sus hijos.

______ minutes

Chapter Review Read questions 1–4 aloud and give the children time to circle the correct answers. Tell them that they are to circle the question mark if they are unsure about the answer.

As the children are working, circulate and make note of anyone who has circled a question mark. Invite volunteers to share their answers. Clear up any misconceptions that might arise. Then read the fifth question. Ask the children to write their own thoughts.

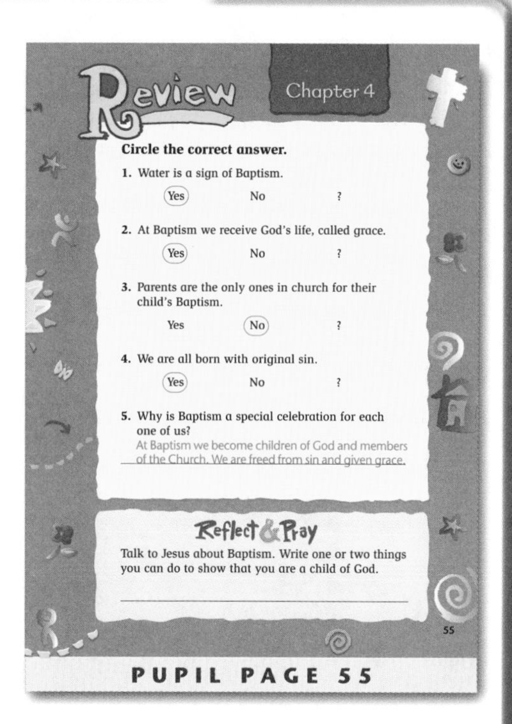

Review Chapter 4

Circle the correct answer.

1. Water is a sign of Baptism.
   (Yes) No ?
2. At Baptism we receive God's life, called grace.
   (Yes) No ?
3. Parents are the only ones in church for their child's Baptism.
   Yes (No) ?
4. We are all born with original sin.
   (Yes) No ?
5. Why is Baptism a special celebration for each one of us?
   At Baptism we become children of God and members of the Church. We are freed from sin and given grace.

Reflect & Pray

Talk to Jesus about Baptism. Write one or two things you can do to show that you are a child of God.

55

PUPIL PAGE 55

Reflect & Pray Read the directions on page 55. Allow the children time to complete the activity. Remind them to talk to Jesus as they write.

We Respond and Share the Faith

______ minutes

Remember Have the children form small groups. Invite each group to divide a sheet of paper into four sections. Have them write one of the *Remember* statements in each section. For each statement ask the group to list words that relate to that statement.

Our Catholic Life Read aloud "Baptismal Celebration." Ask: *When you are older, would you like to help families prepare for their children's Baptism? Why or why not?*

Pray Invite the children to gather near the prayer table. Pray together for all the families who are preparing to celebrate their children's Baptism.

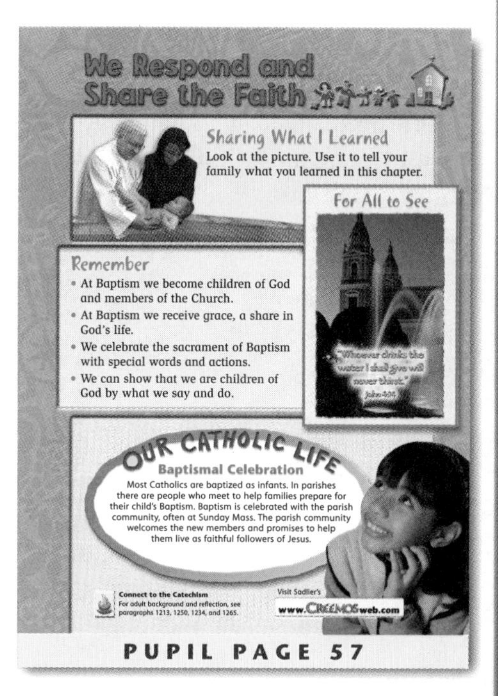

We Respond and Share the Faith

Sharing What I Learned

Look at the picture. Use it to tell your family what you learned in this chapter.

For All to See

Remember

- At Baptism we become children of God and members of the Church.
- At Baptism we receive grace, a share in God's life.
- We celebrate the sacrament of Baptism with special words and actions.
- We can show that we are children of God by what we say and do.

Our Catholic Life

Baptismal Celebration

Most Catholics are baptized as infants. In parishes there are people who meet to help families prepare for their child's Baptism. Baptism is celebrated with the parish community, often at Sunday Mass. The parish community welcomes the new members and promises to help them live as faithful followers of Jesus.

Connect to the Catechism
For adult background and reflection, see paragraphs 1213, 1250, 1234, and 1265.

Visit Sadlier's www.CREEMOSweb.com

PUPIL PAGE 57

Activity Bank

Liturgy

Baptism in the Parish

If possible, take the children into the church to show them the baptismal font and the Easter candle. Invite the pastor or a member of the parish staff to explain how Baptism is celebrated in your parish. Tell families when the next parish celebration of the sacrament will take place and invite them to be present.

Family

Thank-You Notes

Materials: writing paper or blank note cards

Invite the children to write to their godparents to thank them for being an important part of their faith life. Ask them to tell their godparents what they are learning in religion class. Encourage the children to ask their parents for help in writing and sending their notes.

Home Connection

Sharing What I Learned

Remind the children to share with their families what they learned in this chapter.

Ask the children to talk about their Baptism celebrations with their families.

For additional information and activities, encourage families to visit Sadlier's

www.CREEMOSweb.com

Plan Ahead for Chapter 5

Prayer Space: olive oil, small paper flames, pins

Materials: copies of Reproducible Master 5, Grade 2 CD, red colored pencils

Celebramos la Confirmación

Ojeada

En este capítulo los niños aprenderán que recibimos al Espíritu Santo de manera especial en el sacramento de Confirmación.

Contenido doctrinal	Para referencia del *Catecismo de la Iglesia Católica*
Los niños aprenderán que:	párrafo
• Celebramos el don del Espíritu Santo en el sacramento de la Confirmación.	1285
• La Confirmación nos sella con el don del Espíritu Santo y nos fortalece.	1295–1296
• Celebramos el sacramento de la Confirmación con palabras y gestos especiales.	1299–1300
• El Espíritu Santo ayuda a los católicos bautizados y confirmados.	1303

Referencia catequética

¿Qué en especial recuerda de su Confirmación?

En el Bautismo recibimos el don de la fe como un regalo. En la Confirmación con la fe somos "sellados... por medio del Espíritu Santo que él había prometido... es la garantía de que recibiremos la herencia" (Efesios 1: 13, 14). Guiados por el Espíritu, los católicos bautizados y confirmados están listos para servir a la Iglesia y al mundo.

Es posible verlo en los jóvenes y radiantes rostros; es posible oírlo en los alegres vítores y aplausos. Hay quienes dicen que hasta puedes tocarlo. ¿De qué se trata? Del entusiasmo que irrumpe en las ciudades de todo el mundo el Día Internacional de la Juventud. El entusiasmo de los jóvenes anima a otras personas a cantar y a rezar con ellos.

Sin embargo, la fuerza o el dinamismo real que inspira toda esta efusividad surgió y continúa surgiendo del Espíritu Santo. Sin lugar a dudas, en el Bautismo hemos sido llamados por nuestros nombres para servir a Jesús y en el sacramento de Confirmación el Espíritu Santo nos regala los "siete *dones*... sabiduría, inteligencia, consejo, fortaleza, ciencia, piedad y temor de Dios... los *frutos*... caridad, gozo, paz, paciencia, longanimidad, bondad, benignidad, mansedumbre, fidelidad, modestia, continencia, castidad" (*CIC* 1831–1832). Con seguridad estos dones y frutos colmaron cada reunión de los jóvenes.

¿Qué dones del Espíritu Santo le ayudan en su labor catequética?

Mirando la vida

Historia para el capítulo

Paula estaba entusiasmada porque ella y su familia se iban de campamento con sus vecinos, los Morgan. El señor y la señora Morgan llevarían a su nieta, Maya. Paula estaba feliz porque ella y Maya estaban en el mismo curso.

Estaba anocheciendo cuando llegaron al campamento. Paula y Maya ayudaron al señor Morgan a recoger leña para el fuego mientras la mamá de Paula y la señora Morgan armaban la carpa. Maya dijo:

"Paula, espera a probar el chili de mi abuelito. ¡Es delicioso!"

"Tienes razón. Al cocinarlo sobre el fuego de leña su sabor es aún mejor", respondió el señor Morgan. Luego tomó un soporte para poner sobre el fuego y colocó la olla de chili.

Después de cenar, limpiaron todo y se reunieron alrededor de la fogata. El señor Morgan ayudó a Paula y a Maya a colocar los marshmallows en los palitos y los pusieron al fuego para tostarlos; mientras tanto, la señora Morgan narraba historias sobre personas del pasado y dijo: "Imaginen cómo habrá ayudado el fuego a esas personas".

Luego Paula y Maya observaron a los adultos apagar el fuego. Paula dijo: "Nuestra fogata fue muy especial. Ya espero ansiosa la próxima noche".

¿De qué manera ayudó la fogata a los Morgan, a Paula, y a su mamá?

We Celebrate Confirmation

Overview

In this chapter the children will learn that the Holy Spirit comes to us in a special way in the sacrament of Confirmation.

Doctrinial Content	For Adult Reading and Reflection *Catechism of the Catholic Church*
The children will learn:	Paragraph
• We celebrate the Gift of the Holy Spirit in the sacrament of Confirmation.	1285
• Confirmation seals us with the Gift of the Holy Spirit and strengthens us.	1295–1296
• We celebrate the sacrament of Confirmation with special words and actions.	1299–1300
• The Holy Spirit helps baptized Catholics and confirmed Catholics.	1303

Catechist Background

What stands out in your memory about your own Confirmation?

In Baptism, we receive the gift of faith as a gift outright. In Confirmation, that faith is "sealed with the promised holy Spirit, which is the first installment of our inheritance" (Ephesians 1:13, 14). Led by the Spirit, baptized and confirmed Catholics are empowered to serve the Church and the world.

You could read it on their glowing young faces. You could hear it in their wild cheering and applause. Some say you could reach out and touch it. What was IT? Enthusiasm erupting at World Youth Day in cities across the globe. The enthusiasm of the young people moved others to sing and pray with them.

However, the real force or dynamism inspiring this outpouring was and is the Holy Spirit. Without a doubt in Baptism we have been called by name and in the sacrament of Confirmation we have been gifted by the Holy Spirit's "seven *gifts*... wisdom, understanding, counsel, fortitude, knowledge, piety, and fear of the Lord... the *fruits*... charity, joy, peace, patience, kindness, goodness, generosity, gentleness, faithfulness, modesty, self-control, chastity" (CCC 1831–1832) Surely, these gifts and fruits were overflowing at every gathering of the young people.

What gifts of the Holy Spirit help you in your teaching?

Focus on Life

Chapter Story

Paula was excited. She and her mother were going camping with their neighbors, the Morgans. Mr. and Mrs. Morgan were bringing their granddaughter Maya. Paula was happy because she and Maya were in the same grade.

It was late in the afternoon when the group arrived at the campgrounds. Paula and Maya helped Mr. Morgan gather wood for the campfire while Paula's mother and Mrs. Morgan put up the tent. Maya said, "Paula, wait until you taste Grandpop's campfire chili. It is delicious!"

Mr. Morgan answered, "That's right. Cooking it on the fire makes it taste extra good." Then he took out a special stand to go over the fire. He put the pot of chili on the stand to warm.

After dinner they cleaned up and gathered around the campfire again. Mr. Morgan helped Paula and Maya put marshmallows on long sticks. They held the sticks over the fire to toast the marshmallows while Mrs. Morgan told wonderful stories about people who lived long ago. She said, "Just think about ways fire helped people then."

Then Paula and Maya watched the grown-ups put out the fire. Paula said, "Our campfire time was really special. I can't wait until tomorrow night."

How did having a campfire help the Morgans, Paula, and her mother?

Guía para planificar la lección

Pasos de la lección	Presentación	Materiales
 **NOS CONGREGAMOS**		
pág. 58 **Oración**  **Mirando la vida**	• Rezar al Espíritu Santo. • Comentar acerca de lo que sucedió en Pentecostés.	Para el lugar de oración: un mantel amarillo o naranja, una garrafa de aceite de oliva, alfileres, pequeñas llamas de papel (una para cada niño)
 **CREEMOS**		
pág. 58 *Celebramos el don del Espíritu Santo en el sacramento de la Confirmación.*	• Leer y comentar el texto sobre el don del Espíritu Santo. Comentar las maneras en que el Espíritu Santo ayudó a los primeros discípulos.	
pág. 60 *La Confirmación nos sella con el don del Espíritu Santo y nos fortalece.*	• Presentar el texto sobre la relación entre el Bautismo y la Confirmación. Completar la actividad.	• crayones rojos
pág. 62 *Celebramos el sacramento de la Confirmación con palabras y gestos especiales.* *El rito de la Confirmación*	• Presentar el texto sobre la celebración de la Confirmación. • Leer y comentar el texto *Como católicos.*	• aceite comestible, recipiente o tazón, hisopos, toallas de papel
pág. 64 *El Espíritu Santo ayuda a los católicos bautizados y confirmados.*	• Leer y comentar sobre la manera en que el Espíritu Santo ayuda a las personas confirmadas. • Señalar *Vocabulario* y sus definiciones.	• copias del patrón 5
 **RESPONDEMOS**		
pág. 64	Realizar la actividad de cotejo de *Respondemos*.  Rezar al Espíritu Santo con una canción.	• Canción "Ven, Espíritu Santo", 2–3 CD.
páginas 66 y 68 **Repaso**	• Completar las preguntas 1 a 5. • Completar la actividad *Reflexiona y ora.*	
páginas 66 y 68 **Respondemos y compartimos la fe**	• Repasar *Recuerda* y *Vocabulario.* • Leer y comentar *Nuestra vida católica.*	

Para ideas, actividades y otras oportunidades visite Sadlier en **www.CREEMOSweb.com**

Lesson Planning Guide

WE GATHER

Lesson Steps	Presentation	Materials
page 59 **Prayer**  **Focus on Life**	• Pray to the Holy Spirit. • Discuss what happened on Pentecost.	prayer space items: a yellow or orange tablecloth, a carafe of olive oil, pins, small paper flames (one for each child)

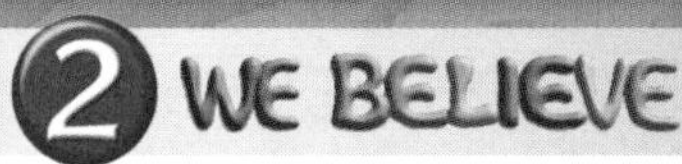

WE BELIEVE

Lesson Steps	Presentation	Materials
page 59 *We celebrate the Gift of the Holy Spirit in the sacrament of Confirmation.*	• Read and discuss the text about the Gift of the Holy Spirit. Discuss ways the Holy Spirit helped the first disciples.	
page 61 *Confirmation seals us with the Gift of the Holy Spirit and strengthens us.*	• Present the text about Baptism and Confirmation connection. Complete the activity.	• red crayons
page 63 *We celebrate the sacrament of Confirmation with special words and actions.* *Rite of Confirmation*	• Present the text about the celebration of Confirmation. • Read and discuss *As Catholics*.	• cooking oil, bowl, cotton swabs, paper towels
page 65 *The Holy Spirit helps baptized Catholics and confirmed Catholics.*	• Read and discuss the ways the Holy Spirit helps those confirmed. • Present the *Key Words* and definitions.	• copies of Reproducible Master 5

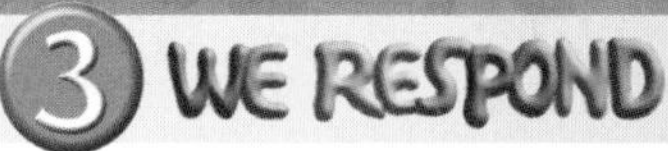

WE RESPOND

Lesson Steps	Presentation	Materials
page 65	Do the *We Respond* checklist activity. Pray to the Holy Spirit by singing.	"Make Us Strong," #5, Grade 2 CD
pages 67 and 69 **Review**	• Complete questions 1–5. • Complete the *Reflect & Pray* activity.	
pages 67 and 69 **We Respond and Share the Faith**	• Review *Remember* statements and *Key Words*. • Read and discuss *Our Catholic Life*.	

For additional ideas, activities, and opportunities: Visit Sadlier's **www.CREEMOSweb.com**

Conexiones

La liturgia

En este capítulo los niños aprenderán que la Confirmación los sella con el don del Espíritu Santo. Comente con los niños que el Espíritu Santo está con nosotros en la misa y recuérdeles que aceptamos su presencia cada vez que hacemos la Señal de la Cruz. Explique que durante la Eucaristía, el sacerdote que celebra la misa invoca al Espíritu Santo para que convierta el pan y el vino en el Cuerpo y la Sangre de Jesucristo.

Administración de la creación

Los niños aprenderán en este capítulo que el Espíritu Santo ayuda a los católicos confirmados a continuar con la obra de Jesús y que hay infinitas maneras de realizar esa obra. Es posible que los niños sepan las actividades que realizan los adultos, pero además deben saber que también pueden ayudar. Diga a los niños que pueden participar en una colecta para ayudar a una organización benéfica local o bien pueden trabajar con sus familiares en un proyecto comunitario. Es posible que los niños quieran pedir al Espíritu Santo que los ayude a ser generosos y considerados.

FE y MEDIOS

- Si decide realizar la actividad de conversación en la sección de *Banco de Actividades: Fe y medios,* sugiera los personajes de libros, películas o programas de televisión que demuestran con sus acciones que están siendo guiados por el Espíritu Santo.
- Después de comentar el texto sobre la asistencia a los necesitados de la sección *Nuestra vida católica,* considere mostrar a los niños el sitio en la red de una entidad benéfica como por ejemplo: *Caridades Católicas de USA o Caritas, USA o Catholic Relief Services.*

Liturgia para esta semana

Visite **www.creemosweb.com** para las lecturas bíblicas de esta semana y otros materiales propios del tiempo.

Necesidades individuales

Estilos de aprendizaje

Algunos niños prefieren trabajar individualmente mientras que otros prefieren hacerlo en grupos. Cuando pida a los niños que trabajen en parejas, agrúpelos de acuerdo a los diferentes estilos de aprendizaje. Si realiza actividades en grupos, asegúrese de que cada grupo tenga miembros con estos dos estilos de aprendizaje.

RECURSOS ADICIONALES

Video *La confirmación.* Este video para adultos presenta la relación que existe entre el Bautismo y la Confirmación. Sirve para ayudar a entender la dimensión misionera de la Confirmación y a apreciar la acción del Espíritu Santo en nuestras vidas y en la Iglesia. (18 minutos)

Para ideas visite a Sadlier en

www.CREEMOSweb.com

Connections

To Liturgy

In this chapter the children will learn that Confirmation seals them with the Gift of the Holy Spirit. Discuss with the children that the Holy Spirit is with us at Mass. Remind them that each time we pray the Sign of the Cross we acknowledge that the Holy Spirit is with us. Explain that at every celebration of the Eucharist, the priest who is celebrating Mass calls upon the power of the Holy Spirit so that the bread and wine will become the Body and Blood of Jesus Christ.

To Stewardship

The children will be learning in this chapter that the Holy Spirit helps confirmed Catholics carry out Jesus' work. There are countless ways to do so. The children may know what adults can do, but they need to know that they too can help. Explain that they can participate in fund-raising efforts to support a local charitable organization or that they can join with family members on a community project. Everyone can ask the Holy Spirit to help them to be giving and caring.

FAITH and MEDIA

- If you are going to use the *Activity Bank: Faith and Media* discussion activity, come prepared to suggest characters in books, movies, or television programs who show by their actions that the Holy Spirit is guiding them.
- After discussing the *Our Catholic Life* text about helping those in need, consider showing the children the Web site of an organization such as Catholic Charities USA or Catholic Relief Services.

This Week's Liturgy

Visit **www.creemosweb.com** for this week's liturguical readings and other seasonal material.

Meeting Individual Needs

Children's Learning Styles

Some children prefer working alone to working with others. Other children have the opposite preference. When assigning partners, pair different types of learners. When assigning children to groups, try to have a balance of each type within each group.

ADDITIONAL RESOURCES

Videos

A Child's View of Community, St. Anthony Messenger Press, 2001. The pictures in a religion report come to life and show what it means to belong in a community. (12 minutes)

Who Is The Spirit? Gaynell Cronin, St. Anthony Messenger Press, 2001. Invites the children to become more familiar with the Holy Spirit as friend, helper, and teacher. (11 minutes)

To find more ideas for books, videos, and other learning material visit Sadlier's

www.CREEMOSweb.com

Meta catequética

- Destacar que celebramos el regalo del Espíritu Santo en el sacramento de la Confirmación

Preparandose para orar

Los niños rezarán y reflexionarán sobre las maneras en que el Espíritu Santo está presente en nuestras vidas.

- Practique con los niños las palabras de la oración y explique que la palabra *encender* significa "prender fuego".
- Entregue a cada niño una llama hecha de papel. Pídales que escriban sus iniciales de un lado de la llama y que del otro lado escriban en que les gustaría que los ayudase el Espíritu Santo.

El lugar de oración

- Coloque un mantel sobre la mesa de oración y una garrafa con aceite de oliva.
- Tenga alfileres listos para prender las llamas de los niños al mantel.

Celebramos la Confirmación

Nos congregamos

✝ Ven, Espíritu Santo,
llena los corazones de tus fieles
y enciende en ellos
el fuego de tu amor.

 Cuenta lo que pasó en Pentecostés.

Creemos

Celebramos el don del Espíritu Santo en el sacramento de la Confirmación.

Jesús prometió enviar al Espíritu Santo a los apóstoles para que los ayudara. El Espíritu Santo ayudó a los discípulos a recordar todo lo que Jesús hizo y dijo.

El Espíritu Santo llenó a los discípulos de valor y fe. Empezaron a hablar a todos sobre Jesús. Contaron que Jesús había muerto y que había resucitado por nosotros.

Los apóstoles bautizaron a muchas personas. Ellos imponían sus manos sobre las personas que querían recibir el Espíritu Santo. Querían que tuvieran una fe firme y que cuidaran de las necesidades de todos.

Habla de las formas en que el Espíritu Santo ayudó a los primeros discípulos de Jesús.

58

Planificación de la lección

Nos congregamos ___ minutos

- Recuerde a los niños que una llama es un símbolo que nos recuerda al Espíritu Santo. Pídales que se pongan de pie y lleven sus llamas a la mesa de oración; luego, ayúdelos a unir con alfileres sus llamas al mantel.
- Lea la oración al Espíritu Santo y deténgase unos segundos después de cada línea para que los niños la repitan.

 **Mirando la vida**

- Lea la *Historia para el capítulo* de la página 58A. Luego, si es necesario, lea el relato bíblico (Hechos de los apóstoles 2:1–4) y los párrafos explicativos que se encuentran en el Capítulo 2, página 26 del libro de los niños.

Creemos ___ minutos

Pida a voluntarios que lean los tres primeros párrafos de *Creemos* en la página 58.

Pregunte *¿De qué manera ayudó el Espíritu Santo a los primeros discípulos de Jesús?* (El Espíritu Santo los ayudó para que fueran fuertes y valientes; los ayudó a recordar lo que Jesús había dicho y hecho).

We Celebrate Confirmation

WE GATHER

✝ Come, Holy Spirit,
fill the hearts of your faithful people
and kindle in us
the fire of your love.

 Tell what happened on Pentecost.

WE BELIEVE

We celebrate the Gift of the Holy Spirit in the sacrament of Confirmation.

Jesus promised to send the Holy Spirit to the apostles and other disciples to be their helper. The Holy Spirit helped the disciples to remember everything Jesus had said and done.

The Holy Spirit filled the disciples with courage and faith. They began to tell everyone about Jesus. The disciples told everyone Jesus died for us and rose to new life.

The apostles baptized many people. They laid their hands on people so that they too might receive the Holy Spirit. They wanted them to be strong in faith and to care for one another's needs.

Talk about ways the Holy Spirit helped Jesus' first disciples.

59

Catechist Goal

- To emphasize that we celebrate the Gift of the Holy Spirit in the sacrament of Confirmation

PREPARING TO PRAY

The children will reflect and pray about the ways the Holy Spirit is present in our lives.

- Have the children read the words of the prayer. Explain that the word *kindle* means "to start a fire burning."
- Give each child a paper flame you have made previously. Have the children write their initials on one side of their flames. On the other side of the flames, have them write what they would like the Holy Spirit to help them to do.

The Prayer Space

- On the prayer table place a tablecloth and a carafe filled with olive oil.
- Have straight pins available for attaching the children's flames to the tablecloth.

Lesson Plan

WE GATHER ___ minutes

- Remind the children that a flame is a sign used to remind us of the Holy Spirit. Invite the children to stand and bring their flames to the prayer table. Help each child pin his or her flame to the tablecloth.
- Read each line of the prayer to the Holy Spirit. Pause at the end of each line for the children to echo the words.

 **Focus on Life**

- Share the *Chapter Story* on guide page 58B. Then, if necessary, read the Scripture story (Acts of the Apostles 2:1–4) and the explanatory paragraphs found in Chapter 2, page 27 of the children's text.

WE BELIEVE ___ minutes

Invite volunteers to read the first three *We Believe* paragraphs on page 59.

Ask *How did the Holy Spirit help the first disciples of Jesus?* (helped them to be strong and brave; helped them to remember what Jesus had said and done)

Nuestra respuesta en la fe

- Comentar las maneras en que el Espíritu Santo nos ayuda como católicos bautizados

Confirmación

unción con aceite

Materiales

- crayones rojos
- CD de segundo grado
- copias de patrón 5

Conexión con el hogar

Invite a voluntarios a comentar sobre lo que aprendieron de las celebraciones bautismales de sus familias.

El Espíritu Santo es Dios, la tercera Persona de la Santísima Trinidad. Fue enviado por el Padre y Jesús para ayudar y guiar a la Iglesia. El Espíritu Santo está con nosotros hoy. Celebramos el don del Espíritu Santo en el sacramento de la Confirmación.

La Iglesia usa una llama de fuego para recordarnos al Espíritu Santo. Igual que el fuego, el Espíritu Santo nos ilumina, nos da calor y energía.

La Confirmación nos sella con el don del Espíritu Santo y nos fortalece.

Los sacramentos del Bautismo y la Confirmación son como socios. El Bautismo nos hace hijos de Dios y miembros de la Iglesia. Cada uno de nosotros recibe el Espíritu Santo cuando somos bautizados. La **Confirmación** es el sacramento que nos sella con el don del Espíritu Santo y nos fortalece.

Usa un lápiz de color rojo y traza sobre los círculos. Explica lo que muestra el dibujo.

60

Planificación de la lección

CREEMOS (continuación)

Escriba la palabra *Confirmación* en la pizarra o en papel cuadriculado y pronúnciela para los niños. Pida a voluntarios que lean los dos primeros párrafos en la página 60.

Lean juntos la afirmación de *Creemos* en la página 60. Lea los párrafos que le siguen. Pregunte: *¿Cuándo recibieron al Espíritu Santo por primera vez?* (En el Bautismo). Explique: *el Bautismo y la Confirmación son como dos compañeros.*

Lea las instrucciones para la actividad y pida a los niños que remarquen los círculos. Comente el significado del diagrama.

Lea en voz alta los dos primeros párrafos de la afirmación *Creemos* en la página 62. Luego, pida a los niños que pasen a la página 61 y que observen la vestidura del obispo cuando celebra la Confirmación.

Cotejo rápido

✔ *¿Cuál es el sacramento que nos sella con el regalo del Espíritu Santo?* (La Confirmación nos sella con el regalo del Espíritu Santo.)

✔ *¿Por qué utiliza la Iglesia el fuego como símbolo del Espíritu Santo?* (El fuego nos brinda luz, calor y energía. El Espíritu Santo nos ayuda a compartir la luz y el calor del amor de Dios con nuestro prójimo.)

The Holy Spirit is God, the third Person of the Blessed Trinity. The Holy Spirit was sent by the Father and Jesus to help and guide the Church. The Holy Spirit is still with us today. We celebrate the Gift of the Holy Spirit in the sacrament of Confirmation.

The Church often uses a picture of fire or a flame to remind us of the Holy Spirit. Like fire, the Holy Spirit gives us light, warmth, and energy.

Confirmation seals us with the Gift of the Holy Spirit and strengthens us.

The sacraments of Baptism and Confirmation are like partners. Baptism makes us children of God and members of the Church. Each of us received the Holy Spirit when we were baptized. **Confirmation** is the sacrament that seals us with the Gift of the Holy Spirit and strengthens us.

Use a red crayon to trace over the circles. Talk about what the drawing shows.

61

Chapter 5 • Page 61

Our Faith Response

- To name ways in which the Holy Spirit can help us as baptized Catholics

Confirmation

anointing with oil

Materials

- red crayon
- Grade 2 CD
- copies of Reproducible Master 5

Home Connection Update

Invite volunteers to share what they learned about family Baptism celebrations.

Lesson Plan

WE BELIEVE (continued)

Write the word *Confirmation* on the board or chart paper. Pronounce it for the children. Ask volunteers to read the first two paragraphs on page 61.

Read together the *We Believe* statement on page 61. Then read the paragraph that follows. Ask: *When did you first receive the Holy Spirit?* (at Baptism) Stress: *Baptism and Confirmation are like partners.*

Read the activity directions. Have the children trace over the circles. Discuss what the diagram illustrates.

Read aloud the first two paragraphs on page 63. Have the children turn to page 61 to see what the bishop wears for the celebration of Confirmation.

Quick Check

✔ *Which sacrament seals us with the gift of the Holy Spirit?* (Confirmation seals us with the gift of the Holy Spirit.)

✔ *Why does the Church use fire as a symbol for the Holy Spirit?* (Fire helps us by giving us light, warmth, and energy. The Holy Spirit helps us share the light and warmth of God's love with others.)

Banco de Actividades

Conexión curricular

Arte

Materiales: revistas, pegamento, tijeras, papel afiche o cartulinas grandes

Trabajen en grupos. Entregue a cada grupo una hoja grande de papel o una cartulina. Pida a los niños que busquen imágenes de luz y calor en las revistas y que las recorten para armar un collage. Sugiera el siguiente título para el collage: *El Espíritu Santo, dador de luz y fuerza.*

Como católicos...

Crisma – santo óleo

Después de trabajar en estas dos páginas, lea en voz alta el texto *Como católicos*. Recuerde a los niños que un hombre se ordena como sacerdote mediante el sacramento de Orden del Sagrado. Pida a un voluntario que conteste la pregunta sobre la unción. (en el Bautismo)

La parroquia reza por los que se van a confirmar. La comunidad se reúne para la celebración del sacramento.

Generalmente un obispo viene a la parroquia para confirmar. Algunas veces el obispo asigna a un sacerdote para confirmar.

Celebramos el sacramento de la Confirmación con palabras y gestos especiales.

En la Confirmación somos ungidos con aceite. Esto muestra que somos elegidos para trabajar para Dios. Muestra que el Espíritu Santo está con nosotros. Un padrino nos ayuda a preparar para la Confirmación.

Lee conmigo

El obispo habla con la gente sobre la fe. Los llama a servirse unos a otros. Después el obispo y los sacerdotes presentes extienden sus manos sobre los que van a recibir el sacramento. El obispo reza para que el Espíritu Santo los fortalezca con dones especiales.

El obispo unta su pulgar derecho en el óleo bendecido. Posa su mano en la cabeza de la persona y traza una cruz con el aceite en la frente del confirmando.

Hacer la señal de la cruz con aceite es llamado **unción con aceite**.
El obispo dice:
"(Nombre) recibe por esta señal el don del Espíritu Santo".
La persona responde: "Amén".
Después el obispo dice:
"La paz sea con ustedes".
Los confirmados responden:
"Y con tu espíritu".

Como católicos...

La semana antes de la Pascua de Resurrección es llamada semana santa. Todos los años el obispo bendice los aceites en esta semana. Los aceites son enviados a las parroquias de la diócesis. Uno de esos aceites es llamado *crisma*. Es usado para ungir en los sacramentos del Bautismo, la Confirmación y el Orden Sagrado.

¿Cuándo fuiste ungido con crisma?

62

Planificación de la lección

CREEMOS (continuación)

Reúna a los niños cerca de la mesa de oración. Permita que los niños introduzcan un hisopo en el aceite y que luego unten con él una de sus palmas. Explique que el aceite cumple una función muy importante en la Confirmación. Lea en voz alta el primer párrafo de la afirmación *Creemos* en la página 62.

Lea las palabras y acciones que se utilizan durante la celebración de la Confirmación y explique: *signar con aceite se denomina unción con aceite.*

Explique a los niños que usted leerá la oración del obispo y ellos leerán las respuestas de las personas que están recibiendo su Confirmación.

Recuerde a los niños: *Recibimos el regalo del Espíritu Santo en el Bautismo.* Pida a voluntarios que comenten cómo los ayuda el Espíritu Santo.

Sugiera a los niños que lean con un compañero todas las maneras en que el Espíritu Santo ayuda a los católicos bautizados y confirmados. (Consulte la página 64.) Luego, pídales a los pares que piensen en ejemplos o situaciones de la vida real que se parezcan a los mencionados en la página 64. Comente el siguiente ejemplo: *Las personas que se sienten felices con todo lo que Dios les ha dado, cuidan y comparten esas cosas con su prójimo.* Permita que los niños en pares tengan unos momentos para comentar sus ejemplos con el resto del grupo.

The parish community prays for the people about to be confirmed. The community gathers with them for the celebration of the sacrament.

Most often a bishop comes to the parish to confirm people. Sometimes the bishop appoints a priest to do the confirming.

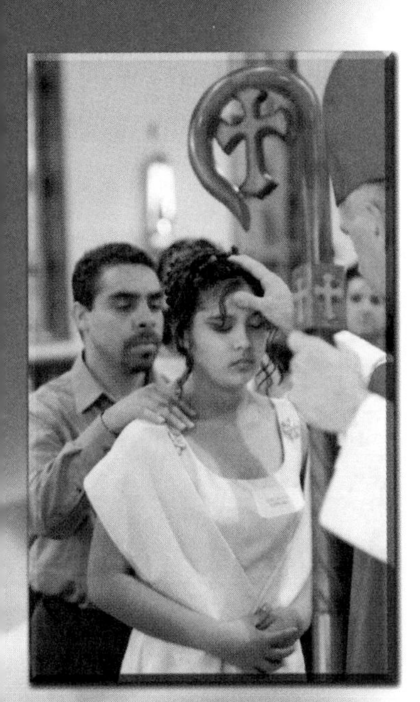

We celebrate the sacrament of Confirmation with special words and actions.

At Confirmation we are anointed with oil. This shows that we are set apart to do God's work. It shows that the Holy Spirit is with us. A person called a sponsor helps us as we get ready for Confirmation.

Read Along

The bishop talks with the people about their faith. He calls them to serve others. Then the bishop and priests who are present stretch out their hands over those receiving the sacrament. The bishop prays that the Holy Spirit will strengthen them with special gifts.

The bishop dips his right thumb in blessed oil. Laying his hand on the person's head, he traces a cross on that person's forehead with the oil.

We call tracing the cross with oil the **anointing with oil**. The bishop prays, "(Name), be sealed with the Gift of the Holy Spirit." The person responds, "Amen."
Then the bishop says,
"Peace be with you."
Those who were confirmed say,
"And also with you."

As Catholics...

The week before Easter is called Holy Week. Each year during Holy Week, the bishop blesses three oils of the Church. The oils are given to all the parishes that make up the diocese. One blessed oil is called *Chrism*. It is used for anointing in the sacraments of Baptism, Confirmation, and Holy Orders.

When were you anointed with Chrism?

PREPARING TO PRAY

Curriculum Connection

Art

Materials: magazines, glue, scissors, poster board or large sheets of construction paper

Work in groups. Give each group a large sheet of poster board or construction paper. Have the children look through magazines to find images that represent light and warmth. Invite the children to cut out these images and use them to make a collage. Encourage the children to label the collage, *The Holy Spirit, Giver of Light and Strength.*

As Catholics...

Chrism—Blessed Oil

After working on these two pages, read aloud the *As Catholics* text. Remind the children that it is in the sacrament of Holy Orders that a man can be ordained as a priest. Have a volunteer answer the question about being anointed. (at Baptism)

Lesson Plan

WE BELIEVE (continued)

Invite the children to gather near the prayer table. Let the children dip a cotton swab into the olive oil and smear a little on the palm of one of their hands. Explain that oil plays an important part in Confirmation. Then read aloud the first paragraph of the *We Believe* statement on page 63.

Read the words and actions used during the celebration of Confirmation. Explain: *Tracing the cross with oil is called the anointing with oil.*

Explain that you will read the prayers of the bishop. Ask the children to read the responses of those being confirmed.

Remind the children: *We received the Gift of the Holy Spirit at Baptism.* Have volunteers name ways the Holy Spirit helps them.

Invite the children to read with a partner the list of ways the Holy Spirit helps baptized Catholics and confirmed Catholics. (See page 65.) Ask the partners to name real-life examples or situations to match some of the listed items. Provide this example: *People who are happy with all God has given them take care of their things and share them with others.* Allow time for partners to share their examples with the whole group.

Nota

Edad para realizar la Confirmación

La Conferencia de Obispos Católicos de los Estados Unidos decretó en al año 2001 que una persona entre las edades de siete y dieciséis años podrá recibir el sacramento de la Confirmación en las diócesis estadounidenses.

Banco de Actividades

Inteligencia múltiple

Intrapersonal

Materiales: papel para escribir, canasta

Escriba en la pizarra las siguientes palabras:

Espíritu Santo, por favor ayúdame a...

Pida a los niños que copien estas palabras en el papel y que completen la oración con sus propias palabras; cuando terminen, pídales que doblen los papeles y los coloquen en la canasta. Ubique la canasta sobre la mesa de oración.

El Espíritu Santo ayuda a los católicos bautizados y confirmados.

El Espíritu Santo ayuda a los católicos bautizados y confirmados a:

- Amar a Dios y unos a otros como Jesús enseñó.
- Alabar a Dios y celebrar los sacramentos.
- Tratarse con respeto.
- Preocuparse por los pobres, los enfermos y los que sufren.
- Ser justos.
- Ser trabajadores de la paz.
- Ser felices con lo que Dios nos ha dado.
- Vivir la fe.
- Defender sus creencias.

Vocabulario

Confirmación sacramento que nos sella con el don del Espíritu Santo y nos fortalece

unción con aceite hacer la cruz con aceite en la frente de la persona durante la Confirmación

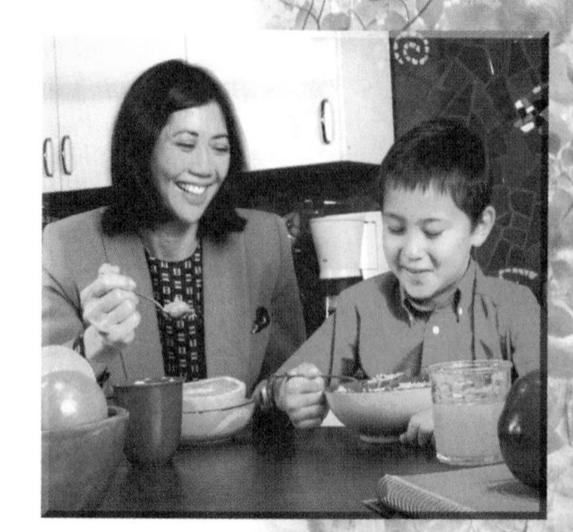

Respondemos

Selecciona de la lista las acciones que puedes hacer fácilmente. Subraya las que son difíciles. Decide hacer una hoy.

Ven, Espíritu Santo

Ven, Espíritu Santo, luz divina del cielo.
Entra al fondo del alma y ofrécenos
tu consuelo.
Eres nuestro descanso cuando es
tanto el trabajo;
eres gozo eterno, lleno de amor
y bondad.

64

Planificación de la lección

Creemos (continuación)

Distribuya copias del patrón 5 y explique a los niños que es posible que encuentren las palabras en línea vertical u horizontal. Dígales que pueden hacer el rompecabezas ahora o en sus casas. Sugiera a los niños que pidan ayuda a sus familiares. (Horizontales: fuego, primera columna; unción, tercera columna; obispo, sexta columna. Verticales: sella, primera columna; aceite, tercera columna; fuerte, décima columna. La palabra sella completa la oración.)

Vocabulario Desafíe a los niños a encontrar cada palabra en el capítulo y pídales que las utilicen en oraciones.

Respondemos

____ minutos

Conexión con la vida Explique las instrucciones de la actividad: *Haré una pausa después de leer cada acción en la lista. Coloquen una tilde al lado de la acción que les parece fácil de realizar y subráyenla si les parece difícil.*

Canción escuchen y canten juntos la canción "Ven, Espíritu Santo", 2–3 CD.

Key Words

Confirmation the sacrament that seals us with the Gift of the Holy Spirit and strengthens us

anointing with oil tracing a cross on the person's forehead with oil during Confirmation

The Holy Spirit helps baptized Catholics and confirmed Catholics.

The Holy Spirit helps Catholics who have been baptized and Catholics who have been confirmed to do the following things.

- Love God and others as Jesus taught.
- Worship God and celebrate the sacraments.
- Treat others with respect.
- Care for those who are poor, hungry, or sick.
- Be fair.
- Be peacemakers.
- Be happy with all that God has given them.
- Live out their faith.
- Stand up for what they believe.

WE RESPOND

Check the actions on the list that are easy for you to do. Underline the difficult ones. Then decide to do one today.

Make Us Strong
(My Darling Clementine)

Holy Spirit, Holy Spirit,
Holy Spirit, make us strong,
So that we can follow Jesus
and bring God's love to everyone.

Teaching Note

Ages for Confirmation

The United States Conference of Catholic Bishops decreed in 2001 that the age for conferring the sacrament of Confirmation in the dioceses of the United States is to be between the age of discretion (seven years old) and about sixteen years of age.

ACTIVITY BANK

Multiple Intelligences

Intrapersonal

Materials: writing paper, basket

Write on the board the following prayer beginning:

Holy Spirit, please help me to...

Invite the children to copy these words on the writing paper and then complete the prayer in their own words. Have the children fold the papers and place them in a basket. Place the basket on the prayer table.

Lesson Plan

WE BELIEVE (continued)

Distribute Reproducible Master 5. Explain to the children that they may see the words printed across or down. Have the children work on the puzzle now or have the children take the sheet home. Encourage them to ask their families to help them. (Across: fire, 1st row; anointing, 3rd row; bishop, 6th row; Down: seals, 1st row; oil, 3rd row; strong, 10th row. The word seals completes the sentence.)

Key Words Challenge the children to find each key word in the chapter. Then ask the children to use these words in sentences.

WE RESPOND

____ minutes

Connect to Life Explain the activity directions: *I will pause after I read each action listed. Put a check beside the action if it is easy for you to do. Underline the action if it is difficult for you.*

Play "Make Us Strong," #5 on the Grade 2 CD and ask the children to sing along.

Banco de actividades

Sacramentos

Invitado especial

Para facilitar la comprensión de los niños sobre el sacramento de Confirmación, es posible que desee invitar a un católico confirmado, ya sea un adolescente o un adulto para que hable con los niños. Pida al invitado que cuente de qué manera influye el Espíritu Santo en su vida. Permita que los niños formulen preguntas adecuadas.

Fe y medios

La ayuda del Espíritu Santo

Pida a los niños que lean todas las formas en que el Espíritu Santo ayuda a los católicos bautizados y confirmados y sugiera que nombren personajes de libros, películas o programas de televisión que demuestren que están siendo guiados por el Espíritu Santo.

Conexion con el hogar

Compartiendo lo aprendido

Recuerde a los niños compartir con sus familias lo aprendido en este capítulo.

Sugiera a los niños que hablen con sus familiares sobre las maneras en que el Espíritu Santo los ayuda cada día.

Para más información y actividades adicionales visite a Sadlier

www.CREEMOSweb.com

Planifique por adelantado

Lugar de oración: un pergamino con las palabras "Dios, queremos escuchar tu Palabra", una caja revestida en dorado o plateado, una Biblia

Materiales: copias del patrón 8, 2–3 CD, una Biblia

___ minutos

Repaso del capítulo Permita que todos los niños participen del repaso. Comience pidiendo a un voluntario que lea la primera pregunta y pida a los niños que encierren en un círculo la respuesta que crean correcta. Pida a otro voluntario que lea su respuesta, si esta es incorrecta, permita que el niño busque en el libro la respuesta correcta. Repita este procedimiento con las preguntas del 2 al 4.

Pida a los niños que respondan la pregunta 5 con uno o dos ejemplos y luego, pida voluntarios compartin sus respuestas con el resto de la clase.

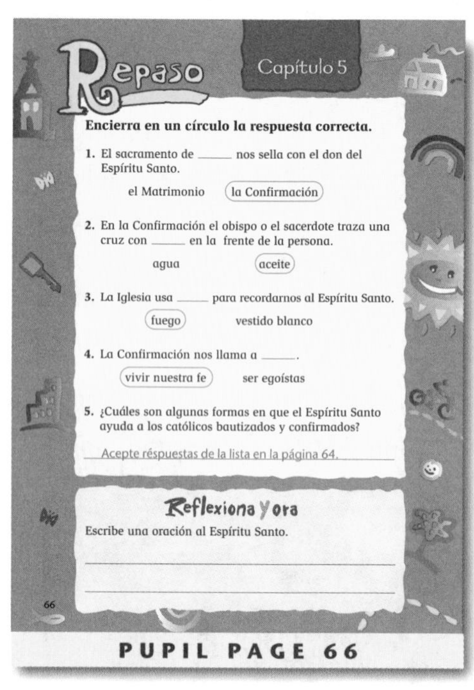

Repaso — Capítulo 5

Encierra en un círculo la respuesta correcta.

1. El sacramento de ____ nos sella con el don del Espíritu Santo.
   el Matrimonio — (la Confirmación)
2. En la Confirmación el obispo o el sacerdote traza una cruz con ____ en la frente de la persona.
   agua — (aceite)
3. La Iglesia usa ____ para recordarnos al Espíritu Santo.
   (fuego) — vestido blanco
4. La Confirmación nos llama a ____.
   (vivir nuestra fe) — ser egoístas
5. ¿Cuáles son algunas formas en que el Espíritu Santo ayuda a los católicos bautizados y confirmados?
   Acepte respuestas de la lista en la página 64.

Reflexiona y ora

Escribe una oración al Espíritu Santo.

66

PUPIL PAGE 66

Reflexiona y ora Recuerde a los niños que deberán respetar la privacidad de los demás cuando escriben sus oraciones.

Respondemos y compartimos la fe

___ minutos

Recuerda Repase las cuatro afirmaciones de *Creemos.* Anime a los niños a recordar la información específica que se relaciona con cada afirmación.

Nuestra vida católica Lea en voz alta el texto "Ayudando a los necesitados." Sugiera a los niños que cuenten si conocen a personas que han ayudado a su prójimo cuando más lo necesitaron. Luego, pida a los niños que piensen en diferentes situaciones en las que se necesitaría de su ayuda y que digan de qué manera ayudarían a las personas.

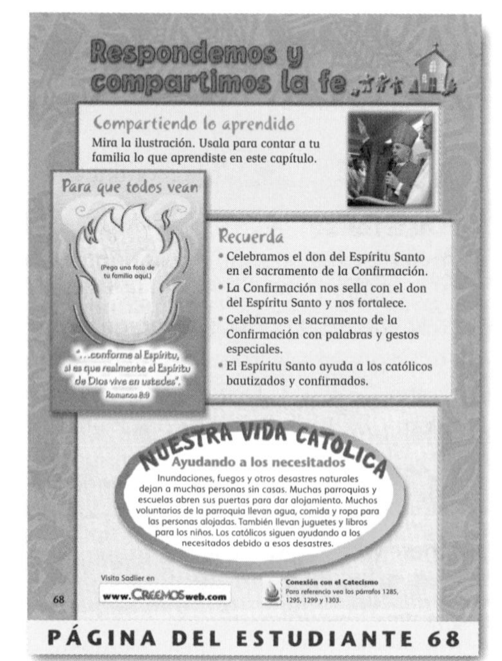

Respondemos y compartimos la fe

Compartiendo lo aprendido

Mira la ilustración. Usala para contar a tu familia lo que aprendiste en este capítulo.

Para que todos vean

"...conforme al Espíritu, si es que realmente el Espíritu de Dios vive en ustedes". Romanos 8:9

Recuerda

- Celebramos el don del Espíritu Santo en el sacramento de la Confirmación.
- La Confirmación nos sella con el don del Espíritu Santo y nos fortalece.
- Celebramos el sacramento de la Confirmación con palabras y gestos especiales.
- El Espíritu Santo ayuda a los católicos bautizados y confirmados.

Nuestra vida católica

Ayudando a los necesitados

Inundaciones, fuegos y otros desastres naturales dejan a muchas personas sin casas. Muchas parroquias y escuelas abren sus puertas para dar alojamiento. Muchos voluntarios de la parroquia llevan agua, comida y ropa para las personas alojadas. También llevan juguetes y libros para los niños. Los católicos siguen ayudando a los necesitados debido a esos desastres.

Visita Sadlier en www.CREEMOSweb.com

Conexión con el Catecismo
Para referencia vea los párrafos 1285, 1295, 1299 y 1303.

68

PÁGINA DEL ESTUDIANTE 68

______ minutes

Chapter Review Involve all of the children in the review. Begin by asking a volunteer to read the first question. Instruct the children to circle what they think is the correct answer. Call on another volunteer to state his or her answer. If the answer is incorrect, take a few minutes for the children to look back in the text to find the correct answer. Repeat this process for questions 2–4.

Ask the children to complete the fifth question by writing one or two ways. Have volunteers share their answers.

Reflect & Pray Remind the children to respect each other's privacy as they write their own prayers.

Review Chapter 5

Circle the correct answer.

1. The sacrament of ____ seals us with the Gift of the Holy Spirit.
   Matrimony (Confirmation)
2. At Confirmation the bishop or priest traces a cross with blessed ____ on a person's forehead.
   water (oil)
3. The Church uses ____ to remind us of the Holy Spirit.
   (fire) a white garment
4. Confirmation calls us to ____.
   (live out our faith) be selfish
5. What are some ways the Holy Spirit helps baptized and confirmed Catholics?
   Accept ways listed on page 65.

Reflect & Pray

Write your own prayer to the Holy Spirit.

67

PUPIL PAGE 67

We Respond and Share the Faith

____ minutes

Remember Review the four *We Believe* statements. Challenge the children to recall specific knowledge or information that relates to each statement.

Our Catholic Life Read aloud "Helping Those in Need." Encourage the children to tell about people they have known who have helped others in time of need. Then challenge the children to brainstorm different situations in which their help could be used, and ways they could assist people in these situations.

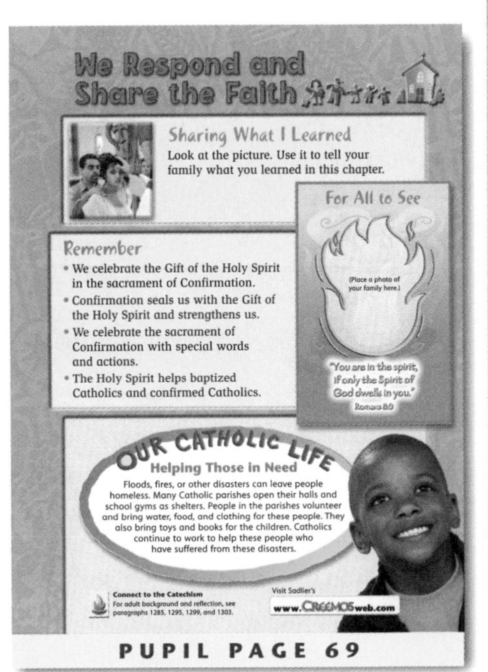
We Respond and Share the Faith

Sharing What I Learned

Look at the picture. Use it to tell your family what you learned in this chapter.

For All to See

(Place a photo of your family here.)

"You are in the spirit, if only the Spirit of God dwells in you." Romans 8:9

Remember
- We celebrate the Gift of the Holy Spirit in the sacrament of Confirmation.
- Confirmation seals us with the Gift of the Holy Spirit and strengthens us.
- We celebrate the sacrament of Confirmation with special words and actions.
- The Holy Spirit helps baptized Catholics and confirmed Catholics.

Our Catholic Life

Helping Those in Need

Floods, fires, or other disasters can leave people homeless. Many Catholic parishes open their halls and school gyms as shelters. People in the parishes volunteer and bring water, food, and clothing for these people. They also bring toys and books for the children. Catholics continue to work to help these people who have suffered from these disasters.

Connect to the Catechism: For adult background and reflection, see paragraphs 1285, 1295, 1299, and 1303.

Visit Sadlier's www.CREEMOSweb.com

PUPIL PAGE 69

Activity Bank

Sacraments

Invite a Guest Speaker

To enrich the children's understanding of the sacrament of Confirmation, invite a confirmed Catholic, either an adolescent or an adult to speak to the class. Ask the speaker to share with the children the difference the Holy Spirit makes in his or her life. Allow the children to ask appropriate questions.

Faith and the Media

The Holy Spirit's Help

Invite the children to read the list of ways the Holy Spirit helps baptized and confirmed Catholics. Ask the children to discuss characters in books, movies, or TV programs who show that the Holy Spirit is guiding them.

Home Connection

Sharing What I Learned

Remind the children to share with their families what they learned in this chapter.

Encourage the children to talk with family members about ways the Holy Spirit helps them each day.

For additional information and activities, encourage families to visit Sadlier's

www.CREEMOSweb.com

Plan Ahead for Chapter 8

Prayer Space: "God, we want to listen to your word" scroll, covered box (gold or silver), Bible

Materials: copies of Reproducible Master 8, Grade 2 CD, Bible

El año litúrgico

Adviento | Navidad | Tiempo Ordinario | Cuaresma | Tres Días | Tiempo de Pascua | Tiempo Ordinario

"La Iglesia, en el transcurso del año, conmemora todo el misterio de Cristo, desde la Encarnación hasta el día de Pentecostés y hasta la Parusía".

(Normas universales sobre el año litúrgico, 17)

Ojeada

En este capítulo los niños aprenderán lo que celebramos en los diferentes tiempos de la Iglesia.

Para referencia Vea los párrafos 1168 y 1171 del *Catecismo de la Iglesia Católica.*

Referencia catequética

¿Qué tiempos del año litúrgico celebra de manera especial?

El ciclo anual de los tiempos litúrgicos hace presente en nosotros los misterios de redención que celebramos. El inicio: "abre la riqueza de las virtudes y de los méritos de su Señor". La Iglesia nos anima a participar en estas riquezas en nuestras propias vidas para que "se llenen de la gracia de la salvación" (*CIC* 1163).

El Triduo es el corazón del año litúrgico. En esos días celebramos la pasión, muerte y resurrección de Jesucristo. En la Pascua de Resurrección, la mayor de la fiestas, la Iglesia se regocija en la victoria del Señor sobre la muerte y su don de nueva vida a todos los creyentes. El gozo de la celebración de la Pascua de Resurrección se extiende hasta el Domingo de Pentecostés.

Durante todos los tiempos litúrgicos, cada domingo es una celebración de la resurrección del señor, una "pequeña Pascua". Cada semana nos reunimos en asamblea litúrgica para celebrar la Liturgia de la Palabra y la Liturgia de la Eucaristía. Aquí nos encontramos con el Señor resucitado quien nos fortalece para ser sus discípulos en el mundo hoy.

En cada tiempo litúrgico, la liturgia nos fortalece para ir más allá de los límites de los tiempos históricos y entrar en el tiempo de salvación de Dios. Estamos presentes en la muerte y resurrección de Jesús, presentes en la misericordia y compasión, presentes en sus retos y su llamado en el aquí y ahora. En la liturgia aprendemos a conocer y a amar a Jesús. Encontramos que "Jesucristo es el mismo ayer, hoy y siempre" (Hebreos 13:8).

¿De qué forma entrará en la celebración del año litúrgico?

Mirando la vida

Historia para el capítulo

La familia de Caridad siempre estaba muy ocupada. Sus padres siempre estaban trabajando o limpiando la casa. Su hermano Daniel estaba ocupado en sus trabajos de la escuela y las reuniones de los exploradores. Caridad estaba muy ocupada aprendiendo a leer, jugando con sus amigos, dando de comer a su perro y mirando muñequitos.

Mientras los padres y el hermano de Caridad estaban ocupados en otras cosas, calladamente la naturaleza cambiaba su apariencia. En la primavera, ereció la verde grama y el brillante amarillo de los narcisos. En el verano, blandas nubes blancas flotaban en el cielo azul. En el otoño, alfombras de hojas rojas, anaranjadas y doradas cubrían los patios. Y en el invierno blancos copos de nieve caían y las estalactitas colgaban de los edificios.

No importaba lo hermoso que estuviera el exterior, la familia de Caridad no lo notaba. Luego, un domingo en la mañana, nevaba tan fuerte que la familia no podía salir de la casa para ir a la iglesia. El papá dijo: "Creo que esto quiere decir que no vamos a ninguna parte hoy".

Todos menos Caridad refunfuñaron porque no estarían tan ocupados como siempre. Caridad decidió sentarse frente a la ventana de la cocina. ¿Qué más podía hacer? Absolutamente nada. Sólo miró y miró. Vio copos de nieve tan grandes que podía ver lo diferentes que eran. No había dos copos exactamente iguales. "Ven a ver estos copos de nieve, papá", gritó. "Parece como si alguien los hubiera cortado uno a uno".

Primero el papá vino y se sentó a su lado. Después la mamá y luego Daniel. "¿Sabías? Nos hemos estado perdiendo de algo por estar tan ocupados", dijo el padre. "Prometamos que cada uno va a parar para ver la belleza del mundo de Dios durante las estaciones".

¿Cómo puede Caridad ayudar a su familia a cumplir su promesa?

"By means of the yearly cycle the Church celebrates the whole mystery of Christ, from his incarnation until the day of Pentecost and the expectation of his coming again."

(Norms Governing Liturgical Calendars, 17)

Overview

In this chapter the children will learn that we celebrate the different seasons of the Church year.

For Adult Reading and Reflection You may want to refer to paragraphs 1168 and 1171 of the *Catechism of the Catholic Church*.

Catechist Background

What seasons of the Church year do you celebrate in a special way?

The annual cycle of liturgical seasons makes present to us the mysteries of redemption that we celebrate. By opening "up to the faithful the riches of her Lord's powers and merits," the Church encourages us to take hold of these riches in our own lives and to be "filled with saving grace" (CCC 1163).

The Triduum is at the heart of the liturgical year. On these days, we celebrate the passion, death, and Resurrection of Jesus Christ. On Easter itself, the greatest feast, the Church rejoices in the Lord's victory over death and his gift of new life to all believers. The joyful celebration of the Easter season extends until Pentecost.

During all the liturgical seasons, each Sunday is a celebration of the Lord's Resurrection, a "little Easter." Every week we gather in liturgical assembly to celebrate the Liturgy of the Word and the Liturgy of the Eucharist. Here we meet the risen Lord who strengthens us to be his disciples in our world today.

In each liturgical season, the liturgy empowers us to move beyond the limits of historical time and place and enter into God's time of salvation. We are present to Jesus' death and Resurrection, present to his mercy and compassion, present to his challenges and his call to us in the here and now. In the liturgy we learn to know and love Jesus. We find that "Jesus Christ is the same yesterday, today, and forever" (Hebrews 13:8).

In what way will you enter into the celebration of the Church year?

Focus on Life

Chapter Story

Keri's family was always very busy. Her mom and dad were busy at work or cleaning up at home. Her brother Dan was busy at school and at Boy Scout meetings. Keri was busy learning to read, playing with her friends, feeding her pet, and watching cartoons.

While Keri's parents and brother were busy doing other things, nature quietly changed its appearance. In the spring, green grass and bright yellow daffodils grew. In the summer, puffy white clouds floated in powder blue skies. In the autumn, carpets of red, orange, and gold leaves covered yards. And in the winter, lacy white snowflakes fell, and icicles hung off buildings.

No matter how beautiful it was outside, Keri's family barely noticed. Then one Sunday morning, it snowed so hard that the family had a hard time getting home from church. "I guess this means that we won't be going anywhere else today," said Dad.

Everyone but Keri groaned because they would not be as busy as usual. Keri decided to sit and look out the kitchen window. What else could she do? Absolutely nothing! She just looked and looked some more. She saw snowflakes that were so large that she could see how each one was different. No two flakes were exactly the same. "Come and see these snowflakes, Dad," she called out. "They look like somebody cut them out one by one."

First Keri's dad came and sat beside her. Then her mom and Dan joined them. "You know," said Keri's dad, "we have all been missing something by being so busy all the time. Let's promise each other that we are going to stop and enjoy the beauty of God's world throughout the seasons."

How can Keri help her family keep the promise?

Guía para planificar la lección

Pasos de la lección	Presentación	Materiales
 **NOS CONGREGAMOS**		
pág. 70 **Introducción del tiempo**	• Leer la *historia del capítulo.* • Introducir al año litúrgico. • Proclamar las palabras en una bandera. • Compartir las respuestas a la pregunta.	
 **CREEMOS**		
páginas 70, 72 *El año litúrgico nos ayuda a seguir a Jesús.*	• Presentar el texto y el cuadro sobre los tiempos de la Iglesia.	
3 **RESPONDEMOS**		
pág. 74	Completar una línea de tiempo del año litúrgico.	• Lápices de colores o marcadores
pág. 74 **Respondemos en oración**	• Juntos seguir a Jesús, en oración durante el año de la Iglesia.	• Lugar de oración: una Biblia y una imagen de Jesús • Paños morado, blanco y verde.
pág. 76 **Respondemos y compartimos la fe**	• Explicar el proyecto para el año de la Iglesia. • Explicar el proyecto en grupo para el año de la Iglesia. • Conversar sobre la página *Respondemos y compartimos la fe.*	• Copia del patrón 6 • Papel de construcción de color anaranjado y gris (una hoja para cada niño) • Tijeras, pega, presillas

Planificación de la lección

Introducción del tiempo ____ minutos

• **Oración** la Señal de la Cruz y el Padrenuestro.

• **Leer** en voz alta la *historia del capítulo* en la página 70A. Conversar sobre los dones de la creación de Dios en cada tiempo.

• **Escribir** los nombres de los tiempos en la pizarra. Para cada tiempo pida a los niños nombar regalos de Dios que ellos asocien con cada tiempo. Por ejemplo en otoño pensamos en los colores de las hojas, en calabazas y aves volando hacia el sur alejándose del invierno.

• **Pida** a los niños abrir sus libros en la página 70. Explique que la Iglesia tiene tiempos para celebrar como seguidores de Jesús. Estos tiempos tienen diferentes nombres. Lea los nombres de los tiempos en la bandera, debajo del título del capítulo. Explique los diferentes regalos de la creación asociados con los diferentes tiempos del año de la Iglesia (Tiempo Ordinario, plantas verdes; Adviento, hojas de pino).

• **Lean** juntos las palabras en la bandera al final de la página. Dé tiempo a los niños para rezar a Jesús sobre como van a seguirlo.

Lesson Planning Guide

Lesson Steps	Presentation	Materials
1 WE GATHER		
page 71 **Introduce the Season**	• Read the *Chapter Story*. • Introduce the Church year. • Proclaim words on a banner. • Share responses to the question.	
2 WE BELIEVE		
pages 71, 73 *The Church year helps us to follow Jesus.*	• Present the text and chart about the seasons of the Church year.	
3 WE RESPOND		
page 75	Complete a Church year time line.	• crayons or colored markers
page 75 **We Respond in Prayer**	• Together follow Jesus through the Church year in prayer.	• prayer space items: Bible and picture or statue of Jesus • purple, white, and green party streamers
page 77 **We Respond and Share the Faith**	• Explain the Church-year individual project. • Explain the Church-year group project. • Discuss the *We Respond and Share the Faith* page.	• copies of Reproducible Master 6 • yellow or gray construction paper (one sheet for each child) • scissors, glue, and brad fasteners

Lesson Plan

Introduce the Season ____ minutes

• **Pray** the Sign of the Cross and the Our Father.

• **Read** aloud the *Chapter Story* on guide page 70B. Discuss God's gifts of creation for each season.

• **Write** the names of the seasons on the board. For each season have the children name God's gifts that they associate with that season. For example in the fall we think of colored leaves, pumpkins, and birds flying south for the winter.

• **Ask** the children to open their texts to page 71. Explain that the Church has seasons that we celebrate as followers of Jesus. These seasons have different names. Read the names of the seasons on the bar, under the chapter title. Explain that different gifts of creation are associated with different seasons of the Church year (Ordinary Time, green plants; Advent, evergreen branches).

• **Read** together the words on the banner at the bottom of the page. Give the children time to pray quietly to Jesus about ways they will follow him.

Meta catequética

- Introducir los tiempos litúrgicos

Nuestra respuesta en la fe

- Apreciar las celebraciones del año liturgico

Materiales

- patrón 6
- lápices de colores y marcadores
- tijeras, pega, presillas

RECURSOS ADICIONALES

Libro *El año maravilloso de Dominga,* Sandi Yoni Kies. Invitación a aprender sobre los tiempos litúrgicos.

Para más ideas sobre videos, libros y otros materiales visite a Sadlier en

www.CREEMOSweb.com

6 El año litúrgico

Adviento | Navidad | Tiempo Ordinario | Cuaresma | Tres Días | Tiempo de Pascua | Tiempo Ordinario

El año litúrgico nos ayuda a seguir a Jesús.

NOS CONGREGAMOS

¿Qué quiere decir seguir a Jesús? Nombra algunas formas en que puedes seguir a Jesús.

CREEMOS

Todo el año nos reunimos en nuestra parroquia a adorar. Juntos celebramos la Eucaristía y otros sacramentos.

El año de la Iglesia está compuesto de estaciones especiales llamadas tiempos litúrgicos. Durante los diferentes tiempos crecemos en amor a Jesús. Crecemos como sus seguidores.

Jesús dice: "Sígueme".
Marcos 2:14

70

Planificación de la lección

NOS CONGREGAMOS ___ minutos

Mirando la vida lea la pregunta en *Nos congregamos.* Ayude a los niños a concluir que seguir a Jesús quiere decir amar a Dios, a nosotros mismos y a los demás como él lo hizo. Después pida a los niños nombrar las formas en que ellos van a seguir a Jesús.

- **Recuerde** a los niños que nos hacemos seguidores de Jesús cuando somos bautizados. Pregunte: *¿Cómo muestran los niños en las ilustraciones de las páginas 70 y 71 que siguen a Jesús?*

CREEMOS ___ minutos

- **Explique** *Hoy vamos a aprender sobre los tiempos del año litúrgico. Descubriremos que celebrar estos tiempos nos ayuda a ser más fieles seguidores de Jesús.*
- **Pida** voluntarios para leer los dos párrafos de *Creemos.* Señale que celebramos los tiempos de la Iglesia con nuestras familias, amigos y parroquia.
- **Dirija** la atención de los niños al calendario de la Iglesia en la página 72. Explique: *El calendario muestra los tiempos del año de la Iglesia. Adviento es el primer tiempo que celebramos.* Pida a los niños señalar el espacio del Adviento en el calendario.
- **Pida** voluntarios para leer la descripción de cada tiempo. Después que cada párrafo sea leído, pida a los niños señalar el tiempo en el calendario. Explique: *Cada estación tiene un color especial. El sacerdote usa ropa de esos colores cuando celebra la misa.* Pida a los niños decir en voz alta el color de cada tiempo.

Catechist Goal

- To introduce the seasons of the Church year

Our Faith Response

- To appreciate the celebrations of the Church year

Materials

- copies of Reproducible Master 6
- crayons or colored pencils
- scissors, glue, brad fasteners

ADDITIONAL RESOURCES

Videos *The Angel's Church Year Lesson, Gwen Costello,* Twenty-Third Publications. This video presents a child's journey through the seasons of the Church year.

To find more ideas for books, videos, and other learning material, visit

www.CREEMOSweb.com

Lesson Plan

WE GATHER ___ minutes

Focus on Life Read the *We Gather* question. Help the children to conclude that following Jesus means loving God, ourselves, and others as Jesus did. Then ask the children to name ways in which they follow Jesus.

• **Remind** the children that we become followers of Jesus when we are baptized. Ask: *How are the children in the photos on pages 70 and 71 showing that they are Jesus' followers?*

WE BELIEVE ___ minutes

• **Explain** *Today we are going to learn about the seasons of the Church year. We will discover how celebrating these seasons helps us to be faithful followers of Jesus.*

• **Ask** volunteers to read the two *We Believe* paragraphs. Point out that we celebrate the Church seasons with our families, friends, and parish.

• **Direct** the children's attention to the Church calendar wheel on page 73. Explain: *The calendar wheel shows the seasons of the Church year. Advent is the first season we celebrate.* Have the children find the Advent space on the wheel.

• **Have** volunteers read the description of each season. After each paragraph is read, ask the children to point to the season on the wheel. Explain: *There is a special color for each season. The priest wears this color when he celebrates Mass.* Have the children say aloud the color for each season.

Nota para enseñar

Lecciones sobre el año litúrgico

El propósito de esta lección es introducir a los niños en los tiempos del año de la Iglesia. Tiempo Ordinario, capítulo 7; Adviento, capítulo 13; Navidad, capítulo 14; Cuaresma, capítulo 20; Tres días, capítulo 21; Pascua de Resurrección, capítulo 27. Trate de presentar cada lección lo más cerca posible del inicio del tiempo correspondiente.

BANCO DE ACTIVIDADES

La doctrina social de la Iglesia

Llamado a la familia, la comunidad y la participación

Durante cada tiempo litúrgico nuestras familias se reúnen en la parroquia para celebrar los sacramentos, especialmente la celebración de la misa. Anime a las familias a participar en las celebraciones litúrgicas de la parroquia. Ayude a los niños a hacer símbolos de los diferentes tiempos para compartir con sus familias.

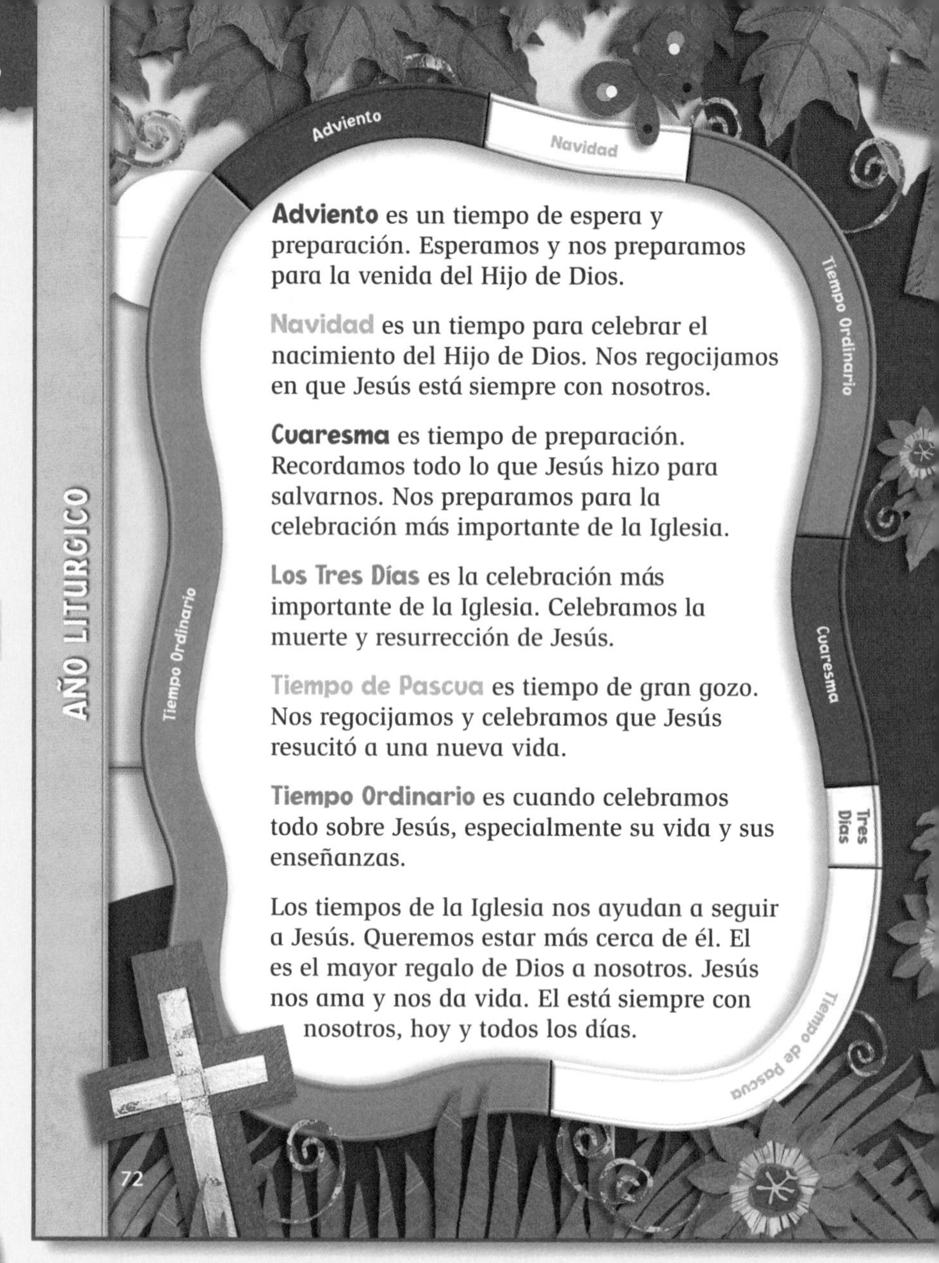

Adviento es un tiempo de espera y preparación. Esperamos y nos preparamos para la venida del Hijo de Dios.

Navidad es un tiempo para celebrar el nacimiento del Hijo de Dios. Nos regocijamos en que Jesús está siempre con nosotros.

Cuaresma es tiempo de preparación. Recordamos todo lo que Jesús hizo para salvarnos. Nos preparamos para la celebración más importante de la Iglesia.

Los Tres Días es la celebración más importante de la Iglesia. Celebramos la muerte y resurrección de Jesús.

Tiempo de Pascua es tiempo de gran gozo. Nos regocijamos y celebramos que Jesús resucitó a una nueva vida.

Tiempo Ordinario es cuando celebramos todo sobre Jesús, especialmente su vida y sus enseñanzas.

Los tiempos de la Iglesia nos ayudan a seguir a Jesús. Queremos estar más cerca de él. El es el mayor regalo de Dios a nosotros. Jesús nos ama y nos da vida. El está siempre con nosotros, hoy y todos los días.

72

Planificación de la lección

CREEMOS (continuación)

• **Jueguen** a "nombrar el tiempo". Pida a los niños trabajar en parejas. Lea las siguientes pistas. Pida a cada pareja escribir el nombre del tiempo que se describe.

- Celebramos la muerte y resurrección de Jesús. (Los Tres Días)
- Celebramos todo sobre Jesús. (Tiempo Ordinario)
- Celebramos lo que Jesús hizo para salvarnos. (Cuaresma)
- Celebramos el nacimiento del Hijo de Dios. (Navidad)
- Nos preparamos para la venida del Hijo de Dios. (Adviento)
- Nos regocijamos porque Jesús resucitó de la muerte a nueva vida. (Tiempo de Pascua)

Lea las pistas y pida a los niños leer la repuesta correcta.

• **Pida** a los niños señalar el Adviento en el calendario. Pídales ir contrario a las manecillas del reloj, señalando cada tiempo y leyendo el nombre.

Cotejo rápido

✔ *¿Qué sucede durante los diferentes tiempos de la Iglesia?* (Nuestro amor por Jesús crece y crecemos como sus seguidores)

✔ *¿Qué tiempo celebramos dos veces durante el año?* (Tiempo Ordinario)

• **Invite** a un voluntario para leer en voz alta el último párrafo en *Creemos/We Believe.* Pida a los niños subrayar las tres últimas oraciones.

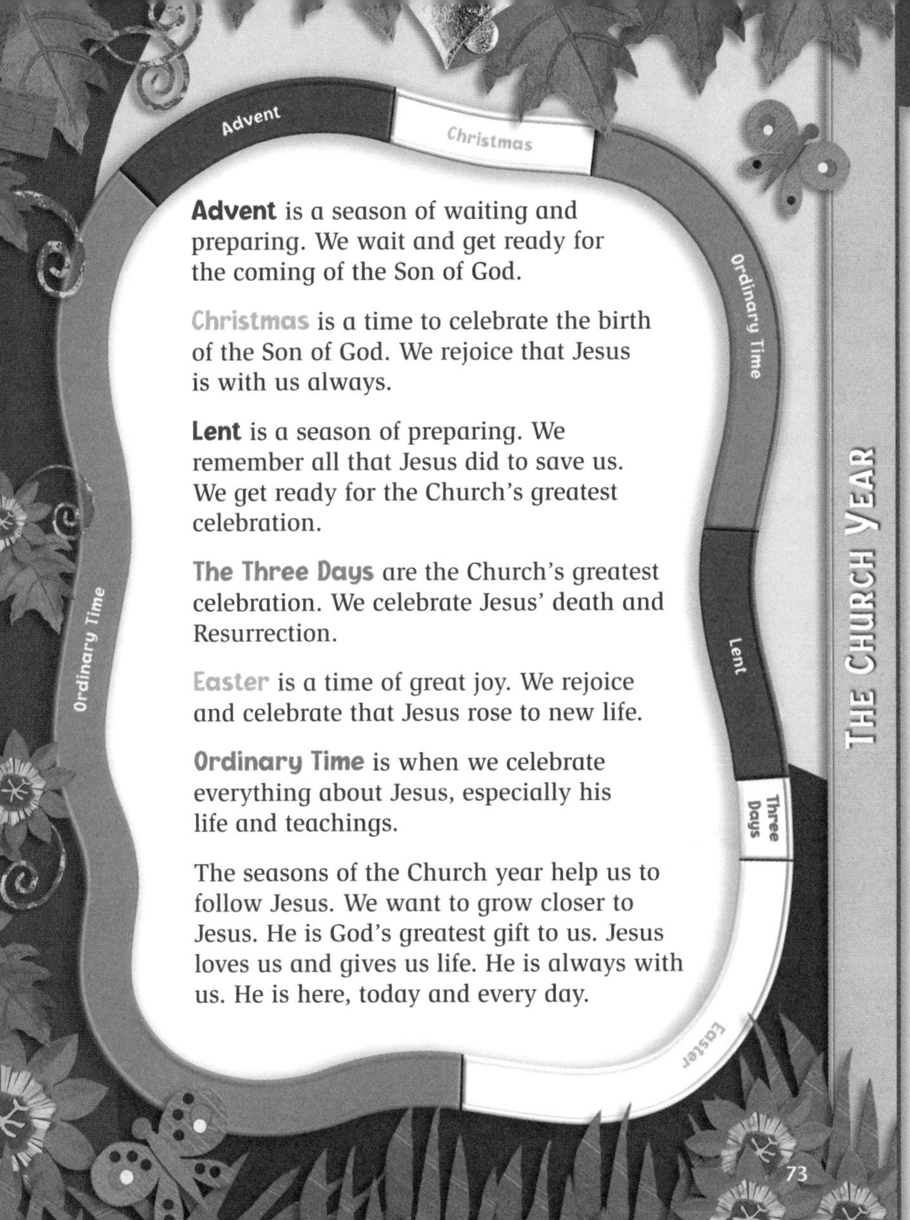

Advent is a season of waiting and preparing. We wait and get ready for the coming of the Son of God.

Christmas is a time to celebrate the birth of the Son of God. We rejoice that Jesus is with us always.

Lent is a season of preparing. We remember all that Jesus did to save us. We get ready for the Church's greatest celebration.

The Three Days are the Church's greatest celebration. We celebrate Jesus' death and Resurrection.

Easter is a time of great joy. We rejoice and celebrate that Jesus rose to new life.

Ordinary Time is when we celebrate everything about Jesus, especially his life and teachings.

The seasons of the Church year help us to follow Jesus. We want to grow closer to Jesus. He is God's greatest gift to us. Jesus loves us and gives us life. He is always with us. He is here, today and every day.

73

Teaching Note

The Church Year Lessons

The purpose of this lesson is to introduce the children to the seasons of the Church year. The children will study each season in a coming chapter: Ordinary Time, Chapter 7; Advent, Chapter 13; Christmas, Chapter 14; Lent, Chapter 20; Three Days, Chapter 21; Easter, Chapter 27. Try to present each lesson as close to the beginning of the season as possible.

Activity Bank

Catholic Social Teaching

Call to Family, Community, and Participation

During each of the liturgical seasons, our families gather with our parish to celebrate the sacraments, especially the celebration of Mass. Encourage the families to participate in the parish liturgical celebrations. For each season help the children to make seasonal symbols to share with their families.

Lesson Plan

WE BELIEVE (continued)

• **Play** "Name That Season." Have the children work in pairs. Read the following clues. Ask each pair to write the name of the season you are describing.

- We celebrate Jesus' death and Resurrection. (the Three Days)
- We celebrate everything about Jesus. (Ordinary Time)
- We remember all Jesus did to save us. (Lent)
- We celebrate the birth of the Son of God. (Christmas)
- We get ready for the coming of the Son of God. (Advent)
- We rejoice that Jesus rose to new life. (Easter)

Reread the clues and have the children read the correct answers.

• **Ask** the children to point to Advent on the calendar wheel. Have them go in clockwise order, pointing to each season and reading the name of the season.

Quick Check

✔ *What happens during the different seasons of the Church year?* (We grow in love for Jesus and we grow as his followers.)

✔ *Which season do we celebrate twice during the year?* (Ordinary Time)

• **Invite** a volunteer to read aloud the *Creemos/We Believe* paragraph. Have the children highlight or underline the last three sentences.

Preparandose para orar

Los niños recordarán que Jesús está siempre con nosotros.

• Pida a un voluntario para dirigir la oración. Dé tiempo para que practique.

El lugar de oración

• Coloque los pañuelos color morado, blanco y verde en la mesa de oración.

• Coloque una Biblia y una imagen de Jesús en la mesa de oración.

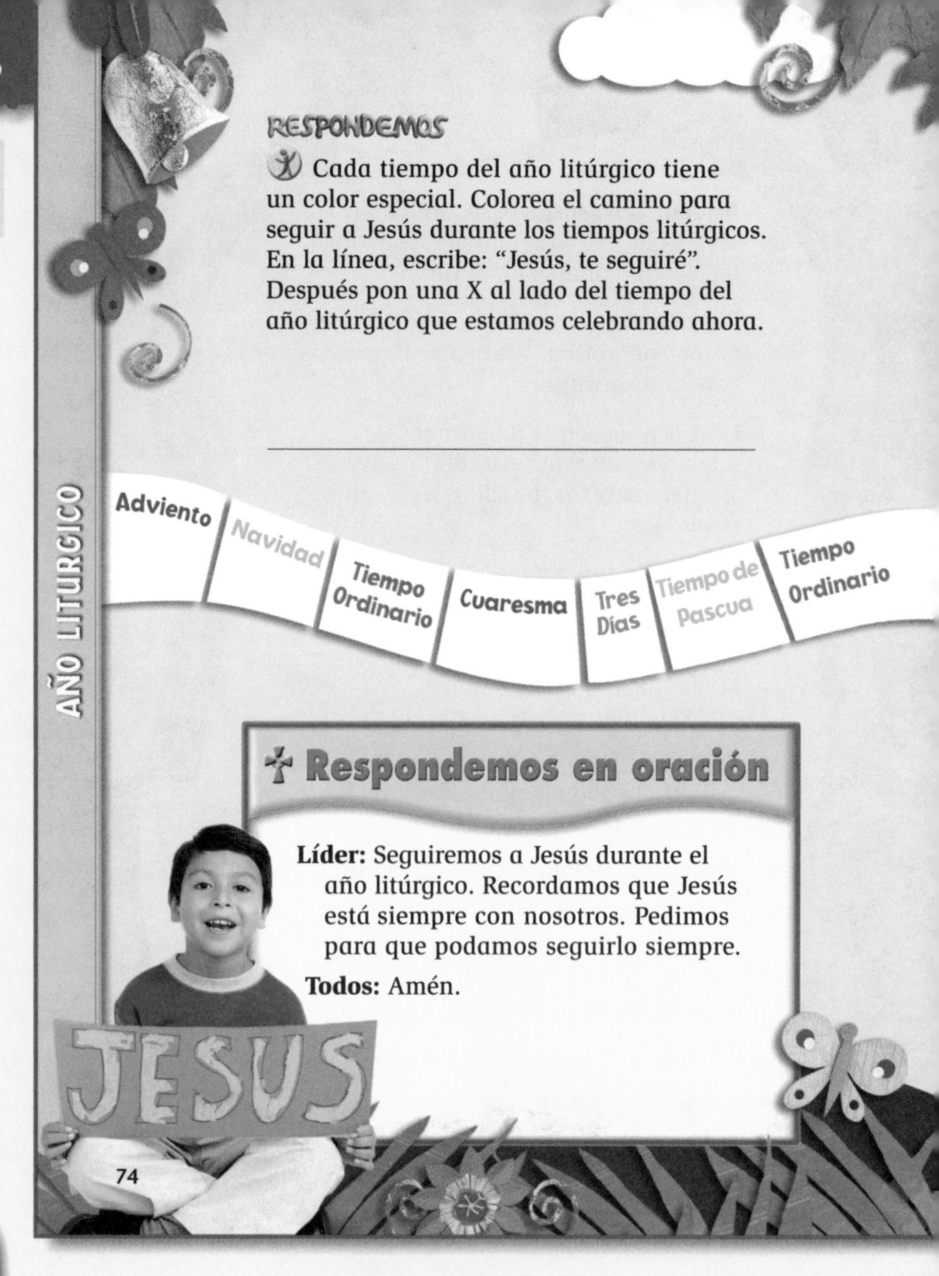

Planificación de la lección

RESPONDEMOS

___ minutos

Conexión con la vida Lea las instrucciones para la actividad en *Respondemos*. Pida a los niños colorear los espacios debajo del nombre de los tiempos. Pregunte: *¿Qué tiempo del año litúrgico estamos celebrando ahora?* Después que respondan pídales encontrar el tiempo en la línea y marcarlo con una X. Después pídales escribir: *Jesús, te seguiré.*

• **Lleve** a los niños a visitar la iglesia de la parroquia. Señale los colores del tiempo en banderas, flores y otras decoraciones que nos ayudan a recordar el tiempo litúrgico en que estamos. Pida a uno de los sacerdotes mostrar a los niños las vestimentas que usa durante la misa.

• **Lea** en voz alta el evangelio del domingo (puede encontrarlo en un misal.) Pregunte a los niños: *¿Qué aprendemos de Jesús en esta lectura?*

Respondemos en oración

___ minutos

• **Apague** las luces. Dé tiempo a los niños para rezar. Pídales agradecer a Jesús por estar siempre con nosotros.

• **Encienda** las luces. Invite a los niños a ponerse de pie y caminar con reverencia hacia el lugar de oración mientras cantan.

• **Diga** *Con el Bautismo nos hacemos seguidores de Jesús. Vamos a hacer la señal de la cruz juntos.*

• **Empiece** la oración.

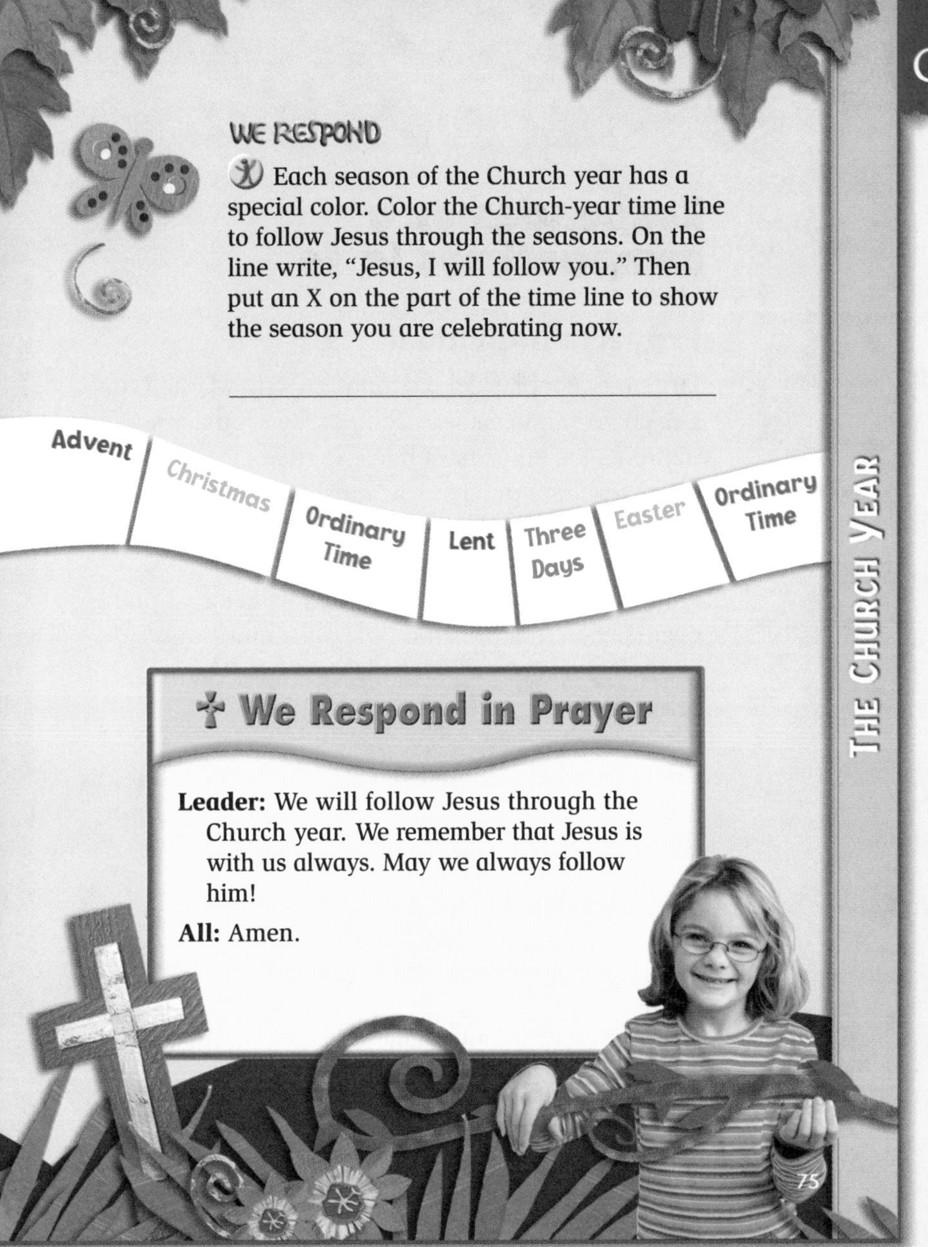

Preparing to Pray

The children will remember that Jesus is with us always.

- Ask a volunteer to be the leader. Give him or her time to practice.

The Prayer Space

- Display purple, white, and green party streamers in the prayer space.
- On the prayer table place a Bible and a picture or statue of Jesus.

Lesson Plan

WE RESPOND ____ minutes

Connect to Life Read the *We Respond* activity directions. Have the children color the seasons' spaces on the time line. Then ask: *What season of the Church year are we celebrating now?* After the children have answered, ask them to find the season's space on the time line and mark it with an X. Then have them write: *Jesus, I will follow you.*

- **Take** the children on a tour of the parish church. Point out the seasonal color on banners, flowers, or other decorations that help us remember the current liturgical season. Also ask one of the priests to show the children the colored vestments he wears for Mass.
- **Read** aloud last Sunday's gospel. (It may be found in a missalette.) Ask the children: *What do we learn about Jesus in the reading?*

We Respond in Prayer ____ minutes

- **Turn off** the overhead lights. Give the children time to pray quietly. Ask them to thank Jesus for being with us always.
- **Turn on** the overhead lights. Invite the children to stand and walk prayerfully to the prayer space as they sing.
- **Say** *At Baptism we became Jesus' followers. Let us make the sign of the cross together.*
- **Read** the prayer.

Conexion con el Hogar

Compartiendo lo aprendido

Recuerde a los niños compartir con sus familias lo aprendido en este capítulo.

Anime a los niños a compartir con sus familias "Oración de una familia para seguir a Cristo".

Para más información y actividades adicionales visite a Sadlier

www.CREEMOSweb.com

Respondemos y compartimos la fe

Compartiendo lo aprendido

Mira la ilustración. Usala para contar a tu familia lo que aprendiste en este capítulo.

Oración de la familia para seguir a Cristo

Que la paz de Cristo reine en nuestros corazones y que su palabra, con toda su riqueza, more en nosotros.

Para que todo lo que hagamos o digamos lo hagamos en nombre del Señor. Amén.

Alrededor de la mesa

Muestra a tu familia el año litúrgico que se encuentra en la página 72. Muéstrale el tiempo que estamos celebrando ahora. ¿Cuál es el próximo tiempo? ¿Qué puede hacer tu familia para celebrar este tiempo o prepararse para el próximo? ¿Cómo puedes compartir este tiempo con un anciano o alguien que vive solo?

Visita Sadlier en www.CREEMOSweb.com

Conexión con el Catecismo
Para referencia vea el párrafo 1168.

76

PÁGINA DEL ESTUDIANTE 76

Liturgia para esta semana

Visite **www.creemosweb.com** para las lecturas bíblicas de esta semana y otros materiales propios del tiempo.

Respondemos y compartimos la fe

Proyecto individual

Distribuya copias del patrón para actividades No. 6. Lea en voz alta las instrucciones y dé suficiente tiempo a los niños para hacer la rueda. Mientras los niños trabajan puede tocar música instrumental.

Después dé a cada uno una hoja de cartulina color amarillo para que peguen la rueda y la aguja puede pegarse con una presilla. Pida a los niños mover la aguja hacia el tiempo de la Iglesia que estamos celebrando.

Anímelos a llevar sus ruedas a la casa para compartir con la familia. Explique: *Al inicio de cada tiempo litúrgico mueve la aguja para señalar el tiempo.*

Proyecto en grupo

Tenga una caja o un pote grande en el que los niños puedan poner monedas como limosnas a los pobres. Al inicio de cada tiempo decore la caja o el pote. Al final del tiempo, pida a los niños ayudarle a contar y envolver las monedas. Dígales el total de la donación. Cambie las monedas por billetes, o *money order,* o un cheque certificado. Pida al párroco asociado que le ayude a buscar a alguien que necesite la donación. Pídale dar el dinero a la persona en nombre de los niños.

We Respond and Share the Faith

Individual Project

Distribute copies of Reproducible Master 6. Read the directions and give the children time to make the wheel. As the children are working, play a recording of instrumental music.

Give each child a sheet of yellow or gray construction paper on which to mount the wheel and the pointer. The pointer can be attached by using a brad fastener or make a fastener out of paper. Have the children move the pointer to the current season of the Church year.

Ask the children to take the wheel home to share with their families. Explain: *At the beginning of each Church year season, move the pointer to that season.*

Group Project

Provide a large box or jar in which the children can put coins as a donation to the poor. Decorate the box or jar at the beginning of each Church-year season. At the end of the season, have the children help you count and wrap the coins. Tell the children the amount they donated. Take the wrapped coins to the bank to exchange for dollar bills, a money order, or a certified check. Ask a pastoral associate for the names of people whom the money would help. Ask this person to give the people the money in the children's name.

HOME CONNECTION

Sharing What I Learned

Remind the children to share with their families what they learned in this chapter.

Encourage the children to share with their families "A Family Prayer to Follow Jesus."

For additional information and activities, encourage families to visit Sadlier's

www.CREEMOSweb.com

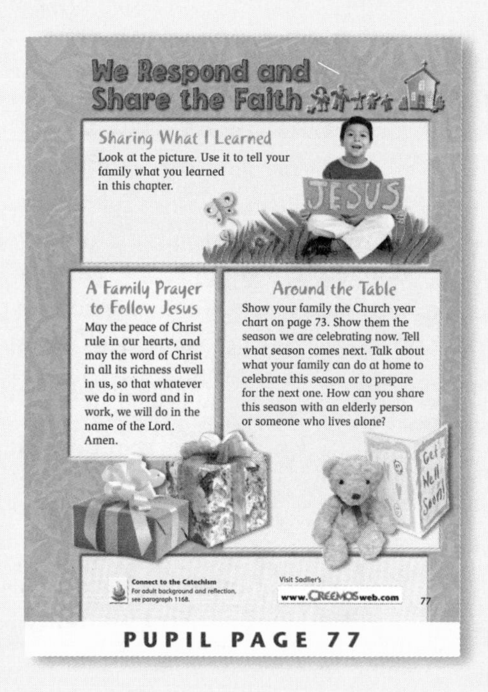

We Respond and Share the Faith

Sharing What I Learned

Look at the picture. Use it to tell your family what you learned in this chapter.

A Family Prayer to Follow Jesus

May the peace of Christ rule in our hearts, and may the word of Christ in all its richness dwell in us, so that whatever we do in word and in work, we will do in the name of the Lord. Amen.

Around the Table

Show your family the Church year chart on page 73. Show them the season we are celebrating now. Tell what season comes next. Talk about what your family can do at home to celebrate this season or to prepare for the next one. How can you share this season with an elderly person or someone who lives alone?

Connect to the Catechism
For adult background and reflection, see paragraph 1168.

Visit Sadlier's
www.CREEMOSweb.com

77

PUPIL PAGE 77

This Week's Liturgy

Visit **www.creemosweb.com** for this week's liturgical readings and other seasonal material.

Tiempo Ordinario

"Además de los tiempos que tienen un carácter propio, quedan treinta y tres o treinta y cuatro semanas en el transcurso del año en las que no se celebra ningún aspecto particular del misterio de Cristo; más bien este misterio se vive en toda su plenitud, particularmente los domingos. Este período de tiempo recibe el nombre de *per annum*".

(Normas universales sobre el año litúrgico, 43)

Ojeada

En este capítulo los niños aprenderán que en Tiempo Ordinario celebramos a Jesucristo y aprendemos a seguirlo.

Para referencia Vea los párrafos 1166 y 1173 del *Catecismo de la Iglesia Católica.*

Referencia catequética

¿De qué manera los domingos influyen en su semana?

Celebramos la vida y las enseñanzas de Jesucristo durante el Tiempo Ordinario. Este es el único tiempo que celebramos dos veces al año. Se celebra entre Pentecostés y Adviento y es el tiempo más largo del año. Además, hay otras semanas del Tiempo Ordinario entre Navidad y Cuaresma.

Recibe el nombre de Tiempo Ordinario porque sus domingos son numerados en orden. En los días del Tiempo Ordinario, leemos el evangelio para ese año, (Mateo, Marcos o Lucas) siguiendo un orden consecutivo. Estos evangelios proclaman los eventos del misterio de Cristo, sus enseñanzas y parábolas.

Los días más importantes de cada tiempo litúrgico son los domingos. Esto se debe a que Cristo resucitó en domingo. El domingo es el día en que la comunidad de creyentes "encuentra al Señor resucitado que los invita a su banquete" (*CIC* 1166). Como lo escribió el Papa Juan Pablo II, "La asistencia semanal a la Eucaristía del domingo y al ciclo del año litúrgico le dan un ritmo a la vida cristiana y santifican el momento en que Dios resucitado nos acerca más a la eternidad bendecida del reino". Cada domingo nos congregamos como discípulos para escuchar la palabra del Señor, para alimentarnos de su Cuerpo y de su Sangre, y nos motivamos entre todos para amar y servir al Señor.

¿De qué manera pone ritmo a su vida cuando participa en la celebración dominical de la Eucaristía?

Mirando la vida

Historia para el capítulo

Sentado a la mesa mientras cenaba un viernes por la noche, José dijo: "Creo que el domingo será otro día aburrido".

Todos miraron a José sorprendidos. Pensaron en lo que habían hecho el domingo anterior. La mamá y la hermana de José habían salido de compras y el papá había salido a pescar con un amigo. José se había quedado en casa con su abuela. Mientras su abuela dormía una larga siesta, él jugó con sus juegos de video.

"Bien, creo que no estuvimos juntos mucho tiempo", dijo el papá de José. "¿Qué podríamos hacer para que este domingo sea un día especial?"

"Podríamos llamar a la tía Teresa e invitarla que venga con tus primos. Podríamos cenar temprano cuando regresemos de la misa. Yo podría cocinar", la abuela le dijo a José.

"¡Es una estupenda idea! Hace mucho tiempo que no los vemos," dijo la hermana de José. "También podríamos jugar al fútbol. Me gustaría ir al parque. ¿Podemos ir al parque?"

"Bien, haremos todas esas cosa que dijeron," dijo el padre de José. "Llamaré a Teresa y la invitaré a cenar. Después de cenar, iremos al parque todos juntos y jugaremos al fútbol y luego, daremos un paseo".

"Yo tengo que trabajar, pero podría verlos en el parque cuando termine. Quizás podríamos comer en el parque", dijo la mamá de José

Cuando terminaron de cenar esa noche, toda la familia estaba muy entusiasmada. Tanto José como su familia esperaban ansiosos la llegada del domingo.

¿Qué te gustaría hacer el domingo con tu familia para que sea un día especial?

"Apart from those seasons having their own distinctive character, thirty-three or thirty-four weeks remain in the yearly cycle that do not celebrate a specific aspect of the mystery of Christ. Rather, especially on the Sundays, they are devoted to the mystery of Christ in all its aspects. This period is known as Ordinary Time."

(Norms Governing Liturgical Calendars, 43)

Overview

In this chapter the children will learn that in Ordinary Time we celebrate Jesus Christ and learn to follow him.

For Adult Reading and Reflection You may want to refer to paragraphs 1166 and 1173 of the *Catechism of the Catholic Church*.

Catechist Background

How do Sundays make a difference in your week?

During the season of Ordinary Time, we celebrate the life and teachings of Jesus Christ. Ordinary Time is the only season that we celebrate twice during the year. The season of Ordinary Time that comes after Pentecost and before Advent is the longest season of the year. There are also some weeks of Ordinary Time between the seasons of Christmas and Lent.

Ordinary Time is named for the ordinal numbers that mark its Sundays. In Ordinary Time, the gospel for that year (Matthew, Mark, or Luke) is read in consecutive order. These gospels proclaim the events of Christ's ministry as well as his teachings and parables.

The key days of every season are Sundays. This is because Sunday is the day of Christ's Resurrection. Sunday is the day when the community of believers "encounters the risen Lord who invites them to his banquet" (CCC 1166). As Pope John Paul II wrote, "Weekly attendance at the Sunday Eucharist and the cycle of the liturgical year make it possible to give a rhythm to Christian life and to sanctify time, which the risen Lord opens to the blessed eternity of the kingdom" ("On Pastoral Care of the Liturgy," March 8, 1997). Each Sunday we gather as disciples ready to hear the word of the Lord, to be nourished by his Body and Blood, and to encourage one another to love and serve the Lord.

How does participating in Sunday's celebration of the Eucharist give rhythm to your life?

Focus on Life

Chapter Story

At the dinner table on Friday night, José said, "I guess Sunday will be another boring day."

Everyone at the table looked at him in surprise. They thought about what they had done last Sunday. José's mother and sister went shopping. José's dad had gone fishing with a friend. José had stayed home with his grandmother. While his grandmother took a long nap, he played video games.

José's dad said, "Well, I guess we were not together most of the day. What could we do to make this Sunday a special day for us?"

José's grandmother told José, "We could call Aunt Teresa and invite her and your cousins to come over. We can have an early dinner after we get home from Mass. I can cook."

José's sister said, "That's a great idea! We haven't seen them in a long time. We could play soccer. I would like to go to the park. Can we go to the park?"

"Well, let's do all of these things," José's dad said. "I'll call Teresa and invite her for dinner. After dinner, we'll go to the park together, play soccer, and take a walk on the nature trail."

José's mom said, "I have to work, but I'll join you in the park when I'm finished. Then maybe we can have a picnic supper there."

When everyone left the table that night, they were excited. They, especially José, could hardly wait until Sunday came.

What would you like to do on Sunday to make it a special day for your family?

Guía para planificar la lección

NOS CONGREGAMOS

Pasos de la lección	Presentación	Materiales
pág. 78 **Introducción del tiempo**	• Leer la *Historia para el capítulo.* • Presentar el Tiempo Ordinario. • Rezar un salmo. • Compartir respuestas a las preguntas.	• fichas grandes

CREEMOS

Pasos de la lección	Presentación	Materiales
págs. 78, 80 *Durante el Tiempo Ordinario, celebramos a Jesucristo y aprendemos a seguirlo.*	• Presentar el texto y el cuadro sobre el Tiempo Ordinario. Realizar la actividad de describir la ilustración.	

RESPONDEMOS

Pasos de la lección	Presentación	Materiales
pág. 82	Realizar la actividad.	• crayones o lápices de colores • papel para dibujar
pág. 82 **Respondemos en oración**	• Honrar a María y a la Santísima Trinidad. Honrar a María con una canción.	Canción "Salmo 39: Aquí estoy, Señor" 2–3 CD • Para el lugar de oración: un mantel verde y una planta
pág. 84 **Respondemos y compartimos la fe**	• Explicar el proyecto individual para el Tiempo Ordinario. • Explicar el proyecto en grupo para el Tiempo Ordinario. • Comentar sobre la página *Respondemos y compartimos la fe.*	• copias del patrón 7 • tijeras • cartulina verde

Planificación de la lección

Introducción del tiempo ____ minutos

• **Oración** Recen la Señal de la Cruz y las siguientes palabras: *Jesús, quédate con nosotros.*

• **Lea** en voz alta la *Historia para el capítulo* de la página 78A. Comente algunas de las cosas especiales que la familia de José deseaba hacer el domingo. Pida a voluntarios que compartan con sus compañeros lo que pueden hacer para que el domingo sea un día especial.

• **Recalque** *Debemos ser felices seguidores de Jesús todos los días de la semana.* Pida a los niños que abran sus libros en la página 78. Lea en voz alta el título del capítulo. Explique: *El Tiempo Ordinario es especial porque aprendemos mucho sobre Jesús.* Pídales que marquen el Tiempo Ordinario en la barra que se encuentra debajo del título del capítulo.

• **Recen** juntos el salmo que está al final de la página 78.

Lesson Planning Guide

Lesson Steps	Presentation	Materials
page 79 **Introduce the Season**	• Read the *Chapter Story.* • Introduce Ordinary Time. • Pray a psalm verse. • Share responses to the questions.	• large index cards

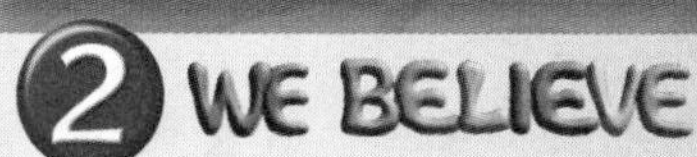

Lesson Steps	Presentation	Materials
page 79, 81 *In Ordinary Time, we celebrate Jesus Christ and learn to follow him.*	• Present the text about Ordinary Time. Do the picture-study activity.	

3 WE RESPOND

Lesson Steps	Presentation	Materials
page 83	Do the activity.	• crayons or colored pencils • drawing paper
page 83 **We Respond in Prayer**	• Honor Mary and the Blessed Trinity. Honor Mary in song.	"Yes, We Will Do What Jesus Says," #6, Grade 2 CD • prayer space: green tablecloth, house plant
page 85 **We Respond and Share the Faith**	• Explain the Ordinary Time individual project. • Explain the Ordinary Time group project. • Discuss the *We Respond and Share the Faith* page.	• copies of Reproducible Master 7 • scissors • green construction paper

Lesson Plan

Introduce the Season ______ minutes

• **Pray** the Sign of the Cross and the words *Jesus, be with us.*

• **Read** aloud the *Chapter Story* on guide page 78B. Discuss some of the special things that José's family wanted to do on Sunday. Have volunteers share what they can do to help make Sunday a special day.

• **Stress** *We should be happy followers of Jesus every day of the week.* Have the children open their texts to page 79.

Read aloud the chapter title. Explain: *Ordinary Time is special because we learn a lot about Jesus in this season.* Have the children find the Ordinary Time space highlighted on the band under the chapter title.

• **Pray** together the psalm verse at the end of page 79.

Meta catequética

- Explicar como celebramos el Tiempo Ordinario

Nuestra respuesta en la fe

- Reconocer que el domingo es el día más especial de la semana

Materiales

- copias de patrón 7
- lápices de colores, tijeras, pegamento
- fichas grandes
- 2–3 CD
- cartulina verde

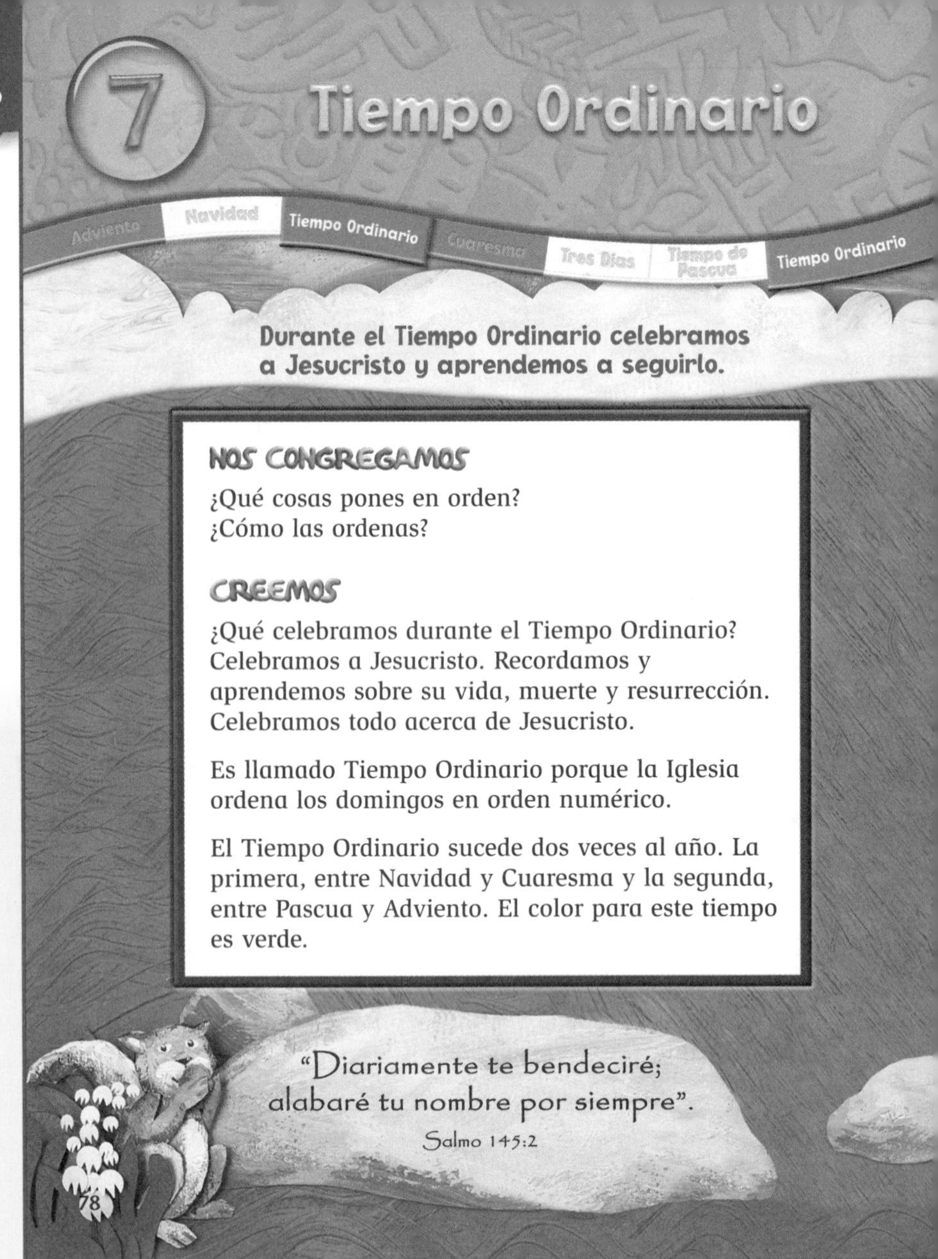

7

Tiempo Ordinario

Adviento | Navidad | Tiempo Ordinario | Cuaresma | Tres Días | Tiempo de Pascua | Tiempo Ordinario

Durante el Tiempo Ordinario celebramos a Jesucristo y aprendemos a seguirlo.

NOS CONGREGAMOS

¿Qué cosas pones en orden?
¿Cómo las ordenas?

CREEMOS

¿Qué celebramos durante el Tiempo Ordinario? Celebramos a Jesucristo. Recordamos y aprendemos sobre su vida, muerte y resurrección. Celebramos todo acerca de Jesucristo.

Es llamado Tiempo Ordinario porque la Iglesia ordena los domingos en orden numérico.

El Tiempo Ordinario sucede dos veces al año. La primera, entre Navidad y Cuaresma y la segunda, entre Pascua y Adviento. El color para este tiempo es verde.

"Diariamente te bendeciré; alabaré tu nombre por siempre".
Salmo 145:2

78

RECURSOS ADICIONALES

Libro *Jesús nuestro Amigo,* Ma. Pilar de Abiega. Jesús nos dice lo que espera de sus discipulos.

Para más ideas sobre videos, libros y otros materiales visite a Sadlier en

www.CREEMOSweb.com

Planificación de la lección

NOS CONGREGAMOS ___ minutos

Mirando la vida Lea las preguntas de *Nos Congregamos.* Pida voluntarios para que compartan sus respuestas con el resto de la clase. Escriba cinco números en la pizarra. (22, 9, 15, 33, 4) Pida a los niños que ordenen correctamente estos números (4, 9, 15, 22, 33). Permita que los niños lleguen a la conclusión de que ordenar las cosas según sus letras, tamaños y números los ayudará a ser organizados y a llevar un mejor control de las cosas.

- **Escriba** los siguientes números ordinales en las fichas grandes: decimosexto, tercero, vigésimo primero, décimo. Pida a cuatro voluntarios que pasen al frente. Entregue una ficha a cada voluntario. Luego, pídales que ordenen correctamente estas fichas.

CREEMOS ___ minutos

- **Pida** a un voluntario que lea los dos primeros párrafos de *Creemos.* Pida a los niños que marquen o subrayen la última oración del primer párrafo.
- **Explique** que usamos los números ordinales para señalar los domingos en el Tiempo Ordinario: *el quinto domingo del Tiempo Ordinario, el séptimo domingo del Tiempo Ordinario, y así sucesivamente.*
- **Pida** a los niños que miren a la rueda del año litúrgico en la página 72 o en la barra que está debajo del título del capítulo en la página 78. Explique: *Celebramos el Tiempo Ordinario dos veces al año.* Pida a los niños que encuentren el espacio del Tiempo Ordinario en la rueda o en la barra. Luego, diga a un voluntario que lea el último párrafo de *Creemos.*

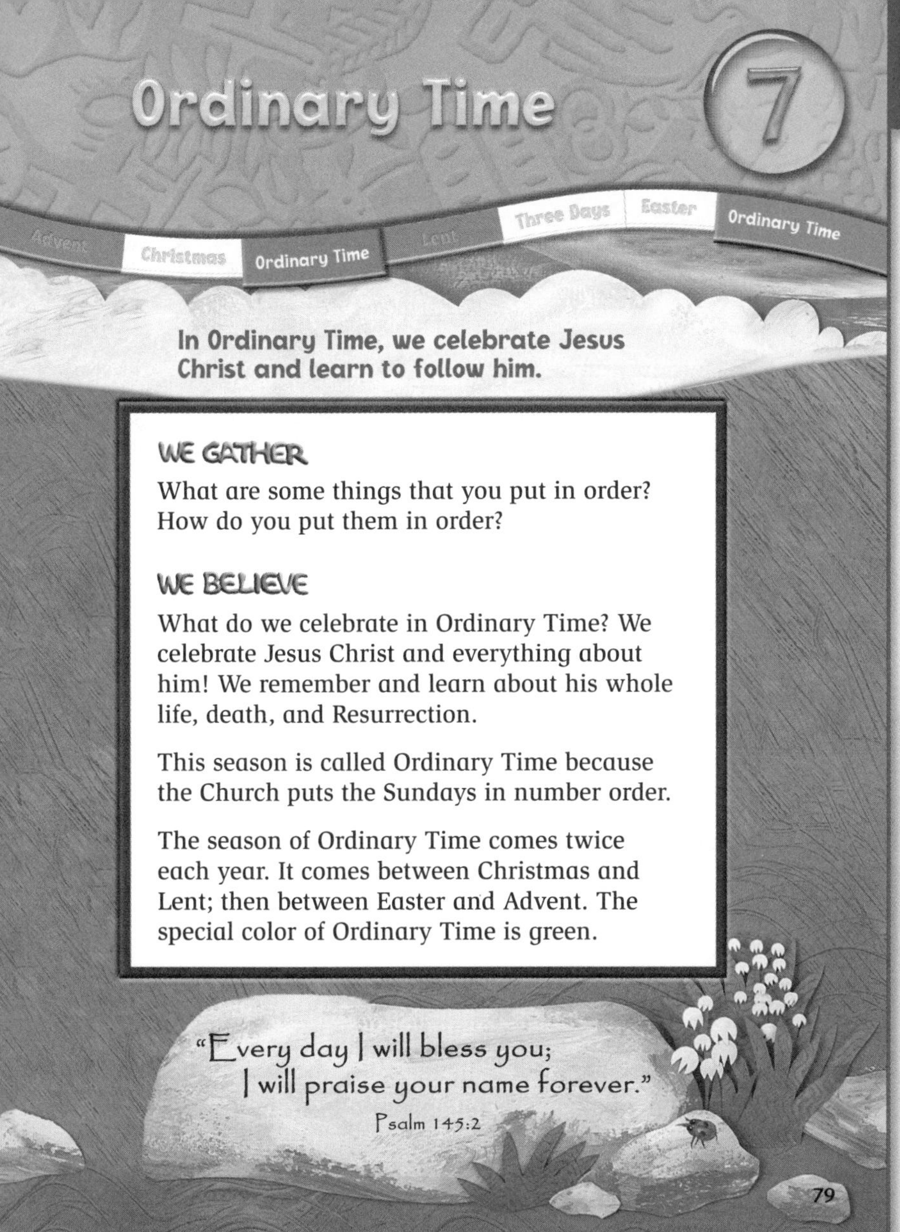

Catechist Goal

- To explain ways we celebrate Ordinary Time

Our Faith Response

- To appreciate Sunday as the most special day of the week

Materials

- copies of Reproducible Master 7
- colored pencils, scissors, glue
- large index cards
- Grade 2 CD
- green construction paper

ADDITIONAL RESOURCES

Video *The Great Storyteller: The Visual Bible for Kids,* Vision Video, Worcester, PA. Actors dramatize the stories of Jesus. (30 minutes)

To find more ideas for books, videos, and other learning material, visit

www.CREEMOSweb.com

Lesson Plan

WE GATHER ___ minutes

Focus on Life Read the *We Gather* questions. Have volunteers share responses. Print five numerals on the board (22, 9, 15, 33, 4). Have the children tell you the correct numerical order for the numbers (4, 9, 15, 22, 33). Help the children to conclude that putting things in order by letter, by size, and by number is a good way to organize and keep track of things.

• **Write** one of each of the following ordinal numbers on a large index card: sixteenth, third, twenty first, tenth. Ask four volunteers to come to the front of the room. Give one card to each volunteer. Then ask these children to arrange themselves in the correct numerical order.

WE BELIEVE ___ minutes

• **Ask** a volunteer to read the first two *We Believe* paragraphs. Have the children highlight or underline the last sentence in the first paragraph.

• **Explain** We use ordinal numbers for Sundays in Ordinary Time: *Fifth Sunday in Ordinary Time, Seventh Sunday in Ordinary Time, and so on.*

• **Ask** the children to look at the Church-year wheel on page 73 or the band under the chapter title on page 79. Explain: *We celebrate Ordinary Time twice each year.* Have the children locate the Ordinary Time spaces on the wheel or band. Then have a volunteer read the last *We Believe* paragraph.

Ideas

Niños con habilidades lógico-matemáticas

Invite a los niños con inclinación matemática a participar en *Nos Congregamos*. Pídales que guíen la conversación sobre las preguntas.

Banco de Actividades

Inteligencia múltiple

Movimiento corporal

Materiales: disfraces y accesorios para la dramatización

Pida a los niños que miren los dibujos de Jesús en estas páginas. Escriba en la pizarra *Jesús enseña a orar el "Padrenuestro"*, para el dibujo en la página 80, y lea en voz alta Mateo 6:9–15. Luego escriba Jesús dice: *"Dejen que los niños vengan a mí"* para el dibujo de la página 81 y lea Mateo 19:13–15. Separe a los niños en dos grupos y asigne un pasaje a cada grupo. Permita que los grupos tengan tiempo para practicar sus palabras y acciones. Luego, pida a los grupos que representen sus historias.

Tiempo Ordinario

Durante este tiempo:

- aprendemos más sobre Jesús
- escuchamos sus enseñanzas leídas de la Biblia
- aprendemos como seguir a Jesús diariamente.

Mira las ilustraciones en estas páginas. ¿Qué muestra cada una acerca de Jesús? ¿Qué muestra cada una sobre sus enseñanzas?

El día más especial de todos durante el año es el domingo. Jesús resucitó un domingo.

Los domingos nos reunimos en nuestra parroquia para celebrar la misa. Escuchamos la palabra de Dios y recibimos la Eucaristía. Cada domingo aprendemos más sobre Jesús y nos acercamos más a él. Descansamos. Pasamos tiempo con nuestros familiares y amigos.

80

Planificación de la lección

Creemos (continuación)

- **Lean** juntos la lista de cosas que hacemos durante el Tiempo Ordinario. Comente las ilustraciones de Jesús sobre sus enseñanzas. (Respuestas posibles: Jesús amaba a su Padre y quería que todos le rezaran; Jesús acogió a todos y desea que hagamos lo mismo.)

Cotejo rápido

✔ *¿Qué celebramos en el Tiempo Ordinario?* (Celebramos a Jesucristo y todo lo relacionado con él.)

✔ *¿Cuál es el color especial del Tiempo Ordinario?* (El color especial del Tiempo Ordinario es el verde.)

- **Escriba** la palabra *domingo* en la pizarra. Recalque: *El domingo es el día más especial de la semana porque Jesús resucitó de entre los muertos un domingo.*
- **Pida** a un voluntario que lea los dos últimos párrafos de la página 80. Luego, prepare con los niños un juego con mímicas sobre el domingo. Pida a voluntarios representar actividades dominicales y el resto de la clase intenta adivinar. (Durante la celebración de la misa: Pídales que representen una congregación, las canciones, el momento de escuchar la palabra de Dios y cuando recibimos la Eucaristía.) (Después de la celebración de la misa: Pida a los niños que representen el descanso, el juego, la lectura, el momento en que comparten una comida con sus familias y las visitas a los familiares y amigos.)
- **Nota** Tenga presente que en la tercera unidad, los niños aprenderán más sobre la celebración de la misa dominical.

During Ordinary Time, we:

- learn more about Jesus
- listen to his teachings read from the Bible
- learn how to follow Jesus in our everyday lives.

Look at the pictures on these pages. What does each one show you about Jesus? What does each one show about his teachings?

All through the year, the most special day of the week is Sunday. Jesus rose from the dead on a Sunday.

On Sundays we gather with our parish to celebrate Mass. We listen to the word of God and receive the Eucharist. Every Sunday, we learn more about Jesus and grow closer to him. We rest from work. We spend time with family and friends.

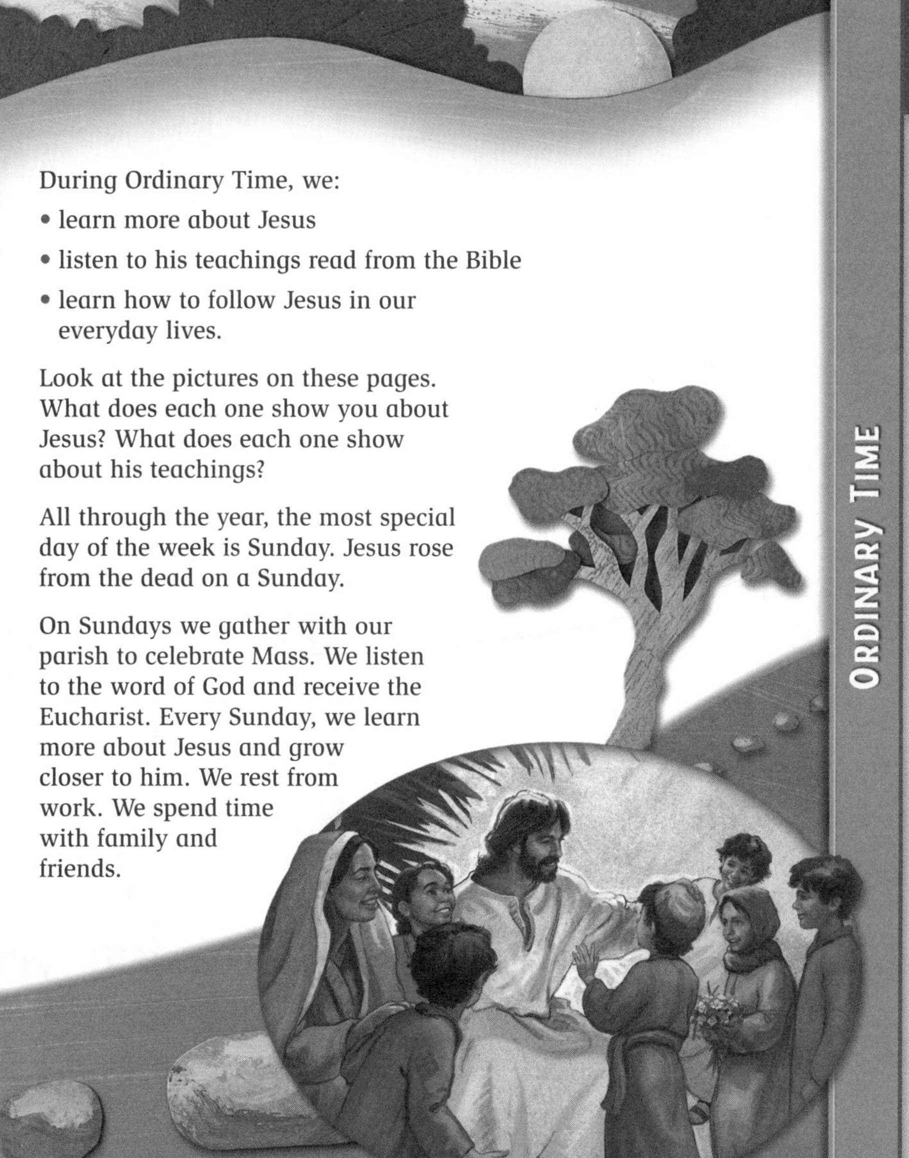

ORDINARY TIME

81

Teaching Tip

Children Who Are Logical-Mathematical Learners

Invite the children who are logical-mathematical learners to participate in the *We Gather* activities. Have these children lead the discussion of the *We Gather* questions.

Activity Bank

Multiple Intelligences

Bodily-Kinesthetic

Activity Materials: costumes and props for dramatization

Have the children look at the pictures of Jesus on these pages. Write on the board, *Jesus teaches the disciples to pray "Our Father,"* for the picture on page 80 and read aloud Matthew 6:9–15. Then, write Jesus says: *"Let the children come to me"* for the picture on page 81 and read aloud Matthew 19:13–15. Divide the children into two groups and assign one of the stories to each group. Provide time for the groups to practice their words and actions. Then have the groups present their dramatizations.

Lesson Plan

WE BELIEVE (continued)

• **Read** together the list of things we do during Ordinary Time. Then discuss what the pictures of Jesus show about his teachings. (Possible responses: Jesus loved his Father and wanted everyone to pray to him; Jesus welcomed everyone and wants us to do the same.)

Quick Check

✔ *What do we celebrate in Ordinary Time?* (We celebrate Jesus Christ and everything about him.)

✔ *What is the special color of Ordinary Time?* (The special color of Ordinary Time is green.)

• **Write** the word *Sunday* on the board. Stress: *Sunday is the most special day of the week because Jesus rose from the dead on a Sunday.*

• **Ask** a volunteer to read the last two paragraphs on page 81. Then play a game of Sunday charades with the children. Invite volunteers to act out the following Sunday activities while the rest of the class tries to guess what the activities are. (During the celebration of Mass: Have children pantomime gathering, singing, listening to God's word, receiving the Eucharist.) (After the celebration of Mass: Have children pantomime resting, playing, reading, sharing a meal with our families, visiting our family and friends.)

• **Note** that the children will learn more about our Sunday celebration of Mass in Unit 3.

CONEXION

María

La Iglesia celebra algunas fiestas de María durante el Tiempo Ordinario; el 15 de agosto la fiesta de la Asunción de María, el 8 de septiembre el nacimiento de María y el 7 de octubre se honra a nuestra señora del Rosario. Ayude a los niños a honrar a Maria esos días.

PREPARANDOSE PARA ORAR

Los niños rezarán a María y a la Santísima Trinidad.

• Muestre un rosario a los niños. Explique que al rezarlo, recordamos eventos importantes en las vidas de Jesús y María. Explique: Hoy honraremos a María como Nuestra Señora del Rosario.

• Escuchen la canción "Salmo 39: Aquí estoy, Señor", 2–3 CD.

El lugar de oración

• Ponga un mantel verde en la mesa de oración, una lámina de Jesús y María y un rosario.

TIEMPO ORDINARIO

RESPONDEMOS

Haz una historia en un cartel mostrando lo que tu familia puede hacer en un domingo del Tiempo Ordinario.

Respondemos en oración

Líder: Durante el Tiempo Ordinario también celebramos días especiales en honor a María, la madre de Jesús y madre nuestra. Uno de esos días es el 7 de octubre, día de Nuestra Señora del Rosario.

Lado 1: Dios te salve María, llena eres de gracia; el Señor es contigo; bendita eres entre todas las mujeres, y bendito es el fruto de tu vientre, Jesús.

Lado 2: Santa María, Madre de Dios, ruega por nosotros pecadores, ahora y en la hora de nuestra muerte.

Todos: Amén.

Salmo 39: Aquí estoy, Señor

Esperaba con ansia al Señor:
se inclinó y escuchó mi grito;
me dio un cántico nuevo,
un himno a nuestro Dios.

82

Planificación de la lección

RESPONDEMOS ____ minutos

Lea las instrucciones. Distribuya papel para dibujar. Puede volver a leer la *Historia para el capítulo* en la página 78A. Luego, pida a los niños que dibujen. Cuando hayan terminado, pida a voluntarios que compartan sus trabajos con el resto de la clase.

Respondemos en oración ____ minutos

• **Pida** a los niños que se congreguen en el lugar de oración. Diga a los niños que formen dos grupos, uno a la izquierda (lado 1) y otro a la derecha (lado 2). Explique: *El lado 1 rezará la primera parte del Ave María, y el lado 2 rezará la segunda parte.*

• **Guíe** a los niños en oración. Después de rezar el Ave María, diga a los niños que se tomen de las manos. Rece la primera parte de "Gloria al Padre." Pida a los niños que recen la segunda parte.

• **Canten** juntos "Salmo 39: Aquí estoy, Señor".

• **Pida** a los niños que se sienten. Permita que reflexionen diciendo lo siguiente: *Cierren sus ojos. Piensen en lo que Jesús ha pedido a sus seguidores. Digan a Jesús en voz baja una o dos cosas que harán esta semana.*

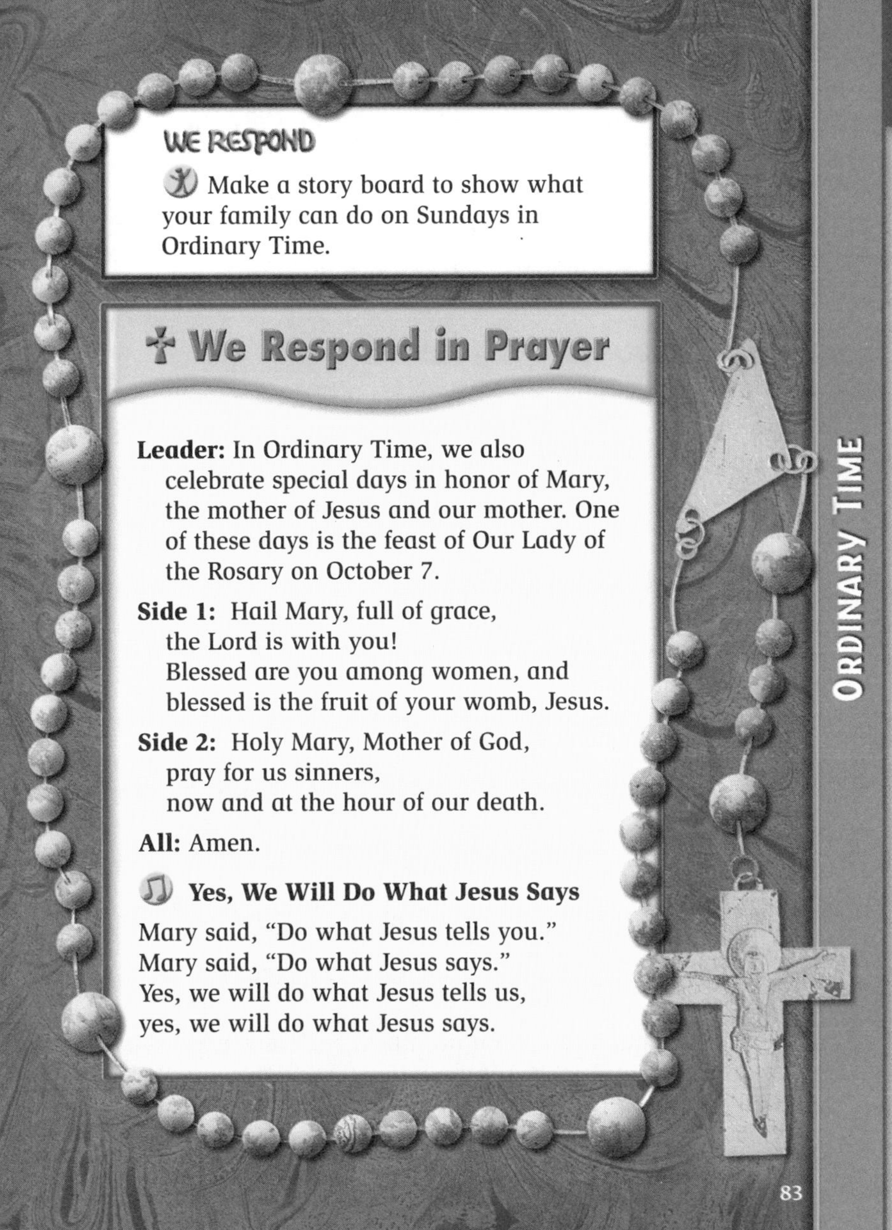

WE RESPOND

Make a story board to show what your family can do on Sundays in Ordinary Time.

We Respond in Prayer

Leader: In Ordinary Time, we also celebrate special days in honor of Mary, the mother of Jesus and our mother. One of these days is the feast of Our Lady of the Rosary on October 7.

Side 1: Hail Mary, full of grace,
the Lord is with you!
Blessed are you among women, and
blessed is the fruit of your womb, Jesus.

Side 2: Holy Mary, Mother of God,
pray for us sinners,
now and at the hour of our death.

All: Amen.

Yes, We Will Do What Jesus Says

Mary said, "Do what Jesus tells you."
Mary said, "Do what Jesus says."
Yes, we will do what Jesus tells us,
yes, we will do what Jesus says.

ORDINARY TIME

83

CONNECTION

To Mary

The Church celebrates some feasts of Mary during Ordinary Time, including the feast of the Assumption of Mary on August 15, the Birth of Mary on September 8, and Our Lady of the Rosary on October 7. Help the children to honor Mary on these days.

PREPARING TO PRAY

The children will pray to Mary and the Blessed Trinity.

- Show a rosary to the children. Explain that when we pray the rosary we put our fingers on the beads. As we pray, we remember the important events in the lives of Jesus and Mary. Explain: Today we will be honoring Mary as Our Lady of the Rosary.
- Play "Yes, We Will Do What Jesus Says," #6 on the Grade 2 CD.

The Prayer Space

- Place a green tablecloth on the prayer table. Also place there a statue or picture of Jesus and Mary and a rosary.

Lesson Plan

WE RESPOND ____ minutes

Read the activity directions. Distribute drawing paper. You may want to reread the *Chapter Story* on page 78B. Then have children work on their pictures. When the children have completed the activity, ask volunteers to share their work.

We Respond in Prayer ____ minutes

- **Invite** the children to gather in the prayer space. Have them form two groups, one standing on the left (Side 1) and one standing on the right (Side 2). Explain: *Side 1 will pray the first part of the Hail Mary, and Side 2 will pray the second part.*
- **Lead** the children in prayer. After the children pray the Hail Mary, invite them to join hands. Pray the first part of "Glory to the Father." Ask the children to pray the second part.
- **Sing** together "Yes, We Will Do What Jesus Says."
- **Ask** the children to be seated. Help them to reflect by saying the following: *Close your eyes. Think about what Jesus has asked his followers to do. Talk to Jesus quietly about one or two things you will do this week.*

CONEXION CON EL HOGAR

Compartiendo lo aprendido

Recuerde a los niños compartir con sus familias lo aprendido en este capítulo.

Sugiera a los niños que realicen la actividad “Un signo de María” con sus familias.

Para más información y actividades adicionales visite a Sadlier

www.CREEMOSweb.com

Respondemos y compartimos la fe

Compartiendo lo aprendido

Mira la ilustración. Usala para contar a tu familia lo que aprendiste en este capítulo.

Oración en familia para el domingo

Antes de ir a la cama el domingo, pide a tu familia rezar contigo la siguiente oración:

Señor, te damos gracias por el gozo y el reposo durante este día.

Un signo de María

M es un signo de María. M es de María y de madre. Hay una cruz en la M que nos recuerda que honramos a María por ser la madre de Jesús. Colorea este signo. Mantente atento para ver en que otros lugares puedes ver este signo.

Visita Sadlier en www.CREEMOSweb.com

Conexión con el Catecismo
Para referencia vea el párrafo 1173.

84

PÁGINA DEL ESTUDIANTE 84

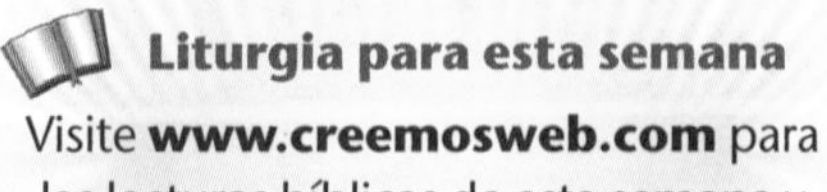

Liturgia para esta semana

Visite **www.creemosweb.com** para las lecturas bíblicas de esta semana y otros materiales propios del tiempo.

Respondemos y compartimos la fe

Proyecto individual

Distribuya copias del patrón 7. Lea en voz alta las instrucciones para hacer un afiche de oración. Pida a los niños que trabajen en parejas. Explique: *Cuando encuentren una letra, escríbanla en el reverso de su hoja de actividades. Hay nueve letras escondidas en el dibujo.*

Diga a los grupos que tienen entre cinco y ocho minutos para encontrar las letras. Después de transcurrido el tiempo, pida a los niños que se detengan. Pida voluntarios para decir las letras, que señalen en que lugar de la escena las encontraron y que luego las escriban en la pizarra. Ayude a los niños a ordenar correctamente las letras para formar la palabra *celebrar*. Luego, pídales que escriban la palabra en el espacio en blanco en la oración. Dé tiempo para colorear la escena del jardín.

Entregue a cada niño una cartulina verde para pegar el afiche de oración. Sugiera a los niños que lleven los afiches de oración a sus casas y que los coloquen en un lugar visible.

Proyecto en grupo

Pida los nombres de los catequistas al director de educación religiosa de su parroquia. Incluya su nombre en la lista. Diga a los niños que hagan tarjetas para enviarlas a los catequistas. Sugiera a los niños que escriban un mensaje en las tarjetas para agradecer a los catequistas por enseñar a los niños sobre Jesús y la Iglesia. Pida al director de educación religiosa que entregue las tarjetas.

We Respond and Share the Faith

Individual Project

Distribute copies of Reproducible Master 7. Read aloud the activity directions for making a prayer poster. Have the children work in pairs. Explain: *When you find a letter, write it on the back of your activity sheet. There are nine letters hidden in the picture.*

Give the pairs five to eight minutes to find the letters. At the end of the working time, ask everyone to stop. Then ask volunteers to identify the letters, tell where they are in the scene, and write them on the board. Help the children to write the letters in the correct order to spell *celebrate*. Then ask them to write the word on the line in the prayer. Provide time for the children to color the garden scene.

Then give each child a sheet of green construction paper on which to mount the prayer poster. Encourage the children to take the prayer posters home and display them where their families will see them often.

Group Project

Ask your parish's director of religious education for a list of catechist's names. Include your name on the list. Have the children make cards to send to the catechists. Ask the children to write a message on each card to thank the person for teaching children about Jesus and the Church. Ask the director of religious education to deliver the cards.

Home Connection

Sharing What I Learned

Remind the children to share with their families what they learned in this chapter.

Encourage the children to do the "A Sign for Mary" activity with their families.

For additional information and activities, encourage families to visit Sadlier's

www.CREEMOSweb.com

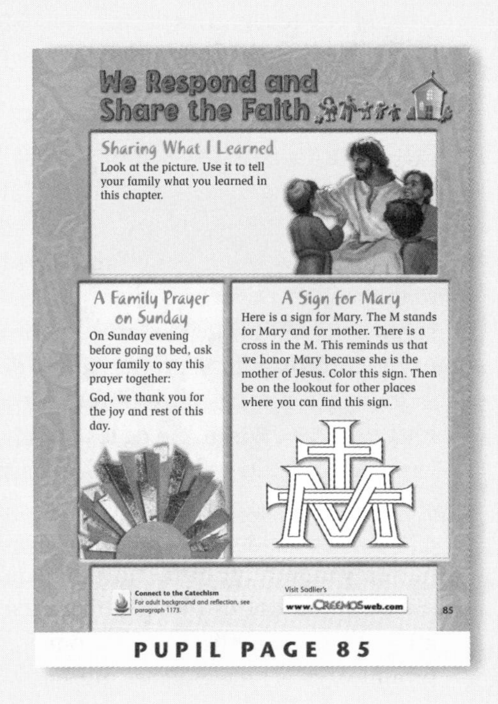
We Respond and Share the Faith

Sharing What I Learned

Look at the picture. Use it to tell your family what you learned in this chapter.

A Family Prayer on Sunday

On Sunday evening before going to bed, ask your family to say this prayer together:

God, we thank you for the joy and rest of this day.

A Sign for Mary

Here is a sign for Mary. The M stands for Mary and for mother. There is a cross in the M. This reminds us that we honor Mary because she is the mother of Jesus. Color this sign. Then be on the lookout for other places where you can find this sign.

Connect to the Catechism

For adult background and reflection, see paragraph 1173.

Visit Sadlier's

www.CREEMOSweb.com

85

PUPIL PAGE 85

This Week's Liturgy

Visit **www.creemosweb.com** for this week's liturgical readings and other seasonal material.

Aprendemos sobre el amor de Dios

Ojeada

En este capítulo los niños aprenderán sobre la Biblia.

Contenido doctrinal	Para referencia del *Catecismo de la Iglesia Católica*
Los niños aprenderán que:	párrafo
• La Biblia es el libro de la palabra de Dios.	104
• El Antiguo Testamento es la primera parte de la Biblia.	121
• El Nuevo Testamento es la segunda parte de la Biblia.	124
• Jesús quiere que escuchemos sus enseñanzas.	127

Referencia catequética

Como católico, ¿quiénes le enseñaron los valores que guían su vida?

Si tiene fotografías de sus abuelos o bisabuelos, es posible que al mirarlas detenidamente note un cierto parecido. Quizás a nuestros ancestros les hubiera gustado conocernos a nosotros también. Quizás les hubiera gustado saber que nuestra generación ha adoptado sus valores más preciados.

Al leer la Biblia, el libro de la palabra de Dios, aprendemos sobre nuestros antepasados en la fe y sobre la manera en que debemos vivir nuestra fe. Descubrimos que somos un pueblo elegido, amado por un Dios amoroso y misericordioso. En la primera parte de la Biblia, el Antiguo Testamento, aprendemos sobre la lealtad de Dios con su pueblo, Israel. Por medio de los relatos bíblicos, escuchamos la promesa de Dios de enviar a un Salvador.

En la segunda parte de la Biblia, el Nuevo Testamento, aprendemos como Dios cumple su promesa con la vida, pasión y muerte, resurrección y ascensión de Jesús. Con sus palabras y obras, Jesús nos enseña como debemos amar a Dios, Nuestro Padre, y como debemos amar a nuestro prójimo. Jesús pide al Padre que envíe al Espíritu Santo para que nos ayude y nos guíe.

En los evangelios, Jesús nos enseña como debemos vivir. Nos enseña a ser piadosos y compasivos, pacíficos, justos, devotos y desinteresados con los demás. El nos invita a escuchar detenidamente la palabra y a vivir nuestras vidas según sus enseñanzas.

¿Refleja su vida el ejemplo de Jesús?

Mirando la vida

Historia para el capítulo

La mayoría de los niños de segundo curso de la señorita Miller estaban jugando afuera en el recreo, pero Marcos, Juana y Cristian se quedaron en el aula. Ayudaron a la señorita Miller a colocar en el tablero los dibujos sobre sus libros favoritos.

"Yo dibujé al perro Willy. Mi libro favorito es sobre Willy y la familia que lo encuentra mientras estaban de vacaciones", dijo Marcos señalando su dibujo.

"¿Qué libros le gusta leer?" Preguntó Juana a la señorita Millar.

"Bueno, a mi me gustan muchos libros" dijo la señorita Millar.

"Cuéntenos sobre su libro favorito", dijo Cristian.

"Bien, tengo un libro que es muy especial para mí. Es mi favorito por dos motivos", dijo la señorita Miller a los niños. "En primer lugar, este libro es mi favorito porque me lo regaló mi abuela cuando cumplí siete años. Ese libro es muy, muy especial porque mi abuela lo había usado en la escuela. Me contó que cuando iba a la escuela ese libro se llamaba librito de lectura".

"¿De qué trata el libro, señorita Miller?" preguntó Marcos.

"Trata de muchas cosas diferentes. En segundo lugar, ese libro es mi favorito porque contiene historias de animales, personas y niños famosos. También incluye poemas y canciones".

"¿Podría traer el libro de lectura a la escuela para que lo veamos?" preguntó Juana a la señorita Miller.

"Claro que sí, Juana, también compartiré con ustedes algunas historias y poemas", contestó la señorita Miller.

¿Por qué la señorita Miller cree que su libro de lectura es un libro especial?

Overview

In this chapter the children will learn about the Bible.

Doctrinal Content	For Adult Reading and Reflection *Catechism of the Catholic Church*
The children will learn	Paragraph
• The Bible is the book of God's word.	104
• The Old Testament is the first part of the Bible.	121
• The New Testament is the second part of the Bible.	124
• Jesus wants us to listen to his teachings.	127

Catechist Background

As a Catholic, where do you learn the values you live by?

If you are fortunate enough to have photos of your grandparents or even great-grandparents, you have probably looked closely at them to see if there is a family resemblance. Our ancestors would probably want to take a good look at us, too. They would probably like to know whether the values they held dear are now embraced by our generation.

When we read the Bible we are reading the book of God's word. We find out about our ancestors in faith and about ways that we can live out our faith. We learn that we are a chosen people, cherished by a loving and forgiving God. In the first part of the Bible, the Old Testament, we learn of God's faithfulness to his people Israel. Through reading history, poetry, prayers, and stories we hear God's promise to his people to send a Savior.

In the second part of the Bible, the New Testament, we learn how the life, death, Resurrection, and Ascension of Jesus of Nazareth fulfilled God's promise. By word and deed Jesus shows us the way to love God as our Father and the ways to love our neighbors as ourselves. Jesus asks the Father to send the Holy Spirit to help us and guide us.

In the gospels Jesus shows us the way to live. He teaches us to be merciful, compassionate, peaceful, just, prayerful, and selfless in loving others. He invites us to listen carefully and then live our lives accordingly.

Does the way you live your life reflect Jesus' example?

Focus on Life

Chapter Story

Most of Miss Miller's second grade class was outside for recess, but Marcos, Joanna, and Chris stayed inside. They helped Miss Miller decorate the bulletin board with the classes' drawings about their favorite books.

Marcos pointed to his drawing and said, "I drew a picture of Willy the dog. My favorite book is about Willy and the family who find him when they are on vacation."

Joanna asked Miss Miller, "What kind of books do you like to read?" Miss Miller said, "Oh, I like to read many different kinds of books!" Chris said, "Tell us about your favorite book."

Miss Miller told the children, "Well, I have a book that is very special to me. It is my favorite for two particular reasons. The first reason is that my grandmother gave me the book on my seventh birthday. It was an extra special book because she had used it in school. She said that when she was in school this book was called a reader."

"What is the book about, Miss Miller?" Marcos asked. "Well it's about many different things. The second reason the book is my favorite is because it has stories about famous people, animals, and children. It also has poems and songs."

Joanna asked Miss Miller, "Would you bring the reader into school for us to see?" Miss Miller answered, "Sure, Joanna! And I will even share some of the stories and poems with you."

Why did Miss Miller think her reader was a special book?

Guía para planificar la lección

Pasos de la lección	Presentación	Materiales
1 NOS CONGREGAMOS		
pág. 86 **Oración**  **Mirando la vida**	• Escuchar la lectura de la Biblia. • Responder con una oración. • Comentar sobre los libros favoritos.	Para el lugar de oración: una Biblia, papel cuadriculado para hacer un pergamino, una caja, papel dorado o plateado
2 CREEMOS		
pág. 86 *La Biblia es el libro de la palabra de Dios.*	• Presentar el texto sobre la Biblia. Diseñar una portada para la Biblia.	• crayones o lápices de colores
pág. 88 *El Antiguo Testamento es la primera parte de la Biblia.*	• Leer y comentar el texto sobre el Antiguo Testamento. Comentar las formas en que David demostró su amor por Dios. • Leer y comentar el texto *Como católicos.*	• copias del patrón 8
pág. 90 *El Nuevo Testamento es la segunda parte de la Biblia.*  *Lucas 4:42–43*	• Leer el relato bíblico. • Presentar y comentar el texto sobre el Nuevo Testamento y los evangelios. Compartir las historias favoritas sobre Jesús.	
pág. 92 *Jesús quiere que escuchemos sus enseñanzas.*  *Mateo 7:24–27*	• Leer y comentar el relato bíblico y lo importante que es saber escuchar. • Señalar *Vocabulario* y sus definiciones.	• crayones o lápices de colores
3 RESPONDEMOS		
pág. 92	 Realizar la actividad en *Respondemos.*	
páginas 94 y 96 **Repaso**	• Completar las preguntas 1 a 5. • Completar la oración de *Reflexiona y ora.*	
páginas 94 y 96 **Respondemos y compartimos la fe**	• Repasar *Recuerda* y *Vocabulario.* • Leer y comentar *Nuestra vida católica.*	

Para ideas, actividades y otras oportunidades visite Sadlier en **www.CREEMOSweb.com**

Lesson Planning Guide

Lesson Steps	Presentation	Materials
 **WE GATHER**		
page 87 **Prayer** **Focus on Life**	• Listen to Scripture. • Respond in prayer. • Discuss favorite books.	For the prayer space: Bible, chart paper for scroll, box, gold or silver paper
2 WE BELIEVE		
page 87 *The Bible is the book of God's word.*	• Present the text about the Bible. Design a Bible cover.	• crayons or colored pencils
page 89 *The Old Testament is the first part of the Bible.*	• Read and discuss the text about the Old Testament. Discuss ways David showed love for God. • Read and discuss *As Catholics*.	• copies of Reproducible Master 8
page 91 *The New Testament is the second part of the Bible.* *Luke 4:42–43*	• Read the Scripture story. • Present and discuss the text about the New Testament and the gospels. Share favorite stories about Jesus.	
page 93 *Jesus wants us to listen to his teachings.* *Matthew 7:24–27*	• Read and discuss the Scripture story and the importance of listening. • Point out the *Key Words* and definitions.	• crayons or colored pencils
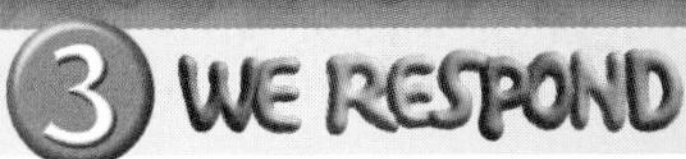 **WE RESPOND**		
page 93	Do the *We Respond* activity.	
pages 95 and 97 **Review**	• Complete questions 1–5. • Complete the *Reflect & Pray* prayer.	
pages 95 and 97 **We Respond and Share the Faith**	• Review *Remember* and *Key Words*. • Read and discuss *Our Catholic Life*.	

For additional ideas, activities, and opportunities: Visit Sadlier's **www.CREEMOSweb.com**

Conexiones

La liturgia

Explique a los niños que cuando celebramos los sacramentos, escuchamos la palabra de Dios en la Biblia. Pida a los niños que escuchen atentamente la lectura del evangelio en la misa del domingo. Ayude a los niños a prepararse para la celebración del próximo domingo leyendo el evangelio que se presentará en la misa. Comente lo que nos enseña Jesús con sus palabras y acciones.

Administración de la creación

Lea o relate la parábola del rico insensato (Lucas 12:16–21) como un ejemplo de lo que significa ser un administrador de la creación de Dios. Sugiera a los niños que comenten lo que debería haber hecho el granjero rico con todos los frutos y bienes que le había dado Dios. Permita que los niños lleguen a la conclusión de que Dios siempre quiere que compartamos lo que tenemos con las personas que tienen menos.

FE y MEDIOS

- Diga a los niños que relaten alguna historia de la Biblia que hayan visto en video. Pregunte qué parte de la historia les gustó o no les gustó. Comente con los niños cómo los relatos bíblicos en los vídeos los ayudaron a crecer en su fe. Si es posible, permita que los niños miren una historia bíblica adecuada para segundo grado con el objetivo de continuar con una conversación similar sugerida anteriormente.

Liturgia para esta semana

Visite **www.creemosweb.com** para las lecturas bíblicas de esta semana y otros materiales propios del tiempo.

Necesidades individuales

Un ambiente de aceptación

En el Nuevo Testamento, Jesús nos enseña que debemos aceptar a las personas tal como son. Permita que su salón de clase sea un lugar de aceptación. Dedique unos minutos cada semana para elogiar el buen desempeño de sus niños, la buena conducta y las metas alcanzadas por uno o todos los niños. Es importante que elogie a cada uno de los niños por separado.

RECURSOS ADICIONALES

Video *La Biblia,* Oficina Regional del Sureste. Este video ayuda a los adultos a preparar el tema para los niños. (50 minutos)

Para ideas visite a Sadlier en

www.CREEMOSweb.com

Connections

To Liturgy

Explain to the children that when we celebrate the sacraments, we listen to God's word from the Bible. Ask the children to listen carefully when the gospel is read at Sunday's celebration of the Mass. Help the children prepare for next Sunday's celebration by reading the gospel that will be read. Talk about what Jesus is teaching by his words or actions.

To Stewardship

As an example of the meaning of stewardship, tell or read to the children the Parable of the Rich Fool (Luke 12:16–21). Invite them to tell what the rich farmer should have done with all the grain and other goods God had given him. Help them see that God always wants us to share what we have with those who have less.

FAITH and MEDIA

- Invite the children to describe some video versions of Bible stories that they may have seen. Ask them to tell why they like or dislike watching the videos. Explore with the children how watching particular videos of Bible stories can help them to grow in their faith. If possible, show the class an age appropriate video version of a Bible story and carry on a similar discussion.

This Week's Liturgy

Visit **www.creemosweb.com** for this week's liturgical readings and other seasonal material.

Meeting Individual Needs

An Atmosphere of Acceptance

In the New Testament Jesus provides us with the perfect example of accepting people as they are. Make your classroom a place of acceptance. Consider taking a few extra minutes every week to praise the good work, behavior, or accomplishments of one or more of the children. Try to single out each child with words of praise.

ADDITIONAL RESOURCES

Book *Picture That! Bible Storybook,* Tracy Harrast and Garry Colby, Zondervan Publishing House, 1998. The Bible comes alive in this vivid retelling of over 65 beloved Bible stories.

Video *Shema: Adventures from the Bible, Creation to Moses,* Rina Risitano, Pauline Books and Media, 1998. A young boy journeys through the Bible when a mouse pulls him through the computer screen. (26 minutes)

To find more ideas for books, videos, and other learning material visit Sadlier's

www.CREEMOSweb.com

Meta catequética

- Presentar a la Biblia como el libro de la palabra de Dios

Preparandose para orar

En esta oración los niños escucharán y responderán a la palabra de Dios.

- Escoja un líder y un lector para la oración. Dé tiempo para prepararse.
- Pida a un voluntario llevar la Biblia y guíe a los demás en una procesión.

El lugar de oración

- Use papel cuadriculado para hacer un pergamino. Escriba en el papel *Dios, queremos escuchar tus palabras*. Enrolle la parte superior e inferior del papel para formar un pergamino. Coloque el pergamino en el lugar de oración.
- Cubra una caja con papel plateado o dorado. Colóquela sobre la mesa como un atril para la Biblia.

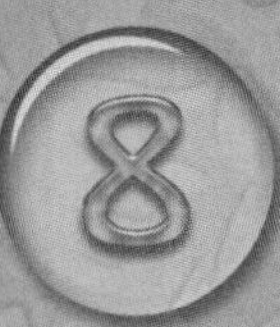

Aprendemos sobre el amor de Dios

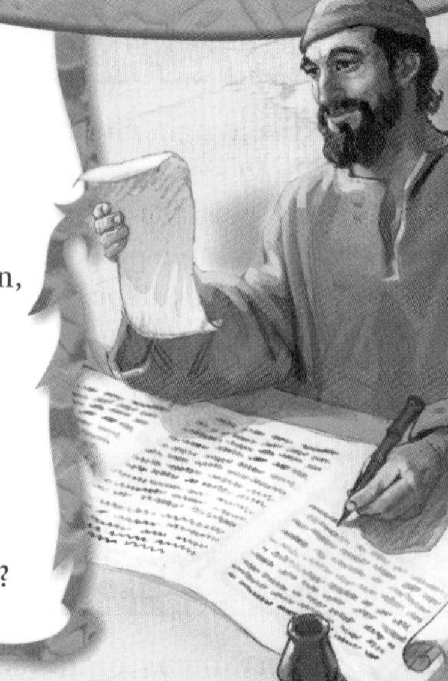

Nos congregamos

Líder: Nos reunimos a escuchar a Dios.

Lector: Dios dice:
"Yo soy el Señor tu Dios;
yo te enseño lo que es para tu bien,
yo te guío por el camino que
debes seguir". (Isaías 48:17)

Todos: Dios, ayúdanos a recordar todas las cosas buenas que nos enseñas. Ayúdanos a seguir tu manera de amar.

¿Qué tipo de libros te gusta leer?

Creemos

La Biblia es el libro de la palabra de Dios.

Dios siempre ha querido que lo amemos y lo conozcamos. El también quiere que hablemos a otros sobre él.

Hace mucho tiempo, el Espíritu Santo ayudó a algunas personas a escribir sobre el amor de Dios. Diferentes escritores escribieron en diferentes formas. Algunos escribieron historias, otros poemas. Otros escribieron sobre eventos y personas.

86

Planificación de la lección

Nos congregamos ___ minutos

Oración

- Pida al líder, al lector y al niño que lleva la Biblia que guíen al resto de la clase en procesión hasta el lugar de oración.
- Pida al niño que lleva la Biblia que la coloque en el atril especial que hicieron.
- Diga a los niños que se congreguen en el lugar de oración y que abran sus libros en la página 86. Recen juntos la Señal de la Cruz y diga al líder que comience la oración.

Mirando la vida

- Diga a los niños que nombren sus libros favoritos y que describan lo que más les gusta de ellos.
- Lea la *Historia para el capítulo* de la página 86A.

Creemos ___ minutos

Lea la afirmación *Creemos* los tres primeros párrafos en las páginas 86 y 88. Explique que en la Biblia leemos historias, poemas o relatos sobre personas y eventos. Todo lo que menciona la Biblia es palabra de Dios.

Sostenga la Biblia en alto. Recalque: *El Espíritu Santo guió a los autores de la Biblia.* Pregunte: *¿Qué aprendemos cuando leemos o escuchamos la Biblia?* Diga a los niños que lean los dos puntos en la página 88.

Pida a los niños que dibujen una portada para la Biblia. Cuando terminen, diga a los niños que muestren sus portadas a los niños que están al lado.

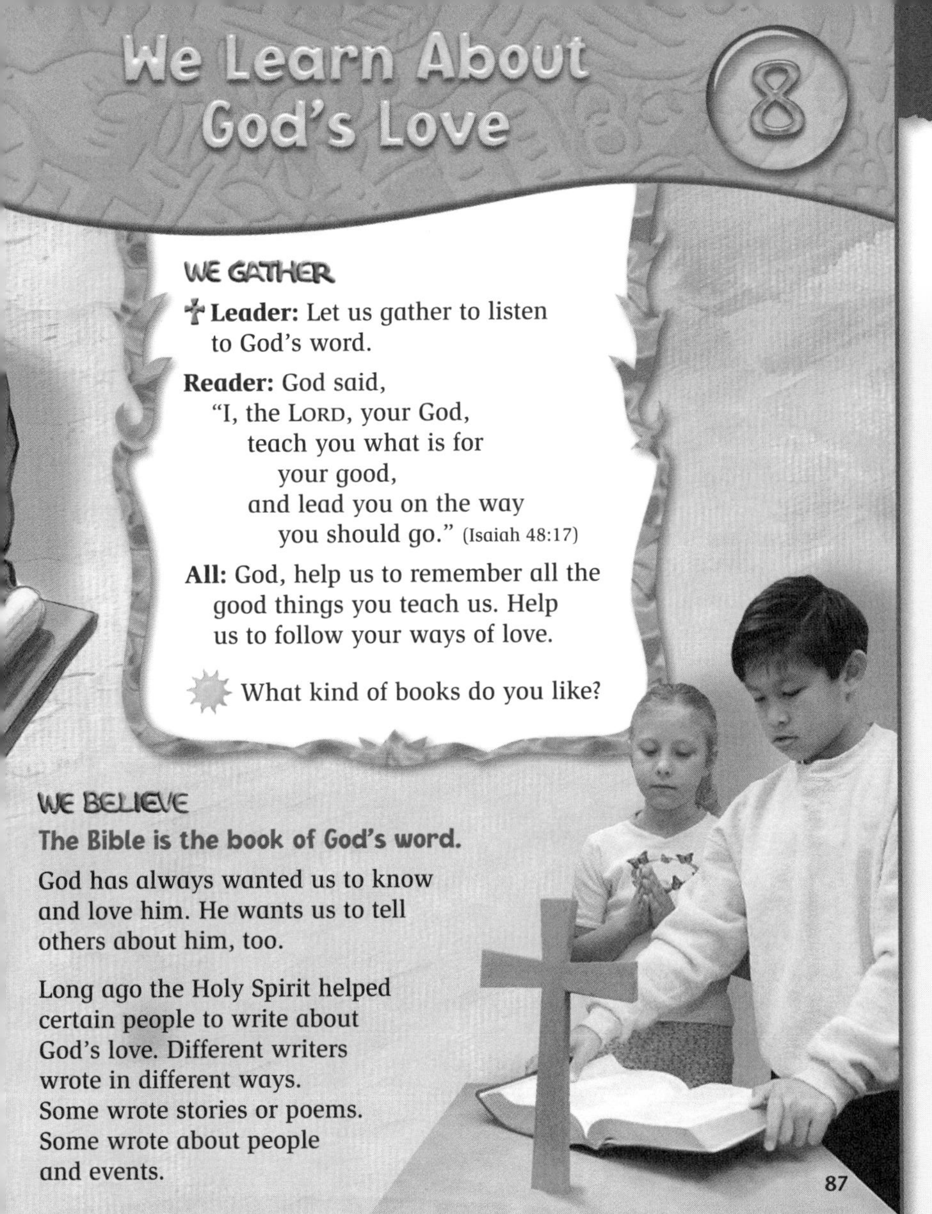

Catechist Goal

- To introduce the Bible as the book of God's word

PREPARING TO PRAY

For this gathering prayer, the children will listen and respond to God's word.

- Choose a prayer leader and a reader. Provide time for them to prepare for the prayer.
- Choose a volunteer to carry the Bible and to lead the other children in a procession.

The Prayer Space

- Use chart paper to make a scroll. On the paper print: *God, we want to listen to your word.* Roll back the top and bottom of the paper to make a scroll. Display the scroll in your prayer space.
- Cover a box with gold or silver paper. Place it on a table. This can serve as a reading stand for the Bible.

Lesson Plan

WE GATHER ___ minutes

✝ **Pray**

- Ask the prayer leader, the reader, and the child carrying the Bible to lead the other children in a procession to the prayer space.
- Ask the child who is holding the Bible to place it on the special stand you have made.
- Invite all the children to gather in the prayer space and open their books to page 87. Pray the Sign of the Cross together and ask the leader to begin the prayer.

Focus on Life

- Invite the children to name their favorite kinds of books. Have them describe what they like best about these books.
- Share the *Chapter Story* on guide page 86B.

WE BELIEVE ___ minutes

Read the *We Believe* statement and the first three paragraphs on pages 87 and 89. Explain that in the Bible we can read stories, poems, or accounts of people and events. All of these are God's word.

Hold up the Bible. Stress: *The Holy Spirit guided the writers of the Bible.* Ask: *What do we learn when we read or listen to the Bible?* Have the children read the two points listed on page 89.

Invite the children to draw a cover for the Bible. When they are finished, have them show their covers to the children sitting near them.

Nuestra respuesta en la fe

- Nombrar de qué forma podemos demostrarle a Jesús que hemos escuchado sus enseñanzas

Biblia
Antiguo Testamento
Nuevo Testamento
evangelios

Materiales

- crayones o lápices de colores
- copias del patrón 8

Como católicos...

La Sagrada Escritura

Escriba *Sagrada* y *Escritura* en la pizarra. Lea en voz alta *Como católicos*. Sugiera a los niños poner la Biblia en un lugar special en sus casas.

Conexión con el hogar

Invite a los niños a compartir lo que aprendieron en el capítulo 5.

Estos escritos fueron recogidos en un gran libro que llamamos la Biblia. Dios, Espíritu Santo, guió a esas personas a escribir la Biblia. La **Biblia** es el libro en el que está escrita la palabra de Dios.

Cuando leemos la Biblia aprendemos:

- lo que Dios nos ha dicho sobre sí mismo y su amor
- lo que Dios quiere que hagamos para vivir como sus hijos.

Dibuja un forro para la Biblia. Debes mostrar que la Biblia es un libro especial sobre el amor de Dios.

El Antiguo Testamento es la primera parte de la Biblia.

La Biblia tiene dos partes. La primera es llamada **Antiguo Testamento**. En esta parte aprendemos sobre el pueblo de Dios que vivió antes de Jesús. Leemos sobre las muchas cosas maravillosas que Dios hizo por su pueblo. Leemos sobre las formas en que Dios mostró amor especial por ellos. También aprendemos como ellos mostraron amor por Dios.

Como católicos...

También llamamos Sagrada Escritura a la Biblia. La palabra *sagrado* significa "santo". La palabra *escritura* se deriva de una palabra que significa "escrito".

Colocamos la Biblia en un lugar especial en nuestras casas y en las iglesias. Juntos busquen un lugar especial en el aula para colocar la Biblia.

88

Planificación de la lección

CREEMOS (continuación)

Pregunte: *¿Alguna vez leyeron un libro o vieron una película que estuviera divida en dos partes?* Explique que la Biblia consta de dos partes. Escriba *Antiguo Testamento* en la pizarra y diga a los niños que así se denomina la primera parte de la Biblia. Sostenga la Biblia en alto y señale donde comienza y termina el Antiguo Testamento. Luego, pida a voluntarios que lean los párrafos de *Creemos* en las páginas 88 y 90.

Pida a los niños que hablen sobre como David demostró su amor por Dios. Luego, diga a los niños que se pongan de pie para rezar las palabras de alabanza de David.

Distribuya copias del patrón 8. Lean juntos y en voz alta las historias de José y Ester. Al finalizar la lectura pregunte: *¿Qué les contarían a los demás sobre estos personajes bíblicos?*

Cotejo rápido

✔ *¿Qué aprendemos cuando leemos la Biblia?* (Aprendemos sobre Dios y su amor. Aprendemos a vivir como hijos de Dios.)

✔ *¿Qué aprendemos en el Antiguo Testamento?* (Aprendemos sobre las personas que vivieron antes de la venida de Jesús a la Tierra.)

These writings were put into one large book called the Bible. God the Holy Spirit guided the people who wrote the Bible. So the **Bible** is the book in which God's word is written.

When we read the Bible we learn:

- what God has told us about himself and his love
- what God wants us to do to live as his children.

Draw a cover for the Bible. It should show that the Bible is a very special book about God's love.

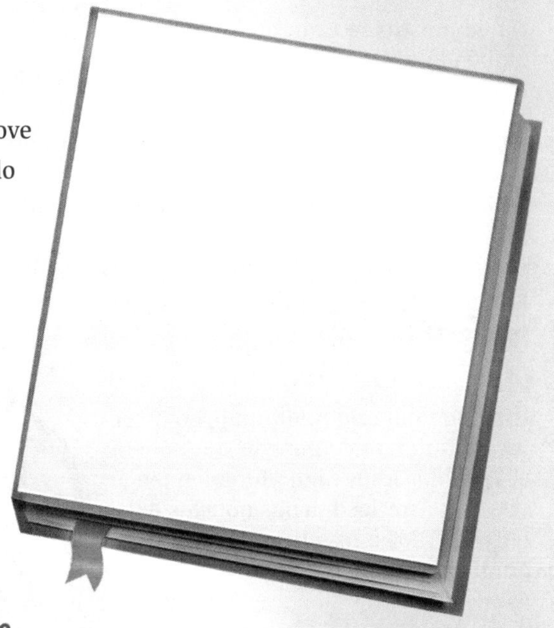

The Old Testament is the first part of the Bible.

The Bible has two parts. The first part is called the **Old Testament**. In this part we learn about God's people who lived before Jesus' time on earth. We read about the many wonderful things God did for his people. We read about the ways God showed special love for them. We also learn how they showed their love for God.

As Catholics...

We also call the Bible Sacred Scripture. The word *Sacred* means "holy." The word *Scripture* comes from a word that means "writings."

We keep the Bible in a special place in our homes and churches. Together make a special place in your classroom for the Bible.

Our Faith Response

- To identify ways we can show Jesus that we have listened to his teachings

Bible
Old Testament
New Testament
gospels

Materials

- crayons or colored pencils
- copies of Reproducible Master 8

As Catholics...

Scripture

Write *Sacred* and *Scripture* on the board. Read aloud *As Catholics.* Encourage the children to make a special place for the Bible in their homes.

Home Connection Update

Invite the children to share what they learned in Chapter 5.

Lesson Plan

WE BELIEVE (continued)

Ask: *Have you ever read a book or seen a movie that has two parts?* Explain that the Bible has two parts. Print *Old Testament* on the board and tell the children that this is what the first part of the Bible is called. Hold up the Bible. Show where the Old Testament begins and ends. Then have volunteers read the *We Believe* paragraphs on pages 89 and 91.

Invite the children to discuss ways David showed his love for God. Then invite the children to stand and pray David's words of praise.

Distribute copies of Reproducible Master 8. Ask the children to read along as you read the stories of Joseph and Esther aloud. After reading, ask: *What would you tell others about these leaders?*

Quick Check

✔ *What do we learn when we read the Bible?* (We learn about God and his love. We learn how to live as God's children.)

✔ *What people do we learn about in the Old Testament?* (We learn about the people who lived before Jesus' time on earth.)

Banco de Actividades

Conexión curricular

Arte

Materiales: papel, crayones o marcadores

Pida a los niños que trabajen en grupo. Entregue a cada grupo una hoja de papel y anímelos a realizar un mural con escenas de las vidas de David, José o Ester. Escriba apostillas para los dibujos de los niños.

Inteligencia múltiple

Movimiento corporal

Materiales: accesorios y disfraces para dramatización (opcional)

Diga a los niños que formen tres grupos. Asigne a cada grupo uno de los personajes del Antiguo Testamento que conocieron en esta lección (David, José o Ester). Pida a cada grupo que prepare una dramatización para relatar la historia de cada personaje bíblico.

En el Antiguo Testamento leemos sobre la vida de muchas personas. Una de ellas fue David. David fue un pastor. Dios estaba contento con David. Dios amó mucho a David. Dios lo escogió para ser rey.

David mostró su gran amor por Dios alabándolo. David dijo: "¡Qué grandeza la tuya!" (2 Samuel 7:22)

Hablen sobre las formas en que David mostró amor a Dios. Reza las oraciones o las alabanzas de David.

El Nuevo Testamento es la segunda parte de la Biblia.

Lucas 4:42–43

Una mañana una multitud llegó a ver a Jesús. Trataban de impedir que saliera del pueblo. Jesús dijo: "También tengo que anunciar las buenas noticias del reino de Dios a los otros pueblos, porque para esto fui enviado". (Lucas 4:43)

Esta lectura es tomada de uno de los libros de la segunda parte de la Biblia, el **Nuevo Testamento**. El Nuevo Testamento es sobre Jesucristo, sus discípulos y la Iglesia.

Los cuatro primeros libros del Nuevo Testamento son llamados **evangelios**. Hablan de la vida y las enseñanzas de Jesús en la tierra.

90

Planificación de la lección

Creemos (continuación)

Pida a los niños que miren la ilustración de Jesús. Diga a un voluntario que lea el relato bíblico en la página 90. Explique: *Jesús viajó de pueblo en pueblo para anunciar la buena nueva sobre el amor de Dios.* Sugiera a los niños que *informar* es otra palabra que significa lo mismo que *anunciar.*

Escriba en la pizarra las palabras *Nuevo Testamento* y *evangelios.* Explique: *El Nuevo Testamento es la segunda parte de la Biblia. Los evangelios son cuatro libros muy especiales del Nuevo Testamento.* Luego, pida a voluntarios que lean los dos párrafos que se encuentran después de la lectura de la Biblia. Sostenga la Biblia en alto y muestre dónde comienza y termina el Nuevo Testamento. Explique: *Los evangelios son los primeros cuatro libros del Nuevo Testamento. La palabra evangelio significa "buena nueva".* *En los evangelios Jesús nos cuenta sobre la buena nueva de Dios y su amor por nosotros.* Lea en voz alta las tres oraciones del cuarto párrafo en la parte superior de la página 92.

Lea la pregunta y pida a voluntarios que compartan sus historias favoritas sobre Jesús.

Lea en voz alta la afirmación en la página 92. Pregunte: *¿Cuáles son algunas de las cosas que nos enseñó Jesús?* Pida que voluntarios compartan sus respuestas con el resto de la clase. Recalque a los niños diciéndoles: *Recuerdan lo que Jesús nos enseñó, eso demuestra que prestaron atención.* Luego, pida a los niños que escuchen atentamente mientras otros voluntarios leen el pasaje bíblico.

In the Old Testament we learn about the lives of many people. One of the people we read about is David. David was a shepherd. God was pleased with David. God loved David very much. God chose David to become king.

David showed his great love for God by praising him. David said, "Great are you, Lord GOD!" (2 Samuel 7:22)

Talk about ways David showed his love for God. Pray David's prayer of praise.

The New Testament is the second part of the Bible.

Luke 4:42–43

One morning a crowd went to see Jesus. They tried to stop him from leaving their town. But Jesus said, "To the other towns also I must proclaim the good news of the kingdom of God, because for this purpose I have been sent." (Luke 4:43)

This reading is from the second part of the Bible. The second part of the Bible is the **New Testament**. The New Testament is about Jesus Christ, his disciples, and the Church.

Four of the books in the New Testament are called the **gospels**. They are about Jesus' teachings and his life on earth.

ACTIVITY BANK

Curriculum Connection

Art

Materials: drawing paper, crayons or markers

Have the children work in groups. Give each group a long sheet of paper. Encourage them to make a mural with scenes from David's, Joseph's, or Esther's life. Print captions for their pictures.

Multiple Intelligences

Bodily-Kinesthetic

Materials: props and costumes for dramatizations (optional)

Have the children form three groups. Assign each group one of the Old Testament leaders that were discussed in this lesson (David, Joseph, or Esther). Ask the groups to prepare skits to tell the story of each leader.

Lesson Plan

WE BELIEVE (continued)

Direct attention to the picture of Jesus. Have a volunteer read the Scripture story on page 91. Explain: *Jesus went from town to town to announce the good news about God's love.* Tell the group that another word for *announce* is *proclaim.*

Write the words *New Testament* and *gospels* on the board. Explain: *The New Testament is the second part of the Bible. The gospels are four very special books of the New Testament.* Then have volunteers read the two paragraphs after the Bible reading. Hold up the Bible. Show the beginning and end of the New Testament. Explain: T*he gospels are the first four books of the New Testament. The word gospel means "good news." In the gospels Jesus shows us the good news about God and his love for us.* Then read aloud the three sentences listed at the top of page 93.

Read the question. Invite volunteers to share what their favorite story about Jesus is.

Read aloud the statement on page 93. Ask: *What are some things Jesus taught us?* Have a few volunteers share their responses. Affirm the children by saying: *You remember some things Jesus taught. That shows you have listened well.* Then invite the children to listen as volunteers read the Scripture passage.

Ideas

Organizador gráfico que nos enriquece

Haga un organizador gráfico para reconocer los evangelios del Nuevo Testamento. Para hacer esto, dibuje un círculo en la pizarra y dentro del mismo escriba estas palabras: *evangelios del Nuevo Testamento*. Dibuje cuatro rectángulos conectados con líneas al círculo. Diga los nombres de los evangelios y pida a voluntarios que escriban Mateo, Marcos, Lucas, y Juan dentro de los rectángulos. Por el momento no es necesario que pida a los niños que memoricen los nombres de los evangelios.

La palabra *evangelio* significa "buena nueva". Aprendemos la buena nueva de Jesucristo en los evangelios.

- Dios es nuestro padre quien nos ama y perdona.
- Jesús está siempre con nosotros. El nos enseña como amar y hacer el bien.
- El Espíritu Santo nos ayuda y nos guía.

¿Cuál es tu historia favorita sobre Jesús?

Vocabulario

Biblia el libro donde está escrita la palabra de Dios

Antiguo Testamento la primera parte de la Biblia

Nuevo Testamento la segunda parte de la Biblia

evangelios los cuatro primeros libros del Nuevo Testamento que hablan de las enseñanzas y la vida de Jesús en la tierra

Jesús quiere que escuchemos sus enseñanzas.

Un día Jesús había estado enseñando por mucho rato. El había enseñado sobre creer en Dios y rezarle. Jesús terminó contando esta historia:

Mateo 7:24–27

Un hombre construyó su casa en la roca. Cuando vino la tormenta el viento no la voló. La lluvia azotó la casa. Pero la casa no cayó. Había sido construída en roca.

Jesús dijo a la gente: "El que me oye y hace lo que yo digo, es como un hombre prudente que construyó su casa sobre la roca". (Mateo 7:24)

Cuando escuchamos la palabra de Dios en la Biblia, escuchamos con nuestros oídos. La recordamos en nuestras mentes y corazones. Mostramos que escuchamos amando a Dios y ayudando a los demás.

RESPONDEMOS

Escribe algo que harás, para mostrar a Jesús que lo escuchas.

____

92

Planificación de la lección

CREEMOS (continuación)

Explique *La roca es fuerte. Jesús quiso decirnos que escuchar sus enseñanzas nos ayudará a crecer fuertes en nuestra fe.*

Lea el último párrafo de la página 92. Recalque: *Demostramos que hemos escuchado las enseñanzas de Jesús cuando amamos y ayudamos a nuestro prójimo.*

Vocabulario Dibuje cuatro llaves en cartulina amarilla o dorada; escriba en cada llave una de las cuatro palabras del *Vocabulario* de este capítulo y en el reverso escriba las definiciones correspondientes. Muestre el lado de la llave que tiene la palabra del *Vocabulario* y pida a voluntarios que digan el significado. Luego, dé vuelta a la llave para que cotejen sus respuestas.

RESPONDEMOS

____ minutos

Conexión con la vida Pregunte: *¿Qué puedes hacer para demostrarle a Jesús que lo has escuchado?* Escriba las sugerencias de los niños en papel cuadriculado o en la pizarra.

Pida a los niños que miren la lista y que escriban o dibujen algo que harán esta semana.

Oración Pida a los niños que se congreguen en el lugar de oración. Recen juntos: *Jesús, haremos lo que tú quieres, escucharemos tus enseñanzas.*

The word *gospel* means "good news." We learn the good news of Jesus Christ in the gospels.

- God is our Father who loves and forgives us.
- Jesus is with us always. He teaches us how to love and do good.
- The Holy Spirit helps and guides us.

What is your favorite story about Jesus?

Key Words

Bible the book in which God's word is written

Old Testament the first part of the Bible

New Testament the second part of the Bible

gospels four of the books in the New Testament that are about Jesus' teachings and his life on earth

Jesus wants us to listen to his teachings.

One day Jesus had been teaching for a long time. He had taught people about believing in God and praying to him. Jesus ended by telling this story.

Matthew 7:24–27

A man built his house on rock. When storms came, the wind blew. The rain beat against the house. But the house did not fall. It had been built on rock.

Jesus told the people, "Everyone who listens to these words of mine and acts on them will be like a wise man who built his house on rock." (Matthew 7:24)

When we listen to God's word in the Bible, we hear with our ears. We remember in our minds and hearts. We show we have listened by loving God and helping others.

WE RESPOND

Write one thing you will do to show Jesus that you have listened to him.

____

Teaching Tip

Graphic Organizer for Enrichment

Make a graphic organizer that identifies the gospels of the New Testament. To do so, draw a circle on the board. Write the words *Gospels of the New Testament* inside the circle. Draw four rectangles with lines connecting them to the circle. Name the gospels. Have volunteers write the names of Matthew, Mark, Luke, and John in the rectangles. At this time do not require that the children memorize the names of the gospels.

Lesson Plan

WE BELIEVE (continued)

Explain *Rock is strong. Jesus was trying to tell us that listening to his teaching helps us to grow strong in our faith.*

Read the last paragraph on page 93. Stress: *We show we have listened to Jesus' teaching when we love and help others.*

Key Words Draw four large keys on yellow or gold construction paper; print one of the chapter *Key Words* on each. Then print the definition of the *Key Word* on the back of each. Show the word side of each key. Call on volunteers to give the meaning of each word. Then have them check to see that their answers are correct.

WE RESPOND ____ minutes

Connect to Life Ask: *What can you do to show Jesus that you have listened to him?* Write the children's suggestions on chart paper or the board.

Invite the children to look at the list and write or draw one thing that they will do this week.

Pray Invite the children to gather in the prayer space. Pray together: *Jesus, we will do what you want. We will listen to your teaching.*

Banco de Actividades

Inteligencia múltiple

Expresión musical

Enseñe a los niños la siguiente canción con la melodía de "Fray Felipe":

Buenas nuevas, buenas nuevas,
de Jesús, de Jesus.
Nos ayudan a que nos amemos,
nos ayudan en nuestras vidas,
con Jesús, con Jesús.

Sugiera a los niños que inventen sus propios versos.

Conexión curricular

Ciencias

Materiales: piedra, un recipiente de plástico, una jarra con agua

Demuestre los efectos del agua y viento sobre la roca. Coloque una piedra grande en el recipiente plástico y vierta agua sobre ella. Pregunte qué sucede. Luego, pida a los niños que se acerquen al recipiente y que soplen como el viento sobre la piedra. Permita que los niños lleguen a la conclusión que ni el agua ni el viento desgastan a la piedra en poco tiempo.

Conexion con el Hogar

Compartiendo lo aprendido

Recuerde a los niños compartir con sus familias lo aprendido en este capítulo.

Para más información y actividades adicionales visite a Sadlier en

www.CREEMOSweb.com

Planifique por adelantado

Lugar de oración: fotografías de personas respetando las leyes y los mandamientos

Materiales: copias del patrón 9, 2–3 CD, crayones o lápices de colores

Repaso

___ minutos

Repaso del capítulo
Comience esta sección explicando a los niños que van a comprobar si entendieron todo lo que aprendieron. Luego, pida a los niños que completen las oraciones 1 a 4.

Pida a voluntarios que digan en voz alta las respuestas correctas. Corrija las respuestas equivocadas o con errores. Luego, diga a los niños que lean la pregunta 5. Dígales que piensen de qué forma pueden demostrar que escuchan la palabra de Dios. Una vez finalizada la actividad, pida a los niños que compartan sus respuestas.

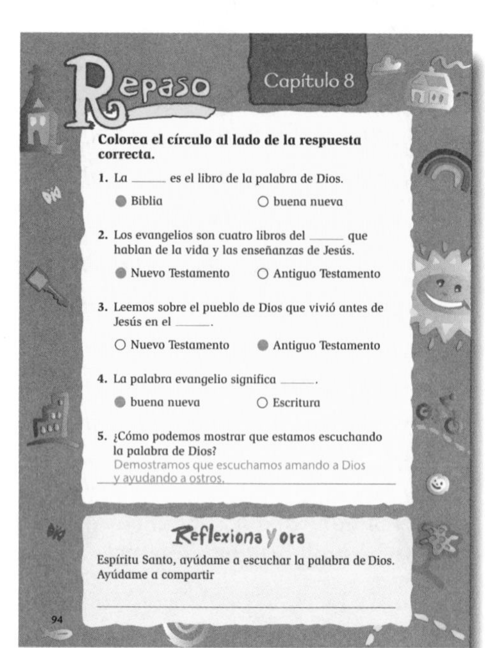

Repaso — Capítulo 8

Colorea el círculo al lado de la respuesta correcta.

1. La _____ es el libro de la palabra de Dios.
   ● Biblia ○ buena nueva
2. Los evangelios son cuatro libros del _____ que hablan de la vida y las enseñanzas de Jesús.
   ● Nuevo Testamento ○ Antiguo Testamento
3. Leemos sobre el pueblo de Dios que vivió antes de Jesús en el _____.
   ○ Nuevo Testamento ● Antiguo Testamento
4. La palabra evangelio significa _____.
   ● buena nueva ○ Escritura
5. ¿Cómo podemos mostrar que estamos escuchando la palabra de Dios?
   Demostramos que escuchamos amando a Dios y ayudando a ostros.

Reflexiona y ora

Espíritu Santo, ayúdame a escuchar la palabra de Dios. Ayúdame a compartir

94

PÁGINA DEL ESTUDIANTE 94

Reflexiona y ora Explique: *El Espíritu Santo nos ayuda cuando escuchamos la palabra de Dios en la Biblia. El Espíritu Santo nos ayuda a compartir las buenas noticias con los demás.* Permita que los niños tengan tiempo para completar sus oraciones al Espíritu Santo.

Respondemos y compartimos la fe

___ minutos

Recuerda Repase las cuatro afirmaciones *Creemos*. Sostenga la Biblia en alto y pida a los niños que identifiquen las dos partes de la misma. Pregunte: *¿Por qué la Biblia es un regalo especial de Dios?*

Nuestra vida católica
Lea en voz alta el texto "Periódicos católicos". Si es posible consiga una copia del periódico diocesano local para mostrarles a los niños. Señale las secciones importantes del periódico, tales como historias de personas que comparten la buena nueva de Jesucristo.

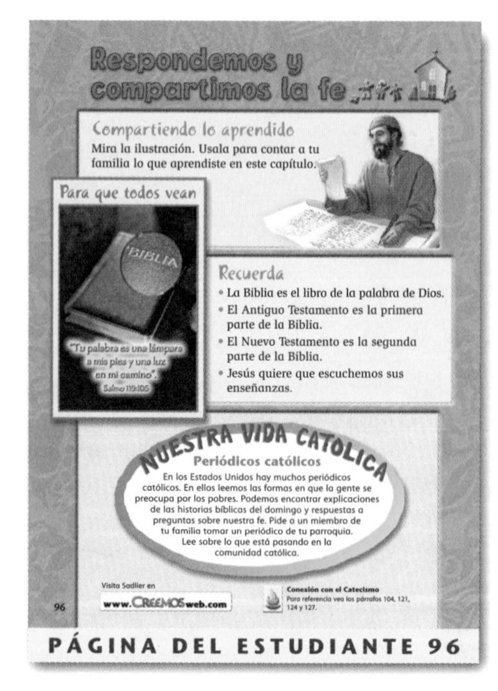

Respondemos y compartimos la fe

Compartiendo lo aprendido

Mira la ilustración. Usala para contar a tu familia lo que aprendiste en este capítulo.

Para que todos vean

Recuerda

- La Biblia es el libro de la palabra de Dios.
- El Antiguo Testamento es la primera parte de la Biblia.
- El Nuevo Testamento es la segunda parte de la Biblia.
- Jesús quiere que escuchemos sus enseñanzas.

NUESTRA VIDA CATOLICA

Periódicos católicos

En los Estados Unidos hay muchos periódicos católicos. En ellos leemos las formas en que la gente se preocupa por los pobres. Podemos encontrar explicaciones de las historias bíblicas del domingo y respuestas a preguntas sobre nuestra fe. Pide a un miembro de tu familia tomar un periódico de tu parroquia. Lee sobre lo que está pasando en la comunidad católica.

Visita Sadlier en www.CREEMOSweb.com

Conexión con el Catecismo
Para referencia vea los párrafos 104, 121, 124 y 127.

96

PÁGINA DEL ESTUDIANTE 96

_____ minutes

Chapter Review Explain to the children that they are going to check their understanding of what they have learned. Then have the children complete questions 1–4.

Ask volunteers to say aloud each of the correct answers. Correct any wrong answers. Then have the children look at question 5. Ask them to think of ways to show that we listen to God's word. After the children have finished, ask them to share their responses.

Reflect & Pray Explain: *The Holy Spirit helps us as we listen to God's word in the Bible. The Holy Spirit helps us to share the good news with others.* Provide time for the children to complete their prayers to the Holy Spirit.

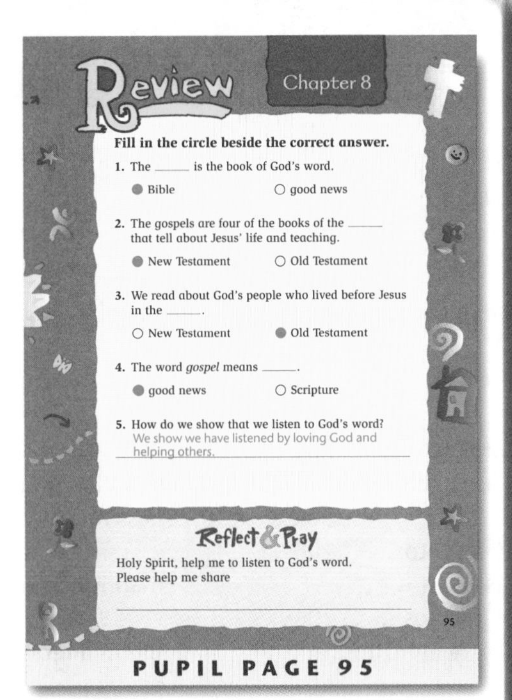

Review Chapter 8

Fill in the circle beside the correct answer.

1. The _____ is the book of God's word.
   ● Bible ○ good news
2. The gospels are four of the books of the _____ that tell about Jesus' life and teaching.
   ● New Testament ○ Old Testament
3. We read about God's people who lived before Jesus in the _____.
   ○ New Testament ● Old Testament
4. The word *gospel* means _____.
   ● good news ○ Scripture
5. How do we show that we listen to God's word?
   We show we have listened by loving God and helping others.

Reflect & Pray

Holy Spirit, help me to listen to God's word. Please help me share

95

PUPIL PAGE 95

We Respond and Share the Faith

_____ minutes

Remember Review the four *We Believe* statements. Hold up the Bible and ask the children to identify the two parts of the Bible. Ask: *Why is the Bible a special gift from God?*

Our Catholic Life Read aloud "Catholic Newspapers." If possible, have a copy of the local diocesan paper to show the children. Point out the important features of the newspaper such as stories about people who share the good news of Jesus Christ.

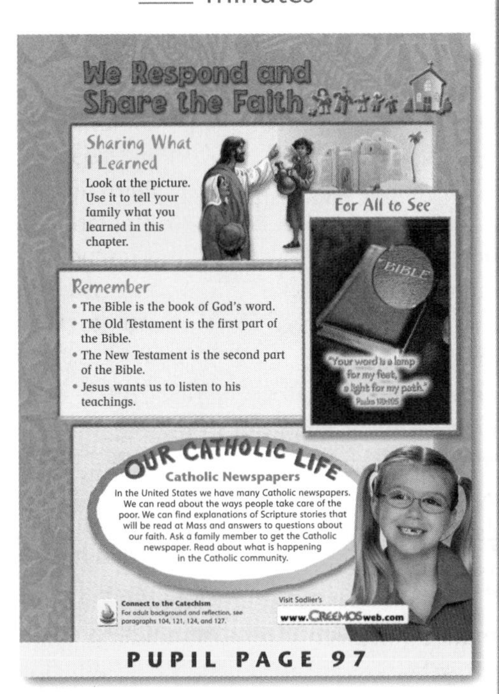

We Respond and Share the Faith

Sharing What I Learned

Look at the picture. Use it to tell your family what you learned in this chapter.

For All to See

Remember

- The Bible is the book of God's word.
- The Old Testament is the first part of the Bible.
- The New Testament is the second part of the Bible.
- Jesus wants us to listen to his teachings.

Our Catholic Life

Catholic Newspapers

In the United States we have many Catholic newspapers. We can read about the ways people take care of the poor. We can find explanations of Scripture stories that will be read at Mass and answers to questions about our faith. Ask a family member to get the Catholic newspaper. Read about what is happening in the Catholic community.

Connect to the Catechism
For adult background and reflection, see paragraphs 104, 121, 124, and 127.

Visit Sadlier's
www.CREEMOSweb.com

PUPIL PAGE 97

Activity Bank

Multiple Intelligences

Musical

Teach the following song to sing to the tune of "Frère Jacques."

Share the good news, share the good news,
of Jesus Christ! of Jesus Christ!
His good news helps us to love.
His good news helps us to live.
Live God's word! Live God's word!

Invite the children to make up their own verses.

Curriculum Connection

Science

Materials: rock, large plastic container, pitcher of water

Demonstrate the effects of water and wind on rock. Place a large rock in the center of a container. Pour water on the rock. Ask what happens. Then have children stand around the rock and blow like the wind on it. Help the children conclude that water and wind do not usually affect rocks in a short period of time.

Home Connection

Sharing What I Learned

Remind the children to share with their families what they learned in this chapter.

For additional information and activities, encourage families to visit Sadlier's

www.CREEMOSweb.com

Plan Ahead for Chapter 9

Prayer Space: photographs of people following laws or rules and keeping the commandments

Materials: copies of Reproducible Master 9, Grade 2 CD, colored pencils or crayons

Dios nos da leyes

Ojeada

En este capítulo los niños aprenderán que Dios nos da leyes llamadas mandamientos. Al obedecer estas leyes, mostramos amor y respeto a Dios, los demás y a nosotros mismos.

Contenido doctrinal	Para referencia del *Catecismo de la Iglesia Católica*
Los niños aprenderán que:	párrafo
• Jesús nos enseñó el Gran Mandamiento.	2055
• Los Diez Mandamientos nos ayudan a vivir como hijos de Dios.	2059
• Dios quiere que le mostremos amor y respeto.	2067
• Dios quiere que mostremos que amamos a los demás como nos amamos a nosotros mismos.	2069

Referencia catequética

¿Quién le enseñó los mandamientos?

En el Antiguo Testamento, Moisés es venerado como el gran maestro porque enseñó a los israelitas sobre su nueva alianza con Dios. En otras palabras, Yavé es su Dios y ellos son su pueblo. Los israelitas respondieron al amor de Dios cumpliendo y obedeciendo los Diez Mandamientos que el Señor le había revelado a Moisés. En los tres primeros mandamientos las personas aprenden como amar y respetar a Dios y en los últimos siete, como amarse y respetarse a ellos mismos y a los demás.

En el Evangelio de Mateo, Jesús es revelado como el nuevo Moisés que nos enseña nuestra nueva alianza con Dios. Jesús nos dice que Dios es un Padre amoroso. El no anula los mandamientos sino que nos enseña como debemos complir los mandamientos y ser verdaderos hijos de Dios.

Al preguntar a Jesús cuál es el mayor de los mandamientos el responde que lo más importante es el amor. "Ama al Señor tu Dios con todo tu corazón, con toda tu alma y con toda tu mente" y luego Jesús añade: "Ama a tu prójimo como a ti mismo" (Mateo 22:37, 39). En el Gran Mandamiento, Jesús nos enseña que la razón para obedecer los mandamientos es amor.

Imitar el amor de Jesús y cumplir los mandamientos no siempre resulta una tarea fácil. Sin embargo, sabemos que no estamos solos. Por fe, sabemos que Jesús nos guía y fortalece.

¿De qué manera el amor por Dios y el prójimo guían sus acciones?

Mirando la vida

Historia para el capítulo

El lunes por la mañana, Luis se despertó temprano y se vistió. Luego, arregló su cama y levantó su ropa del piso. Los padres de Luis le habían pedido que hiciera esto todas las mañanas.

Más tarde, Luis bajó las escaleras y entró a la cocina donde su mamá estaba preparando el desayuno. Cuando Luis comenzaba a subirse a una silla para alcanzar su cereal favorito, su madre lo detuvo.

"Luis, ¿qué te dije sobre subirte en las sillas?" Preguntó la mamá. Luis sabía que su mamá pensaba que las sillas no eran un lugar seguro para subirse. Su mamá ya le había avisado a Luis y a su hermana Camila que pidieran ayuda a ella o a su papá si necesitaban alcanzar alguna cosa de los estantes.

Después de desayunar, Luis y Camila se sentaron en el asiento trasero del auto de su mamá para ir a la escuela. Para mayor seguridad y sin saber que podría ocurrir, los niños ajustaron sus cinturones. Su mamá comenzó a manejar. No avanzaron mucho cuando tuvieron que detenerse en el cruce de trenes. La mamá de Luis estaba llegando tarde a su trabajo y no había ningún tren a la vista. Pero, sin embargo no se movió y decidió esperar unos minutos más cuando de repente se escuchó el silbato de un tren.

Luis llegó a su escuela y se reunió con sus amigos. El timbre sonó y todos se quedaron quietos antes de entrar al edificio. Cuando Luis entró al aula, sacó su tarea. Mientras aguardaba las instrucciones de su maestra, se puso a pensar en todas las reglas que él y su familia habían obedecido esa mañana. Y pensó: "¡Recién son las nueve de la mañana! ¿Cuántas reglas más tendré que cumplir hoy?"

¿Cuáles son las reglas o leyes que Luis y su familia obedecieron esa mañana?

God Gives Us Laws

Overview

In this chapter the children will learn that God gave us laws called commandments. By obeying these laws, we show love and respect for God, others, and ourselves.

Doctrinal Content	For Adult Reading and Reflection *Catechism of the Catholic Church*
The children will learn:	Paragraph
• Jesus taught us the Great Commandment.	2055
• The Ten Commandments help us to live as God's children.	2059
• God wants us to show him our love and respect.	2067
• God wants us to show that we love others as we love ourselves.	2069

Catechist Background

Who taught you the commandments?

In the Old Testament Moses is revered as the great teacher because he taught the Israelites about their covenant with God. Simply stated, Yahweh is their God and they are his people. The Israelites responded to God's love by obeying the Ten Commandments that God revealed to Moses. In the first three commandments people learn how to love and respect God while in the last seven people learn how to love and respect themselves and one another.

In the Gospel of Matthew Jesus is seen as the new Moses who teaches us about our new relationship with God. From Jesus we learn that God is our loving Father. Jesus does not abolish the commandments. Rather Jesus shows us how to live the commandments as loving children of God.

When Jesus is asked which is the greatest commandment, he emphasizes the importance of love. He tells us to "love the Lord, your God, with all your heart, with all your soul, and with all your mind" and "love your neighbor as yourself" (Matthew 22:37, 39). In the Great Commandment Jesus gives us the reason for obeying all of the commandments: love.

It is not always easy to imitate the love that Jesus shows us and to follow the commandments. However, we do not do this alone. Through faith we know that we have Jesus with us to guide and strengthen us.

How does the love of God and neighbor guide your actions?

Focus on Life

Chapter Story

Liam woke up early on Monday morning and got dressed. Then he made his bed, and picked up his clothes from the floor. Liam's parents had asked him to do this every morning.

Then Liam went downstairs where his mother was getting breakfast ready. He started to climb up on a chair to reach for his favorite cereal, but his mother stopped him. "Liam, what have I said about standing on chairs?" she asked. Liam knew his mother did not think it was safe to stand on chairs. She had told him and his sister, Kelly, that she or Dad would get what he needed from the shelves.

After breakfast, Liam and Kelly climbed into the back seat of their mother's car to go to school. They buckled their seatbelts so that they would be safe no matter what happened. Their mother started driving down the street. They didn't go far before they were stopped at the train crossing. Liam's mother was late for work, and there was no train in sight. But she stopped and waited. The very next minute a train whizzed by them.

When Liam got to school, he joined his friends. The bell rang, and everyone became quiet before walking into the building. When Liam got to his classroom, he took out his homework. While he waited for directions from his teacher, he thought about all the rules he and his family had followed that morning. He asked himself, "It's only 9:00 in the morning! How many more rules will I need to follow today?"

What are the rules or laws Liam and his family followed that morning?

Guía para planificar la lección

Pasos de la lección	Presentación	Materiales

NOS CONGREGAMOS

Pasos de la lección	Presentación	Materiales
pág. 98 **Oración**  **Mirando la vida**	• Pedir a Dios que nos ayude a cumplir con sus leyes. • Comentar algunas reglas que seguimos todos los días.	Para el lugar de oración: la Biblia y fotografías de personas obedeciendo leyes

CREEMOS

Pasos de la lección	Presentación	Materiales
pág. 98 *Jesús nos enseñó el Gran Mandamiento.*  *Mateo 22:35–39*	• Leer y comentar el texto sobre el Gran Mandamiento. Realizar la actividad de describir la ilustración. • Reflexionar sobre la pregunta.	• marcadores o crayones
**pág. 100** *Los Diez Mandamientos nos ayudan a vivir como hijos de Dios.*	• Presentar el texto sobre los Diez Mandamientos. Realizar la actividad.	• marcadores o crayones
pág. 102 *Dios quiere que le mostremos amor y respeto.*	• Leer y comentar el texto sobre cómo demostrar a Dios nuestro amor y respeto. Alabar a Dios con una canción. • Leer y comentar *Como católicos.*	Canción "No hay Dios tan grande", 2–3 CD
pág. 104 *Dios quiere que mostremos que amamos a los demás como nos amamos a nosotros mismos.*	• Leer y comentar las formas en que demostramos amor por nosotros y por los demás. • Señalar *Vocabulario* y sus definiciones.	• lápices • copias del patrón 9

3 RESPONDEMOS

Pasos de la lección	Presentación	Materiales
pág. 104	Completar la actividad de *Respondemos.*	
páginas 106 y 108 **Repaso**	• Completar las preguntas 1 a 5. • Completar la actividad de *Reflexiona y ora.*	
páginas 106 y 108 **Respondemos y compartimos la fe**	• Repasar *Recuerda* y *Vocabulario.* • Leer y comentar *Nuestra vida católica.*	

Para ideas, actividades y otras oportunidades visite Sadlier en **www.CREEMOSweb.com**

Lesson Planning Guide

Lesson Steps	Presentation	Materials

WE GATHER

Lesson Steps	Presentation	Materials
page 99  **Prayer** **Focus on Life**	• Ask God for help to follow his laws. • Discuss rules that we follow every day.	For the prayer space: Bible and photos of people following laws

WE BELIEVE

Lesson Steps	Presentation	Materials
page 99 *Jesus taught us the Great Commandment.* *Matthew 22:35–39*	• Read and discuss the text about the Great Commandment. Do the picture study activity. • Reflect on the question.	• highlighters or crayons
page 101 *The Ten Commandments help us to live as God's children.*	• Present the text about the Ten Commandments. Do the activity.	• highlighters or crayons
page 103 *God wants us to show him our love and respect.*	• Read and discuss the text about showing God love and respect. Praise God in song. • Read and discuss *As Catholics.*	"We Celebrate with Joy," #7, Grade 2 CD
page 105 *God wants us to show that we love others as we love ourselves.*	• Read and discuss the ways we show love for ourselves and others. • Point out the *Key Words* and the definitions.	• pencils • copies of Reproducible Master 9

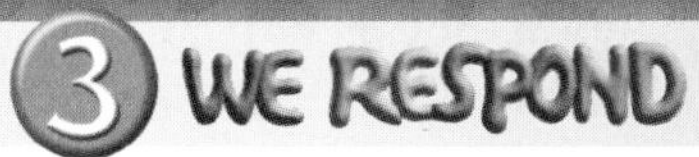

WE RESPOND

Lesson Steps	Presentation	Materials
page 105	Complete the *We Respond* activity.	
pages 107 and 109 **Review**	• Complete questions 1–5. • Complete the *Reflect & Pray* activity.	
pages 107 and 109 **We Respond and Share the Faith**	• Review *Remember* and *Key Words.* • Read and discuss *Our Catholic Life.*	

For additional ideas, activities, and opportunities: Visit Sadlier's **www.CREEMOSweb.com**

Conexiones

Doctrina social de la Iglesia

Solidaridad de la familia humana
Señale a los niños que seguimos el Gran Mandamiento cuando vivimos en armonía con otras personas. Demostramos nuestro amor por Dios y por los demás cuando aprendemos las costumbres y tradiciones de personas de distintos países.

La liturgia

Explique a los niños que cumplimos con los primeros tres mandamientos siempre que nos congregamos con nuestra comunidad parroquial para adorar a Dios. Diga también que cumplimos el tercer mandamiento cuando nos congregamos los domingos para celebrar la Eucaristía. Señale la importancia de la participación de los niños cuando cantamos, escuchamos y rezamos las respuestas.

FE y MEDIOS

▶ Después de aprender sobre los mandamientos y las formas de cumplirlos, es posible que los niños necesiten ayuda para diseñar una página en la red sobre los Diez Mandamientos. En esta página los niños podrán publicar sus dibujos para mostrar cómo un niño de segundo grado puede seguir los mandamientos.

Liturgia para esta semana
Visite **www.creemosweb.com** para las lecturas bíblicas de esta semana y otros materiales propios del tiempo.

Necesidades individuales

Niños que están aprendiendo el idioma

Es posible que los niños tengan problemas para entender los términos o las palabras que se usan en los Diez Mandamientos. Use términos o palabras simples y siempre que sea posible sugiera algunos ejemplos para que los niños sepan exactamente lo que establecen las leyes.

RECURSOS ADICIONALES

Video *La tabla del patinaje,* Franciscan Communications. Sande, de ocho años, es atrevida para patinar. Se salva por muy poco de ser atropellada por unos bomberos. Ella tiene que aguantar las consecuencias cuando se enteran sus padres de lo sucedido con los bomberos. (12 minutos)

Para ideas visite a Sadlier en

www.CREEMOSweb.com

Connections

To Catholic Social Teaching

Solidarity of the Human Family
Stress with the children that we follow the Great Commandment when we try to live in harmony with all people. We show our love for God and others when we learn the customs and traditions of people from different countries.

FAITH and MEDIA

- After the group has learned about the Ten Commandments and ways to follow them, consider helping the children set up a Ten Commandments Web page where they can post drawings of ways a second grader can follow the commandments.

To Liturgy

Explain to the children that we are following the first three commandments whenever we gather with our parish community to worship God. Also tell the children that we are following the third commandment when we gather on Sunday to celebrate the Eucharist. Stress the importance of the children's participation in singing, listening, and praying the responses.

This Week's Liturgy
Visit **www.creemosweb.com** for this week's liturgical readings and other seasonal material.

Meeting Individual Needs

English Language Learners

The children may have trouble understanding the vocabulary used in the Ten Commandments. Try to simplify unfamiliar terms and give a few examples so that the children know exactly what the laws state.

ADDITIONAL RESOURCES

Book *The ABCs of the Ten Commandments for Children*, Francine M. O'Connor, Liguori Publications, 1990. Illustrated verses help children apply the commandments to their own lives.

Video *The Blown-Around Room/God's Rules for Me*, Pauline Books and Media, 1988. Shows children the proper way to behave and consequences of not following rules (25 minutes).

To find more ideas for books, videos, and other learning material visit Sadlier's

www.CREEMOSweb.com

Meta catequética

- Explicar que el Gran Mandamiento y los Diez Mandamientos nos ayudan a vivir como hijos de Dios

Preparandose para orar

En esta oración de congregación, los niños pedirán ayuda a Dios para cumplir sus leyes.

- Escoja un líder de oración y cuatro lectores. Pídales preparar la oración.
- Diga a los niños que lean las respuestas del salmo que rezarán.

El lugar de oración

- En el lugar de oración muestre una lámina con imágenes de personas respetando leyes o reglas de seguridad importantes.
- Coloque una Biblia en la mesa de oración.

9 Dios nos da leyes

Nos congregamos

✝ **Líder:** Señor Dios, nos das vida y amor. Tus leyes nos ayudan a saber como amarte y amar a los demás. Muéstranos como seguirte:

Lector 1: en nuestras casas

Lector 2: en nuestra parroquia

Lector 3: en nuestro vecindario

Lector 4: en nuestro mundo.

Todos: "Señor, la tierra está llena de tu amor; ¡enséñame tus leyes!" (Salmo 119:64)

¿Cuáles son algunas reglas que cumples diariamente?

Creemos

Jesús nos enseñó el Gran Mandamiento.

Dios Padre nos ama mucho. El nos protege dándonos leyes para cumplir. Las leyes de Dios son llamadas **mandamientos**.

Mateo 22:35–39

Un día Jesús estaba enseñando. Alguien le preguntó cual era el mandamiento más importante. Jesús contestó: "Ama al Señor tu Dios con todo tu corazón, con toda tu alma y con toda tu mente". Este es el más importante y el primero de los mandamientos. Y el segundo es parecido a este; dice: "Ama a tu prójimo como a ti mismo". (Mateo 22:37, 39)

Planificación de la lección

Nos congregamos ___ minutos

✝ **Oración**

- Pida a los niños que permanezcan sentados y abran sus libros en la página 98. Pídales mirar las ilustraciones del vecindario y las personas.
- Luego, pida a los niños que se congreguen en el lugar de oración con sus libros abiertos. Recen juntos la Señal de la Cruz y pida al líder que comience la oración.
- Diga a los lectores que recen sus partes y que toda la clase rece los versos del salmo.

 **Mirando la vida**

- Comente la pregunta y ayude a los niños a entender que todas las personas, incluso el director y el presidente, deben respetar reglas o leyes.
- Comparta la *Historia para el capítulo* en la página 98A.

Creemos ___ minutos

Escriba la palabra *mandamientos* en la pizarra. Explique: *Las leyes de Dios se llaman mandamientos.* Pregunte: *¿Por qué creen que Dios nos dio leyes?* Pida a voluntarios compartir sus respuestas con el grupo. Luego, sugiera a un voluntario que lea en voz alta la afirmación *Creemos* y el primer párrafo.

Pida a los niños que cierren sus ojos y se imaginen que están escuchando a Jesús enseñar. Lea en voz alta la Escritura en la página 98. Al terminar, pídales que lean en silencio mientras usted repite las palabras de Jesús. Dígales que marquen o subrayen esas palabras en sus textos. Explique: *Esta enseñanza de Jesús se llama el Gran Mandamiento.*

God Gives Us Laws

9

WE GATHER

Leader: Lord God, you give us life and love. Your laws help us to know how to love you and others. Show us how to follow you:

Reader 1: in our homes

Reader 2: in our parish

Reader 3: in our neighborhood

Reader 4: in our world.

All: "The earth, LORD, is filled with your love; teach me your laws." (Psalm 119:64)

What are some rules that you follow every day?

WE BELIEVE

Jesus taught us the Great Commandment.

God the Father loves us very much. He protects us by giving us laws to follow. God's laws are called **commandments**.

Matthew 22:35–39

One day Jesus was teaching. Someone asked him which commandment is the greatest. Jesus answered, "You shall love the Lord, your God, with all your heart, with all your soul, and with all your mind." Then he said, "You shall love your neighbor as yourself." (Matthew 22:37, 39)

Barbecue Booth HOT DOG= HAM...

99

Catechist Goal

- To explain that the Great Commandment and the Ten Commandments help us to live as God's children

PREPARING TO PRAY

In this gathering prayer the children will ask God for help in following his laws.

- Choose a prayer leader and four readers. Have these children prepare the prayer.
- Have all the children read the psalm response they will pray.

The Prayer Space

- In the prayer space display a poster on which you have placed pictures of people following laws or important safety rules.
- Place a Bible on the prayer table.

Lesson Plan

WE GATHER ____ minutes

Prayer

- Invite the children to remain seated and to open their books to page 99. Have them look at the pictures of the neighborhood and the people.
- Then have the children gather in the prayer space with their open books. Pray the Sign of the Cross together and have the leader begin.
- Have the readers pray their parts and have the entire class pray the psalm verse.

Focus on Life

- Discuss the question. Help the children to realize that all people, including the principal of a school and the president of the United States, are asked to follow rules.
- Share the *Chapter Story* on guide page 98B.

WE BELIEVE ____ minutes

Write the word *commandments* on the board. Explain: *God's laws are called commandments.* Ask: *Why do you think God gave us laws?* Invite two or three volunteers to share their responses. Then have a volunteer read aloud the We Believe statement and the first paragraph.

Ask the children to close their eyes and imagine themselves listening to Jesus teach. Then read aloud the Scripture reading. When you have finished, ask the children to read quietly while you repeat Jesus' words. Have the children highlight or underline these words in their texts. Explain: *This teaching of Jesus is called the Great Commandment.*

Nuestra respuesta en la fe

- demostrar nuestro amor y respeto por Dios y los demás

mandamientos
Gran Mandamiento
Diez Mandamientos

Materiales

- copias del patrón 9
- 2–3 CD
- marcadores o crayones

Conexión con el hogar

Pida a los niños que hablen sobre la experiencia de compartir con sus familias lo que aprendieron en el capítulo 8 .

Jesús nos mostró como amar a Dios, a nosotros mismos y a los demás. La enseñanza de Jesús sobre el amor a Dios y a los demás es el **Gran Mandamiento**. Cuando obedecemos este mandamiento cumplimos todos los mandamientos de Dios.

Di como Jesús está viviendo el Gran Mandamiento en cada ilustración. ¿Cómo puedes mostrar que amas como Jesús?

Los Diez Mandamientos nos ayudan a vivir como hijos de Dios.

Muchos años antes de nacer Jesús, Dios dio a su pueblo leyes especiales. Estas leyes son llamadas los **Diez Mandamientos**. Están escritos en el Antiguo Testamento en la Biblia.

Cuando Jesús estaba creciendo aprendió esos mandamientos. El obedeció las leyes y enseñó a sus seguidores a obedecerlas.

Los mandamientos nos ayudan a vivir como hijos de Dios. Los tres primeros nos ayudan a amar a Dios y los siete restantes nos ayudan a amar a los demás y a nosotros mismos.

100

Planificación de la lección

CREEMOS (continuación)

Sugiera a un voluntario que lea el primer párrafo en la página 100. Escriba en la pizarra: *Cuando obedecemos el Gran Mandamiento, amamos a __________, a ____________ y a _____________.* Pida a voluntarios que digan las palabras que faltan para completar la oración. (Dios, nosotros mismos y los demás).

Comente como demuestra Jesús su amor en las ilustraciones de las páginas 100 y 101. Luego, comente como los niños pueden demostrar su amor de la misma manera que lo hizo Jesús.

Lea la afirmación y los primeros dos párrafos de *Creemos* en la página 100. Recalque: *Jesús y sus seguidores obedecieron los mandamientos de Dios. Los diez mandamientos son un regalo de Dios.*

Pida a un voluntario que lea el tercer párrafo y diga a los niños que marquen o subrayen la última oración. Luego, sugiera a los niños que lean en silencio mientras lee en voz alta los Diez Mandamientos en la página 102. Explique: *Estas leyes nos ayudan a amar y respetar a Dios y a los demás.* Ponga énfasis en que: *Obedecemos los Diez Mandamientos porque amamos a Dios y queremos actuar lo que nos pide.* Anime a los niños a darse cuenta que los mandamientos nos enseñan las cosas buenas que podemos hacer en nuestras vidas y que debemos respetar a los demás.

 Completar la actividad.

Jesus showed us how to love God, ourselves, and others. Jesus' teaching to love God and others is the **Great Commandment**. When we obey this commandment we follow all of God's commandments.

 For each picture tell how Jesus is living the Great Commandment. How can you show your love like Jesus did?

The Ten Commandments help us to live as God's children.

Many years before Jesus was born, God gave his people special laws. These laws are called the **Ten Commandments**. They are written in the Old Testament in the Bible.

When Jesus was growing up, he learned these commandments. He obeyed these laws and taught his followers to obey them.

The commandments help us to live as God's children. The first three commandments help us to love God. The other seven commandments help us to love ourselves and others.

101

Our Faith Response

- To show love and respect to God and others

commandments
Great Commandment
Ten Commandments

Materials

- copies of Reproducible Master 9
- Grade 2 CD
- highlighters or crayons

Home Connection Update

Ask the children to talk about their experience when sharing with their families what they learned on chapter 8.

Lesson Plan

WE BELIEVE (continued)

Invite a volunteer to read the first paragraph on page 101. Write on the board: When we obey the *Great Commandment, we love ________, ________, and ________.* Ask volunteers to tell the three words that complete the sentence (God, ourselves, others).

Discuss how Jesus is showing love in the pictures on pages 100 and 101. Then discuss how the children can show their love like Jesus did.

Read the statement and the first two paragraphs of *We Believe* on page 101. Stress: *Jesus and his followers obeyed God's commandments. The Ten Commandments are gifts from God.*

Ask a volunteer to read the third paragraph. Have the children highlight or underline the second and third sentences. Then ask the children to read quietly as you read aloud the Ten Commandments found on page 103. Explain: *These laws help us to love and respect God and one another.* Stress: *We obey the Ten Commandments because we love God and want to do as he asks.* Encourage the children to see the commandments as ways to do good in our lives and to treat one another with respect.

Complete the activity.

Como católicos...

Metas

Lea el texto Como católicos. Sugiera a los niños hacer sus propias jaculatorias y rezarlas con frecuencia. Pida a voluntarios que compartan sus oraciones con todos.

Recen juntos las jaculatorias en Como católicos.

Los Diez Mandamientos

1. Yo soy el Señor tu Dios: no tendrás más Dios fuera de mí.
2. No tomarás el nombre de Dios en vano.
3. Recuerda mantener santo el día del Señor.
4. Honra a tu padre y a tu madre.
5. No matarás.
6. No cometerás adulterio.
7. No robarás.
8. No darás falso testimonio en contra de tu prójimo.
9. No desearás la mujer de tu prójimo.
10. No codiciarás los bienes ajenos.

Lee los mandamientos y piensa en como vas a cumplirlos esta semana.

Dios quiere que le mostremos amor y respeto.

Cumplir los Diez Mandamientos nos ayuda a vivir como hijos de Dios. Debemos mostrar nuestro amor a Dios cumpliendo los tres primeros. He aquí algunas formas:

- Creemos en un solo Dios y lo amamos sobre todas las cosas.
- Mencionamos el nombre de Dios con amor y respeto.
- Adoramos a Dios en nuestra parroquia todas las semanas, en la misa los domingos o los sábados en la tarde.

Como católicos...

Dios está siempre con nosotros. Podemos hablar con él en cualquier momento y en cualquier lugar. Algunas veces, nuestras palabras a Dios son oraciones. Algunas veces hacemos oraciones cortas. Estas oraciones son llamadas jaculatorias. He aquí tres ejemplos:

- Dios, te amo.
- Jesús, acompáñame.
- Espíritu Santo, ayúdame.

Puedes hacer tus propias jaculatorias. Rézalas con frecuencia.

Podemos alabar a Dios cantando.

No hay Dios tan grande

No hay Dios tan grande
como tú,
no lo hay, no lo hay.
No hay Dios que haga
maravillas como las que
haces tú.
No con espadas, ni con
ejércitos, mas con tu
Santo Espíritu.

102

Planificación de la lección

CREEMOS (continuación)

Cotejo rápido

✔ *¿Cuál es el Gran Mandamiento?* (En el Gran Mandamiento, Jesús nos enseña que debemos amar a Dios y a los demás).

✔ *¿Cómo nos ayudan los diez mandamientos?* (Los Diez Mandamientos nos ayudan a vivir como hijos de Dios).

✔ *¿A quién demostramos amor cuando seguimos los diez mandamientos?* (Demostramos amor a Dios, los demás y nosotros mismos).

Recuerde a los niños*: Los primeros tres mandamientos nos ayudan a amar a Dios.* Luego, pida voluntarios para leer en la página 102, las formas en que debemos amar a Dios.

Encuentre formas de amar. Lea en voz alta la siguiente lista de actividades. Diga a los niños: *Pónganse de pie si la actividad es una forma de amar y respetar a Dios. Permanezcan sentados si no es una forma de demostrar nuestro respeto.*

- Congregarse con los miembros de nuestra parroquia para la misa del día domingo. (ponerse de pie)
- No prestar atención durante la celebración de la misa. (sentados)
- Decir el nombre de Dios con amor. (ponerse de pie)
- Decir nuestras oraciones a las apuradas. (sentados)

Escuche la canción "No hay Dios tan grande", 2–3 CD. Anime a los niños a practicar la canción. Ayúdelos a inventar gestos para la canción. Pueden congregarse en el lugar de oración para cantarla.

Read the commandments and think about ways you are going to live them this week.

God wants us to show him our love and respect.

Following the Ten Commandments helps us to live as children of God. We must show God our love by following the first three commandments. Here are some of the ways.

- We believe in one God and love him more than anything.
- We speak God's name only with love and respect.
- We worship God with our parish each week for Mass on Sunday or Saturday evening.

The Ten Commandments

1. I am the LORD your God: you shall not have strange gods before me.
2. You shall not take the name of the LORD your God in vain.
3. Remember to keep holy the LORD's Day.
4. Honor your father and your mother.
5. You shall not kill.
6. You shall not commit adultery.
7. You shall not steal.
8. You shall not bear false witness against your neighbor.
9. You shall not covet your neighbor's wife.
10. You shall not covet your neighbor's goods.

We can praise God in song.

We Celebrate with Joy

We celebrate with joy
and gladness.
We celebrate God's love for us.
We celebrate with joy
and gladness,
God with us today.
God with us today.

As Catholics...

God is always with us. We can talk to him anytime or anywhere. Our words to God are prayers. Sometimes we say short prayers. These prayers are called aspirations. Here are three examples.

- God, I love you.
- Jesus, be with me.
- Holy Spirit, help me.

You can make up your own aspirations. Pray them often.

103

As Catholics...

Aspirations

Read the *As Catholics* text. Encourage the children to make up their own aspirations to pray often. Ask volunteers to share their prayers with everyone.

Pray together the aspirations in *As Catholics.*

Lesson Plan

WE BELIEVE (continued)

Quick Check

✔ *What is the Great Commandment?* (The Great Commandment is Jesus' teaching to love God, ourselves, and others.)

✔ *What do the Ten Commandments help us to do?* (The Ten Commandments help us to live as God's children.)

✔ *Whom do we show love for when we follow the Ten Commandments?* (We show love for God, others, and ourselves.)

Read the *We Believe* statement on page 103. Stress: *The first three commandments help us to love God.* Then ask volunteers to read the three ways listed.

Find ways of love. Read the following list of activities aloud. Tell the children: *Stand if the activity is a way we show God love and respect. Stay in your seat if the activity is not a way we show respect.*

- Gather with our parish for Mass on Sunday. (stand)
- Do not pay attention at Mass.
- Say God's name lovingly. (stand)
- Race through our prayers.

Play "We Celebrate with Joy and Gladness," #7 on the Grade 2 CD. Have the children practice singing. Help them to make up actions for the song. Then you may want to gather in the prayer space to sing the song.

Ideas

Enseñar los Diez Mandamientos

Recuerde que el objetivo de esta lección es ofrecer a los niños una visión general sobre los mandamientos.

Los niños estudiarán cada uno de los mandamientos y las maneras de cumplirlos en el libro de cuarto grado del programa *Creemos.*

Dios quiere que mostremos que amamos a los demás como nos amamos a nosotros mismos.

Dios quiere que nos tratemos como hermanos. Desde el cuarto hasta el décimo mandamiento aprendemos formas de amarnos y amar a los demás. He aquí algunas formas:

- Obedecemos a nuestros padres y a todo el que cuide de nosotros.
- Respetamos toda vida humana.
- Respetamos nuestros cuerpos y el cuerpo de los demás.
- Nos protegemos unos a otros, especialmente aquellos que no pueden protegerse a sí mismos.
- Cuidamos de nuestras pertenencias.
- Somos justos cuando jugamos.
- No robamos lo que pertenece a otro.
- Decimos la verdad y somos amables con los demás.
- Mostramos agradecimientos por nuestras familias y amigos.
- Mostramos que agradecemos lo que tenemos.

Vocabulario

mandamientos leyes de Dios

Gran Mandamiento enseñanza de Jesús sobre el amor a Dios y a los demás

Diez Mandamientos diez leyes especiales que Dios dio a su pueblo

RESPONDEMOS

Escribe dos maneras en que puedes mostrar amor por ti y por los demás.

____

____

____

104

Planificación de la lección

CREEMOS (continuación)

Dibuje un corazón grande en la pizarra o en un papel grande. Recuerde a los niños que Dios quiere que amemos a los demás como a nosotros mismos. Escriba *nosotros mismos* en el centro del corazón. Pida a voluntarios que mencionen distintas formas de mostrar amor y respeto por nosotros mismos (realizar actividad física, dormir lo suficiente). Escriba todas las respuestas razonables dentro el corazón.

Recalque *Al obedecer los últimos siete mandamientos, demostramos nuestro amor por Dios amando y respetando a nosotros mismos y a los demás.* Luego, pida a voluntarios que lean la lista de formas de amar y respetar en la página 104.

Vocabulario Desordene las letras de cada palabra del *Vocabulario* en la pizarra. Pida a un voluntario que ordene las letras y escriba correctamente las tres palabras en la pizarra. Pida al resto de la clase que explique el significado de cada una. Repase las definiciones como se presentan en el capítulo.

RESPONDEMOS ____ minutos

Conexión con la vida Permita que los niños dispongan del tiempo necesario para completar la actividad de la sección *Respondemos.*

Distribuya copias del patrón 9. Diga a los niños que trabajen en pares para completar el crucigrama. Cuando todos los niños hayan terminado, pida a voluntarios que compartan sus respuestas. (Horizontales: 3. gran; 5. domingo. Verticales: 1. verdad; 2. alabamos; 4. felices)

Oración Recen juntos las jaculatorias en *Como católicos.*

Key Words

commandments God's laws

Great Commandment Jesus' teaching to love God and others

Ten Commandments ten special laws God gave to his people

God wants us to show that we love others as we love ourselves.

God wants us to treat one another as brothers and sisters. In the fourth through the tenth commandments, we learn ways to love ourselves and others. Here are some of the ways.

- We obey our parents and all who care for us.
- We respect all human life.
- We respect our bodies and the bodies of others.
- We protect everyone, especially those who cannot protect themselves.
- We take care of what we own.
- We are fair when playing.
- We do not steal what other people own.
- We tell the truth and speak kindly of others.
- We show that we are thankful for our family and friends.
- We show that we are thankful for what we own.

WE RESPOND

Write two ways you can show love for yourself and others.

____

____

____

105

Teaching Tip

Teaching the Ten Commandments

Please keep in mind that the purpose of this lesson is to give the children an overall view of the commandments. The children will study each commandment and the ways we follow it at the fourth-grade level of the *We Believe* program.

Lesson Plan

WE BELIEVE (continued)

Draw a large heart on the board or on chart paper. Remind the children that God wants us to love others as we love ourselves. Write *ourselves* in the center of the heart. Have volunteers tell ways that we show love and respect for ourselves (exercise, get enough sleep). Write all reasonable responses inside the heart.

Stress *By following the fourth through the tenth commandments, we are showing our love for God by loving and respecting ourselves and others.* Then have volunteers read the list of ways on page 105.

Key Words Scramble the letters of each of the three *Key Words* on the board. Ask a volunteer to unscramble the letters and write each term correctly on the board. Have the other children explain what each term means. Review the definitions as they are presented in the chapter.

WE RESPOND ____ minutes

Connect to Life Provide time for the children to complete the *We Respond* activity.

Distribute copies of Reproducible Master 9. Have the children work in pairs to complete the puzzle. When all the pairs have finished, invite volunteers to share their answers. (Across: 1. Great; 4. Sunday; 5. worship. Down: 2. truth; 3. happy)

Pray aspirations as suggested in *As Catholics.*

BANCO DE ACTIVIDADES

Comunidad

Invitado especial

Invite a un oficial (ya sea un oficial de policía, un guardabosque o un funcionario del gobierno) para hablar a la clase. Pida al invitado que recalque que el cumplir las leyes ayuda a que muchas personas estén sanas y salvas. Después de la presentación, explique: *Obedecer estas leyes es demostrar amor por Dios, nosotros mismos y los demás.*

Fe y medios

Mostrar amor y respeto

Divida a los niños en grupos pequeños. Pida a los miembros de cada grupo que comenten sobre personajes en libros, películas o programas de televisión y las formas en que estos personajes demuestran o no su amor y respeto por ellos mismos y por los demás.

CONEXION CON EL HOGAR

Compartiendo lo aprendido

Recuerde a los niños compartir con sus familias lo aprendido en este capítulo.

Sugiera a los niños que comenten con sus familias las formas en que pueden demostrar respeto por Dios, ellos mismos y sus vecinos.

Para más información y actividades adicionales visite a Sadlier en

www.CREEMOSweb.com

Planifique por adelantado

Lugar de oración: corazones grandes de papel afiche, la Biblia

Materiales: copias del patrón 10

____ minutos

Repaso del capítulo Lea las oraciones 1 a 4 y pida a los niños que encierren en un círculo la respuesta correcta en sus libros. Luego, lea las respuestas correctas. Aclare cualquier duda que pueda surgir.

Finalmente, pida a los niños que lean la pregunta 5. Sugiérales que escriban la respuesta con sus propias palabras. Pida a voluntarios que compartan sus respuestas con el resto de la clase.

Reflexiona y ora Lea en voz alta las palabras que comienzan la oración. Permita que los niños dispongan del tiempo necesario para completar la oración de agradecimiento.

Repaso — Capítulo 9

Encierra en un círculo la respuesta correcta.

1. La enseñanza de Jesús de amar a Dios y a los demás es el Gran Mandamiento.
   (Sí) No ?
2. Siempre debemos mencionar el nombre de Dios con respeto.
   (Sí) No ?
3. Podemos tomar cosas de otros.
   Sí (No) ?
4. Proteger la vida de alguien es una forma de cumplir la ley de Dios.
   (Sí) No ?
5. ¿Por qué los Diez Mandamientos son importantes?
   Dios nos dio los Diez Mandamientos para que nos ayuden a vivir como hijos de Dios.

Reflexiona y ora

Querido Dios, gracias por tu regalo de los Diez Mandamientos. Sé que son leyes que:

106

PÁGINA DEL ESTUDIANTE 106

Respondemos y compartimos la fe

_____ minutos

Recuerda Pida a voluntarios que lean en voz alta las cuatro afirmaciones *Creemos.* Pida a los niños que piensen de qué formas los Diez Mandamientos simplifican nuestras vidas.

Nuestra vida católica

Lea en voz alta "Vivir los mandamientos". Pida a los niños que piensen en juegos que realizan con sus amigos y de qué forma pueden seguir los Diez Mandamientos mientras juegan. Comente por qué es importante ser amable y justo cuando participamos en juegos.

Respondemos y compartimos la fe

Compartiendo lo aprendido

Mira la ilustración. Usala para contar a tu familia lo que aprendiste en este capítulo.

Para que todos vean

Recuerda

- Jesús nos enseñó el Gran Mandamiento.
- Los Diez Mandamientos nos ayudan a vivir como hijos de Dios.
- Dios quiere que le mostremos amor y respeto.
- Dios quiere que mostremos que amamos a los demás como nos amamos a nosotros mismos.

NUESTRA VIDA CATÓLICA

Vivir los mandamientos

Dios quiere que cumplamos los Diez Mandamientos aun cuando nos estemos divirtiendo. Podemos hacer esto cumpliendo las reglas de los juegos, siendo honestos, respetando a los demás jugadores, ayudando a los compañeros de equipo que no juegan muy bien, no diciendo malas palabras ni haciendo trucos para ganar el juego.

Visita Sadlier en www.CREEMOSweb.com

Conexión con el Catecismo
Para referencia vea los párrafos 2055, 2059, 2067 y 2069.

108

PÁGINA DEL ESTUDIANTE 108

_____ minutes

Chapter Review Read questions 1–4 to the children and have them circle the correct answers in their books. Then read the correct answers. Clear up any misconceptions that may arise.

Finally, have the children read question 5. Encourage the children to write their own words to answer the question. Invite volunteers to share their responses.

Reflect & Pray Read aloud the words that begin the prayer. Allow enough time for all the children to complete the thank-you prayer.

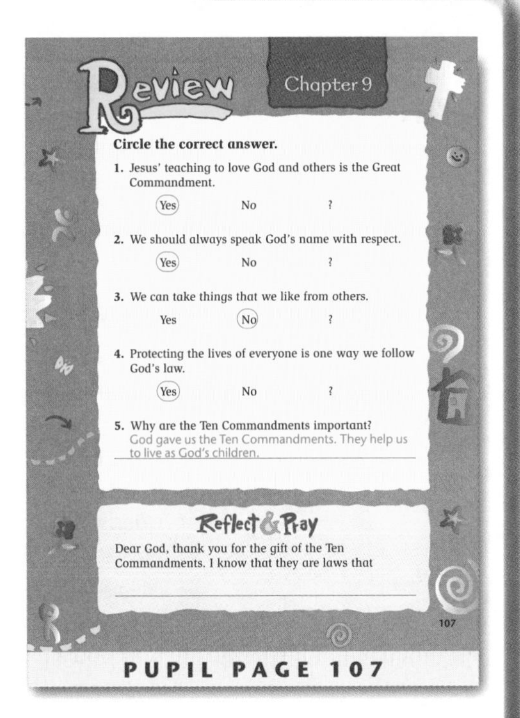

Review Chapter 9

Circle the correct answer.

1. Jesus' teaching to love God and others is the Great Commandment.
   (Yes) No ?
2. We should always speak God's name with respect.
   (Yes) No ?
3. We can take things that we like from others.
   Yes (No) ?
4. Protecting the lives of everyone is one way we follow God's law.
   (Yes) No ?
5. Why are the Ten Commandments important?
   God gave us the Ten Commandments. They help us to live as God's children.

Reflect & Pray

Dear God, thank you for the gift of the Ten Commandments. I know that they are laws that

107

PUPIL PAGE 107

We Respond and Share the Faith

____ minutes

Remember Have volunteers read the four *We Believe* statements aloud. Ask the children to think about ways the Ten Commandments make our lives better.

Our Catholic Life Read aloud "Living the Commandments." Encourage the children to think about games that they play with their friends and ways they can follow the Ten Commandments while playing them. Discuss why it is important to be kind and fair when playing games.

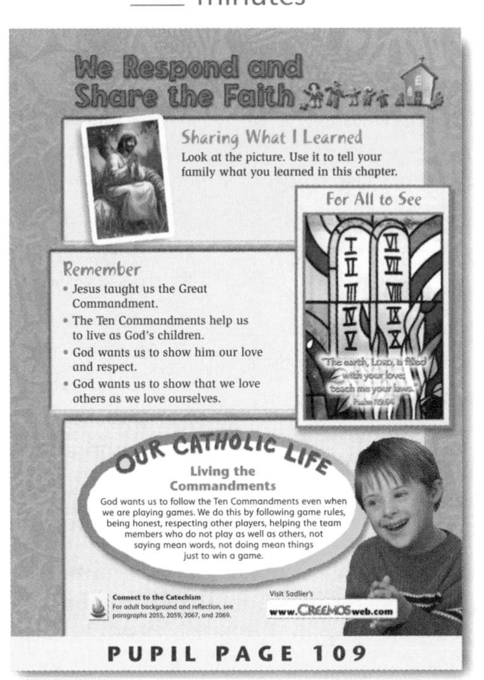

We Respond and Share the Faith

Sharing What I Learned

Look at the picture. Use it to tell your family what you learned in this chapter.

For All to See

Remember

- Jesus taught us the Great Commandment.
- The Ten Commandments help us to live as God's children.
- God wants us to show him our love and respect.
- God wants us to show that we love others as we love ourselves.

OUR CATHOLIC LIFE

Living the Commandments

God wants us to follow the Ten Commandments even when we are playing games. We do this by following game rules, being honest, respecting other players, helping the team members who do not play as well as others, not saying mean words, not doing mean things just to win a game.

Connect to the Catechism
For adult background and reflection, see paragraphs 2055, 2059, 2067, and 2069.

Visit Sadlier's www.CREEMOSweb.com

PUPIL PAGE 109

Activity Bank

Community

Guest Speaker

Invite a law-enforcement official (police officer, park ranger, or government official) to speak to the class. Ask the speaker to stress that following laws help many people to stay safe and healthy. After the presentation explain: *Obeying these laws is showing love for God, ourselves, and others.*

Faith and Media

Showing Love and Respect

Have the children work in small groups. Ask the members in each group to discuss characters in books, movies, or television programs and the ways those characters show or do not show love and respect for themselves and others.

Home Connection

Sharing What I Learned

Remind the children to share with their families what they learned in this chapter.

Encourage the children to invite their families to discuss ways they can show respect for God, themselves, and their neighbors.

For additional information and activities, encourage families to visit Sadlier's

www.CREEMOSweb.com

Plan Ahead for Chapter 10

Prayer Space: large poster-board hearts, Bible

Materials: copies of Reproducible Master 10

Capítulo 10 Cumplimos las leyes de Dios

Ojeada

En este capítulo los niños aprenderán sobre cumplir los mandamientos de Dios. Aprenderán sobre la misericordia de Dios hacia nosotros cuando no cumplimos con los mandamientos.

Contenido doctrinal	Para referencia del *Catecismo de la Iglesia Católica*
Los niños aprenderán que:	párrafo
• Jesús quiere que cumplamos los mandamientos.	2074
• Dios da libre albedrío a todo el mundo.	1730
• La amistad con Dios es dañada por el pecado.	1850
• Jesús nos enseñó sobre el perdón de Dios.	981

Referencia catequética

¿Qué le impulsa a obedecer leyes?

Durante los primeros años de vida, obedecemos reglas por temor al castigo. Con el tiempo crecemos lo suficiente para darnos cuenta del valor de las reglas y a menudo las obedecemos porque tienen sentido. Sin embargo, hay reglas que tienen sentido y que ignoramos.

Cumplir los Diez Mandamientos nos mantiene cerca de Dios y nos hace felices. Obedecer a los mandamientos es: "Reconocimiento, homenaje a Dios... Es cooperación con el designio que Dios se propone en la historia" (*CIC* 2062). No obstante, todos los días ciertas personas usan su libre albedrío para actuar de manera contraria a las leyes de Dios, pecan. Si sus pecados son graves, dañan su amistad con Dios. Todo pecado debilita nuestra amistad con Dios y con los demás.

Jesús relató una historia para enseñarnos como Dios trata a los pecadores. La historia del hijo pródigo nos cuenta de un joven egoísta que da la espalda a su padre y derrocha su herencia. Regresa a su casa arrepentido y su padre lo recibe como si no hubiera hecho nada malo. En lugar de castigarlo, el padre ofrece una fiesta de bienvenida.

Aunque Dios espera que sus hijos tomen buenas decisiones y cumplan sus mandamientos, todos tenemos libre albedrío para decidir libremente como actuar. Somos responsables de nuestras decisiones y sus consecuencias. Si estas nos conducen al pecado, Dios nos amará y perdonará si nos arrepentimos.

¿Cómo aprendemos a tomar decisiones que nos ayuden a cumplir con los mandamientos?

Mirando la vida

Historia para el capítulo

¡Hola, mi nombre es Carla! Nuestra maestra nos dijo que nosotros tomamos decisiones todos los días. Me gustaría contarles sobre algunas de las decisiones que tomé el sábado pasado. Estaba mirando mi programa de televisión favorito cuando mi mamá dijo que tenía que ir a la biblioteca. Yo no quería ir. Pensé en quejarme pero no quería hacer enojar a mi mamá. Entonces me puse mi abrigo y me reuní con ella afuera.

Al llegar a la biblioteca, mamá me dijo que sólo podía elegir dos libros. Me costó mucho decidir cuales llevaría a casa. Finalmente, elegí uno sobre el océano y otro sobre una niña de mi edad.

De regreso a casa, nos detuvimos en la casa de mi tía Anita. Estaba preparando el almuerzo para mi primo Guillermo que tiene cinco años. La tía Anita me preguntó si tenía hambre. "¿Qué quieres comer, un derretido de queso o un emparedado de mantequilla de maní?"

Después del almuerzo mamá y yo fuimos a recoger calabazas con tía Anita y Guillermo. No podía creer los distintos tamaños de calabazas que tenían en su jardín. Elegí la más grande que pude encontrar.

Cuando Guillermo vio mi calabaza, quiso que se la diera. Pensé en pelear y en decirle: "No, yo la ví primero". Pero dejé que Guillermo se quedara con la calabaza gigante y me fui a buscar otra. Mamá me dijo que estaba orgullosa de mí. Me dejó elegir un dulce especial en la panadería. Elegí galletitas de calabaza. Incluso compramos algunas de más para que pudiera compartirlas con Guillermo.

¿Qué decisiones tomó Carla el sábado pasado?

We Follow God's Laws

Overview

In this chapter the children will learn about following God's commandments. They will learn about God's mercy toward us when we fail to follow the commandments.

Doctrinal Content	For Adult Reading and Reflection *Catechism of the Catholic Church*
The children will learn:	Paragraph
• Jesus wants us to follow the commandments.	2074
• God gives each person free will.	1730
• Friendship with God is hurt by sin.	1850
• Jesus taught us about God's forgiveness.	981

Catechist Background

What prompts you to obey laws?

During the early years of our lives we obey rules because we are afraid of punishment. Eventually we grow old enough to see the value of rules and often obey them because they make good sense. However, rules that make common sense are still frequently ignored.

Obeying the Ten Commandments keeps us close to God and makes us happy. Our obedience to the commandments "...is the acknowledgement and homage given to God.... It is cooperation with the plan God pursues in history." (CCC 2062) Yet every day people use their free will to act in ways contrary to God's laws. They sin. If their sin is serious, people break their friendship with God, but serious or less serious, every sin damages our friendship with God and with one another.

Jesus told his followers a story to teach us how God treats those who sin. In the story of the prodigal son, we encounter a selfish young man who turns his back on his father and squanders his inheritance. When he returns home in humility and sorrow, his father welcomes him as if he had never left home or done anything wrong. Instead of punishing his son, the father throws a big party to welcome him home.

Although God wants us to make loving choices and follow the commandments, each of us has free will to make our own decisions. We are responsible for the choices that we make and their consequences. If we make choices that lead to sin, God will show us love and forgive us if we are sorry.

How can you make choices that help you to live out the commandments?

Focus on Life

Chapter Story

Hello listeners! My name is Callie. Our teacher told us that we make many kinds of choices every day. Let me tell you about last Saturday and some of the choices I made. I was watching my Saturday morning shows when Mom said she had to go to the library. I didn't want to go. I thought about making a fuss, but I didn't want to upset Mom. So I put on my jacket and met her outside.

When we were going into the library, Mom said that I could take out two books. I had a hard time choosing which ones I wanted. I finally picked one about the ocean and one about a girl my age.

On the way home we stopped at Aunt Anita's house. She was fixing lunch for my five-year-old cousin Will. Aunt Anita asked me if I was hungry. She asked me, "Do you want a grilled cheese or peanut butter sandwich?" I chose grilled cheese.

After lunch Mom and I went pumpkin picking with Aunt Anita and Will. I couldn't believe all the different sizes of pumpkins they had. I chose the biggest one I could find.

When Will saw my pumpkin, he wanted it. I thought about arguing and saying, "No, I saw it first." But I let Will have the giant pumpkin, and I went to pick another one. Mom told me she was proud of me. She let me choose a special treat at the farm's bakery. I chose pumpkin cookies. We even bought a few extra that I can share with Will.

What choices did Callie make last Saturday?

Guía para planificar la lección

NOS CONGREGAMOS

Pasos de la lección	Presentación	Materiales
pág. 110 **Oración**	• Escuchar la palabra de Dios. • Responder con una oración.	Para el lugar de oración: corazones grandes de papel, imagen de Jesús y la Biblia
 **Mirando la vida**	• Comentar sobre las decisiones que tomamos todos los días.	

CREEMOS

Pasos de la lección	Presentación	Materiales
pág. 110 *Jesús quiere que cumplamos los mandamientos.*	• Leer y comentar el texto sobre cumplir los mandamientos. Completar la actividad acerca de elegir el amor.	• lápices
pág. 112 *Dios da libre albedrío a todo el mundo.*	• Presentar el texto sobre el libre albedrío. Reflexionar sobre las respuestas a la pregunta.	• lápices de colores o crayones • copias del patrón 10
pág. 114 *La amistad con Dios es dañada por el pecado.*	• Leer y comentar el texto sobre los tipos de pecado que comenten las personas. Decorar el mensaje en el afiche. • Leer y comentar *Como católicos.*	• lápices de colores o crayones
pág. 116 *Jesús nos enseñó sobre el perdón de Dios.*  *Lucas 15:11–24*	• Presentar y comentar el texto sobre el perdón de Dios. • Leer el relato bíblico sobre la misericordia de Dios. • Señalar *Vocabulario* y sus definiciones.	

3 RESPONDEMOS

Pasos de la lección	Presentación	Materiales
pág. 116	Reflexionar sobre la pregunta en *Respondemos.*	
páginas 118 y 120 **Repaso**	• Completar las preguntas 1 a 5. • Completar *Reflexiona y ora.*	
páginas 118 y 120 **Respondemos y compartimos la fe**	• Repasar *Recuerda* y *Vocabulario.* • Leer y comentar *Nuestra vida católica.*	

Para ideas, actividades y otras oportunidades visite Sadlier en **www.CREEMOSweb.com**

Lesson Planning Guide

Lesson Steps	Presentation	Materials
 **WE GATHER**		
page 111 **Prayer** **Focus on Life**	• Listen to God's word. • Respond in prayer. • Talk about the choices we make every day.	For the prayer space: large poster-board hearts, statue or picture of Jesus, Bible
 **WE BELIEVE**		
page 111 *Jesus wants us to follow the commandments.*	• Read and discuss the text about following the commandments. Complete the activity about choosing to love.	• pencils
page 113 *God gives each person free will.*	• Present the text about free will. Reflect on the responses to the question.	• colored pencils or crayons • copies of Reproducible Master 10
page 115 *Friendship with God is hurt by sin.*	• Read and discuss the text about the kinds of sins people commit. Decorate the message on the poster. • Read and discuss *As Catholics.*	• colored pencils or crayons
page 117 *Jesus taught us about God's forgiveness.*  *Luke 15:11–24*	• Present and discuss the text about God's forgiveness. • Read the Scripture story about God's mercy. • Present the *Key Words* and defintions.	
WE RESPOND		
page 117	Reflect on the *We Respond* question.	
pages 119 and 121 **Review**	• Complete questions 1–5. • Complete *Reflect & Pray.*	
pages 119 and 121 **We Respond and Share the Faith**	• Review *Remember* and *Key Words.* • Read and discuss *Our Catholic Life.*	

For additional ideas, activities, and opportunities: Visit Sadlier's **www.CREEMOSweb.com**

Conexiones

Doctrina social de la Iglesia

Llamado a la familia, la comunidad y la participación
Es en el seno de nuestras familias donde primero aprendemos a vivir conforme a las responsabilidades de ser discípulos cariñosos y respetuosos de Jesús. Comente con los niños qué responsabilidades concretas tienen en sus hogares (ayudar con la limpieza, ayudar en el cuidado de un niño más pequeño). Señale a los niños formas prácticas de ser seguidores responsables de Jesús en las comunidades a las que pertenecen.

La liturgia

Comente la historia del hijo pródigo que regresa a casa. Pregunte a los niños por qué piensan que el padre quiso celebrar el retorno de su hijo. Permita que los niños lleguen a la conclusión de que el padre quiso celebrar que su hijo le pidiera perdón. Cuente a los niños que aprenderán cómo la Iglesia celebra nuestro acto de pedir y recibir el perdón de Dios.

FE y MEDIOS

- Divida a los niños en grupos pequeños. Explíqueles que elegirán imágenes tomadas de revistas o periódicos para armar una lámina o afiche circular que muestre personas que son amigos. En la parte de atrás de la lámina, pida a los niños que escriban cómo cumplir con los mandamientos nos ayuda a ser amigos. Conecte los "Círculos de Amistad" colocándolos alrededor del salón de clase.
- Es posible que desee filmar a los niños mientras dramatizan la historia del padre que perdona a su hijo, se pueden usar disfraces y accesorios.

Liturgia para esta semana
Visite **www.creemosweb.com** para las lecturas bíblicas de esta semana y otros materiales propios del tiempo.

Necesidades individuales

Niños que aprenden con el tacto

Busque maneras de integrar actividades prácticas y manuales en su enseñanza. Por ejemplo, puede usar actividades manuales para enseñar el concepto de los dilemas morales que tienen las personas. Permita que los niños utilicen títeres para dramatizar la historia.

RECURSOS ADICIONALES

Video *El cuarto desordenado/los Diez Mandamientos para mi,* St. Paul Video. La segunda parte de este video trata de Letty, José y sus amigos, quienes nos muestran cómo ellos aprenden sobre la importancia de los Mandamientos de Dios. (25 minutos)

Para ideas visite a Sadlier en

www.CREEMOSweb.com

Connections

To Catholic Social Teaching

Call to Family, Community, and Participation
It is within our families that we first learn how to live up to the responsibilities of being loving, respectful disciples of Jesus. Discuss with the children specific responsibilities that they have at home (helping with cleaning, helping to care for a younger child). Point out to the children practical ways they can be responsible followers of Jesus within the communities to which they belong.

To Liturgy

Discuss the story of the lost son returning home. Ask the children why they think the father wanted to celebrate. Help the children conclude that the father wanted to celebrate that this son asked for forgiveness. Tell the children that they will be learning about a way the Church celebrates our asking for and receiving God's forgiveness.

This Week's Liturgy
Visit **www.creemosweb.com** for this week's liturgical readings and other seasonal material.

FAITH and MEDIA

- Invite the children to work in small groups. Explain that they will select pictures from magazines or newspapers to create a circle-shaped poster that shows people who are friends. On the back of the poster, have them write how following the commandments helps us to be friends. Connect the "Friendship Circles" by displaying them around the room.
- Consider videotaping the children as they act out the story of the forgiving father, perhaps with costume and props.

Meeting Individual Needs

Children Who Are Tactile Learners

Look for ways to integrate hands-on activities into your instruction. For instance, when discussing moral dilemmas people face, provide children with puppets that they can use to dramatize the story.

ADDITIONAL RESOURCES

Book *Skateboard,* Franciscan Communications, 1986. An eight-year-old child learns that rules are made by those who love us because they care (12 minutes).

Video *The Prodigal Son,* Jesus, a Kingdom Without Frontiers series, CCC of America, 1997. This animated parable tells the story of the repentant son and forgiving father (30 minutes).

To find more ideas for books, videos, and other learning material visit Sadlier's

www.CREEMOSweb.com

Meta catequética

• Reconocer de qué formas quiere Jesús que respetemos los mandamientos y qué nos enseñó Jesús sobre el perdón de Dios

PREPARANDOSE PARA ORAR

En esta oración inicial los niños escucharán y responderán a la lectura de la Sagrada Escritura.

• Escoja un líder y un lector. Dé tiempo para que estos niños se preparen para la oración.

El lugar de oración

• Recorte cuatro o cinco corazones grandes hechos de papel. Utilice los corazones para hacer un camino en el piso hacia el lugar de oración.

• Ponga una imagen de Jesús en la mesa de oración. Abra la Biblia en la parábola del hijo pródigo (Lucas 15:11–24).

Cumplimos las leyes de Dios

NOS CONGREGAMOS

✝ **Líder:** Dios nos da leyes porque nos ama y quiere que seamos felices. Escuchemos las palabras que Jesús dijo a sus discípulos.

Lector: "Yo los amo a ustedes como el Padre me ama a mí; permanezcan, pues, en el amor que les tengo. Si obedecen mis mandamientos, permanecerán en mi amor, así como yo obedezco los mandamientos de mi Padre y permanezco en su amor". (Juan 15:9–10)

Todos: Jesús, gracias por amarnos. Que nuestro amor por ti y los demás crezca cada día.

 Piensa en una decisión que tienes que tomar hoy.

CREEMOS

Jesús quiere que cumplamos los mandamientos.

Jesús tomó decisiones durante su vida en la tierra. El escogió amar a todo el mundo. Jesús escogió ayudar aun cuando estuviera cansado. Escogió pasar tiempo con personas, pobres y ricas. Jesús tomó esas decisiones aun cuando otras personas no estaban de acuerdo con él.

110

Planificación de la lección

NOS CONGREGAMOS ____ minutos

✝ Oración

• Pida a los niños que abran sus libros en la página 110. Señale las piedras con forma de corazón en la ilustración. Si preparó un camino de corazones, sugiera a los niños que caminen por el sendero para congregarse en el lugar de oración.

• Luego, recen juntos la Señal de la Cruz. Pida al líder de oración que comience. Permita que los niños tengan un minuto de silencio después de la lectura de la Sagrada Escritura. Luego, recen juntos la respuesta en voz alta.

 **Mirando la vida**

• Comience la conversación sobre la toma de decisiones diciendo a los niños algunas decisiones que hizo durante el día. Luego, pida a voluntarios que comenten sobre algunas de las decisiones que ellos hicieron.

• Comparta la *Historia para el capítulo* en la página 110A. Comente por qué algunas decisiones son más difíciles de tomar que otras.

CREEMOS ____ minutos

Lea la afirmación y el párrafo que le sigue en la página 110. Recuerde a los niños la decisión de Jesús de bendecir a todos los niños, aunque él estaba cansado de enseñar durante todo el día.

We Follow God's Laws

10

WE GATHER

✝ **Leader:** God gives us laws because he loves us and wants us to be happy. Listen to these words Jesus said to his disciples.

Reader: "As the Father loves me, so I also love you. Remain in my love. If you keep my commandments, you will remain in my love, just as I have kept my Father's commandments and remain in his love." (John 15:9–10)

All: Jesus, thank you for loving us. May our love for you and others grow stronger everyday.

Talk about one choice that you made today.

WE BELIEVE

Jesus wants us to follow the commandments.

Jesus made choices all during his life on earth. He chose to love everyone. Jesus chose to help people even when he felt tired. He chose to spend time with people, both the poor and the rich. Jesus made these choices even when others did not agree with him.

111

Catechist Goal

- To examine the ways that Jesus wants us to follow the commandments and what Jesus taught us about God's forgiveness

PREPARING TO PRAY

In this gathering prayer the children will listen and respond to a Scripture reading.

- Choose a prayer leader and a reader. Allow them time to prepare for the prayer.

The Prayer Space

- Cut out four or five large hearts from poster board. Use the hearts to make a path on the floor in or leading up to the prayer space.

- On the prayer table place a statue or picture of Jesus. Have the Bible opened to the story of the forgiving father (Luke 15:11–24).

Lesson Plan

WE GATHER

___ minutes

✝ **Prayer**

- Ask the children to open their books to page 111. Point out the heart stepping stones in the illustration. If you have made a path of hearts, invite the children to walk on the path as they gather in the prayer space.
- Then pray the Sign of the Cross together. Ask the prayer leader to begin. Provide a minute of silence after the Scripture reading. Then pray the response together aloud.

Focus on Life

- Help start the discussion about choices by sharing one you have made today. Then invite volunteers to tell about some of their choices.
- Share the *Chapter Story* on guide page 110B. Discuss why some choices are more difficult than others.

WE BELIEVE

___ minutes

Read the *We Believe* statement and paragraph on page 111. Remind the children about Jesus' choice to bless the children even though he was very tired after teaching all day.

Nuestra respuesta en la fe

- Agradecer a Dios por su don del perdón

libre albedrío
pecado
pecados mortales
pecados veniales
misericordia

Materiales

- lápices de colores o crayones
- copias del patrón 10

Conexión con el hogar

Pida a voluntarios hablar sobre la experiencia de compartir con sus familias lo que aprendieron en el capítulo 9.

Jesús quiere que sigamos su ejemplo de ayudar a los demás. El quiere que cumplamos los mandamientos. Jesús sabe que no es siempre fácil para nosotros escoger amar a Dios y a los demás. Es por eso que él envía al Espíritu Santo para que nos ayude.

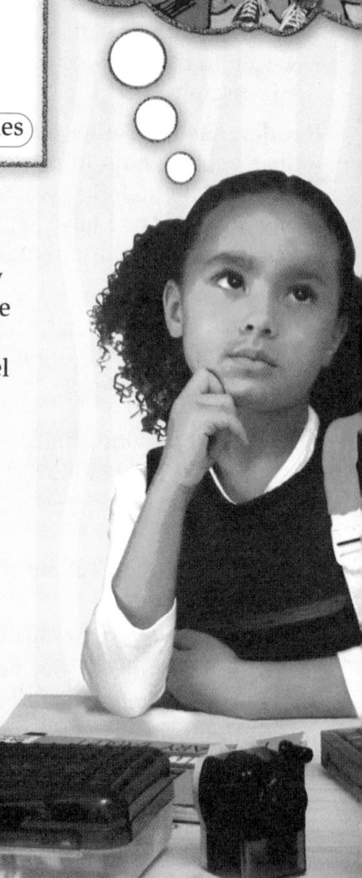

Encierra en un círculo las palabras que completen la oración.

Cuando escogemos amar a Dios y a los demás somos ______.

(justos) egoístas (amables) (serviciales)

Dios da libre albedrío a todo el mundo.

Dios nunca nos obliga a amarle o a obedecerle. Dios nos deja escoger amarlo y amar a los demás. El nos deja escoger entre cumplir los mandamientos o no. El don de Dios que nos permite tomar decisiones es el **libre albedrío.**

Somos responsables de lo que hacemos. Somos responsables de lo que sucede por las decisiones que tomamos.

Puedes tomar buenas decisiones cuando tomas tiempo para pensar antes de actuar. Puedes hacerte dos preguntas:

- Si hago eso, ¿mostraré mi amor a Dios, a mí mismo y a los demás?
- ¿Qué quiere Jesús que haga?

¿Cómo puedes hacer lo que Jesús quiere que hagas?

112

Planificación de la lección

CREEMOS (continuación)

Elija a un voluntario que lea el primer párrafo en la página 112. Recalque: *Jesús envió al Espíritu Santo para que nos ayude a tomar decisiones.*

Lea las instrucciones y diga a los niños que completen la actividad. Pida a voluntarios que compartan sus respuestas. Pregunte: *¿Qué otras palabras podrían completar la oración?* Escriba las respuestas de los niños en un papel.

Explique a los niños que Dios nos ama mucho. Luego, pida a los niños que lean en silencio mientras usted lee en voz alta la afirmación de *Creemos* y el párrafo que le sigue en la página 112. Ponga énfasis en la definición de *libre albedrío.* Sugiera a los niños que usen esta expresión en una oración. Pregunte a voluntarios que digan si la expresión fue usada correctamente o no.

Lea los últimos dos párrafos de la página 112. Diga a los niños que cada vez que tengan que tomar una decisión difícil, se hagan las dos preguntas que se encuentran al final de esta sección.

Distribuya copias del patrón 10. Si dispone de tiempo, haga que los niños trabajen en la actividad. Es posible que prefiera que los niños terminen la actividad en sus hogares.

Haga la pregunta. Pida voluntarios para compartir sus respuestas. Explique: *Sabemos lo que Jesús espera de nosotros cuando seguimos su ejemplo y cumplimos los mandamientos.*

Jesus wants us to follow his example of caring for everyone. He wants us to follow the commandments. Jesus knows that it is not always easy for us to choose to love God and others. That is why he sent the Holy Spirit to help us.

Circle all the words that complete the sentence.

We choose to love God and others when we are ____.

(fair) selfish (kind) (helpful)

God gives each person free will.

God never forces us to love and obey him. God lets us choose to love him and others. He lets us choose between following the commandments and not following them. God's gift to us that allows us to make choices is **free will**.

We are responsible for what we do. We are responsible for what happens because of our choices.

You can make good choices when you take time to think before you act. You can ask yourself these two questions:

- If I do this, will I show love for God, myself, and others?
- What would Jesus want me to do?

How can you know what Jesus would want you to do?

113

Our Faith Response

- To reflect on God's gift of forgiveness

free will
sin
mortal sins
venial sins
mercy

Materials

- colored pencils or crayons
- copies of Reproducible Master 10

Home Connection Update

Ask volunteers to talk about their experience when sharing with their families what they learned on chapter 9.

Lesson Plan

WE BELIEVE (continued)

Choose a volunteer to read the first paragraph on page 113. Emphasize: *Jesus sent the Holy Spirit to help us to make choices.*

Read the directions and have the children complete the activity. Invite volunteers to share responses. Ask: *What other words would complete the sentence?* List the children's responses on chart paper.

Explain to the children that God loves us very much. Then ask the children to read silently as you read aloud the *We Believe* statement and the paragraph that follows on page 113. Emphasize the definition of *free will.* Invite the children to use the term in a sentence. Ask volunteers to state whether or not the term was used correctly.

Read the last two paragraphs on page 113. Tell the children that when they are faced with making a difficult decision, they can always ask themselves the two questions at the end of this section.

Distribute copies of Reproducible Master 10. If time permits at this point, have the children work on the activity. You may also want to assign the activity as work for home.

Ask the question. Invite volunteers to share their responses. Explain: *We can know what Jesus wants us to do by following his example and obeying the commandments.*

Banco de Actividades

La Sagrada Escritura

Compartir historias

Lea un relato bíblico en el que Jesús toma la decisión de ayudar a las personas. Después de leer la historia, pregunte: *¿Qué decisión tomó Jesús?* Elija uno de los siguientes relatos:

- Curación de un leproso (Mateo 8:1–3)
- Sanación de dos hombres ciegos (Mateo 20:29–34)

Como católicos...

San Felipe Neri

Lea el párrafo *Como católicos*. Pida a los niños que marquen o subrayen la tercera y cuarta oración. Diga a los niños que compartan con sus familias qué dijo San Felipe a las personas sobre el perdón de Dios.

Como católicos...

San Felipe Neri fue una persona que escogió cumplir las leyes de Dios. El fue sacerdote en Roma. Ayudó a los enfermos y a los pobres. Felipe habló del amor y el cuidado de Jesús por ellos a muchas personas. El ayudó a muchos a entender que Dios siempre perdona.

La amistad con Dios es dañada por el pecado.

Cometer es otra palabra para "hacer". **Pecado** es cualquier pensamiento, palabra u obra que cometemos libremente aun cuando sabemos es malo. No pecamos por accidente.

Algunos pecados son muy serios. Estos son **pecados mortales**. La persona que comete uno de estos pecados rompe su relación con Dios. No tiene la gracia de Dios en su vida.

Pecados veniales son pecados menos serios que los mortales. Quien comete estos pecados rompe la ley de Dios pero sigue teniendo su gracia.

Cuando pecamos ofendemos a Dios, a los demás y a nosotros mismos. Es importante recordar siempre el mensaje.

Colorea las palabras del mensaje.

Dios nunca deja de amarnos.
Dios
siempre
nos perdona
si estamos arrepentidos.

114

Planificación de la lección

CREEMOS (continuación)

Cotejo rápido

- ✔ *¿Cuáles son algunas de las decisiones de amor que tomó Jesús?* (Jesús eligió amar a todos, ayudar a las personas y perdonar a los demás, etc.)
- ✔ *¿A quién nos envió Jesús para ayudarnos a amar a Dios y a los demás?* (Jesús nos envió al Espíritu Santo.)
- ✔ *¿Qué regalo de Dios nos permite decidir como actuar?* (El libre albedrío es el regalo de Dios que nos permite decidir cómo actuar.)

Escriba la palabra *pecado* en la pizarra. Explique: *Las personas no siempre eligen demostrar su amor por Dios, por ellos mismos y los demás. Prefieren desobedecer los mandamientos y escogen el pecado.*

Pida a los niños que lean en silencio mientras lee en voz alta el primer párrafo de *Creemos* en la página 114. Explique: *Dios no quiere que juzguemos las decisiones de otras personas. Cada persona sabe qué pasa en su corazón al momento de tomar una decisión.*

Lea el segundo y tercer párrafo de la página 114. Presente de la manera más simple posible, las definiciones de pecados capitales y pecados veniales. No profundice acerca de estos dos tipos de pecado.

Lea en voz alta el último párrafo de la página 114 y las instrucciones para la actividad. Diga a los niños que coloreen el siguiente mensaje importante en una hoja de papel: *Dios nunca deja de amarnos. Dios siempre nos perdona si estamos arrepentidos.*

Friendship with God is hurt by sin.

Commit is another word for "do." **Sin** is any thought, word, or act that we freely choose to commit even though we know that it is wrong. We cannot commit sin by accident.

Some sins are very serious. These sins are **mortal sins**. People who commit these sins break their friendship with God. They do not share in God's grace, his life in them.

Venial sins are less serious than mortal sins. People who commit these sins hurt their friendship with God. But they still share in God's grace.

When we commit sin we hurt ourselves and others, too. But it is important to always remember the message below.

Color the words.

God never stops loving us.
God will
always forgive
us when we are sorry.

As Catholics...

A person who chose to follow God's laws was Saint Philip Neri. Philip was a priest in Rome. He helped the sick and the poor. Philip told many people that Jesus loved and cared for them. He helped people understand that God would always forgive them.

115

Activity Bank

Scripture

Sharing Stories

Read a Scripture story about Jesus choosing to help people. After you read the story, ask: *What choice did Jesus make?* Choose one of the following accounts.

- Cleansing of a Leper (Matthew 8:1–3)
- Healing of Two Blind Men (Matthew 20:29–34)

As Catholics...

Saint Philip Neri

Read the *As Catholics* paragraph. Have the children highlight or underline the third and fourth sentences. Ask the children to share with their families what Saint Philip told people about God's forgiveness.

Lesson Plan

We Believe (continued)

Quick Check

✔ *What are some loving choices that Jesus made?* (Jesus chose to love everyone, to help people, to forgive others.)

✔ *Whom did Jesus send to help us love God and others?* (Jesus sent the Holy Spirit.)

✔ *Which gift from God allows us to choose how we will act?* (The gift from God is free will.)

Write the word *sin* on the board. Explain: *Sometimes people choose not to show their love for God, themselves, or others. They choose not to follow the commandments. They choose to sin.*

Ask the children to read quietly as you read aloud the first *We Believe* paragraph on page 115. Explain: *God does not want us to judge other people's choices. Each person knows what is in her or his heart when they make choices.*

Read the second and third paragraphs on page 115. Present as simply as possible, the definitions of mortal sins and venial sins. Do not discuss these two kinds of sins in detail.

Read aloud the last paragraph on page 115 and the directions for the activity. Have the children color this important message on the poster: *God never stops loving us. God will always forgive us when we are sorry.*

Ideas

Actividades del patrón

Lea el capítulo entero para calcular cuanto tiempo necesitará para presentar el texto. Luego, lea la actividad del patrón. Decida si los niños tendrán tiempo de completar la actividad en clase. Siempre que sea posible revise el trabajo de los niños. Encontrará las respuestas para algunas de las actividades en el plan de la lección.

Conexión curricular

Artes

Materiales: papel de dibujo y crayones o marcadores

Demuestre a los niños como dividir sus papeles en cuatro o cinco paneles separados para armar una historia o guión gráfico. Pida a los niños que piensen en una situación donde tengan dos opciones y sólo se pueda elegir una. Sugiera a los niños que preparen sus guiones gráficos para contar la situación.

Jesús nos enseñó sobre el perdón de Dios.

Jesús contó historias para enseñar sobre el amor y el perdón de Dios. El enseñó que Dios siempre nos ama y está dispuesto a perdonarnos. Otra palabra para el amor y el perdón de Dios es **misericordia**.

He aquí una historia sobre la misericordia de Dios.

Lucas 15:11–24

Había un padre que tenía dos hijos. Un día el menor le pidió su parte del dinero de la familia. El hijo tomó el dinero y se fue de la casa. El joven gastó el dinero con nuevos amigos. Pronto el dinero se le terminó. Entonces pensó en las decisiones que había tomado. Recordó que su padre lo amaba.

El joven iba camino a casa cuando su padre lo alcanzó a ver. El padre corrió a su encuentro. El joven le dijo que estaba arrepentido. El padre lo perdonó y preparó una celebración por el regreso de su hijo.
"Y comenzaron a hacer fiesta".
(Lucas 15:24)

El padre en esta historia mostró misericordia por su hijo. Dios, el Padre, es misericordioso con cada uno de nosotros. El siempre nos perdonará si estamos arrepentidos.

Vocabulario

libre albedrío el don de Dios que nos permite tomar decisiones

pecado pensamiento, palabra u obra que cometemos libremente aun cuando sabemos es malo

pecados mortales pecados que rompen nuestra relación con Dios

pecados veniales pecados que dañan nuestra relación con Dios

misericordia el amor y el perdón de Dios

RESPONDEMOS

¿Cómo te sientes al saber que Dios está siempre dispuesto a perdonarte?

116

Planificación de la lección

CREEMOS (continuación)

Pida a un voluntario que lea en voz alta la afirmación de *Creemos* en la página 116. Escriba la palabra *misericordia* en la pizarra. Pida a un voluntario que lea en voz alta el primer párrafo de esta página. Señale: *La misericordia es otra palabra para el amor y el perdón de Dios.*

Sugiera a voluntarios que lean el relato bíblico. Pida a los niños que cuenten cómo el padre de la historia mostró misericordia a su hijo.

Comente las decisiones que el padre y el hijo tomaron. Recalque: *El hijo eligió decirle a su padre que estaba arrepentido. El padre eligió perdonar a su hijo.* Pregunte: *¿Cómo creen que se sintió el hijo cuando su padre lo perdonó?*

RESPONDEMOS ____ minutos

Conexión con la vida Lea en voz alta la pregunta de *Respondemos*. Recuerde a los niños: *Dios siempre nos perdona si nos arrepentimos de nuestros pecados.*

Oración Gracias Dios, por siempre estar dispuesto a perdonarnos. Gracias por tu amor.

free will God's gift to us that allows us to make choices

sin a thought, word, or act that we freely choose to commit even though we know that it is wrong

mortal sins sins that break our friendship with God

venial sins sins that hurt our friendship with God

mercy God's love and forgiveness

Jesus taught us about God's forgiveness.

Jesus told stories to teach about God's love and forgiveness. He taught that God always loves us and is ready to forgive us. Another word for God's love and forgiveness is **mercy**.

Here is a story about God's mercy.

Luke 15:11–24

There was a loving father who had two sons. One day the younger son asked his father for his share of the family's money. The son took his money and left home. The young man spent his money on new friends. Soon all his money was gone. The young man began to think about the choices he had made. He remembered his father's love.

The young man was on the road home when his father saw him. The father ran to welcome him back. The young man told his father he was sorry. The father forgave his son and prepared to celebrate his son's return. "Then the celebration began." (Luke 15:24)

The father in this story showed mercy to his son. God the Father shows each of us his mercy. He will always forgive us when we are sorry.

WE RESPOND

How do you feel knowing that God is always ready to forgive you?

117

Teaching Tip

Reproducible Master Activities

Read through the entire chapter to gauge the time you need to present the text. Then read the activity on the reproducible master. Decide whether you want the children to complete the activity during the session. Always try to check the children's work. For some of the activities you will find the answers included within the lesson plan.

Curriculum Connection

Art

Materials: drawing paper, crayons or markers

Demonstrate for the children how to divide their papers into four or five separate panels for a story board. Ask the children to think about a situation where two choices are given and only one can be made. Have the children prepare story boards to illustrate the situation.

Lesson Plan

WE BELIEVE (continued)

Invite a volunteer to read aloud the *We Believe* statement on page 117. Write the word *mercy* on the board. Ask a volunteer to read aloud the first paragraph on this page. Stress: *Mercy is another word for God's love and forgiveness.*

Ask volunteers to read the Scripture story. Have the children tell how the father showed mercy to his son.

Discuss the choices the father and son made. Stress: *The son chose to tell his father that he was sorry. The father chose to forgive his son.* Ask: *How do you think the son felt when he was forgiven?*

WE RESPOND

___ minutes

Connect to Life Read aloud the *We Respond* question. Remind the children: *God will always forgive us when we are sorry for our sins.*

Pray Thank you, God, for always being ready to forgive us. Thank you for your love.

Banco de Actividades

Conexión curricular

El arte del lenguaje

Materiales: papel, varas de una yarda de largo, pintura (para decorar la escenografía), trajes y accesorios

Pida a los niños que representen el relato bíblico sobre el hijo pródigo.

Organice una obra de teatro para que los niños dramaticen la historia bíblica en frente de otras personas (otras clases, el grupo de padres, el centro de ancianos).

Prepare la escenografía para la obra. Pida a los niños que piensen qué accesorios y decorados podrían usar para la obra. Es posible que preparen la escenografía con papel, varas y pintura.

Conexion con el Hogar

Compartiendo lo aprendido

Recuerde a los niños compartir con sus familias lo aprendido en este capítulo.

Anime a los niños a comentar sobre las situaciones que se mencionan en la actividad del patrón 10.

Para más información y actividades adicionales visite a Sadlier en

www.CREEMOSweb.com

Planifique por adelantado

Lugar de oración: recipientes con arena o tierra negra y una lámina de Jesús como el Buen Pastor

Materiales: copias del patrón 11, sorbetes o palillos para manualidades

Repaso

____ minutos

Repaso del capítulo Pida a un voluntario que lea las palabras en el recuadro. Explique a los niños que tienen que elegir una de estas palabras para completar las primeras cuatro oraciones. Diga a los niños que tachen las palabras a medida que completan las oraciones. Explique: *El recuadro tiene palabras de más.* Cuando los niños hayan terminado, pida a voluntarios que lean las oraciones que completaron.

En la quinta pregunta, diga a los niños que escriban una oración explicando el concepto de libre albedrío. Pida que voluntarios compartan sus respuestas.

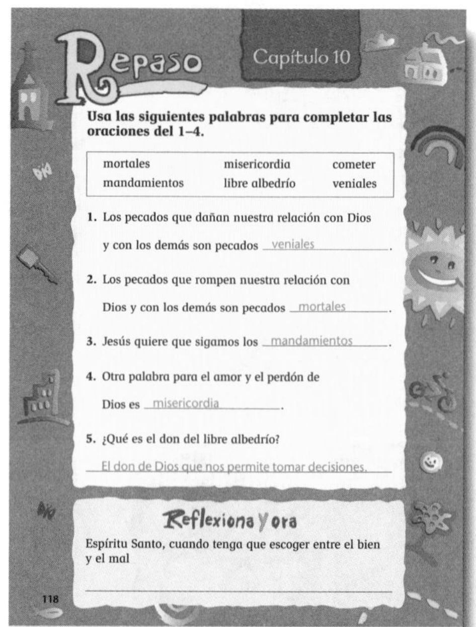
Repaso Capítulo 10

Usa las siguientes palabras para completar las oraciones del 1–4.

mortales	misericordia	cometer
mandamientos	libre albedrío	veniales

1. Los pecados que dañan nuestra relación con Dios y con los demás son pecados veniales.
2. Los pecados que rompen nuestra relación con Dios y con los demás son pecados mortales.
3. Jesús quiere que sigamos los mandamientos.
4. Otra palabra para el amor y el perdón de Dios es misericordia.
5. ¿Qué es el don del libre albedrío?

El don de Dios que nos permite tomar decisiones.

Reflexiona y ora

Espíritu Santo, cuando tenga que escoger entre el bien y el mal

118

PÁGINA DEL ESTUDIANTE 118

Reflexiona y ora Lea en voz alta *Reflexiona y ora.* Permita que los niños dispongan del tiempo necesario para reflexionar y completar la oración.

Respondemos y compartimos la fe

____ minutos

Recuerda Repase las cuatro afirmaciones *Creemos.* Pida a los niños que recuerden la información específica que aprendieron en este capítulo.

Nuestra vida católica
Lea en voz alta "Escogiendo amigos". Haga una pausa después de cada pregunta para que los niños tengan tiempo de reflexionar en voz baja sobre cómo harían para cambiar o mejorar sus amistades. Explique: *Los buenos amigos aman y respetan a Dios, el uno al otro y a los demás.*

Respondemos y compartimos la fe

Compartiendo lo aprendido

Mira la ilustración. Usala para contar a tu familia lo que aprendiste en este capítulo.

Para que todos vean

Recuerda
- Jesús quiere que cumplamos los mandamientos.
- Dios da libre albedrío a todo el mundo.
- La amistad con Dios es dañada por el pecado.
- Jesús nos enseñó sobre el perdón de Dios.

Nuestra vida católica

Escogiendo amigos

Una importante decisión que tomamos en la vida es escoger nuestros amigos. Los amigos se desean lo mejor. Cuando escoges una persona para ser tu amigo puedes hacerte las siguientes preguntas: ¿Cómo actúo cuando estoy con esa persona? ¿Qué decisiones tomo cuando estoy con esa persona? ¿Quiere esa persona lo mejor para mí?

Visita Sadlier en www.CREEMOSweb.com

Conexión con el Catecismo
Para referencia vea los párrafos 2074, 1730, 1850 y 981.

120

PÁGINA DEL ESTUDIANTE 120

_____ minutes

Chapter Review Ask a volunteer to read the words in the box. Explain to the children that they are to choose one of these words to complete the first four sentences. Have them cross the words off as they fill in the sentences. Explain: *There will be words left over in the box.* When the children are finished, have volunteers read the completed sentences.

For the fifth question, have the children write a sentence to explain free will. Ask volunteers to share their responses.

Reflect & Pray Read aloud *Reflect & Pray*. Allow time for the children to reflect and complete the prayer.

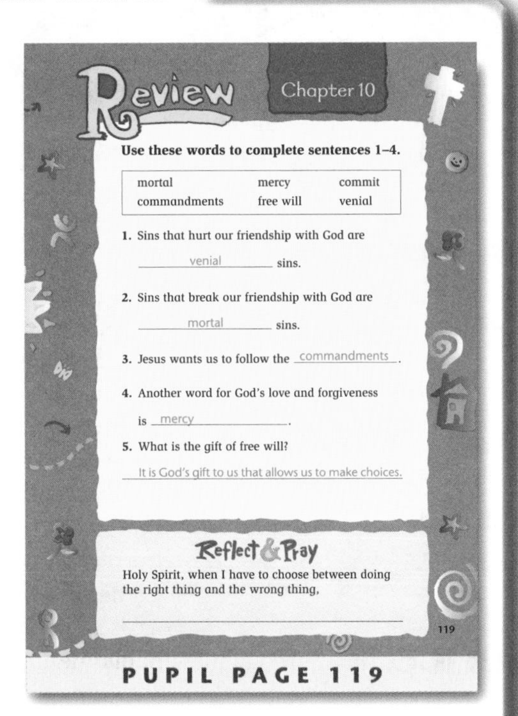
Review Chapter 10

Use these words to complete sentences 1–4.

mortal	mercy	commit
commandments	free will	venial

1. Sins that hurt our friendship with God are venial sins.
2. Sins that break our friendship with God are mortal sins.
3. Jesus wants us to follow the commandments.
4. Another word for God's love and forgiveness is mercy.
5. What is the gift of free will?
   It is God's gift to us that allows us to make choices.

Reflect & Pray

Holy Spirit, when I have to choose between doing the right thing and the wrong thing,

119

PUPIL PAGE 119

We Respond and Share the Faith

_____ minutes

Remember Review the four *We Believe* statements. Ask the children to recall specific information they learned in this chapter.

Our Catholic Life Read aloud "Choosing Friends." Pause after each question to allow time for the children to reflect quietly on ways they can change or improve their friendships. Explain: *Good friends love and respect God, each other, and other people.*

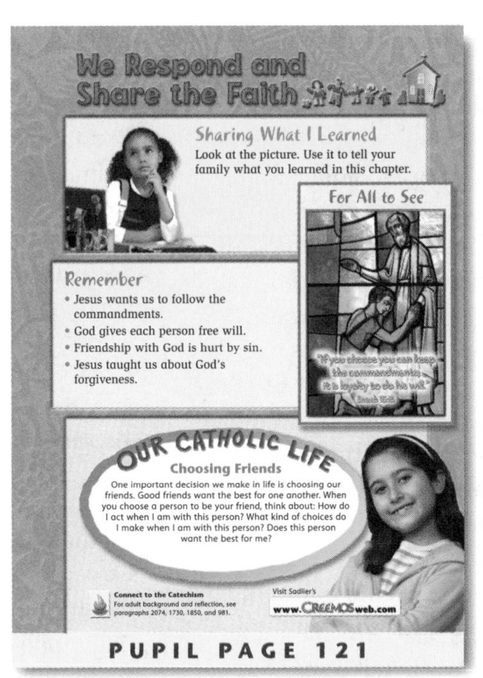
We Respond and Share the Faith

Sharing What I Learned

Look at the picture. Use it to tell your family what you learned in this chapter.

For All to See

Remember

- Jesus wants us to follow the commandments.
- God gives each person free will.
- Friendship with God is hurt by sin.
- Jesus taught us about God's forgiveness.

Our Catholic Life

Choosing Friends

One important decision we make in life is choosing our friends. Good friends want the best for one another. When you choose a person to be your friend, think about: How do I act when I am with this person? What kind of choices do I make when I am with this person? Does this person want the best for me?

Connect to the Catechism
For adult background and reflection, see paragraphs 2074, 1730, 1850, and 981.

Visit Sadlier's www.CREEMOSweb.com

PUPIL PAGE 121

Activity Bank

Curriculum Connection

Language Arts

Materials: poster board, yardsticks, paint (for scenery), costumes, props

Invite the children to act out the Scripture story of the forgiving father.

Make arrangements for the children to perform the play for other groups (other classes, parents' group, senior citizen's club).

Make scenery for the play. Have the children think about what props and scenery they could use for the play. Much of this can be built from poster board, yardsticks, and paint.

Home Connection

Sharing What I Learned

Remind the children to share with their families what they learned in this chapter.

Encourage the children to discuss the situations listed for the master's activity.

For additional information and activities, encourage families to visit Sadlier's

www.CREEMOSweb.com

Plan Ahead for Chapter 11

Prayer Space: containers filled with sand or potting soil; picture of Jesus as the Good Shepherd

Materials: copies of Reproducible Master 11, scissors, straw or craft sticks

Nos preparamos para el sacramento del perdón

Ojeada

En este capítulo los niños aprenderán acerca del sacramento de la Penitencia y la Reconciliación.

Contenido doctrinal	Para referencia del *Catecismo de la Iglesia Católica*
Los niños aprenderán que:	párrafo
• Jesús nos invita a celebrar el perdón de Dios.	1441
• Jesús comparte el perdón y la paz de Dios en el sacramento de la Penitencia y Reconciliación.	1446
• Examinamos nuestras conciencias.	1454
• Decimos a Dios que estamos arrepentidos de nuestros pecados.	1451

Referencia catequética

¿Cuándo pueden las relaciones causar tensión en su vida?

La mayoría de las relaciones humanas atraviesan períodos turbulentos. Podemos encontrar prueba de esto en cualquier gran negocio que venda tarjetas de salutación, ya que verás que muchas de ellas tienen como objetivo reparar amistades rotas. Nuestra amistad con Dios y con los demás sufre turbulencias cada vez que pecamos. Es por eso que el sacramento de la Reconciliación es una bendición. Este sacramento restaura la paz y la armonía en nuestras relaciones.

La preparación inicial para la reconciliación comienza con el conocimiento de que Dios es amoroso y compasivo. Luego, reflexionamos sobre Jesús, que cura nuestro cuerpo y nuestra alma y que se acerca a todos nosotros con amor.

Al prepararnos para la reconciliación miramos con cuidado nuestras vidas y nuestras relaciones. Le pedimos al Espíritu Santo que nos ayude a examinar nuestras vidas. El "mismo Espíritu, que devela el pecado, es el Consolador que da al corazón del hombre la gracia del arrepentimiento y de la conversión" (*CIC* 1433). Confesamos nuestros pecados, expresamos nuestro arrepentimiento, recibimos la absolución y hacemos penitencia.

Al preparar a los niños debemos tener en cuenta que el sacramento de la Reconciliación es un don dado con generosidad por un Dios compasivo y amoroso, que quiere que crezcamos en el amor. La reconciliación es una celebración del amor y el perdón de Dios.

¿De qué manera el sacramento del perdón le ayuda a crecer en el amor?

Mirando la vida

Historia para el capítulo

Anoche después de la cena la mamá de Antonio se dio cuenta de que su hijo estaba preocupado por algo. Le preguntó: "¿Qué te pasa, Antonio?"

"Bueno, a Cameron no le gusta cuando nos burlamos de él y lo llamamos 'Cámara'. Como algunos de los niños mayores del equipo de fútbol estaban llamándolo así, yo también me reí y le dije: 'Cámara, tómame una foto'. Cameron se disgustó mucho, no quiso regresar a casa conmigo, y dijo que no quería volver a hablarme".

La mamá de Antonio lo miró y después le dijo:

"Seguramente sabes por qué tu amigo está enojado, ¿no es verdad?"

Antonio asintió y dijo después:

"Quería que los muchachos mayores me aceptaran, pero lo único que logré fue herir los sentimientos de mi amigo. Cameron no querrá volver a estar conmigo".

"No puedes saberlo hasta que no hables con él", dijo la mamá de Antonio.

"Pero no sé que decirle", observó Antonio.

"Antonio, si Cameron hubiese herido tus sentimientos, ¿qué te gustaría que te dijera? Ustedes dos son amigos desde hace tiempo. Creo que puedes encontrar las palabras adecuadas. Sabrás que decir si realmente lo sientes", dijo la mamá.

Antonio dijo sonriendo. "Tienes razón, mamá. Cameron es mi mejor amigo. No debería temer decirle cuanto lo siento. ¿Puedo llamarlo y hablarle ahora mismo?"

La mamá de Antonio asintió con la cabeza. Antonio corrió al teléfono y comenzó a marcar el número de Cameron. Le dijo a su amigo: "Cameron, lo siento. Prometo no volver a burlarme de tu nombre".

¿Tuviste una experiencia como esta? Cuéntala a la clase.

We Prepare for the Sacrament of Forgiveness

Overview

In this chapter the children will learn about the sacrament of Penance and Reconciliation.

Doctrinal Content	For Adult Reading and Reflection *Catechism of the Catholic Church*
The children will learn:	Paragraph
• Jesus invites us to celebrate God's forgiveness.	1441
• Jesus shares God's forgiveness and peace in the sacrament of Penance and Reconciliation.	1446
• We examine our conscience.	1454
• We tell God we are sorry for our sins.	1451

Catechist Background

When can relationships cause stress in your life?

Most human relationships go through periods of turmoil. Evidence of this can be found in any large card shop where you will find a variety of titles aimed at healing broken friendships. Our friendship with God and with one another experiences turmoil every time we sin. This is why we are blessed to have the sacrament of Reconciliation. This sacrament restores peace and harmony to our relationships.

Remote preparation for Reconciliation begins with knowing God is a loving and merciful God. We reflect on Jesus, who is the healer of both body and soul and who reaches out in love to all.

In preparing for Reconciliation we look carefully at our lives and our relationships. We seek the help of the Holy Spirit in examining our lives. The "same Spirit who brings sin to light is also the consoler who gives the human heart grace for repentance and conversion" (CCC 1433). We confess our sins, express our sorrow, receive absolution, and do penance.

As you prepare the children, keep in mind that the sacrament of Reconciliation is a generous gift from a merciful and loving God who wants us to grow in love. Reconciliation is a celebration of God's healing love and forgiveness.

How can the sacrament of Reconciliation help you grow in love?

Focus on Life

Chapter Story

After dinner last night Tony's mother could tell Tony was upset about something. She asked, "What's wrong, Tony?"

"Well, Cameron doesn't like it when we tease him and call him 'Camera.' Some of the older players on the soccer team were calling him that. I joined in laughing at him and saying, 'Take my picture, Camera.' Cameron really got upset. He wouldn't walk home with me; he said he didn't want to talk to me."

Tony's mother looked at him and asked, "You do know why your friend is upset don't you?" Tony nodded and said, "I wanted the older boys to like me, but I hurt my friend's feelings instead. He'll never be my friend again." "You can't know that until you talk to him," said Tony's mother. "But I don't know what to say," Tony objected.

"Tony," said his mother. "If Cameron hurt your feelings, what would you want him to say to you? You two have been friends for a long time. I think you can find the right words. If you are truly sorry, you will know what to say."

Tony smiled. "You're right, Mom. He's my best friend. I shouldn't be afraid to tell him how sorry I am. May I call him and talk to him right now?"

Tony's mom nodded her head. Tony raced to the phone and started dialing. He told his friend, "I'm so sorry, Cameron. I promise never to tease you about your name again."

Did you ever have an experience like this? Tell about it.

Guía para planificar la lección

1 NOS CONGREGAMOS

Pasos de la lección	Presentación	Materiales
pág. 122 **Oración**	• Rezar a Jesús, el Buen Pastor.	En el lugar de oración: envases con tierra negra y arena; una imagen de Jesús, el Buen Pastor
 **Mirando la vida**	• Comentar las preguntas.	• patrón 11, sorbetes o palillos para manualidades

2 CREEMOS

Pasos de la lección	Presentación	Materiales
pág. 122 *Jesús nos invita a celebrar el perdón de Dios.* *(Lucas 15: 4–6)*	• Leer el relato bíblico y presentar el texto sobre la celebración del perdón de Dios. Comentar la pregunta sobre el amor de Dios.	
pág. 124 *Jesús comparte el perdón y la paz de Dios en el sacramento de la Penitencia y Reconciliación.*	• Leer y comentar el texto. Encontrar la palabra que falta en la oración.	• crayón o marcador
pág. 126 *Examinamos nuestras conciencias.*	• Explicar el examen de conciencia. • Reflexionar sobre las preguntas para comenzar un examen de conciencia. Pida a los niños que piensen en las decisiones que toman mientras realizan la actividad. • Leer y comentar *Como católicos.*	• crayones o lápices de colores
pág. 128 *Decimos a Dios que estamos arrepentidos de nuestros pecados.*	• Leer y comentar el texto sobre el arrepentimiento. • Presentar el Acto de Contrición. • Presentar *Vocabulario* y sus definiciones.	

3 RESPONDEMOS

Pasos de la lección	Presentación	Materiales
pág. 128	• Reflexionar y comentar la pregunta en *Respondemos.* • Rezar el Acto de Contrición	
páginas 130 y 132 **Repaso**	• Completar las preguntas 1 a 5. • Completar *Reflexiona y ora.*	
páginas 130 y 132 **Respondemos y compartimos la fe**	• Repasar *Recuerda* y *Vocabulario.* • Leer y comentar *Nuestra vida católica.*	

Para ideas, actividades y otras oportunidades visite Sadlier en **www.CREEMOSweb.com**

Lesson Planning Guide

Lesson Steps	Presentation	Materials
1 WE GATHER		
page 123 **Prayer**	• Pray to Jesus, the Good Shepherd.	For the prayer space: containers of potting soil or sand, a picture of Jesus, the Good Shepherd
 **Focus on Life**	• Discuss the questions.	• Reproducible Master 11, straws
2 WE BELIEVE		
page 123 *Jesus invites us to celebrate God's forgiveness.*  *Luke 15:4–6*	• Read the Scripture story and present the text about celebrating God's forgiveness. 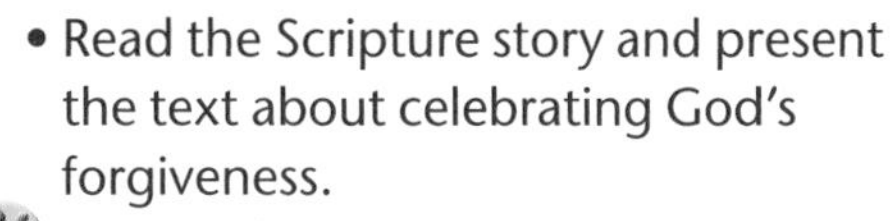 Discuss the question about God's love.	
page 125 *Jesus shares God's forgiveness and peace in the sacrament of Penance and Reconciliation.*	• Read and discuss the text. Find the missing word to complete the sentence.	• crayon or highlighter
page 127 *We examine our conscience.*	• Explain the text about examining our conscience. • Reflect on questions to begin an examination of conscience. Help children examine choices by doing an activity. • Read and discuss *As Catholics.*	• crayons or colored pencils
page 129 *We tell God we are sorry for our sins.*	• Read and discuss the text about sorrow for sin. • Present the Act of Contrition. • Present the *Key Words* and definitions.	
3 WE RESPOND		
page 129	• Reflect on and discuss the *We Respond* question. • Pray the Act of Contrition.	
pages 131 and 133 **Review**	• Complete questions 1–5. • Complete *Reflect and Pray.*	
pages 131 and 133 **We Respond and Share the Faith**	• Review *Remember* and *Key Words.* • Read and discuss *Our Catholic Life.*	

For additional ideas, activities, and opportunities: Visit Sadlier's **www.CREEMOSweb.com**

Conexiones

Administración de la creación

Jesús les dijo a sus discípulos *"Pues donde esté tu riqueza, allí estará también tu corazón"* (Mateo 6:21). El consumismo no es sólo un problema de adultos. A través de comerciales constantes en televisión los niños pueden ser inducidos a desear lo que otros niños podrían tener. Explíqueles que ser discípulo de Jesús significa que a veces debemos conformarnos con lo que tenemos. Sugiérales cuestionarse el dicho "Necesito tenerlo". Por ejemplo, podrían preguntarse: "¿Se trata de algo que realmente necesito para ser feliz? ¿Estoy satisfecho con lo que tengo?"

La comunidad

Como católicos estamos llamados a hacer lo posible por solucionar cualquier daño que hayamos hecho a los demás. Busque oportunidades para enseñarles a los niños cómo reconciliar sus diferencias. Considere enseñarles un proceso en tres pasos para manejar los desacuerdos y acciones dañinas. Primer paso: pide disculpas; segundo paso: pregúntate, "¿Qué puedo hacer para que mi amigo se sienta mejor?"; tercer paso: ¡Hazlo!

FE y MEDIOS

- Pídale al bibliotecario de su comunidad que lo ayude a seleccionar libros apropiados con el tema del perdón. Anime a los niños a leer una de estas historias y a que presenten un informe verbal.
- Es posible que sugiera a los niños que dramaticen la historia de la oveja perdida. Al mismo tiempo registre la dramatización en video. Sugiera que un niño represente al pastor y use una oveja de peluche para representar a la oveja perdida. Pida a un pequeño grupo de niños que representen los papeles de los amigos de pastor, y haga que otro grupo más grande represente a las noventa y nueve ovejas que no se perdieron.

Liturgia para esta semana

Visite **www.creemosweb.com** para las lecturas bíblicas de esta semana y otros materiales propios del tiempo.

Necesidades individuales

Niños con deficiencia de atención

Ayude a los niños con deficiencia en la atención dividiendo las instrucciones en segmentos pequeños. Pida a estos niños que resuman los párrafos que usted acaba de leer. Pedir a los niños que subrayen y marquen afirmaciones específicas también los ayudará a concentrarse en puntos importantes.

RECURSOS ADICIONALES

Video *El descarriado,* Franciscan Communications. Este video para niños es un cuento moderno de la parábola de la oveja perdida. (15 minutos)

Para ideas visite a Sadlier en

www.CREEMOSweb.com

Connections

To Stewardship

Jesus said to his disciples "For where your treasure is, there also will your heart be" (Matthew 6:21). Consumerism is not just an adult problem. Through constant television advertisements children can also be caught up with what other children might have. Explain that being a disciple of Jesus sometimes means doing without. Suggest that the saying "I've gotta have it" be questioned by them. For example, they could ask themselves, "Is this something I really need to be happy? Can I be satisfied with what I have?"

To Community

As Catholics we are called to do what is possible to repair any damage we may have done to others. Look for opportunities to teach the children how to reconcile their differences. Consider teaching a three-step process for dealing with disagreements and hurtful actions. Step 1: Apologize; Step 2: Ask yourself, "What can I do to make my friend feel better?" Step 3: Do it!

FAITH and MEDIA

- Ask the community librarian to help select appropriate books with the theme of forgiveness. Encourage the children to read one of these stories and present an oral report.
- You might invite the children to act out the story of the lost sheep. As they present their dramatization, videotape their performance. Have one child play the shepherd, and use a plush lamb for the lost sheep. Assign a small group of children to act the parts of the shepherd's friends and have another larger group play the ninety-nine sheep that do not stray.

This Week's Liturgy

Visit **www.creemosweb.com** for this week's liturgical readings and other seasonal material.

Meeting Individual Needs

Children with Attention Deficit Disorder

Help children with Attention Deficit Disorder by breaking instruction into small segments. Ask these children to summarize paragraphs you have just read. Having the children highlight or underline specific statements will also help them to concentrate on important points.

ADDITIONAL RESOURCES

Book *We Discover God's Paths: Preparing for First Reconciliation,* François Darcy-Berube and John-Paul Berube, Novalis Publishing, 1997. Reconciliation workbook for sacramental preparation.

Video *Preparing Your Child for First Reconciliation,* St. Anthony Messenger Press, 1998. Includes a story (15 minutes) and music video (6 minutes) for children.

To find more ideas for books, videos, and other learning material visit Sadlier's

www.CREEMOSweb.com

Meta catequética

- Demostrar que Jesús nos invita a celebrar el perdón de Dios en el sacramento de la Penitencia y la Reconciliación

PREPARANDOSE PARA ORAR

En esta oración de congregación, los niños rezarán a Jesús, el Buen Pastor.

- Escoja un líder de oración. Dé tiempo para que el niño se prepare.
- Distribuya el patrón 11. Entrégueles a los niños tijeras para que corten sus ovejas. Reparta a cada niño un sorbete o palillo para manualidades. Ayude a los niños a pegar la oveja al sorbete o palillo con cinta adhesiva.

El lugar de oración

- Coloque algunos recipientes llenos de arena o tierra negra en el lugar de oración. Cada niño clavará su oveja dentro del recipiente.
- Coloque sobre la mesa de oración una lámina de Jesús el Buen Pastor.

NOS CONGREGAMOS

✝ **Líder:** Jesús es nuestro Buen Pastor.

Todos: Jesús, somos las ovejas de tu rebaño.

Líder: Jesús, no permitas que nos separemos de ti.

Todos: Jesús, Buen Pastor, escúchanos.

Líder: Jesús, cuando no seguimos tus enseñanzas.

Todos: Perdónanos y guíanos a regresar al redil.

¿Por qué crees que los familiares y los amigos se perdonan unos a otros? ¿Cómo muestran su perdón?

CREEMOS

Jesús nos invita a celebrar el perdón de Dios.

Jesús quería que el pueblo entendiera el amor y el perdón de Dios. Así que les contó esta historia.

Lucas 15:4–6

Había un pastor que cuidaba de cien ovejas. Un día una de las ovejas se perdió. El pastor dejó a noventa y nueve ovejas. Buscó la perdida hasta que la encontró. El pastor colocó la oveja en sus hombros y se la llevó. Cuando regresó a la casa, llamó a todos sus amigos y les dijo: "Felicítenme, porque ya encontré a la oveja que se me había perdido". (Lucas 15:6)

122

Planificación de la lección

NOS CONGREGAMOS ____ minutos

✝ **Oración**

- Los niños deberán abrir sus libros en la página 122. Recuérdeles la función del pastor. Explíque: *Un pastor se preocupa por su rebaño de ovejas y las guía del mismo modo que Jesús nos guía y se preocupa por nosotros.* Luego, pida al líder que comience la oración.
- Pida a los niños que sostengan en alto la oveja que hicieron mientras rezaban. Una vez terminada la oración, sugiera a los niños que pongan la oveja en los recipientes de tierra negra y arena.

 **Mirando la vida**

- Comente la primera pregunta en *Nos congregamos.* Permita que los niños lleguen a la conclusión de que el perdón es una parte importante de una relación de amor.
- Comente cómo las personas demuestran su perdón. (Respuestas posibles: estrechándose las manos, abrazándose, haciendo algo juntos). Comparta con los niños la *Historia para el capítulo* en la página 122A.

CREEMOS ____ minutos

Lean juntos la afirmación *Creemos* en la página 122. Luego, pida que un voluntario lea el primer párrafo. Anime a los niños a mirar la imagen del pastor y las ovejas mientras lee en voz alta el relato bíblico.

Pregunte lo siguiente:

- *¿Por qué el pastor dejó a las noventa y nueve ovejas solas para buscar a una?* (porque el pastor quería que todas las ovejas estuviesen seguras).
- *¿Qué hizo el pastor cuando encontró a la oveja perdida?* (La llevó a casa y celebró con sus amigos).

We Prepare for the Sacrament of Forgiveness

WE GATHER

Leader: Jesus is our Good Shepherd.

All: Jesus, we are the sheep of your flock.

Leader: Jesus, may we never wander far from you.

All: Jesus, Good Shepherd, hear us.

Leader: Jesus, when we have not followed your ways,

All: Forgive us and lead us back to your loving ways.

Why do you think friends and family forgive each other? How do they show their forgiveness?

WE BELIEVE

Jesus invites us to celebrate God's forgiveness.

Jesus wanted people to understand God's love and forgiveness. So he told this story.

Luke 15:4–6

There was a shepherd who took care of one hundred sheep. One day one of the sheep wandered away. The shepherd left the other ninety-nine sheep. He searched for the lost one until he found it. The shepherd put the sheep on his shoulders and carried it. When he got home, he called together his friends. He said, "Rejoice with me because I have found my lost sheep." (Luke 15:6)

123

Catechist Goal

- To show that Jesus invites us to celebrate God's forgiveness in the sacrament of Penance and Reconciliation

Preparing to Pray

For this gathering prayer, the children will pray to Jesus, our Good Shepherd.

- Choose a prayer leader. Give him or her time to prepare.
- Distribute Reproducible Master 11. Provide scissors for the children to cut out their sheep. Give each child a drinking straw or craft stick. Help the children tape their sheep to the straw or stick.

The Prayer Space

- In the prayer space place a few containers filled with sand or potting soil. Each child will place his or her sheep in a container.
- Set on the prayer table a picture of Jesus, the Good Shepherd.

Lesson Plan

WE GATHER ___ minutes

Pray

- Invite the children to open their books to page 123. Remind the children of a shepherd's role. Explain: *A shepherd cares for and guides a flock of sheep, just as Jesus guides and cares for us.* Then have the leader begin the prayer.
- Ask the children to hold the sheep they have made as they pray. At the conclusion of the prayer, invite the children to put the sheep in the containers of soil or sand.

Focus on Life

- Discuss the first *We Gather* question. Help the children conclude that forgiveness is an important part of a loving relationship.
- Discuss how people show forgiveness. (Possible responses: shake hands, hug, do something together)

Share with the children the *Chapter Story* on guide page 122B.

WE BELIEVE ___ minutes

Read together the *We Believe* statement on page 123. Then ask a volunteer to read the first paragraph. Invite the children to look at the picture of the shepherd and the sheep as you read aloud the Scripture story.

Ask the following questions:

- *Why did the shepherd leave the ninety-nine sheep to look for one?* (The shepherd wanted all the sheep to be safe.)
- *What did the shepherd do when he found the lost sheep?* (He carried it home and celebrated with his friends.)

Nuestra respuesta en la fe

- Reconocer de qué manera podemos demostrarle a Dios que estamos realmente arrepentidos

Penitencia y Reconciliación

conciencia

Materiales

- crayones o lápices de colores

Conexión con el hogar

Pida a los niños que digan lo que comentaron con sus familias sobre la actividad en el capítulo 10.

El pecado nos separa de Dios y de los demás. Cuando pecamos, somos como la oveja perdida. Pero Jesús nos ofrece una forma para regresar.

El nos da una forma para recibir el perdón de Dios. La Iglesia celebra este perdón en el sacramento de la Penitencia y Reconciliación.

¿Qué dice la historia de Jesús sobre la oveja perdida acerca del amor de Dios?

Jesús comparte el perdón y la paz de Dios en el sacramento de la Penitencia y Reconciliación.

Cuando pecamos no estamos en paz con Dios, con nosotros mismos ni con los demás. En los evangelios leemos historias sobre gente que no estaba en paz con Dios. Jesús perdonó sus pecados. Jesús compartió la misericordia y la paz de Dios con ellos.

Jesús nos da una forma de encontrar la paz. El comparte el perdón de Dios con nosotros. En el sacramento de la **Penitencia y Reconciliación** recibimos y celebramos el perdón de Dios de nuestros pecados. Podemos llamar a este sacramento el sacramento de la Reconciliación.

Jesús dio a los apóstoles el poder de perdonar el pecado en su nombre. Hoy en el sacramento de la Reconciliación, los obispos y los sacerdotes perdonan los pecados en nombre de Jesús. Ellos reciben el poder de perdonar los pecados en el sacramento del Orden.

124

Planificación de la lección

CREEMOS (continuación)

Escriba la palabra *Reconciliación* en la pizarra. Explique a los niños que la palabra significa "volver o regresar". Pida a voluntarios que lean los primeros dos párrafos en la página 124. Explique: *Cuando pecamos, somos la oveja perdida y Jesús es el Buen Pastor. Jesús nos muestra el camino de regreso.*

Pida a los niños que reflexionen sobre la historia de la oveja perdida. Luego, invítelos a compartir sus respuestas a la pregunta.

Proponga a los niños leer en voz alta la afirmación *Creemos* de la página 124. Pida a otros voluntarios para leer los dos siguientes párrafos.

Explique *Jesús perdonó los pecados de muchas personas. Compartió con ellos el perdón y la paz de Dios.* Ponga énfasis en: *Jesús sigue compartiendo el perdón y la paz de Dios con nosotros a través del sacramento de la Penitencia y la Reconciliación.* Señale que a partir de ahora este sacramento se llamará sacramento de la Reconciliación.

Lea en voz alta el último párrafo. Pida a los niños que marquen o subrayen la segunda oración de este párrafo.

Siga las instrucciones de la actividad en la pagina 126 para encontrar la palabra que completa la oración.

Sin separates us from God and one another. When we sin, we are like the lost sheep. But Jesus has given us a way to come back together again.

He has given us a way to receive God's forgiveness. The Church celebrates this forgiveness in the sacrament of Penance and Reconciliation.

What does Jesus' story of the lost sheep help you to know about God's love?

Jesus shares God's forgiveness and peace in the sacrament of Penance and Reconciliation.

When we sin, we are not at peace with God, ourselves, or others. In the gospels we read some stories about people who were not at peace with God. Jesus forgave their sins. Jesus shared God's mercy and peace with them.

Jesus gives us a way to find peace, too. He shares God's forgiveness with us. In the sacrament of **Penance and Reconciliation** we receive and celebrate God's forgiveness of our sins. We can call this sacrament the sacrament of Reconciliation.

Jesus gave his apostles the power to forgive sin in his name. Today in the sacrament of Reconciliation, bishops and priests forgive sins in Jesus' name. They received this power to forgive sins in the sacrament of Holy Orders.

Our Faith Response

- To identify ways to show God that we are truly sorry

Penance and Reconciliation

conscience

Materials

- crayons or colored pencils

Home Connection Update

Ask the children to talk about their families' discussion of the activity on chapter 10.

Lesson Plan

WE BELIEVE (continued)

Write the word *Reconciliation* on the board. Explain that this word means "coming back together again." Ask volunteers to read the first two paragraphs on page 125. Explain: *When we sin we are like the lost sheep, and Jesus is like the shepherd. He gives us a way to come back together again.*

Ask the children to think about the story of the lost sheep. Then invite the children to share their answers to the question.

Invite a volunteer to read aloud the *We Believe* statement on page 125. Ask other volunteers to read the following two paragraphs.

Explain: *Jesus forgave many people their sins. He shared God's forgiveness and peace with them.* Stress: *Jesus continues to share God's forgiveness and peace with us through the sacrament of Penance and Reconciliation.* Point out that this sacrament will be referred to as the sacrament of Reconciliation.

Read aloud the last paragraph. Have the children highlight or underline the second sentence in this paragraph.

Follow the directions for the activity on page 126 to find the word that completes the sentence.

Banco de Actividades

Inteligencia múltiple

Movimiento corporal

Pida a los niños que dramaticen la historia de la oveja perdida. Proponga que todos participen en la celebración del pastor.

Una visita a la Iglesia

El Cuarto de Reconciliación o confesionario

Muestre a los niños el confesionario o Cuarto de Reconciliación de su iglesia parroquial. Después de ver el confesionario, recen juntos la siguiente oración: *Jesús, nuestro Buen Pastor, gracias por compartir con nosotros el perdón y la paz de Dios.*

Como católicos...

Examen diario de conciencia

Lean *Como católicos*. Anime a los niños a pedirle al Espíritu Santo que los ayude a tomas buenas decisiones.

Encierra en un círculo cada tercera letra para encontrar la palabra que falta para completar la oración. Escribe la palabra en el espacio en blanco.

b o p l k a c y z

El sacramento de la Reconciliación nos trae

la ______paz______ de Dios.

Examinamos nuestras conciencias.

Dios ha dado a cada persona una **conciencia**. Este don ayuda a la persona a saber lo que es bueno y lo que es malo.

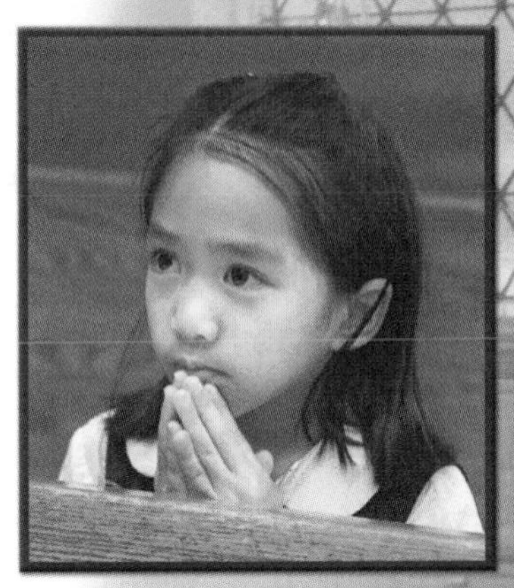

Podemos prepararnos para celebrar el sacramento de la Reconciliación examinando nuestra conciencia. Esto quiere decir pensar en lo que hemos hecho, en nuestras acciones, palabras y pensamientos.

El Espíritu Santo nos ayuda a recordar nuestras decisiones. Pensamos en cuando no hemos cumplidos los Diez Mandamientos. Nos hacemos preguntas como:

- ¿Usé el nombre de Dios con respeto y recé?
- ¿Cuidé de mi persona y de los dones que Dios me ha dado?
- ¿Obedecí a mis padres y a los que cuidan de mí?

Piensa en otras preguntas que puedes hacerte para examinar tu conciencia.

Como católicos...

Muchos católicos examinan sus conciencias antes de acostarse. Piensan en lo que hicieron o no hicieron para seguir el ejemplo de Jesús durante ese día. Se preguntan si respetaron a Dios, a ellos mismos y a los demás. Luego piden al Espíritu Santo les ayude a tomar mejores decisiones.

Pide al Espíritu Santo te ayude a tomar buenas decisiones.

126

Planificación de la lección

CREEMOS (continuación)

Cotejo rápido

- ✔ *¿Qué nos separa de Dios y de los demás?* (El pecado).
- ✔ *¿De qué trata el sacramento de la Penitencia y Reconciliación?* (Es el sacramento en el que recibimos y celebramos el perdón de Dios por nuestros pecados).
- ✔ *¿Cómo ayudó Jesús a quienes no estaban en paz con Dios y con ellos mismos?* (Jesús los ayudó perdonando sus pecados y compartiendo con ellos la misericordia y la paz de Dios).

Lea en voz alta la afirmación *Creemos* en la página 126. Explique que la palabra *examinar* significa "mirar algo de cerca o con cuidado".

Lea en voz alta el primer párrafo de *Creemos* en la página 126. Escriba la palabra *conciencia* sobre la pizarra. Pida a los niños que deletreen la palabra como práctica. *Explique: Cuando pensamos en las decisiones que hacemos, debemos tener en cuenta si estas decisiones que tomamos están de acuerdo con los Diez Mandamientos.*

Continúe leyendo *Creemos* en la página 126. Explique: *Un buen modo de examinar nuestra conciencia es preguntarnos a nosotros mismos sobre el modo en que hemos demostrado amor y respeto a Dios, a nosotros mismos y a los demás.* Luego, lea las preguntas que aparecen en la página. Haga una breve pausa después de leer cada pregunta para permitir una reflexión en silencio.

Sugiera que los niños escriban sus propias preguntas. Pida voluntarios para compartir sus preguntas con el grupo.

Circle every third letter to find the missing word. Write the word in the sentence.

n o p c d e y z a b d c f g e

The sacrament of Reconciliation brings us

God's ___peace___.

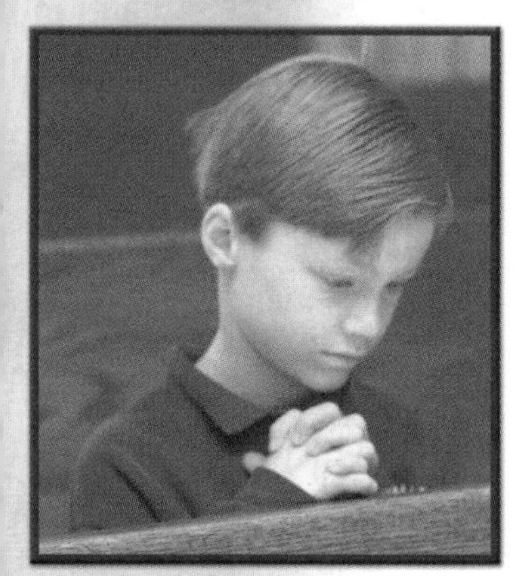

We examine our conscience.

God has given each person a **conscience**. This gift helps a person to know what is right and what is wrong.

We can prepare to celebrate the sacrament of Reconciliation by examining our conscience. This means we think about our thoughts, words, and actions.

The Holy Spirit helps us to remember the choices we have made. We think about the ways we have or have not followed the Ten Commandments. We ask ourselves:

- Did I speak God's name with respect and pray to him?
- Did I care for myself and the gifts God has given to me?
- Did I obey my parents and all those who care for me?

Think about other questions you can ask yourself to examine your conscience.

As Catholics...

Many Catholics make an examination of conscience during their nighttime prayer. They think about ways they have or have not followed Jesus' example that day. They ask themselves how they have respected God, themselves, and others. Then they ask the Holy Spirit to help them make better choices.

Ask the Holy Spirit to help you to make good choices, too.

127

Activity Bank

Multiple Intelligences

Bodily-Kinesthetic

Invite the children to act out the story of the lost sheep. Have all participate in the shepherd's celebration.

A Church Visit

Reconciliation Room

Show the children the Reconciliation Room in your parish church. After seeing the room, pray together the following words: *Jesus, our Good Shepherd, thank you for sharing God's forgiveness and peace with us.*

As Catholics...

Daily Examination of Conscience

Read the *As Catholics* text. Encourage the children to ask the Holy Spirit to help them continue to make good choices.

Lesson Plan

We Believe (continued)

Quick Check

✔ *What separates us from God and each other?* (Sin separates us.)

✔ *What is the sacrament of Penance and Reconciliation?* (It is the sacrament in which we receive and celebrate God's forgiveness of our sins.)

✔ *How did Jesus help people who were not at peace with God and themselves?* (Jesus helped people by forgiving their sins and by sharing God's mercy and peace with them.)

Read aloud the *We Believe* statement on page 127. Explain that the word *examine* means "to look closely or carefully at."

Read aloud the first *We Believe* paragraph on page 127. Write the word *conscience* on the board. Have the children practice pronouncing the word. Explain: *When we think about the choices we make, we need to consider whether that choice follows the Ten Commandments.*

Continue reading *We Believe* on page 127. Explain: *A good way to examine our conscience is to ask ourselves questions about the ways we have shown love and respect for God, ourselves, and others.* Then read the questions listed on the page. As you read the questions, pause briefly for quiet reflection.

Invite the children to think of others questions. Ask volunteers to share their questions with the group.

Nota para enseñar

El nombre del sacramento

El nombre completo del sacramento que los niños están aprendiendo es sacramento de la Penitencia y Reconciliación. Este es el nombre que se presenta en este capítulo. Sin embargo, en todas las referencias futuras a lo largo de este programa el sacramento se llamará sacramento de la Reconciliación.

Decimos a Dios que estamos arrepentidos de nuestros pecados.

Otra palabra para arrepentimiento es *contrición*. Decimos a Dios que estamos arrepentidos de nuestros pecados en el sacramento de la Reconciliación. También decimos a Dios que trataremos de no pecar de nuevo. Hacemos estas dos cosas cuando rezamos el acto de contrición.

Prepárate para el sacramento de la Reconciliación aprendiendo esta oración.

Acto de Contrición

Dios mío,
con todo mi corazón me arrepiento
de todo el mal que he hecho y de
todo lo bueno que he dejado de hacer.
Al pecar, te he ofendido a ti,
que eres el supremo bien y digno de ser
amado sobre todas las cosas.
Propongo firmemente, con la ayuda de tu
gracia, hacer penitencia, no volver a
pecar y huir de las ocasiones de pecado.
Señor, por los méritos de la pasión
de nuestro Salvador Jesucristo,
apiádate de mí. Amén.

RESPONDEMOS

¿Cómo vas a mostrar a Dios que estás verdaderamente arrepentido? Recen el Acto de Contrición que está en esta página.

Vocabulario

Penitencia y Reconciliación es el sacramento en que recibimos y celebramos el perdón de Dios por nuestros pecados

conciencia don de Dios que nos ayuda a saber lo que es bueno y lo que es malo

128

Planificación de la lección

CREEMOS (continuación)

Recuerde a los niños que cuando pecamos le damos la espalda a Dios. Escriba la palabra *contrición* en la pizarra. Explique que contrición significa "arrepentirse o lamentar mucho algo que se hizo".

Lea en voz alta la afirmación de *Creemos* y el primer párrafo de la página 128. Pida a los niños que marquen o subrayen la segunda y tercera oración. Ponga énfasis en: *Le pedimos perdón a Dios con una oración, le decimos que estamos arrepentidos y que no pecaremos de nuevo.*

Lea cada renglón de la oración y pida a los niños que lo repitan. Explique el significado de las siguientes frases:

- "Tengo la firme intención" ("realmente quiero hacerlo")
- "de hacer penitencia" ("de hacer algo que compense lo malo de mi pecado")

Vocabulario Escriba las palabras del *Vocabulario* de este capítulo en la pizarra. Pida a voluntarios que definan las palabras. Pida a los niños que usen cada palabra correctamente en una oración.

RESPONDEMOS

____ minutos

Conexión con la vida Sugiera a los niños que reflexionen sobre sus respuestas a la pregunta de *Respondemos*. Recalque: *Le demostramos a Dios que estamos realmente arrepentidos por lo que hicimos si intentamos no pecar más con todas nuestras fuerzas. Le pedimos al Espíritu Santo que nos ayude a tomar buenas decisiones y a evitar las malas. Examinamos nuestras conciencias y le decimos a Dios que lamentamos las decisiones equivocadas que hemos tomado.*

Oración recen juntos el Acto de Contrición. Anime a los niños a rezar la oración a menudo y a aprenderla de memoria.

We tell God we are sorry for our sins.

Another word for sorrow is *contrition*. We tell God we are sorry for our sins in the sacrament of Reconciliation. We also tell God we will try not to sin again. We do both of these things when we say the Act of Contrition.

Prepare for the sacrament of Reconciliation by learning this prayer.

Penance and Reconciliation the sacrament in which we receive and celebrate God's forgiveness of our sins

conscience God's gift that helps us to know right from wrong

Act of Contrition

My God,
I am sorry for my sins with all my heart.
In choosing to do wrong
and failing to do good,
I have sinned against you
whom I should love above all things.
I firmly intend, with your help,
to do penance,
to sin no more,
and to avoid whatever leads me to sin.
Our Savior Jesus Christ
suffered and died for us.
In his name, my God, have mercy.

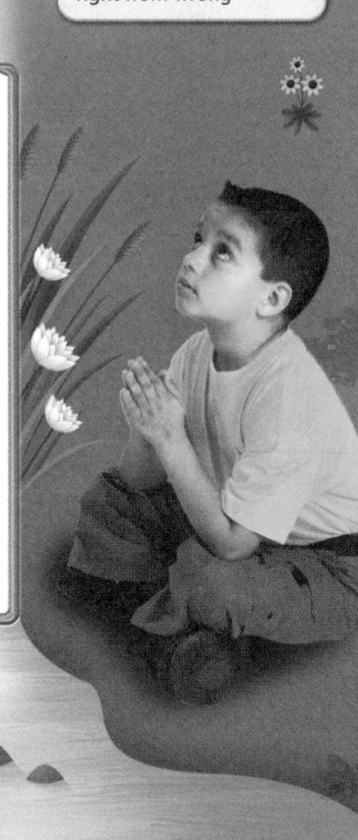

WE RESPOND

How can you show God you are truly sorry? Pray together the Act of Contrition on this page.

Teaching Note

The Name of the Sacrament

The full title for the sacrament the children are learning is the sacrament of Penance and Reconciliation. This title is presented in this chapter. However, in all future references in this program the sacrament will be called the sacrament of Reconciliation.

Lesson Plan

WE BELIEVE (continued)

Remind the children that when we sin, we turn away from God. Print the word *contrition* on the board. Explain that contrition means "being sorry."

Read aloud the *We Believe* statement and the first paragraph on page 129. Ask the children to highlight or underline the second and third sentences. Stress: *We tell God we are sorry in prayer. We show we are sorry by trying not to sin again.*

Read each line of the prayer and ask the children to repeat each line. Explain the meaning of the following phrases:

- "I firmly intend" ("I really mean to")
- "to do penance" ("to do something to make up for my sin")

Key Words Write the *Key Words* of the chapter on the board. Have volunteers define the words. Ask the children to use each of the words correctly in a sentence.

WE RESPOND

____ minutes

Connect to Life Invite the children to reflect on their answers to the *We Respond* question. Stress: *We can show God we are truly sorry by trying hard not to sin. We can ask the Holy Spirit to help us make good choices and to avoid making wrong ones. We can examine our conscience and tell God we are sorry for any wrong choices we may have made.*

Pray together the Act of Contrition. Encourage the children to pray the prayer often and commit it to memory.

BANCO DE ACTIVIDADES

Inteligencia múltiple

Intrapersonal e interpersonal

Materiales: fichas

Entregue una ficha a cada niño. Pídales que escriban *sí* de un lado de la ficha y *no* del otro lado. Explíqueles que va a describir algunas de las elecciones que podemos enfrentar. Dígales que si piensan que la elección está de acuerdo con los Diez Mandamientos deben levantar la ficha mostrando el lado del "sí", y que si creen que la elección realizada no sigue los mandamientos deben levantar la ficha mostrando el lado del "no".

- *Encontraste cinco dólares en el patio de juegos y los entregaste al director de la escuela.* (sí)
- *Te reíste cuando otros compañeros se burlaban de alguien.* (no)
- *Rompiste una ventana y culpaste a tu hermano.* (no)
- *Ayudaste a una amiga a limpiar su cuarto para poder ir a jugar al parque.* (sí)

CONEXION CON EL HOGAR

Compartiendo lo aprendido

Recuerde a los niños compartir con sus familias lo aprendido en este capítulo.

Explíqueles a los niños que deben rezar el Acto de Contrición con sus familias durante la semana.

Para más información y actividades adicionales visite a Sadlier

www.CREEMOSweb.com

Planifique por adelantado

Lugar de oración: una imagen de Jesús, el Buen Pastor o una imagen de un padre abrazando a su hijo

Materiales: copias del patrón 12, 2–3 CD, crayones o marcadores de colores

___ minutos

Repaso del capítulo
Explique a los niños que con esta actividad comprobarán lo que aprendieron en clase. Luego, pida a los niños que completen las preguntas 1 a 4. Una vez finalizado el ejercicio, pida algunos voluntarios que lean en voz alta las respuestas correctas. Aclare cualquier duda que pueda surgir.

A continuación pida a los niños que miren la quinta pregunta. Deberán describir dos modos de prepararse para el sacramento del perdón. Cuando todos terminen, pida a los niños que compartan sus respuestas.

Repaso — Capítulo 11

Colorea el círculo al lado de la respuesta correcta.

1. Nuestra _____ nos ayuda a saber lo que está mal y lo que está bien.
   ● conciencia ○ contrición
2. No estamos en paz con Dios, con nosotros mismos ni con los demás cuando _____.
   ● pecamos ○ amamos
3. Reconciliación es un sacramento de _____.
   ● perdón ○ olvido
4. _____ es una oración de arrepentimiento.
   ○ La Señal de la Cruz ● El Acto de Contrición
5. Escribe dos formas en que te puedes preparar para el sacramento de la Reconciliación.
   Examinamos nuestras conciencias. Aprendemos la oración Acto de Contrición.

Reflexiona y ora

Escribe una oración diciendo a Dios que estás arrepentido de tus pecados.

130

PÁGINA DEL ESTUDIANTE 130

Reflexiona y ora Permita que los niños dispongan de tiempo suficiente para escribir sus propias oraciones. Le dirán a Dios que lamentan mucho sus pecados. Proponga a los niños que recen su oración a Dios en silencio.

Respondemos y compartimos la fe

___ minutos

Recuerda Repase las cuatro afirmaciones de *Creemos*. Pregunte a los niños por qué creen que estas afirmaciones son importantes en sus vidas.

Nuestra vida católica
Lea en voz alta "¿Cuándo celebramos?" Sugiera a los niños que celebren el perdón de Dios en el sacramento de la Reconciliación.

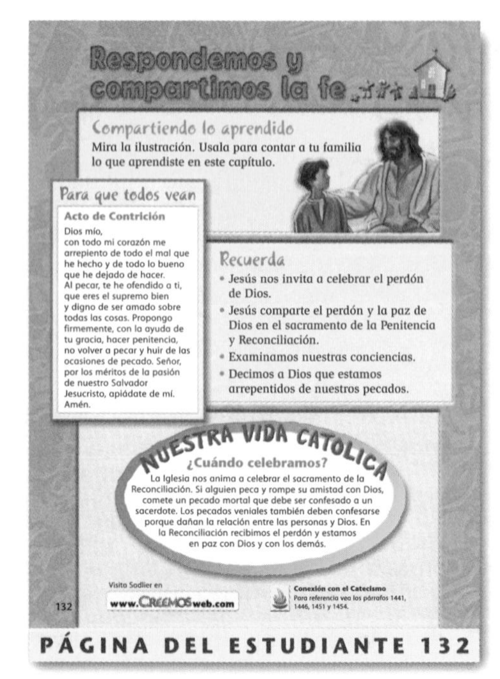

Respondemos y compartimos la fe

Compartiendo lo aprendido

Mira la ilustración. Usala para contar a tu familia lo que aprendiste en este capítulo.

Para que todos vean

Acto de Contrición

Dios mío, con todo mi corazón me arrepiento de todo el mal que he hecho y de todo lo bueno que he dejado de hacer. Al pecar, te he ofendido a ti, que eres el supremo bien y digno de ser amado sobre todas las cosas. Propongo firmemente, con la ayuda de tu gracia, hacer penitencia, no volver a pecar y huir de las ocasiones de pecado. Señor, por los méritos de la pasión de nuestro Salvador Jesucristo, apiádate de mí. Amén.

Recuerda

- Jesús nos invita a celebrar el perdón de Dios.
- Jesús comparte el perdón y la paz de Dios en el sacramento de la Penitencia y Reconciliación.
- Examinamos nuestras conciencias.
- Decimos a Dios que estamos arrepentidos de nuestros pecados.

NUESTRA VIDA CATÓLICA

¿Cuándo celebramos?

La Iglesia nos anima a celebrar el sacramento de la Reconciliación. Si alguien peca y rompe su amistad con Dios, comete un pecado mortal que debe ser confesado a un sacerdote. Los pecados veniales también deben confesarse porque dañan la relación entre las personas y Dios. En la Reconciliación recibimos el perdón y estamos en paz con Dios y con los demás.

Visita Sadlier en www.CREEMOSweb.com

Conexión con el Catecismo: Para referencia vea los párrafos 1441, 1446, 1451 y 1454.

132

PÁGINA DEL ESTUDIANTE 132

______ minutes

Chapter Review Explain to the children that they are now going to check their understanding of what they have learned. Then have the children complete questions 1–4. After they have finished, have volunteers say aloud each of the correct answers. Clear up any misconceptions that may arise.

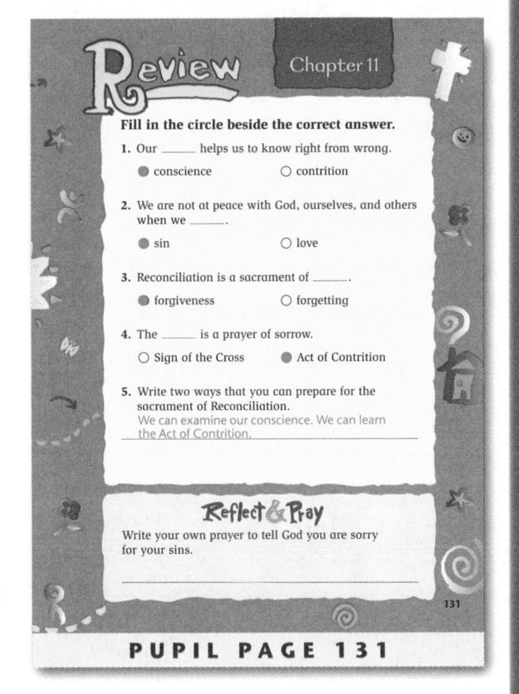

PUPIL PAGE 131

Then have the children look at the fifth question. Ask the children to write down two ways that they can prepare for the sacrament of Reconciliation. After everyone is finished, invite the children to share their answers.

Reflect & Pray Give the children time to write their own prayer that tells God they are sorry for their sins. Invite the children to silently pray their prayer to God.

We Respond and Share the Faith

____ minutes

Remember Review the four *We Believe* statements. Ask the children what difference these beliefs make in their own lives.

Our Catholic Life Read aloud "When Do We Celebrate?" Encourage the children to look forward to celebrating God's forgiveness in the sacrament of Reconciliation.

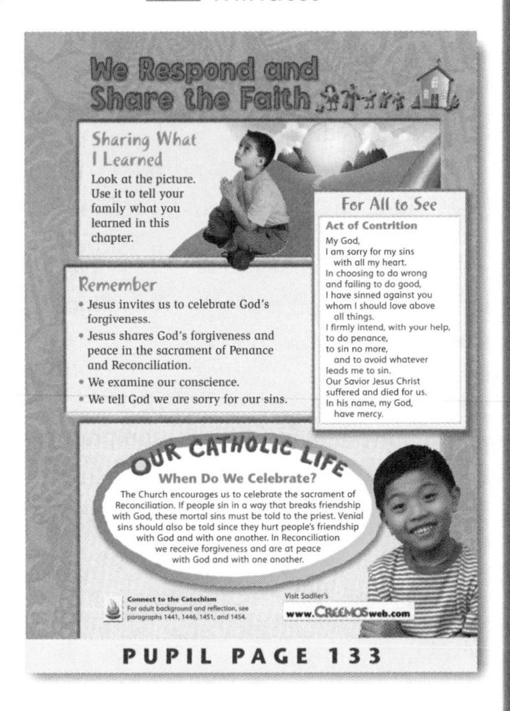

PUPIL PAGE 133

Activity Bank

Multiple Intelligences

Intrapersonal and Interpersonal

Materials: index cards

Distribute an index card to each child. Tell the children to write *yes* on one side of the card and *no* on the other side. Explain that you will describe some choices people can make. Tell the children that if they think the choice made is one that follows the Ten Commandments, they should hold up the "yes" side of the card. If they feel the choice made is one that does not follow the commandments, they should hold up the "no" side of the card.

- *You found $5.00 on the playground and turned it in to the principal.* (yes)
- *You laughed when other teammates made fun of someone.* (no)
- *You broke a window and blamed it on your brother.* (no)
- *You helped a friend clean her room so that you could go to the park and play.* (yes)

Home Connection

Sharing What I Learned

Remind the children to share with their families what they learned in this chapter.

Explain that the children should pray the Act of Contrition with their families during the week.

For additional information and activities, encourage families to visit Sadlier's

www.CREEMOSweb.com

Plan Ahead for Chapter 12

Prayer Space: picture of Jesus, the Good Shepherd or picture of a parent hugging a child

Materials: copies of Reproducible Master 12; Grade 2 CD, crayons

Celebramos el sacramento del perdón

Ojeada

En este capítulo los niños aprenderán a celebrar el sacramento del perdón.

Contenido doctrinal	Para referencia del *Catecismo de la Iglesia Católica*
Los niños aprenderán que:	párrafo
• Pedimos perdón a Dios en el sacramento de la Reconciliación.	1455
• Celebramos el perdón de Dios en el sacramento de la Reconciliación.	1468
• Celebramos el sacramento de la Reconciliación con nuestra comunidad parroquial.	1469
• Jesús quiere que perdonemos a los demás.	1425

Referencia catequética

¿Qué pasos debemos seguir para reparar una relación rota?

Todos experimentamos la necesidad de ser perdonados en algún momento de nuestras vidas. Cada vez que detectamos problemas en una relación nos preguntamos si hemos hecho algo para causarlos. Si tuvimos la culpa, nos disculpamos y prometemos no permitir que ocurra nuevamente. El sacramento de la Reconciliación sigue un patrón similar.

Examinamos nuestra conciencia, nos arrepentimos de nuestros pecados y pedimos perdón en la Reconciliación. Después de confesar nuestros pecados al sacerdote, aceptamos voluntariamente una penitencia en reparación de nuestros pecados. Rezamos un acto de contrición y prometemos no pecar más. En la Reconciliación el sacerdote actúa en nombre de Dios. Aunque sea el sacerdote quien dice las palabras de absolución, el que nos perdona es Dios.

Regularmente toda la comunidad parroquial se congrega para celebrar el perdón de Dios en el sacramento de la Reconciliación. Después de confesar nuestros pecados, nos hacemos el firme propósito de no pecar más.

Ya sea que recibamos el sacramento en forma individual o como parte de una celebración parroquial, es siempre una señal del amor y el perdón de Dios. Mientras celebramos el hecho de ser perdonados, recordamos que Jesús quiere que también perdonemos a los demás como él nos perdona.

¿Cómo puede llegar a ser una persona que perdona a los demás?

Mirando la vida

Marcia y su hermanita Julia compartían muchas cosas. Todas las tardes después de la escuela Marcia y Julia hacían juntas sus tareas escolares en la mesa de la cocina.

Marcia se alegró mucho cuando Yolanda se mudó al departamento ubicado al otro lado del vestíbulo, y comenzó a pasar cada vez más tiempo con Yolanda después de clases. Julia trató de decirle a su hermana que se sentía abandonada, pero Marcia estaba divirtiéndose tanto con su nueva amiga que no la escuchó.

Un día Julia se veía tan triste que Marcia le dijo: "Voy a hacer algo contigo mañana. Papá dijo que nos llevará a comprar un obsequio de cumpleaños para mamá. También dijo que nos comprará un helado. Iremos mañana, ¿de acuerdo?"

Pero al día siguiente, cuando Julia regresó a casa al salir de la escuela, Marcia no estaba allí. Papá le dijo: "Marcia no vendrá con nosotros. Está jugando fútbol con Yolanda". De modo que Julia y su papá partieron solos hacia el centro comercial.

Esa noche el papá le dijo a Marcia: "Sé que te gusta pasar el día con tu nueva amiga. Pero tu hermana te extraña. Hoy Julia estaba tan triste que no pudo terminar su helado con frutas".

Marcia encontró a Julia en el cuarto que compartían y dijo:

"Julia, siento mucho no haber ido con papá y contigo hoy".

"Te extrañé, pero supongo que puedo perdonarte por esta vez. Vamos a buscar a papá para que puedas ver el obsequio que le compramos a mamá", respondió Julia.

¿Qué creen que Marcia puede hacer para que su hermana sea feliz sin descuidar a su amiga?

We Celebrate the Sacrament of Forgiveness

Overview

In this chapter the children will learn how to celebrate the sacrament.

Doctrinal Content	For Adult Reading and Reflection *Catechism of the Catholic Church*
The children will learn	Paragraph
• We ask for God's forgiveness in the sacrament of Reconciliation.	1455
• We celebrate God's forgiveness in the sacrament of Reconciliation.	1468
• We celebrate the sacrament of Reconciliation with our parish community.	1469
• Jesus wants us to forgive others.	1425

Catechist Background

What steps need to be taken to heal a broken relationship?

Everyone experiences the need for forgiveness at some point. We notice a problem in a relationship and look to see if we have done something to cause it. If we are at fault, we apologize and promise not to let it happen again. The sacrament of Reconciliation follows a similar pattern.

After we examine our conscience, we feel sorry for our sins and ask forgiveness in Reconciliation. After confessing our sins to the priest, we willingly accept the penance to make up for our sins. We pray an act of contrition and promise not to sin again. In Reconciliation the priest acts in the name of God. Although the priest says the words of absolution, it is God who forgives us.

From time to time the entire parish community gathers to celebrate God's forgiveness in the sacrament of Reconciliation. After confessing our sins, we make a firm resolve not to sin again.

Whether we receive the sacrament individually or as part of a parish celebration, it is always a sign of God's love and forgiveness. As we celebrate being forgiven, we remember that Jesus wants us to be as forgiving of others as he is of us.

How can you grow as a forgiving person?

Focus on Life

Chapter Story

Marcy and her little sister, Jenna, shared many things. Every afternoon after school, Marcy and Jenna did their homework together at the kitchen table.

When Yolanda moved into the apartment down the hall, Marcy was very happy. More and more, Marcy spent time with Yolanda after school. Jenna tried to tell Marcy that she felt left out, but Marcy was having so much fun with her new friend that she did not listen to Jenna.

Jenna looked so sad one day that Marcy said, "I'll do something with you tomorrow. Dad said that he would take us shopping to buy a present for Mom's birthday. He said that he'd treat us to ice cream, too. We'll go tomorrow!"

The next day when Jenna arrived home from school, Marcy wasn't there. Dad said, "Marcy isn't coming with us. She is going to play soccer with Yolanda." So, Jenna and her dad went to the store by themselves.

That night, Dad told Marcy, "I know you like spending time with your new friend. But your sister misses you. Jenna was so sad, she couldn't finish her ice cream sundae."

Marcy found Jenna in their bedroom. Marcy said, "Jenna, I'm sorry I didn't go with you and Dad today." Jenna answered, "I missed you. I guess I'll forgive you this time. Let's go find Dad so you can see the present we picked out for Mom."

What do you think Marcy can do to make her sister happy and keep her friend, too?

Guía para planificar la lección

1 NOS CONGREGAMOS

Pasos de la lección	Presentación	Materiales
pág. 134 **Oración**	 Pedir perdón a Dios con una canción.	 Canción "El Señor es tierno y compasivo", 2–3 CD
 **Mirando la vida**	• Comentar sobre el perdón.	Para el lugar de oración: una lámina de Jesús, el Buen Pastor

2 CREEMOS

Pasos de la lección	Presentación	Materiales
pág. 134 *Pedimos perdón a Dios en el sacramento de la Reconciliación.*	• Presentar los pasos del sacramento de la Reconciliación.	• lápices o lapiceras
pág. 136 *Celebramos el perdón de Dios en el sacramento de la Reconciliación.* *Rito de la penitencia*	• Presentar la celebración del sacramento de la Reconciliación. Comentar de qué modo nos ayuda la celebración de este sacramento.	
pág. 138 *Celebramos el sacramento de la Reconciliación con nuestra comunidad parroquial.*	• Leer sobre la celebración de la Reconciliación con la parroquia. Comentar las respuestas a la pregunta. • Leer y comentar *Como católicos.*	
pág. 140 *Jesús quiere que perdonemos a los demás.* *Mateo 18:21–22*	• Leer y comentar el relato bíblico. • Señalar *Vocabulario* y sus definiciones.	• lápices de colores o crayones • cartulina • copias del patrón 12

3 RESPONDEMOS

Pasos de la lección	Presentación	Materiales
pág. 140	Completar la actividad *Respondemos* sobre ser un pacificador.	
páginas 142 y 144 **Repaso**	• Completar las preguntas 1 a 5. Completar la actividad *Reflexiona y ora.*	
páginas 142 y 144 **Respondemos y compartimos la fe**	• Repasar *Recuerda* y *Vocabulario.* • Leer y comentar *Nuestra vida católica.*	

Para ideas, actividades y otras oportunidades visite Sadlier en **www.CREEMOSweb.com**

Lesson Planning Guide

Lesson Steps	Presentation	Materials
 **WE GATHER**		
page 135 ✝ **Prayer** 	 Ask God for forgiveness in song. • Talk about forgiveness.	 "We Come to Ask Forgiveness," #8, Grade 2 CD For the prayer space: a picture of Jesus, the Good Shepherd
 **WE BELIEVE**		
page 135 *We ask for God's forgiveness in the sacrament of Reconciliation.*	• Present the steps in the sacrament of Reconciliation.	• pencils or pens
page 137 *We celebrate God's forgiveness in the sacrament of Reconciliation.* *Rite of Penance*	• Present the celebration of the sacrament of Reconciliation. Discuss how celebrating this sacrament helps us.	
page 139 *We celebrate the sacrament of Reconciliation with our parish community*	• Read about celebrating Reconciliation with the parish. Discuss the responses to the question. • Read and discuss *As Catholics.*	
page 141 *Jesus wants us to forgive others.* *Matthew 18:21–22*	• Read and discuss the Scripture story. • Point out the *Key Words* and the definitions.	• colored pencils or crayons • construction paper • copies of Reproducible Master 12
3 WE RESPOND		
page 141	Do the *We Respond* activity about being a peacemaker.	
pages 143 and 145 **Review**	• Complete questions 1–5. Complete the *Reflect & Pray* activity.	
pages 143 and 145 **We Respond and Share the Faith**	• Review *Remember* and *Key Words.* • Read and discuss *Our Catholic Life.*	

For additional ideas, activities, and opportunities: Visit Sadlier's **www.CREEMOSweb.com**

Conexiones

Doctrina social de la Iglesia

Solidaridad de la familia humana
Ni los padres ni los maestros pueden proteger a los niños de todos los efectos negativos de nuestra sociedad. (De hecho, somos responsables de enseñarles las habilidades necesarias para participar en la búsqueda activa de medios para hacer posible la paz y la reconciliación). Ciertamente, la caridad comienza por casa, pero su valor necesita ser puesto en acción fuera del hogar.

La Biblia

Sugiera a los niños que recuerden los relatos evangélicos que han escuchado en clase o en misa a medida que aprenden sobre el sacramento de la Reconciliación. Explíqueles que en el capítulo 15 del Evangelio de Lucas podemos encontrar las parábolas de la oveja perdida y del hijo pródigo. Señale que ambas historias se refieren al perdón y a la celebración de las personas que perdonan y son perdonadas. Anime a los niños a comprender que lamentar nuestras acciones erróneas y perdonar a las personas que nos lastiman cambia nuestras vidas de un modo positivo y profundo.

FE y MEDIOS

- Comente historias de perdón en el cine o la televisión. Recuerde a los niños que encontrar estas historias en los medios de comunicación sirve como buenos ejemplos para quienes los miran, y por lo tanto representan un buen uso de los medios. Como el Papa Juan Pablo II nos recordó en su mensaje por el Día Mundial de las Comunicaciones en 1998, "Los medios de comunicación social, usados adecuadamente, pueden ayudarnos a crear una comunidad humana basada en la justicia y la caridad" (según se cita en el documento *Ética en las comunicaciones,* Consejo pontificio para las comunicaciones sociales, 4 de junio de 2000, # 19).

Liturgia para esta semana
Visite **www.creemosweb.com** para las lecturas bíblicas de esta semana y otros materiales propios del tiempo.

Necesidades individuales

Ayuda visual para la reconciliación

Es posible que a algunos niños les resulte difícil memorizar el texto del Acto de Contrición. Permita que estos niños preparen tarjetas con la oración del Acto de Contrición. Pueden copiar las palabras de la oración sobre un cartón grueso. Luego, cubra las tarjetas con plástico transparente. Diga a los niños que pueden usar estas tarjetas durante la celebración.

RECURSOS ADICIONALES

Video *El hijo pródigo*, Franciscan Communications. David es un joven que se va de la casa. Después de sentir dolor y separación de su familia, siente un gran deseo de regresar. El regreso a casa y la reconciliación, nos recuerda la historia del hijo pródigo en tiempos modernos.

Para ideas visite a Sadlier en

www.CREEMOSweb.com

Connections

To Catholic Social Teaching

Solidarity of the Human Family
Neither parents nor teachers can shelter their children from all the negative effects of our society. (In fact, it is our responsibility to teach them the skills to participate by actively seeking means to make peace and reconciliation possible.) Charity certainly begins at home, but its value needs to be put in action outside the home.

To Scripture

As the children learn about the sacrament of Reconciliation, encourage them to recall gospel stories that they have heard in class or at Mass. Explain that the parables of the lost sheep and the forgiving father are found in Chapter 15 of the Gospel of Luke. Point out that both stories are about forgiveness and the celebration of the persons who forgave and were forgiven. Encourage the children to understand that being sorry for our wrong actions and forgiving people who hurt us can change our lives in positive and powerful ways.

FAITH and MEDIA

- Discuss stories of forgiveness in the movies or on television. Remind the children that such stories in the media can serve as good examples to those who watch them, and so represent good use of media. As Pope John Paul II reminded us in his message for World Communications Day in 1998, "The means of social communication, properly used, can help to create and sustain a human community based on justice and charity" (as quoted in the document *Ethics in Communications,* Pontifical Council for Social Communications, June 4, 2000, # 19).

This Week's Liturgy
Visit **www.creemosweb.com** for this week's liturgical readings and other seasonal material.

Meeting Individual Needs

A Visual Help for Reconciliation

Some children may find it difficult in memorizing the words of the Act of Contrition. Help these children make Act of Contrition prayer cards. They can copy the words of the prayer on heavy stock paper. Have them cover the cards with clear plastic. Tell the children they can use these cards during the celebration.

ADDITIONAL RESOURCES

Book *First Reconciliation,* Sadlier Sacrament Program: *With You Always,* William H. Sadlier, Inc., 2000. A family and parish-based program to help children prepare for their First Reconciliation.

Video *A Child's First Penance,* Liguori Publications, 1987. Well-rounded presentation for children on sin, forgiveness, and the Rite of Reconciliation (20 minutes).

To find more ideas for books, videos, and other learning material visit Sadlier's

www.CREEMOSweb.com

Meta catequética

- Explicar cómo se celebra el sacramento de la Reconciliación

Preparandose para orar

En esta oración de congregación los niños pedirán perdón a Dios.

- Pida a los niños escuchar en silencio mientras lee en voz alta las letras de la canción.
- Explíqueles que cuando le pedimos perdón a Dios hacemos un puente de paz.

El lugar de oración

- Muestre una ilustración relacionada con el perdón, por ejemplo una imagen del Buen Pastor abrazando a su oveja perdida o de un padre abrazando a su hijo como en la historia del hijo pródigo.
- Muestre también una imagen de un puente. Explique que los puentes representan nuestros esfuerzos por construir puentes de paz y perdón.

Celebramos el sacramento del perdón

Nos congregamos

✝ **Todos:** Señor, ten piedad.

 **El Señor es tierno y compasivo**

El Señor es tierno y compasivo;
el perdona nuestras faltas.
El Señor es tierno y compasivo;
no abandona al pecador.

¿Qué haces cuando alguien te pide perdón?

Creemos

Pedimos perdón a Dios en el sacramento de la Reconciliación.

Cuando celebramos el sacramento de la Reconciliación, pensamos en las formas en que mostramos amor a Dios y a los demás. Esto es un examen de conciencia. Nos arrepentimos de nuestros pecados y prometemos no pecar más. Esto es llamado **contrición**.

Decimos nuestros pecados al sacerdote. Esto es la **confesión**. El sacerdote nos pide rezar o hacer algo para reparar nuestra falta. Esto es la **penitencia**.

Hacemos un acto de contrición diciendo a Dios que estamos arrepentidos. Prometemos no volver a pecar más. El sacerdote perdona nuestros pecados en el nombre de Jesús, esta es la **absolución**.

134

Planificación de la lección

Nos congregamos ____ minutos

✝ **Oración**

- Los niños deberán formar dos filas en el lugar de oración. Pida a una fila de niños que se enfrenten con la otra fila y que extiendan sus brazos y manos hacia el niño que está al frente para formar un puente.
- Cuando el puente esté formado, pídales que canten "El Señor es tierno y compasivo". Luego, pídales a los niños que bajen los brazos y miren la imagen de Jesús. Pídales que vuevlan a cantar la canción.
- Sugiera a los niños compartir una señal de paz con los niños que están al lado.

Mirando la vida

- Comente con los niños lo que hacen cuando alguien les pide perdón. Señale la importancia de perdonar a los demás. Comparta la *Historia para el capítulo* de la página 134A.

Creemos ____ minutos

Pregunte *¿Qué hacemos en nuestro examen de conciencia?* (Pensamos si hemos demostrado o no amor por Dios y por los demás) *¿Qué significa la contrición?* (arrepentirse de los pecados.)

Lea los dos primeros párrafos *Creemos* en la página 134. Explique: *En algún momento todos sentimos la necesidad de pedir perdón. Lo hacemos en el sacramento de la Reconciliación.* Recuerde a los niños que Jesús dio a la Iglesia este sacramento para permitirnos participar en la misericordia de Dios y perdonar a los demás.

We Celebrate the Sacrament of Forgiveness

WE GATHER

✝ **All:** Lord, have mercy.

We Come to Ask Forgiveness

We come to ask your forgiveness, O Lord,
and we seek forgiveness from each other.
Sometimes we build up walls instead
of bridges to peace,
and we ask your forgiveness, O Lord.

What do you do when someone asks you to forgive them?

WE BELIEVE

We ask for God's forgiveness in the sacrament of Reconciliation.

When we celebrate the sacrament of Reconciliation, we think about the ways we have shown or not shown love for God and for others. This is an examination of conscience. We are sorry for our sins and promise not to sin again. This is **contrition**.

We tell our sins to the priest. This is called **confession**. The priest tells us to say a prayer or to do a kind act to make up for our sins. This is called **a penance**.

We say an act of contrition to tell God we are sorry. We promise not to sin again. The priest acting in the name of Jesus forgives our sins. This is called **absolution**.

135

Catechist Goal

- To explain how the sacrament of Reconciliation is celebrated

PREPARING TO PRAY

For this gathering prayer, the children will ask God for forgiveness.

- Have the children read silently as you read aloud the words of the song.
- Explain that asking God for forgiveness is building a bridge for peace.
- Play song #8 on the Grade 2 CD and have the children practice singing.

The Prayer Space

- Display a picture that shows forgiveness, such as the Good Shepherd embracing his lost sheep, or a picture of a parent hugging a child as in the story of the forgiving father.
- Also display a picture of a bridge. Explain that the bridge stands for our tries to build bridges of peace and forgiveness.

Lesson Plan

WE GATHER ___ minutes

✝ **Prayer**

- Invite the children to form two lines in the prayer space. Have the children in both lines face each other and make a bridge by extending their arms and hands.
- When the bridge is formed, ask the children to sing "We Come to Ask Forgiveness." Then ask them to drop their arms and face the picture of Jesus. Ask them to sing the song again.
- Invite the children to share a sign of peace with those who are near them.

Focus on Life

- Discuss with the children what they do when people ask their forgiveness. Point out the importance of forgiving others. Share the *Chapter Story* on guide page 134B.

WE BELIEVE ___ minutes

Ask *What do we do when we examine our conscience?* (We think about ways we have shown or not shown love for God and for others.) *What does contrition mean?* (sorrow for sin)

Read the first two *We Believe* paragraphs on page 135. Explain: *There are times when we all need to ask for forgiveness. We do this in the sacrament of Reconciliation.* Remind the children that Jesus gave his Church this sacrament so that we could share in God's mercy and forgive others.

Nuestra respuesta en la fe

- Aprender el proceso de recibir el sacramento de la Reconciliación y reconocer de qué manera podemos perdonar a los demás en el nombre de Jesús

contrición
confesión
penitencia
absolución

Materiales

- copias del patrón 12
- cartulina, tijeras, pegamento, crayones o lápices de colores

Conexión con el hogar

Pregunte: *¿Cómo te ayudó tu familia a aprender el Acto de Contrición?*

Estos pasos son siempre parte del sacramento de la Reconciliación. Cuando celebramos este sacramento, nos encontramos con un sacerdote. El actúa en nombre de Jesús. Podemos sentarnos frente al sacerdote o arrodillarnos detrás de una rejilla.

¿Qué le decimos a Dios cuando hacemos la penitencia que nos impone el sacerdote?

Celebramos el perdón de Dios en el sacramento de la Reconciliación.

Esto pasó cuando Lucy fue a celebrar el sacramento de la Reconciliación con el padre Pedro.

Lee conmigo

- El padre Pedro saluda a Lucy y ambos hacen la señal de la cruz.
- Lucy escucha una lectura de la Biblia sobre el perdón de los pecados.
- Lucy confiesa sus pecados al padre Pedro.
- El padre Pedro y Lucy hablan sobre lo que ella debe hacer para tomar buenas decisiones. Después él le da una penitencia. Lucy hará su penitencia al finalizar la celebración del sacramento.
- Lucy hace un acto de contrición.
- Lucy recibe la absolución, o perdón, de sus pecados. El sacerdote extiende su mano derecha sobre la cabeza de Lucy. El reza:

  "Dios, Padre misericordioso, que, por la muerte y resurrección de su Hijo, reconcilió consigo al mundo y derramó el Espíritu Santo para el perdón de los pecados te conceda el perdón y la paz, por el ministerio de la Iglesia. Y yo te absuelvo de tus pecados en el nombre del Padre y del Hijo, † y del Espíritu Santo".

  Lucy dice: Amén.
- El padre Pedro y Lucy dan gracias a Dios por su perdón. El padre le dice: "Vete en paz".

Podemos celebrar la Reconciliación de la forma en que lo hizo Lucy.

Habla sobre como nos ayuda celebrar el sacramento de la Reconciliación.

136

Planificación de la lección

CREEMOS (continuación)

Escriba sobre la pizarra las palabras *confesión, penitencia* y *absolución.* Pronuncie lentamente cada palabra para los niños. Explique que *absolución* proviene de una palabra que significa "limpiar las manchas". Luego, pida a voluntarios que lean en voz alta los dos párrafos siguientes en *Creemos* en las páginas 134 y 136.

Lea la pregunta. Permita que los niños lleguen a la conclusión de que le pedimos perdón a Dios y además le damos gracias porque nos ha perdonado.

Lea la sección sobre Lucy y su celebración del sacramento de la Reconciliación. Realice una dramatización de la celebración del sacramento según se describe en esta página. Represente el papel del Padre Lin y pida un voluntario/a que actúe el papel de Lucy.

Señale que en algunas ocasiones el sacerdote lee la historia del hijo pródigo o de la oveja perdida.

Explique que podemos celebrar el sacramento como lo hizo Lucy. Recalque: *Cada vez que nos arrepentimos de algo que hicimos, Dios está dispuesto a darnos su misericordia y su perdón.*

Comente como la celebración del sacramento de la Reconciliación nos ayuda. Explique: *Muchas personas se sienten más cerca de Jesús o quieren acercarse más a él después de celebrar la reconciliación. Se alegran de que el sacerdote los absuelva de sus pecados y prometen no pecar más.*

These steps are always part of the sacrament of Reconciliation. When we celebrate this sacrament, we meet with the priest. He acts in the name of Jesus. We may sit and face the priest or kneel behind a screen.

What are we telling God when we do the penance the priest gives us?

We celebrate God's forgiveness in the sacrament of Reconciliation.

This is what happened when Lucy went to Father Peter to celebrate the sacrament of Reconciliation.

Read Along

- Father Peter welcomed Lucy. They both made the sign of the cross.
- Lucy listened to a story from the Bible about God's forgiveness.
- Lucy confessed her sins to Father Peter.
- Father Peter and Lucy talked about what she could do to make right choices. Then Father gave Lucy a penance. Lucy will do her penance after the celebration of the sacrament.
- Lucy prayed an act of contrition.
- Lucy received absolution, or forgiveness, from her sins. Father Peter stretched out his right hand over Lucy's head. He prayed:

  "God, the Father of mercies,
  through the death and resurrection of his Son
  has reconciled the world to himself
  and sent the Holy Spirit among us
  for the forgiveness of sins;
  through the ministry of the Church
  may God give you pardon and peace,
  and I absolve you from your sins
  in the name of the Father, and of the Son, †
  and of the Holy Spirit."

  Lucy answered, "Amen."

- Father Peter and Lucy thanked God for his forgiveness. Father told Lucy, "Go in peace."

We can celebrate Reconciliation as Lucy did.

Talk about ways Reconciliation helps us.

137

Our Faith Response

- To learn the process of receiving the sacrament of Reconciliation and to identify ways to forgive others in Jesus' name

contrition
confession
a penance
absolution

Materials

- copies of Reproducible Master 12
- construction paper, scissors, glue, crayons or colored pencils

Home Connection Update

Ask: *How did your family help you learn the Act of Contrition?*

Lesson Plan

WE BELIEVE (continued)

Write the words *confession, penance, absolution* on the board. Pronounce them for the children. Explain that *absolution* comes from a word that means "washing away." Then ask volunteers to read aloud the next two *We Believe* paragraphs on pages 135 and 137.

Discuss the question. Help the children to conclude that we are telling God we are sorry and are thanking him for his forgiveness.

Read the section about Lucy's celebration of the sacrament of Reconciliation. Act out the celebration of the sacrament as described on this page. Take the part of Father Lin and have a volunteer take Lucy's part.

Point out that some times the priest reads the story of the father who forgave his son or the story of the shepherd finding the lost sheep.

Explain that we can celebrate the sacrament as Lucy did. Stress: *God is always willing to give us his mercy and peace when we are sorry.*

Discuss ways celebrating the sacrament of Reconciliation helps us. Explain: *Many people feel and want to be closer to Jesus after they celebrate Reconciliation. They are happy when the priest absolves their sins, and then they try to avoid committing these sins again.*

Banco de Actividades

Conexión curricular

El arte del lenguaje

Materiales: papel para escribir o tiras de papel

Pida a los niños que miren las fotografías en estas páginas. Dígales que escriban una o dos oraciones sobre lo que está ocurriendo en cada una.

Liturgia

Las vestiduras del sacerdote

Pida a uno de los sacerdotes de la parroquia que muestre a los niños las vestiduras que utiliza dentro del confesionario o cuarto de reconciliación. Diga al sacerdote que explique lo que simboliza la estola púrpura.

Como católicos...

Secreto de confesión

Después de presentar estas dos páginas lea en voz alta *Como católicos*. Asegure a los niños que los sacerdotes nunca comentan a nadie lo que escuchan en el sacramento de la Reconciliación.

Como católicos...

El sacerdote de la parroquia siempre está dispuesto a ayudarnos. El nos escucha y ayuda a seguir a Jesús. Decimos nuestros pecados al sacerdote en el sacramento de la Reconciliación. El sacerdote no dice a nadie los pecados que le confesamos.

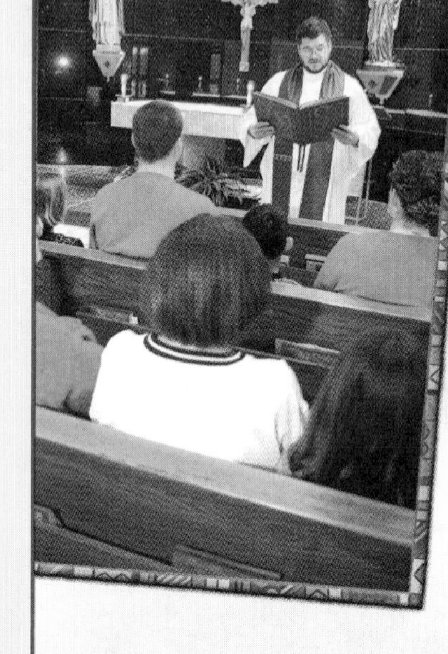

Celebramos el sacramento de la Reconciliación con nuestra comunidad parroquial.

Algunas veces, la comunidad parroquial se reúne para celebrar el sacramento de la Reconciliación. Esto nos ayuda a ver que todos necesitamos del perdón. Esto es lo que pasa durante esa celebración:

Lee conmigo

- La comunidad parroquial canta una canción.
- Escuchamos una lectura de la Biblia sobre el amor y el perdón de Dios.
- El sacerdote habla sobre la lectura.
- Escuchamos preguntas que nos ayudan a examinar nuestra conciencia.
- Hacemos una oración para decir a Dios que estamos arrepentidos de nuestros pecados. Juntos rezamos el Padrenuestro.
- Cada uno va a confesar sus pecados al sacerdote.
- El sacerdote da la penitencia a cada persona.
- Cada persona recibe la absolución de sus pecados.
- Todos rezan juntos y dan gracias a Dios por su misericordia.
- El sacerdote bendice la comunidad.
- El sacerdote dice: "Vayan en paz".

¿Qué es especial en la celebración del sacramento de la Reconciliación con tu comunidad parroquial?

138

Planificación de la lección

CREEMOS (continuación)

Cotejo rápido

✔ *¿Qué es la absolución?* (Es el perdón de Dios de nuestros pecados por medio del sacerdote en el sacramento de la Reconciliación).

✔ *¿Qué celebramos en el sacramento de la Reconciliación?* (Celebramos el perdón de Dios).

Explique a los niños que su parroquia se congrega en ocasiones especiales para celebrar el sacramento de la Reconciliación. Pídales que imaginen que están presenciando una celebración parroquial comunitaria. Diga a un voluntario que lea las primeras cinco acciones que aparecen en la lista en la página 138.

Pregunte *¿Cuáles son algunos de los relatos bíblicos que el sacerdote leerá y comentará?* (la historia de la oveja perdida y el hijo pródigo) *¿Qué preguntas podría hacer el sacerdote durante el examen de conciencia?* (Acepte todas las respuestas que sean razonables).

Pida a voluntarios que lean las siguientes seis acciones. Diga a los niños que vuelvan a la página 136 y lean las palabras de la absolución.

Lea la pregunta. Pida voluntarios para que compartan sus respuestas, y diga también lo que piensa y siente al respecto. Permita a los niños que lleguen a la conclusión de que como miembros de la Iglesia es algo especial celebrar el perdón de Dios con la comunidad de la Iglesia.

We celebrate the sacrament of Reconciliation with our parish community.

Our parish community sometimes gathers to celebrate the sacrament of Reconciliation together. This helps us see that all of us need forgiveness. This is what happens during that celebration.

As Catholics...

The parish priest is always willing to help us. He listens to us and helps us to follow Jesus. We tell the priest our sins in the sacrament of Reconciliation. The priest cannot tell anyone the sins we confess.

Read Along

- The parish community sings a song.
- We listen to readings from the Bible about God's love and forgiveness.
- The priest talks to us about the readings.
- We listen to questions that are part of an examination of conscience.
- We say a prayer together to tell God we are sorry for our sins. Then together we pray the Our Father.
- Each person goes alone to tell his or her sins to the priest.
- The priest gives a penance to each person.
- Each person receives absolution from the priest.
- Together we all praise and thank God for his mercy.
- The priest blesses the parish community.
- He tells us to "Go in peace."

What is special about celebrating this sacrament with your parish community?

Activity Bank

Curriculum Connection

Language Arts

Materials: writing paper or sentence strips

Direct attention to the photos on these pages. For each, ask the children to write one or two sentences to describe what is happening.

Liturgy

Priest's Vestments

Ask one of the parish priests to show the children what vestments he wears for the sacrament of Reconciliation. Ask the priest to explain the symbolism of the purple stole.

As Catholics...

Seal of Confession

After you have presented these two pages read aloud the *As Catholics* text. Assure the children that the priests never tell other people what we tell them in the sacrament of Reconciliation.

Lesson Plan

WE BELIEVE (continued)

Quick Check

✔ *What is absolution?* (It is God's forgiveness of our sins by the priest in the sacrament of Reconciliation.)

✔ *What do we celebrate in the sacrament of Reconciliation?* (We celebrate God's forgiveness.)

Explain to the children that their parish gathers at special times to celebrate the sacrament of Reconciliation. Invite the children to imagine themselves at a parish community celebration. Ask a volunteer to read the first five actions listed on page 139.

Ask: *What are some readings the priest may read and talk about?* (the story of the finding of the lost sheep; the story of the forgiving father) *What are some questions the priest may ask during the examination of conscience?* (Accept reasonable responses.)

Invite volunteers to read the next six actions. Ask the children to turn to page 137 and to read the words of absolution.

Read the question. Invite volunteers to share their responses. Share your own thoughts and feelings as well. Help the children to conclude that because we are members of the Church, it is special to celebrate God's forgiveness with the Church community.

Nota para enseñar

La actitud del perdón

Recuerde a los niños que Jesús quiere que perdonemos a los demás aunque nos resulte una tarea difícil. Como catequistas debemos ser sensibles frente a los sentimientos de los niños que creen que su comportamiento no es fácil de perdonar. Asegure a los niños que son perdonados y aceptados en su clase. Sugiera a los niños que pidan ayuda a Dios para perdonar a los demás.

Jesús quiere que perdonemos a los demás.

Mateo 18:21–22

Un día Pedro le preguntó a Jesús: "¿Cuántas veces deberé perdonar a mi hermano, si me hace algo malo? ¿Hasta siete?" Jesús le contestó: "No te digo hasta siete veces, sino hasta setenta veces siete". (Mateo 18:21, 22)

En esta historia, Jesús nos dice que debemos perdonar siempre a los demás. Cuando celebramos el sacramento de la Reconciliación, recibimos el perdón y la paz de Dios. Jesús quiere que perdonemos a los demás y compartamos del don de la paz de Dios con ellos.

Vocabulario

contrición estar arrepentido de nuestros pecados y prometer no volver a pecar

confesión decir nuestros pecados al sacerdote en el sacramento de la Reconciliación

penitencia oración u obra que el sacerdote nos pide hacer para reparar nuestros pecados

absolución Dios perdona nuestros pecados por medio del sacerdote en el sacramento de la Reconciliación

RESPONDEMOS

Imagina que un amigo te dice algo hiriente. Después tu amigo te dice: "Lo siento. Espero me puedas perdonar".

Escribe lo que puedes decir o hacer para hacer la paz.

____

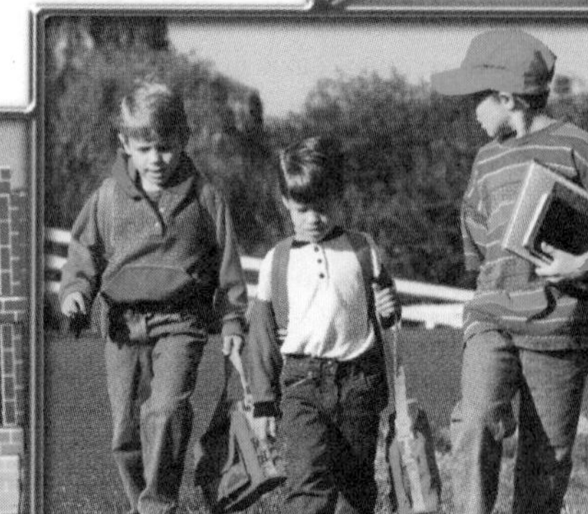

140

Planificación de la lección

CREEMOS (continuación) ____ minutos

Pida a los niños que se pongan de pie mientras lee el relato bíblico de la página 140. Explique que Jesús quiere que siempre perdonemos a los demás.

Pida a un voluntario que lea el párrafo que sigue al relato bíblico. Explique: *las personas que actúan como pacificadores no necesitan ser famosas ni vivir en lugares lejanos.* Diga a los niños que mencionen a pacificadores de su pueblo, su vecindario y su familia.

Distribuya copias del patrón 12. Camine por el salón de clase para ayudar a los niños que tengan dificultades con la actividad. Cuando los niños hayan terminado, anímelos a compartir sus indicadores para la puerta con sus familias.

Vocabulario Solicite voluntarios para definir cada palabra.

RESPONDEMOS ____ minutos

Conexión con la vida Lea en voz alta la situación que se describe en la sección *Respondemos.* Pida a los niños que escriban lo que podrían hacer en esta situación para ser pacificadores. Ayúdelos a concluir que cuando pedimos perdón y perdonamos a los demás estamos haciendo lo que quiere Jesús. Estamos siendo pacificadores.

Oración Pida a los niños que se congreguen en el lugar de oración. Recen juntos el Padrenuestro. Sugiera a los niños que ofrezcan un signo de paz a quienes están cerca.

Jesus wants us to forgive others.

Matthew 18:21–22

One day Peter asked Jesus, "Lord, if my brother sins against me, how often must I forgive him? As many as seven times?" Jesus answered, "I say to you, not seven times but seventy-seven times." (Matthew 18:21, 22)

In this story, Jesus is telling us that we should always forgive others. When we celebrate the sacrament of Reconciliation, we receive God's forgiveness and peace. Jesus wants us to forgive others and to share God's gift of peace with them.

WE RESPOND

Imagine that your friend said some hurtful things to you. Then your friend said, "I am sorry. I hope you can forgive me."

Write what you can say and do to be a peacemaker.

____

contrition being sorry for our sins and promising not to sin again

confession telling our sins to the priest in the sacrament of Reconciliation

a penance a prayer or a kind act we do to make up for our sins

absolution God's forgiveness of our sins by the priest in the sacrament of Reconciliation

141

Teaching Note

Forgiving Attitude

Remind the children that Jesus wants us to forgive others, no matter how difficult that might be. As catechists we need to be sensitive to children who may feel some of their behavior is not easily forgiven. Assure the children that they are forgiven and accepted in your class. Encourage the children to ask God to help them to forgive others.

Lesson Plan

WE BELIEVE (continued)

Invite the children to stand as you read aloud the Scripture story on page 141. Explain that Jesus always wants us to forgive others.

Ask a volunteer to read the paragraph after the Scripture story. Explain: *People who are peacemakers need not be famous or live in faraway places.* Ask the children to name peacemakers in their town, neighborhood, and families.

Distribute copies of Reproducible Master 12. Circulate in the room to help any child who is having difficulty. When the children are finished, encourage them to share their doorknob signs with their families.

Key Words Ask volunteers to define each word.

WE RESPOND ____ minutes

Connect to Life Read aloud the situation described in the *We Respond* section. Have the children write what they can do in this situation to be a peacemaker. Help them to conclude that when we ask for forgiveness and we forgive others, we are doing what Jesus wants. We are being peacemakers.

Pray Invite the children to gather in the prayer space. Pray together the Our Father. Invite the children to offer a sign of peace to children who are standing near them.

Banco de Actividades

Inteligencia múltiple

Expresión musical y movimiento corporal

Enseñe a los niños esta canción con la melodía de "La Bamba".

Cuando nos perdonamos, cuando nos perdonamos
Jesús nos ama, él es muy compasivo, él es muy compasivo, nos da el perdón,
nos da el perdón, nos da el perdon.
Bamba, bamba, bamba, bamba

Yo le pido el perdón, yo le pido el perdón
con contrición, con confesión, con devoción,
ay arriba y arriba, ay arriba y arriba
con él iré, con él iré, con él iré.
Bamba, bamba, bamba, bamba

Los niños deberán formar un círculo y cantar juntos. Pida voluntarios para dramatizar las maneras de ser pacificadores en el hogar, con amigos y en su comunidad local.

Conexion con el Hogar

Compartiendo lo aprendido

Recuerde a los niños compartir con sus familias lo aprendido en este capítulo.

Para más información y actividades adicionales visite a Sadlier

www.CREEMOSweb.com

Planifique por adelantado

Lugar de oración: crucifijo, Biblia, recipiente para espiga de trigo o un canasto con pan y uvas

Materiales: patrón 15, 2–3 CD

____ minutos

Repaso del capítulo Explique a los niños que tienen que unir con una flecha las palabras de la columna de la izquierda con la definición correcta en la columna de la derecha.

Use el repaso para ayudar a los niños a recordar el significado de las palabras del vocabulario. Avance lentamente y permita que los niños tengan la oportunidad de hacer preguntas. Aclare o explique cualquier duda que puedan tener. Luego, permita que los niños dispongan de algunos minutos para escribir lo que Jesús dijo sobre perdonar a los demás. Pida voluntarios que compartan sus respuestas.

Repaso — Capítulo 12

Traza una línea para conectar la palabra con su definición.

1. absolución — una oración u obra que hacemos para reparar nuestros pecados.
2. penitencia — decir nuestros pecados al sacerdote en el sacramento de la Reconciliación.
3. confesión — Dios perdona nuestros pecados por medio del sacerdote en el sacramento de la Reconciliación.
4. contrición — el arrepentimiento de nuestros pecados y nuestra promesa de no volver a pecar.

Completa esta oración con tus propias palabras.

5. Jesús nos habla sobre el perdón. El dice que

siempre debemos perdonar a los dema.

Reflexiona y ora

Escribe sobre lo que significa "ir en paz".

142

PÁGINA DEL ESTUDIANTE 142

Reflexiona y ora Permita que los niños tengan unos minutos de silencio para completar sus composiciones.

Respondemos y compartimos la fe

_____ minutos

Recuerda Lea las cuatro afirmaciones en voz alta. Recuerde a los niños que el sacramento de la Reconciliación nos acerca más a Jesús. Pídales a los niños que recuerden la paz que nos brinda el sacramento de la Reconciliación.

Nuestra vida católica Lea "Un pacificador". Pida a los niños que se tomen de la mano formando una ronda y recen: *"Señor, haz de mí un instrumento de tu paz"*. Invite a cada niño a mencionar un modo en que pueda compartir la paz de Dios con los demás.

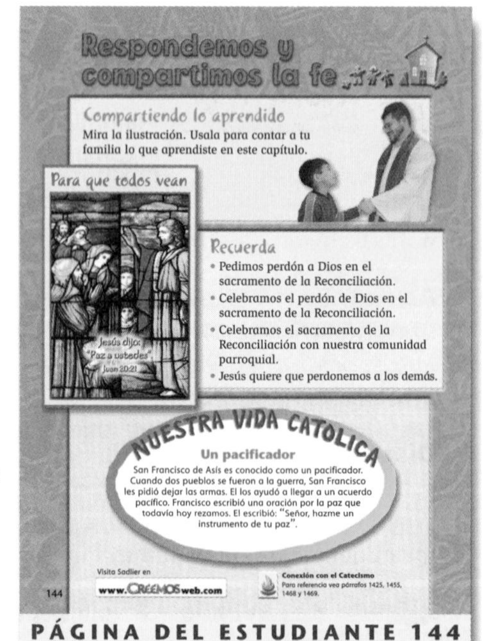

Respondemos y compartimos la fe

Compartiendo lo aprendido

Mira la ilustración. Usala para contar a tu familia lo que aprendiste en este capítulo.

Para que todos vean

Jesús dijo: "Paz a ustedes". Juan 20:21

Recuerda

- Pedimos perdón a Dios en el sacramento de la Reconciliación.
- Celebramos el perdón de Dios en el sacramento de la Reconciliación.
- Celebramos el sacramento de la Reconciliación con nuestra comunidad parroquial.
- Jesús quiere que perdonemos a los demás.

Nuestra vida católica

Un pacificador

San Francisco de Asís es conocido como un pacificador. Cuando dos pueblos se fueron a la guerra, San Francisco les pidió dejar las armas. El los ayudó a llegar a un acuerdo pacífico. Francisco escribió una oración por la paz que todavía hoy rezamos. El escribió: "Señor, hazme un instrumento de tu paz".

Visita Sadlier en www.CREEMOSweb.com

Conexión con el Catecismo: Para referencia vea párrafos 1425, 1455, 1468 y 1469.

144

PÁGINA DEL ESTUDIANTE 144

______ minutes

Chapter Review Explain to the children that they will be matching the words listed in the left column to the correct definition in the right column.

Use the review to help children recall the meaning of the vocabulary terms. Proceed through the review slowly and provide the children with the opportunity to ask questions. Clear up misconceptions that may arise. Then allow a few minutes for the children to write what Jesus said about forgiving others. Ask volunteers to share their responses.

Reflect & Pray Allow a few minutes of quiet time for the children to write.

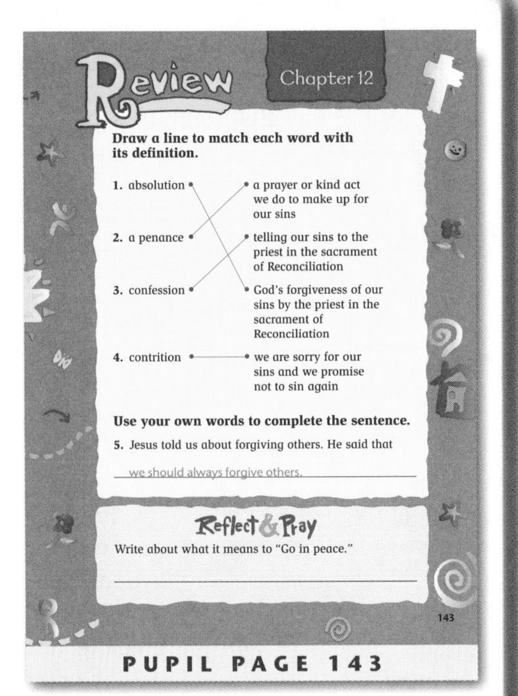
Review Chapter 12

Draw a line to match each word with its definition.

1. absolution • • a prayer or kind act we do to make up for our sins
2. a penance • • telling our sins to the priest in the sacrament of Reconciliation
3. confession • • God's forgiveness of our sins by the priest in the sacrament of Reconciliation
4. contrition • • we are sorry for our sins and we promise not to sin again

Use your own words to complete the sentence.

5. Jesus told us about forgiving others. He said that we should always forgive others.

Reflect & Pray

Write about what it means to "Go in peace."

143

PUPIL PAGE 143

We Respond and Share the Faith

____ minutes

Remember Read the four statements aloud. Remind the children that the sacrament of Reconciliation brings us closer to Jesus. Ask the children to recall the peace that the celebration of the sacrament of Reconciliation brings to us.

Our Catholic Life Read "A Peacemaker." Ask the children to join hands in a circle and pray: *Lord, make me an instrument of your peace.* Invite each child to name a way that she or he can share God's peace with others.

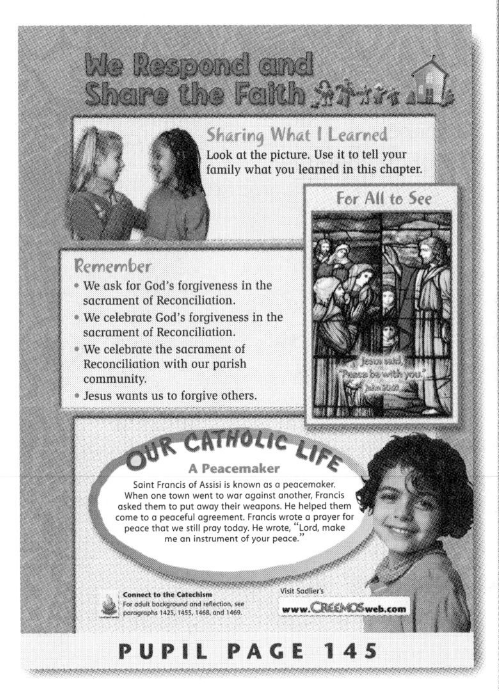
We Respond and Share the Faith

Sharing What I Learned

Look at the picture. Use it to tell your family what you learned in this chapter.

For All to See

Remember

- We ask for God's forgiveness in the sacrament of Reconciliation.
- We celebrate God's forgiveness in the sacrament of Reconciliation.
- We celebrate the sacrament of Reconciliation with our parish community.
- Jesus wants us to forgive others.

OUR CATHOLIC LIFE

A Peacemaker

Saint Francis of Assisi is known as a peacemaker. When one town went to war against another, Francis asked them to put away their weapons. He helped them come to a peaceful agreement. Francis wrote a prayer for peace that we still pray today. He wrote, "Lord, make me an instrument of your peace."

Connect to the Catechism For adult background and reflection, see paragraphs 1425, 1455, 1468, and 1469.

Visit Sadlier's www.CREEMOSweb.com

PUPIL PAGE 145

Activity Bank

Multiple Intelligences

Musical, Bodily-Kinesthetic

Teach the children the following song to the tune of "Here We Go 'Round the Mulberry Bush."

This is the way we live in peace,
live in peace, live in peace.
This is the way we live in peace

- *At home with our families.*
- *When we are with friends.* (second verse)
- *With all our neighbors.* (third verse)

Have the children form a circle. Sing the song together. Invite volunteers to act out ways they can be peacemakers at home, with friends, and in their local community.

Home Connection

Sharing What I Learned

Remind the children to share with their families what they learned in this chapter.

For additional information and activities, encourage families to visit Sadlier's

www.CREEMOSweb.com

Plan Ahead for Chapter 15

Prayer Space: crucifix, Bible, container for wheat stalks or basket with bread and grapes

Materials: copies of Reproducible Master 15, Grade 2 CD

Adviento

"El tiempo de Adviento posee una doble índole: es el tiempo de preparación para Navidad, solemnidad que conmemora el primer advenimiento o venida del Hijo de Dios entre los hombres, y es al mismo tiempo aquel que, debido a esta misma conmemoración o recuerdo, hace que los espíritus dirijan su atención a esperar el segundo advenimiento de Cristo como un tiempo de expectación piadosa y alegre".

(Normas universales sobre el año litúrgico, 39)

Ojeada

En este capítulo los niños aprenderán que el Adviento es un tiempo de espera y preparación para la venida de Jesucristo.

Para referencia Vea los párrafos 524 y 1095 del *Catecismo de la Iglesia Católica.*

Referencia catequética

¿Hay algo que espera con anhelo?

La Iglesia celebra el Adviento como un tiempo de preparación gozosa para conmemorar la primera venida de Nuestro Señor. Nos preparamos para la Navidad cuando celebramos que el único Hijo de Dios vino a la tierra para estar con nosotros. Nos preparamos para la segunda venida de Cristo al final de los tiempos. "Al celebrar anualmente la liturgia de Adviento, la Iglesia actualiza esta espera del Mesías: participando en la larga preparación de la primera venida del Salvador, los fieles renuevan el ardiente deseo de su segunda Venida". (*CIC* 524)

El prólogo del Evangelio de San Juan proclama al Hijo de Dios como la luz que conquista nuestra oscuridad. "La luz verdadera que alumbra a toda la humanidad venía a este mundo." (Juan 1:9) En esa luz, representada por las velas en las coronas de adviento, vemos los signos inequívocos del amor de Dios en nuestro alrededor e interior.

Jesucristo, la mayor muestra del amor de Dios por toda la humanidad y toda la creación, es "el acontecimiento último hacia el que convergen todos los acontecimientos de la historia de la salvación" (*DGC*, 40; ver Lucas 24:27). Durante las cuatro semanas de Adviento, respondemos a este don amoroso de nuestro Dios esperando gozosos la fiesta de su nacimiento y la futura venida de Cristo. Habiendo recibido el mayor de todos los dones en Jesús, expresamos nuestra gratitud entregándonos a nuestra familia, nuestros amigos y por aquellos que nos necesitan.

¿De qué manera vivirá su entrega durante el tiempo de Adviento?

Focus on Life

Historia para el capítulo

¡Hola! Me llamo Kira. Mi papá trabaja en un barco que navega por el mar. Cuando sale de viaje, no lo vemos durante meses. Nos comunicamos por teléfono o por correo electrónico, pero aun así yo lo extraño y me gustaría verlo todos los días.

Justamente ahora mi papá está de viaje, pero regresará el sábado. Los abuelos nos están ayudando a mi mamá, a mi hermano Eric y a mí a preparar la bienvenida para papá. Ayer hicimos un cartel de bienvenida con el abuelo y hoy lo vamos a colgar en la puerta de la calle. El abuelo le pondrá luces para asegurarnos de que papá lo vea desde lejos.

Mañana, al regresar de la escuela, ayudaré a mamá y a la abuela a limpiar la cocina y mi cuarto. Luego, el abuelo, Eric y yo prepararemos una sopa que es el plato preferido de papá. Debemos tener todo listo para mañana a la noche.

El sábado de mañana, mamá, Eric y yo iremos al puerto a buscar a papá. Allí nos encontraremos con las familias de los compañeros de papá; algunos de ellos llevarán carteles, otros, globos o flores. Eric y yo decidimos que no llevaríamos nada; sólo queremos agitar nuestros brazos bien alto hasta que papá baje por la rampa. Tan pronto ponga un pie en el muelle, correré hasta él y le daré un enorme abrazo. ¡Qué ganas de verlo!

¿Cómo se prepara la familia de Kira para recibir al papá?

"Advent has a twofold character: as a season to prepare for Christmas when Christ's first coming to us is remembered; as a season when that remembrance directs the mind and heart to await Christ's Second Coming at the end of time.

(Norms Governing Liturgical Calendars, 39)

Overview

In this chapter the children will learn that Advent is a season of waiting and preparing for the coming of Jesus Christ.

For Adult Reading and Reflection You may want to refer to paragraphs 524 and 1095 of the *Catechism of the Catholic Church.*

Catechist Background

Is there anything for which you are waiting or longing?

The Church celebrates Advent as a season of joyful preparation for the coming of the Lord. We prepare for Christmas, when we celebrate that the only Son of God came to live among us on earth. We prepare for Christ's second coming at the end of time. "When the Church celebrates the *liturgy of Advent* each year, she makes present this ancient expectancy of the Messiah, for by sharing in the long preparation for the Savior's first coming, the faithful renew their ardent desire for his second coming." (*CCC* 524)

The Prologue of John's Gospel proclaims the Son of God as the light that overcomes our darkness. "The true light, which enlightens everyone, was coming into the world." (John 1:9) In that light, symbolized by the candles on our Advent wreaths, we see the unmistakable signs of God's love around and within us.

Jesus Christ, the greatest sign of God's love for humanity and all creation, is "the final event towards which all the events of salvation history converge" (*GDC,* 40; see Luke 24:27). During the four weeks of Advent, we respond to this gift of our loving God by joyfully expecting the feast of his Nativity and by keeping watch for Christ's future coming. Having received the greatest gift of all in Jesus, we express our thanks by giving of ourselves to family, friends, and those in need.

How will you give of yourself during Advent?

Focus on Life

Chapter Story

Hi! My name is Kira. My dad works on a ship. He travels on the sea, and is away from home for months at a time. When Dad is away, we talk on the phone and send e-mail messages. But I still miss seeing him every day.

My dad is on a trip right now, but he is coming home on Saturday. Grandmom and Grandpop are here to help my mom, my brother, Eric, and me to get ready to welcome Dad home. Yesterday Grandpop helped us make a Welcome Home sign. Today we're going to hang the sign on the front door. Grandpop is going to put lights around the sign so Dad will be sure to see it.

After school tomorrow I'm going to help Mom and Grandmom clean the kitchen and my room. Then Eric and I are going to help Grandpop make my dad's favorite soup. Tomorrow night we will be finished getting everything ready for Dad.

On Saturday morning Mom, Eric, and I are going to the docks to wait for Dad's ship. Dad's shipmates' families will be there, too. Some people will carry signs; some will carry balloons or flowers. Eric and I decided that we did not want to carry anything. We want to wave our arms in the air until Dad walks down the ship's ramp. As Dad steps on to the dock, I'm going to run to him and give him a great big hug. I can't wait!

What is Kira's family doing to get ready for her dad's homecoming?

Guía para planificar la lección

1 NOS CONGREGAMOS

Pasos de la lección	Presentación	Materiales
pág. 146 **Introducción del tiempo**	• Leer la *Historia para el capítulo.* • Presentar el tiempo de Adviento. • Proclamar las palabras impresas en la bandera.  Cantar una canción de Adviento.	 Canción "Levántate", 2–3 CD

2 CREEMOS

Pasos de la lección	Presentación	Materiales
pág. 146 *Adviento es un tiempo de espera y preparación.*	• Presentar el texto sobre Adviento. Preparar una corona de Adviento.	• crayones o lápices de colores

3 RESPONDEMOS

Pasos de la lección	Presentación	Materiales
pág. 150	• Organizar una lluvia de ideas sobre las diferentes maneras de ayudar a las personas a ver el amor de Dios a su alrededor.	
pág. 150 **Respondemos en oración**	• Escuchar la lectura de la Sagrada Escritura. • Responder con una oración.	• en el lugar de oración: fotografías de una luz brillando en la oscuridad, corona de Adviento (opcional) • linterna
pág. 152 **Respondemos y compartimos la fe**	• Explicar el proyecto individual de Adviento. • Explicar el proyecto en grupo del Adviento. • Comentar **Respondemos y compartimos la fe**	• tijeras, pegamento, cartulina de color oscuro

Planificación de la lección

Introducción del tiempo ___ minutos

• **Recen** la señal de la Cruz y la oración *Ven, Señor Jesús.*

• **Lea** en voz alta la *Historia para el capítulo* en la página 146A. Comenten de que manera la familia de Kira se prepara para recibir al papá. Pregúnteles: *¿Es un tiempo de alegría para la familia?* Ayude a los niños a ver que Kira y su familia disfrutan preparándose para la llegada del papá, y que estarán más felices aún cuando el papá esté nuevamente con ellos.

• **Pida** a los niños que abran sus libros en la página 146. Lea el título del capítulo en voz alta. Explique: *Adviento marca el comienzo del calendario litúrgico de la Iglesia. Es un tiempo de alegría para todos nosotros porque nos preparamos para celebrar la llegada de Jesús.*

• **Proclamen** juntos las palabras impresas en la bandera.

Lesson Planning Guide

Lesson Steps	Presentation	Materials

page 147 **Introduce the Season**	• Read the *Chapter Story.* • Introduce the Advent Season. • Proclaim words on a banner 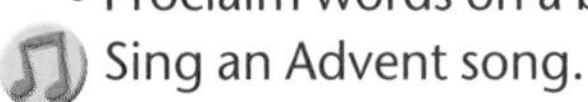 Sing an Advent song.	 "Stay Awake," #9, Grade 2 CD

page 147 *Advent is a season of waiting and preparing.*	• Present the text about Advent. Complete the Advent-wreath activity.	• colored pencils or crayons
3 WE RESPOND		
page 151	• Brainstorm ways to help people see God's love.	
page 151 **We Respond in Prayer**	• Listen to Scripture. • Respond in prayer.	• prayer space items: photos of light shining in darkness, Advent wreath (option) • flashlight
page 153 **We Respond and Share the Faith**	• Explain the Advent individual project. • Explain the Advent group project. • Discuss **We Respond and Share the Faith.**	• scissors, glue, dark colored construction paper

Lesson Plan

Introduce the Season ____ minutes

• **Pray** the Sign of the Cross and the words *Come, Lord Jesus.*

• **Read** aloud the *Chapter Story* on guide page 146B. Discuss how the family is preparing for Kira's dad's homecoming. Ask: *Is this a happy time for them?* Help the children to conclude that Kira and her family are happy getting ready for Dad. They will be happier when Dad is home with them.

• **Have** the children open their texts to page 147. Read aloud the chapter title. Explain: *Advent is the first season of the Church year.* It is a happy time for us as we prepare to celebrate the coming of Jesus.

• **Proclaim** together the words on the banner

Meta catequética

- Presentar el Adviento como tiempo de espera y preparación para la venida del Señor

Nuestra respuesta en la fe

- Celebrar Adviento con una oración, y ayudando a los demás

Materiales

- 2–3 CD, lápices de colores, crayones o marcadores, linterna
- copias del patrón 13
- papel cartulina de color oscuro

RECURSOS ADICIONALES

Videos *Martín el zapatero,* Billy Budd Films. Basada en un cuento folklórico de Leon Tolstoy, titulado *Donde el amor está, Dios está.* Un zapatero ruso aprende a ver a Dios en la gente y en los acontecimientos diarios. (25 minutos)

Para más ideas sobre videos, libros y otros materiales visite a Sadlier en

www.CREEMOSweb.com

13 Adviento

Adviento | Navidad | Tiempo Ordinario | Cuaresma | Tres Días | Tiempo de Pascua | Tiempo Ordinario

Adviento es un tiempo de espera y preparación.

NOS CONGREGAMOS

Levántate

Levántate que está llegando.
El Señor viene ya.
El Señor viene ya.
El Señor viene ya.
Nos traerá su resplandor,
nos traerá la luz, la paz.

CREEMOS

El Adviento es un tiempo de preparación para celebrar la venida de Jesús. Esperamos y velamos por los signos del amor de Dios en el mundo. Podemos verlos en:

- los dones de la creación
- la amabilidad de las personas
- el trabajo de la Iglesia.

Habla sobre algunos signos del amor de Dios.

"El es quien nos concede ahora preparanos con alegría al misterio de su nacimiento".
Prefacio de Adviento, plegaria eucarística

146

Planificación de la lección

NOS CONGREGAMOS ___ minutos

Mirando la vida Pida a los niños que piensen en los días previos a alguna celebración especial en la escuela (Acción de Gracias, Día del Presidente, San Valentín). Pregunte si alguno de ellos podría explicar de que manera se preparan. Sugiera: *A veces ayudamos a decorar el lugar; a veces aprendemos una canción especial.*

Explique Hoy aprenderán una canción especial de Adviento. Pídales que abran sus libros en la página 146. Escuchen "Levántate", 2–3 CD. Los niños practicarán la canción y luego se pondrán de pie y la cantarán todos juntos.

CREEMOS ___ minutos

- **Lean** juntos la afirmación *Creemos.* Solicite la colaboración de voluntarios que lean los tres primeros párrafos de *Creemos* en las páginas 146 y 148. Anime al grupo a compartir qué señales del amor de Dios pueden ver en el mundo.
- **Recuerde** a los niños que durante el tiempo de Adviento nos preparamos para celebrar que Jesús vino a vivir entre nosotros. Lea en voz alta el cuarto párrafo de *Creemos.*
- **Muestre** al grupo una rama de un árbol perenne. Explíqueles que esta clase de árboles conservan sus hojas verdes durante todo el año. Cuando los miramos, nos recuerdan el amor de Dios que permanece para siempre.

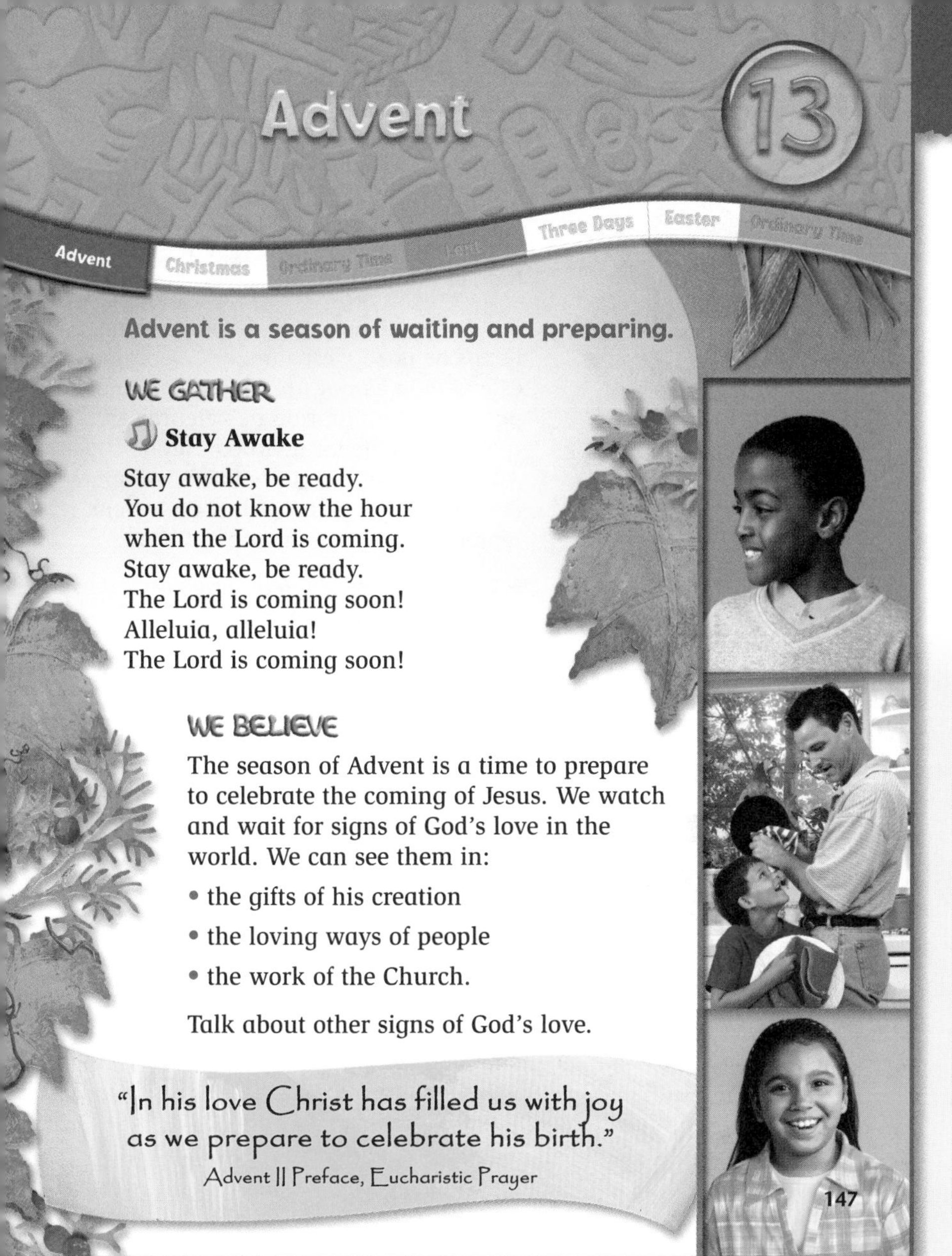

Chapter 13 • Advent

Catechist Goal

• To present Advent as a season of waiting and preparing for the Lord

Our Faith Response

• To celebrate Advent by praying and helping others

Materials

• Grade 2 CD, colored pencils, crayons, or markers, flashlight, copies of Reproducible Master 13, dark colored construction paper

ADDITIONAL RESOURCES

Book *Carlos, Light the Farolito,* Jean Ciavonne, Clarion Books, 1995. A shy boy plays his grandfather's part in a Las Posadas pageant.

Video *The Angel's Advent Lesson,* Gwen Costello, Twenty-Third Publications. Explains the season of Advent to children. (11 minutes)

To find more ideas for books, videos, and other learning material, visit

www.CREEMOSweb.com

Lesson Plan

WE GATHER ____ minutes

Focus on Life Have the children think about getting ready to celebrate a special day at school (Thanksgiving, Presidents' Day, and Valentine's Day). Ask volunteers to share ways in which they get ready. Point out: *Sometimes you help decorate. Sometimes you learn special songs to sing.*

Explain *Today you will learn a special Advent song.* Have the children open their books to page 147. Play "Stay Awake". Have the children practice singing. Then invite the children to stand and sing the song together.

WE BELIEVE ____ minutes

• **Read** together the *We Believe* statement. Have volunteers read the first three *We Believe* paragraphs on pages 147 and 149. Invite the children to share the signs of God's love we can see in the world.

• **Remind** the children that during Advent, we prepare to celebrate Jesus' coming to live among us. Read aloud the fourth *We Believe* paragraph.

• **Show** the children a branch of an evergreen tree. Explain that the branches of these trees are green throughout the year. When we look at them, we can think about God's love that never ends.

Ideas

Invitado especial

Puede invitar a un miembro del comité de liturgia de la parroquia para hablar a los niños del tiempo de Adviento. Pídale explicar en que consisten las celebraciones de Adviento y como se preparan los fieles para celebrar la fiesta de Navidad.

CONEXIÓN

Conexión multicultural

Los aguinaldos

Los niños cantarán una vez más "Levántate" . Explique la costumbre de celebrar *aguinaldos* en América Latina. Cada mañana, entre el 16 y el 24 de diciembre, muchas familias se levantan temprano para asistir a la Iglesia. En el camino, despiertan a otros para que se unan a ellos. Ya en la iglesia, dicen sus oraciones o participan de la misa. Ofrecen sus oraciones y su participación como un presente, *aguinaldo*, para Jesús.

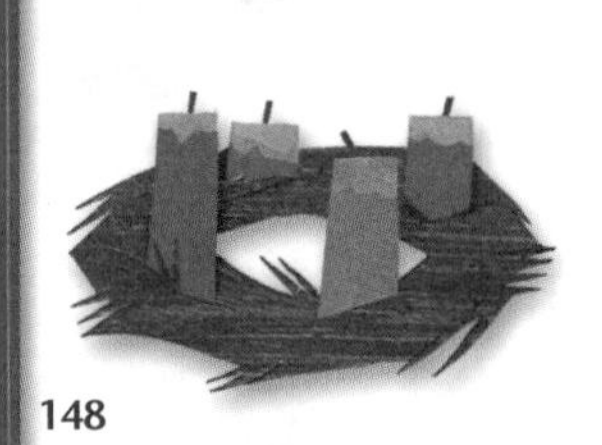

Jesús es el signo más grande del amor de Dios. Jesús es el Hijo de Dios que vino al mundo. Jesús trae vida y luz a todo el mundo.

Las cuatro semanas de Adviento están llenas de gozo y esperanza. Celebramos este tiempo en nuestro hogar y en nuestra parroquia. Una forma de celebrar es reunirse alrededor de la corona de Adviento. Esta corona se hace con ramas de pino y tiene cuatro velas. Cada vela representa una semana de Adviento.

Primer domingo de Adviento
Encendemos la primera vela morada.

Segundo domingo de Adviento
Encendemos las dos primeras velas moradas.

Tercer domingo de Adviento
Encendemos las dos velas moradas y la rosada.

Cuarto domingo de Adviento
Encendemos las cuatro velas.

Muestra como la corona de Adviento cambia a medida que pasa el tiempo.

Encendemos la corona de Adviento para recordar, estar atentos y esperar la venida de Jesús. La luz de las velas nos recuerda que Jesús es la Luz del Mundo.

Planificación de la lección

CREEMOS (continuación)

Ayude al grupo a preparar la corona de Adviento. La segunda semana, debe haber dos velas encendidas; la tercera semana, dos velas color violeta y una color rosada deben estar encendidas, y la cuarta semana las cuatro velas deberán estar encendidas.

- **Lea** el último párrafo de *Creemos*. Los niños marcarán o subrayarán la frase *Jesús es la Luz del Mundo.*

Cotejo rápido

✔ *¿Qué es el tiempo de Adviento?* (Adviento marca el comienzo del calendario litúrgico. Durante el Adviento nos preparamos para celebrar la venida de Jesús).

✔ *¿Por qué encendemos las velas en la corona de Adviento?* (Encendemos las velas para no olvidar que debemos estar atentos y aguardar la venida de Jesús.)

Jesus is the greatest sign of God's love. Jesus is the Son of God who came into the world. Jesus brings life and light to all people.

The four weeks of Advent are filled with joy and hope. We celebrate this season at home and in our parish. One way of celebrating is by gathering around an Advent wreath. This wreath is made of evergreen branches and has four candles. There is one candle for each week of Advent.

 **On the first Sunday of Advent** we light the first purple candle.

 **On the second Sunday of Advent** we light the first and second purple candles.

 **On the third Sunday of Advent** we light the first and second purple candles and the rose candle.

 **On the fourth Sunday of Advent** we light all four candles.

Show how the wreath changes as the weeks of Advent go by.

We light the Advent wreath to remind us to watch and wait for the coming of Jesus. The light from the candles reminds us that Jesus is the Light of the World.

Teaching Tip

Guest Speaker

You may want to invite a member of your parish's liturgical committee to speak to the children about Advent. Ask the speaker to talk about parish Advent celebrations and ways parish members are preparing to celebrate Christmas.

CONNECTION

Multicultural Connection

Aguinaldos

Have the children sing again "Stay Awake". Talk about the Latin American custom of celebrating *aguinaldos*. Each morning between December 16 and December 24 many families rise early to go to church. Along the way they wake up others to join them. In church they say special prayers or participate in the celebration of Mass. They offer their prayers and participation as gifts, *aguinaldos*, to Jesus.

Lesson Plan

WE BELIEVE (continued)

Help the children complete the wreath activity. On the second wreath, two purple candles should have flames. On the third wreath, two purple candles and one rose candle should have flames. On the fourth wreath, the four candles should have flames.

- **Read** the last *We Believe* paragraph on page 149. Have the children highlight or underline *Jesus is the Light of the World.*

Quick Check

✔ *What is Advent?* (Advent is the first season of the Church year. During Advent we prepare to celebrate the coming of Jesus.)

✔ *Why do we light the Advent wreath?* (We light the Advent wreath to remind us to watch and wait for the coming of Jesus.)

Preparandose para orar

Los niños escucharán la lectura de la Palabra y responderán en oración.

- Pida a un voluntario leer el texto bíblico y otro para guiar la oración. Dé tiempo para que los niños preparen sus partes. Dé una linterna al líder de la oración.

El lugar de oración

- Ponga fotografías de una luz brillando. Si han armado una corona de Adviento, encienda las velas correspondientes.

ADVIENTO

Respondemos

Jesús nos pide compartir su luz con otros. Durante el tiempo de Adviento, podemos ayudar a otros a ver el amor de Dios. Piensa en lo que puedes hacer durante cada semana de Adviento.

✝ Respondemos en oración

Líder: Alabemos al Dios de gozo y esperanza.

Todos: Jesús, tú eres la Luz del Mundo.

Líder: Vamos a escuchar una lectura del Antiguo Testamento.

"El pueblo que andaba en la oscuridad vio una gran luz". (Isaías 9:2)

Palabra de Dios.

Todos: Demos gracias a Dios.

Líder: Oremos, por nuestros corazones y nuestros hogares.

Todos: Ven, Señor Jesús.

Líder: Por nuestras familias y amigos.

Todos: Ven, Señor Jesús.

Líder: Por todo el mundo.

Todos: Ven, Señor Jesús.

Líder: Vamos a caminar en la luz de Jesús.

Todos: Ven, Señor Jesús.

150

Planificación de la lección

Respondemos ____ minutos

Conexión con la vida Recuerde a los niños que el Adviento tiene cuatro semanas. Pregúnteles como pueden ayudar a otros a descubrir el amor de Dios. Escriba las respuestas en la pizarra o en un papel. (Respuestas posibles: ser bondadoso; ordenar mi cuarto; ayudar a lavar la vajilla; hacer las tareas; rezar; ayudar a mi maestra y compañeros; aprender más sobre Jesús.)

- **Pida** a los niños rezar esta oración durante este tiempo: *Jesús, quiero compartir tu luz, cada día y cada noche.*

✝ Respondemos en oración ____ minutos

- **Pida** a los niños sentarse en silencio, cerrar los ojos e imaginarse que caminan de noche. Pregunte: *¿Qué luces ven?* Sugiera que compartan sus respuestas.
- **Apague** las luces del salón. Pida al líder que encienda la linterna para guiar al grupo al lugar de oración, mientras van cantando "Levántate".
- **Recen** la Señal de la Cruz y la oración.
- **Pida** al líder iluminar su propia cara con la luz de la linterna y rezar: *¡Deseo caminar en la luz de Jesús! Pídale a los otros niños hacer lo mismo.*
- **Finalice** con una oración. Encienda las luces del salón. Recen juntos: *¡Ven, Señor Jesús, luz del mundo!*

WE RESPOND

Jesus asks us to share his light with others. During the season of Advent, we can help people to see God's love. Think about what you can do in each week of Advent.

We Respond in Prayer

Leader: Praised be the God of joy and hope.

All: Jesus, you are the Light of the World.

Leader: Let us listen to a reading from the Old Testament.

"The people who walked in darkness have seen a great light." (Isaiah 9:1)

The word of the Lord.

All: Thanks be to God.

Leader: Let us pray. To our hearts and to our homes,

All: Come, Lord Jesus!

Leader: To our families and friends,

All: Come, Lord Jesus!

Leader: To people everywhere,

All: Come, Lord Jesus!

Leader: Let us walk in the light of Jesus!

All: Come, Lord Jesus!

PREPARING TO PRAY

The children will listen to Scripture and respond in prayer.

- Ask a volunteer to read Scripture and another to be the prayer leader. Have them prepare their parts. Give the prayer leader a flashlight.

The Prayer Space

- Display photos of light shining. If an Advent wreath was made, light the appropriate candles.

Lesson Plan

WE RESPOND ____ minutes

Connect to Life Remind the children that there are four weeks of Advent. Ask them how they can help people see God's love. Write the responses on the board or on chart paper. (Possible responses: Be kind; keep my room clean; help with the dishes; do my homework; pray often; help my teacher and classmates; learn more about Jesus.)

- **Ask** the children to pray this prayer during Advent: *Jesus, we want to share your light, every day and every night.*

We Respond in Prayer ____ minutes

- **Invite** the children to sit quietly. Have them close their eyes and imagine they are walking outside at night. Ask: *What lights do you see?* Ask them to share their responses.
- **Turn out** the overhead lights. Ask the leader to turn on the flashlight and use it to guide the other children to the prayer space. Ask them to sing "Stay Awake" as they walk.
- **Pray** the Sign of the Cross and the prayer.
- **Have** the leader shine the light of the flashlight on his or her face and pray: *Let me walk in the light of Jesus!* Then have each child take a turn doing the same.
- **Conclude** praying. Turn on the overhead lights. Pray together: *Come, Lord Jesus, Light of the World.*

CONEXION CON EL HOGAR

Compartiendo lo aprendido

Recuerde a los niños compartir con sus familias lo aprendido en este capítulo.

Anime a los niños a preparar manteles individuales para usar los domingos durante el tiempo de Adviento.

Para más información y actividades adicionales visite a Sadlier

www.CREEMOSweb.com

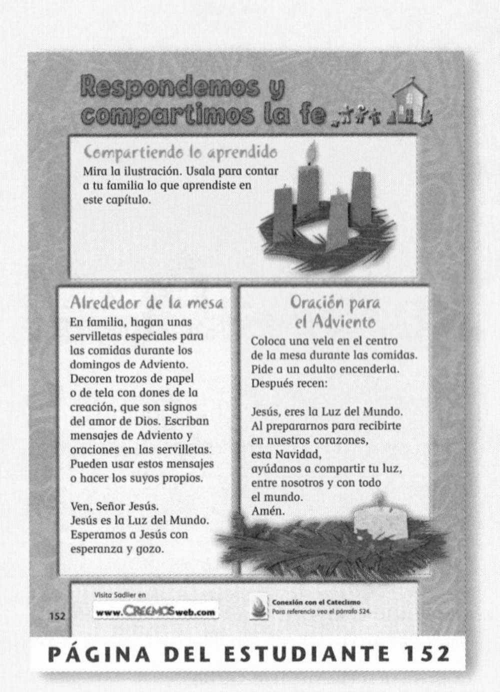

Respondemos y compartimos la fe

Compartiendo lo aprendido

Mira la ilustración. Usala para contar a tu familia lo que aprendiste en este capítulo.

Alrededor de la mesa

En familia, hagan unas servilletas especiales para las comidas durante los domingos de Adviento. Decoren trozos de papel o de tela con dones de la creación, que son signos del amor de Dios. Escriban mensajes de Adviento y oraciones en las servilletas. Pueden usar estos mensajes o hacer los suyos propios.

Ven, Señor Jesús.
Jesús es la Luz del Mundo.
Esperamos a Jesús con esperanza y gozo.

Oración para el Adviento

Coloca una vela en el centro de la mesa durante las comidas. Pide a un adulto encenderla. Después recen:

Jesús, eres la Luz del Mundo.
Al prepararnos para recibirte
en nuestros corazones,
esta Navidad,
ayúdanos a compartir tu luz,
entre nosotros y con todo
el mundo.
Amén.

152 Visita Sadlier en www.CREEMOSweb.com

Conexión con el Catecismo
Para referencia vea el párrafo 524.

PÁGINA DEL ESTUDIANTE 152

Liturgia para esta semana

Visite **www.creemosweb.com** para las lecturas bíblicas de esta semana y otros materiales propios del tiempo.

Respondemos y compartimos la fe

Proyecto individual

Distribuya copias del patrón 13 junto con hojas de cartulina de color oscuro. (Si fuera posible, entregue a cada niño una hoja de 30cm x 45cm.) Explique a los niños que construirán una escena nocturna en Belén usando las piezas que recorten de la hoja patrón: luna, establo, pesebre, pasto, colinas y estrellas.

Recuerde a los niños que se pueden preparar para la venida de Jesús mostrando su amor a Dios y a los demás de diferentes maneras. Explique a los niños que cada vez que hagan algo para mostrar el amor de Dios a otros, podrán agregar una estrella en el cielo usando un crayón blanco o una tiza. Anime a los niños a colocar la escena en un lugar visible en sus hogares de modo que puedan verlo y agregarle estrellas con frecuencia.

Proyecto en grupo

Explique a los niños que durante el tiempo de Adviento podemos rezar por otras personas. Hable con el encargado pastoral para obtener el nombre de cuatro personas de la parroquia por quienes los niños podrían rezar. Cada semana, durante el tiempo de Adviento, pida a los niños que recen por una de estas personas y que preparen tarjetas para enviarle al finalizar la semana. Los niños pueden pintar dibujos alusivos en las tarjetas.

We Respond and Share the Faith

Individual Project

Distribute Reproducible Master 13 along with dark colored construction paper. (If possible, give each child an 11 in. X 17 in. sheet.) Explain to the children that they are going to make a Bethlehem night scene with the scenery pieces cut out of the master sheet: moon, stable, manger, grass, hills and stars.

Remind the children that they can prepare for Jesus' coming by showing their love for God and others in different ways. Explain to the children that every time they do something to show God's love to others, they can add a star in the sky by using a white crayon or chalk. Encourage the children to display their scene in their homes where they will see it and add to it often.

Group Project

Explain to the children that during Advent we can pray for others. Ask a pastoral associate for the names of four people in the parish for whom the children could pray. Each week during Advent have the children pray for one person and make cards to send to the person at the end of the week. Have the children draw seasonal pictures on the cards.

HOME CONNECTION

Sharing What I Learned

Remind the children to share with their families what they learned in this chapter.

Encourage the children to make special place mats to use for Sunday during Advent.

For additional information and activities, encourage families to visit Sadlier's"

www.CREEMOSweb.com

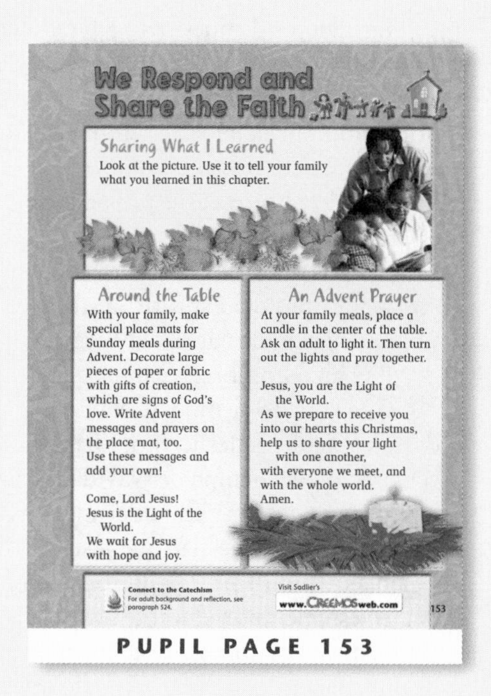
We Respond and Share the Faith

Sharing What I Learned

Look at the picture. Use it to tell your family what you learned in this chapter.

Around the Table

With your family, make special place mats for Sunday meals during Advent. Decorate large pieces of paper or fabric with gifts of creation, which are signs of God's love. Write Advent messages and prayers on the place mat, too. Use these messages and add your own!

Come, Lord Jesus!
Jesus is the Light of the World.
We wait for Jesus with hope and joy.

An Advent Prayer

At your family meals, place a candle in the center of the table. Ask an adult to light it. Then turn out the lights and pray together.

Jesus, you are the Light of the World.
As we prepare to receive you into our hearts this Christmas, help us to share your light with one another, with everyone we meet, and with the whole world.
Amen.

Connect to the Catechism
For adult background and reflection, see paragraph 524.

Visit Sadlier's
www.CREEMOSweb.com

153

PUPIL PAGE 153

This Week's Liturgy

Visit **www.creemosweb.com** for this week's liturgical readings and other seasonal material.

Navidad

"Después de la celebración anual del misterio pascual, nada tiene en mayor estima la Iglesia que la celebración del Nacimiento del Señor y de sus primeras manifestaciones: esto tiene lugar en tiempo de Navidad".

(Normas universales sobre el año litúrgico, 32)

Ojeada

En este capítulo los niños aprenderán que el tiempo de Navidad es un tiempo para dar gloria a Dios.

Para referencia Vea los párrafos 1174 y 526 del *Catecismo de la Iglesia Católica.*

Referencia catequética

¿Cuál fue la celebración navideña más recordada y por qué?

En algunos de nuestros ámbitos culturales, pensamos en la Navidad como un solo día en lugar de un tiempo litúrgico. Sin embargo, la Iglesia considera el día de Navidad como un principio: el principio del tiempo de Navidad. Durante cuatro semanas, celebramos el misterio de la Encarnación, la venida de la Palabra hecha carne por nosotros. Así lo profesamos en el Credo Nicea:

"...por nuestra salvación bajó del cielo,
y por obra del Espíritu Santo,
se encarnó de María, la Virgen,
y se hizo hombre."

Cada día del tiempo de Navidad renueva la celebración del nacimiento de Jesucristo. En el hemisferio norte, la celebración del tiempo de Navidad es una celebración de la luz en la época más oscura del año. Las tradicionales luces navideñas nos recuerdan que Jesús, la "luz [que] brilla en las tinieblas" (Juan 1:5), es la luz que ilumina nuestra vida cada día, en este tiempo y durante todo el año.

Las celebraciones de este tiempo reflejan la luz de Cristo de una manera particular. Cuando celebramos la fiesta de los Santos Inocentes, la Sagrada Familia, la Solemnidad de María, Madre de Dios, Epifanía y el Bautismo del Señor, nos regocijamos en esta verdad eterna: Cristo Jesús es nuestra luz y nuestra vida. Cada día durante el tiempo de Navidad tenemos razones para cantar: "Nos ha nacido el Señor" (antífona de Navidad).

¿Cómo celebrará, en Navidad que Jesucristo es nuestra luz y nuestra vida?

Mirando la vida

Historia para el capítulo

Era el domingo después de Navidad, la fiesta de la Sagrada Familia. Dominica saltó de la cama y pensó: "Hoy será un buen día. Cuando regresemos de misa, iremos a celebrar Navidad a la casa de la tía Cecilia".

Dominica y su familia se encaminaron hacia la casa de la tía Cecilia. En el camino Dominica dijo: "Me gustaría saber que regalo me dará Jesús este año".

Su hermanita María, que tenía sólo tres años, le preguntó: "¿Por qué Jesús nos dará un regalo?"

El papá le explicó que todos los años la tía Cecilia preparaba tarjetas y en ellas escribía los regalos que Dios nos dio. "Tía Cecilia coloca las tarjetas cerca del pesebre y cada uno de nosotros toma una tarjeta y lee el regalo que recibió de Jesús".

Dominica recordó que el año anterior había recibido el regalo de los árboles y las plantas. "Mi tarjeta decía: 'Te entrego los árboles y las plantas. Cada vez que mires estos regalos, recuerda que mi deseo es que continúes creciendo en el amor de Dios'".

Esa tarde después de la cena, la tía Cecilia reunió a la familia en torno al pesebre. Dominica ayudó a María a escoger una tarjeta y luego la leyó en voz alta: "Te entrego los animales. Cada vez que los veas o los escuches, recuerda que yo deseo que aprendas acerca de ellos y los cuides".

Luego le tocó el turno a Dominica; su tarjeta decía: "Te entrego la luna y las estrellas. Cada vez que las veas brillar, recuerda que Yo soy la luz del mundo".

Esa noche mientras Dominica, su hermanita y sus padres se despedían de la tía Cecilia, el papá le dijo: "Cecilia, tú nos ayudas a que este tiempo de Navidad y la fiesta de la Sagrada Familia sean realmente especiales".

¿Qué creen que tenía de especial la manera en que la familia de Dominica celebraba la Navidad?

"Next to the yearly celebration of the paschal mystery, the Church holds most sacred the memorial of Christ's birth and early manifestations. This is the purpose of the Christmas season."

(Norms Governing Liturgical Calendars, 32)

Overview

In this chapter the children will learn that Christmas is a season to give glory to God.

For Adult Reading and Reflection You may want to refer to paragraphs 1174 and 526 of the *Catechism of the Catholic Church*.

Catechist Background

What was your most memorable celebration of Christmas? Why?

In some of our cultural settings, we are apt to think of Christmas as one single day rather than an entire season. For the Church, however, Christmas Day is a beginning: the beginning of the Christmas season. For about two weeks we celebrate the mystery of the Incarnation, the coming of the Word made flesh to us. As we profess in the Nicene Creed,

"... for our salvation,
he came down from heaven;
by the power of the Holy Spirit,
he was born of the Virgin Mary,
and became man."

Each day of the Christmas season renews the celebration of the birth of Jesus Christ. In the northern hemisphere, the Christmas season is a celebration of light at the darkest time of the year. The traditional Christmas lights of this season remind us that Jesus, "the light [which] shines in the darkness," (John 1:5) is the true light that enlightens our lives every day of this season and throughout the year.

The feasts of this season reflect the light of Christ. As we celebrate the feasts of the Holy Innocents, the Holy Family, the Solemnity of Mary, Mother of God, the Epiphany, and the Baptism of the Lord, we rejoice in the everlasting truth that Jesus Christ is our light and our life. Each day of the Christmas season we have reason to sing: "Today is born our Savior, Christ the Lord" (Christmas antiphon).

Throughout the Christmas season how will you celebrate that Jesus Christ is our light and our life?

Focus on Life

Chapter Story

It was the Sunday after Christmas, the feast of the Holy Family. Dominic rolled out of bed and said, "Today's a good day! After we come home from Mass, we're going to Aunt Cecilia's house to celebrate Christmas."

As Dominic's family were on their way to Aunt Cecilia's, he said, "I wonder what gift I will get from Jesus this year."

Dominic's sister Maria was three. She said to him, "What do you mean, Dominic? Why will Jesus give us a present?"

Dominic's dad explained, "Every year Aunt Cecilia makes cards. On the cards she writes the name of gifts that God has given us. She puts the cards near the Christmas créche. And we all take turns picking one of the cards that tell us about our gifts from Jesus."

Dominic said, "Last year I received the gift of trees and plants. My card said, 'I give you the gift of trees and plants. When you look at these gifts, remember I want you to keep growing in God's love.'"

That afternoon after the family dinner, Aunt Cecilia invited the family to gather around the Christmas créche. Dominic helped Maria choose a gift card. He read it aloud for her, "I give you the gift of animals. When you see them or hear them, remember I want you to learn about them and take care of them."

Then Dominic picked his card and read about his gift, "I give you the gift of the moon and the stars. When you see them shining, remember that I am the Light of the World."

That night as Dominic, his sister, and their parents were leaving Aunt Cecilia's, Dominic's dad said, "Cecilia, you really help make the Christmas season and the feast of the Holy Family special."

What do you think was special about Dominic's family's celebration?

Guía para planificar la lección

Pasos de la lección	Presentación	Materiales
 **NOS CONGREGAMOS**		
pág. 154 **Introducción del tiempo**	• Leer la *Historia para el capítulo.* • Presentar el tiempo de Navidad. • Alabar al Señor. • Compartir respuestas a preguntas.	
 **CREEMOS**		
pág. 154 *Navidad es tiempo para glorificar a Dios.*	• Presentar el texto del tiempo de Navidad. 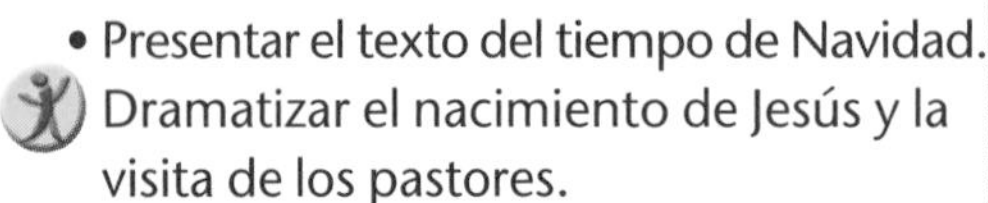 Dramatizar el nacimiento de Jesús y la visita de los pastores.	• disfraces y accesorios, incluido un muñeco para representar al niño Jesús.
 **RESPONDEMOS**		
pág. 158	• Reflexionar sobre las preguntas.	
pág. 158 **Respondemos en oración**	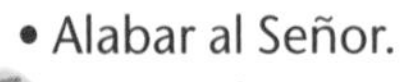 • Alabar al Señor.  Responder con una canción.	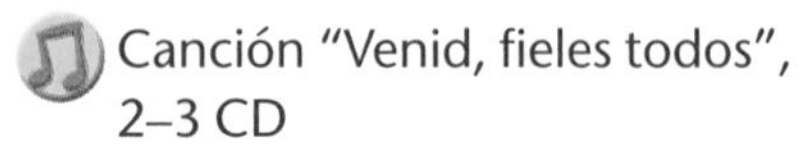 Canción "Venid, fieles todos", 2–3 CD • en el lugar de oración: mantel blanco, pesebre
pág. 160 **Respondemos y compartimos la fe**	• Explicar el proyecto individual de la Navidad. • Explicar el proyecto en grupo de la Navidad. • Comentar sobre **Respondemos y compartimos la fe.**	• copias del patrón 14 • rama de pino, agua bendita

Planificación de la lección

Introducción del tiempo ____ minutos

• **Oración** recen la Señal de la Cruz y la oración *Señor, gracias por haber enviado a Jesús.*

• **Lea** en voz alta la *Historia para el capítulo* en la página 154A. Pregunte a los niños: *¿Por qué a Dominica le gustaba tanto ir a la casa de su tía Cecilia?* Ayude a los niños a concluir que ella estaba feliz porque estaría con su familia y le entusiasmaba la idea de recibir un regalo de parte de Jesús.

• **Pida** a los niños que abran sus libros en la página 154. Lea el título del capítulo en voz alta. Explique: *Navidad es el segundo tiempo del calendario de la Iglesia. Es el tiempo en que le damos gloria a Dios por haber enviado a Jesús hasta nosotros.*

• **Recuerde** a los niños que la Navidad es un tiempo de alegría y que la celebramos cantando y rezando.

• **Proclamen** al unísono las palabras impresas en la bandera.

Lesson Planning Guide

Lesson Steps	Presentation	Materials

page 155 **Introduce the Season**	• Read the *Chapter Story*. • Introduce the Christmas Season. • Praise God. • Share responses to the questions.	
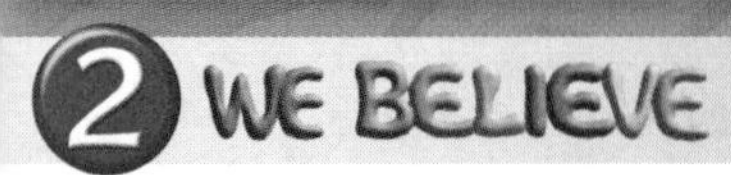		
page 155 *Christmas is a season to give glory to God.*	• Present the text of the Christmas season. Act out the Scripture story about Jesus' birth and the visit of the shepherds.	• costumes and props, including a doll for the infant Jesus.
3 WE RESPOND		
page 159	• Reflect on the questions.	
page 159 **We Respond in Prayer**	• Praise God. Respond in song.	"O Come, All Ye Faithful," #10, Grade 2 CD • prayer space items: white tablecloth, Christmas crèche
page 161 **We Respond and Share the Faith**	• Explain the Christmas individual project. • Explain the Christmas group project. • Discuss **We Respond and Share the Faith**.	• copies of Reproducible Master 14 • pine branch, holy water

Lesson Plan

Introduce the Season ____ minutes

• **Pray** the Sign of the Cross and the words *God, thank you for sending Jesus to us.*

• **Read** aloud the Chapter Story on guide page 154B. Ask the children: *Why was Dominic happy about going to his Aunt Cecilia's house?* Help the children to conclude that he was happy he was going to be with his family. He was excited about receiving a gift from Jesus.

• **Have** the children open their texts to page 155. Read aloud the chapter title. Explain: *Christmas is the second season of the Church year. It is the season when we give glory to God for sending Jesus to us.*

• **Remind** the children that Christmas is a happy time that we celebrate in prayer and song.

• **Proclaim** together the words on the banner.

Meta catequética

- Presentar la Navidad como la mayor celebración del don de Dios: Jesús, su Hijo

Nuestra respuesta en la fe

- Celebrar que Jesús, la Luz del Mundo, está con nosotros ahora y por siempre

Materiales

- 2–3 CD, disfraces y accesorios, muñeco para representar al Niño Jesús, copias del patrón 14, lápices de colores, un sobre para cada niño

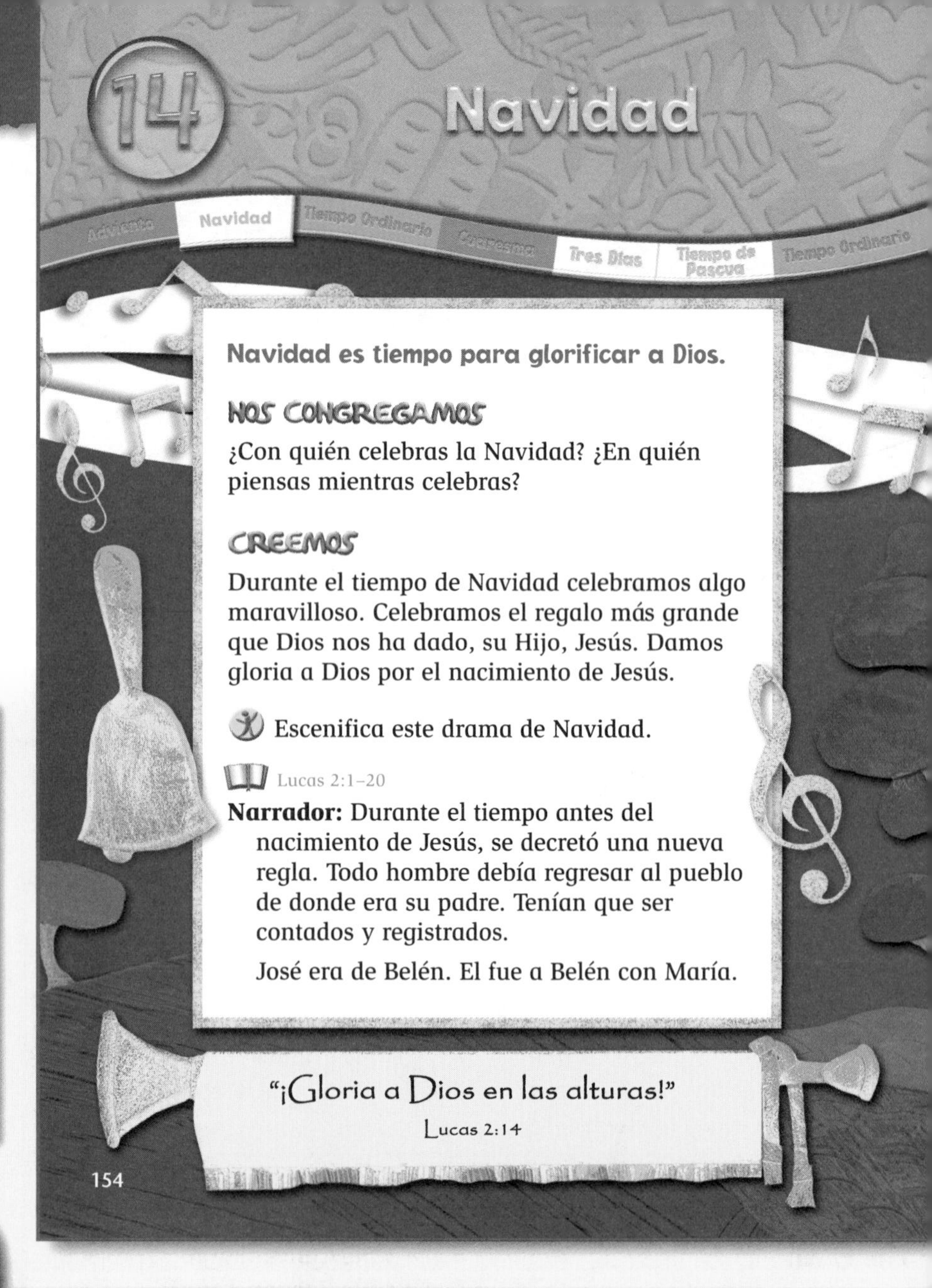

14 Navidad

Adviento | Navidad | Tiempo Ordinario | Cuaresma | Tres Días | Tiempo de Pascua | Tiempo Ordinario

Navidad es tiempo para glorificar a Dios.

NOS CONGREGAMOS

¿Con quién celebras la Navidad? ¿En quién piensas mientras celebras?

CREEMOS

Durante el tiempo de Navidad celebramos algo maravilloso. Celebramos el regalo más grande que Dios nos ha dado, su Hijo, Jesús. Damos gloria a Dios por el nacimiento de Jesús.

Escenifica este drama de Navidad.

Lucas 2:1–20

Narrador: Durante el tiempo antes del nacimiento de Jesús, se decretó una nueva regla. Todo hombre debía regresar al pueblo de donde era su padre. Tenían que ser contados y registrados.

José era de Belén. El fue a Belén con María.

"¡Gloria a Dios en las alturas!"

Lucas 2:14

154

RECURSOS ADICIONALES

Video *La estrella del rey,* St. Paul Video. Una estrella guía a los tres Reyes Magos hacia un Rey recién nacido. Un joven siervo, llamado Adbul los acompaña a Belén, donde Abdul hace un juego ante el Niño Jesús. (23 minutos)

Para más ideas sobre videos, libros y otros materiales visite a Sadlier en

www.CREEMOSweb.com

Planificación de la lección

NOS CONGREGAMOS ___ minutos

Mirando la vida Lea en voz alta las preguntas de *Nos congregamos.* Dé tiempo para que los niños piensen en sus respuestas. Pregunte si hay voluntarios que deseen compartir sus respuestas.

- **Pida** la colaboración de voluntarios para compartir los relatos de Navidad preferidos por sus familias, ya sea una historia de un libro, una película o un programa de televisión. Haga una encuesta informal de los títulos favoritos y escríbalos en la pizarra. Dígales a los niños que durante el desarrollo de esta lección ellos dramatizarán la historia de Navidad más grande jamás contada.

CREEMOS ___ minutos

- **Pida** a un niño que lea en voz alta la afirmación *Creemos* y el primer párrafo. Pregunte: *¿De qué manera le damos gloria a Dios?* Pida voluntarios para responder en voz alta. Señale: *Nos congregamos para participar de la celebración de la misa; cantamos villancicos; escuchamos el relato del nacimiento de Jesús.*
- **Muestre** a los niños las ciudades de Nazaret y Belén en un mapamundi o mapa de Israel. Explique: *María y José tuvieron que viajar casi 240 km (150 millas) en burro y a pie. Fueron varios días de viaje.* Pregunte: *¿Cómo creen que se sintieron al llegar a Belén?* (Respuestas posibles: cansados, hambrientos, molestos porque no encontraban alojamiento)

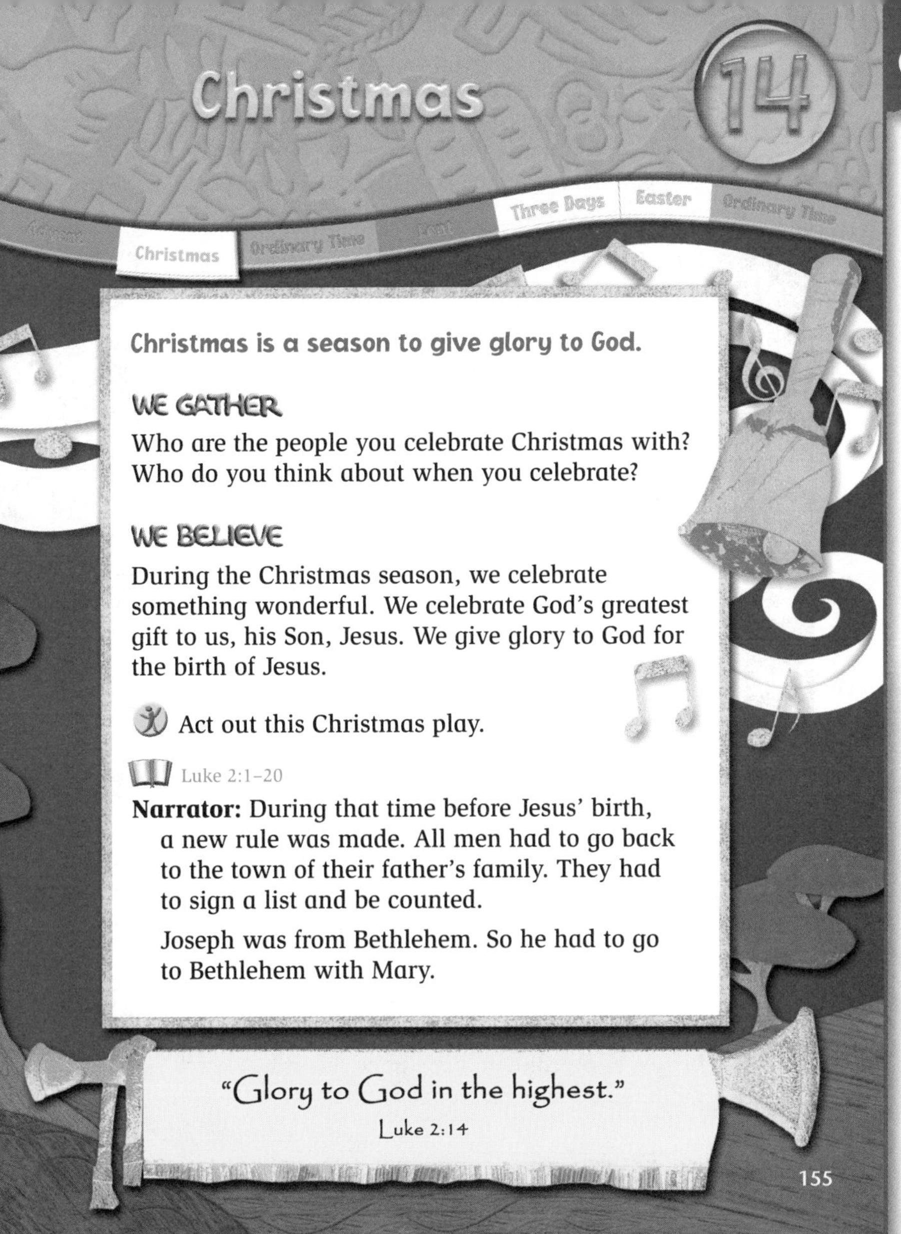

Christmas 14

Three Days | Easter | Ordinary Time | Christmas | Ordinary Time | Lent

Christmas is a season to give glory to God.

WE GATHER

Who are the people you celebrate Christmas with? Who do you think about when you celebrate?

WE BELIEVE

During the Christmas season, we celebrate something wonderful. We celebrate God's greatest gift to us, his Son, Jesus. We give glory to God for the birth of Jesus.

Act out this Christmas play.

Luke 2:1–20

Narrator: During that time before Jesus' birth, a new rule was made. All men had to go back to the town of their father's family. They had to sign a list and be counted.

Joseph was from Bethlehem. So he had to go to Bethlehem with Mary.

"Glory to God in the highest."
Luke 2:14

155

Catechist Goal

- To present Christmas as the season of celebrating God's greatest gift, his Son, Jesus

Our Faith Response

- To celebrate that Jesus, the Light of the World, is with us now and forever

Materials

- Grade 2 CD, costumes and props including a doll for the infant Jesus, copies of Reproducible Master 14, crayons, markers, scissors, envelopes (one for each child)

ADDITIONAL RESOURCES

Book *What's Cooking, Jamela?*, Niki Daly, Farrar, Straus & Giroux, 2001. The story of a South African girl's Christmas is told.

To find more ideas for books, videos, and other learning material, visit Sadlier's

www.CREEMOSweb.com

Lesson Plan

WE GATHER ___ minutes

Focus on Life Read aloud the *We Gather* questions. Provide quiet time for the children to reflect on their answers. Then ask volunteers to share their responses.

- **Invite** volunteers to share their family's favorite Christmas stories presented in books, movies, or television programs. Take an informal survey of favorites and list the titles on the board. Tell the children that in this lesson they will act out the greatest Christmas story ever told.

WE BELIEVE ___ minutes

- **Invite** a volunteer to read aloud the *We Believe* statement and the first *We Believe* paragraph. Ask: *How do we give glory to God?* Have volunteers share their responses. Point out: *We gather to celebrate Mass; we sing Christmas carols; we listen to the story of Jesus' birth.*

- **Show** the children Nazareth and Bethlehem on a world map or map of Israel. Explain: *Mary and Joseph had to travel almost 150 miles by donkey and on foot. It took them several days to travel.* Ask: *How do you think they felt when they reached Bethlehem?* (Possible responses: tired, hungry, upset when they could not find a room)

Ideas

Cuando presentar la lección

Si no se reúne con los niños en la semana de Navidad, presente esta lección una semana antes de Navidad. Ponga énfasis en el hecho de que la Navidad no es una celebración que dura un sólo día sino que es un tiempo de dos semanas.

Banco de Actividades

Necesidades individuales

Niños que están aprendiendo el idioma

Materiales: grabaciones de villancicos en la lengua nativa de uno de los niños del grupo.

Los niños que están aprendiendo el idioma necesitan compartir cosas en su lengua nativa y los villancicos ofrecen una oportunidad para compartir algo que saben. Puede buscar letras en Internet. Si desea material en español, le sugerimos el álbum "Diciembre en México", Donna Peña (GIA), que incluye "Noche de Paz" y otras canciones de Navidad tradicionales.

NAVIDAD

"Y sucedió que mientras estaban en Belén, le llegó a María el tiempo de dar a luz. Y allí nació su primer hijo, y lo envolvió en pañales y lo acostó en el establo, porque no había alojamiento para ellos en el mesón". (Lucas 2:6–7)

En las lomas los pastores cuidaban sus ovejas.

Pastores: Miren. El cielo está iluminado.

Narrador: Un ángel apareció a los atemorizados pastores.

Angel: "No tengan miedo, porque les traigo una buena noticia, que será motivo de gran alegría para todos: Hoy les ha nacido en el pueblo de David un salvador, que es el Mesías, el Señor. Como señal, encontrarán ustedes al niño envuelto en pañales y acostado en un establo". (Lucas 2:10–12)

Narrador: De repente, muchos ángeles llegaron. Todos alababan a Dios diciendo.

Los ángeles: "¡Gloria a Dios en las alturas!" (Lucas 2:14)

Narrador: Los pastores corrieron a Belén. Encontraron a María, a José y al niño Jesús acostado en un pesebre. Los pastores contaron lo que los ángeles les habían dicho sobre el niño. Todos estaban sorprendidos. Los pastores regresaron a su trabajo diciendo:

Pastores: Alabado sea Dios. Honor y gloria a Dios. Amén.

El Tiempo de Navidad dura dos semanas. Empieza el día de Navidad. Se usa el blanco. Blanco es un color de luz y gozo. Verás este color durante la celebración de las misas.

156

Planificación de la lección

CREEMOS (continuación)

• **Prepare** la dramatización de Navidad. Si es posible, pida a dos niños que sean narradores. Pida voluntarios para representar el papel de María, José, los pastores, el ángel y el coro de ángeles. Lea el texto de la dramatización una vez. Distribuya los disfraces y accesorios que los niños usarán durante la representación.

• **Pida** al grupo que miren las ilustraciones en las páginas 156 y 157. Pregunte: *¿Cómo creen que se sintieron los pastores después de haber visitado a Jesús?* (Respuestas posibles: felices, sintieron que eran especiales porque los ángeles les anunciaron el nacimiento de Jesús, tan entusiasmados que querían contarles a sus familiares y amigos)

Cotejo rápido

✔ *¿Qué celebramos durante el tiempo de Navidad?* (Celebramos el don más grande que Dios nos dio: su Hijo, Jesús.)

✔ *¿De qué manera podemos celebrar el nacimiento de Jesús?* (Le damos gloria a Dios con canciones, con la oración, y al escuchar el relato del nacimiento de Jesús.)

"While they were there, the time came for her to have her child, and she gave birth to her firstborn son. She wrapped him in swaddling clothes and laid him in a manger, because there was no room for them in the inn." (Luke 2:6–7)

On the hills nearby, some shepherds were watching their sheep.

Shepherds: Look! The sky is filled with light!

Narrator: All of a sudden, an angel appeared. The shepherds were afraid.

Angel: "Do not be afraid; for behold, I proclaim to you good news of great joy that will be for all the people. For today in the city of David a savior has been born for you who is Messiah and Lord. You will find an infant wrapped in swaddling clothes and lying in a manger." (Luke 2:10–12)

Narrator: Suddenly, many angels were there. They were all praising God and saying:

Angels: "Glory to God in the highest." (Luke 2:14)

Narrator: The shepherds hurried to Bethlehem. They found Mary and Joseph, and the baby lying in the manger. The shepherds told them what the angels had said about this child. All were amazed. The shepherds went back to their fields, saying:

Shepherds: Praise God! Glory and praise to God forever! Amen!

The Christmas season lasts about two weeks. It begins on Christmas Day. The color is white. White is a color of light and joy. You will see this color during the celebration of the Mass.

157

Teaching Tip

When to Present the Lesson

Because you will not meet with the children during the Christmas season, present this lesson during the week before Christmas. Emphasize that Christmas is not just one day we celebrate, but it is a season which lasts about two weeks.

Activity Bank

Meeting Individual Needs

English Language Learners

Materials: recordings and/or lyrics to Christmas carols in any language spoken as a first language by a second grader

Children who are in the process of learning to speak English need opportunities to share their primary language. Singing Christmas carols in their first language provides these children an opportunity to share with their classmates. You can search the Internet for lyrics. For Spanish speakers, recommend the album "Diciembre en México," by Donna Peña (GIA). This album includes "Noche de Paz" ("Silent Night") and other familiar Christmas songs.

Lesson Plan

We Believe (continued)

• **Prepare** for the children to act out the Christmas play. If possible, have two children serve as narrators. Ask for volunteers to portray Mary, Joseph, the shepherds, the angel, and the choir of angels. Read the play once. Then distribute the costumes and props for the children to use when acting out the play.

• **Invite** the children to look at the art on pages 156 and 157. Ask: *How do you think the shepherds felt after they visited Jesus?* (Possible responses: happy, special that they were told by angels about Jesus' birth, so excited they wanted to tell their friends and families)

Quick Check

✔ *What do we celebrate during the Christmas season?* (We celebrate God's greatest gift to us, his Son, Jesus.)

✔ *What is one way we celebrate the birth of Jesus?* (We give glory to God by praying, singing, and listening to the story of the birth of Jesus.)

Preparandose para orar

Alabar a Dios por enviar a su Hijo, Jesucristo.

- Escuchen la canción "Venid, fieles todos", en el 2–3 CD. Los niños practicarán este canto.
- Escriba la palabra *Emmanuel* en la pizarra. Explique que *Emmanuel* significa "Dios con nosotros".
- Dé campanas a los niños y pídales hacerlas sonar tres veces después de responder en la oración.

El lugar de oración

- Ponga un mantel blanco y un pesebre en la mesa.

NAVIDAD

Durante la Navidad, celebramos que Jesús es la Luz del Mundo. El está con nosotros ahora y siempre.

Respondemos

Jesús está con nosotros ahora y siempre. ¿Con quién vas a compartir esta noticia? ¿Cómo la vas a compartir?

Respondemos en oración

Líder: Señor, nuestro Dios,
te alabamos por la luz de la creación:
el sol, la luna y las estrellas.
Te alabamos por Jesucristo, tu Hijo:
El es Emanuel, Dios con nosotros, Príncipe de Paz, quien nos llena de tu amor.

Todos: Te alabamos, Señor Dios.

Venid, fieles todos

Venid, fieles todos, a Belén vayamos
gozosos, triunfantes y llenos de amor,
y al rey de los cielos humilde veremos.

Venid, adoremos, venid, adoremos,
venid, adoremos a Cristo el Señor.

158

Planificación de la lección

Respondemos

___ minutos

Conexión con la vida Recuerde a los niños lo siguiente: *El ángel anunció el nacimiento de Jesús a los pastores. Después de haber visto a Jesús, los pastores le contaron a sus familiares y amigos.* Recalque: *Dios quiere que compartamos con otros la noticia de que Jesús está con nosotros ahora y para siempre.*

Lea las preguntas de *Respondemos.* Permita que los niños tengan un tiempo en silencio para reflexionar sobre sus respuestas. Pida a algunos voluntarios que compartan sus respuestas con el resto del grupo.

Respondemos en oración

___ minutos

- **Pida** a los niños que cierren los ojos y respiren profundo. Pídales que imaginen que están sentados dentro de un círculo de luz. Continúe con la reflexión: *La luz nos ayuda a sentirnos felices y en paz. La luz nos ayuda a pensar en Jesús y en que él está con nosotros ahora y en cada momento de nuestra vida.*
- **Pida** al grupo que se ponga de pie. Guíelos en la oración. Dé una señal en el momento en que deben tocar las campanas.
- **Guíe** al grupo hasta el lugar de oración. Los niños caminarán en actitud de oración, cantando "Venid, fieles todos".
- Los niños también cantarán los villancicos que conocen, por ejemplo, "Noche de Paz" o "Pastores a Belén".

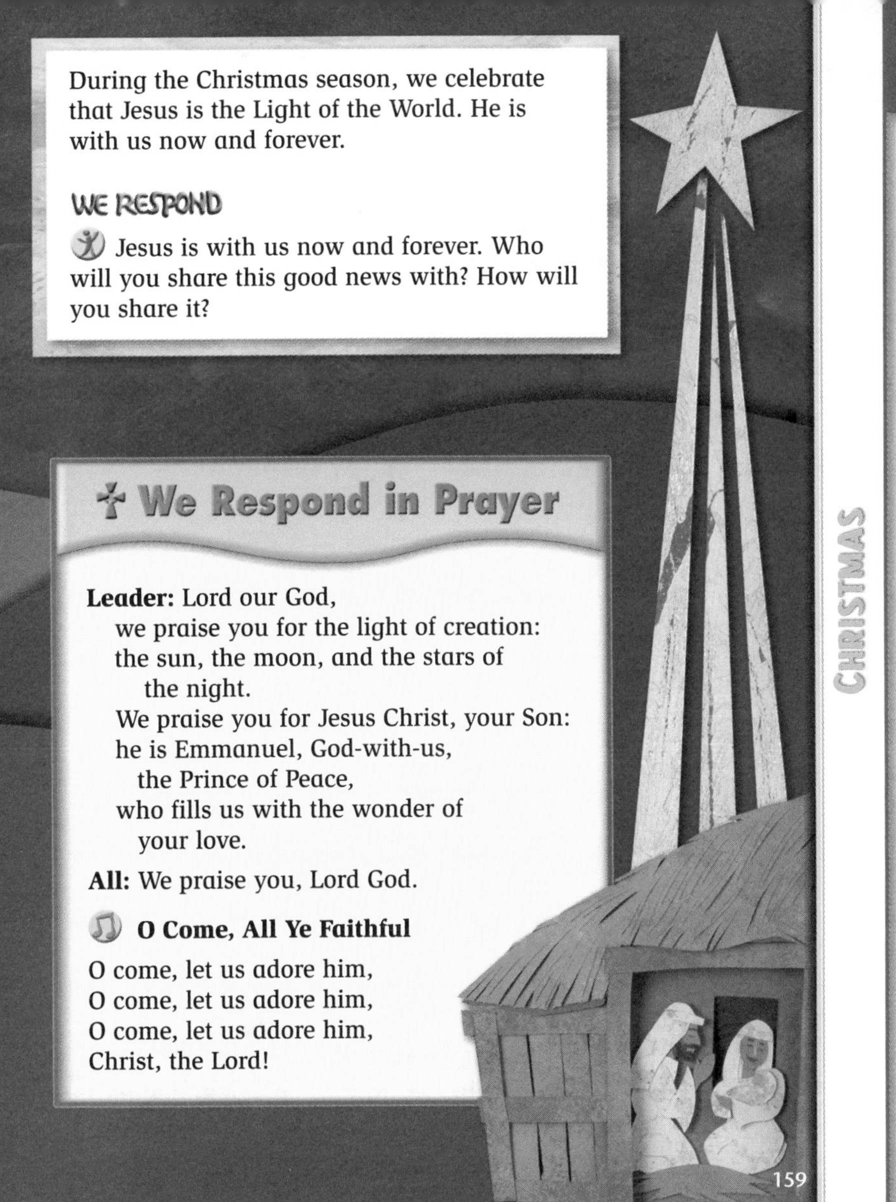

During the Christmas season, we celebrate that Jesus is the Light of the World. He is with us now and forever.

WE RESPOND

Jesus is with us now and forever. Who will you share this good news with? How will you share it?

We Respond in Prayer

Leader: Lord our God,
we praise you for the light of creation:
the sun, the moon, and the stars of
the night.
We praise you for Jesus Christ, your Son:
he is Emmanuel, God-with-us,
the Prince of Peace,
who fills us with the wonder of
your love.

All: We praise you, Lord God.

O Come, All Ye Faithful

O come, let us adore him,
O come, let us adore him,
O come, let us adore him,
Christ, the Lord!

159

PREPARING TO PRAY

Praise God for sending Jesus Christ to us.

- Play "O Come, All Ye Faithful," #10, Grade 2 CD. Explain that *adore* means "to worship."
- Write on the board *Emmanuel.* Explain that is a word for "God-with-us."
- Give a few children bells to ring three times after the responses of the prayer.

The Prayer Space

- Place a white tablecloth and a Christmas créche on the prayer table.

Lesson Plan

WE RESPOND ____ minutes

Connect to Life Remind the children: *The angel announced Jesus' birth to the shepherds. After visiting Jesus, the shepherds told their friends and family.* Stress: *God wants us to share with others that Jesus is with us now and forever.*

- **Read** the *We Respond* questions. Give the children a few minutes of quiet time to reflect on their responses. Then invite volunteers to share their responses.

We Respond in Prayer ____ minutes

- **Ask** the children to close their eyes and breathe deeply. Ask them to imagine that they are sitting in a circle of light. Continue the reflection: *The light helps us to feel happy and peaceful. The light helps us think of Jesus who is with us now and at every moment of our lives.*
- **Invite** the children to stand at their desks. Lead them in prayer. Cue the children when it is time to ring the bells.
- **Ask** the children to walk prayerfully to the prayer space as they sing together "O Come, All Ye Faithful."
- **Have** the children also sing other Christmas carols that they know. Possible carols include "Silent Night" or "Joy to the World."

CONEXION CON EL HOGAR

Compartiendo lo aprendido

Recurde a los niños compartir con sus familias lo que aprendieron en el capítulo.

Anime a los niños a compartir la bendición para el hogar con sus familias.

Para más información y actividades adicionales visite a Sadlier

www.CREEMOSweb.com

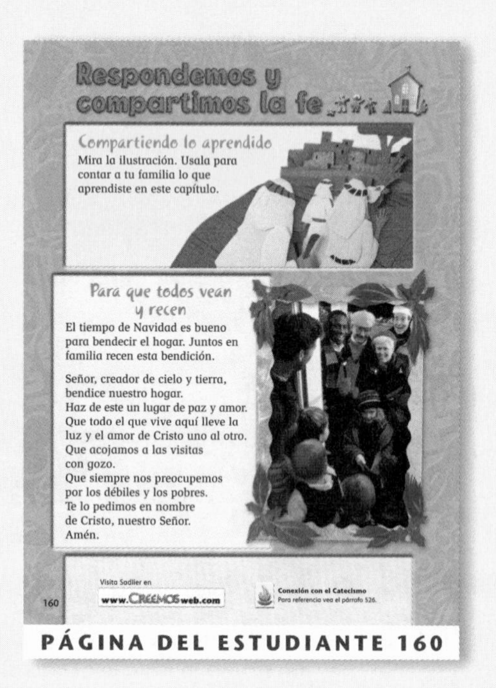

Respondemos y compartimos la fe

Compartiendo lo aprendido

Mira la ilustración. Usala para contar a tu familia lo que aprendiste en este capítulo.

Para que todos vean y recen

El tiempo de Navidad es bueno para bendecir el hogar. Juntos en familia recen esta bendición.

Señor, creador de cielo y tierra,
bendice nuestro hogar.
Haz de este un lugar de paz y amor.
Que todo el que vive aquí lleve la luz y el amor de Cristo uno al otro.
Que acojamos a las visitas con gozo.
Que siempre nos preocupemos por los débiles y los pobres.
Te lo pedimos en nombre de Cristo, nuestro Señor.
Amén.

Visita Sadlier en www.CREEMOSweb.com

Conexión con el Catecismo
Para referencia vea el párrafo 526.

160

PÁGINA DEL ESTUDIANTE 160

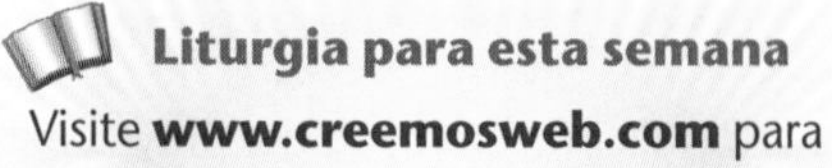

Liturgia para esta semana

Visite **www.creemosweb.com** para las lecturas bíblicas de esta semana y otros materiales propios del tiempo.

Respondemos y compartimos la fe

Proyecto individual

Lea en voz alta la *Historia para el capítulo* en la página 154A. Si quiere puede fotocopiar la página y entregar copias a los niños para que lean la historia con sus familias.

Distribuya copias del patrón 14. Explique a los niños que van a hacer unas tarjetas llamadas "Regalo de Jesús". Lea en voz alta las palabras impresas en las tarjetas. Los niños dispondrán de tiempo suficiente para pintar y recortar las tarjetas, y una vez terminadas, las colocarán en sobres.

Explique a los niños que durante el tiempo de Navidad pueden compartir la *Historia para el capítulo* con sus familias y luego proponerle a cada integrante de la familia que escoja una tarjeta "Regalo de Jesús".

Proyecto en grupo

Lea "Para que todos vegan y recen" en la página 160, Respondemos y compartimos la fe. Bendiga al grupo y muéstreles a los niños cómo se imparte la bendición.

- Tome una rama de pino y sumérjala en agua bendita. (Si no tiene agua bendita, utilice agua corriente.) Recorra el área donde estén reunidos.

- Mientras pronuncia las palabras de bendición, mueva la rama de pino de un lado a otro rociando a los niños. Propóngales que se reúnan con su familia y bendigan su hogar el día de la fiesta de la Sagrada Familia, el domingo después de Navidad.

We Respond and Share the Faith

Individual Project

Read aloud the *Chapter Story* on guide page 154B. You may want to duplicate this page to give the children copies to share with their families.

Then distribute copies of Reproducible Master 14. Explain to the children that they are going to make "Gift from Jesus" cards. Read aloud the words on the cards. Then give the children time to color them and cut them out. Give each child an envelope in which to place the completed cards.

Explain to the children that during the Christmas season they can share the *Chapter Story* with their families and then invite each member of the family to choose a "Gift from Jesus" card.

Group Project

Read "For All to See and Pray" on the *We Respond and Share the Faith*, page 161. Demonstrate the following to the children as you bless the classroom.

• Use a pine branch. Dip it in holy water. (If holy water is not available, use tap water.) Walk around the classroom.

• Swing the pine branch to sprinkle the water as you pray the words of blessing. Suggest that the children gather with their families to bless their homes on the feast of the Holy Family, the Sunday after Christmas Day.

HOME CONNECTION

Sharing What I Learned

Remind the children to share with their families what they learned in this chapter.

Encourage the children to share the blessing of the home prayer with their families.

For additional information and activities, encourage families to visit Sadlier's

www.CREEMOSweb.com

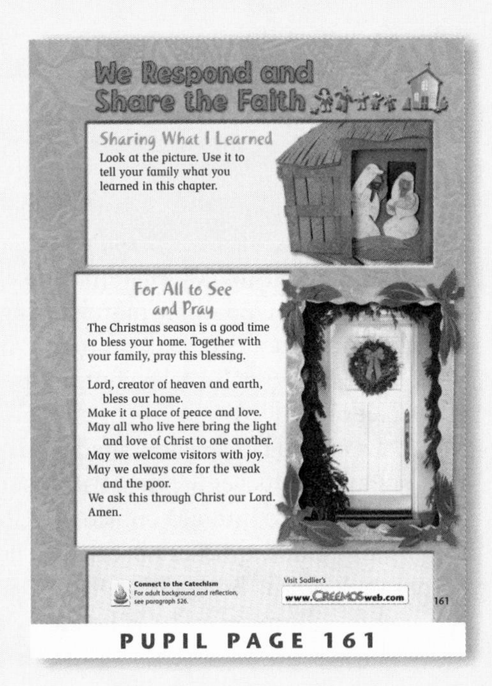

We Respond and Share the Faith

Sharing What I Learned

Look at the picture. Use it to tell your family what you learned in this chapter.

For All to See and Pray

The Christmas season is a good time to bless your home. Together with your family, pray this blessing.

Lord, creator of heaven and earth,
bless our home.
Make it a place of peace and love.
May all who live here bring the light
and love of Christ to one another.
May we welcome visitors with joy.
May we always care for the weak
and the poor.
We ask this through Christ our Lord.
Amen.

Connect to the Catechism
For adult background and reflection, see paragraph 526.

Visit Sadlier's
www.CREEMOSweb.com

161

PUPIL PAGE 161

This Week's Liturgy

Visit **www.creemosweb.com** for this week's liturgical readings and other seasonal material.

Jesús nos da la Eucaristía

Ojeada

En este capítulo los niños aprenderán que en la Eucaristía recordamos y celebramos lo que Jesús hizo por nosotros.

Contenido doctrinal	Para referencia del *Catecismo de la Iglesia Católica*
Los niños aprenderán que:	párrafo
• Jesús nos da vida.	1401
• Jesús celebró una comida especial con sus discípulos.	1339
• En la Eucaristía recordamos y celebramos lo que Jesús hizo en la última cena.	1341
• La misa es una comida y un sacrificio.	1382

Referencia catequética

¿Cómo nutre su vida espiritual?

La nutrición es una necesidad que tienen en común todos los seres vivos (algo que muchas veces descubrimos al regresar de vacaciones, cuando encontramos que las plantas que quedaron sin cuidado se marchitaron o incluso murieron). En nuestra vida personal, tanto nuestras necesidades físicas como las espirituales deben nutrirse para poder desarrollarse y crecer.

La comida de la pascua judía que Jesús celebró con sus discípulos el Jueves Santo satisfizo su necesidad física de alimento, pero también cubrió una necesidad espiritual. Los discípulos, quienes observaban la fe Judía, se reunieron para celebrar la bondad de Dios, agradecerle y alabarlo.

En la última cena Jesús bendijo y compartió el pan y el vino que se convirtieron en su Cuerpo y Sangre. Cada vez que nos congregamos para la celebración eucarística honramos lo que dijo Jesús en ese momento: "hagan esto en memoria de mí" (Lucas 22:19).

En cada misa revivimos el sacrificio de Jesús cuando murió en la cruz para salvarnos de nuestros pecados. A través de la vida, muerte y resurrección de Jesús tenemos nueva vida. Al recibir la comunión crecemos en santidad. "Por ella son alimentados y fortificados los que viven de la vida de Cristo" (*CIC* 1436). Somos alimentados para nutrir a otros con la buena nueva y la gracia de Dios.

¿Qué papel tiene la Eucaristía en su vida?

Mirando la vida

Historia para el capítulo

Hola, mi nombre es Antonio. Hace unos días recibí un paquete de mi prima Paula. Nos envió una estatua de San José. La tarjeta decía: "Para la mesa de San José de este año. Que Dios los bendiga".

Déjame explicarte lo que quiso decir mi prima. El año pasado la prima Paula vino desde Italia a visitar los Estados Unidos. Ella y Nana Gallo llegaron a nuestra casa a cenar unos pocos días antes de la fiesta de San José, el día 19 de marzo. Paula nos explicó como celebran esta fiesta las familias de su tierra.

La prima Paula dijo: "Nos congregamos para honrar a San José en su fiesta. Le pedimos que ayude a nuestras familias, y compartimos una comida especial. Algunas familias invitan a personas pobres o que no tienen familia para que celebren con ellos.

Las familias preparan la mesa de San José. Colocan sobre la mesa comida festiva especial, que tardan varios días en preparar. Hacen pan en forma de estrellas, ángeles y otros objetos que nos recuerdan a la Sagrada Familia. También preparan diferentes clases de pescados y vegetales, y cocinan postres variados".

Cuando la prima Paula terminó de hablar mamá le pidió que ayudara a nuestra familia a preparar una comida festiva especial de San José. Compartimos nuestra primera cena del día de San José con mi tía, mi tío, mis primos y dos vecinos de Nana. Durante el postre acordamos preparar una celebración familiar todos los años. Mi tía dijo: "Prima Paula, ¿podrías darnos tus recetas, por favor? Creo que las necesitamos".

¿Qué tuvo de especial la comida que compartió la familia de Antonio?

Jesus Gives Us the Eucharist

Overview

In this chapter the children will learn that in the Eucharist we remember and celebrate what Jesus did for us.

Doctrinal Content	For Adult Reading and Reflection *Catechism of the Catholic Church*
The children will learn:	Paragraph
• Jesus brings us life.	1401
• Jesus celebrated a special meal with his disciples.	1339
• In the Eucharist we remember and celebrate what Jesus did at the Last Supper.	1341
• The Mass is a meal and a sacrifice.	1382

Catechist Background

How do you nourish your spiritual life?

Nourishment is a universal need of living things—as many vacationers discover when they return home to find their neglected plants wilted or even dead. In our personal lives, both our physical and spiritual needs must be nourished so that we can thrive and grow.

The Passover meal that Jesus celebrated with his disciples on Holy Thursday satisfied their physical need for food, but the meal fulfilled a spiritual dimension as well. As observant Jews, the disciples gathered to remember God's goodness and give him thanks and praise.

At the Last Supper Jesus blessed and shared bread and wine that became his Body and Blood. Each time that we gather for the eucharistic celebration, we are honoring these words of Jesus, "do this in memory of me" (Luke 22:19).

At every Mass we recall the sacrifice of Jesus when he died on the cross to save us from our sins. Through Jesus' life, death, and Resurrection we have new life. When we receive Holy Communion, we grow in holiness. "Through the Eucharist those who live from the life of Christ are fed and strengthened." (CCC 1436) We are fed that we might, with God's grace, nourish others with the gospel.

What difference does the Eucharist make in your life?

Focus on Life

Chapter Story

Hello, my name is Anthony. A few days ago we received a package from Cousin Paula. She sent us a statue of Saint Joseph. The card said: "This is for your Saint Joseph's table this year. May God bless you all."

Let me explain what our cousin meant. Last year Cousin Paula came from Italy to visit us in the United States. She and Nana Gallo came to our house for dinner a few days before the feast of Saint Joseph, March 19. She told us how the families in her town celebrated the feast.

Cousin Paula said, "We gather to honor Saint Joseph on his feast. We ask Saint Joseph to help our families. We share a special meal. Some families invite people who are poor or lonely to celebrate with them.

Families set up a Saint Joseph's table. On the table they put special feast-day food. Families spend a few days preparing for the meal. They make bread in the shapes of stars, angels, and other objects that remind people of the Holy Family. Families also prepare different kinds of fish and vegetables. They bake many different kinds of desserts."

When Cousin Paula was finished talking, Mom asked her to help our family prepare a special Saint Joseph's feast-day meal. My aunt, uncle, cousins, and two of Nana's neighbors shared our first Saint Joseph's Day dinner. During dessert we all agreed to have a family celebration every year. My aunt said, "Cousin Paula, please give us your recipes. I think we'll need them."

What was special about the meal Anthony's family shared?

Guía para planificar la lección

Pasos de la lección	Presentación	Materiales
 **NOS CONGREGAMOS**		
pág. 162 **Oración** **Mirando la vida**	 Rezar a Jesús con una canción. • Comentar la pregunta.	Para el lugar de oración: un crucifijo, una Biblia, un recipiente para espiga de trigo o un canasto con pan y uvas  Canción "Pan de vida", 2–3 CD

pág. 162 *Jesús nos da vida.*  *Juan 6:2–14*	 Leer y dramatizar el relato bíblico. • Leer el texto sobre Jesús, el Pan de vida. Cantar la canción "Pan de vida".	• disfraces y accesorios para la dramatización bíblica (opcional) Canción "Pan de vida"
pág. 164 *Jesús celebró una comida especial con sus discípulos.*  *Marcos 14:22–24*	 • Compartir el relato bíblico sobre la última cena.  Escribir la respuesta a la pregunta.	
pág. 166 *En la Eucaristía recordamos y celebramos lo que Jesús hizo en la última cena.*	• Presentar el texto acerca de la celebración de la Eucaristía.  Escribir como se puede mostrar el agradecimiento a Dios.	
pág. 168 *La misa es una comida y un sacrificio.*	• Leer y comentar sobre la misa. • Señalar *Vocabulario* y sus definiciones. • Presentar el texto *Como católicos.*	• copias del patrón 15 • crayones o lápices de colores
3 RESPONDEMOS		
pág. 168	• Compartir las respuestas a la pregunta sobre la ilustraciones.	
páginas 170 y 172 **Repaso**	• Responder las preguntas 1 a 5. • Completar *Reflexiona y ora.*	
páginas 170 y 172 **Respondemos y compartimos la fe**	• Repasar *Recuerda* y *Vocabulario.* • Leer y comentar *Nuestra vida católica.*	

Para ideas, actividades y otras oportunidades visite Sadlier en **www.CREEMOSweb.com**

Lesson Planning Guide

Lesson Steps	Presentation	Materials

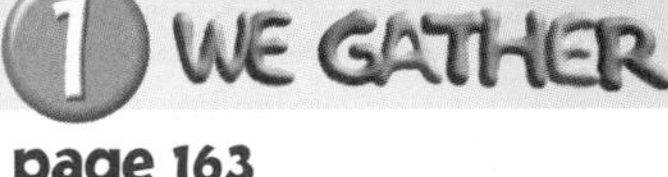

1 WE GATHER

Lesson Steps	Presentation	Materials
page 163  **Prayer**  **Focus on Life**	 Pray in song to Jesus. • Discuss question.	For prayer space: crucifix, Bible, container for wheat stalks or basket with bread and grapes  "Pan de vida", 2–3 CD

2 WE BELIEVE

Lesson Steps	Presentation	Materials
page 163 *Jesus brings us life.*  *John 6:2–14*	 Read and dramatize the Bible story. • Read the text about Jesus, the Living Bread. Sing the song "Pan de vida."	• costumes and props for Scripture dramatization (optional)  "Pan de vida"
page 165 *Jesus celebrated a special meal with his disciples.*  *Mark 14:22–24*	• Share the Bible story about the Last Supper. Write the response to the question. 	
page 167 *In the Eucharist we remember and celebrate what Jesus did at the Last Supper.*	• Present the text about the celebration of the Eucharist.  Write ways to show thanks to God.	
page 169 *The Mass is a meal and a sacrifice.*	• Read about and discuss the Mass. • Point out the *Key Words* and definitions. • Present the *As Catholics* text.	• copies of Reproducible Master 15 • crayons or colored pencils

3 WE RESPOND

Lesson Steps	Presentation	Materials
page 169	• Share responses to the picture study question.	
pages 171 and 173 **Review**	• Complete questions 1–5. • Complete the *Reflect & Pray* activity.	
pages 171 and 173 **We Respond and Share the Faith**	• Review *Remember* and *Key Words.* • Read and discuss *Our Catholic Life.*	

For additional ideas, activities, and opportunities: Visit Sadlier's **www.CREEMOSweb.com**

Conexiones

Doctrina social de la Iglesia

Solidaridad de la familia humana
Al recibir el Cuerpo y la Sangre de Cristo en la Eucaristía nos unimos a él y unos con otros. Explique a los niños que nuestra unidad como pueblo de Dios nos ayuda a ver a cada persona que encontramos como a nuestro hermano en Cristo y a tratarla como tal. Asegúreles a los niños que gradualmente irán comprendiendo que somos una sola familia humana. Enfatice que a medida de que su mundo social se vaya expandiendo, irán comprendiendo que después de todo, el mundo es pequeño.

La liturgia

Recalque la importancia de que los niños ocupen su verdadero lugar en la Iglesia. Explíqueles que a través del bautismo son miembros verdaderos de la comunidad eclesiástica. En esta comunidad aprenderán sobre Dios Padre, Hijo y Espíritu Santo. También aprenderán sobre los sacramentos y sobre como vivir como discípulos de Jesús. El centro de esta comunidad lo ocupa la celebración de la misa. Después de la misa regresamos a nuestros hogares, escuelas y vecindarios para ayudar a otros en el nombre de Cristo.

FE y MEDIOS

- Considere hacer un video de los niños cuando dramaticen el relato bíblico de Jesús alimentando a las multitudes.
- Considere usar las fotografías de las familias y recetas favoritas que traigan los niños, tal vez agregando historias y dibujos de los libros de celebración de la familia de los niños (del Banco de Actividades), para establecer un sitio en la red para la celebración de la Familia.

Liturgia para esta semana
Visite **www.creemosweb.com** para las lecturas bíblicas de esta semana y otros materiales propios del tiempo.

Necesidades individuales

Niños que aprenden el idioma

Los niños que no hablan el idioma de la clase como primera lengua pueden tener problemas con los comentarios grupales. Siempre que sea posible colóquelos al lado de un niño ayudante que pueda aclarar y resumir los puntos que se comentan. Tenga en cuenta que la actitud del ayudante es tan importante como su aptitud en el idioma de la clase. Asigne ayudantes que no sólo sean sensibles a las dificultades en el idioma sino también a la dignidad de los niños.

RECURSOS ADICIONALES

Video *El pan de la abuela,* Franciscan Communications. Con la receta del pan especial de Pascua que hacía la abuela, Mario y su familia preparan la celebración familiar de su Primera Comunión. (17 minutos)

Para ideas visite a Sadlier en

www.CREEMOSweb.com

Connections

To Catholic Social Teaching

Solidarity of the Human Family
In receiving the Body and Blood of Christ in the Eucharist, we are united with him and with one another. Explain to the children that our unity as God's people helps us to see everyone we meet as our sisters and brothers in Christ and to treat them as such. Tell the children that they will gradually understand that we are one human family. Stress that as their social world grows larger, they will come to know that it is a small world after all.

To Liturgy

Stress the importance of the children's rightful place in the Church. Explain to them that through their Baptism they are truly members of the Church community. It is with this community that they will learn about God the Father, God the Son, and God the Holy Spirit. They will learn about the sacraments and how to live as disciples of Jesus. At the center of this community is the celebration of the Mass. After Mass, we return to our homes, schools, and neighborhoods to help others in Christ's name.

FAITH and MEDIA

- Consider videotaping the children as they act out the Scripture story about Jesus giving food to the crowds.
- Consider using the family photographs and favorite recipes the children bring in, perhaps along with stories and drawings from the children's family celebration books (Activity Bank), to set up a Family Celebration Web site.

This Week's Liturgy
Visit **www.creemosweb.com** for this week's liturgical readings and other seasonal material.

Meeting Individual Needs

English Language Learners

Children who do not speak English as a first language may have difficulty with group discussions. When possible, pair them with a helper who can clarify and summarize discussion points. Keep in mind that the attitude of the helper is as important as his or her skill in the English language. Assign helpers who are not only sensitive to the language difficulties but also to the dignity of the children.

ADDITIONAL RESOURCES

Book *I Can Pray the Mass*, Mary Terese Donze, Liguori Publications, 1992. The author tells the story of the Last Supper and then explains the actions and meanings of the parts of the Mass.

Video *Jesus Feeds the Multitudes,* A Kingdom Without Frontiers series, CCC of America, 1997. The first part of this tape shows Jesus multiplying the loaves and fishes. (15 minutes of a 30-minute tape)

To find more ideas for books, videos, and other learning material visit Sadlier's

www.CREEMOSweb.com

Meta catequética

- Presentar que en la Eucaristía recordamos y celebramos lo que Jesús dijo e hizo en la última cena

Preparandose para orar

Durante la oración los niños agradecerán a Jesús por dar su vida por nosotros.

- Pida a los niños que lean en voz alta la letra de "Pan de vida", 2–3 CD Explíqueles que cuando nos congregamos para rezar recordamos todo lo que Jesús nos enseñó e hizo por nosotros.

El lugar de oración

- Coloque sobre la mesa un crucifijo, un recipiente para espigas de trigo o un canasto lleno de pan y uvas. También coloque una Biblia abierta en Juan 6:2–14.

Jesús nos da la Eucaristía

NOS CONGREGAMOS

✝ Demos gracias a Jesús cantando.

 **Pan de vida**

Pan de vida, cuerpo del Señor,
cup of blessing, blood of Christ the Lord.
At this table the last shall be first.
Poder es servir, porque Dios es amor.

 ¿Qué comida especial has compartido?

CREEMOS

Jesús nos da vida.

 Escenifiquen la siguiente historia.

Juan 6:2–14

Lector 1: Un día miles de personas fueron a escuchar a Jesús. El sabía que tenían hambre. Jesús pidió a sus discípulos que les dieran de comer.

Felipe: No podemos dar de comer a tanta gente.

Andrés: Un niño tiene cinco panes y dos peces.

Lector 2: Jesús tomó los panes y dio gracias. Pidió a sus discípulos repartirlos. Hubo comida para todos y sobró.

Todos: ¡Cuántas cosas maravillosas ha hecho Jesús por nosotros!

162

Planificación de la lección

NOS CONGREGAMOS ___ minutos

✝ **Oración**

- Pida a los niños que abran sus libros en la oración en *Nos congregamos*, y que se reúnan en el lugar de oración.
- Comience rezando la Señal de la Cruz. Luego canten "Pan de vida".
- Si hay tiempo disponible, sugiera a los niños que compartan alguna cosa que recuerden sobre la vida o las enseñanzas de Jesús.

 **Mirando la vida**

- Anime a los niños a hablar de sus recuerdos de comidas especiales que hayan compartido con otros. Comente por que recordaron esas comidas. Comparta la *Historia para el capítulo* de la página 162A.

CREEMOS ___ minutos

Recuerde a los niños sobre las multitudes que iban a ver y oír a Jesús enseñar. Explique: *No que era fácil viajar y no había sitios donde comer junto al camino.*

Lea las instrucciones para realizar la actividad. Asigne los diferentes papeles para la representación de Jesús alimentando a la multitud. Dé unos minutos para que los niños preparen sus papeles. Luego, pida a los actores que lean sus partes. Una vez que los niños terminen de leer la obra pregunte: *"¿Qué le hubieras dicho a Jesús ese día? ¿Qué hubieras dicho sobre él?"*

Lea en voz alta Juan 6:51 y el párrafo que le sigue en la página 164. *Necesitamos a Jesús para acercarnos más a Dios y compartir la vida de Dios.*

Jesus Gives Us the Eucharist

WE GATHER

 Let us thank Jesus by singing.

Pan de vida

Pan de vida, cuerpo del Señor,
cup of blessing, blood of Christ the Lord.
At this table the last shall be first.
Poder es servir, porque Dios es amor.

 What special meals have you shared?

WE BELIEVE

Jesus brings us life.

 Act out the following story.

John 6:2–14

Reader 1: One day thousands of people were listening to Jesus. He knew that they were hungry. Jesus asked his disciples to get food for all the people.

Philip: We could never find enough food to feed this many people!

Andrew: A boy has five loaves of bread and two fish.

Reader 2: Jesus took the loaves and gave thanks. He asked his disciples to give out the bread and fish. There was food for everyone and some leftover.

All: What a wonderful thing Jesus has done for us!

163

Catechist Goal

- To present that in the Eucharist we remember and celebrate what Jesus said and did at the Last Supper

Preparing to Pray

During this gathering prayer, the children will thank Jesus for giving his life for us.

- Have the children read aloud the lyrics for "Pan de vida." Explain that when we gather together to pray, we remember all Jesus taught us and did for us.

The Prayer Space

- On the table place a crucifix, a container for wheat stalks, or a basket filled with bread and grapes. Also have a Bible opened to John 6:2–14 on the table.

Lesson Plan

WE GATHER

___ minutes

Prayer

- Ask the children to open their books to the gathering prayer. Invite the children to gather in the prayer space.
- Begin by praying the Sign of the Cross. Then sing together "Pan de vida".
- If time permits, invite each child to share one thing he or she remembers about Jesus' life or teaching.

Focus on Life

Encourage the children to share memories of special meals that they have shared with others. Discuss why the children like to remember these meals. Share the *Chapter Story* on guide page 162B.

WE BELIEVE

___ minutes

Remind the children about the crowds of people that went to see and hear Jesus teach. Explain: *Traveling was not easy and there were no roadside places to eat.*

Read the activity directions. Assign the different roles for the play about Jesus feeding many people. Give the children a few minutes to prepare their parts. Then have the actors read their parts. After the children have finished reading the play, ask: *What would you have said to or about Jesus that day?*

Read aloud John 6:51 and the following paragraph on page 165. Stress: *We need Jesus to grow closer to God and share in God's life.*

Nuestra respuesta en la fe

- Recordar y apreciar la ofrenda de sí mismo que hizo Jesús en la Eucaristía

última cena
Eucaristía
misa
sagrada comunión

Materiales

- opcional: disfraces y accesorios
- 2–3 CD
- copias del patrón 15

Conexión con el hogar

Pida a los niños que hablen sobre la experiencia de compartir con sus familias lo que aprendieron en el capítulo 12.

Jesús nos dijo: "Yo soy ese pan vivo que ha bajado del cielo; el que come de este pan, vivirá para siempre". (Juan 6:51)

Todos necesitamos pan para vivir y crecer. Todos necesitamos a Jesús para acercarnos más a Dios y compartir la vida de Dios. Jesús es el pan de vida. El es el Hijo de Dios que fue enviado para darnos vida.

Canten "Pan de vida".

Jesús celebró una comida especial con sus discípulos.

Todos los años el pueblo judío celebra la fiesta de pascua. Durante este tiempo santo, ellos se reúnen a compartir una comida especial. En esta comida rezan y alaban. Dan gracias a Dios por todo lo que les ha dado.

La noche antes de morir, Jesús celebró la pascua con sus discípulos.

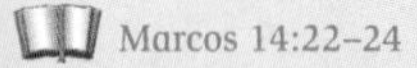

Durante esta comida Jesús tomó pan y lo bendijo. El partió el pan y lo dio a sus discípulos. El dijo: "Tomen, esto es mi cuerpo". (Marcos 14:22)

Después tomó la copa de vino y dio gracias. Todos los discípulos tomaron de la copa. Jesús dijo: "Esto es mi sangre". (Marcos 14:24)

164

Planificación de la lección

(continuación)

Pida a los niños que canten "Pan de vida".

Pida a lo niños que miren la imagen en la página 164 y 165. Pregunte lo siguiente:

- *¿Quién está con Jesús?* (sus discípulos)
- *¿Qué están haciendo?* (comparten una comida)

Recalque La *comida que Jesús compartió esa noche con los discípulos la conocemos como la última cena.* Pida a voluntarios leer los tres párrafos de *Creemos* en las páginas 164 y 166. Pida a los niños que se pongan de pie mientras lee en voz alta el pasaje bíblico.

Pida un voluntario para que lea la pregunta. Haga que los niños escriban sus respuestas, y luego coméntelas.

Cotejo rápido

✔ *¿Qué nos dijo Jesús sobre sí mismo?* (Dijo: "Yo soy el pan de vida")

✔ *¿Cuál fue la última comida que Jesús compartió con sus discípulos?* (La última comida que Jesús compartió con sus discípulos fue la última cena.)

✔ *¿En qué se convirtieron el pan y el vino que Jesús bendijo?* (El pan y el vino se convirtieron en el Cuerpo y la Sangre de Jesucristo.)

Explique *Jesús quería que sus discípulos lo recordaran y volvieran a celebrar la última cena.* Recalque: *Es lo que hacemos cuando celebramos la Eucaristía.*

Jesus told us, "I am the living bread that came down from heaven; whoever eats this bread will live forever." (John 6:51)

All of us need bread to live and grow. All of us need Jesus to grow closer to God and share in God's life. Jesus is the living bread. He is the Son of God who was sent to bring us life.

Sing "Pan de vida."

Jesus celebrated a special meal with his disciples.

Every year the Jewish people celebrate the feast of Passover. During this holy time, they gather to share a special meal. At this meal they say prayers of blessing. They thank God for all he has done.

On the night before he died, Jesus was with his disciples to celebrate the Passover meal with them.

Mark 14:22–24

During the meal Jesus took bread and said a blessing. He broke the bread and gave it to his disciples. He said, "Take it; this is my body." (Mark 14:22)

Then Jesus took a cup of wine and gave thanks. All the disciples drank from this cup. Jesus said, "This is my blood." (Mark 14:24)

165

Our Faith Response

- To remember and appreciate Jesus' gift of himself in the Eucharist

Last Supper
Eucharist
Mass
Holy Communion

Materials

- optional: costumes and props
- 2–3 CD
- copies of Reproducible Master 15

Home Connection Update

Ask the children to talk about their experience when sharing with their families what they learned in Chapter 12.

Lesson Plan

WE BELIEVE (continued)

Invite the children to join in singing "Pan de vida".

Direct attention to the picture on page 164 and 165. Ask the following questions:

- *Who is with Jesus?* (his disciples)
- *What are they doing together?* (sharing a meal)

Stress *We call the meal shared with the disciples that night the Last Supper.* Then ask volunteers to read the three paragraphs of *We Believe* on pages 165 and 167. Ask the children to stand as you read aloud the Scripture passage.

Ask a volunteer to read the question. Have the children write their responses. Discuss the children's responses.

Quick Check

✔ *What did Jesus tell us about himself?* (He said, "I am the living bread.")

✔ *What is the last meal that Jesus shared with his disciples called?* (The Last Supper is the last meal Jesus shared with his disciples.)

✔ *What did the bread and wine blessed by Jesus become at the meal?* (The bread and wine became the Body and Blood of Jesus Christ.)

Explain *Jesus wanted his disciples to remember and celebrate the Last Supper again.* Stress: *We do this when we celebrate the Eucharist.*

Banco de Actividades

Inteligencia múltiple

Movimiento corporal

Materiales: disfraces y accesorios para la dramatización

Ayude a los niños a preparar una dramatización de Jesús alimentando a la multitud. Dé tiempo para practicar. Luego invite a otro grupo o adultos a presenciar una presentación.

Familia

Libros de celebraciones de familias

Materiales: papel, crayones o lápices de colores

Pida a los niños recordar una ocasión en la que compartieron una comida especial. Luego, pídales escribir una historia sobre esta comida, explicando por qué fue especial. Pídales que incluyan detalles sobre quién estaba ahí, donde celebraron la comida, y como agradecieron a Dios. Sugiera que ilustren la historia. Una todas las historias para hacer un libro. Encuadérnelas y pida a algunos voluntarios preparar una portada para el libro. Póngalo en el lugar de oración.

La comida que Jesús compartió con sus discípulos la noche antes de morir es llamada la **última cena**. En esta comida el pan y el vino se convirtieron en el Cuerpo y la Sangre de Jesucristo.

¿Por qué la última cena es una comida especial?

En la Eucaristía recordamos y celebramos lo que Jesús hizo en la última cena.

En la última cena Jesús dijo a sus discípulos que recordaran lo que él había hecho. Jesús quería que ellos recordaran y celebraran esta comida especial una y otra vez. El dijo: "Hagan esto en memoria de mí". (Lucas 22:19)

Cuando celebramos la Eucaristía la Iglesia sigue haciendo lo que Jesús pidió. **Eucaristía** es el sacramento del Cuerpo y la Sangre de Jesucristo. En este sacramento, el pan y el vino se convierten en el Cuerpo y la Sangre de Cristo. Eso sucede por el poder del Espíritu Santo y las palabras y gestos del sacerdote.

La palabra *eucaristía* significa "dar gracias". Cuando celebramos el sacramento damos gracias a Dios Padre por sus muchos regalos. Alabamos a Jesús por todo lo que ha hecho. Pedimos al Espíritu Santo nos ayude a acercarnos más a Dios y a los demás.

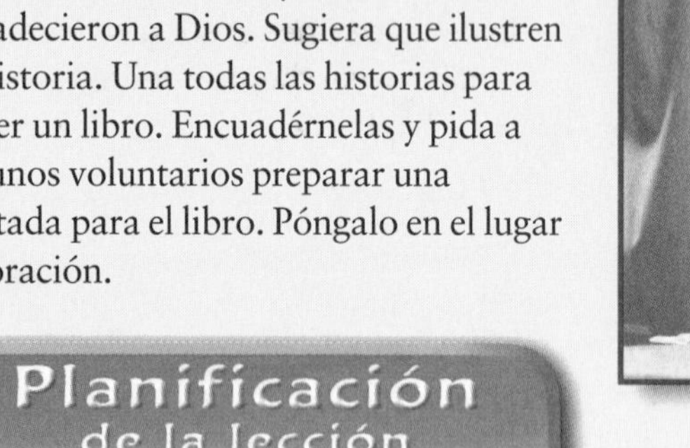

¿Qué puedes hacer esta semana para mostrar tu agradecimiento a Dios por sus regalos? Escribe tu respuesta.

____

166

Planificación de la lección

CREEMOS (continuación)

Pida un voluntario que lea en voz alta la afirmación de *Creemos* y los dos primeros párrafos de la página 166. Haga que los niños marquen o subrayen las tres últimas oraciones del segundo párrafo.

Escriba la palabra *Eucaristía* en la pizarra. Explique que significa "agradecer". Pida un voluntario que lea el tercer párrafo de la página 166.

Invite a los niños a que realicen la actividad de la página 166. Si algunos niños tienen dificultades, sugiera lo siguiente: *rezar, cuidar los dones de Dios, compartir con otros los dones de Dios.* Anime a los niños a que compartan lo que han escrito. Luego, conversen sobre los dones que Dios nos ha dado y de que modo le agradecemos a Dios por ellos.

The meal Jesus shared with his disciples on the night before he died is called the **Last Supper**. At this meal the bread and wine became the Body and Blood of Jesus Christ.

Why was the Last Supper a special meal?

In the Eucharist we remember and celebrate what Jesus did at the Last Supper.

At the Last Supper Jesus told the disciples to remember what he had just done. Jesus wanted them to remember and celebrate this special meal again and again. Jesus said, "Do this in memory of me." (Luke 22:19)

The Church continues to do as Jesus asked when we celebrate the Eucharist. The **Eucharist** is the sacrament of the Body and Blood of Jesus Christ. In this sacrament, the bread and wine become the Body and Blood of Christ. This is done by the power of the Holy Spirit and through the words and actions of the priest.

The word *eucharist* means "to give thanks." When we celebrate this sacrament, we thank God the Father for his many gifts. We praise Jesus for all he has done. We ask the Holy Spirit to help us grow closer to God and others.

What can you do this week to show that you are thankful for God's gifts? Write your answer.

____

167

Activity Bank

Multiple Intelligences

Bodily-Kinesthetic

Materials: costumes and props for dramatization

Help the children prepare a dramatization of Jesus feeding the people. Allow them time to practice. Invite another class or adult guests for a presentation at a later time.

Family

Family Celebration Books

Materials: writing paper and drawing paper; crayons or colored pencils

Ask the children to recall a time when they shared a special family meal. Ask them to write a story about this meal, explaining why it was so special. Tell the children to include details about who was there, where they celebrated the meal, and the ways they showed their thanks to God. Then ask them to illustrate the story. Combine all the stories into one large book. Bind it together and ask volunteers to make a colorful cover for the book. Keep the book in the prayer space.

Lesson Plan

WE BELIEVE (continued)

Ask a volunteer to read aloud the *We Believe* statement and the first two paragraphs on page 167. Have the children highlight or underline the last three sentences of the second paragraph.

Write the word *eucharist on* the board. Explain that the word means "to give thanks." Have a volunteer read the third paragraph on page 167.

Invite the children to do the activity on page 167. If some children are having difficulty, suggest the following: *pray; take care of God's gifts; share God's gifts with others.* Encourage volunteers to share what they have written. Then talk together about the gifts God has given us and the ways to thank God for these gifts.

Ideas

Escenario teatral

Reserve un área que sirva como escenario para las dramatizaciones bíblicas. Cuelgue una sábana o una pieza grande de tela como telón. Pida voluntarios para que lleven accesorios adecuados para la historia en el caso de las dramatizaciones bíblicas.

Como católicos...

El altar

Después de trabajar en esta página, lea el texto *Como católicos*. Pida voluntarios que describan el altar de su parroquia. Si es posible, arregle una visita a la iglesia para ver de cerca el altar.

La misa es una comida y un sacrificio.

Otro nombre para la celebración de la Eucaristía es **misa**. La misa es una comida. Durante la misa recordamos lo que Jesús hizo en la última cena. El pan y el vino se convierten en el Cuerpo y la Sangre de Cristo. **Sagrada comunión** es recibir el Cuerpo y la Sangre de Cristo. La comunión hace que la vida de Dios en nosotros sea más fuerte.

La misa es un sacrificio. *Sacrificio* es ofrecer un regalo a Dios. La palabra *ofrenda* significa "dar" o "presentar". Jesús ofreció el sacrificio más grande de todos los tiempos. El murió para darnos nueva vida. En cada misa recordamos el sacrificio de Jesús.

Cuando participamos en la misa recordamos y celebramos:

- Que Jesús se ofreció a sí mismo en la cruz. El murió para salvarnos del pecado.
- Jesús resucitó para que pudiéramos vivir felices con Dios para siempre.
- Jesús nos da su propio Cuerpo y Sangre en la sagrada comunión.

RESPONDEMOS

¿Cómo las ilustraciones en esta página te pueden ayudar a recordar la misa?

168

Vocabulario

última cena la comida que Jesús compartió con sus discípulos la noche antes de morir

Eucaristía el sacramento del Cuerpo y la Sangre de Jesucristo

misa la celebración de la Eucaristía

sagrada comunión recibir el Cuerpo y la Sangre de Cristo

Como católicos...

Toda iglesia católica tiene un altar. En el altar se hace presente el sacrificio de Jesús. El altar es una mesa y nos recuerda la mesa de la última cena. De esta mesa recibimos a Jesús en la sagrada comunión.

Piensa en la iglesia donde tu comunidad parroquial se reúne para la misa. ¿Dónde está el altar? ¿Cómo es el altar?

Planificación de la lección

CREEMOS (continuación)

Explique *Otro nombre que le damos a la celebración del sacramento de la Eucaristía es misa.* Escriba en la pizarra: *La misa es una comida.* Lea en voz alta el primer párrafo de la página 168.

Escriba en la pizarra: *La misa es un sacrificio.* Lea en voz alta el segundo párrafo. A continuación, lean en voz alta el listado de lo que recordamos y celebramos en la misa.

Pida a un voluntario que lea las palabras del *Vocabulario* y sus definiciones. Pregunte: *¿Cómo se relacionan estas palabras entre sí?* (Recibimos la Sagrada Comunión durante la misa y la misa es otro nombre que se le da a la Eucaristía).

Vocabulario Pida a los niños que formen cuatro grupos. Tenga cuatro fichas con las palabras del vocabulario escrita en cada una. Pida a cada grupo que seleccione una de las fichas. Dígales que escriban una oración usando la palabra clave. Cuando hayan terminado pídales que lean sus oraciones.

RESPONDEMOS ____ minutos

Conexión con la vida Pida a los niños que miren las imágenes mientras lee la pregunta de la sección *Respondemos.* Pida voluntarios que compartan sus respuestas.

Pida a los niños que se congreguen en el lugar de oración. Canten juntos "Pan de vida". Entregue a cada niño una copia del patrón 15. Los niños pueden hacer la actividad en ese momento o llevarla a casa como tarea. (Las palabras de Jesús: "Yo soy el pan de vida").

Last Supper the meal Jesus shared with his disciples on the night before he died

Eucharist the sacrament of the Body and Blood of Jesus Christ

Mass the celebration of the Eucharist

Holy Communion receiving the Body and Blood of Christ

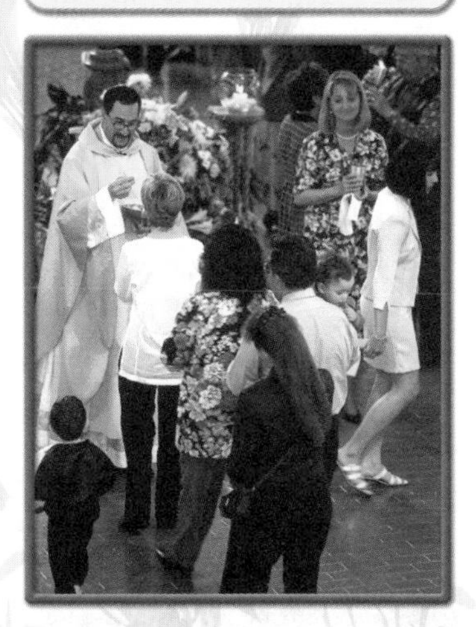

As Catholics...

Every Catholic church has an altar. At the altar the sacrifice of Jesus is made present. The altar is a table and it reminds us of the table of the Last Supper. From this table we receive Jesus in Holy Communion.

Think about the church where your parish community gathers for Mass. Where is the altar? What does the altar look like?

The Mass is a meal and a sacrifice.

Another name for the celebration of the Eucharist is the **Mass**. The Mass is a meal. During the Mass we remember what Jesus did at the Last Supper. The bread and wine become the Body and Blood of Christ. **Holy Communion** is receiving the Body and Blood of Christ. Holy Communion makes the life of God within us stronger.

The Mass is a sacrifice. A *sacrifice* is an offering of a gift to God. The word *offer* means "to give" or "to present." Jesus offered the greatest sacrifice of all time. He died to bring us new life. At every Mass we remember Jesus' sacrifice.

When we take part in the Mass, we remember and celebrate that:

- Jesus offered his life for us on the cross. He died to save us from sin.
- Jesus rose to new life so that we could live happily with God forever.
- Jesus gives us his own Body and Blood in Holy Communion.

WE RESPOND

What can the pictures on these pages help you to remember about the Mass?

Teaching Tip

A Drama Center

Set aside a staging area for Scripture dramatizations or role-plays. In this area hang an old sheet or large piece of fabric to serve as a backdrop or curtain. For Scripture dramatizations, have volunteers bring in props appropriate for the story.

As Catholics...

The Altar

After working on this page, read the *As Catholics* text. Have volunteers describe the altar in your parish church. If possible, arrange a visit to the church to see the altar up close.

Lesson Plan

WE BELIEVE (continued)

Explain *Another name for the celebration of the sacrament of the Eucharist is the Mass.* Write on the board: *The Mass is a meal.* Read aloud the first paragraph on page 169.

Write on the board: *The Mass is a sacrifice.* Read aloud the second paragraph. Then together read aloud the list of what we remember and celebrate at Mass.

Ask a volunteer to read the words and their definitions in the *Key Words* box. Ask: *How are the words related to one another?* (We receive Holy Communion during the Mass, and Mass is another name for the Eucharist.)

Key Words Have the children form four groups. On four index cards, have written one key word. Ask each group to select one of these cards. Ask each group to write a sentence using the key word. When the groups have finished, ask them to read their sentences.

WE RESPOND

____ minutes

Connect to Life Have the children look at the pictures as you read the *We Respond* question. Ask volunteers to share their responses.

Invite the children to gather in the prayer space. Sing together "Pan de vida." Give each child a copy of Reproducible Master 15. Have the children work on the activity now or work on it at home. (Jesus' words: "I am the living bread.")

Banco de Actividades

Conexión curricular

Arte

Materiales: papel, crayones, lápices de colores o marcadores, 2–3 CD

Pida a los niños que hagan dibujos para ilustrar la letra de "Pan de vida". (Consulte la página 162). Escuchen la canción en del CD mientras los niños trabajan.

La doctrina social de la Iglesia

Opción por los pobres e indefensos

Explique que una de las formas en que un niño puede prepararse para comulgar por primera vez es ayudando a los necesitados. Cada semana durante *el tiempo de preparación* pídales que piensen en como pueden ayudar a los demás. Elija una acción que puedan hacer juntos y escríbala en la pizarra. Acciones posibles: Respetar a quienes son diferentes a ti, preparar una canasta de alimentos, recolectar dinero para las familias pobres.

Conexion con el Hogar

Compartiendo lo aprendido

Recuerde a los niños compartir con sus familias lo aprendido en este capítulo.

Diga a los niños hacer la actividad del patrón con su familia.

Para más información y actividades adicionales visite a Sadlier

www.CREEMOSweb.com

Planifique por adelantado

Lugar de oración: planta de vid; mantel; Biblia; imagen o figura de Jesús

Materiales: copias del patrón16, 2–3 CD

____ minutos

Repaso del capítulo En grupo lean en voz alta las palabras del banco de palabras. Luego, pida a los niños que completen las oraciones 1 a 4.

Una vez que los niños hayan terminado, pida voluntarios para que lean cada oración. Aclare cualquier duda que puedan tener los niños. Luego, lea la quinta pregunta. Dé unos minutos para que los niños escriban sus respuestas.

Reflexiona y ora Lea la pregunta y anime a los niños a compartir sus respuestas. Luego, pida a los niños que completen la oración. Recuérdeles a los niños que deben respetar la privacidad de los otros niños.

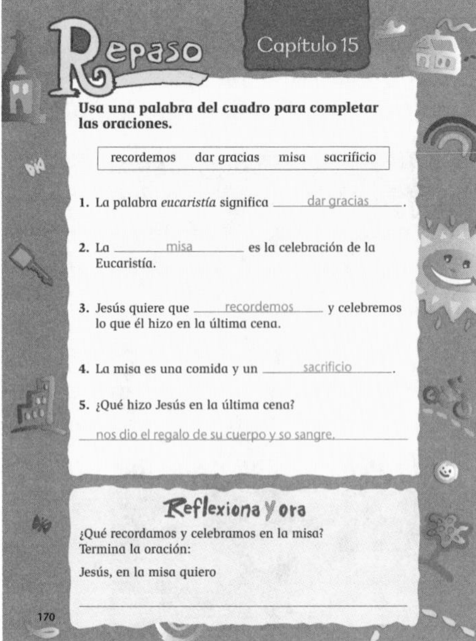
Repaso — Capítulo 15

Usa una palabra del cuadro para completar las oraciones.

recordemos dar gracias misa sacrificio

1. La palabra *eucaristía* significa dar gracias.
2. La misa es la celebración de la Eucaristía.
3. Jesús quiere que recordemos y celebremos lo que él hizo en la última cena.
4. La misa es una comida y un sacrificio.
5. ¿Qué hizo Jesús en la última cena?

nos dio el regalo de su cuerpo y so sangre.

Reflexiona y ora

¿Qué recordamos y celebramos en la misa? Termina la oración:

Jesús, en la misa quiero

170

PÁGINA DEL ESTUDIANTE 170

Respondemos y compartimos la fe

____ minutos

Recuerda Lea las cuatro afirmaciones *Creemos*, una a la vez. Pregunte si hay dudas al respecto después de leer cada una. Explique cualquier duda que surja.

Nuestra vida católica Lea en voz alta "Compartiendo". Explique lo que sabe con respecto a como la parroquia comparte con los que tienen hambre. Pida a los niños que animen a sus familias a compartir con los necesitados.

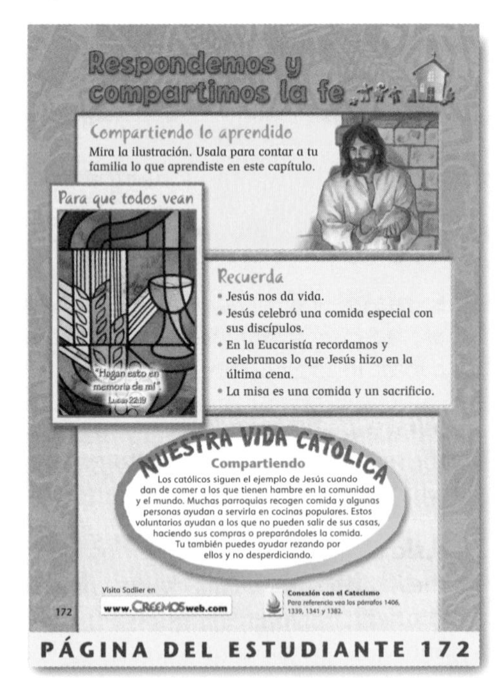
Respondemos y compartimos la fe

Compartiendo lo aprendido

Mira la ilustración. Usala para contar a tu familia lo que aprendiste en este capítulo.

Para que todos vean

"Hagan esto en memoria de mí". Lucas 22:19

Recuerda

- Jesús nos da vida.
- Jesús celebró una comida especial con sus discípulos.
- En la Eucaristía recordamos y celebramos lo que Jesús hizo en la última cena.
- La misa es una comida y un sacrificio.

Nuestra vida católica

Compartiendo

Los católicos siguen el ejemplo de Jesús cuando dan de comer a los que tienen hambre en la comunidad y el mundo. Muchas parroquias recogen comida y algunas personas ayudan a servirla en cocinas populares. Estos voluntarios ayudan a los que no pueden salir de sus casas, haciendo sus compras o preparándoles la comida. Tu también puedes ayudar rezando por ellos y no desperdiciando.

Visita Sadlier en www.CREEMOSweb.com

Conexión con el Catecismo
Para referencia vea los párrafos 1406, 1339, 1341 y 1382.

172

PÁGINA DEL ESTUDIANTE 172

_____ minutes

Chapter Review As a group, read aloud the words in the word bank. Then have the children complete questions 1–4.

After the children have finished, have volunteers read each sentence. Clear up any misconceptions that may arise. Then read the fifth question. Allow a few minutes for the children to write their responses.

Reflect & Pray Read the question and encourage the children to share their responses. Then ask the children to complete the prayer. Remind them to respect each other's privacy.

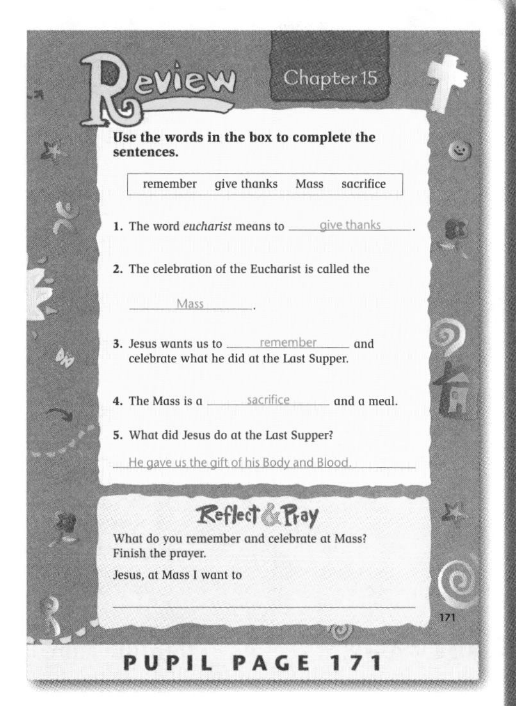
Review Chapter 15

Use the words in the box to complete the sentences.

remember give thanks Mass sacrifice

1. The word *eucharist* means to give thanks.
2. The celebration of the Eucharist is called the Mass.
3. Jesus wants us to remember and celebrate what he did at the Last Supper.
4. The Mass is a sacrifice and a meal.
5. What did Jesus do at the Last Supper?

He gave us the gift of his Body and Blood.

Reflect & Pray

What do you remember and celebrate at Mass? Finish the prayer.

Jesus, at Mass I want to

171

PUPIL PAGE 171

We Respond and Share the Faith

____ minutes

Remember Read the four *We Believe* statements one at a time. After each is read, ask if there are any questions. Clarify any misconceptions.

Our Catholic Life Read aloud "Sharing with the Hungry." Explain what you know about ways the parish shares with those who are hungry. Ask the children to encourage their families to help share with those who are in need.

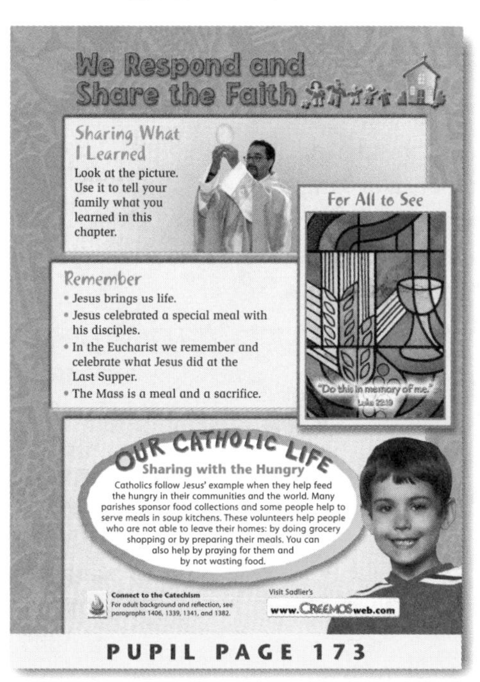
We Respond and Share the Faith

Sharing What I Learned

Look at the picture. Use it to tell your family what you learned in this chapter.

For All to See

"Do this in memory of me." Luke 22:19

Remember

- Jesus brings us life.
- Jesus celebrated a special meal with his disciples.
- In the Eucharist we remember and celebrate what Jesus did at the Last Supper.
- The Mass is a meal and a sacrifice.

Our Catholic Life

Sharing with the Hungry

Catholics follow Jesus' example when they help feed the hungry in their communities and the world. Many parishes sponsor food collections and some people help to serve meals in soup kitchens. These volunteers help people who are not able to leave their homes: by doing grocery shopping or by preparing their meals. You can also help by praying for them and by not wasting food.

Connect to the Catechism
For adult background and reflection, see paragraphs 1406, 1339, 1341, and 1382.

Visit Sadlier's www.CREEMOSweb.com

PUPIL PAGE 173

Activity Bank

Curriculum Connection

Art

Materials: drawing paper, crayons, colored pencils, or markers, 2–3 CD

Have the children draw pictures to illustrate the lyrics for "Pan de vida." (See page 163.) While the children are working, play the recording, on the 2–3 CD.

Catholic Social Teaching

Option for the Poor and Vulnerable

Explain that one way children can prepare to receive Holy Communion for the first time is to help those in need. Each week during *the time of preparation* ask the children to think of ways they can help others. Choose one act that the children can do together and write it on the board. Some possible acts: showing respect for people who are different from you; preparing a basket of foodstuffs; collecting money to give to poor families.

Home Connection

Sharing What I Learned

Remind the children to share with their families what they learned in this chapter.

Tell the children to finish the master activity with their families.

For additional information and activities, encourage families to visit Sadlier's

www.CREEMOSweb.com

Plan Ahead for Chapter 16

Prayer Space: vine plant, tablecloth, Bible, picture or statue of Jesus

Materials: copies of Reproducible Master 16, Grade 2 CD

Capítulo 16 Nos reunimos para la celebración de la Eucaristía

Ojeada

En este capítulo los niños aprenderán que en la misa nos unimos a Jesucristo y los unos a los otros.

Contenido doctrinal	Para referencia del *Catecismo de la Iglesia Católica*
Los niños aprenderán que:	párrafo
• Estamos unidos a Jesucristo y a los demás.	1348
• La Iglesia celebra la misa.	1368
• La parroquia se reúne para la celebrar la misa.	1389
• Cuando la misa empieza alabamos a Dios y le pedimos perdón.	2643

Referencia catequética

¿Cómo le fortalece la Eucaristía?

Es probable que empezara a asistir a misa los domingos cuando era un niño. Era algo automático que se hacía casi sin pensar.

Como adultos, nos adentramos en el significado de la misa al leer el capítulo 15 del Evangelio de Juan. Allí aprendemos que Jesús es la vid y nosotros, la Iglesia, somos los pámpanos. En el arte sacro, el trigo y la vid se utilizan para simbolizar la Eucaristía. La vid no sólo se refiere a la Sangre de Jesús sino también a la unión que tenemos a través de él. Durante la celebración eucarística anunciamos nuestra unión con Cristo y unos con otros cuando escuchamos: "El Señor esté con ustedes" y respondemos, "Y con tu espíritu".

Cuando nos congregamos para la misa también reconocemos nuestra condición de pecadores y buscamos el perdón y la misericordia de Dios. Sabiendo que somos débiles, buscamos fuerzas en Jesús para parecernos a él.

San Pablo enfatiza nuestra unión con Jesús. Desafió a los cristianos de Corintio al escribirles: "Examínense ustedes mismos, para ver si están en la fe; pónganse a prueba. ¿No se dan cuenta de que Jesucristo está en ustedes?" (2 Corintios 13:5).

Quizás el desafío de la misa no sea tanto el misterio de su significado sino el misterio de ser transformados en Jesús. Si nos probamos como sugiere San Pablo, ¿estaremos viviendo en fe?

¿Muestra con sus palabras y acciones que sigue el ejemplo de Jesús?

Mirando la vida

Historia para el capítulo

Marisa, la hermana de Roberto, está en quinto grado. Casi todos los días después de la escuela Marisa conversa y ríe con su amiga Patricia. El último martes por la tarde Roberto se sorprendió cuando regresó a casa.

Marisa estaba muy seria y caminaba saliendo y entrando a la cocina. Llevaba una escoba y Patricia caminaba detrás de ella. Roberto les preguntó:

"¿Qué están haciendo? La semana pasada me dijeron que eran muy mayores para jugar, pero están jugando".

"Hermanito, para tu información, no estamos jugando", contestó Marisa. "Voy a hacer de monaguillo en la misa del sábado por la tarde. Voy a llevar la cruz al comenzar la misa. Patricia está ayudándome a practicar".

El papá estaba junto al fregadero.

"Roberto, no te burles de tu hermana. El sábado será la primera vez que ayude en la misa. Va a practicar toda la semana y vamos a ayudarla".

El miércoles por la noche Roberto ayudó a Marisa. Le tomó el tiempo para ver cuantos minutos podía permanecer sin inquietarse. El jueves en la noche escuchó a su papa leer las oraciones de la misa mientras Marisa decía las respuestas. Roberto sabía algunas de las respuestas y las dijo en voz alta junto con Marisa.

Después de la misa del sábado por la noche, Marisa se encontró con Roberto y su papá fuera de la Iglesia. Y dijo: "Gracias por su ayuda. ¿Y sabes, Roberto? El padre Pérez me dijo que como lo hice tan bien hoy puedo hacer de monaguillo en la misa de tu primera comunión día".

¿Te gustaría ser monaguillo? ¿Por qué?

We Gather for the Celebration of the Eucharist

Overview

In this chapter the children will learn that at Mass we are united to Jesus Christ and one another.

Doctrinal Content	For Adult Reading and Reflection *Catechism of the Catholic Church*
The children will learn:	Paragraph
• We are united to Jesus Christ and to one another.	1348
• The Church celebrates the Mass.	1368
• The parish gathers for the celebration of Mass.	1389
• When Mass begins, we praise God and ask for his forgiveness.	2643

Catechist Background

How does the Eucharist strengthen you?

You probably began to go to Mass when you were a child. It was an automatic thing; you hardly even thought about it.

As adults, we gain insight into the meaning of Mass by reading chapter 15 of Saint John's Gospel. There we learn that Jesus is the vine; we, the Church, are the branches. In sacred art wheat and a vine are used to symbolize the Eucharist. The vine not only refers to the Blood of Jesus but also to the union we have through him. During the eucharistic celebration, we announce our union with Christ and one another each time we hear, "The Lord is with you," and we say, "And also with you."

When we gather for Mass, we also acknowledge our sinfulness and seek God's forgiveness and mercy. Knowing that we are weak, we seek strength in the eucharistic Jesus so that we can become more like him.

Saint Paul emphasized our union with Jesus. When he wrote to the Christians at Corinth, he challenged them, "Examine yourselves to see whether you are living in faith. Test yourselves. Do you not realize that Jesus Christ is in you?" (2 Corinthians 13:5)

Perhaps the challenge of Mass is not so much the mystery of its meaning but the mystery of being transformed into Jesus. If we were to test ourselves as Saint Paul suggests, would we find ourselves living in faith?

In your words and deeds are you becoming more like Jesus?

Focus on Life

Chapter Story

Roberto's sister, Maris, is in fifth grade. Almost every day after school Maris talks and laughs with her friend Patrice. Last Tuesday afternoon Roberto was surprised when he got home from school.

Maris was very serious as she walked back and forth in the kitchen. She was carrying a broom, and Patrice was walking behind her. Roberto asked, "What are you two doing? Last week you told me you were too old to play games. Now you look like you're playing one."

Maris answered, "Well, for your information, little brother, we are not playing a game. I'm going to be one of the altar servers for the Saturday evening Mass. I'm going to carry the cross when Mass begins. Patrice is helping me to practice."

Dad was standing by the sink. He said, "Roberto, don't make fun of your sister. Saturday will be the first time she is serving. She's going to practice during the week, and we're going to help her."

On Wednesday night Roberto helped Maris. He timed her to see how long she could stand without fidgeting. On Thursday night Roberto listened as their dad read the Mass prayers and Maris said the responses. Roberto knew some of the responses and said them aloud with Maris.

After Mass on Saturday night, Maris met Roberto and their dad outside. She said, "Thanks for all your help. And guess what, Roberto? Father Perez said I did so well tonight that I can be one of the altar servers for Mass on your first Holy Communion Day!"

Would you like to be an altar server? Why?

Guía para planificar la lección

Pasos de la lección	Presentación	Materiales
1 NOS CONGREGAMOS		
pág. 174 **Oración**  *Mateo 18:20* **Mirando la vida**	• Escuchar la lectura de la Sagrada Escritura. • Responder con una oración. • Comentar sobre los grupos a los que los niños pertenecen.	• para el lugar de oración: planta de vid, mantel, Biblia, estatua o imagen de Jesús
2 CREEMOS		
pág. 174 *Estamos unidos a Jesucristo y a los demás.*	• Comentar la unión con Jesús como la de una vid a sus ramas. Realizar la actividad y compartir las respuestas a la pregunta.	
pág. 176 *La Iglesia celebra la misa.*	• Leer sobre congregarse para celebrar la misa. Compartir formas de vivir el domingo como el día del Señor.	
pág. 178 *La parroquia se reúne para celebrar de la misa.*	• Presentar quienes participan en la celebración de la misa. Reflexionar y responder a las preguntas sobre la participación en la misa. • Leer y comentar el texto *Como católicos*.	• crayones o lápices de colores • copias del patrón 16
pág. 180 *Cuando la misa empieza alabamos a Dios y le pedimos perdón.* *El misal romano*	• Presentar lo que ocurre cuando comienza la misa. • Señalar *Vocabulario* y su definición.	Canción "Cantaré alabanzas al Señor", 2–3 CD • marcador o crayón
 **3 RESPONDEMOS**		
pág. 180	Completar la actividad de *Respondemos*. Rezar con una canción.	
páginas 182 y 184 **Repaso**	• Completar las preguntas 1 a 5. • Completar la actividad *Reflexiona y ora*.	
páginas 182 y 184 **Respondemos y compartimos la fe**	• Repasar *Recuerda* y *Vocabulario*. • Leer y comentar *Nuestra vida católica*.	

Para ideas, actividades y otras oportunidades visite Sadlier en **www.CREEMOSweb.com**

Lesson Planning Guide

Lesson Steps	Presentation	Materials
 **WE GATHER**		
page 175 **Prayer** *Matthew 18:20*	• Listen to Scripture. • Respond in prayer.	• prayer space items: vine plant, tablecloth, Bible, statue or picture of Jesus
 **Focus on Life**	• Discuss groups to which the children belong.	• chart paper
2 WE BELIEVE		
page 175 *We are united to Jesus Christ and to one another.*	• Discuss being united to Jesus as a vine to a branch. Do the activity and share responses to the question.	
page 177 *The Church celebrates the Mass.*	• Read about gathering to celebrate the Mass. Share ways to live Sunday as the Lord's Day.	
page 179 *The parish gathers for the celebration of Mass.*	• Present who takes part in the celebration of Mass. Reflect and respond to the questions about Mass participation. • Read and discuss the *As Catholics* text.	• crayons or colored pencils • copies of Reproducible Master 16
page 181 *When Mass begins, we praise God and ask for his forgiveness.* *The Roman Missal*	• Present what happens when Mass begins. • Present the *Key Word* and definition.	"God Is Here!" #13, Grade 2 CD • highlighter or crayon
3 WE RESPOND		
page 181	Do the *We Respond* activity.  Pray by singing.	
pages 183 and 185 **Review**	• Complete questions 1–5. • Complete the *Reflect & Pray activity.*	
pages 183 and 185 **We Respond and Share the Faith**	• Review *Remember* and *Key Word.* • Read and discuss *Our Catholic Life.*	

For additional ideas, activities, and opportunities: Visit Sadlier's **www.CREEMOSweb.com**

Conexiones

Doctrina social de la Iglesia

Llamado a la familia, la comunidad y la participación
Ayude a los niños a entender que son llamados a participar de la comunidad de fe en la cual han sido bautizados. Explíqueles que su participación en la alabanza y trabajo de la Iglesia es un proceso que dura toda la vida. Anímelos a comenzar con cosas pequeñas: por ejemplo, solicitar un papel en el espectáculo navideño de la parroquia, o dedicarse con otros niños a donar juguetes, comida y ropa a las familias necesitadas durante el año.

Administración de la creación

En este capítulo los niños aprenderán los diferentes papeles que tenemos en la misa. Ayúdelos a comprender que todos participamos de la celebración. Anime a los niños a que estén alegres y que den la bienvenida a los demás a la misa. Señale que al cantar las canciones y rezar las respuestas ayudamos a todos a celebrar la misa de manera significativa.

FE y MEDIOS

- En *Ideas* se sugiere organizar juegos para la clase basados en programas de televisión. Considere usar actividad de programas como el punto inicial de una conversación sobre las diferencias y similitudes entre las preguntas de los programas y los repasos y evaluaciones en la sesión.
- Después de describir a los ministros especiales que llevan la comunión a los enfermos o los que no pueden asistir a misa, mencione que algunas estaciones de televisión presentan la misa para los que no pueden asistir.
- Al conversar sobre el canto como forma de oración, considere extender la conversación a la música como medio. ¿Qué tipo de música escuchamos o cantamos en nuestra vida diaria? ¿Qué tipo de mensajes obtenemos y enviamos cuando interpretamos y cantamos nuestras canciones favoritas?

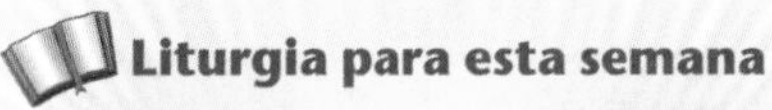

Visite **www.creemosweb.com** para las lecturas bíblicas de esta semana y otros materiales propios del tiempo.

Necesidades individuales

Niños con dificultades auditivas

Siente a los niños con necesidades auditivas donde puedan ver a la mayor parte del grupo. Permita que estos niños siempre vean su cara mientras habla. Si los niños hablan por señas, pídales que compartan con el grupo las señas que utilizan para las respuestas de la misa.

RECURSOS ADICIONALES

Video *Bursting with joy—¡Una celebración!,* Franciscan Communications. Los niños de primaria aprenden por medio del video a cantar y rezar con estas once canciones bilingües muy encantadoras. (32 minutos)

Para ideas visite a Sadlier en

www.CREEMOSweb.com

Connections

To Catholic Social Teaching

Call to Family, Community, and Participation
Help the children to understand that they are called to belong to the faith community into which they have been baptized. Explain that their participation in the Church's worship and work is a lifelong process. Encourage them to start in small ways: for example, try out for a part in the parish Christmas pageant, or be willing to join with others in donating toys, food, or clothing during the year to needy families.

To Stewardship

In this chapter the children will learn about the different roles people have in the Mass. Help them to understand that each person takes part in the celebration. Encourage the children to be cheerful and to engage in greeting others at Mass. Point out that by singing the songs and praying the responses we help all to celebrate the Mass in a meaningful way.

This Week's Liturgy
Visit **www.creemosweb.com** for this week's liturgical readings and other seasonal material.

FAITH and MEDIA

- The *Teaching Tip* suggests organizing classroom games based on television game shows. Consider using the game show activity as the starting point for a discussion of the differences and similarities between game show quizzes and classroom reviews and tests.
- After describing the special ministers who bring Holy Communion to those who are sick or unable to be at Mass, you might also mention that some television stations provide broadcasts of the Mass for those who cannot attend.
- As you discuss singing as a form of prayer, consider extending the discussion to music as a medium. What sort of music do we listen to or sing in our daily lives? What sort of messages do we get and send as we play and sing our favorite songs?

Meeting Individual Needs

Children with Auditory Needs

Seat children with auditory needs where they can see as much of the group as possible. Avoid facing away from the children while talking. If the children sign, ask them to share with the group how they sign the Mass responses.

ADDITIONAL RESOURCES

Book *Sunday Morning,* Gail Ramshaw, Liturgy Training Publications, 1993. Introduces the child to liturgical words and deeds to explain what we do when we gather and pray at Mass.

Video *The Mass for Young Children, Part I,* Ikonographics. First two segments describe gathering and greeting, and forgiving and praising at the Mass. (10 minutes of a 15 minute tape)

To find more ideas for books, videos, and other learning material visit Sadlier's

www.CREEMOSweb.com

Meta catequética

• Explicar que Jesús nos une, especialmente en la celebración de la misa en nuestra parroquia

PREPARANDOSE PARA ORAR

Los niños se congregan para rezar en el nombre de Jesús.

• Escoja un líder para la oración y un lector. Dé tiempo para preparar sus partes.

El lugar de oración

• En el lugar de oración ubique una planta que tenga vid, ramas y hojas.

• Cubra la mesa de oración con un mantel. Coloque la Biblia y una imagen o estatua de Jesús.

16 Nos reunimos para la celebración de la Eucaristía

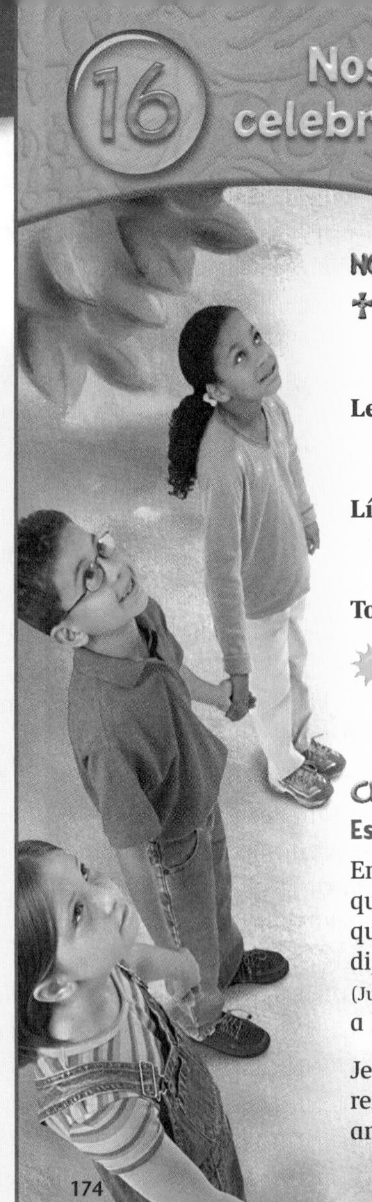

NOS CONGREGAMOS

✝ **Líder:** Junten las manos y formen un círculo. Vamos a escuchar la palabra de Dios.

Lector: Jesús dijo: "Porque donde dos o tres se reúnen en mi nombre, allí estoy yo en medio de ellos". (Mateo 18:20)

Líder: Jesús, nos reunimos en tu nombre. Juntos damos gracias a Dios, nuestro Padre, por sus dones.

Todos: Dios, Padre nuestro, te damos gracias.

Piensa en algunos grupos de los que formas parte. ¿Cuándo se reúnen? ¿Qué hacen juntos?

CREEMOS

Estamos unidos a Jesucristo y a los demás.

En la última cena, Jesús dijo a sus discípulos que siempre estaría con ellos. También les dijo que siguieran cerca de él y de los demás. El les dijo: "Yo soy la vid, y ustedes son las ramas". (Juan 15:5) El les dijo que estaban unidos a él y a los demás como las ramas a la vid.

Jesús quería que sus discípulos trabajaran y rezaran juntos. El quería que compartieran el amor de Dios con todo el mundo.

174

Planificación de la lección

NOS CONGREGAMOS ___ minutos

✝ **Oración**

• Pida a los niños que se congreguen en el lugar de oración.

• Pida al líder que comience la oración. Deténgase brevemente para dar tiempo a los niños de formar un círculo.

• Pida al lector permanecer de pie en el centro del círculo para leer la palabra de Jesús. Luego, continúen rezando.

Mirando la vida

• Lea en voz alta las instrucciones y las preguntas. Dé tiempo a los niños para reflexionar. Luego, pida a algunos voluntarios compartir las actividades del grupo en el que hayan participado.

CREEMOS ___ minutos

Lea en voz alta la afirmación *Creemos*. Recuerde a los niños que Jesús usaba cosas de la vida diaria para enseñar conceptos importantes. Explique: *Le hablaba a las personas de una enredadera para enseñarnos que estamos unidos a él y los unos a los otros.* Luego, pida voluntarios para leer los tres párrafos de *Creemos* en las páginas 174 y 176.

Pida a voluntarios que respondan la pregunta. Recuerde a los niños que pueden permanecer cerca de Jesús rezando y compartiendo su amor con los demás.

We Gather for the Celebration of the Eucharist 16

WE GATHER

✝ **Leader:** Join hands to form a circle. Let us listen to God's word.

Reader: Jesus said, "For where two or three are gathered together in my name, there am I in the midst of them." (Matthew 18:20)

Leader: Jesus, we gather in your name. Together we thank God our Father for his many gifts.

All: God our Father, we thank you.

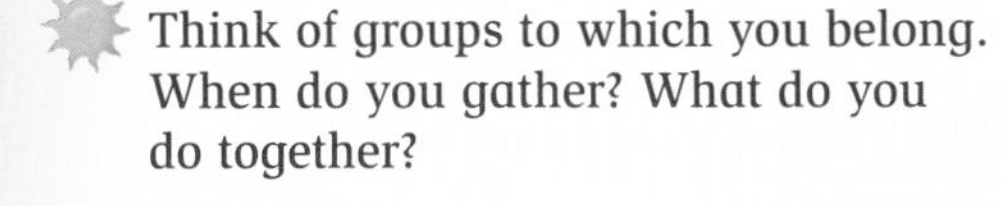

Think of groups to which you belong. When do you gather? What do you do together?

WE BELIEVE

We are united to Jesus Christ and to one another.

At the Last Supper, Jesus told his disciples that he would always be with them. He also told them to stay close to him and to one another. He said, "I am the vine, you are the branches." (John 15:5) He told them that they were joined to him and one another as branches are joined to a vine.

Jesus wanted his disciples to work and pray together. He wanted them to share God's love with the whole world.

175

Catechist Goal

- To explain that Jesus unites us, especially in our parish celebration of Mass

PREPARING TO PRAY

Children gather to pray in Jesus' name.

- Choose a prayer leader and a reader. Give them time to prepare for the prayer.

The Prayer Space

- In the space place a plant that has a vine, branches, and leaves.
- Cover the prayer table with a tablecloth. On the table place the Bible and a picture or statue of Jesus.

Lesson Plan

WE GATHER ___ minutes

✝ Prayer

- Invite the children to gather in the prayer space.
- Ask the leader to begin praying. Pause briefly to give children time to form a circle.
- Have the reader stand in the center of the circle to read Jesus' words. Then continue praying.

Focus on Life

- Read aloud the directive and questions. Allow time for reflection. Then ask volunteers to share the group activities in which they participate.

WE BELIEVE ___ minutes

Read aloud the *We Believe* statement. Remind the children that Jesus used everyday things to teach important concepts. Explain: *He told people about a plant's vine to teach that we are joined to him and to each other.* Then have volunteers read the three *We Believe* paragraphs on pages 175 and 177.

Ask volunteers to share responses to the question. Remind the children that we are able to stay close to Jesus by praying to him and by sharing his love with others.

Nuestra respuesta en la fe

- Conocer de que manera podemos participar en la misa plenamente

 **asamblea**

Materiales

- crayones o lápices de colores
- copias del patrón 16
- 2–3 CD

Somos discípulos de Jesús. Jesús está con nosotros siempre. Cuando celebramos el sacramento de la Eucaristía, Jesús está con nosotros de manera especial. El se da a sí mismo a nosotros. Recibimos el pan y el vino que se han convertido en el Cuerpo y la Sangre de Cristo. La sagrada comunión nos une a Jesús y a los demás. Jesús es la vid y nosotros las ramas.

 ¿Cómo puedes mantenerte junto a Jesús?

____

La Iglesia celebra la misa.

El domingo es un día especial. También se le llama *Día del Señor* porque Jesucristo resucitó a una nueva vida un domingo. Cada domingo los católicos se reúnen en sus parroquias para celebrar la misa.

La misa es la forma más elevada de adorar a Dios. Es por eso que la Iglesia nos pide participar en la misa cada domingo. También podemos celebrar la misa del domingo el sábado en la tarde.

Durante la misa nos reunimos a:

- alabar y dar gracias a Dios
- escuchar la palabra de Dios
- recordar la vida, muerte y resurrección de Jesús
- celebrar el regalo de Jesús mismo en la Eucaristía.

Al final de la misa somos enviados a vivir como Jesús nos enseñó.

¿Cómo puedes vivir el domingo como día del Señor?

176

Conexión con el hogar

Pida algunos voluntarios para que cuenten sus experiencias de cuando hicieron la actividad del patrón con sus familias.

Planificación de la lección

CREEMOS (continuación)

Recuerde a los niños el tercer mandamiento: *Recuerda mantener santo el día del Señor.* Explique: *Para nosotros cada domingo es el día del Señor.* Pida a un voluntario leer en voz alta la afirmación y los dos primeros párrafos de *Creemos* en la página 176.

Lean juntos la lista de lo que hacemos cuando nos congregamos en la misa

Pida a los niños que compartan sus respuestas con el resto del grupo.

Cotejo rápido

- ✔ *¿Cómo estamos unidos los unos a los otros?* (Estamos unidos unos a otros a través de Jesucristo.)
- ✔ *¿Por qué el domingo es un día especial?* (Es el día del Señor. Ese día Jesucristo resucitó a una vida nueva.)
- ✔ *¿Cuál es la mejor manera de alabar a Dios?* (La mejor forma de alabar a Dios es en la misa.)

We are Jesus' disciples, too. Jesus is with us always. When we celebrate the sacrament of the Eucharist, Jesus is with us in a special way. He gives himself to us. We receive the bread and wine that have become the Body and Blood of Christ. Holy Communion unites us to Jesus and to one another. Jesus is the vine and we are the branches.

How can you stay close to Jesus?

____

The Church celebrates the Mass.

Sunday is a special day. It is also called the *Lord's Day* because Jesus Christ rose to new life on this day. Every Sunday Catholics gather in their parishes for the celebration of the Mass.

The Mass is the greatest way to worship God. This is why the Church tells us to take part in the Mass every Sunday of the year. We can also celebrate the Sunday Mass on Saturday evening.

During Mass we gather to:

- praise and thank God
- listen to God's word
- remember Jesus' life, death, and Resurrection
- celebrate Jesus' gift of himself in the Eucharist.

At the end of Mass we are sent out to live as Jesus taught us.

How can you live Sunday as the Lord's Day?

Our Faith Response

- To know ways in which we can participate at Mass as fully as possible

assembly

Materials

- crayons or colored pencils
- copies of Reproducible Master 16
- Grade 2 CD

Home Connection Update

Invite volunteers to share their experiences working on the activity of the reproducible master with their family.

Lesson Plan

WE BELIEVE (continued)

Remind children of the third commandment: *Remember to keep holy the Lord's Day.* Explain: *For us every Sunday is the Lord's Day.* Ask a volunteer to read aloud the *We Believe* statement and first two paragraphs on page 177.

Read together the list of what we do when we gather for Mass.

Have the children share ideas in response to the question.

Quick Check

✔ *How are we all united to one another?* (We are united with one another through Jesus Christ.)

✔ *Why is Sunday a special day?* (It is the Lord's Day. Jesus Christ rose to new life on this day.)

✔ *What is the greatest way to worship God?* (The Mass is the greatest way to worship God.)

Banco de Actividades

Conexión multicultural

Iglesias de todo el mundo

Materiales: libros y revistas con fotos de iglesias de todo el mundo

Ayude a los niños a encontrar fotografías o imágenes de diferentes iglesias en el mundo. Mientras los niños miran estos lugares de alabanza, señale las diferencias relacionadas con la ubicación de la iglesia y las influencias culturales. Recalque: *Todos estos son lugares para alabar a Dios y ninguna iglesia es superior a otra. Jesús nos ama y estará con nosotros cada vez que haya dos o más personas reunidas en su nombre.*

Como católicos...

Obligación de asistir a misa

Después de presentar el material de esta página, lea en voz alta el texto de *Como católicos*. Si le parece conveniente diga a los niños que Navidad es un dia de precepto. Explique además que en los Estados Unidos hay cinco dias de precepto. Los niños aprenderán sobre estas fechas más adelante.

La parroquia se reúne para celebrar la misa.

La comunidad de personas que se reúne para celebrar la misa se llama **asamblea**. Somos parte de la asamblea. La asamblea da gracias y alaba a Dios durante la misa. Un sacerdote dirige la asamblea en esta celebración.

Algunas veces un diácono ayuda en la celebración de la misa. El lee el evangelio y reza algunas oraciones especiales. También ayuda al sacerdote en el altar.

El sacerdote ofrece nuestras oraciones a Dios. El hace lo que Jesús hizo en la última cena.

Los acólitos hacen muchas cosas para ayudar al sacerdote y al diácono. Los lectores leen las primeras dos lecturas de la Biblia. Los ministros de la Eucaristía ayudan a distribuir la comunión. Después de la misa, llevan la comunión a los que no pueden ir a misa.

¿Qué puedes hacer para participar en la misa ahora? ¿Qué puedes hacer para participar en la misa cuando seas mayor?

Una de las leyes de la Iglesia es participar en la misa todos los domingos y otros días especiales. Esos días son llamados *días de precepto*.

En muchos lugares, la misa se celebra todos los días de la semana. Estamos invitados a participar en la misa todos los días. ¿Cómo participar en la misa nos ayuda a vivir como Jesús nos enseñó?

178

Planificación de la lección

CREEMOS (continuación)

Pida un voluntario que lea en voz alta la afirmación *Creemos* de la página 178. Escriba la palabra *asamblea* en la pizarra. Explique: *La asamblea es la comunidad reunida para la celebración de la misa.* Lea en voz alta el primer párrafo. Si hay tiempo suficiente pida a los niños que dibujen a sus familias como parte de la congregación en la misa.

Pida voluntarios para leer los párrafos siguientes en la página 178.

Distribuya los patrones 16. Explique: *En la misa los sacerdotes y diáconos usan ropas especiales que se llaman vestiduras.* Escriba en la pizarra los nombres de las vestiduras. Explique: *El color de la estola y la casulla del sacerdote indican el tiempo del año litúrgico.* Pida que los niños identifiquen el tiempo litúrgico que estamos celebrando. Luego, deberán colorear la estola y casulla del sacerdote.

Comenten las preguntas de la página 178. Explique: *Cada persona participa de la misa de un modo diferente.* Mencione formas en las que los niños puedan participar en la misa ahora o en el futuro. (Tenga presente que los niños pueden cantar en un coro de niños durante la misa o ayudar a sus padres a dar la bienvenida a los fieles que asisten a las celebraciones.)

The parish gathers for the celebration of Mass.

The community of people who join together for the celebration of the Mass is called the **assembly**. We are part of the assembly. The assembly gives thanks and praise to God throughout the Mass. A priest leads the assembly in this celebration.

Sometimes a deacon takes part in the celebration of the Mass. The deacon reads the gospel and prays some special prayers. He also helps the priest at the altar.

The priest offers our prayers to God. He does what Jesus did at the Last Supper.

Altar servers do many things to help the priest and deacon. Readers read the first two Bible readings. Special ministers of the Eucharist help give out Holy Communion. After Mass, they may bring Holy Communion to those who are not able to be at Mass.

What can you do to participate at Mass now? What can you do to participate at Mass as you get older?

As Catholics...

One of the laws of the Church is that we participate in the Mass every Sunday and on other special days. These other special days are called *holy days of obligation*. In many places, Mass is celebrated each day of the week. We are invited to take part in Mass every day. How does taking part in the Mass help us to live as Jesus taught us?

179

Activity Bank

Multicultural Connection

Churches Around the World

Materials: resource books, magazines of churches around the world

Help the children find pictures of different parish churches around the world. As the children look at these places of worship, point out the differences due to the location of the church and the cultural influences. Emphasize: *These are all places to worship God; no one church is superior to another. Jesus loves us and will be with us where two or more are gathered in his name.*

As Catholics...

Mass Obligation

After you have presented the material on this page, read aloud the *As Catholics* text. You may want to tell the children that Christmas is a holy day of obligation. Also explain that there are five other holy days that we celebrate in the United States. The children will learn about these holy days at a later time.

Lesson Plan

WE BELIEVE (continued)

Ask a volunteer to read aloud the *We Believe* statement on page 179. Write the word *assembly* on the board. Explain: *The assembly is the community who have joined together for the celebration of Mass.* Read aloud the first paragraph. If time permits, have the children draw their families as part of the assembly at Mass.

Invite volunteers to read the remaining paragraphs on page 179.

Distribute Reproducible Master 16. Explain: *At Mass priests and deacons wear special clothes called vestments.* On the board write the names of the vestments. Explain: *The color of the priest's stole and chasuble is the color of the Church season.* Have the children identify the current Church season. Then have them color the priest's stole and chasuble.

Discuss together the questions on page 179. Explain: *Each person participates at Mass in different ways.* Name some forms of participation children may have now or in the future. (Note that now they may sing in a children's choir or help their parents to welcome people to the celebration.)

Ideas

Los juegos como herramientas de aprendizaje

Ayude a los niños a recordar los puntos importantes que están aprendiendo mediante juegos basados en programas de juegos conocidos. Por ejemplo, para un juego establezca categorías (partes de la misa, personas sobre las que estamos aprendiendo, etc.) Pida a los niños que propongan preguntas para las respuestas dadas en cada categoría.

Vocabulario

asamblea la comunidad de personas que se reúne para celebrar la misa

Cuando la misa empieza alabamos a Dios y le pedimos perdón.

Cuando nos reunimos para la misa, mostramos nuestro amor y agradecimiento a Dios. Empezamos la misa unidos como miembros de la Iglesia. Esto nos prepara para escuchar la palabra de Dios y para celebrar la Eucaristía. He aquí las formas en que participamos en el inicio de la misa.

Lee conmigo

- Nos saludamos.
- Nos ponemos de pie y cantamos para alabar a Dios como comunidad. El sacerdote, el diácono y los demás que ayudan en la misa caminan hacia el altar.
- Hacemos la señal de la cruz.
- El sacerdote dice: "El Señor esté con ustedes". Y respondemos: "Y con tu espíritu".
- Pedimos perdón a Dios y a la comunidad.
- Pedimos a Dios sea misericordioso. Rezamos con el sacerdote: "Señor, ten piedad. Cristo, ten piedad. Señor, ten piedad".
- Alabamos a Dios rezando: "Gloria a Dios en el cielo y en la tierra paz a los hombres".
- El sacerdote dice una oración de entrada. Respondemos: "Amén".

RESPONDEMOS

¿Cuáles son algunas formas en que participarás en el inicio de la misa? Subraya las palabras que rezamos.

Cantaré alabanzas al Señor

Cantaré alabanzas al Señor,
cantaré, cantaré.
Toda la vida yo cantaré,
cantaré alabanzas al Señor.

180

Planificación de la lección

CREEMOS (continuación)

Lean juntos la afirmación *Creemos* en la parte superior de la página 180. Recalque: *Es importante que participemos en la celebración de la misa.* A continuación, pida que un voluntario lea el primer párrafo. Lean juntos la lista de como participamos al comienzo de la misa.

Vocabulario Escriba la palabra *asamblea* en la pizarra. Comente quienes son parte de la congregación.

RESPONDEMOS

____ minutos

Conexión con la vida Comente la pregunta de *Respondemos.*

Señale las oraciones "Señor, ten piedad" y "Gloria a Dios". Pida que los niños subrayen o resalten estas oraciones y las otras respuestas.

Ayude a los niños a hacer sus misales, páginas 307 a 340. Repase las oraciones que han aprendido en este capítulo. Si lo desea, refiera a los niños al misal mientras aprenden los temas de esta unidad.

Oración Escuchen la canción "Cantaré alabanzas al Señor", 2–3 CD. Pida a los niños que canten esta canción de alabanza. Explíqueles que esta canción puede cantarse al comenzar la misa.

When Mass begins, we praise God and ask for his forgiveness.

When we join together at Mass, we show God our love and thanks. The beginning of the Mass unites us as members of the Church. It prepares us to hear God's word and to celebrate the Eucharist. Here are the ways we take part as Mass begins.

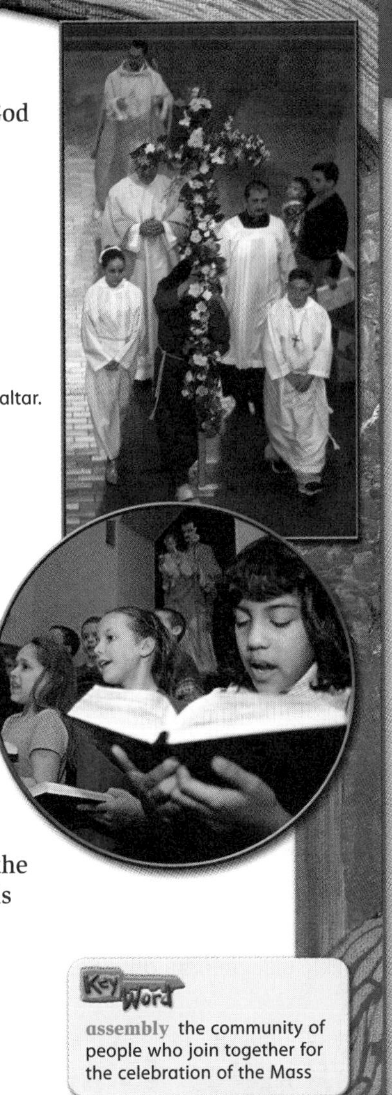

Read Along

- We greet one another.
- We stand and sing to praise God as a community. The priest, deacon, and others helping at Mass walk to the altar.
- We pray the Sign of the Cross.
- The priest prays, "The Lord be with you." We respond, "And also with you."
- We ask God and one another for forgiveness.
- We ask for God's mercy. We pray with the priest: "Lord, have mercy. Christ, have mercy. Lord, have mercy."
- We praise God by praying: "Glory to God in the highest, and peace to his people on earth."
- The priest says an opening prayer. We respond, "Amen."

WE RESPOND

What are some ways you take part in the beginning of the Mass? Underline the words we pray.

God Is Here!

God is here! Come, let us celebrate!
God is here! Let us rejoice!
God is here! Come, let us celebrate!
God is here! Let us rejoice!

Key Word

assembly the community of people who join together for the celebration of the Mass

181

Teaching Tip

Games As Learning Tools

Help the children remember the important points they are learning by playing games based on familiar game shows. For example, for one game set up categories (parts of the Mass, people we are learning about, prayers). Have the children provide questions for given answers in each category.

Lesson Plan

WE BELIEVE (continued)

Read together the *We Believe* statement at the top of page 181. Stress: *It is important that we take part in the celebration of Mass.* Then have a volunteer read the first paragraph. Read together the list of ways we take part in the beginning of Mass.

Key Words Write the word *assembly* on the board. Discuss who and what make up the assembly.

WE RESPOND

____ minutes

Connect to Life Discuss the *We Respond* question.

Point out the prayers "Lord, have mercy" and "Glory to God." Have the children highlight or underline these prayers and the other responses.

You may want to help the children make their Mass booklets, pages 341–344. Review the prayers they have learned in this chapter. You may want to refer the children to the booklet throughout this unit.

Pray Play "God Is Here," #13 on the Grade 2 CD. Have the children sing this song of praise. Explain that this song may be sung at the beginning of Mass.

Banco de Actividades

Parroquia

Agradecimiento a los/las monaguillos

Materiales: papel de dibujo, crayones, marcadores o lápices de colores

Averigüe quien está a cargo de los monaguillos de su parroquia. Pregunte a su coordinador cuantos monaguillos hay en su parroquia.

Diga a los niños que doblen al medio hojas de papel de dibujo de 8 x 11 pulgadas (tamaño carta) para hacer tarjetas. Escriba el siguiente mensaje sobre la pizarra: *Gracias por ayudarnos a celebrar la Eucaristía.* Pida a los niños que copien el mensaje en la parte interior de la tarjeta, y que hagan un dibujo en la parte exterior. Es posible que algunos niños tengan que hacer dos tarjetas para tener la cantidad necesaria para todos los monaguillos.

Recoja las tarjetas cuando estén terminadas y entréguelas al coordinador de los monaguillos para que se las dé a cada uno de ellos.

Conexion con el Hogar

Compartiendo lo aprendido

Recuerde a los niños compartir con sus familias lo aprendido en este capítulo.

Anime a los niños a rezar con sus familias la oración en *Para que todos vean.*

Para más información y actividades adicionales visite a Sadlier

www.CREEMOSweb.com

Planifique por adelantado

Lugar de oración: ilustraciones de historias evangélicas, Biblia

Materiales: copias del patrón 17, 2–3 CD

___ minutos

Repaso del capítulo Use el *Repaso* como un modo de comprobar la comprensión de los niños. Pida a los niños que completen las oraciones 1 a 4. Una vez que los niños hayan terminado, pida voluntarios para que lean sus respuestas en voz alta. Explique o aclare cualquier duda que los niños puedan tener.

A continuación, pida a los niños que respondan a la quinta pregunta. Recuerde: *Todos estamos unidos a Jesús y unos a otros cuando comulgamos.* Pida que los niños compartan sus respuestas cuando todos hayan terminado.

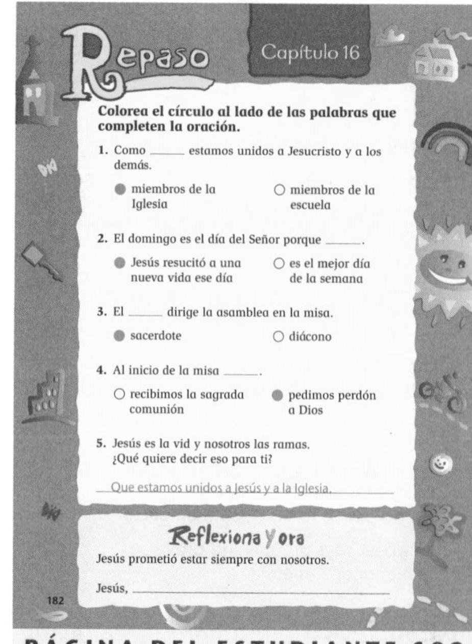

Repaso — Capítulo 16

Colorea el círculo al lado de las palabras que completen la oración.

1. Como ___ estamos unidos a Jesucristo y a los demás.
   - ● miembros de la Iglesia
   - ○ miembros de la escuela
2. El domingo es el día del Señor porque ___.
   - ● Jesús resucitó a una nueva vida ese día
   - ○ es el mejor día de la semana
3. El ___ dirige la asamblea en la misa.
   - ● sacerdote
   - ○ diácono
4. Al inicio de la misa ___.
   - ○ recibimos la sagrada comunión
   - ● pedimos perdón a Dios
5. Jesús es la vid y nosotros las ramas. ¿Qué quiere decir eso para ti?
   Que estamos unidos a Jesús y a la Iglesia.

Reflexiona y ora

Jesús prometió estar siempre con nosotros.

Jesús, ___

182

PÁGINA DEL ESTUDIANTE 182

Reflexiona y ora Lea la afirmación en voz alta. Luego, dé tiempo para que los niños completen la oración.

Respondemos y compartimos la fe

___ minutos

Recuerda Repase las cuatro afirmaciones *Creemos.* Pida a los niños que digan como influyen estas creencias en sus vidas y en su parroquia.

Nuestra vida católica

Lea en voz alta "Bienvenidos a la celebración". Pregunte: *¿Cómo te sientes cuando alguien te da la bienvenida antes de que comience la misa?* Recalque: *Puedes dar la bienvenida a los que asisten a la celebración de la Eucaristía.*

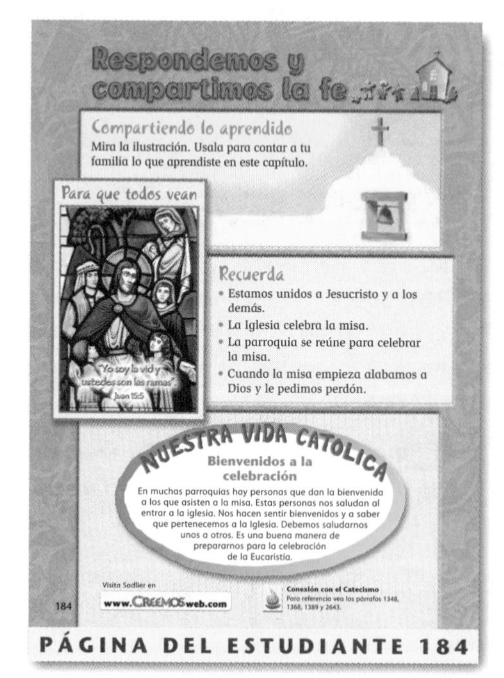

Respondemos y compartimos la fe

Compartiendo lo aprendido

Mira la ilustración. Usala para contar a tu familia lo que aprendiste en este capítulo.

Para que todos vean

Recuerda
- Estamos unidos a Jesucristo y a los demás.
- La Iglesia celebra la misa.
- La parroquia se reúne para celebrar la misa.
- Cuando la misa empieza alabamos a Dios y le pedimos perdón.

Nuestra vida católica

Bienvenidos a la celebración

En muchas parroquias hay personas que dan la bienvenida a los que asisten a la misa. Estas personas nos saludan al entrar a la iglesia. Nos hacen sentir bienvenidos y a saber que pertenecemos a la Iglesia. Debemos saludarnos unos a otros. Es una buena manera de prepararnos para la celebración de la Eucaristía.

Visita Sadlier en www.CREEMOSweb.com

Conexión con el Catecismo
Para referencia vea los párrafos 1348, 1368, 1389 y 2643.

184

PÁGINA DEL ESTUDIANTE 184

_____ minutes

Chapter Review Use the *Review* as a way to check the children's understanding. Have them complete questions 1–4. Then invite volunteers to say their answers aloud. Clear up any misconceptions.

Have the children answer the fifth question. Remind them: *We are all united to Jesus and to one another when we receive Holy Communion.* When everyone has finished, have the children share their answers.

Reflect & Pray Read aloud the statement. Then provide time for the children to complete the prayer.

Review Chapter 16

Fill in the circle beside the correct answer.

1. As _____ we are joined to Jesus Christ and to one another.
   - ● members of the Church ○ members of the school
2. Sunday is the Lord's Day because _____.
   - ● Jesus rose to new life on this day ○ it is the best day of the week
3. The _____ leads the assembly in Mass.
   - ● priest ○ deacon
4. At the beginning of Mass, we _____.
   - ○ receive Holy Communion ● ask for God's forgiveness
5. Jesus is the vine and we are the branches. What does this mean to you?

   We are joined to Jesus and the Church.

Reflect & Pray

Jesus promised that he would be with us always.

Jesus, ______________________________

183

PUPIL PAGE 183

We Respond and Share the Faith

____ minutes

Remember Review the four *We Believe* statements. Ask the children to identify what differences these beliefs make in their lives and in the parish.

Our Catholic Life
Read aloud "Welcome to the Celebration." Ask: *How do you feel when someone greets you before the Mass begins?* Stress: *You can greet and welcome people to the celebration of the Eucharist.*

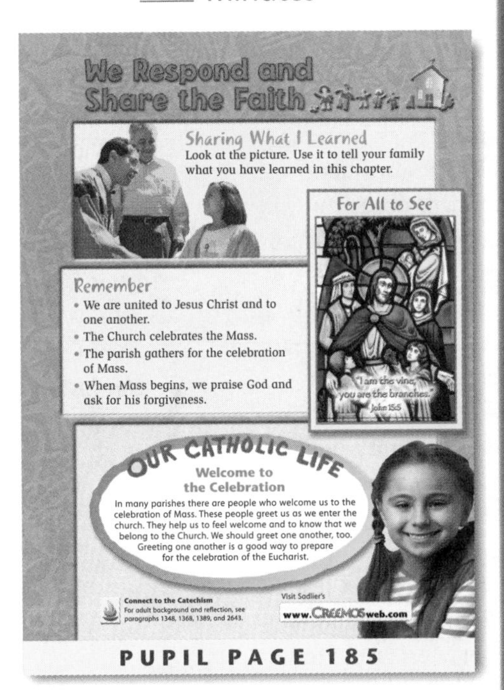
We Respond and Share the Faith

Sharing What I Learned
Look at the picture. Use it to tell your family what you have learned in this chapter.

For All to See

Remember
- We are united to Jesus Christ and to one another.
- The Church celebrates the Mass.
- The parish gathers for the celebration of Mass.
- When Mass begins, we praise God and ask for his forgiveness.

Our Catholic Life
Welcome to the Celebration
In many parishes there are people who welcome us to the celebration of Mass. These people greet us as we enter the church. They help us to feel welcome and to know that we belong to the Church. We should greet one another, too. Greeting one another is a good way to prepare for the celebration of the Eucharist.

Connect to the Catechism
For adult background and reflection, see paragraphs 1346, 1368, 1389, and 2643.

Visit Sadlier's www.CREEMOSweb.com

PUPIL PAGE 185

Activity Bank

Parish

Thanking Altar Servers

Materials: drawing paper; crayons, markers, or colored pencils

Find out who is in charge of your parish's altar servers. Ask this coordinator how many altar servers are in your parish.

Have the children fold $8\frac{1}{2}$-in. by 11-in. sheets of drawing paper to make cards. On the board write the following message: *Thank you for helping us celebrate the Eucharist.* Ask the children to copy the message on the inside part of the card. Then ask them to draw a picture on the card cover. Some children may make two cards to have a sufficient number for all the altar servers.

When the cards are finished, collect them and give them to the altar-server coordinator to give to each server.

Home Connection

Sharing What I Learned

Remind the children to share with their families what they learned in this chapter.

Encourage the children to pray with their families, the prayer in *For All to See.*

For additional information and activities, encourage families to visit Sadlier's

www.CREEMOSweb.com

Plan Ahead for Chapter 17

Prayer Space: illustrations of stories in the gospels, Bible

Materials: copies of Reproducible Master 17, Grade 2 CD

Celebramos la Liturgia de la Palabra

Ojeada

En este capítulo los niños aprenderán que la Liturgia de la Palabra es parte integral de la misa.

Contenido doctrinal	Para referencia del *Catecismo de la Iglesia Católica*
Los niños aprenderán que:	párrafo
• Escuchamos la palabra de Dios durante la Liturgia de la Palabra.	1349
• Escuchamos y respondemos a lecturas del Antiguo y del Nuevo Testamento.	1349
• Escuchamos la proclamación del evangelio.	1349
• Juntos rezamos el credo y la oración de los fieles.	197

Referencia catequética

¿Cómo influye en su vida escuchar la palabra de Dios?

¿Alguna vez escuchó un discurso y luego lo comentó con alguien? Generalmente, cada persona escucha algo ligeramente diferente porque la historia personal influye en su manera de escuchar.

Cuando nos reunimos en la celebración de la misa para escuchar la palabra de Dios, cada uno trae su historia personal. A medida que maduramos nuestra comprensión de la Biblia se profundiza y llegamos a percibir cosas nuevas en la lectura. Es preciso abrir nuestra mente y nuestro corazón para oír lo que Dios quiere decirnos en este momento.

En las lecturas del Antiguo Testamento oímos la palabra de Dios para su pueblo, Israel. Oímos porque necesitamos saber como se relacionan esas palabras con nuestra vida y de que manera Dios nos llama a vivirla. En las lecturas del Nuevo Testamento aprendemos acerca de la buena nueva de Jesucristo. Leemos acerca de los acontecimientos que conformaron su vida, sobre sus primeros seguidores y lo que entendieron de Jesús y sus enseñanzas.

La lectura del evangelio nos prepara para aceptar a Jesús en nuestra vida. San Juan lo explica asi: "Pero éstas se han escrito para que ustedes crean que Jesús es el Mesías, el Hijo de Dios, y para que creyendo en él tengan vida" (Juan 20:31). Cuando oímos el evangelio, vemos a Jesús más claramente y permitimos que él influya en nosotros. El mismo Espíritu que guió a los autores de la Escritura, nos ayuda a escuchar con atención y a vivir como seguidores de Jesús.

¿Cómo responderá a la palabra de Dios?

Mirando la vida

Historia para el capítulo

Después de hablar con la abuela, Alicia estaba muy entusiasmada. La abuela había llamado para invitar a la familia a pasar las fiestas en su casa. Alicia disfruta las visitas a los abuelos Robicheaux porque el abuelo les cuenta muchas historias a ella y a todos sus primos.

Después de la comida, el abuelo Ro se sienta en su sillón favorito y Alicia y los primos se sientan a su alrededor en el piso. El abuelo les cuenta historias de personas que vivieron hace mucho tiempo, y también les cuenta historias graciosas sobre la mamá de Alicia, las tías y los tíos. También les cuenta historias de cuando él era pequeño; estas son las preferidas de Alicia: les cuenta como se vivía cuando no existía el horno de microondas, los juegos de vídeos, los teléfonos celulares y las computadoras. Les habla de bailes como el *twist* y el *mashed potatoes.* Un día, después de la cena, la abuela y el abuelo les enseñaron como se bailaban esos ritmos.

Alicia aprendió muchas cosas sobre su familia porque escuchó las historias del abuelo Ro. Oyó esas historias tantas veces que las sabe de memoria y espera recordarlas cuando sea mayor, porque quiere contárselas a sus hijos y sobrinos cuando vengan a pasar las fiestas con ella.

¿Qué historias sabes sobre tu familia? ¿Cuál es tu preferida?

We Celebrate the Liturgy of the World

Overview

In this chapter the children will learn that the Liturgy of the Word is an integral part of the Mass.

Doctrinal Content	For Adult Reading and Reflection *Catechism of the Catholic Church*
The children will learn:	Paragraph
• We listen to God's word during the Liturgy of the Word.	1349
• We listen and respond to readings from the Old Testament and the New Testament.	1349
• We listen as the gospel is proclaimed.	1349
• Together we pray the creed and the prayer of the faithful.	197

Catechist Background

How does listening to the word of God influence your life?

Have you ever listened to a public speech and discussed it with a friend? Each person usually hears it a little differently because each person's history influences the hearing.

When we gather at Mass to hear the word of God, we bring our own histories with us. As we mature, our understanding of Scripture deepens, and we can gain new insights into the readings. We need to open our minds and hearts to hear what God is saying to us at this moment.

In the Old Testament readings, we hear God's words to his people, Israel. We listen to discover how these words remind us of our own lives and the way God calls us to live. In the readings from the New Testament, we learn the good news of Jesus Christ. We hear about the events of his life. We read about the first followers of Jesus and their understanding of Jesus and his teachings.

The reading of the gospel prepares us to accept Jesus more deeply into our lives. As Saint John explains, "these are written that you may [come to] believe that Jesus is the Messiah, the Son of God, and that through this belief you may have life in his name" (John 20:31). By listening to the gospel we see Jesus more clearly and allow him to influence us. The same Spirit, who guided the authors of Scripture, helps us to listen carefully and to live as followers of Jesus.

How will you respond to God's word?

Focus on Life

Chapter Story

When Alyssa was finished talking to her Grandma, she was excited. Her grandmother had called to invite her family for the holiday. Alyssa likes to visit Grandma and Grandpa Robicheaux. Grandpa always has many stories to tell Alyssa and all her cousins.

After every holiday meal, Grandpa Ro sits in his favorite chair. Alyssa and her cousins all sit on the floor around him. They listen to Grandpa tell stories about people who lived long ago. He tells funny stories about Alyssa's mom and aunts and uncles. He even tells stories about when he was growing up. These stories about Grandpa are Alyssa's favorites. Grandpa Ro tells them what it was like before there were microwave ovens, video games, cell phones, and computers. He tells them about doing dances like the twist and the mashed potatoes. After one holiday dinner, Grandpa and Grandma taught the children how to do these dances.

Alyssa has learned a lot about her family because she has listened to Grandpa Ro's stories. She has listened to some so many times that she knows them by heart. Alyssa hopes she can remember her favorite stories when she is older. She wants to tell them to her children and their cousins when they come to her house for a holiday dinner.

What is one of your favorite family stories?

Guía para planificar la lección

Pasos de la lección	Presentación	Materiales
 **NOS CONGREGAMOS**		
pág. 186 **Oración**	• Escuchar la lectura de la Biblia.	• en el lugar de oración: la Biblia, ilustraciones de relatos bíblicos
Mirando la vida	• Comentar la pregunta acerca de escuchar.	
 **CREEMOS**		
pág. 186 *Escuchamos la palabra de Dios durante la Liturgia de la Palabra.*	• Leer y comentar el texto sobre la Liturgia de la Palabra. Ordenar las letras para completar la oración.	• lápices para la actividad
pág. 188 *Escuchamos y respondemos a lecturas del Antiguo y del Nuevo Testamento.* *El misal romano*	• Presentar el texto. Comentar como nos preparamos para las lecturas durante la misa. • Leer y comentar el texto *Como católicos.*	
pág. 190 *Escuchamos la proclamación del evangelio.* *El misal romano*	• Leer el texto y comentar que hacemos durante la proclamación del evangelio. Compartir de que manera mostramos que estamos preparados para escuchar las buenas nuevas de Jesús.	
pág. 192 *Rezamos juntos el credo y la oración de los fieles.* *El misal romano*	• Presentar el texto sobre el credo y la oración de los fieles. • Realizar la actividad del patrón 17. • Señalar *Vocabulario* y sus definiciones.	• copias del patrón 17
 **RESPONDEMOS**		
pág. 192	Realizar la actividad *Respondemos.* • Reflexionar sobre la pregunta de *Respondemos.*	
páginas 194 y 196 **Repaso**	• Completar las preguntas 1 a 5. • Completar *Reflexiona y ora.*	
páginas 194 y 196 **Respondemos y compartimos la fe**	• Repasar *Recuerda* y *Vocabulario.* • Leer y comentar *Nuestra vida católica.*	

Para ideas, actividades y otras oportunidades visite Sadlier en **www.CREEMOSweb.com**

Lesson Planning Guide

Lesson Steps	Presentation	Materials
 **WE GATHER**		
page 187 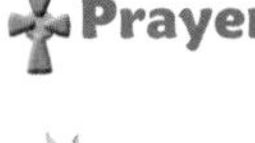 **Prayer** **Focus on Life**	• Listen to Scripture. • Discuss the question about listening.	• prayer space items: illustrations of Bible stories, Bible
 **WE BELIEVE**		
page 187 *We listen to God's word during the Liturgy of the Word.*	• Read and discuss the text about the Liturgy of the Word. Unscramble the letters to complete the sentence.	• pencils for the activity
page 189 *We listen and respond to readings from the Old Testament and the New Testament.* *The Roman Missal*	• Present the text. Discuss ways we can prepare for the readings at Mass. • Read and discuss the *As Catholics* text.	
page 191 *We listen as the gospel is proclaimed.* *The Roman Missal*	• Read the text and discuss what we do when the gospel is proclaimed. Share ways we show we are ready to listen to Jesus Christ's good news.	
page 193 *Together we pray the creed and the prayer of the faithful.* *The Roman Missal*	• Present the text about the creed and the prayer of the faithful. • Work on Reproducible Master 17. • Point out the *Key Words* and definitions.	• copies of Reproducible Master 17
 **WE RESPOND**		
page 193	Do the *We Respond* activity. • Reflect on the *We Respond* question.	
pages 195 and 197 **Review**	• Complete questions 1–5. • Complete the *Reflect & Pray* activity.	
pages 195 and 197 **We Respond and Share the Faith**	• Review *Remember* and *Key Words.* • Read and discuss *Our Catholic Life.*	

For additional ideas, activities, and opportunities: Visit Sadlier's **www.CREEMOSweb.com**

Conexiones

La liturgia

Explique a los niños que cuando decimos que los lectores proclaman la palabra de Dios durante la misa, estamos diciendo que ellos anuncian la historia del amor de Dios. Estimule a los niños a escuchar y recordar lo que las lecturas nos enseñan acerca de la manera en que Dios quiere que actuemos.

La comunidad

Explique a los niños que las lecturas durante la misa nos ayudan a comprender el plan de Dios de salvar a todo el mundo al enviar a su Hijo, Jesucristo. Cuando aprendemos acerca de la historia de la salvación que se encuentra en la Biblia, descubrimos el lugar que ocupamos en el plan de Dios. La palabra de Dios nos ayuda a actuar por el bien de los demás, en nuestro hogar, en la escuela y en el vecindario.

FE y MEDIOS

▶ En relación con el texto *Como católicos* basado en las cartas de San Pablo, sería oportuno comentar que fácil nos resulta transmitir el mensaje de Jesús hoy y que difícil era en tiempos de San Pablo. Hoy, el mensaje de Jesús puede transmitirse de manera instantánea a través de la televisión, la radio y la red. San Pablo, en cambio, debía viajar de una ciudad a otra, a pie, a caballo o en barco. Escribía las cartas de su puño y letra y las entregaba a mensajeros encargados de distribuirlas entre los seguidores de Jesús, a pie, a caballo o en barco. Los destinatarios de las cartas las leían en voz alta en las reuniones de los cristianos y luego hacían copias manuscritas que enviaban a otras comunidades.

Liturgia para esta semana
Visite **www.creemosweb.com** para las lecturas bíblicas de esta semana y otros materiales propios del tiempo.

Necesidades individuales

Niños con necesidades especiales

Debe estar atento a las necesidades particulares de cada uno de los niños. Sin embargo, hay alguien más en el grupo cuyas necesidades podrían quedar desatendidas, usted. Tome el tiempo necesario para alimentarse con la palabra de Dios. No piense que los niños con necesidades especiales están frente a usted para plantearle un desafío, más bien, considere que su presencia es una oportunidad que tiene de ayudar a dar lo mejor de sí.

RECURSOS ADICIONALES

Video *La misa para niños,* Liguori Publications. En este video, un grupo de niños rehúsa participar en la celebración de la Misa porque no la entienden. El Padre Nutt explica su significado y responde a las preguntas. (33 minutos)

Para ideas visite a Sadlier en

www.CREEMOSweb.com

Connections

To Liturgy

Explain that when we say the readers proclaim God's word at Mass, we mean that they announce the story of God's love. Encourage the children to listen and remember what these readings teach us about the way God wants us to act.

To Community

Explain that readings at Mass help us to understand God's plan to save all people in sending his Son, Jesus Christ. By learning this story of salvation from the Bible, we can see our place in God's plan. God's word helps us to act for the good of everyone in our homes, at school, and in our neighborhood.

FAITH and MEDIA

▶ In connection with the *As Catholics* text about Saint Paul's letters, consider discussing how easy it is to spread Jesus' message today and how hard it was in Saint Paul's time. Today Jesus' message is spread instantly via television, radio, and the Internet. In contrast, Saint Paul had to go from city to city on foot, on horseback, or by ship. He wrote his letters by hand and gave them to messengers to carry to Jesus' followers, again on foot, on horseback, or by ship. Those who received the letters had to read them aloud to gatherings of Christians and then copy the words by hand to send the letters on to others.

This Week's Liturgy

Visit **www.creemosweb.com** for this week's liturgical readings and other seasonal material.

Meeting Individual Needs

Children with Special Needs

Try to be sensitive to the special needs of each child. Of course, there is also someone else in the class with special needs who might be overlooked. That someone is you. Take the time to nourish yourself with the word of God. Children with special needs will stand out in your eyes not because of the challenges they present. Instead, you will see their challenges as opportunities for you to help them to do their best.

ADDITIONAL RESOURCES

Book *Blessings and Prayers,* Gabe Huck, editor, Liturgy Training Publications. This book of psalms and prayers will be helpful for children beginning to pray with the Church.

Video *The Mass for Young Children, Part 1,* Ikonographics. The readings, homily, and intercessions of the Mass are presented.

To find more ideas for books, videos, and other learning material visit Sadlier's

www.CREEMOSweb.com

Meta catequética

• Destacar el hecho de que durante la Liturgia de la Palabra escuchamos y respondemos a la palabra de Dios

Preparandose para orar

Los niños celebrarán la palabra de Dios con esta oración.

• Decida quién será el lector y dele tiempo para prepararse.

El lugar de oración

• Muestre ilustraciones de historias narradas en los evangelios.

• Coloque la Biblia sobre la mesa de oración.

Como católicos...

Las cartas de San Pablo

Lea en voz alta *Como católicos.* Explique: *Cada grupo cristiano se reunía en un determinado lugar para escuchar la lectura de la carta de Pablo.* Lea los nombres de algunos grupos a quienes Pablo les escribió: romanos, corintios, gálatas.

Celebramos la Liturgia de la Palabra

Nos congregamos

✝ **Lector:** Escuchemos el evangelio según San Lucas.

Lucas 8:1

"Jesús anduvo por muchos pueblos y aldeas, proclamando y anunciando el reino de Dios".

Palabra del Señor.

Todos: Gloria a ti, Señor Jesús.

¿Por qué escuchar es importante?

JESUS COMPARTE LA BUENA NUEVA CON NOSOTROS

Creemos

Escuchamos la palabra de Dios durante la Liturgia de la Palabra.

La misa tiene dos partes principales. La primera es la **Liturgia de la Palabra**. En ella escuchamos la palabra de Dios y lo adoramos.

En la misa de los domingos generalmente escuchamos tres lecturas bíblicas. Escuchamos sobre el amor de Dios por nosotros. Aprendemos formas de mostrar amor a Dios y a otros.

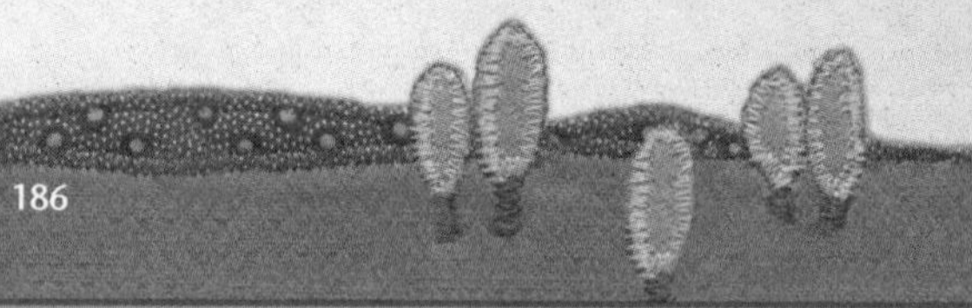

186

Planificación de la lección

Nos congregamos ___ minutos

✝ **Oración**

• Pida a los niños que busquen en sus libros la oración de apertura en la página 186. Comiencen rezando la Señal de la Cruz.

• Pida al lector que lea el texto bíblico en el Evangelio de Lucas.

• Recen todos juntos la respuesta a la oración.

Mirando la vida

• Lea la pregunta. Comenten de que manera nos puede ayudar escuchar a otros atentamente.

• Relate la *Historia para el capítulo* de la página 186A.

Creemos ___ minutos

Repase con los niños lo que aprendieron acerca del comienzo de la misa (Consulte el capítulo 16). Repase asimismo lo que aprendieron acerca de la Biblia (consulte el capítulo 8).

Escriba en la pizarra *Liturgia de la Palabra.* Pronuncie las palabras y pida a los niños que las repitan. Lean juntos la afirmación *Creemos* en la página 186. Luego, algunos voluntarios leerán el texto. Ponga énfasis en lo siguiente: *Adoramos a Dios cada vez que escuchamos la palabra de Dios en la misa. Al escuchar la palabra de Dios en la misa, crece nuestra fe y nuestro amor hacia Dios y hacia los demás.*

Ayude a los niños a ordenar las letras de la palabra que falta en la página 188.

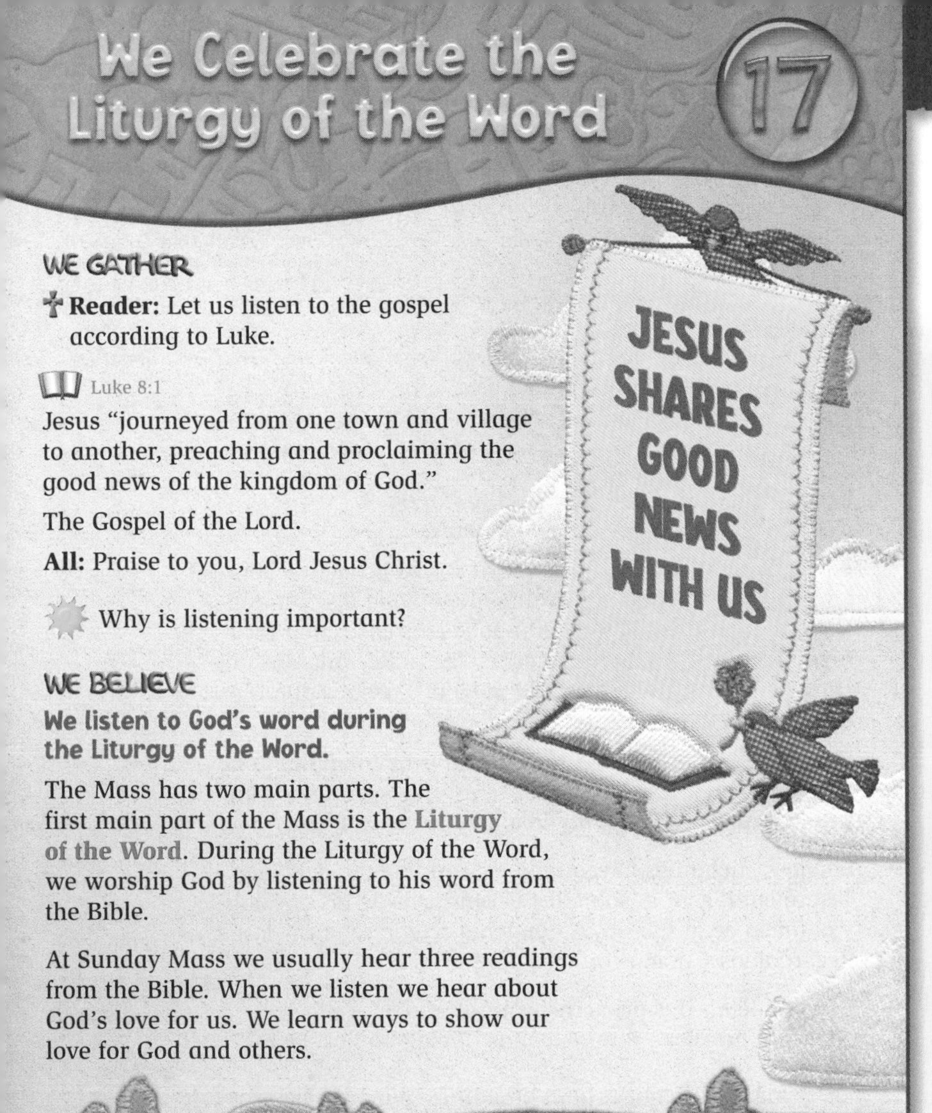
We Celebrate the Liturgy of the Word

17

WE GATHER

✝ **Reader:** Let us listen to the gospel according to Luke.

Luke 8:1

Jesus "journeyed from one town and village to another, preaching and proclaiming the good news of the kingdom of God."

The Gospel of the Lord.

All: Praise to you, Lord Jesus Christ.

Why is listening important?

WE BELIEVE

We listen to God's word during the Liturgy of the Word.

The Mass has two main parts. The first main part of the Mass is the **Liturgy of the Word**. During the Liturgy of the Word, we worship God by listening to his word from the Bible.

At Sunday Mass we usually hear three readings from the Bible. When we listen we hear about God's love for us. We learn ways to show our love for God and others.

187

Catechist Goal

- To emphasize that we listen and respond to God's word during the Liturgy of the Word

PREPARING TO PRAY

In this prayer, children will celebrate the word of God.

- Choose a reader and provide time for this person to prepare the reading.

The Prayer Space

- Display illustrations of stories in the gospels.
- Place the Bible on the prayer table.

As Catholics...

The Letters of Saint Paul

Read aloud the *As Catholics* text. Explain: *Each Christian group would gather in one place to hear Paul's letter.* Read the names of some groups to whom he wrote: Romans, Corinthians, and Galatians.

Lesson Plan

WE GATHER

___ minutes

✝ Prayer

- Have the children open their books to the opening prayer on page 187. Begin by praying the Sign of the Cross.
- Ask the reader to begin reading the Scripture passage from Luke.
- Pray the response together.

 Focus on Life

- Read the question. Discuss how listening carefully to others can help us.
- Share the *Chapter Story* on guide page 186B.

WE BELIEVE

___ minutes

Review with the children what they learned about the beginning of Mass. (See Chapter 16.) Also review what the children have learned about the Bible. (See Chapter 8.)

Write on the board *Liturgy of the Word.* Pronounce the words and have the children repeat them. Read together the *We Believe* statement on page 187. Have volunteers read the text. Stress: *When we listen to God's word at Mass we are worshiping him. Listening to God's word at Mass helps us to grow in faith and love for God and others.*

Help the children unscramble the letters of the missing word on page 189.

Nuestra respuesta en la fe

- Escuchar la palabra de Dios y ponerla en práctica

Liturgia de la Palabra
salmo
homilía

Materiales

- copias del patrón 17

Conexión con el hogar

Pida a los niños compartir sus experiencias de cuando rezaron Juan 15:5 con sus familias.

La palabra de Dios siempre ha sido parte importante del culto de la Iglesia. Escuchamos la palabra de Dios durante la celebración de todos los sacramentos.

Organiza las letras y completa la oración.

s a r h c u e c

Al e s c u c h a r la palabra de Dios, aprendemos a ser mejores seguidores de Jesús.

Como católicos...

Después de Pentecostés, los discípulos de Jesús predicaron su mensaje a muchos pueblos. San Pablo fue uno de estos discípulos. Después de visitar a un grupo de cristianos él les enviaba cartas. En ellas Pablo recuerda al pueblo que es seguidor de Jesús y miembro de la Iglesia. Muchas de las cartas en el Nuevo Testamento son de Pablo. A menudo escuchamos partes de esas cartas en la segunda lectura de la misa. Busca las cartas de San Pablo en la Biblia.

Escuchamos y respondemos a lecturas del Antiguo y del Nuevo Testamento.

La Liturgia de la Palabra empieza con la primera lectura. La primera lectura es generalmente tomada del Antiguo Testamento. Escuchamos sobre todas las cosas que Dios hizo por su pueblo antes de nacer Jesús. Recordamos que Dios siempre ha estado con su pueblo. Creemos que Dios está con nosotros.

Después de la primera lectura dejamos que la palabra de Dios entre en nuestros corazones. Después cantamos un salmo. **Salmo** es un canto de alabanza de la Biblia.

Luego escuchamos la segunda lectura tomada del Nuevo Testamento. Esta es sobre las enseñanzas de los apóstoles y el inicio de la Iglesia. Aprendemos como seguir a Jesús. Recordamos y damos gracias porque somos la Iglesia.

Al final de las dos primeras lecturas, el lector dice: "Palabra de Dios". Respondemos: "Te alabamos, Señor".

¿Qué puedes hacer para prepararte para las lecturas de la misa?

188

Planificación de la lección

CREEMOS (continuación)

Pida a un niño que lea en voz alta la afirmación *Creemos* en la página 188. Luego, diga a otro niño que lea el primer párrafo. Pregunte: *¿De qué trata generalmente la primera lectura?* (todas las cosas que Dios hizo por su pueblo antes del nacimiento de Jesús)

Escriba la palabra *salmo* en la pizarra. Los niños repetirán la palabra después de usted. Algunos voluntarios leerán los párrafos restantes en la página 188. Pregunte: *¿Sobre qué trata generalmente la segunda lectura?* (las enseñanzas de los apóstoles y los comienzos de la Iglesia)

Explique: *Nosotros respondemos "Demos gracias al Señor" después de la primera y segunda lectura. De este modo demostramos nuestra gratitud a Dios por su palabra.*

Comente diferentes maneras en que las personas se preparan para escuchar la palabra de Dios durante la misa.

Cotejo rápido

✔ *¿Qué entendemos por Liturgia de la Palabra?* (Es la primera parte de la misa durante la cual escuchamos la palabra de Dios.)

✔ *¿De qué manera nos ayuda escuchar la primera lectura?* (Recordamos que Dios siempre ha estado junto a su pueblo. *Creemos* que ahora Dios está con nosotros.)

✔ *¿Qué aprendemos cuando escuchamos la segunda lectura?* (Aprendemos a ser discípulos de Jesús.)

God's word has always been an important part of the Church's worship. We hear God's word during the celebration of all the sacraments.

Unscramble the letters to complete the sentence.

e g i l n s t i n

By l i s t e n i n g to God's word, we learn to be better followers of Jesus.

As Catholics...

After Pentecost, Jesus' disciples spread his message to the people of many lands. Saint Paul was one of these disciples. After he visited a group of Christians, he sent letters back to them. Paul reminded the people that they were Jesus' followers and members of the Church. Many of the letters in the New Testament are from Paul. We often listen to parts of these letters in the second reading at Mass. Find the letters of Saint Paul in the Bible.

We listen and respond to readings from the Old Testament and the New Testament.

The Liturgy of the Word begins with the first reading. The first reading is usually from the Old Testament. We hear about all the things God did for his people before Jesus was born. We remember that God has always been with his people. We believe that God is with us.

After the first reading we let God's word enter our hearts. Then we sing a psalm. A **psalm** is a song of praise from the Bible.

Next we listen to the second reading from the New Testament. It is about the teachings of the apostles and the beginning of the Church. We learn how to follow Jesus. We remember and give thanks that we are the Church.

At the end of the two readings, the reader says, "The word of the Lord." We respond, "Thanks be to God."

What can you do to prepare for the readings at Mass?

Chapter 17 • Page 189

Our Faith Response

- To listen to God's word and to put it into practice

Liturgy of the Word
psalm
homily

Materials

- copies of Reproducible Master 17

Home Connection Update

Ask the children to share their experience praying with their families John 15:5.

Lesson Plan

WE BELIEVE (continued)

Invite a child to read aloud the *We Believe* statement on page 189. Then have a volunteer read the first paragraph. Ask: *What is the first reading usually about?* (all the things God did for his people before Jesus was born)

Write the word *psalm* on the board. Help the children to pronounce the word. Have volunteers read the remaining paragraphs on page 189. Ask: *What is the second reading usually about?* (the teaching of the apostles and the beginning of the Church)

Explain: *We respond "Thanks be to God" after the first and second readings. This helps us to show our thanks to God for his word.*

Discuss different ways that people prepare to hear God's word at Mass.

Quick Check

✔ *What is the Liturgy of the Word?* (It is the first main part of the Mass when we listen to God's word.)

✔ *How does listening to the first reading help us?* (We remember that God has always been with his people. We believe that God is with us now.)

✔ *What do we learn by listening to the second reading?* (We learn how to be followers of Jesus.)

Banco de Actividades

Desarrollo de la capacidad auditiva

Jueguen al "Teléfono descompuesto". Los niños formarán dos grupos; en cada grupo un niño será encargado de comenzar el juego. En voz baja y hablándole al oído, transmita al primer niño de cada grupo un breve mensaje basado en una enseñanza de Jesús. En cada grupo, el primer niño le pasará el mensaje al compañero más próximo, y este al siguiente, y así sucesivamente hasta que el mensaje haya llegado al último niño quien lo dirá en voz alta delante de todo el grupo. Explique el objetivo del juego: *Demostrarán que saben escuchar si el mensaje final es igual al mensaje que yo le di al primer compañero del grupo*. Algunas sugerencias de mensajes:

- Jesús siempre está con nosotros.
- Si nos arrepentimos, Dios siempre nos perdona.
- El Espíritu Santo nos ayuda y nos guía.

Escuchamos la proclamación del evangelio.

En el Nuevo Testamento hay cuatro libros llamados evangelios: Mateo, Marcos, Lucas y Juan. En estos evangelios aprendemos la buena nueva sobre la vida y enseñanzas de Jesús. La tercera lectura en la Liturgia de la Palabra es tomada de uno de los evangelios.

El diácono o el sacerdote proclama el evangelio. Proclamar el evangelio quiere decir anunciar la buena nueva de Jesucristo con alabanza y gloria.

Esto es lo que hacemos:

- Nos ponemos de pie. Cantamos el aleluya u otras palabras de alabanza. Esto muestra que estamos listos para escuchar la buena nueva de Jesucristo.
- Escuchamos la proclamación del evangelio por un sacerdote o un diácono.
- Después el diácono o el sacerdote dice: "Palabra del Señor". Respondemos: "Gloria a ti, Señor Jesús".

Después del evangelio, el sacerdote o el diácono habla sobre las lecturas de la misa. Esto es la **homilía** y nos ayuda a entender las lecturas. Con la homilía aprendemos lo que significa creer y lo que podemos hacer como seguidores de Jesús.

¿Cómo mostramos que estamos listos para escuchar la buena nueva de Jesucristo?

190

Planificación de la lección

CREEMOS (continuación)

Escriba la palabra *evangelios* en la pizarra. Explique: *El Nuevo Testamento tiene cuatro evangelios.* Luego, un voluntario leerá el primer párrafo en la página 190. Recalque: *La tercera lectura de la Liturgia de la Palabra corresponde a un texto de los evangelios.*

Escriba la palabra *proclamar* en la pizarra. Lea el segundo párrafo en voz alta. Diga a los niños que se pongan de pie mientras leen juntos lo que deben hacer durante la proclamación del evangelio.

Escriba la palabra *homilía* en la pizarra. Léala en voz alta y pídales que la repitan después de usted. Un voluntario leerá el último párrafo en la página 190. Comente como la homilía enriquece nuestra comprensión de lo que significa ser seguidores de Jesús.

Comente de que manera demostramos que estamos preparados para escuchar la buena nueva de Jesucristo.

We listen as the gospel is proclaimed.

There are four books in the New Testament called gospels: Matthew, Mark, Luke, and John. In these gospels we learn the good news about Jesus' life and teaching. The third reading of the Liturgy of the Word is from one of the gospels.

The deacon or priest proclaims the gospel. To proclaim the gospel means to announce the good news of Jesus Christ with praise and glory.

This is what we do:

- We stand. We sing the alleluia or other words of praise. This shows we are ready to listen to the good news of Jesus Christ.
- We listen as the deacon or priest proclaims the gospel.
- Then the deacon or priest says,
  "The Gospel of the Lord."
  We respond,
  "Praise to you, Lord Jesus Christ."

After the gospel, the priest or deacon talks about the readings at Mass. In this talk he helps us to understand the readings. This talk is called the **homily**. Through the homily we learn what it means to believe and what we can do to be followers of Jesus.

How do we show we are ready to listen to the good news of Jesus Christ?

191

Activity Bank

Practice Listening Skills

Play the game "Telephone." Have the children form two groups. Choose a "starter" for each group. To the starter whisper a short message about Jesus' teaching. Then ask the starter to pass the message to the person closest to him or her. Tell the groups that they should pass the message along until the last person has heard it. The last person in each group should then say the message aloud. Explain: *You have been good listeners if the message said aloud is the same one that I shared with the starter.* You may want to use the following messages.

- Jesus is with us always.
- God always forgives us when we are sorry.
- The Holy Spirit helps and guides us.

Lesson Plan

We Believe (continued)

Write the word *gospels* on the board. Explain: *There are four gospels in the New Testament.* Then have a volunteer read the first paragraph on page 191. Stress: *The third reading of the Liturgy of the Word is from one of the gospels.*

Write the word *proclaim* on the board. Read aloud the second paragraph. Then ask the children to stand as you read aloud together what we do when the gospel is proclaimed.

Write the word *homily* on the board. Pronounce it for the children and have them repeat it. Ask a volunteer to read the last paragraph on page 191. Discuss how the homily gives us a better understanding of how to be followers of Jesus.

Discuss how we show we are ready to listen to the good news of Jesus Christ.

Ideas

Como escuchamos

Es posible que les resulte difícil a los niños escuchar la homilía durante la misa. Sugiérales que traten de identificar palabras que hayan aprendido durante las clases de religión. Comente con los niños el mensaje que escuchó durante la homilía el pasado domingo.

Juntos rezamos el credo y la oración de los fieles.

Después de la homilía nos ponemos de pie para rezar el credo. En esta oración mostramos nuestra fe. Decimos lo que creemos como cristianos.

La palabra *credo* significa "fe". Decimos que creemos en Dios Padre, Jesucristo y el Espíritu Santo. También que creemos en la Iglesia y en el perdón de los pecados.

Después del credo rezamos por las necesidades del pueblo de Dios. Esta oración es llamada oración de los fieles.

Vocabulario

Liturgia de la Palabra la primera parte de la misa en la que escuchamos la palabra de Dios

salmo canto de alabanza de la Biblia

homilía palabras que el sacerdote o el diácono dice sobre las lecturas de la misa para ayudarnos a entenderlas y vivirlas

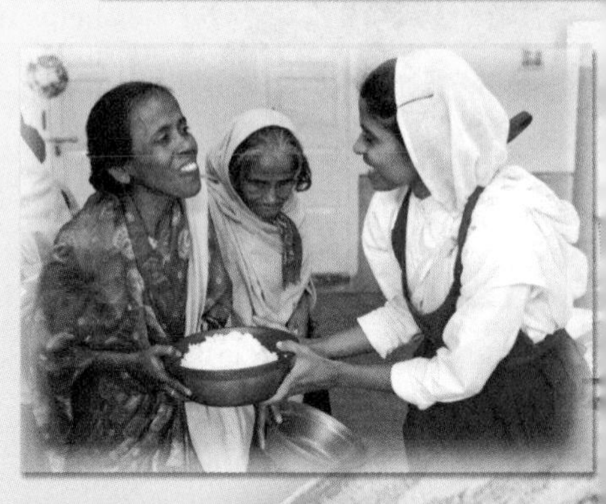

RESPONDEMOS

Lee lo que hace una persona que escucha. Pon una marca al lado de cada cosa que puedes hacer durante la Liturgia de la Palabra el próximo domingo.

____ Mirar la persona que está haciendo las lecturas.

____ Atender a lo que está diciendo el lector.

____ Imaginar lo que el lector está diciendo.

¿Qué más haces para participar en la Liturgia de la Palabra?

192

Planificación de la lección

CREEMOS (continuación)

Pida a un voluntario que lea los dos primeros párrafos en la página 192. Explique: *La oración de los fieles son oraciones que hacemos por las personas y sus necesidades.*

Distribuya copias de patrón 17. Los niños completarán la actividad en pares. (horizontal: primera fila, salmo; tercera fila, cantar; quinta fila, homilía; sexta fila, escuchar. Vertical: primera fila, evangelio; última fila, credo.)

Vocabulario Repase las palabras con los niños. Pida a voluntarios que usen las palabras en oraciones.

RESPONDEMOS

____ minutos

Conexión con la vida Pida a los niños que revisen los puntos de la lista. Lea la pregunta de *Respondemos* y dígales que compartan sus respuestas con el resto de la clase. Repasen las oraciones que aprendieron en este capítulo.

Oración Reúna a los niños en el lugar de oración. Pida voluntarios que recen por personas en particular (líderes mundiales, familias, personas necesitadas). Después de cada petición, recen: *Señor, escucha nuestra oración.*

Key Words

Liturgy of the Word the first main part of the Mass when we listen to God's word

psalm a song of praise from the Bible

homily the talk given by the priest or deacon at Mass that helps us understand the readings and how we are to live

Together we pray the creed and the prayer of the faithful.

After the homily we stand to pray the creed. In this prayer we show our faith. We say what we believe as Christians.

The word *creed* comes from a word that means "believe." We say that we believe in God the Father, Jesus Christ, and the Holy Spirit. We also say that we believe in the Church and in God's forgiveness of our sins.

After the creed, we pray for the needs of all God's people. This prayer is called the prayer of the faithful.

WE RESPOND

Read what good listeners do. Put a check beside each thing you can do next Sunday during the Liturgy of the Word.

____ Look at the person who is reading or speaking.

____ Pay close attention to what the reader or speaker is saying.

____ Picture in your mind what the reader or speaker is talking about.

What else will you do to take part in the Liturgy of the Word?

193

Teaching Tip

Listening

Children sometimes struggle with listening to the homily at Mass. Encourage them to listen for key words that they have learned in religion class. Share with the children the message that you heard in the past Sunday's homily.

Lesson Plan

WE BELIEVE (continued)

Invite a volunteer to read the first two paragraphs on page 193. Explain: *The prayer of the faithful are prayers for many different people and their needs.*

Distribute copies of Reproducible Master 17. Have the children work in pairs to complete the activities. (across: first row, psalm; third row, sing; fifth row, homily; sixth row, listen. down: first row, gospel; last row, creed.)

Key Words Review the words with the children. Have volunteers use each word in a sentence.

WE RESPOND ____ minutes

Connect to Life Ask the children to do the checklist. Then read the *We Respond* question and invite the children to share their responses. Review the prayers the group learned in this chapter.

Pray Invite the children to gather in the prayer space. Ask volunteers to pray for specific people. (for world leaders, for families, for people in need) After each petition pray: *Lord, hear our prayer.*

Banco de Actividades

Fe y medios

La buena nueva en un protector de pantalla

Materiales: papel, crayones o marcadores

Los niños trabajarán en grupos para diseñar protectores de pantalla que anuncien un mensaje del evangelio.

Haga una lluvia de ideas para los mensajes que les gustaría compartir con otros. Pida a los grupos dibujar imágenes que acompañen el mensaje y despierten el interés de quien lo vea.

Aprendizaje cooperativo

Un juego de repaso

Forme dos grupos. Cada grupo deberá escribir cuatro preguntas sobre la Liturgia de la Palabra. Los niños podrán consultar el capítulo correspondiente en sus libros. Cuando terminen, revise las preguntas. Los grupos se turnarán para preguntar y responder. Los integrantes del grupo pueden consultarse entre sí antes de responder. Anote el resultado en la pizarra. Cada vez que un grupo responda correctamente, escriba *Aleluya* en la columna correspondiente.

Conexion con el Hogar

Compartiendo lo aprendido

Recuerde a los niños compartir con sus familias lo aprendido en este capítulo.

Para más información y actividades adicionales visite a Sadlier

www.CREEMOSweb.com

Planifique por adelantado

Lugar de oración: cajas de regalo, fotografías de personas compartiendo el amor de Dios, pan y uvas

Materiales: copias del patrón 18

___ minutos

Repaso del capítulo
Lea las instrucciones de la actividad. Los alumnos responderán las preguntas 1 a 4.

Una vez finalizado el ejercicio, aclare dudas o errores que puedan haber surgido.

Un voluntario leerá la pregunta número 5. Los niños tendrán dos minutos para trabajar en forma independiente. Pida voluntarios que estén dispuestos a compartir sus respuestas.

Reflexiona y ora Lea la pregunta de *Reflexiona y ora.* Permita que los niños dispongan de tiempo para reflexionar y luego, compartir lo que piensan con el resto del grupo.

Repaso — Capítulo 17

Encuentra en la columna B lo que habla sobre el contenido en la columna A. Traza una línea para hacerla corresponder. Una está resuelta.

A	B
"Te alabamos, Señor".	oración en la que expresamos lo que creemos como cristianos
1. primera lectura	oración en la que rezamos por las necesidades de los demás
2. el credo	una de las historias del Antiguo Testamento
3. oración de los fieles	respuesta a la lectura del evangelio
4. "Gloria a ti, Señor Jesús".	respuesta a la primera y segunda lecturas

5. ¿Por qué es importante que escuchemos el evangelio?
Porque aprendemos acerca de la vida y las enseñanzas de Jesús.

Reflexiona y ora
¿Qué hacemos y decimos cuando rezamos el credo?

194

PÁGINA DEL ESTUDIANTE 194

Respondemos y compartimos la fe

___ minutos

Recuerda Repasen las cuatro afirmaciones *Creemos.* Pida a los niños que compartan con el grupo dos cosas que hayan aprendido con relación a cada afirmación.

Nuestra vida católica Lea "Oración por los líderes". Pregunte: *¿Por qué es importante rezar por nuestros líderes?* Escriba una lista de líderes que los niños conozcan. Guíelos en oración pidiendo por estos líderes.

Respondemos y compartimos la fe

Compartiendo lo aprendido
Mira la ilustración. Usala para contar a tu familia lo que aprendiste en este capítulo.

Recuerda
- Escuchamos la palabra de Dios durante la Liturgia de la Palabra.
- Escuchamos y respondemos a lecturas del Antiguo y del Nuevo Testamento.
- Escuchamos la proclamación del evangelio.
- Juntos rezamos el credo y la oración de los fieles.

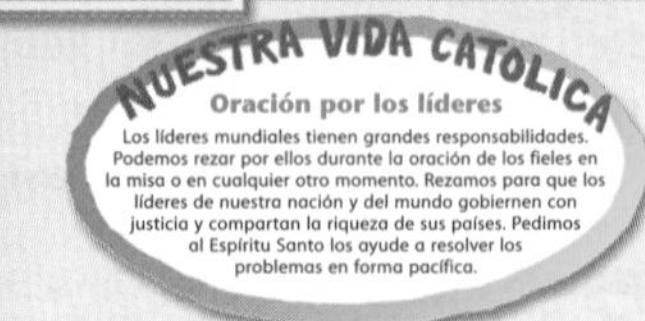

Visita Sadlier en www.CREEMOSweb.com

Conexión con el Catecismo
Para referencia vea los párrafos 1349 y 197.

196

PÁGINA DEL ESTUDIANTE 196

_____ minutes

Chapter Review Read the directions for the matching activity. Then have students complete questions 1–4.

After they have finished, clear up any misconceptions that may arise.

Have a volunteer read the fifth question. Allow about two minutes for the children to work independently. Invite volunteers to share their answers.

Reflect & Pray Read the *Reflect & Pray* question. Give the children some time to reflect and then have them share their thoughts with the group.

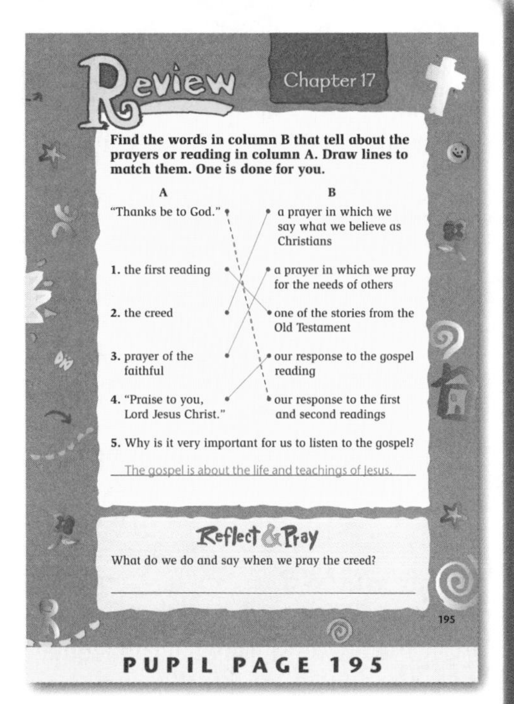

Review Chapter 17

Find the words in column B that tell about the prayers or reading in column A. Draw lines to match them. One is done for you.

A	B
"Thanks be to God."	a prayer in which we say what we believe as Christians
1. the first reading	a prayer in which we pray for the needs of others
2. the creed	one of the stories from the Old Testament
3. prayer of the faithful	our response to the gospel reading
4. "Praise to you, Lord Jesus Christ."	our response to the first and second readings

5. Why is it very important for us to listen to the gospel?

The gospel is about the life and teachings of Jesus.

Reflect & Pray

What do we do and say when we pray the creed?

195

PUPIL PAGE 195

We Respond and Share the Faith

___ minutes

Remember Review the four *We Believe* statements. Encourage the children to share two things they learned in reference to each statement.

Our Catholic Life Read "Praying for Leaders." Ask: *Why is it important to pray for our leaders?* Make a list of leaders with whom the children are familiar. Lead the group in a prayer for these leaders.

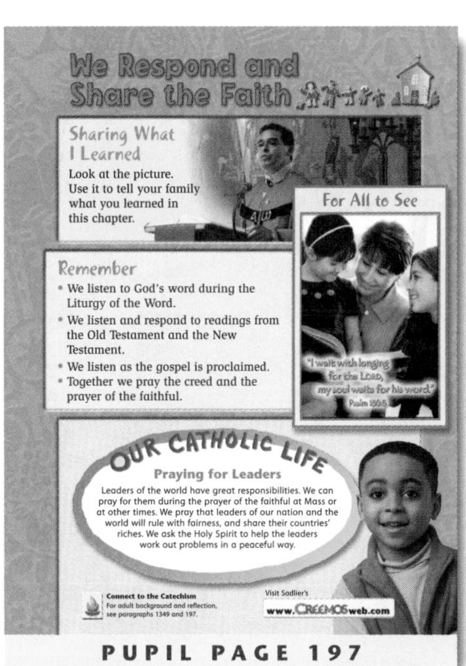

We Respond and Share the Faith

Sharing What I Learned

Look at the picture. Use it to tell your family what you learned in this chapter.

For All to See

"I wait with longing for the LORD, my soul waits for his word." Psalm 130:5

Remember

- We listen to God's word during the Liturgy of the Word.
- We listen and respond to readings from the Old Testament and the New Testament.
- We listen as the gospel is proclaimed.
- Together we pray the creed and the prayer of the faithful.

OUR CATHOLIC LIFE

Praying for Leaders

Leaders of the world have great responsibilities. We can pray for them during the prayer of the faithful at Mass or at other times. We pray that leaders of our nation and the world will rule with fairness, and share their countries' riches. We ask the Holy Spirit to help the leaders work out problems in a peaceful way.

Connect to the Catechism
For adult background and reflection, see paragraphs 1349 and 197.

Visit Sadlier's www.CREEMOSweb.com

PUPIL PAGE 197

Activity Bank

Faith and the Media

Good News Screen Savers

Materials: drawing paper, crayons or markers

Have the children work in small groups to design screen savers that proclaim a gospel message. Brainstorm some messages that they would like to share with others. After some ideas have been recorded, invite the groups to work on pictorial images that will attract others to read their message.

Cooperative Learning

Playing a Review Game

Form two groups. Ask each group to write four questions about the Liturgy of the Word. Point out that the children should look at the chapter in their books. When each group has finished, check the questions. Then have the groups ask their questions in turn. Have the group members consult with each other before giving an answer. Keep score on the board. When a group answers correctly, write *Alleluia* in the group's column.

Home Connection

Sharing What I Learned

Remind the children to share with their families what they learned in this chapter.

For additional information and activities, encourage families to visit Sadlier's

www.CREEMOSweb.com

Plan Ahead for Chapter 18

Prayer Space: gift boxes, photographs of people sharing God's love, bread, grapes

Materials: copies of Reproducible Master 18

Celebramos la Liturgia de la Eucaristía

Ojeada

En este capítulo se explicará la Liturgia de la Eucaristía.

Contenido doctrinal	Para referencia del *Catecismo de la Iglesia Católica*
Los niños aprenderán que:	párrafo
• Ofrecemos los regalos de pan y vino.	1350
• La oración eucarística es la oración de acción de gracias y alabanza más grande.	1353
• Rezamos el Padrenuestro y pedimos a Dios perdón y paz.	1355
• Recibimos a Jesucristo en la sagrada comunión.	1386

Referencia catequética

¿Qué ofrece y qué recibe de la celebración eucarística?

Nuestra experiencia en las reuniones en familia nos ayudan a apreciar la reunión de la familia parroquial para la comida eucarística. Así como las familias y sus invitados comparten la mesa, nosotros llevamos las ofrendas de pan y el vino a la mesa del Señor al inicio de la Liturgia de la Eucaristía.

Al ofrecer el pan y el vino reconocemos nuestro agradecimiento y dependencia de Dios. El pan y vino que ofrecemos se convierten en el Cuerpo y la Sangre de Jesús mediante el poder del Espíritu Santo. El dinero que reunimos en la colecta muestra nuestro deseo de ayudar a la Iglesia y a los necesitados.

Nos preparamos para recibir a Jesús rezando juntos el Padrenuestro y dándonos la paz. Después de la comunión alabamos a Dios y agradecemos el don de la Eucaristía.

Al inicio de la Iglesia, la comunidad de Jerusalén tenía necesidades especiales. San Pablo realizó una colecta para ellos y urgió a sus hermanos imitar la generosidad e interés de Jesús por los demás. "No les digo esto como un mandato; solamente quiero que conozcan la buena disposición de otros, para darles a ustedes la oportunidad de demostrar que su amor es verdadero" (2 Corintios 8:8.) Al recibir la Eucaristía nos parecemos más a Jesús. Después de la misa dominical podemos imitar a Jesús llevando su interés por los demás, su amor y su generosidad a nuestros semejantes.

¿De qué manera concreta expresa su amor cristiano mostrando interés por los demás?

Mirando la vida

Historia para el capítulo

El sábado por la noche la familia de Daniel iba a tener una fiesta de cumpleaños para la tía Vivian. Daniel quería hacerle un obsequio especial porque era su madrina.

El martes anterior a la fiesta, Daniel no había decidido aún que regalarle. El papá de Daniel le hizo una sugerencia. Le dijo: "Si haces algo con tus propias manos, seguramente tu tía lo apreciará mucho más".

"Papá, ¿qué podría hacer?" Preguntó Daniel.

"Tómate un tiempo para pensarlo. Estoy seguro de que se te va a ocurrir algo especial", respondió su papá.

Esa noche Daniel y su papá miraron el álbum de fotos de la familia. Había varias fotos del bautismo de Daniel. El papá de Daniel sacó una hoja de papel que estaba debajo de una de las fotos más grande. Era una carta que la tía Viv le había escrito a Daniel sobre el día de su bautismo. En la carta Viv le decía que había sido un honor ser su madrina.

Después de leer la carta a Daniel se le ocurrió cuál sería el obsequio que haría para su tía. Le comentó la idea a su papá

"Te ayudaré?", le dijo su papá.

Daniel y su papá trabajaron en el regalo toda la semana. La tía Viv se sorprendió cuando abrió el regalo de Daniel durante la fiesta. Le dijo: "Daniel, este es un regalo muy especial. Lo conservaré siempre".

Daniel había preparado un collage de imágenes de la tía y de él juntos. Puso fotos y también dibujó. En la parte inferior del collage escribió: "Mi regalo viene del corazón. Gracias por estar siempre disponible para lo que necesito".

¿Te gustaría hacer o recibir un obsequio como el que hizo Daniel? Explica tu respuesta.

We Celebrate the Liturgy of the Eucharist

Overview

In this chapter the Liturgy of the Eucharist will be explained.

Doctrinal Content	For Adult Reading and Reflection *Catechism of the Catholic Church*
The children will learn:	Paragraph
• We bring forward the gifts of bread and wine.	1350
• The eucharistic prayer is the great prayer of thanks and praise.	1353
• We pray the Our Father and ask God for forgiveness and peace.	1355
• We receive Jesus Christ in Holy Communion.	1386

Catechist Background

What do you bring to—and from—the eucharistic celebration?

Our own experiences of family gatherings help us appreciate the parish family gathering for the eucharistic meal. Just as families and their guests share, we bring gifts of bread and wine to the table of the Lord (altar) at the beginning of the Liturgy of the Eucharist.

By offering gifts we acknowledge our gratefulness and dependence on God. The bread and wine that we offer will become the Body and Blood of Jesus through the power of the Holy Spirit. The money we add to the collection shows our desire to help the Church and those in need.

We prepare to receive Jesus by praying together the Our Father and by offering a sign of peace. After Communion we praise and thank God for the gift of the Eucharist.

In the early years of the Church, the community in Jerusalem had special needs so Saint Paul took up a collection for them. He urged his fellow Christians to imitate the generosity and concern of Jesus. "I say this not by way of command, but to test the genuineness of your love by your concern for others." (2 Corinthians 8:8) By receiving the Eucharist, we become more like Jesus. As we leave Sunday Mass, we can imitate Jesus by bringing his concern, love, and generosity to others.

In what specific ways do you express your Christian love in concern for others?

Focus on Life

Chapter Story

On Saturday Danny's family was going to have a birthday party for his Aunt Vivian. Danny wanted to give his aunt a special gift because she was his godmother.

On the Tuesday before the party, Danny still did not know what he should give Aunt Viv. Danny's father suggested that Danny make a gift. His dad said, "If you make something, I know it will mean a lot to your aunt."

Danny asked, "What should I make, Dad?" His father answered, "Take some time to think about it. I'm sure you'll think of something special."

That night Danny and his dad looked through the family's photo album. There were pictures of Danny's Baptism. Danny's father pulled out a piece of paper that was underneath one of the large photos. It was a letter that Aunt Viv had written to Danny about the day he was baptized. In the letter Aunt Viv told Danny that it was an honor to be his godmother.

After reading the letter, Danny thought of the gift he would make for Aunt Viv. He talked to his dad about his idea. Danny's dad said, "I'll help you." Danny and his dad worked on the gift all week. At the party, Aunt Viv was surprised when she unwrapped Danny's gift. Aunt Viv said, "This gift is very special, Danny. I will treasure it always."

Danny had made a collage of pictures of him and his aunt together. Danny had used photos and drew pictures for the collage. At the bottom of the collage, Danny had written, "My gift to you comes from my heart. Thank you for always being there for me."

Would you like to give or receive a gift like the one Danny made? Tell why or why not?

Guía para planificar la lección

Pasos de la lección	Presentación	Materiales

NOS CONGREGAMOS

Pasos de la lección	Presentación	Materiales
pág. 198 **Oración**	• Rezar la "Oración del Eco".	Para el lugar de oración: tres cajas de regalos, fotografías de personas compartiendo el amor de Dios, pan, uvas
Mirando la vida	• Comentar formas de mostrar agradecimiento.	

2 CREEMOS

Pasos de la lección	Presentación	Materiales
pág. 198 *Ofrecemos los regalos de pan y vino.*	• Presentar el texto sobre el comienzo de la Liturgia de la Eucaristía.	
pág. 200 *La oración eucarística es la oración de acción de gracias y alabanza más grande.* *El misal romano*	• Leer sobre la oración eucarística y la consagración. Seguir las instrucciones para repasar la oración eucarística.	• marcador o crayones
pág. 202 *Rezamos el Padrenuestro y pedimos a Dios perdón y paz.* *El misal romano*	• Leer y comentar el Padrenuestro, el signo de la paz y el Cordero de Dios. Comentar las respuestas a la pregunta. • Leer y comentar el texto de *Como católicos.*	• lápices o bolígrafos
pág. 204 *Recibimos a Jesucristo en la sagrada comunión.* *El misal romano*	• Continuar la presentación de la Liturgia de la Eucaristía. • Practicar las respuestas de la misa. • Señalar *Vocabulario* y sus definiciones.	• copias del patrón 18

Pasos de la lección	Presentación	Materiales
pág. 204	Responder la pregunta.	
páginas 206 y 208 **Repaso**	• Completar las preguntas 1 a 5. • Completar *Reflexiona y ora.*	
páginas 206 y 208 **Respondemos y compartimos la fe**	• Repasar *Recuerde* y *Vocabulario.* • Leer y comentar *Nuestra vida católica.*	

Para ideas, actividades y otras oportunidades visite Sadlier en **www.CREEMOSweb.com**

Lesson Planning Guide

Lesson Steps	Presentation	Materials
1 WE GATHER		
page 199  **Prayer**	• Pray the "Echo Prayer."	For the prayer space: three gift boxes, photographs of people sharing God's love, bread, grapes
 **Focus on Life**	• Discuss ways to show thanks.	
2 WE BELIEVE		
page 199 *We bring forward the gifts of bread and wine.*	• Present the text about the beginning of the Liturgy of the Eucharist.	
page 201 *The eucharistic prayer is the great prayer of thanks and praise.* The Roman Missal	• Read about the eucharistic prayer and consecration. Follow the direction to review the eucharistic prayer.	• highlighters or crayons
page 203 *We pray the Our Father and ask God for forgiveness and peace.* The Roman Missal	• Read and discuss the Our Father, the sign of peace, and the Lamb of God. Discuss responses to the question. • Read and discuss the *As Catholics* text.	• pencils or pens
page 205 *We receive Jesus Christ in Holy Communion.* The Roman Missal	• Continue the presentation on the Liturgy of the Eucharist. • Practice praying the Mass responses. • Point out the *Key Words* and definitions.	• copies of Reproducible Master 18
3 WE RESPOND		
page 205	Respond to the question.	
pages 207 and 209 **Review**	• Complete questions 1–5. • Complete the *Reflect & Pray* activity.	
pages 207 and 209 **We Respond and Share the Faith**	• Review *Remember* and *Key Words.* • Read and discuss *Our Catholic Life.*	

For additional ideas, activities, and opportunities: Visit Sadlier's **www.CREEMOSweb.com**

Conexiones

Doctrina social de la Iglesia

Llamado a la familia, la comunidad y la participación
Anime a los niños a ofrecer su ayuda a las personas que forman parte de sus comunidades. Recuérdeles que Dios nos ha dado los dones de la vida, la salud y la fortaleza física para que podamos usarlos al ayudar a los demás. Sugiera a los niños que pidan a sus padres que averigüen a través de los funcionarios locales que proyectos existen en la zona en los que la familia pueda participar. Algunos ejemplos son limpiar el parque local, visitar a personas ancianas e incluso servir como voluntarios en un comedor o almacén de alimentos comunitarios.

La Sagrada Escritura

Recuerde a los niños que Jesús les enseñó a sus discípulos a rezar el Padrenuestro. Señale que cada domingo rezamos estas palabras con la congregación durante la misa. Rezamos el Padrenuestro mientras nos preparamos para recibir a Jesús en la sagrada comunión.

FE y MEDIOS

- Preparen un cartel de la "Oración de la paz" para la parroquia. Pida a algunos niños que escriban una breve oración en un papel grande. Pida a los niños traer fotografías o que dibujen a otros trabajando como pacificadores. Coloque las imágenes en el cartel.
- Después de leer el texto de *Nuestra vida católica* sobre la primera comunión, considere usar el Internet para mostrar a los niños la historia del Papa Pío X, que en 1910 hizo posible que los niños recibieran la Eucaristía a los siete años.

Liturgia para esta semana
Visite **www.creemosweb.com** para las lecturas bíblicas de esta semana y otros materiales propios del tiempo.

Necesidades individuales

Niños con problemas auditivos o visuales

Este capítulo contiene muchas de las oraciones y respuestas que rezamos durante la Liturgia de la Eucaristía. Se recomienda preparar una de las grabación de esas oraciones y respuestas, así los niños podrán oír la cinta con el volumen que sea necesario.

RECURSOS ADICIONALES

Video *Liturgia y sacramentos,* Nat. Conf. Of Catethetical Leadership. Serie *Ecos de Fe.* Video para adultos. Explora el significado de liturgia y sacramento, y ayuda a comprender por qué la vida sacramental de la comunidad de fe está al centro de nuestra identidad católica. (73 minutos)

Para ideas visite a Sadlier en

www.CREEMOSweb.com

Connections

To Catholic Social Teaching

Call to Family, Community, and Participation
Encourage the children to offer help to people in their local communities. Remind them that God has given us the gifts of life, health, and strength so that we can use them to help others. Encourage the children to ask their parents to check with local officials to find out community projects in which families can participate. Cleaning up the local park, visiting with elderly people, or even volunteering at a soup kitchen or food pantry are some examples.

To Scripture

Remind the children that Jesus taught his disciples to pray the Lord's Prayer, the Our Father. Point out that we pray these words with the assembly each Sunday at Mass. We pray the Our Father as we prepare to receive Jesus in Holy Communion.

FAITH and MEDIA

- Make a "Prayer of Peace" poster for the parish. Help a few children to write a short prayer and print it on poster paper. Ask the children to bring in photographs or draw or paint pictures of others working as peacemakers. Arrange the pictures on the poster.
- After reading the *Our Catholic Life* text about first Holy Communion, consider using the Internet to show the children the story of Pope Pius X, who in 1910 made it possible for children to receive the Eucharist at the age of seven.

This Week's Liturgy
Visit **www.creemosweb.com** for this week's liturgical readings and other seasonal material.

Meeting Individual Needs

Children with Visual or Auditory Needs

This chapter contains many of the prayers and responses we pray during the Liturgy of the Eucharist. You may want to make a tape recording of these prayers and responses.

The children can then listen to the tape at a volume with which they are comfortable.

ADDITIONAL RESOURCES

Book *First Eucharist,* Sadlier Sacrament Program, William H. Sadlier, Inc. 2000. This book helps children and their families prepare to celebrate First Eucharist.

Video *The Mass for Young Children, Part 2,* Ikonographics. This video focuses on giving and sharing, remembering and belonging, and receiving and serving. (15 minutes)

To find more ideas for books, videos, and other learning material visit Sadlier's

www.CREEMOSweb.com

Meta catequética

• Presentar lo que hacemos y decimos durante la Liturgia de la Eucaristía

PREPARANDOSE PARA ORAR

Los niños se congregarán para ofrecer sus ideas, palabras y acciones en oración.

• Explique a los niños que los guiará en la oración.

El lugar de oración

• Opcional: Prepare tres cajas de regalo como las que aparecen en esta página. Colóquelas en el lugar de oración.

• Ponga fotografías de personas compartiendo el amor de Dios.

• Coloque pan y uvas en la mesa de oración.

18 Celebramos la Liturgia de la Eucaristía

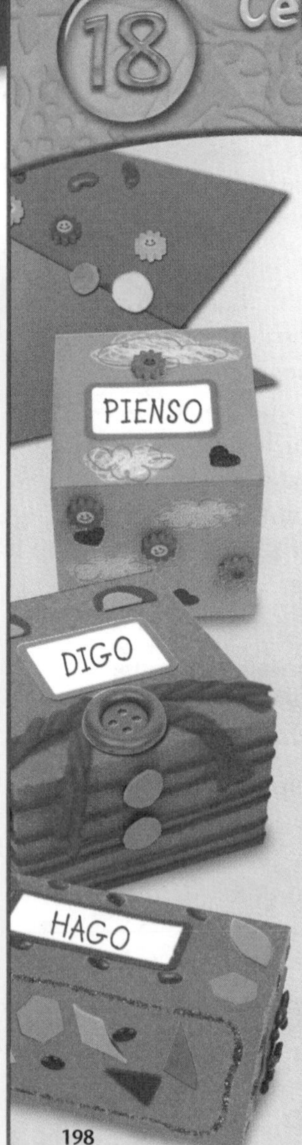

NOS CONGREGAMOS

Líder: Escriban sus iniciales en cada caja de regalo para mostrar que ofrecen a Dios todo lo que piensan, dicen y hacen.

Repitan cada oración.

Levantamos nuestras mentes y corazones en oración.
Dios, te ofrecemos este día.
Lo que pensemos, hagamos o digamos.
Unidos a lo hecho en la tierra.
Por tu Hijo Jesucristo.

¿Cuáles son algunas formas en que mostrarás agradecimiento a otros?

CREEMOS

Ofrecemos los regalos de pan y vino.

La **Liturgia de la Eucaristía** es la segunda parte de la misa. Aquí presentamos el pan y el vino. Se hace una oración muy especial. El pan y el vino se convierten en el Cuerpo y la Sangre de Cristo. Recibimos el Cuerpo y la Sangre de Cristo.

Empezamos la Liturgia de la Eucaristía preparando el altar. Es también el momento en que ofrecemos dinero y nuestros regalos a la Iglesia y a los pobres. Los miembros de la asamblea ofrecen sus regalos de pan y vino.

198

Planificación de la lección

NOS CONGREGAMOS ___ minutos

Oración

• Recen juntos la Señal de la Cruz. Luego, pida a los niños que abran sus libros en la página 198. Pida a los niños que sigan las instrucciones de la actividad que aparece en esta página, y que escriban sus iniciales en cada caja de regalo.

• Los niños se pondrán de pie con sus libros abiertos.

• Lea cada renglón de la oración y pida a los niños que hagan el eco de sus palabras.

Mirando la vida

• Pida a los niños que compartan como pueden mostrarse agradecidos con otras personas en sus vidas.

• Lea la *Historia para el capítulo* de la página 198A.

CREEMOS ___ minutos

Escriba *Liturgia de la Eucaristía* en la pizarra. Lea en voz alta el primer párrafo de la página 198. Pida a los niños que lean en voz alta la definición de *Liturgia de la Eucaristía* en la sección *Vocabulario* de la página 204.

Sugiera a voluntarios que lean los párrafos siguientes de *Creemos* en las páginas 198 y 200. Pregunte: *¿Quién ha llevado al altar las ofrendas del pan y el vino?* Anime a los niños a compartir sus experiencias con el resto de la clase.

Pida a los niños que subrayen o resalten las palabras que rezamos mientras el sacerdote prepara las ofrendas. ("Bendito seas por siempre Señor".)

We Celebrate the Liturgy of the Eucharist 18

WE GATHER

Leader: Write your initials in each gift box to show that you offer God all that you say, think, and do.

Echo each line of the prayer.

We lift our minds and hearts in prayer.
God, we offer to you today
All we think, and do, and say,
Uniting it with what was done
On earth by Jesus Christ, your Son.

What are some different ways to show your thanks to others?

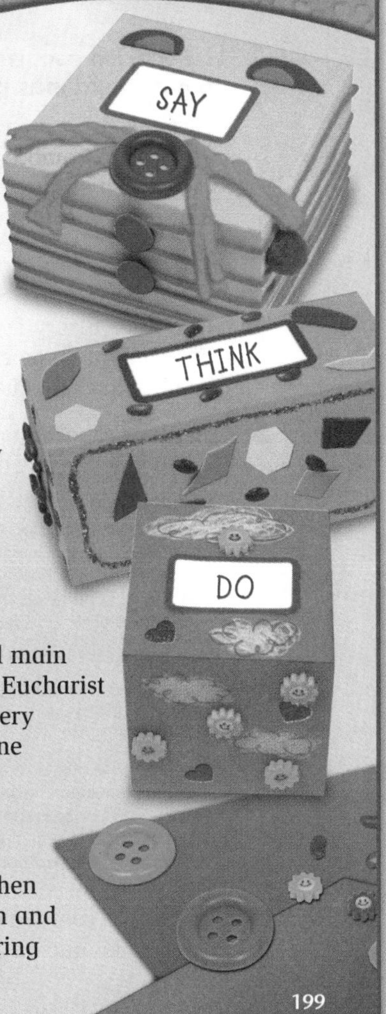

WE BELIEVE

We bring forward the gifts of bread and wine.

The **Liturgy of the Eucharist** is the second main part of the Mass. During the Liturgy of the Eucharist we present the gifts of bread and wine. A very special prayer is prayed. The bread and wine become the Body and Blood of Christ. We receive the Body and Blood of Christ.

We begin the Liturgy of the Eucharist by preparing the altar. This is also the time when we give money or other gifts for the Church and the poor. Then members of the assembly bring forward the gifts of bread and wine.

199

Catechist Goal

- To present what we say and do during the Liturgy of the Eucharist

PREPARING TO PRAY

Children will gather to offer their thoughts, words, and actions in prayer.

- Explain to the children that you will lead them in prayer.

The Prayer Space

- Option: Make three gift boxes like the ones shown on this page. Display them in the prayer space.
- Display photographs of people sharing God's love with others.
- On the prayer table place bread and grapes.

Lesson Plan

WE GATHER ___ minutes

Prayer

- Pray the Sign of the Cross together. Then have the children open their books to page 199. Invite the children to follow the directions for the activity on this page, and write their initials on each gift box.
- Ask the children to stand and lift their opened books.
- Read each line of the prayer and have the children echo the words.

Focus on Life

- Ask the children to share ways that they can show thanks to others in their lives.
- Read aloud the *Chapter Story* on guide page 198B.

WE BELIEVE ___ minutes

Write *Liturgy of the Eucharist* on the board. Read aloud the first paragraph on page 199. Have the children read aloud the definition of *Liturgy of the Eucharist* in the *Key Words* box on page 205.

Invite volunteers to read the remaining paragraphs of *We Believe* on pages 199 and 201. Ask: *Has anyone here brought forward the gifts of bread and wine?* Encourage the children to share their experiences.

Invite the children to highlight or underline the words we pray as the priest prepares the gifts. ("Blessed be God for ever.")

Nuestra respuesta en la fe

- Agradecer el don de la Eucaristía

Liturgia de la Eucaristía

oración eucarística

Materiales

- copias del patrón 18
- marcadores o crayones

Conexión con el hogar

Pida a los niños que hablen sobre la experiencia de compartir con sus familias lo que aprendieron en el capítulo 17.

Recordamos que todo lo que tenemos es un regalo de Dios. Ofrecemos a Dios esos regalos y el regalo de nosotros mismos. El sacerdote prepara los regalos de pan y vino con oraciones especiales. Respondemos: "Bendito seas por siempre, Señor". Después pedimos al Señor que acepte nuestros regalos.

La oración eucarística es la oración de acción de gracias y alabanza más grande.

Después de la preparación de los regalos, el sacerdote reza en nuestro nombre. El hace la oración más importante de la misa. Esta es la **oración eucarística**. Esta es la oración de alabanza y acción de gracias más grande.

Durante esta oración rezamos por muchas cosas. Alabamos a Dios cantando: "Santo, santo, santo . . ." Recordamos lo que Jesús hizo y dijo en la última cena.
El sacerdote toma el pan y dice: "Tomad y comed todos de él, esto es mi cuerpo que será entregado por ustedes".

Después el sacerdote toma la copa de vino y dice: "Tomad y bebed todos de ella, esto es el cáliz de mi sangre. . ."

Lee conmigo

Esta parte de la oración eucarística es llamada consagración. Por el poder del Espíritu Santo y por las palabras y acciones del sacerdote, el pan y el vino se convierten en el Cuerpo y la Sangre de Cristo. Lo que parece pan y vino ya no es pan y vino. El pan y el vino son ahora el Cuerpo y la Sangre de Cristo. Como católicos creemos que Jesucristo está realmente presente en la Eucaristía.

El sacerdote nos invita a proclamar nuestra fe. Rezamos:

"Anunciamos tu muerte,
proclamamos tu resurrección.
¡Ven, Señor Jesús!"

Rezamos para que el Espíritu Santo una a todos los que creen en Jesús. Terminamos la oración eucarística respondiendo "Amén". Decimos "sí" a la oración que el sacerdote ha rezado en nuestro nombre.

Habla sobre lo que pasa durante la oración eucarística.

200

Planificación de la lección

CREEMOS (continuación)

Escriba en la pizarra *oración eucarística.* Explique: *La oración eucarística es la oración más importante de la misa.* Diga a los niños que en muchas parroquias la congregación se pone de rodillas durante la oración eucarística.

Diga a un voluntario que lea la afirmación *Creemos* y los tres primeros párrafos de la página 200. Señale: *El sacerdote dice las mismas palabras que Jesús dijo a sus discípulos en la última cena.* Si así lo desea, lea el relato evangélico de la última cena en Marcos 14:22–24.

Escriba la palabra *consagración* en la pizarra. Luego, lea los párrafos de *Lee conmigo.*

Pida a los niños que encierren en un círculo las palabras del sacerdote.

Cotejo rápido

✔ *¿Por qué la Liturgia de la Eucaristía es una parte tan importante de la misa?* (Porque durante la Liturgia de la Eucaristía las ofrendas del pan y el vino se convierten en el Cuerpo y la Sangre de Cristo.)

✔ *¿Qué estamos diciendo cuando respondemos "Amén" al final de la oración eucarística?* (Estamos diciendo que "sí" a la oración que el sacerdote rezó en representación nuestra.)

We remember that everything we have is a gift from God. We will offer these gifts and ourselves back to God. The priest prepares these gifts of bread and wine with special prayers. We can respond: "Blessed be God for ever."

Then we pray that the Lord will accept these gifts.

The eucharistic prayer is the great prayer of thanks and praise.

After the preparation of the gifts, the priest prays in our name. He prays the most important prayer in the Mass. This prayer is called the **eucharistic prayer**. It is the great prayer of praise and thanksgiving.

During this prayer we pray for many things. We praise God by singing "Holy, holy, holy. . . ." We remember what Jesus said and did at the Last Supper. The priest takes the bread. He says: "Take this, all of you, and eat it: this is my body which will be given up for you."

Then the priest takes the cup of wine. He says: "Take this, all of you, and drink from it: this is the cup of my blood. . . ."

Read Along

This part of the eucharistic prayer is called the consecration. By the power of the Holy Spirit and through the words and actions of the priest, the bread and wine become the Body and Blood of Christ. What looks like bread and wine is not bread and wine anymore. The bread and wine are now the Body and Blood of Christ. As Catholics we believe that Jesus Christ is really present in the Eucharist.

The priest invites us to proclaim our faith. We pray:
"Christ has died,
Christ is risen,
Christ will come again."

We pray that the Holy Spirit will unite all those who believe in Jesus. We end the eucharistic prayer by responding "Amen." We are saying "yes" to the prayer the priest has prayed in our name.

 Talk about what happens during the eucharistic prayer.

201

Our Faith Response

- To be thankful for the gift of the Eucharist

Liturgy of the Eucharist
eucharistic prayer

Materials

- copies of Reproducible Master 18
- highlighters or crayons

Home Connection Update

Ask the children to talk about their experience when sharing with their families what they learned in Chapter 17.

Lesson Plan

WE BELIEVE (continued)

Write *eucharistic prayer* on the board. Explain: *The eucharistic prayer is the most important prayer in the Mass.* You may want to tell the children that in many parishes the assembly kneels during the eucharistic prayer.

Ask volunteers to read the *We Believe* statement and the first three paragraphs on page 201. Point out: *The priest says the same words that Jesus said to his disciples during the Last Supper.* You may want to read the gospel story of the Last Supper in Mark 14:22–24.

Write the word *consecration* on the board. Then read the *Read Along* paragraphs.

Have the children circle the words of the priest.

Quick Check

✔ *Why is the Liturgy of the Eucharist such an important part of the Mass?* (During the Liturgy of the Eucharist the gifts of bread and wine become the Body and Blood of Christ.)

✔ *What are we saying when we pray "Amen" at the end of the eucharistic prayer?* (We are saying "yes" to the prayer the priest has prayed in our name.)

Banco de Actividades

El don de nosotros mismos

Materiales: cartulina, papel de dibujo, cintas, crayones, marcadores, pegamento, tijeras

Ayude a los niños a cortar y doblar cartulina para formar una caja. Pueden decorar la caja con cintas y dibujos. Pídales que utilicen una hoja de papel de dibujo para ilustrar sus respuestas a lo siguiente: *¿Qué don de ti mismo elegirías para ofrecer a Dios durante la presentación de las ofrendas?* Una vez terminado el dibujo deberán colocarlo dentro de la caja de obsequio. Invítelos a caminar al lugar de oración con la caja en la mano y en espíritu de oración.

Como católicos...

Receptáculos para la comunión

Lea en voz alta el texto *Como católicos*. Si puede, pida a uno de los sacerdotes de la parroquia que muestre a los niños una patena, un cáliz y una hostia no consagrada.

Rezamos el Padrenuestro y pedimos a Dios perdón y paz.

Después de la oración eucarística nos preparamos para recibir el Cuerpo y la Sangre de Cristo. Nos unimos a toda la Iglesia. Rezamos el Padrenuestro.

Después del Padrenuestro el sacerdote dice: "La paz os dejo, mi paz os doy". Rezamos para que la paz de Cristo esté siempre con nosotros. Nos damos el saludo de paz. Esta acción muestra que estamos unidos a Cristo y a los demás.

Después pedimos a Jesús perdón y paz:

"Cordero de Dios, que quitas el pecado del mundo,
ten piedad de nosotros.

Cordero de Dios, que quitas el pecado del mundo,
ten piedad de nosotros.

Cordero de Dios, que quitas el pecado del mundo,
danos la paz".

Mientras rezamos el "Cordero de Dios", el sacerdote parte la Hostia que ha sido convertida en el Cuerpo de Cristo.

¿Por qué nos damos el saludo de la paz en la misa?

Como católicos...

La Iglesia usa un plato y una copa especiales en la misa. El plato se llama *patena*. La patena sostiene el pan que se convertirá en el Cuerpo de Cristo. La copa se llama *cáliz*. El cáliz contiene el vino que será la Sangre de Cristo. La próxima vez que estés en misa fíjate en la patena y en el cáliz.

202

Planificación de la lección

CREEMOS (continuación)

Pida un voluntario para que lea en voz alta la afirmación *Creemos* y el primer párrafo de la página 202. Recuerde a los niños que el Padrenuestro es la oración que Jesús nos enseñó. Explique: *Cuando rezamos estas palabras en la misa nos unimos a toda la Iglesia en oración.*

Lea los otros párrafos de la página 202. Señale: *Debemos compartir el saludo de la paz con los demás con espíritu de respeto y de oración.* Pregunte: *¿Qué otra palabra podemos usar para expresar misericordia?* (compasión) Luego, lean juntos las palabras del "Cordero de Dios".

Sugiera a los niños que comenten en pares por qué compartimos el saludo de la paz en la misa. Permita que lleguen a la conclusión de que: *Por medio del signo de la paz mostramos que estamos unidos a Cristo y los unos a los otros.* Pida a los niños que compartan el saludo de la de paz con las personas que están a su alrededor.

We pray the Our Father and ask God for forgiveness and peace.

After the eucharistic prayer, we prepare to receive the Body and Blood of Christ. We join ourselves with the whole Church. We pray the Our Father.

After the Our Father, the priest prays, "Peace I leave with you; my peace I give to you." (John 14:27) We pray that Christ's peace may be with us always. We offer a sign of peace to one another. This action shows that we are united to Christ and to one another.

Then we ask Jesus for forgiveness and peace:

"Lamb of God, you take away
the sins of the world:
have mercy on us.

Lamb of God, you take away
the sins of the world:
have mercy on us.

Lamb of God, you take away
the sins of the world:
grant us peace."

As we pray the "Lamb of God," the priest breaks the Bread or Host that has become the Body of Christ.

Why do we share a sign of peace at Mass?

As Catholics...

The Church uses a special plate and cup at Mass. The plate is called a *paten*. The paten holds the bread that will become the Body of Christ. The cup is called a *chalice*. The chalice holds the wine that will become the Blood of Christ. The next time you are at Mass, notice the paten and chalice.

203

Activity Bank

Gift of Ourselves

Materials: construction paper, drawing paper, ribbons, crayons, markers, glue, scissors

Help the children cut and fold a piece of construction paper to form a box. Ask them to decorate the box with ribbons and drawings. Have the children use a piece of drawing paper and illustrate their response to the following: *What gift of yourself would you choose to offer to God during the presentation of the gifts?* Have them place their completed picture inside of their gift boxes. Invite the children to prayerfully process to the prayer space with their gift boxes.

As Catholics...

Communion Vessels

After working on these two pages, read aloud the *As Catholics* text. If possible, ask one of the priests in the parish to show the children a paten, a chalice, and an unconsecrated host.

Lesson Plan

WE BELIEVE (continued)

Invite a volunteer to read the *We Believe* statement and the first paragraph on page 203. Remind the children that the Our Father is a prayer that Jesus taught us. Explain: *When we pray these words at Mass, we join ourselves with the whole Church.*

Read the other paragraphs on page 203. Point out: *We should be prayerful and respectful when sharing the sign of peace with others.* Ask: *What is another word for mercy?* (forgiveness) Then read together the words of the "Lamb of God."

Direct the children to discuss in pairs why we share the sign of peace at Mass. Help all to conclude: *We show that we are united to Christ and to one another.* Have the children share a sign of peace with the people near them.

Nota para enseñar

El Padrenuestro

El significado de las palabras del Padrenuestro se presenta en el libro de *Creemos* primer curso del programa. (Consulte el capítulo 8). El significado de las palabras de la oración también se explica en el libro para segundo curso. (Consulte el capítulo 24).

Recibimos a Jesucristo en la sagrada comunión.

Después del "Cordero de Dios" el sacerdote sostiene la Hostia que es ahora el Cuerpo de Cristo y dice: "Este es el Cordero de Dios que quita el pecado del mundo. Dichosos los invitados a la cena del Señor".

Contestamos:
"Señor, no soy digno de que entres en mi casa, pero una palabra tuya bastará para sanarme".

Después el pueblo va a recibir la comunión. El sacerdote o el ministro de la eucaristía muestra la Hostia a la persona y dice: "El Cuerpo de Cristo". La persona responde: "Amén" y recibe la comunión.

Después el sacerdote o el ministro de la eucaristía ofrece la copa a la persona y dice: "La Sangre de Cristo". La persona contesta: "Amén" y bebe de la copa.

Todos cantamos un himno de acción de gracias. Después pasamos un momento en oración. Damos gracias a Jesús por el regalo de sí mismo en la comunión.

RESPONDEMOS

Escribe lo que puedes hacer para dar gracias a Jesús por el regalo de sí mismo en la Eucaristía.

____

204

Vocabulario

Liturgia de la Eucaristía la parte de la misa en que las ofrendas de pan y vino se convierten en el Cuerpo y la Sangre de Cristo

oración eucarística la oración más importante de la misa

Planificación de la lección

CREEMOS (continuación)

Diga a los niños que miren las fotografías que se encuentran en estas páginas. Hable sobre lo que está ocurriendo en cada una. Destaque: *Debemos ser respetuosos cuando vamos a comulgar.* Explique: *Podemos recibir la hostia en la mano o en la boca.*

Ayude a los niños a comprender la importancia de hablar en silencio con Jesús durante el momento de oración. En este tiempo le agradecemos a Jesús que se haya entregado a sí mismo en la Eucaristía.

Vocabulario Repase las palabras del *Vocabulario.* Pida voluntarios que escriban las definiciones en la pizarra.

RESPONDEMOS

____ minutos

Conexión con la vida Un voluntario leerá la pregunta de la sección *Respondemos.* Pida a los niños que compartan sus respuestas con sus compañeros.

Repase las oraciones de la misa que los niños han aprendido hasta ahora. Es posible que los niños usen sus misales (páginas 307 a 310). Siga animando a los niños a usar estos misales en la misa.

Key Words

Liturgy of the Eucharist the second main part of the Mass in which the gifts of bread and wine become the Body and Blood of Christ

eucharistic prayer the most important prayer of the Mass

We receive Jesus Christ in Holy Communion.

After the "Lamb of God," the priest holds up the Host that has become the Body of Christ. He says,

"This is the Lamb of God who takes away the sins of the world. Happy are those who are called to his supper."

We respond,
"Lord, I am not worthy to receive you,
but only say the word and I shall be
healed."

Then people go forward to receive Communion. The priest or special minister of the Eucharist shows the Host to each person and says, "The body of Christ."
Each person responds, "Amen"
and receives Holy Communion.

Then the priest or special minister of the Eucharist may hand the cup to each person saying, "The blood of Christ."
Each person responds, "Amen"
and drinks from the cup.

We all sing a song of thanksgiving. Then there is quiet time. We thank Jesus for the gift of himself in Holy Communion.

WE RESPOND

Write what you can do to thank Jesus for the gift of himself in the Eucharist.

____

205

Teaching Note

The Our Father

The meaning of the words of the Our Father is presented in the Grade 1 *We Believe* pupil's text. (See Chapter 8.) The meaning of the prayer words are also explained in the Grade 2 text. (See Chapter 24.)

Lesson Plan

WE BELIEVE (continued)

Direct attention to the photographs on these pages. Talk about what is happening in each one. Stress: *When we go forward to receive Holy Communion, we should be respectful.* Explain: *We may receive the Host in the hand or on the tongue.*

Help the children to understand that it is important to talk to Jesus during the quiet time of prayer. During this time we thank Jesus for giving himself to us in Holy Communion.

Key Words Review the *Key Words.* Have volunteers print the definitions on the board.

WE RESPOND

____ minutes

Connect to Life Have a volunteer read the *We Respond* question. Ask the children to share their answers.

Review the Mass prayers the children have learned so far. You may want to have the children use their Mass booklets (pages 311 to 314). Continue to encourage the children to use these booklets at Mass.

Banco de Actividades

Inteligencia múltiple

Intrapersonal

Materiales: papel para escribir, lápices, cartulina, marcadores y crayones

Entregue a cada niño una hoja de papel. Pida a los niños que escriban notas de agradecimiento a Jesús expresando de que están agradecidos por sus dones, especialmente el don de la Eucaristía. Después de que los niños hayan escrito las notas para Jesús, ayúdelos a colocarlas sobre cartulina y pida que las decoren. Sugiera a los niños que compartan las notas con sus familias.

Parroquia

Ministros de la Eucaristía

Invite a ministros de la Eucaristía para que hablen al grupo. Anime a los ministros a hablar de su papel en la parroquia, especialmente durante la celebración de la misa.

Conexion con el Hogar

Compartiendo lo aprendido

Recuerde a los niños compartir con sus familias lo aprendido en este capítulo.

Anime a los niños a pedir a su familia que escriban juntos una oración de agradecimiento a Jesús en la Eucaristía.

Para más información y actividades adicionales visite a Sadlier

www.CREEMOSweb.com

Planifique por adelantado

Lugar de oración: paquete de semillas, maceta pequeña con tierra, planta

Materiales: copias de patrón 19, 2–3 CD

____ minutos

Repaso del capítulo

Explique a los niños que para las preguntas de 1 a 4 deberán rellenar el círculo que se encuentra junto a cada respuesta correcta. Explíqueles que deben leer cada oración y elegir la o las palabras que resulten mejores para terminar la oración.

Repaso — Capítulo 18

Colorea el círculo al lado de la respuesta correcta.

1. La segunda parte de la misa es ____.
   ○ el Padrenuestro ● la Liturgia de la Eucaristía
2. El pan y el vino se convierten en el Cuerpo y la Sangre de Cristo durante ____.
   ○ el Padrenuestro ● la oración eucarística
3. Empezamos la Liturgia de la Eucaristía ____.
   ● preparando el altar ○ cantando Amén
4. Después de rezar el ____ somos invitados a compartir la Eucaristía.
   ● Cordero de Dios ○ Santo, santo, santo
5. ¿Por qué la oración eucarística es la oración más importante de la misa?
   Porque es la oración de alabanza y acción de gracias más grande. El pan y el vino se convierten en el Cuerpo y la Sangre de cristo.

Reflexiona y ora

Escribe una oración a Jesús sobre recibirlo en la comunión.

206

PÁGINA DEL ESTUDIANTE 206

Una vez que los niños hayan terminado lea en voz alta cada oración con la respuesta correcta. Aclare cualquier concepto que los niños no hayan comprendido correctamente.

A continuación pida que los niños lean la quinta pregunta. Permita que los niños tengan tiempo para escribir la respuesta en sus libros. Pida a voluntarios que compartan sus respuestas.

Reflexiona y ora Pida a los niños que escriban una oración a Jesús sobre el momento de recibir la Sagrada Comunión. Recuerde a los niños que deben respetar la privacidad de los demás.

Respondemos y compartimos la fe

____ minutos

Recuerda Lea las cuatro afirmaciones de *Creemos.* Recuerde a los niños que estas afirmaciones se refieren a la Liturgia de la Eucaristía. Compartan de qué modo podemos ofrecer nuestros dones a Jesús. Los niños reflexionarán sobre la paz y el sentido de comunidad que se experimenta en esta parte de la misa.

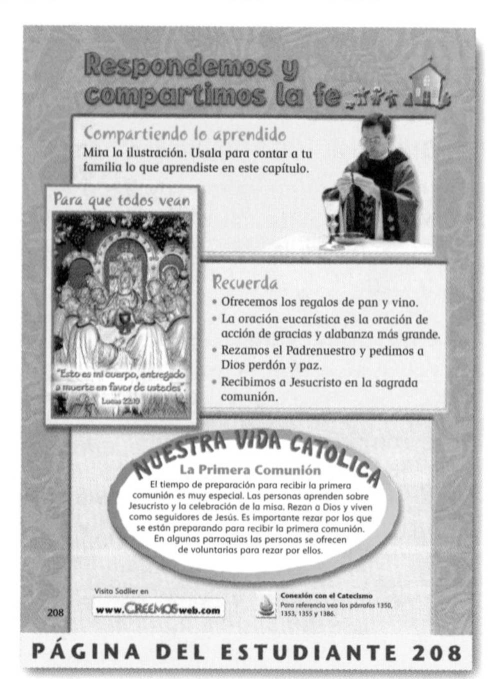
Respondemos y compartimos la fe

Compartiendo lo aprendido

Mira la ilustración. Usala para contar a tu familia lo que aprendiste en este capítulo.

Para que todos vean

"Esto es mi cuerpo, entregado a muerte en favor de ustedes". Lucas 22:19

Recuerda

- Ofrecemos los regalos de pan y vino.
- La oración eucarística es la oración de acción de gracias y alabanza más grande.
- Rezamos el Padrenuestro y pedimos a Dios perdón y paz.
- Recibimos a Jesucristo en la sagrada comunión.

NUESTRA VIDA CATOLICA

La Primera Comunión

El tiempo de preparación para recibir la primera comunión es muy especial. Las personas aprenden sobre Jesucristo y la celebración de la misa. Rezan a Dios y viven como seguidores de Jesús. Es importante rezar por los que se están preparando para recibir la primera comunión. En algunas parroquias las personas se ofrecen de voluntarias para rezar por ellos.

Visita Sadlier en www.CREEMOSweb.com

Conexión con el Catecismo
Para referencia vea los párrafos 1350, 1353, 1355 y 1386.

208

PÁGINA DEL ESTUDIANTE 208

Nuestra vida católica

Lea en voz alta "La Primera Comunión". Pida a los niños que se tomen de la mano para formar un círculo y ofrecer una oración por quienes se están preparando para recibir la Primera Comunión.

_____ minutes

Chapter Review Explain to the children that for numbers 1–4 they will be filling in the circle next to the correct answer to each question. Instruct them to read each sentence and choose the word or words that best finish each sentence.

When the children have finished, read aloud each sentence with the correct answer. Clear up any misconceptions that may arise.

Finally, have the children read the fifth question. Give them time to write their answers in their books. Ask volunteers to share their responses.

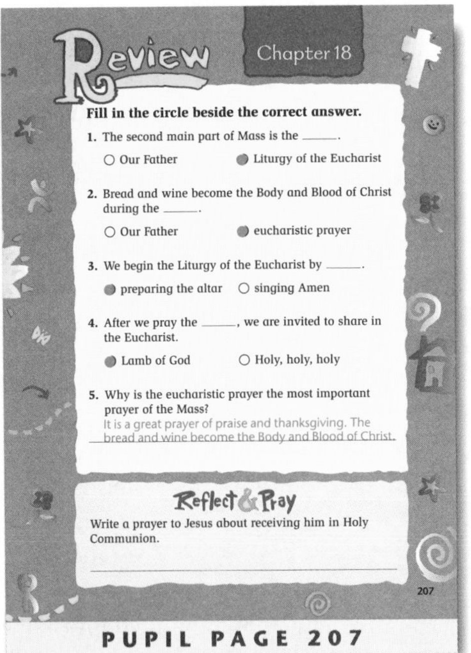
Review Chapter 18

Fill in the circle beside the correct answer.

1. The second main part of Mass is the ____.
   ○ Our Father ● Liturgy of the Eucharist
2. Bread and wine become the Body and Blood of Christ during the ____.
   ○ Our Father ● eucharistic prayer
3. We begin the Liturgy of the Eucharist by ____.
   ● preparing the altar ○ singing Amen
4. After we pray the ____, we are invited to share in the Eucharist.
   ● Lamb of God ○ Holy, holy, holy
5. Why is the eucharistic prayer the most important prayer of the Mass?
   It is a great prayer of praise and thanksgiving. The bread and wine become the Body and Blood of Christ.

Reflect & Pray

Write a prayer to Jesus about receiving him in Holy Communion.

207

PUPIL PAGE 207

Reflect & Pray Invite the children to write a prayer to Jesus about receiving Holy Communion. Remind them to respect each other's privacy.

We Respond and Share the Faith

____ minutes

Remember Read the four *We Believe* statements. Remind the children that these statements are about the Liturgy of the Eucharist. Share ways that we can offer our gifts to Jesus. Ask them to recall the peace and sense of community experienced in this part of the Mass.

Our Catholic Life Read aloud "First Holy Communion." Ask the children to join hands to form a circle and offer a prayer for those who are preparing to receive their first Holy Communion.

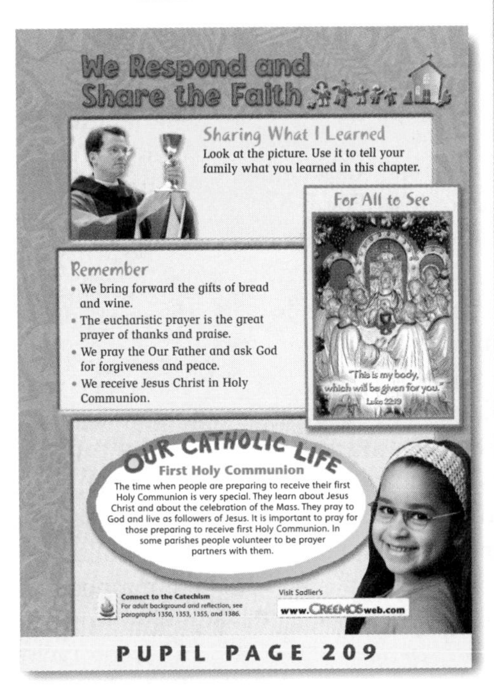
We Respond and Share the Faith

Sharing What I Learned

Look at the picture. Use it to tell your family what you learned in this chapter.

For All to See

"This is my body, which will be given for you." Luke 22:19

Remember
- We bring forward the gifts of bread and wine.
- The eucharistic prayer is the great prayer of thanks and praise.
- We pray the Our Father and ask God for forgiveness and peace.
- We receive Jesus Christ in Holy Communion.

Our Catholic Life

First Holy Communion

The time when people are preparing to receive their first Holy Communion is very special. They learn about Jesus Christ and about the celebration of the Mass. They pray to God and live as followers of Jesus. It is important to pray for those preparing to receive first Holy Communion. In some parishes people volunteer to be prayer partners with them.

Connect to the Catechism
For adult background and reflection, see paragraphs 1350, 1353, 1355, and 1386.

Visit Sadlier's www.CREEMOSweb.com

PUPIL PAGE 209

Activity Bank

Multiple Intelligences

Intrapersonal

Materials: writing paper, pencils, construction paper, markers and crayons

Give each child a sheet of writing paper. Ask the children to write thank-you notes to Jesus expressing why they are thankful for His gifts, especially the gift of the Eucharist. After the children have written the notes, help them mount the notes on construction paper, and decorate the notes to Jesus. Encourage the children to share their notes with their families.

Parish

Special Ministers of the Eucharist

Invite special ministers of the Eucharist to speak to the group. Encourage the ministers to talk about their roles in the parish, especially during the celebration of the Mass.

Home Connection

Sharing What I Learned

Remind the children to share with their families what they learned in this chapter.

Encourage the children to ask their families to write together a prayer of thanks to Jesus for the Eucharist.

For additional information and activities, encourage families to visit Sadlier's

www.CREEMOSweb.com

Plan Ahead for Chapter 19

Prayer Space: packet of seeds, small pot of soil, plant

Materials: copies of Reproducible Master 19, Grade 2 CD

Vamos en paz a compartir el amor de Dios

Ojeada

En este capítulo los niños aprenderán cómo continuar con la celebración de la eucaristía en nuestras vidas.

Contenido doctrinal	Para referencial del *Catecismo de la Iglesia Católica*
Los niños aprenderán que:	párrafo
• Somos enviados a compartir el amor de Dios con otros.	1332
• Jesús está presente en el Santísimo Sacramento.	1418
• Jesús está con la Iglesia mientras compartimos el amor de Dios.	1397
• Jesús está con nosotros mientras compartimos su paz con los demás.	1416

Referencia catequética

¿En qué piensa cuando escucha las palabras "comunidad cristiana"?

Hace cientos de años, San Francisco de Asís comenzó una comunidad cristiana inspirada en el Nuevo Testamento. Esta comunidad, como la comunidad primitiva de la Iglesia, compartía la eucaristía, la oración, el trabajo y todo lo que tenían. Estas comunidades se basaban en la realidad de Jesús presente entre ellos, trabajando a través de ellos.

Después de la celebración de la Eucaristía, las palabras de la bendición pueden resonar en nuestros oídos: "Podéis ir en paz". Estas palabras nos desafían a continuar la obra de Jesús en el mundo, la misión de la Iglesia.

Desde la misa llevamos el espíritu del perdón y la paz de Jesús a los demás. Hacemos lo que podemos para disminuir la violencia en el área donde vivimos, y rezamos por las regiones del mundo donde imperan el odio y la violencia.

El amor y la generosidad de Jesús se convierten en nuestra segunda naturaleza cuando él vive en nosotros a través de la eucaristía. Hacemos realidad este amor cuando nos ocupamos de los demás, especialmente de los pobres, los necesitados, y aquellos cuyos derechos han sido negados. Visitamos a Jesús en el Santísimo Sacramento, porque sabemos que está allí para motivarnos y fortalecernos. Con nuestras palabras y obras podemos hacer que otros crean en Jesús.

¿Qué revelan sobre Jesús sus palabras y Obras?

Mirando la vida

Historia para el capítulo

El sábado pasado el papá de Laura le pidió a su hermano Alex que fuera con su hermana al parque y la cuidara. Cuando llegaron al parque Laura vio a su amiga Keisha en la fila del bebedero. "Alex, me quedaré aquí mientras vas a jugar básquetbol". Laura tenía mucha sed, así que se puso en la fila delante de Keisha. Keisha empujó a Laura y comenzó a gritar. Ninguna quería moverse de donde estaba.

Al acercarse, Alex vio y escuchó a las dos amigas peleando.

"¿Por qué están peleando? Pensé que eran buenas amigas" dijo Alex.

Keisha contó a Alex lo que había ocurrido.

"¿Por qué te adelantaste en la fila? le preguntó Alex a Laura. Ella explicó que quería ser la primera en llegar.

"¿Cómo te sentirías si Keisha se hubiese puesto delante de ti?" Preguntó Alex.

"Seguramente, no me hubiera gustado. Yo también la hubiera empujado", Laura respondió. Alex sacudió la cabeza y dijo:

"¿Es qué ya no quieren ser amigas?"

Cuando Laura y Keisha se miraron, se dieron cuenta de que sí querían seguir siendo amigas entonces Keisha dijo:

"Lamento haberte empujado. Espero que no te hayas lastimado. Quiero ser tu amiga".

"Bien dicho, Keisha. Laura, ahora es tu turno. ¿Qué quieres decirle a Keisha?" Preguntó Alex.

"Lamento haberme adelantado en la fila. No quería pelear", dijo Laura.

Keisha y Laura se abrazaron y se alejaron caminando juntas. Cuando se dirigían a sus casas Keisha dijo:

"Me alegra que Alex haya hablado con nosotras. Creo que nosotras estábamos de mal humor".

"¿Por qué no hacemos algo por Alex? ¡El nos ayudó a volver a ser amigas!" Exclamó Laura.

¿De qué manera Alex ayudó a Laura y Keisha?

We Go in Peace to Share God's Love

Overview

In this chapter the children will learn about ways we continue the celebration of the Eucharist in our lives.

Doctrinal Content	For Adult Reading and Reflection *Catechism of the Catholic Church*
The children will learn:	Paragraph
• We are sent to share God's love with others.	1332
• Jesus is present in the Blessed Sacrament.	1418
• Jesus is with the Church as we share God's love.	1397
• Jesus is with us as we share his peace with others.	1416

Catechist Background

When you hear the words "Christian community," what comes to mind?

Hundreds of years ago Saint Francis of Assisi started a Christian community that was inspired by the New Testament. His community, like the early Church community described in Acts 4:12—5:16, shared Eucharist, prayer, work, and everything they had. These communities were based on the reality of Jesus among them, working through them.

As we leave our celebration of the Eucharist, we can still hear the closing words ringing in our ears: "Go in peace to love and serve the Lord." These words challenge the parish community to carry on the work of Jesus in the world. This is the mission of the Church.

We carry Jesus' spirit of forgiveness and peace from Mass to others. We do what we can to lessen violence in our own area of life and pray for those parts of the world that are burdened with hatred and violence.

The love and generosity of Jesus become second nature to us when he lives in us through the Eucharist. We make this love real by caring for others, especially the poor, the needy, and those whose rights have been denied. We can visit Jesus in the Blessed Sacrament, knowing that he is there to motivate us and strengthen us. By our Christlike words and actions we should be bringing others to believe in Jesus.

What do your words and actions reveal about Jesus?

Focus on Life

Chapter Story

Last Saturday Lanna's dad asked her brother Alex to go with his sister to the park and watch out for her. When Alex and Lanna got there, Lanna saw her friend Keisha in line at the water fountain. "I'll stay here Alex, while you play basketball." Lanna was thirsty so she cut in the line in front of Keisha. Keisha pushed Lanna and started yelling. Both girls said they were not going to move.

When Alex walked by, he saw and heard the two friends fighting. Alex asked, "Why are you two fighting? I thought you were best friends." Keisha told Alex what happened. He asked Lanna, "Why did you cut in the line?" Lanna explained that she wanted to be first. Alex asked her, "How would you feel if Keisha had cut in the line in front of you?"

Lanna answered, "I wouldn't like it. I would have pushed her, too." Alex just shook his head and said, "Don't you want to be friends any more?" When Lanna and Keisha looked at each other, they realized they wanted to be friends.

Keisha said, "I'm sorry for pushing you. I hope you are not hurt. I want to be your friend." Alex said, "That's good, Keisha. Now Lanna, it's your turn. What do you want to say to Keisha?"

Lanna said, "I'm sorry for cutting in the line. I don't want to fight." Both Keisha and Lanna hugged each other and walked away together. As they walked home Keisha said, "I'm glad Alex talked to us. I guess you and I were both having a bad day." Lanna said, "Why don't we do something for Alex? He helped get us to be friends again!"

How did Alex help Lanna and Keisha?

Guía para planificar la lección

NOS CONGREGAMOS

Pasos de la lección	Presentación	Materiales
pág. 210 ✣ **Oración**	• Escuchar la lectura de la Sagrada Escritura. • Responder con una oración.	• para el lugar de oración: paquete de semillas, maceta con tierra, planta
 **Mirando la vida**	• Comentar las respuestas a las preguntas.	• Biblia

CREEMOS

Pasos de la lección	Presentación	Materiales
pág. 210 *Somos enviados a compartir el amor de Dios con otros.*  *El misal romano*	• Presentar lo que sucede al finalizar la misa. • Practicar las oraciones que se responden durante la misa. Completar la actividad para escribir.	• lápices de colores o crayones
pág. 212 *Jesús está presente en el Santísimo Sacramento.*	• Leer el texto sobre la presencia de Jesús en el Santísimo Sacramento. Comentar formas de compartir el amor de Dios con los enfermos. • Leer y comentar *Como católicos.*	• papel de dibujo, marcadores o crayones (opcional)
pág. 214 *Jesús está con la Iglesia mientras compartimos el amor de Dios.*	• Presentar el texto sobre los primeros cristianos. Completar la actividad para escribir.	• lápices o bolígrafos • marcadores o crayones
pág. 216 *Jesús está con nosotros mientras compartimos su paz con los demás.*	• Leer y comentar cómo compartimos la paz de Jesús. • Señalar *Vocabulario* y sus definiciones.	• copias del patrón 19 • mapamundi o globo terráqueo (optional)

RESPONDEMOS

Pasos de la lección	Presentación	Materiales
pág. 216	• Comentar las preguntas en *Respondemos.* Escuchar la canción "Tu palabra me llena".	Canción "Tu palabra me llena", 2–3 CD
páginas 218 y 220 **Repaso**	• Completar las preguntas 1 a 5. • Completar *Reflexiona y ora.*	
páginas 218 y 220 **Respondemos y compartimos la fe**	• Repasar *Recuerda* y *Vocabulario.* • Leer y comentar *Nuestra vida católica.*	

Para ideas, actividades y otras oportunidades visite Sadlier en **www.CREEMOSweb.com**

Lesson Planning Guide

Lesson Steps	Presentation	Materials
1 WE GATHER		
page 211 	• Listen to Scripture. • Respond in prayer.	• prayer space items: packet of seeds, small pot of soil, plant
 **Focus on Life**	• Discuss responses to the questions.	• Bible
2 WE BELIEVE		
page 211 *We are sent to share God's love with others.* *The Roman Missal*	• Present what happens at the end of Mass. • Practice praying the Mass responses. Complete the writing activity.	• colored pencils or crayons
page 213 *Jesus is present in the Blessed Sacrament.*	• Read the text about the presence of Jesus in the Blessed Sacrament. Discuss ways to share God's love with people who are sick. • Read and discuss the *As Catholics* text.	• drawing paper, colored markers or crayons (optional)
page 215 *Jesus is with the Church as we share God's love.*	• Present the text about the early Christians. Complete the writing activity.	• pens or pencils • highlighter or crayon
page 217 *Jesus is with us as we share his peace with others.*	• Discuss how we share Jesus' peace. • Present the *Key Words* and definitions.	• copies of Reproducible Master 19 • world map or globe (option)
3 WE RESPOND		
page 217	• Discuss the We Respond questions. Sing "Take the Word of God with You."	"Take the Word of God with You," #18, Grade 2 CD
pages 219 and 221 **Review**	• Complete questions 1–5. • Complete the *Reflect & Pray* activity.	
pages 219 and 221 **We Respond and Share the Faith**	• Review *Remember* and *Key Words.* • Read and discuss *Our Catholic Life.*	

For additional ideas, activities, and opportunities: Visit Sadlier's **www.CREEMOSweb.com**

Conexiones

Doctrina social de la Iglesia

Llamado a la familia, la comunidad y la participación
Vivimos en una sociedad que a menudo promueve el interés egoísta y satisfacción individual sobre el bien mayor de la comunidad. Explique que la Iglesia enseña que los seres humanos crecen y logran la plenitud en una comunidad. Ponga énfasis en el hecho de que, como católicos tienen el derecho y el deber de participar en la sociedad y de promover el bien común y el bienestar general.

La liturgia

A medida que los niños aprenden sobre la misa y su significado de "anunciar la buena nueva", refuerce la idea de que al finalizar la misa se nos pide que salgamos a hacer el bien como discípulos de Jesús. Ayude a los niños a comprender que servir a nuestras familias y a la comunidad es un modo de seguir celebrando y poniendo en práctica la vida y las enseñanzas de Jesús.

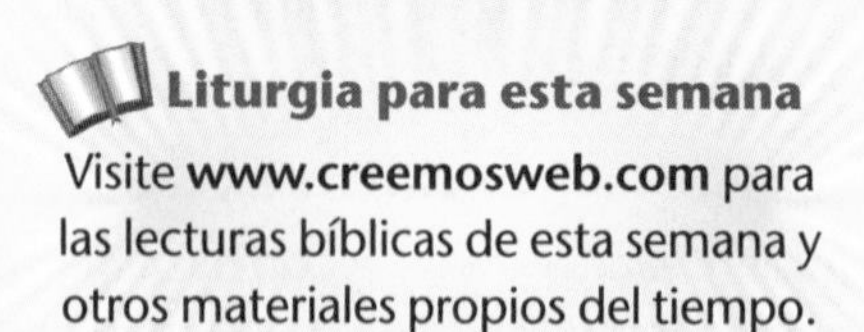

Liturgia para esta semana
Visite **www.creemosweb.com** para las lecturas bíblicas de esta semana y otros materiales propios del tiempo.

FE y MEDIOS

- Si quiere comente con los niños las formas en que las personas utilizan los diferentes medios de comunicación masiva (televisión, radio, Internet, libros católicos, revistas y periódicos) para compartir el amor de Dios.
- Recuerde a los niños que los medios de comunicación se pueden usar para transmitir paz y amor. Pregunte a los niños nombres de programas de televisión, películas, videos musicales, canciones y juegos de video que fomenten la paz y el amor.
- Después de cantar la canción de *Respondemos,* ayude a los niños a encontrar en la prensa escrita (revistas o periódicos) ejemplos de miembros de la comunidad local que hayan compartido el amor de Dios con otras personas como voluntarios, en actos de generosidad o valor. Comente de qué manera estas personas siguen el ejemplo de Jesús.

Necesidades individuales

Enfermedades en la familia

Los niños se sienten afectados cuando hay en su familia un enfermo durante un largo período. Esté atento a las necesidades de esos niños y ayúdelos con sus tareas escolares cuando sea necesario. Pida a todo el grupo que rece con frecuencia por los miembros de las familias que estan enfermos u hospitalizados. Los niños pueden hacer tarjetas para enviar a las persona enfermas deseándoles una pronta recuperación.

RECURSOS ADICIONALES

Video *¿Por qué tengo miedo?—Paz, amor, compromiso,* The Christopher. Serie *Hablemos de ti*—Video #2
Este video enfatiza la importancia de añadir una dimensión espiritual a la búsqueda del éxito y la seguridad. (30 minutos).

Para ideas visite a Sadlier en

www.CREEMOSweb.com

Connections

To Catholic Social Teaching

Call to Family, Community, and Participation
We live in a society that sometimes promotes the self-interest and contentment of the individual above the greater good of the community. Explain that the Church teaches that human beings grow and achieve fulfillment in a community. Impress upon the children that as Catholics they have a right and duty to participate in society, and to promote the common good and well-being of all.

To Liturgy

As the children learn about the Mass and its meaning of "sending forth," reinforce the idea that we are asked at the conclusion of the Mass to go out and to do good as a disciple of Jesus. Help the children to understand that serving our families and the community is a way we continue to celebrate and put into practice the life and teachings of Jesus.

This Week's Liturgy
Visit **www.creemosweb.com** for this week's liturgical readings and other seasonal material.

FAITH and MEDIA

- Consider discussing the ways people can use various media (television, radio, the Internet, Catholic books, magazines, and newspapers) to share God's love with others.
- Remind the children that the media can be used to spread peace and love. Ask the children to name television programs, movies, music videos, songs, or video games that encourage peace and love.
- After singing the *We Respond* song, help the children find examples in print media (magazines and newspapers) of people in the local community who have shared God's love with others as volunteers, in acts of generosity and/or bravery. Discuss the ways these people are following Jesus' example.

Meeting Individual Needs

Illness in Families

Children are affected when people in their families are sick for an extended period of time. Be sensitive to these children and give them extra help in school work when it is needed. Have the entire group pray often for family members who are sick or hospitalized. Make get well cards to send.

ADDITIONAL RESOURCES

Book *Jesus With Us:* The Gift of the Eucharist, Anthony Tarzia, Pauline Books and Media, 1996. This book is about the history of the Eucharist and its centrality in the Church today.

Video *The Angel's Mass Lesson,* Twenty-Third Publications, 1996. An angel leads a young boy back in time to the early Church to understand the celebration of the Eucharist at that time. (13 minutes)

To find more ideas for books, videos, and other learning material visit Sadlier's

www.CREEMOSweb.com

Meta catequética

• Recalcar que somos enviados a compartir el amor y la paz de Dios con los demás

Preparandose para orar

Los niños escucharán y responderán a las palabras de Jesús en el evangelio.

• Escoja un líder y un lector.

• Pida al resto de los niños que formen tres grupos. Permita que los niños tengan tiempo suficiente para leer las palabras que rezarán.

El lugar de oración

• Coloque un paquete de semillas, una maceta con tierra y una planta sobre la mesa de oración.

19 Vamos en paz a compartir el amor de Dios

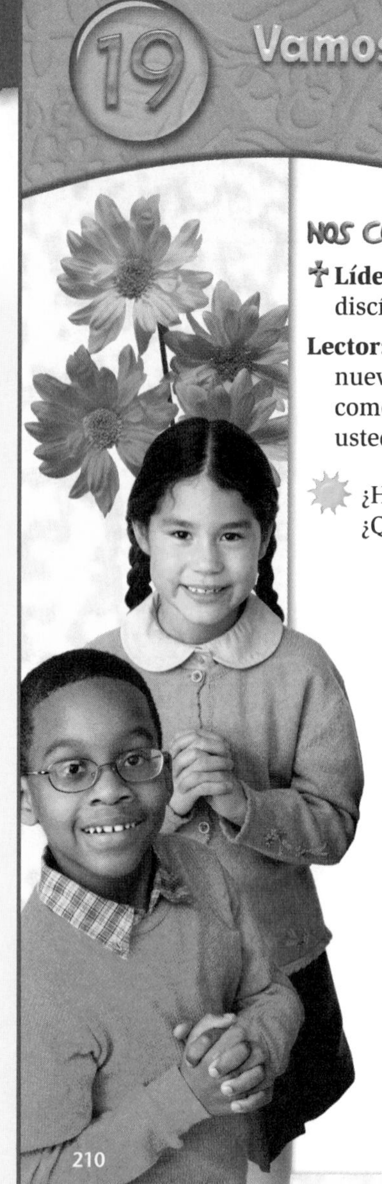

Nos congregamos

✝ **Líder:** Vamos a escuchar lo que Jesús dijo a sus discípulos en la última cena.

Lector: Jesús dijo: "Les doy este mandamiento nuevo: Que se amen los unos a los otros. Así como yo los amo a ustedes, así deben amarse ustedes los unos a los otros". (Juan 13:34–35)

¿Has sido enviado a hacer algo alguna vez? ¿Quién te envió? ¿Qué hiciste y qué no hiciste?

Creemos

Somos enviados a compartir el amor de Dios con otros.

Los primeros discípulos fueron enviados a continuar la misión de Jesús. También nosotros somos discípulos. Jesús nos pide continuar su misión. Al final de cada misa el sacerdote nos envía a compartir el amor de Dios con otros.

Antes de enviarnos, el sacerdote nos bendice. El hace la señal de la cruz y dice:

"La bendición de Dios todopoderoso, Padre, Hijo y ✝ Espíritu Santo".

Respondemos: "Amén".

Planificación de la lección

Nos congregamos ___ minutos

✝ Oración

• Pida a los niños que se reúnan en el lugar de oración. Los niños abrirán sus libros en esta página.

• Recen juntos la Señal de la Cruz. Luego diga al líder que comience la oración.

• Después que el líder lea su parte, haga una breve pausa. A continuación pida al Grupo 1 que comience la oración. Continúe con la oración.

• Señale el paquete de semillas y la planta que se encuentran sobre la mesa de oración. Explique a los niños que cuando compartimos el amor y la paz de Jesús estamos ayudando a que crezca el amor de Dios.

Mirando la vida

• Lea y comente las preguntas. Pida a los niños que compartan con el resto de la clase lo que sienten cuando alguien confía en ellos para cuidar de algo o alguien.

• Lea la *Historia para el capítulo* de la página 210A.

Creemos ___ minutos

Lea en voz alta el primer párrafo de *Creemos*. Recuerde a los niños: *Los discípulos son los seguidores de Jesús, y como sus discípulos debemos continuar su obra.*

We Go in Peace to Share God's Love

19

WE GATHER

 **Leader:** Let us listen to what Jesus told his disciples at the Last Supper.

Reader: Jesus said, "As I have loved you, so you also should love one another. This is how all will know that you are my disciples, if you have love for one another." (John 13:34–35)

Have you ever been sent to do something? Who sent you? What did you do?

WE BELIEVE

We are sent to share God's love with others.

The first disciples were sent out to continue Jesus' work. We are also disciples. Jesus asks us to continue his work, too. At the end of every Mass, the priest sends us out to share God's love with others.

Before we are sent out, the priest blesses us. We make the sign of the cross as he says,

"May almighty God bless you,
the Father, and the Son,
† and the Holy Spirit."

We respond, "Amen."

211

Catechist Goal

• To highlight that we are sent to share God's love and peace with others

PREPARING TO PRAY

Children will listen to and respond to Jesus' words in Scripture.

• Choose a leader and a reader.

• Have the other children form three groups. Provide time for all to read the words they will pray.

The Prayer Space

• On the prayer table place a packet of seeds, a small pot of soil, and a plant.

Lesson Plan

WE GATHER

___ minutes

Prayer

• Invite the children to gather in the prayer space. Ask them to bring their books and open to this page.

• Pray the Sign of the Cross. Then ask the leader to begin the prayer.

• When the reader has finished, pause briefly. Then ask Group 1 to begin praying. Continue the prayer.

• Point to the packet of seeds and plant on the prayer table. Explain that when we share Jesus' love and peace, we help God's love to grow.

Focus on Life

• Read and discuss the questions. Have the children share how they felt being trusted to do something for someone.

• Share the *Chapter Story,* guide page 210B.

WE BELIEVE

___ minutes

Read aloud the first *We Believe* paragraph. Remind the children: *Disciples are those who follow Jesus and that as his disciples we are to carry on his work.*

Nuestra respuesta en la fe

- Reconocer formas de compartir el amor y la paz de Dios con los demás

Santísimo Sacramento
tabernáculo

Materiales

- 2–3 CD, copias del patrón 19, marcadores o crayones

Como católicos...

Visitas al Santísimo Sacramento

Lleve a los niños a la iglesia. Señale el tabernáculo y la luz del sagrario. Deles cinco minutos para rezar en silencio. Luego, recen juntos: *Jesús, ayúdanos a recordar que siempre estás junto a nosotros.*

Conexión con el hogar

Pida a los niños que hablen sobre la experiencia de componer una oración a Jesús con sus familias. Los niños deberán compartir sus comentarios sobre "Nuestro regalo a Dios".

Después el diácono o el sacerdote dice: "Podéis ir en paz".

Respondemos: "Demos gracias a Dios".

Escribe un mensaje de aliento para un enfermo.

____

Jesús está presente en el Santísimo Sacramento.

Después de la comunión quedan Hostias que no fueron distribuidas. Estas Hostias son llamadas **Santísimo Sacramento**. Santísimo Sacramento es otro nombre para la Eucaristía.

El Santísimo Sacramento se coloca en un lugar especial en la iglesia llamado **tabernáculo**. Una luz o vela especial cerca del tabernáculo nos recuerda que Jesús está realmente presente en el Santísimo Sacramento.

Después de la misa y en otras ocasiones, sacerdotes, diáconos y ministros eucarísticos toman el Santísimo Sacramento del tabernáculo para llevar la comunión a personas de la parroquia que no pueden ir a misa.

Como católicos...

El Santísimo Sacramento se mantiene en el tabernáculo en la iglesia. Jesús está realmente presente en el Santísimo Sacramento. Podemos visitar a Jesús en el Santísimo Sacramento. Durante nuestras visitas, podemos hablar con Jesús y decirle que le amamos. Podemos estar con Jesús, nuestro amigo y darle las gracias por todo su amor y ayuda. Podemos pedirle nos ayude a amar y ayudar a los demás.

Busca el lugar donde se encuentra el tabernáculo en tu parroquia.

212

Planificación de la lección

CREEMOS (continuación)

Continúe leyendo el texto. Pida a los niños que lean las respuestas de la oración. Diga a los niños que en algunas ocasiones los sacerdotes, usando otras palabras, nos envía a seguir con la obra de Jesús. Explique: *Aunque el sacerdote use otras palabras, somos enviados a amar y a servir a los demás.*

Permita que los niños tengan tiempo para escribir el mensaje.

Lea en voz alta la afirmación *Creemos* y los tres párrafos de la página 212. Explique: *Los católicos tienen una manera de mostrar que creen en la presencia de Jesús en el Santísimo Sacramento. Al ingresar a la Iglesia y antes de dirigirse a sus asientos, los católicos hacen una genuflexión.*

Muestre como hacer la genuflexión doblando la rodilla derecha hasta el suelo.

Lea la pregunta en la página 214, en voz alta. Los niños compartirán sus ideas. Si el tiempo lo permite, pida a los niños que con papel de dibujo realicen tarjetas con deseos de pronta mejoría. Entregue las tarjetas a un miembro del servicio pastoral para que las envíe a miembros de la parroquia que estén enfermos.

Then the deacon or priest says,
"Go in peace to love and serve the Lord."

We respond, "Thanks be to God."

Write a get-well message for someone who is sick.

Jesus is present in the Blessed Sacrament.

After Holy Communion there may be Hosts that have not been received. These Hosts are called the Blessed Sacrament. The **Blessed Sacrament** is another name for the Eucharist.

The Blessed Sacrament is kept in the special place in the church called the **tabernacle**. A special light or candle near the tabernacle reminds us that Jesus is really present in the Blessed Sacrament.

After Mass and at other times, priests, deacons, and special ministers of the Eucharist take the Blessed Sacrament from the tabernacle. They bring the Blessed Sacrament as Holy Communion to those who are not able to join the parish community for Mass.

As Catholics...

The Blessed Sacrament is kept in the tabernacle in church. Jesus is really present in the Blessed Sacrament. We can visit Jesus in the Blessed Sacrament. During our visits, we can talk to Jesus and tell him that we love him. We can be with Jesus our friend and thank him for all of his love and care. We can ask him to help us love and care for others.

Find out where the tabernacle is in your parish church.

Our Faith Response

- To identify ways to share God's love and peace with others

Blessed Sacrament
tabernacle

Materials

- Grade 2 CD, copies of Reproducible Master 19, highlighters or crayons

As Catholics...

Visits to the Blessed Sacrament

Take the children to church. Point out the tabernacle and sanctuary light. Provide about five minutes of quiet time to pray by themselves. Then pray together: *Jesus, help us to remember that you are with us always.*

Home Connection Update

Discuss with the children their experiences of writing a prayer to Jesus with their families. Have the children share their discussion about "Our Gift to God."

Lesson Plan

WE BELIEVE (continued)

Continue to read the text. Ask the children to read our prayer responses. Tell the children that sometimes the priest uses other words to send us out to do Jesus' work. Explain: *Even though the priest uses other words, we are sent to love and serve others.*

Allow time for the children to write the message.

Read aloud the *We Believe* statement and the three paragraphs on page 213. Explain: *Catholics have an action to show that they believe Jesus is present in the Blessed Sacrament. They genuflect before going into the pews in church.*

Demonstrate how we genuflect by bending your right knee to the floor.

Read aloud the text. Then have the children share their ideas. If time permits, give the children drawing paper to use to make get-well cards. Give the cards to a pastoral associate and ask him or her to give the cards to parishioners who are sick.

Banco de Actividades

Inteligencia múltiple

Movimiento corporal

Materiales: fichas, bolso

Escriba en fichas situaciones en las que los niños deban elegir la opción de amar y servir o la opción de no amar y servir. Se detallan a continuación, dos ejemplos:

- *Quieres ver un programa en televisión, pero tu papá te pide que lo ayudes a guardar las compras .*
- *Ves que un niño más pequeño se cae en el patio de juegos, pero a la vez quieres jugar con tus amigos.*

Coloque las fichas en un bolso. Diga a los niños que formen grupos y que cada grupo saque una ficha del bolso. Sugiera a los miembros del grupo que comenten que elegiría un discípulo de Jesús. Pídales que dramaticen la situación y la decisión que muestra amor.

El Santísimo Sacramento fortalece a todo el que lo recibe.

Hablen sobre formas en que pueden compartir el amor de Dios con los enfermos.

Jesús está con la Iglesia mientras compartimos el amor de Dios.

Los primeros cristianos celebraban la Eucaristía con frecuencia. Recibir a Jesús en la Eucaristía ayudaba a su comunidad. Ellos estaban unidos a Jesús y unos con otros.

Los primeros cristianos aprendieron a rezar juntos. Ellos compartían lo que tenían con los necesitados. Trataban de ayudar a los que estaban tristes y solos. Cuando la gente veía la forma en que los primeros cristianos vivían, ellos querían ser miembros de la comunidad de Jesús, la Iglesia.

Recibir a Jesús en la comunión nos ayuda a amar a Dios y a los demás. Nos ayuda a ser seguidores de Jesús, a ser parte de nuestra parroquia. Juntos mostramos como es el amor de Dios.

Escribe una forma en que podemos seguir el ejemplo de los primeros cristianos.

____

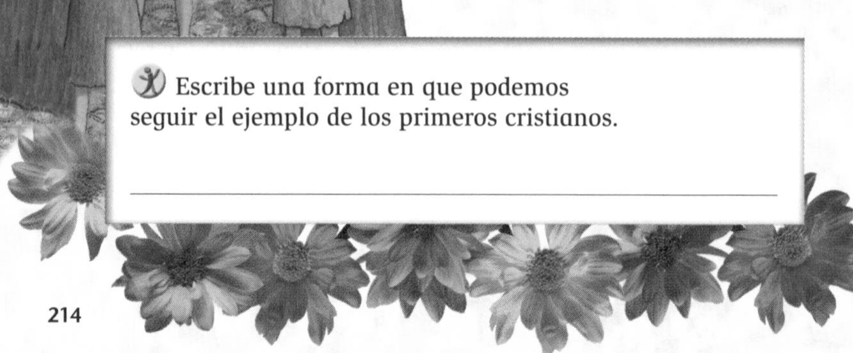

214

Planificación de la lección

CREEMOS (continuación)

Cotejo rápido

✔ *¿Qué hacemos cuando el sacerdote nos bendice al finalizar la misa?* (Hacemos la señal de la cruz).

✔ *¿Qué nos pide el sacerdote que hagamos al finalizar la misa?* (El sacerdote nos dice que vayamos en paz para amar y servir a Dios y a los demás).

✔ *¿Por qué siempre hay una luz especial junto al tabernáculo?* (La luz nos recuerda que Jesús está realmente presente en el Santísimo Sacramento).

Pida a los niños que lean en voz alta la afirmación *Creemos* de la página 214. Los niños mirarán la imagen de los primeros cristianos mientras algunos voluntarios leen los primeros dos párrafos. Ponga énfasis en las siguientes ideas:

- *La celebración de la Eucaristía ayudaba a los primeros cristianos a permanecer unidos a Jesús y los unos a los otros.*
- *El ejemplo de los primeros cristianos hizo que otros quisieran unirse a la Iglesia y seguir a Jesucristo.*

Lea en voz alta el tercer párrafo en la página 214. Pida a los niños que resalten o subrayen de que manera nos ayuda recibir la Eucaristía.

Pida un voluntario que lea las instrucciones de la actividad. Comente con el grupo lo que sucede en la ilustración. Anime a los niños a compartir sus respuestas.

The Blessed Sacrament strengthens all those who receive it.

Talk about ways we can share God's love with those who are sick.

Jesus is with the Church as we share God's love.

The early Christians celebrated the Eucharist often. Receiving Jesus in the Eucharist helped their community. They were united with Jesus and one another.

The early Christians learned and prayed together. They shared what they had with those in need. They tried to help those who were sad or lonely. When people looked at the way the early Christians lived, they wanted to become a part of Jesus' community, the Church.

Receiving Jesus in Holy Communion helps us to love God and others.
It helps us to be followers of Jesus.
It helps us to be part of our parish.
Together we show others what God's love is like.

Write one way we can follow the example of the early Christians.

____

ACTIVITY BANK

Multiple Intelligences

Bodily-Kinesthetic

Materials: index cards, bag

On index cards write situations in which children can make a choice to love and serve or not to love and serve. Here are two examples:

- *You want to watch a TV show. Your father asks you to help put the groceries away.*
- *You see a younger child fall down in the playground. You want to play a game with your friends.*

Put the cards in a bag. Have the children form groups. Invite one child from each group to draw a card from the bag. Have the group members discuss what a disciple of Jesus would choose to do and act out the situation and the loving choice.

Lesson Plan

WE BELIEVE (continued)

Quick Check

✔ *What do we do when the priest blesses us at the end of Mass?* (We make the sign of the cross.)

✔ *What does the priest ask us to do at the end of the Mass?* (The priest asks us to go in peace to love and serve God and others.)

✔ *Why is there always a special light near the tabernacle?* (The light helps us remember that Jesus is really present in the Blessed Sacrament.)

Invite the children to read aloud the *We Believe* statement on page 215. Have the children look at the picture of the early Christians as volunteers read the first two paragraphs. Stress:

- *Celebrating the Eucharist helped the early Christians to be united to Jesus and to one another.*
- *The example of the early Christians made others want to join the Church and follow Jesus Christ.*

Read aloud the third paragraph on page 215. Have the children highlight or underline the ways receiving Holy Communion helps us.

Ask a volunteer to read the activity directions. Discuss with the group what is happening in the picture. Encourage the children to share their written responses.

Ideas

Conciencia global

Señale en un mapamundi o globo terráqueo el lugar donde viven los niños. Ayúdelos a percibir lo grande que es el mundo. Recalque: *Jesús nos ha encomendado la misión de difundir su paz por todo el mundo. Podemos comenzar con esta misión en nuestra casa, escuela, vecindario, pueblo y región.*

Jesús está con nosotros mientras compartimos su paz con los demás.

Durante la misa pedimos a Jesús que nos dé paz. Al final de la misa el diácono o el sacerdote nos dice: "Podéis ir en paz". Jesús quiere que compartamos su paz con los demás.

Cada vez que tomamos decisiones pacíficas, estamos predicando el amor y la paz de Jesús al mundo.

Vocabulario

Santísimo Sacramento otro nombre para la Eucaristía

tabernáculo lugar especial en la iglesia donde se mantiene el Santísimo Sacramento

RESPONDEMOS

¿Cómo puedes ser discípulo de Jesús y compartir su amor con los miembros de tu familia?

¿Con las personas en tu escuela?

¿Con las personas en tu vecindario?

Tu palabra me llena

Tu palabra me llena,
me llena, Señor.
Tu palabra me alimenta,
me alimenta, Señor.
Tu palabra alimenta mi espíritu.
Tu palabra me llena de gloria.

216

Planificación de la lección

CREEMOS (continuación) ____ minutos

Pida a los niños leer en voz alta la afirmación *Creemos*, y a voluntarios leer los dos párrafos.

Comparta este ejemplo para explicar como llevamos la paz de Jesús a los demás, *Rita compartió los crayones con Dana, su hermana menor. Entonces Dana compartió sus caramelos con Rita y sus amigas.*

Vocabulario Repase las dos palabras del *Vocabulario* con las siguientes preguntas:

- *¿Quién está presente en el Santísimo Sacramento?* (Jesús)
- *¿Dónde se guarda el Santísimo Sacramento?* (en el tabernáculo)
- *¿Por qué siempre se mantiene una luz brillante o una vela encendida cerca del tabernáculo?* (porque la luz nos recuerda que Jesús está presente en el Santísimo Sacramento.)

RESPONDEMOS ____ minutos

Conexión con la vida Comente las preguntas de la sección *Respondemos.* Pida a los niños que formen grupos. Pida a cada grupo que piense en formas de difundir la paz de Jesús. Luego, invite a los miembros de cada grupo a dramatizar su ejemplo.

Escuchen la canción "Tu palabra me llena", 2–3 CD. Los niños practicarán la canción. Explique: *Cuando somos amables, justos y compasivos, ayudamos a que crezcan en la paz y el amor de Dios.*

Distribuya copias del patrón 19. Pida a los niños que completen la actividad del acróstico en su tiempo libre.

Oración Canten "Tu palabra me llena".

Blessed Sacrament another name for the Eucharist

tabernacle the special place in the church in which the Blessed Sacrament is kept

Jesus is with us as we share his peace with others.

During Mass we ask Jesus to give us peace. At the end of Mass, the deacon or priest tells us, "Go in peace." Jesus wants us to share his peace with others.

Every time we make a choice to be peaceful, we spread Jesus' love and peace throughout the world.

WE RESPOND

How can you be a disciple of Jesus and share his love with your family? with people in your school? with people in your neighborhood?

Take the Word of God with You

Take the peace of God with you as you go.
Take the seeds of God's peace and make them grow.

Go in peace to serve the world,
in peace to serve the world.
Take the love of God, the love of God
with you as you go.

217

Teaching Tip

Global Awareness

Point out on a globe or a world map where the children live. Help them to see the vastness of the world. Stress: *Jesus has given us the mission to spread his peace throughout the world. We can start by spreading his peace in our home, school, neighborhood, town, and country.*

Lesson Plan

WE BELIEVE (continued)

Invite the children to read aloud the *We Believe* statement. Then ask volunteers to read the two paragraphs.

Share this example to explain how we can spread Jesus' peace.
Rita shared her crayons with her younger sister, Dana. Because Rita had shared with her, Dana shared candy with Rita and their friends.

Key Words Review the two *Key Words* by asking the children the following questions:

- *Who is present in the Blessed Sacrament?* (Jesus)
- *Where is the Blessed Sacrament kept?* (in the tabernacle)
- *Why is there always a shining light or burning candle kept near the tabernacle?* (to help us remember that Jesus is really present)

WE RESPOND

____ minutes

Connect to Life Discuss the *We Respond* questions. Have the children form groups. Ask each group to think of ways they can spread Jesus' peace. Then invite the members of each group to act out one example.

Play "Take the Word of God with You," #18 on the Grade 2 CD. Have the children practice singing. Explain: *When we are kind, fair, and caring, we help God's peace and love to grow.*

Distribute copies of Reproducible Master 19. Have the children complete the acrostic activity in their free time.

Pray Sing "Take the Word of God with You."

Banco de Actividades

La Iglesia

Juego de roles

Organice a los niños en pares. Explique que uno de los miembros del grupo deberá representar el papel de un niño cristiano de la iglesia primitiva y el otro será un niño actual. Pida a los niños que imaginen que uno visita a otro. Explique a los niños que deberán tener una conversación sobre como el recibir la Sagrada Comunión los ayuda y también ayuda a sus comunidades.

Fe y medios

Temas televisivos

Muchos de los argumentos de los programas de televisión para televidentes jóvenes giran alrededor de la resolución de conflictos. Pida a los niños que recuerden ejemplos de sus programas favoritos de televisión en los que un problema o conflicto se haya resuelto de un modo pacífico. Sugiera a los niños que digan que sintieron con respecto a los personajes de los programas.

Conexion con el Hogar

Compartiendo lo aprendido

Recuerde a los niños compartir con sus familias lo aprendido en este capítulo.

Anime a los niños a compartir la actividad del patrón con sus familias.

Para más información y actividades adicionales visite a Sadlier

www.CREEMOSweb.com

Planifique por adelantado

Lugar de oración: fotografías de revistas y periódicos de personas ayudando a otras, recipiente con agua bendita

Materiales: copias del patrón 22, 2–3 CD

____ minutos

Repaso del capítulo Pida a los niños que respondan las preguntas de 1 a 4. Cuando los niños hayan terminado, pida a voluntarios que lean sus respuestas. Aclare cualquier concepto o duda que los niños puedan tener.

Los niños leerán la quinta pregunta. Después de que los niños terminen de escribir, dígales que compartan sus respuestas.

Reflexiona y ora Pida a los niños que reflexionen sobre todo lo que deben agradecer como discípulos de Jesucristo.

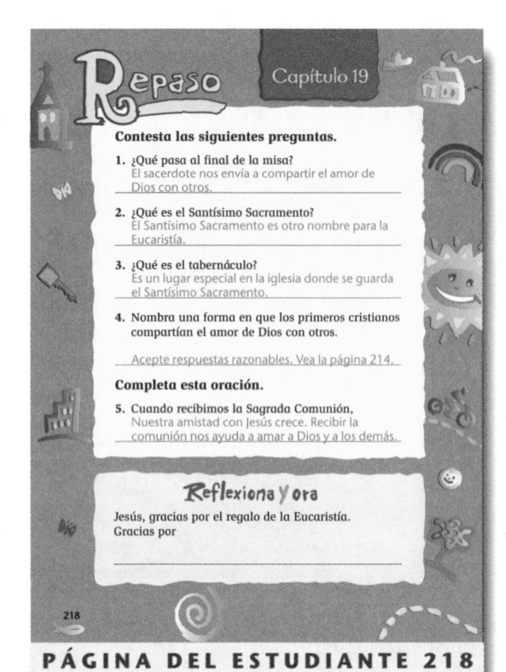

Repaso — Capítulo 19

Contesta las siguientes preguntas.

1. ¿Qué pasa al final de la misa?
   El sacerdote nos envía a compartir el amor de Dios con otros.
2. ¿Qué es el Santísimo Sacramento?
   El Santísimo Sacramento es otro nombre para la Eucaristía.
3. ¿Qué es el tabernáculo?
   Es un lugar especial en la iglesia donde se guarda el Santísimo Sacramento.
4. Nombra una forma en que los primeros cristianos compartían el amor de Dios con otros.
   Acepte respuestas razonables. Vea la página 214.

Completa esta oración.

5. Cuando recibimos la Sagrada Comunión,
   Nuestra amistad con Jesús crece. Recibir la comunión nos ayuda a amar a Dios y a los demás.

Reflexiona y ora

Jesús, gracias por el regalo de la Eucaristía. Gracias por

218

PÁGINA DEL ESTUDIANTE 218

Respondemos y compartimos la fe

____ minutos

Recuerda Lea en voz alta las cuatro afirmaciones de *Creemos.* Pida a los niños que usen un color diferente para subrayar o resaltar cada afirmación.

Nuestra vida católica
Lea sobre Santa Francisca de Roma. Explique: *Santa Francisca verdaderamente compartía el amor de Dios con los demás.*

Respondemos y compartimos la fe

Compartiendo lo aprendido

Mira la ilustración. Usala para contar a tu familia lo que aprendiste en este capítulo.

Para que todos vean

"Les dejo la paz. Les doy mi paz" Juan 14:27

Recuerda

- Somos enviados a compartir el amor de Dios con otros.
- Jesús está presente en el Santísimo Sacramento.
- Jesús está con la Iglesia mientras compartimos el amor de Dios.
- Jesús está con nosotros mientras compartimos su paz con los demás.

Nuestra vida católica

Sirviendo al Señor

Santa Francisca de Roma mostró formas de "ir en paz a servir al Señor". Ella vivió en Roma, Italia. Se casó y tuvo tres niños. Francisca dio comida a los pobres. Ella consoló a los tristes y desamparados. Cuidó a los enfermos y a los niños sin familia. Su fiesta es el 9 de marzo.

Visita Sadlier en www.CREEMOSweb.com

220

PÁGINA DEL ESTUDIANTE 220

_____ minutes

Chapter Review Have the children complete questions 1–4. When they are finished, ask for volunteers to read their responses to the questions. Clear up any misconceptions that may arise.

Have the children read the fifth question. After the children have finished writing, invite them to share their answers.

Reflect & Pray Invite the children to reflect on what they are thankful for as disciples of Jesus Christ.

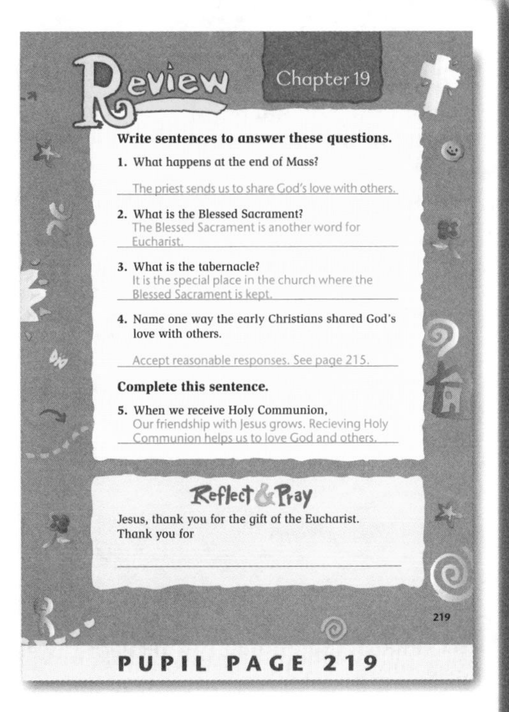
Review Chapter 19

Write sentences to answer these questions.

1. What happens at the end of Mass?
   The priest sends us to share God's love with others.
2. What is the Blessed Sacrament?
   The Blessed Sacrament is another word for Eucharist.
3. What is the tabernacle?
   It is the special place in the church where the Blessed Sacrament is kept.
4. Name one way the early Christians shared God's love with others.
   Accept reasonable responses. See page 215.

Complete this sentence.

5. When we receive Holy Communion,
   Our friendship with Jesus grows. Recieving Holy Communion helps us to love God and others.

Reflect & Pray

Jesus, thank you for the gift of the Eucharist.
Thank you for

219

PUPIL PAGE 219

We Respond and Share the Faith

_____ minutes

Remember Read aloud the four *We Believe* statements. Have the children use a different color to highlight or underline each statement.

Our Catholic Life Read about Saint Frances of Rome. Explain: *Saint Frances truly shared God's love with others.*

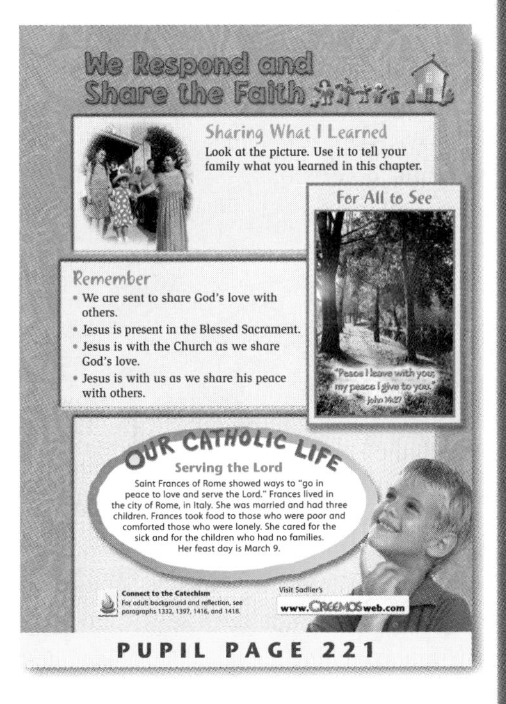
We Respond and Share the Faith

Sharing What I Learned
Look at the picture. Use it to tell your family what you learned in this chapter.

For All to See

Remember
- We are sent to share God's love with others.
- Jesus is present in the Blessed Sacrament.
- Jesus is with the Church as we share God's love.
- Jesus is with us as we share his peace with others.

OUR CATHOLIC LIFE
Serving the Lord
Saint Frances of Rome showed ways to "go in peace to love and serve the Lord." Frances lived in the city of Rome, in Italy. She was married and had three children. Frances took food to those who were poor and comforted those who were lonely. She cared for the sick and for the children who had no families. Her feast day is March 9.

Connect to the Catechism
For adult background and reflection, see paragraphs 1332, 1397, 1416, and 1418.

Visit Sadlier's
www.CREEMOSweb.com

PUPIL PAGE 221

ACTIVITY BANK

The Church

Role-Play

Have the children work in pairs. Explain that one partner should play the role of an early Christian child and the other partner a child today. Ask the children to imagine that they are visiting each other. Explain that they should have a conversation about the way receiving Holy Communion helps them and their communities.

Faith and Media

Television Themes

Many of the plots of television shows aimed at younger viewers center around conflict resolution. Ask the children to recall examples from their favorite television programs where a problem or conflict is resolved in a peaceful way. Encourage them to describe their emotions towards the show's characters as they interact.

HOME CONNECTION

Sharing What I Learned

Remind the children to share with their families what they learned in this chapter.

Encourage the children to share the master's activity with their families.

For additional information and activities, encourage families to visit Sadlier's

www.CREEMOSweb.com

Plan Ahead for Chapter 22

Prayer Space: magazine and newspaper photographs of people helping one another, bowl of holy water

Materials: copies of Reproducible Master 22, Grade 2 CD

Capítulo 20

Cuaresma

"La razón de ser del tiempo de Cuaresma es la preparación para la Pascua: la liturgia cuaresmal prepara a celebrar el misterio pascual, tanto a los catecúmenos, haciéndolos pasar por los diversos grados de la iniciación cristiana, como a los fieles que rememoran el bautismo y hacen penitencia".

(Normas universales sobre el año litúrgico, 27)

Ojeada

En este capítulo los niños aprenderán que la Cuaresma es un tiempo de preparación.

Para referencia Vea los párrafos 540 y 1095 del *Catecismo de la Iglesia Católica*

Referencia catequética

¿Cómo observó la Cuaresma en años anteriores?

La Cuaresma es tiempo de preparación para la celebración de la Pascua, la fiesta más importante de la Iglesia. Tanto para los catecúmenos (los que se preparan para el Bautismo) como para todos los fieles, es un tiempo para concentrarse en los sacramentos de la iniciación, principalmente el Bautismo, el sacramento en el cual morimos al pecado y nacemos a una nueva vida en Cristo. Recordamos que: "Dios todopoderoso, Padre de nuestro Señor Jesucristo, que te ha librado del pecado y te ha dado nueva vida por el agua y el Espíritu Santo". (*Rito del Bautismo*)

La Cuaresma es tiempo de penitencia, de conversión, no sólo para los catecúmenos sino para todos los bautizados. Progresivamente, volvemos nuestros corazones hacia Dios y hacia las necesidades de los demás. Durante cuarenta días, desde el Miércoles de Ceniza hasta la misa que recuerda la Cena del Señor el Jueves Santo, los católicos rezamos, ayunamos y damos limosnas a los pobres. Estos cuarenta días nos recuerdan los cuarenta días que Jesús pasó en el desierto, en soledad y oración, dependiendo totalmente de Dios, su Padre.

Nos acercamos al tiempo de Cuaresma reconociendo que necesitamos una conversión más profunda, un cambio más profundo, como discípulos del Señor resucitado. Llegamos a la Cuaresma con la marca de la ceniza en nuestra frente. Este antiguo ritual de arrepentimiento nos acerca al espíritu del salmista: "Recuerda que mi vida es corta" (Salmo 89:47)

¿Cómo cumplirá con la Cuaresma este año? ¿De qué manera ayudará a los niños a celebrar este tiempo?

Mirando la vida

Historia para el capítulo

Ayer Marcos fue a la casa de su amigo Roberto y lo encontró Junto con su mamá, y hermanos alrededor de la mesa de la cocina.

"¿Qué están haciendo?" preguntó.

"Estamos decorando cruces de papel para mi tío Esteban", respondió Roberto.

El tío de Roberto es un sacerdote misionero. Marcos lo había conocido el año pasado durante una de sus visitas a la familia. El Padre Esteban trabaja en un país de Africa ayudando a los pobres y los enfermos.

"¿Pero por qué necesita las cruces?" preguntó Marcos.

"Mi tío recorre los pueblos enseñándo a las personas acerca de Jesús. Les entrega estas cruces para que cada vez que vean la cruz, recuerden lo que el tío Esteban les enseñó".

"Yo también puedo ayudar", dijo Marcos. "Podenos preguntar a la Srta. Torres si podemos hacer más cruces en clase. Así juntaríamos muchas cruces para enviarle a tu tío y ayudaríamos a que la gente recuerde lo que él les enseña acerca de Jesús", propuso Marcos entusiasmado.

La mamá de Roberto dijo que era una idea muy buena y decidió llamar a la Srta. Torres para pedir la colaboración de los niños de su clase.

Estoy segura de que el Padre Esteban agradecerá toda la ayuda que podamos brindarle.

¿De qué manera Marcos y la familia de Roberto demuestran su amor por Dios y los demás?

"Lent is a preparation for the celebration of Easter. For the Lenten liturgy disposes both catechumens and the faithful to celebrate the Paschal Mystery: catechumens, through the several stages of Christian initiation; the faithful, through reminders of their own baptism and through penitential practices.

(*Norms Governing Liturgical Calendars, 27*)

Overview

In this chapter the children will learn that Lent is a season of preparing.

For Adult Reading and Reflection You may want to refer to paragraphs 540 and 1095 of the *Catechism of the Catholic Church*.

Catechist Background

How have you observed Lent in the past?

Lent is the season of preparation for the celebration of Easter, the greatest feast of the Church year. For catechumens (those preparing for Baptism) and for all the faithful, it is a time to focus on sacraments of initiation, the first of which is Baptism, the sacrament through which we die to sin and rise to new life in Christ. We remember that:

"The God of power and Father of our Lord Jesus Christ
has freed [us] from sin
and brought [us] to new life
through water and the Holy Spirit."
(Rite of Baptism, 62)

Lent is a penitential season, a time for conversion, not only for catechumens but also for all the baptized. We gradually turn our hearts more towards God and towards the needs of others. For forty days, from Ash Wednesday until the Mass of the Lord's Supper on Holy Thursday, we pray, fast, and give alms to those in need. These forty days remind us of the forty days Jesus spent in the desert, alone in prayer, totally dependent upon his God and Father.

We enter Lent knowing our need for a deeper conversion. We enter Lent needing God's guidance amid myriad choices of modern life. We enter Lent with the mark of ashes on our foreheads. This ancient ritual of repentance helps us to "Remember how brief is my life" (Psalm 89:48).

How will you observe Lent this year? How will you help the children to celebrate the season?

Focus on Life

Chapter Story

Yesterday when Mark went over to his friend Robert's house, Robert's mom and brothers and sisters were at the kitchen table. Mark asked, "What are you doing?"

Robert answered, "We're decorating paper crosses to send to Uncle Stan." Robert's uncle was a priest who was a missionary. Mark met him last year when he visited Robert's family. Father Stan worked in a country in Africa helping the poor and the sick.

Mark asked Robert, "Why does your uncle need crosses?"

Robert explained, "Well, Uncle Stan travels from village to village teaching people about Jesus. He gives the crosses to the people he teaches. When the people look at the crosses, they may remember what Uncle Stan has taught them."

Mark said, "I can help you make crosses now. And maybe you could ask Miss Torres if we could make them in class. Then we would have a lot of crosses to send to your uncle. We would help people remember what they have learned about Jesus."

Robert's mom said, "That's a great idea, Mark. I'll call Miss Torres and ask her now. Father Stan would certainly appreciate everyone's help."

How are Mark and Robert's family showing their love for God and others?

Guía para planificar la lección

Pasos de la lección	Presentación	Materiales
 **NOS CONGREGAMOS**		
pág. 222 **Introducción del tiempo**	• Leer la *Historia para el capítulo*. • Presentar el tiempo de Cuaresma. • Proclamar las palabras en la bandera. • Compartir sus respuestas a la pregunta.	
 **CREEMOS**		
pág. 222 *Cuaresma es un tiempo de preparación.*	• Presentar el texto sobre la Cuaresma. Comentar de que manera las personas en las fotografías están siguiendo a Jesús.	
3 RESPONDEMOS		
pág. 226	Escribir algo para hacer durante Cuaresma.	• crayones o lápices de colores
pág. 226 **Respondemos en oración**	Escuchar el relato bíblico. Responder con una canción.	Canción "Nosotros somos su pueblo/We Are God's People", 2–3 CD • en el lugar de oración: una cruz, la Biblia, mantel de color morado
pág. 228 **Respondemos y compartimos la fe**	• Explicar el proyecto individual de Cuaresma. • Explicar el proyecto en grupo de Cuaresma. • Comentar sobre **Respondemos y compartimos la fe.**	• copias del patrón 20 • moldes de cruces • tijeras y pegamento • papel cartulina de color

Planificación de la lección

Introducción del tiempo ____ minutos

• **Recen** la Señal de la Cruz.

• **Lea** en voz alta la *Historia para el capítulo* en la página 222A. Pregunte a los niños: *¿Por qué el Padre Esteban les entrega cruces a las personas que escuchan sus enseñanzas?* Permita que los niños reconozcan que la cruz es un signo de los seguidores de Jesús.

• **Diga** a los niños que abran sus libros en la página 222. Lea en voz alta el título del capítulo. Explique: *La Cuaresma es el tiempo en el que nos preparamos para celebrar la Pascua.*

• **Proclamen** juntos las palabras impresas en la bandera en la página 222.

Lesson Planning Guide

Lesson Steps	Presentation	Materials
 **1 WE GATHER**		
page 223 **Introduce the Season**	• Read the *Chapter Story.* • Introduce the season of Lent. • Proclaim words on a banner. • Share responses to the question.	
 **2 WE BELIEVE**		
page 223 *The Church year helps us to follow Jesus.*	• Present the text about Lent. Discuss how people in photos are following Jesus.	
3 WE RESPOND		
page 227	Write what you can do during Lent.	• crayons or colored pencils
page 227 **We Respond in Prayer**	Listen to a Scripture story. Respond in song.	"Nosotros somos su pueblo/We Are God's People," 2–3 CD • prayer space items: cross, Bible, purple tablecloth
page 229 **We Respond and Share the Faith**	• Explain the Lent individual project. • Explain the Lent group project. • Discuss **We Respond and Share the Faith**	• copies of Reproducible Master 20 • patterns of crosses • scissors and glue • colored construction paper

Lesson Plan

Introduce the Season ____ minutes

• **Pray** the Sign of the Cross.

• **Read** aloud the *Chapter Story* on guide page 222B. Ask the children: *Why does Father Stan give crosses to the people he teaches?* Help the children to understand that the cross is a sign of the followers of Jesus.

• **Have** the children open their texts to page 223. Read aloud the chapter title. Explain: *Lent is the season in which we get ready to celebrate Easter.*

• **Proclaim** together the words on the banner on page 223.

Meta catequética

- Explicar que Cuaresma es un tiempo de preparación

Nuestra respuesta en la fe

- Demostrar nuestro amor a Dios y a los demás durante el tiempo de Cuaresma

Materiales

- copias del patrón 20
- lápices de color morado, tijeras, pegamento
- broche de dos patas
- cartulina de color, 2–3 CD

RECURSOS ADICIONALES

Libro *Viacrucis popular,* Liturgical Press. Sugerencias prácticas para una obra especial cada semana de Cuaresma.

Para más ideas sobre videos, libros y otros materiales visite a Sadlier en

www.CREEMOSweb.com

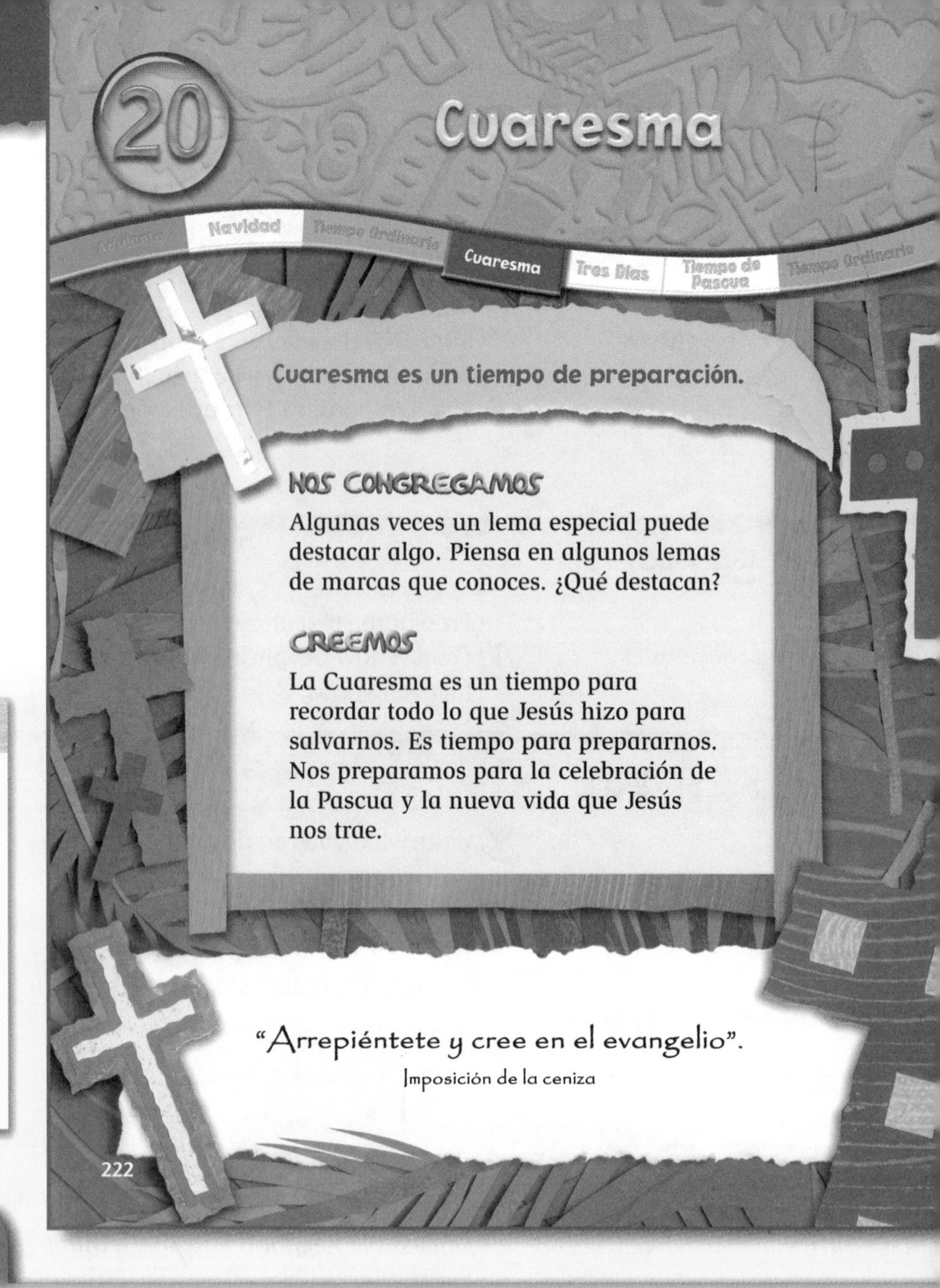

Planificación de la lección

NOS CONGREGAMOS ___ minutos

Mirando la vida Lea el texto en *Nos congregamos.* Comente con los niños ejemplos de logotipos que les resulten familiares. Algunos voluntarios pueden dibujar logotipos en la pizarra y explicar lo que representan.

- **Sugiera** a cada niño que piense en un logotipo para representarse a sí mismo. Los niños que así lo deseen podrán compartir el logotipo diseñado con el resto de la clase.

CREEMOS ___ minutos

- **Pida** a los niños que identifiquen el símbolo que se encuentran en estas páginas (la cruz). Explique: *Cuando comienza el tiempo de Cuaresma, el sacerdote nos marca con una cruz. Esto es una señal de que nos arrepentimos de nuestros pecados y queremos seguir a Jesús.*

- **Pida** voluntarios que estén dispuestos a leer los primeros cinco párrafos de *Creemos.* Ponga énfasis en lo siguiente: *La cruz nos recuerda que Jesús padeció y murió para que nosotros pudiéramos vivir con Dios para siempre.*

- **Dibuje** una gran cruz en la pizarra o en una hoja de papel. Los niños leerán el último párrafo de *Creemos.* Los niños que lo deseen podrán escribir en la cruz lo que hacemos durante la Cuaresma para seguir a Jesús.

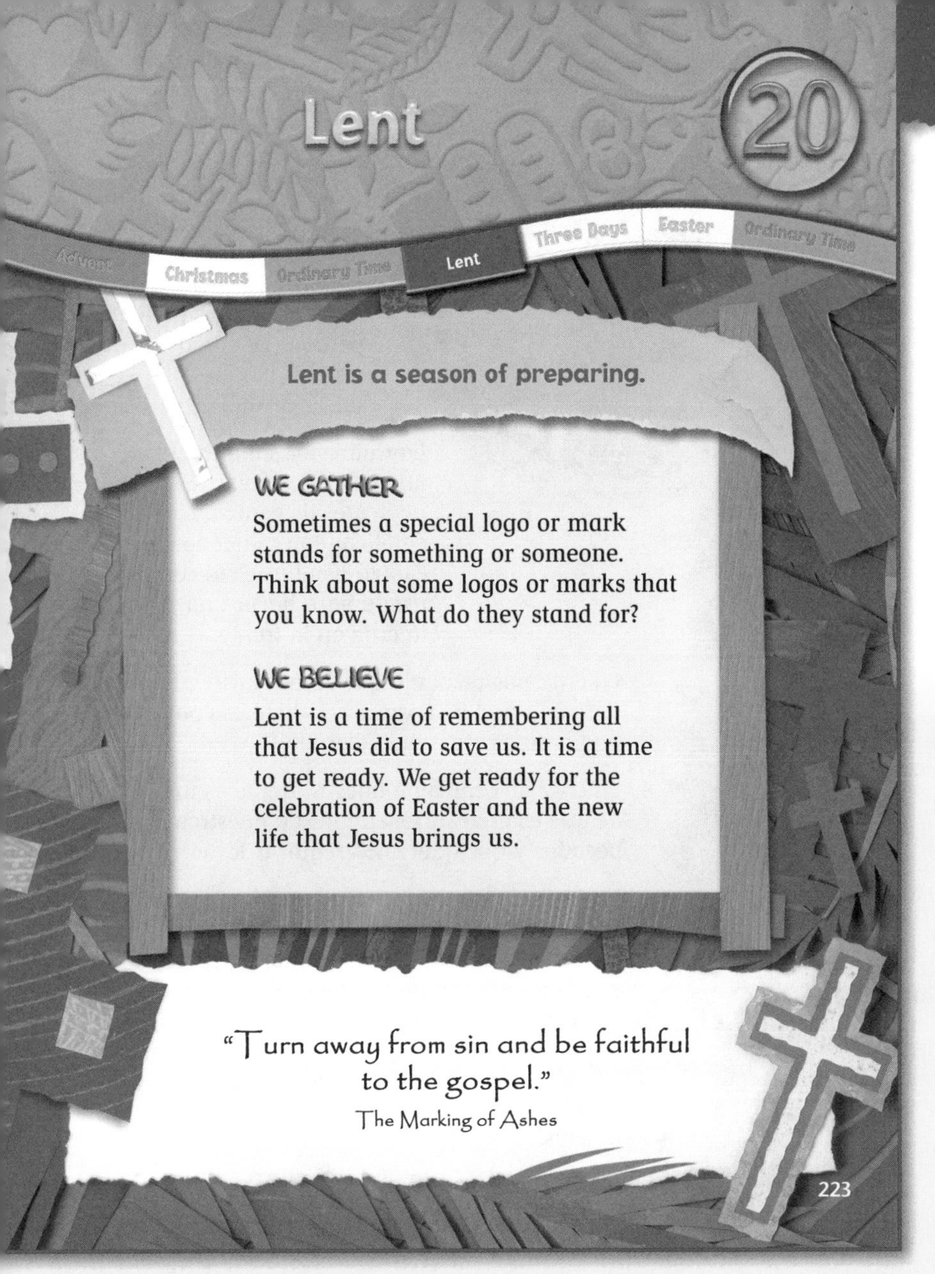

Catechist Goal

- To explain that Lent is a season of preparing

Our Faith Response

- To show our love for God and others during Lent

Materials

- copies of Reproducible Master 20
- purple crayons, scissors, and glue
- brad fasteners
- colored construction paper, 2–3 CD

ADDITIONAL RESOURCES

Video *Martin the Cobbler,* www.visionvideo.com. Martin recovers his lost faith and discovers that God is with us in many different ways. (30 minutes)

To find more ideas for books, videos, and other learning material, visit

www.CREEMOSweb.com

Lesson Plan

WE GATHER ____ minutes

Focus on Life Read the *We Gather* text. Discuss with the children the logos with which they are familiar. Have volunteers draw a few on the board and identify what these marks represent.

- **Invite** each child to think of a logo to represent himself or herself. Ask volunteers to share their own logos with the group.

WE BELIEVE ____ minutes

- **Ask** the children to identify the symbol on these pages (cross). Explain: *At the beginning of Lent we are marked with a cross. This is a sign that we are sorry for our sins and want to follow Jesus.*

- **Have** volunteers read the first five *We Believe* paragraphs. Stress: *The cross reminds us that Jesus suffered and died so that we could live with God forever.*

- **Draw** a large cross on the board or on chart paper. Have the children read the last *We Believe* paragraph. Then have volunteers write on the cross the things we do during Lent to follow Jesus.

Nota para enseñar

La bendición de las cenizas

Las cenizas que usamos para marcar una señal en nuestra frente el Miércoles de Ceniza se obtienen al quemar las hojas de palmera (o ramas de olivo) que fueron bendecidas el año anterior durante la procesión del Domingo de Ramos.

Banco de Actividades

La doctrina social de la Iglesia

Llamado a la familia, la comunidad y la participación

Materiales: pretzels

Explique: *Hace mucho tiempo se rezaba cruzando los brazos sobre el pecho, formando una cruz.* Muestre como hacerlo. *Durante la Cuaresma, los cristianos retorcían la masa del pan y formaban "pequeños brazos" cruzados en actitud de oración. Este pan se llamó "bracellae" en latín y "pretzel" en inglés.* Se horneaban el Miércoles de Ceniza y se comían durante la Cuaresma.

Invite a los niños al lugar de oración, recen un Padrenuestro y compartan los pretzels.

El Tiempo de Cuaresma dura cuarenta días. Durante ese tiempo rezamos a Dios pidiendo perdón. Le damos gracias por su misericordia.

La Cuaresma empieza el miércoles de ceniza. El miércoles de ceniza, los católicos son marcados con ceniza bendita. Esta ceniza es usada para hacer una señal de la cruz en la frente.

La cruz nos recuerda que Jesús sufrió y murió por cada uno de nosotros. El hizo eso para que pudiéramos tener vida eterna.

La cruz de ceniza en nuestra frente es una señal de que estamos arrepentidos de nuestros pecados y que queremos seguir a Jesús.

La Cuaresma es tiempo en que tratamos de acercarnos más a Jesús. Seguimos a Jesús rezando, haciendo buenas obras y ayudando a los pobres. Tratamos a todos con amor y respeto, como lo hizo Jesús.

Mira las fotos en estas páginas. Habla sobre las formas en que la gente está siguiendo a Jesús.

224

Planificación de la lección

CREEMOS (continuación)

Pida a los niños que miren las fotografías en la página 225. Formule la misma pregunta para cada fotografía: *¿De qué manera estas personas están siguiendo a Jesús?* Algunas respuestas posibles podrían incluir:

Margen superior derecho: (Los niños siguen las enseñanzas de Jesús cuando hacen sus tareas en la escuela);

Abajo, a la izquierda: (Los niños siguen las enseñanzas de Jesús cuando ayudan a su familia en casa);

Foto grande: (Los niños siguen las enseñanzas de Jesús cuando juegan sin pelear).

Cotejo rápido

✔ *¿Para qué nos preparamos durante el tiempo de Cuaresma?* (Nos preparamos para la celebración de la Pascua y para la nueva vida que Jesús nos trae.)

✔ *¿Qué ocurre el Miércoles de Ceniza?* (El sacerdote hace una cruz con cenizas bendecidas en la frente de los fieles católicos.)

The season of Lent lasts forty days. During that time we pray to God and ask for his forgiveness. We thank him for his mercy.

Lent begins on a day called Ash Wednesday. On Ash Wednesday, Catholics are marked with blessed ashes. The ashes are used to make a cross on our foreheads.

The cross reminds us that Jesus suffered and died for each of us. He did this so that we could live with God forever.

The cross of ashes on our foreheads is a sign that we are sorry for our sins and want to follow Jesus.

Lent is a time when we try to grow closer to Jesus. We follow Jesus by praying, doing good things for others, and helping the poor. We treat people with love and respect, the way Jesus did.

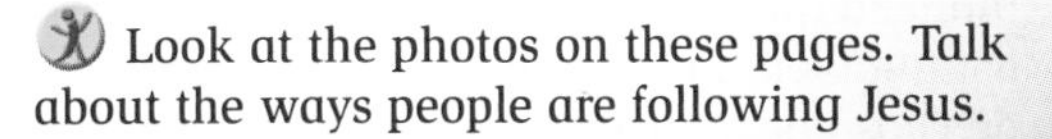

Look at the photos on these pages. Talk about the ways people are following Jesus.

LENT

Teaching Note

Blessing of Ashes

The ashes used to sign our foreheads on Ash Wednesday are made by burning the palm branches blessed for the previous year's procession on Passion Sunday.

Activity Bank

Catholic Social Teaching

Call to Family, Community, and Participation

Materials: pretzels

Explain: *Long ago when people prayed, they put their right hands on their left shoulders and their left hands on their right shoulders to form crosses.* Demonstrate this for the children. Then tell them: *In Lent some Christians twisted their bread dough into "little arms" crossed in prayer. This bread became known as bracellae in Latin. The English word is pretzels. Pretzels were baked on Ash Wednesday and people ate them during Lent.*

Invite the children to gather in the prayer space. Pray the Our Father together; then share a snack of pretzels.

Lesson Plan

WE BELIEVE (continued)

• **Direct** attention to the photos on page 225. For each photo ask: *How are the people following Jesus?* Possible responses include:

Upper right: (Children are following Jesus by doing their work at school.);

Lower left: (Children are following Jesus by helping their families.);

Large photo: (Children are following Jesus by playing peacefully with others.).

Quick Check

✔ *What do we get ready for in Lent?* (We get ready for the celebration of Easter and the new life that Jesus brings us.)

✔ *What happens on Ash Wednesday?* (Catholics are marked with a cross of blessed ashes.)

Preparandose para orar

Los niños escucharán el relato bíblico y responderán con una canción.

• Escoja un líder y un lector. Deles tiempo para preparar sus partes.

• Escuchen la canción "Nosotros somos su pueblo", 2–3 CD.

El lugar de oración

Coloque la tabla con las acciones de Cuaresma propuestas por los niños en el lugar de oración.

• Cubra la mesa con un mantel morado. Ponga la Biblia abierta en Lucas 16:8–10 y una cruz.

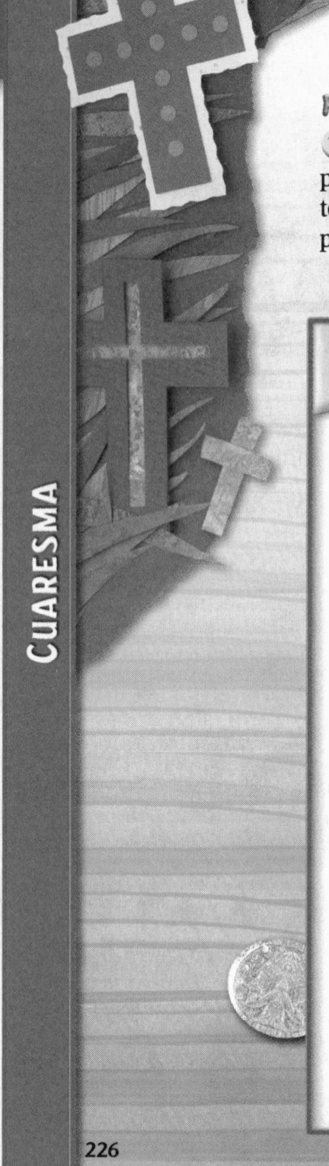

Respondemos

Escribe la palabra *Cuaresma* en una hoja de papel. Con cada letra, escribe una palabra que te recuerde algo sobre la Cuaresma y lo que puedes hacer durante este tiempo.

Respondemos en oración

Lector: Lectura del Evangelio de Lucas.

"O bien, ¿qué mujer que tiene diez monedas y pierde una de ellas, no enciende una lámpara y barre la casa buscando con cuidado hasta encontrarla? Y cuando la encuentra, reúne a sus amigas y vecinas, y les dice: 'Felicítenme, porque ya encontré la moneda que había perdido'. Les digo que así también hay alegría entre los ángeles de Dios por un pecador que se convierte". (Lucas 15:8–10)

Palabra del Señor.

Todos: Gloria a ti, Señor Jesús.

Nosotros somos su pueblo/ We Are God's People

Nosotros somos su pueblo.
We are God's people.
Y ovejas de su rebaño.
The flock of the Lord.

Planificación de la lección

Respondemos

____ minutos

Conexión con la vida Lea las instrucciones para la actividad.

• **Lluvia de ideas** Prepare una lluvia de ideas sobre lo que pueden hacer para mostrar su amor a Dios y a los demás durante la Cuaresma. Escriba las respuestas en una hoja de papel y póngala en el lugar de oración. Asegúrese de que los niños la lean con frecuencia durante la Cuaresma. Recuérdeles que si hacen una o dos cosas de esa lista durante la Cuaresma, estarán preparados de una manera muy especial para celebrar la Pascua.

Sugerencias: rezar; renunciar a una comida especial; compartir con otros; ser amable, donar dinero a un refugio o a un centro de reparto de alimentos; leer la Biblia; pedirle perdón a Dios y a otras personas; perdonar a alguien que los haya lastimado; dedicar un tiempo extra al estudio; conversar con un compañero de clase o de equipo con quien no hablan habitualmente; jugar limpio y sin pelear; obedecer a los padres, tutores, y maestros.

Respondemos en oración

____ minutos

• **Reúna** a los niños en el lugar de oración. Enséñeles a trazar una cruz sobre su frente con el dedo pulgar.

• **Pida** al líder que comience a rezar.

• **Pause** para reflexionar después que el lector haya finalizado la lectura de la parábola.

• **Respondan** a la lectura cantando todos juntos "Nosotros somo su pueblo/We Are God's People".

• **Pida** a los niños que intercambien el saludo de la paz para celebrar el amor y el perdón de Dios.

WE RESPOND

On a sheet of paper write the word *Lent*. For each letter write a word that reminds you about Lent, and what you can do during this time.

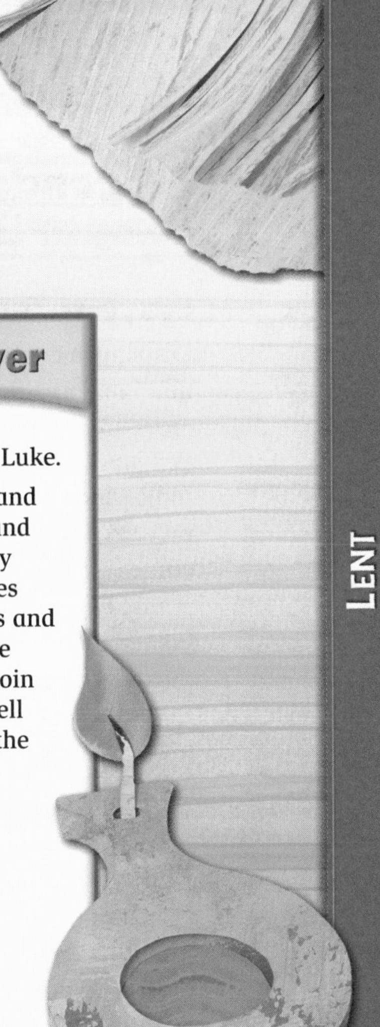

We Respond in Prayer

Reader: A reading from the Gospel of Luke.

"Or what woman having ten coins and losing one would not light a lamp and sweep the house, searching carefully until she finds it? And when she does find it, she calls together her friends and neighbors and says to them, 'Rejoice with me because I have found the coin that I lost.' In just the same way, I tell you, there will be rejoicing among the angels of God over one sinner who repents." (Luke 15:8–10)

The Gospel of the Lord.

All: Praise to you, Lord Jesus Christ.

Nosotros somos su pueblo/ We Are God's People

Nosotros somos su pueblo.
We are God's people.
Y ovejas de su rebaño.
The flock of the Lord.

227

LENT

Preparing to Pray

The children will listen to a Scripture story and respond in song.

- Choose volunteers to be the leader and reader. Provide time for them to prepare their parts.
- Play "Nosotros somos su pueblo/We Are God's People."

The Prayer Space

In the prayer space display the chart of lenten acts.

- Place a purple tablecloth on the prayer table. Also place there the Bible opened to Luke 16:8–10 and a cross.

Lesson Plan

WE RESPOND ____ minutes

Connect to Life Read the directions for the activity.

- **Brainstorm** with the children what they can do during Lent to show their love for God and others. Write their responses on chart paper. Display the paper near the prayer space. Have the children look at it often during Lent. Remind them that doing one or two things each day during Lent will help them prepare to celebrate Easter in a special way.

Some suggested acts: pray; do without a special treat; share with others; compliment someone; save money to donate to a food pantry or shelter; read a Bible story; ask God and others for forgiveness; forgive someone who has hurt you; give a little extra time to studying; talk to a classmate or teammate whom you usually do not talk to; be fair and peaceful when playing games; obey parents, guardians, and teachers.

We Respond in Prayer ____ minutes

- **Invite** the children to gather in the prayer space. Ask them to use their thumbs to trace a cross on their foreheads.
- **Ask** the leader to begin praying.
- **Pause** for reflection after the reader has completed reading the parable.
- **Respond** by singing together, "Nosotros somo su pueblo/We Are God's People."
- **Ask** the children to exchange a sign of peace to celebrate God's love and forgiveness.

Conexion

La Sagrada Escritura

En Lucas 15 hay tres parábolas sobre "algo perdido y hallado": la oveja perdida, el hijo perdido y la moneda perdida. Cada una muestra que Dios siempre está dispuesto a recibir al pecador arrepentido. Durante el tiempo de Cuaresma, comparta estos relatos con los niños.

Conexion con el Hogar

Compartiendo lo aprendido

Recuerde a los niños compartir con sus familias lo aprendido en este capítulo.

Pida a los niños hacer la actividad "Caja de Oración" con sus familias.

Para más información y actividades adicionales visite a Sadlier

www.CREEMOSweb.com

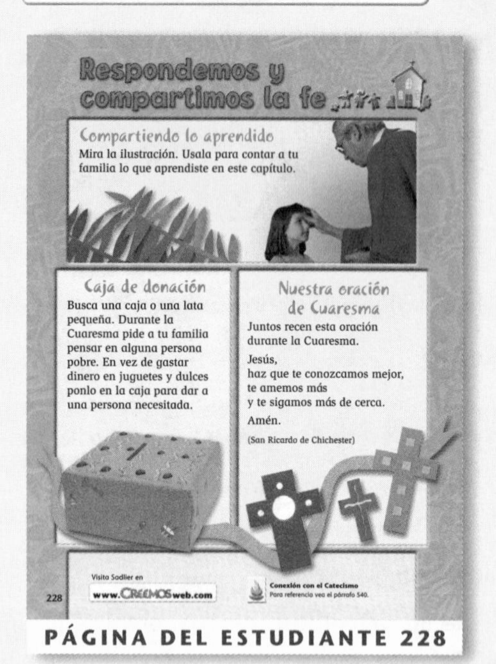

Respondemos y compartimos la fe

Compartiendo lo aprendido

Mira la ilustración. Usala para contar a tu familia lo que aprendiste en este capítulo.

Caja de donación

Busca una caja o una lata pequeña. Durante la Cuaresma pide a tu familia pensar en alguna persona pobre. En vez de gastar dinero en juguetes y dulces ponlo en la caja para dar a una persona necesitada.

Nuestra oración de Cuaresma

Juntos recen esta oración durante la Cuaresma.

Jesús,
haz que te conozcamos mejor,
te amemos más
y te sigamos más de cerca.
Amén.

(San Ricardo de Chichester)

Visita Sadlier en www.CREEMOSweb.com

Conexión con el Catecismo
Para referencia vea el párrafo 540.

228

PÁGINA DEL ESTUDIANTE 228

Liturgia para esta semana

Visite **www.creemosweb.com** para las lecturas bíblicas de esta semana y otros materiales propios del tiempo.

Respondemos y compartimos la fe

Proyecto individual

Distribuya copias del patrón 20 y entregue a cada niño una hoja de papel de construcción de color morado. Los niños pintarán las partes de la rueda de Cuaresma y luego, recortarán la rueda y la aguja indicadora. Diga a los niños que deberán pegar el reverso de la rueda sobre la cartulina. Ayúdelos a colocar la manecilla usando un broche de dos patas. Dígales que deberán colocar la rueda en un lugar visible en sus casas, de modo que la familia pueda verla. Pueden mover la posición de la aguja cada día o cada semana para señalar las diferentes maneras en que pueden mostrar su amor a Dios y hacia los demás.

Proyecto en grupo

Prepare con anticipación moldes de cruces, papel cartulina de color, pegamento y tijeras. Pida a los niños que miren las cruces en las diferentes páginas de este capítulo. Lea nuevamente la *Historia para el capítulo* en la página 222A. Anime al grupo a hacer cruces para enviar a las misiones. Pregunte al párroco o consulte con la oficina de la diócesis para obtener nombres y direcciones de los lugares adonde pueden enviar las cruces.

We Respond and Share the Faith

Individual Project

Distribute copies of Reproducible Master 20. Also give each child a sheet of purple construction paper. Have the children color the parts of the Lent wheel. Then ask them to cut out the wheel and the pointer. Tell the children to glue the back of the wheel to the construction paper. Help the children to attach the pointer with a brad fastener. Explain that the children should display the wheel in a place where their families will see it often. They can move the pointer each day or each week during Lent to show ways they can show God and others their love.

Group Project

Have available patterns of crosses, colored construction paper, glue, and scissors. Ask the children to look at the crosses on the chapter's pages. Then reread the *Chapter Story* on guide page 222B. Invite the children to make crosses to send to the missions. Ask your pastor or call your diocesan office for names and addresses of where you can send the crosses.

Connection

To Scripture

In Chapter 15 of the Gospel of Luke, there are three "lost and found" parables: the lost sheep, the lost son, and the lost coin. Each story shows that God is always ready to welcome home the repentant sinner. During the season of Lent, share these stories with the children.

Home Connection

Sharing What I Learned

Remind the children to share with their families what they learned in this chapter.

Encourage the children to do the "Giving Box" activity with their families.

For additional information and activities, encourage families to visit Sadlier's

www.CREEMOSweb.com

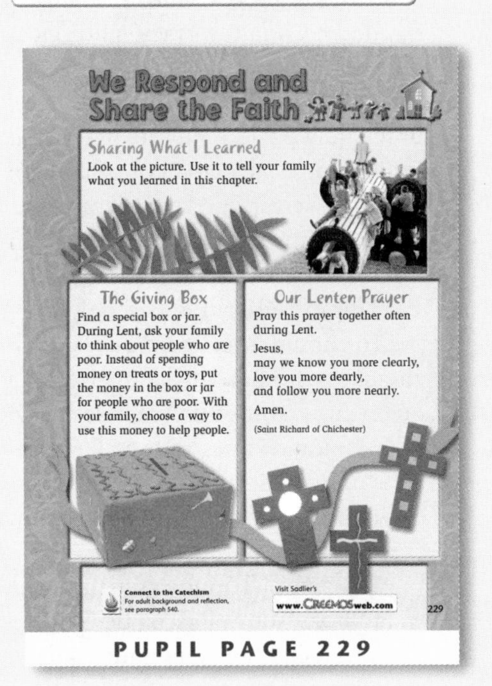

We Respond and Share the Faith

Sharing What I Learned
Look at the picture. Use it to tell your family what you learned in this chapter.

The Giving Box
Find a special box or jar. During Lent, ask your family to think about people who are poor. Instead of spending money on treats or toys, put the money in the box or jar for people who are poor. With your family, choose a way to use this money to help people.

Our Lenten Prayer
Pray this prayer together often during Lent.
Jesus,
may we know you more clearly,
love you more dearly,
and follow you more nearly.
Amen.
(Saint Richard of Chichester)

Connect to the Catechism
For adult background and reflection, see paragraph 540.

Visit Sadlier's
www.CREEMOSweb.com

229

PUPIL PAGE 229

This Week's Liturgy

Visit **www.creemosweb.com** for this week's liturgical readings and other seasonal material.

Capítulo 21

Los Tres Días

"El triduo sagrado de Pascua, es decir, de la Pasión y la Resurrección del Señor, Jesucristo ha cumplido la obra de la redención de los hombres y de la glorificación perfecta de Dios principalmente por su misterio pascual por el cual, muriendo, destruyó nuestra muerte y resucitando restauro la vida".

(Normas universales sobre el año litúrgico, 18)

Ojeada

En este capítulo los niños aprenderán que celebramos la muerte y resurrección de Jesús durante los Tres Días.

Para referencia Vea el párrafo 628 del *Catecismo de la Iglesia Católica.*

Referencia catequética

En su opinión, ¿cuáles son los tres días más importantes del año litúrgico?

La celebración del Triduo Pascual, los Tres Días, comienza el Jueves Santo y finaliza el Domingo de Pascua al atardecer. Cada celebración litúrgica, a partir de la misa de la cena del Señor, el Jueves Santo, hasta la oración vespertina del Domingo de Pascua es parte de la celebración del misterio pascual, la pasión, muerte y resurrección de Nuestro Señor Jesucristo. Si participamos de corazón de estas celebraciones, podemos sentir que verdaderamente vivimos nuestra vida cotidiana en Cristo, con él y en él, en las tristezas y en las alegrías.

Durante el Triduo Pascual, la Vigilia Pascual es el punto culminante, porque es la celebración de la noche en que Cristo pasó de la muerte a la vida, la noche en que recuperamos una vez más el gozo y la esperanza. La celebración de nuestra fe en Cristo crucificado, enterrado y resucitado—a través de la cual transmitimos nuestra fe en él—es un ministerio bautismal compartido por todos los creyentes.

Durante el Triduo Pascual, a medida que nos adentramos en la "hora" de la Pascua de Cristo, se nos pide que nos unamos a él. Somos invitados a dejar atrás el pecado y la muerte y a caminar con Jesús hacia una nueva vida en amor, paz y perdón. Cristo Jesús, a quien nosotros seguimos, venció la muerte y el pecado. "Así también, ustedes considérense muertos respecto al pecado, pero vivos para Dios en unión con Cristo Jesús". (Romanos 6:11)

¿De qué modo participará en la celebración del Triduo Pascual, los Tres Días?

Mirando la vida

Historia para el capítulo

Alelí cumplía años el 3 de abril. Le gustaba cumplir años al comienzo de la primavera porque había flores y los días eran cálidos. El año pasado muchas plantas habían florecido y la temperatura era tan agradable que los niños pudieron jugar afuera.

Este año Alelí esperaba ansiosa su fiesta de cumpleaños. Un día, a mediados de marzo, preguntó a sus padres:

"¿Cuándo creen que podré festejar mi cumpleaños?"

El papá miró el almanaque.

"Me parece, Alelí, que tendremos la fiesta la semana siguiente a tu cumpleaños. El 3 de abril es viernes pero este año coincide con el Viernes Santo, el día que recordamos que Jesús padeció y murió por nosotros".

"¿Podemos festejarlo en familia el jueves de noche a la hora de la cena?" Preguntó Alelí.

"Es Jueves Santo. Tengo que leer durante la misa de la cena del Señor esa noche. Tendremos que cenar temprano y luego prepararnos para ir a la Iglesia". Explico su mamá.

Alelí se quedó pensativa durante un momento. Luego, en lugar de sentirse molesta, les dijo a sus padres:

"Jesús hizo mucho por mí, de modo que yo puedo esperar y festejar mi cumpleaños una semana más tarde".

"Festejaremos tu cumpleaños el sábado después de Pascua", informó el papá. "Invitaremos a toda la familia y a tus amigos; es posible que el tiempo esté agradable y podamos tener el primer picnic del año".

"¡Gracias, papá!" exclamó Alelí muy contenta "¡Me encantaría ir de picnic!"

¿Creen que Alelí reaccionó como alguien que ama a los demás? Explica tu respuesta.

"Christ redeemed us all and gave perfect glory to God principally through his paschal mystery: dying he destroyed our death and rising he restored our life. Therefore the Easter Triduum of the passion and resurrection of Christ is the culmination of the entire liturgical year."

(Norms Governing Liturgical Calendars, 18)

Overview

In this chapter the children will learn that we celebrate the death and Resurrection of Jesus during the Easter Triduum.

For Adult Reading and Reflection You may want to refer to paragraph 628 of the *Catechism of the Catholic Church*.

Catechist Background

What do you consider to be the most important three days of the liturgical year?

The Church's celebration of the Triduum, the Three Days, begins on Holy Thursday and ends on Easter Sunday evening. Each liturgical celebration from the Mass of the Lord's Supper on Holy Thursday to Evening Prayer on Easter Sunday is part of the celebration of the Paschal Mystery, Christ's passion, death and Resurrection from the dead. If we sincerely participate in these celebrations, we may sense that our ordinary lives are truly lived in Christ, with him and through him in sorrow and joy.

Within the Triduum, the Easter Vigil is the high point, because this is the celebration of the night when Christ passed from death to life, the night when hope and joy are once again restored to us. Celebrating our belief in Christ crucified, buried, and risen—and thus handing on our faith in him—is a baptismal ministry shared by all believers.

During the Triduum, as we enter deeply into the "hour" of Christ's Passover, we are asked to join him. We are asked to leave sin and death behind, and walk with Jesus into new life, love, peace, and forgiveness. Jesus Christ whom we follow has conquered death and sin. "You too must think of yourselves as [being] dead to sin and living for God in Christ Jesus" (Romans 6:11).

How will you participate in the Church's celebration of the Triduum, the Three Days?

Focus on Life

Chapter Story

Allie's birthday was on April 3. She liked having her birthday at the beginning of spring because she liked flowers and warm weather. Last year many flowers had bloomed, and the weather was warm enough to play outside at her party.

Allie was really looking forward to having her party this year. One day in the middle of March she asked her parents, "When do you think I can have my birthday party this year?"

Allie's dad looked at the calendar. "Well, Allie, I think we'll have to plan having your party the week after your birthday. April 3 is on a Friday, but it is Good Friday this year. Good Friday is the day we remember that Jesus suffered and died for us."

Allie asked, "Can the family celebrate at supper on Thursday night?"

Allie's mom said, "That's Holy Thursday, Allie. I'll be reading at the Mass of the Lord's Supper that night. We'll have to have an early dinner and then get ready for church."

Allie thought for a few minutes. Instead of being upset she told her parents, "Jesus did a lot for me. I can wait until the next week for my birthday celebration."

"We'll celebrate your birthday on the Saturday after Easter," Allie's dad said. "We can invite the whole family and your friends, too. It may even be warm enough to have our first picnic of the year."

Allie answered, "Thanks, Dad. I would really like that."

Do you think Allie reacted in a loving way? Tell why or why not.

Guía para planificar la lección

Pasos de la lección	Presentación	Materiales
 **NOS CONGREGAMOS**		
pág. 230 **Introducción del tiempo**	• Leer la *Historia para el capítulo.* • Presentar el tiempo de los Tres Días. • Proclamar las palabras en la bandera. • Compartir las respuestas a las preguntas.	
 **CREEMOS**		
pág. 230 *Los Tres Días celebran la muerte y resurrección de Jesús.*	• Presentar el texto sobre la muerte y resurrección de Jesús. Realizar la actividad.	• crayones o lápices de colores
 **RESPONDEMOS**		
pág. 234	Compartir las respuestas a la pregunta. • Decorar el marco para la oración.	• crayones o lápices de colores
pág. 234 **Respondemos en oración**	• Escuchar la lectura de la Sagrada Escritura. • Responder con una canción.	Canción "¡Aleluya! ¡Gloria a Dios!" 2–3 CD • en el lugar de oración: una rama de árbol, cuadrados de papel tisú de color rojo, mantel blanco, Biblia
pág. 236 **Respondemos y compartimos la fe**	• Explicar el proyecto individual de los Tres Días. • Explicar el proyecto en grupo de los Tres Días. • Comentar sobre **Respondemos y compartimos la fe.**	• copias del patrón 21 • cartulina de color blanco o rojo • tijeras, pegamento o cinta adhesiva

Planificación de la lección

Introducción del tiempo ____ minutos

• **Oración** Recen la Señal de la Cruz y permita que los niños tengan un momento en silencio para pensar en lo que Jesús hizo por nosotros.

• **Lea** en voz alta la *Historia para el capítulo,* página 230A.

• **Pida** a los niños que abran sus libros en la página 230. Lean Juntos el título del capítulo. Los niños señalarán el espacio correspondiente a los Tres Días en la barra impresa debajo del título. Pregunte: *¿Qué tiempo del calendario litúrgico está antes y cuál viene después de los Tres Días?*

• **Explique:** *El Viernes Santo, cuando nos reunimos con la comunidad parroquial, veneramos la cruz. "Venerar" significa que expresamos nuestro amor y gratitud a Jesús porque murió en la cruz por nosotros.*

• **Lean** juntos las palabras impresas en la bandera.

Lesson Planning Guide

Lesson Steps	Presentation	Materials
 **WE GATHER**		
page 231 **Introduce the Season**	• Read the *Chapter Story*. • Introduce the Three Days. • Proclaim words on a banner. • Share responses to the questions.	
2 WE BELIEVE		
page 231 *The Three Days celebrate the death and Resurrection of Jesus.*	• Present the text about the death and Resurrection of Jesus. Do the activity.	• crayons or colored pencils
3 WE RESPOND		
page 235	• Share responses to the question. Decorate a prayer frame.	• crayons or colored pencils
page 235 **We Respond in Prayer**	• Listen to a Scripture reading. • Respond in song.	"Alleluia, We Will Listen," #20, Grade 2 CD • prayer space items: tree branch, squares of red tissue paper, white tablecloth, Bible
page 237 **We Respond and Share the Faith**	• Explain the Three Days individual project. • Explain the Three Days group project. • Discuss **We Respond and Share the Faith**	• copies of Reproducible Master 21 • white or red construction paper • scissors, glue or tape

Lesson Plan

Introduce the Season ____ minutes

• **Pray** Pray the Sign of the Cross and pause for the children to reflect quietly about all Jesus has done for us.

• **Read** aloud the *Chapter Story*, guide page 230B. Discuss Allie's response to her parents.

• **Have** the children open their texts to page 231. Read together the title of the chapter. Have the children point to the Three Days' space on the bar below the chapter title. Ask: *What seasons does the Three Days come between?*

• **Explain:** *When we gather with our parish on Good Friday, we venerate the cross. This means we show our love and thanks to Jesus for dying on the cross for us.*

• **Read** together the words on the banner.

Meta catequética

- Presentar la celebración de los Tres Días

Nuestra respuesta en la fe

- Recordar la importancia de los Tres Días

Materiales

- copias del patrón 21
- crayones o lápices de colores
- 2–3 CD
- papel cartulina rojo o blanco
- tijeras y pegamento o cinta adhesiva

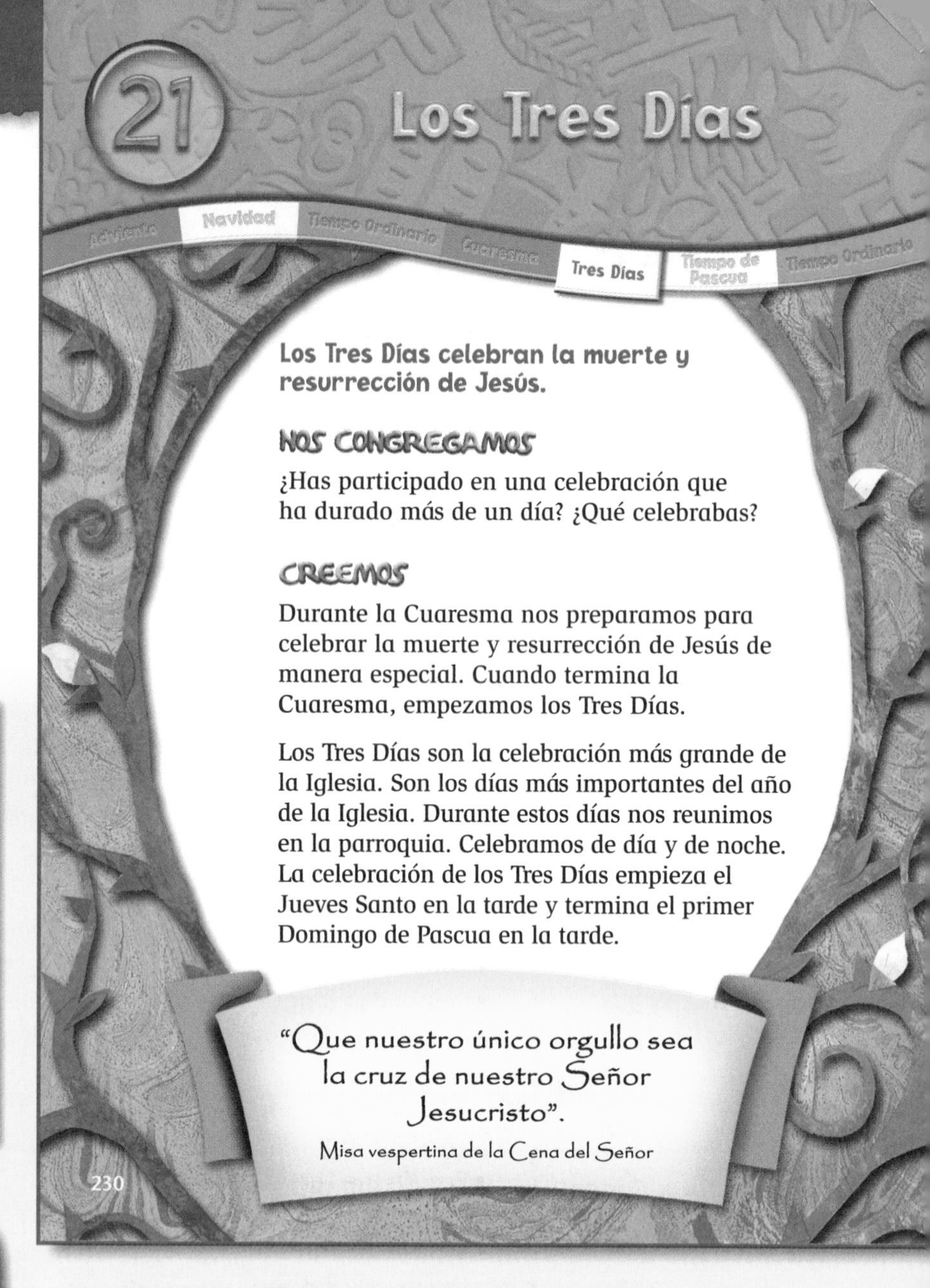

RECURSOS ADICIONALES

Libro *Viacrucis gráfico y biblico.* Liturgical Press. Para acompañar más de cerca las 14 estaciones del viacrucis. Imágenes a todo color.

Para más ideas sobre videos, libros y otros materiales visite a Sadlier en

www.CREEMOSweb.com

Planificación de la lección

NOS CONGREGAMOS ___ minutos

Mirando la vida Lea las preguntas de *Nos congregamos.* Pida que algunos voluntarios compartan sus respuestas con el resto del grupo. Señale que a veces las celebraciones familiares (reuniones, matrimonios, cumpleaños, aniversarios) duran dos o más días. Explique al grupo que en esta clase aprenderán acerca de una celebración muy especial–la más especial—de la Iglesia: la celebración de los Tres Días.

CREEMOS ___ minutos

- **Pida** que un voluntario lea en voz alta los dos párrafos *Creemos* en la página 230. Los niños resaltarán o subrayarán la primera y la última oración del segundo párrafo.

Lea las instrucciones de la actividad *Creemos* en la página 232. Los niños realizarán la actividad.

- **Pida** a los niños que miren la página 164 del capítulo 15. Anime a voluntarios relatar que ocurrió en la última cena. Explique: *Todos los años, la noche del Jueves Santo, nos reunimos para celebrar de manera especial el regalo de la Eucaristía que nos dejó Jesús.*

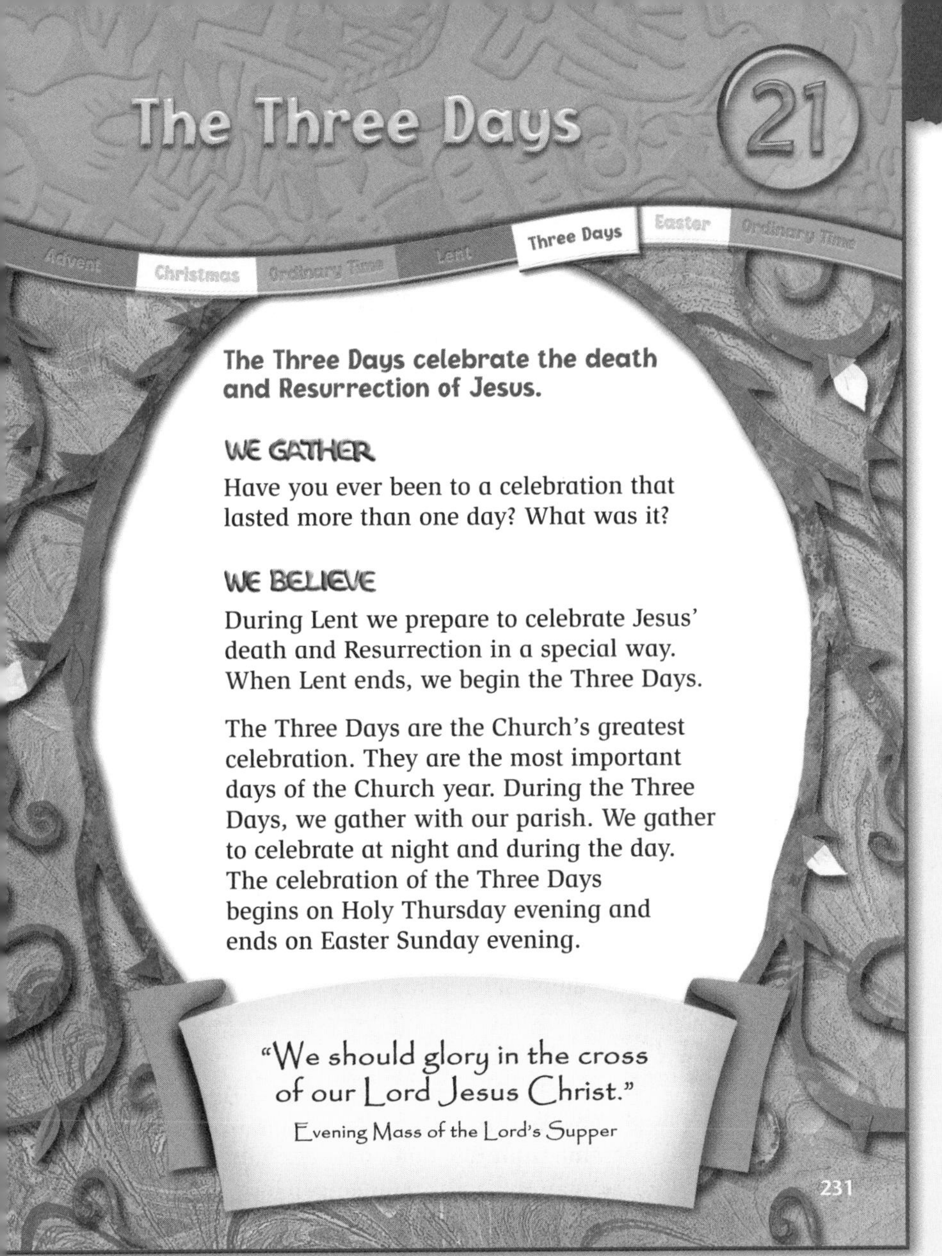

The Three Days 21

Advent Christmas Ordinary Time Lent Three Days Easter Ordinary Time

The Three Days celebrate the death and Resurrection of Jesus.

WE GATHER

Have you ever been to a celebration that lasted more than one day? What was it?

WE BELIEVE

During Lent we prepare to celebrate Jesus' death and Resurrection in a special way. When Lent ends, we begin the Three Days.

The Three Days are the Church's greatest celebration. They are the most important days of the Church year. During the Three Days, we gather with our parish. We gather to celebrate at night and during the day. The celebration of the Three Days begins on Holy Thursday evening and ends on Easter Sunday evening.

"We should glory in the cross of our Lord Jesus Christ."
Evening Mass of the Lord's Supper

231

Catechist Goal

- To introduce the Church's celebration of the Three Days

Our Faith Response

- To recall the importance of the Three Days

Materials

- copies of Reproducible Master 21
- crayons or colored pencils
- Grade 2 CD
- white and red construction paper
- scissors and glue, paste, or tape

ADDITIONAL RESOURCES

Videos The following list of videos are included in the series *Jesus . . . A Kingdom Without Frontiers.* The videos are animated versions of the Paschal Mystery. *The Last Supper, Jesus Dies on the Cross, The Resurrection of Jesus*

To find more ideas for books, videos, and other learning material, visit

www.CREEMOSweb.com

Lesson Plan

WE GATHER ____ minutes

Focus on Life Read the *We Gather* questions. Ask volunteers to share their responses. Point out that sometimes family celebrations (reunions, weddings, birthdays, anniversaries) last two or more days. Tell the children that in this lesson they will learn about the Church's most special celebration, the celebration of the Three Days.

WE BELIEVE ____ minutes

- **Have** a volunteer read aloud the two *We Believe* paragraphs on page 231. Ask the children to highlight or underline the first and last sentences of the second paragraph.

Read the *We Believe* activity directions on page 233. Have the children complete the activity.

- **Ask** the children to look at page 165 in Chapter 15. Have volunteers explain what happened at the Last Supper. Explain: *Every year on Holy Thursday evening we gather to celebrate Jesus' gift of the Eucharist in a special way.*

BANCO DE ACTIVIDADES

La doctrina social de la Iglesia

Llamado a la familia, la comunidad y la participación

Materiales: copias de la receta de pretzels de Viernes Santo, papel cartulina, marcadores, pegamento o cinta adhesiva, pretzels elaborados comercialmente (opcional)

Para que los niños se concentren en la cruz como símbolo del Viernes Santo, puede llevar los pretzels de Viernes Santo para compartir con los niños. Explique a los niños que se cree que su origen se remonta a varios siglos: cada Viernes Santo, los monjes de un monasterio en Inglaterra preparaban pretzels con una cruz marcada en la parte superior y los repartían entre los pobres.

Entregue a cada niño una copia de la receta. Es posible obtener recetas en sitios en Internet. Distribuya la cartulina y los marcadores y pídales que preparen un marco para la receta que luego llevarán a sus casas para compartir con la familia.

Traza sobre las líneas para mostrar cuando empiezan y terminan los Tres Días.

	Día 1	Día 2	Día 3
Jueves Santo	Viernes Santo	Sábado Santo	Domingo de Pascua

La celebración empieza el Jueves Santo en la tarde. Recordamos lo que pasó en la última cena. Celebramos que Jesús se dio a sí mismo en la Eucaristía. Recordamos que Jesús siempre sirvió a los demás. Hacemos una colecta especial por los necesitados.

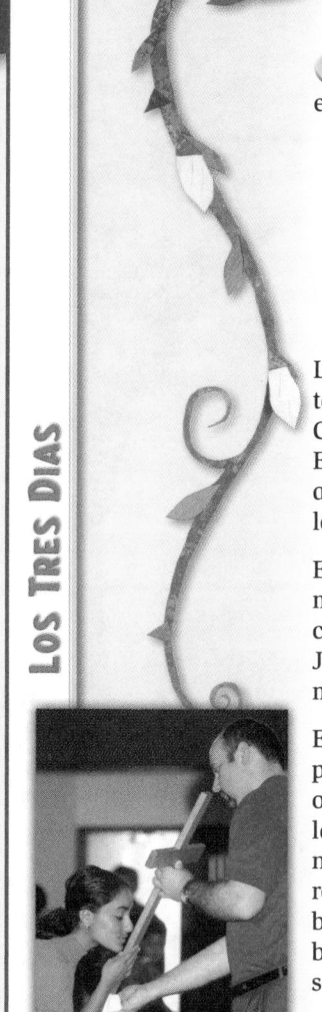

El Viernes Santo escuchamos la historia de la muerte de Jesús y rezamos frente a la cruz. La cruz nos recuerda la muerte y resurrección de Jesús a una nueva vida. Rezamos por todo el mundo. Esperamos y rezamos.

El Sábado Santo en la noche, encendemos el cirio pascual. ¡Jesús ha resucitado! El trae la luz a la oscuridad. Escuchamos las lecturas bíblicas sobre las grandes cosas que Dios ha hecho por nosotros. Cantamos con alegría porque Jesús ha resucitado de la muerte. Recordamos nuestro bautismo en forma especial. También damos la bienvenida a la Iglesia a nuevos miembros que serán bautizados.

El Sábado Santo se convierte en Domingo de Pascua. Cantamos himnos de gozo y alabanza y empezamos el tiempo de Pascua. ¡Aleluya!

Planificación de la lección

CREEMOS (continuación)

- **Pida** que un voluntario lea el primer párrafo *Creemos* en la página 232. Puede explicar a los niños que la noche de la última cena, Jesús lavó los pies a sus discípulos. Explique: *Durante la misa de la cena del Señor el Jueves Santo, el sacerdote lava los pies de doce personas allí presentes. Esto nos recuerda que Jesús sirvió a los demás y desea que nosotros hagamos lo mismo.*

- **Pida** un voluntario que lea el segundo párrafo. Los niños mirarán la fotografía de la veneración de la cruz.

Cotejo rápido

✔ *¿Qué celebra la Iglesia durante los Tres Días?* (La Iglesia celebra la muerte y resurrección de Jesús.)

✔ *¿Cuándo comienza y cuándo finaliza la celebración de los Tres Días?* (La celebración de los Tres Días comienza al anochecer del Jueves Santo y finaliza al anochecer del Domingo de Pascua.)

- **Lea** en voz alta los últimos párrafos en la página 232. Puede llevar a los niños a la iglesia para ver el cirio pascual. Muéstreles, también, el cirio en la página 234. Explique: *El Sábado de Gloria, el sacerdote enciende una hoguera y allí enciende el cirio. Este cirio se lleva en procesión al interior de la iglesia y todos los fieles allí reunidos encienden sus velas con la llama del Cirio Pascual.*

Trace over the lines to show when the Three Days begin and end.

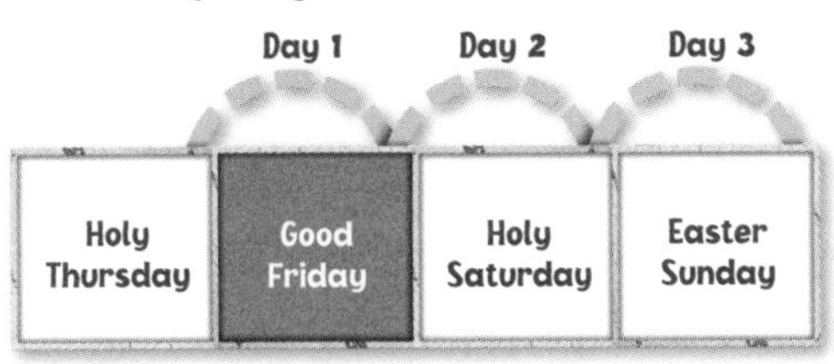

The celebration begins on Holy Thursday night. We remember what happened at the Last Supper. We celebrate that Jesus gave himself to us in the Eucharist. We remember the ways Jesus served others. We have a special collection for those who are in need.

On Good Friday, we listen to the story of Jesus' death and pray before the cross. The cross reminds us of Jesus' dying and rising to new life. We pray for the whole world. We wait and pray.

On Holy Saturday night, we light the Easter candle. Jesus has risen! He brings light to the darkness. We listen to Bible readings about all the great things God has done for us. We sing with joy to celebrate that Jesus rose from the dead. We remember our Baptism in a special way. We also welcome new members of the Church as they are baptized.

Holy Saturday turns into Easter Sunday. We sing songs of joy and praise as we begin the Easter season. Alleluia!

ACTIVITY BANK

Catholic Social Teaching

Call to Family, Community, and Participation

Materials: duplicated copies of recipe for hot-cross buns, construction paper, markers, tape or glue, commercially prepared hot-cross buns (optional)

To focus on the Good Friday symbol of the cross, consider providing commercially prepared hot-cross buns for the children to share. Explain that these yeast rolls may have originated in an English monastery hundreds of years ago. The monks made the buns and used frosting to draw a cross on them. They distributed the buns to the poor on Good Friday. Give each child a copy of any basic hot-cross-bun recipe. Recipes are available on numerous Web sites. Then distribute the art materials and have the children mount the recipe on construction paper to take home to their families.

WE BELIEVE (continued)

• **Ask** a volunteer to read the first *We Believe* paragraph on page 233. You may want to point out that on the night of the Last Supper Jesus washed his disciples' feet. Explain: *During the Mass of the Lord's Supper on Holy Thursday evening, the priest washes the feet of twelve people in the assembly. This helps us to remember that Jesus served others and wants us to do the same.*

• **Ask** a volunteer to read the second paragraph. Have the children look at the photo of the veneration of the cross.

Quick Check

✔ *What do the Three Days celebrate?* (The Three Days celebrate the death and Resurrection of Jesus.)

✔ *When does the celebration of the Three Days begin and end?* (The celebration of the Three Days begins on Holy Thursday evening and ends on Easter Sunday evening.)

• **Read** aloud the last two paragraphs on page 233. You may take the children to church to show them the Paschal or Easter candle. Also have the children look at the candle on page 235. Explain: *Outside the church on Holy Saturday night the priest starts a new fire and lights the Easter candle with this fire. The candle is carried in procession into the church and the members of the assembly light their candles by the flame of the Easter candle.*

PREPARANDOSE PARA ORAR

Los niños escucharán la lectura de la Sagrada Escritura.

- Escoja un niño para hacer la lectura de la Biblia y otro niño para que sirva de guía. Dé tempo para que se preparen.
- Escuchen la canción "¡Aleluya! ¡Gloria a Dios!", 2–3 CD.

El lugar de oración

- Muestre una rama de árbol. Tenga preparados cuadritos de papel o cartulina de color rojo (uno para cada niño) y pega.
- Cubra la mesa con un mantel blanco. Coloque un recipiente con agua bendita, una cruz, y la Biblia abierta en un evangelio sobre la muerte y resurrección de Jesús.

¿Cómo celebra tu parroquia los Tres Días?

Recen juntos esta oración.

Anunciamos tu muerte.
Proclamamos tu resurrección.
Ven Señor, Jesús.

Respondemos en oración

Líder: ¡Regocijaos siempre en Jesucristo!

Lector: Lectura de la carta de San Pablo a los gálatas.

"Por la fe en Cristo Jesús todos ustedes son hijos de Dios, y por el bautismo han venido a estar unidos con Cristo y se encuentran revestidos de él. . . Unidos a Cristo Jesús, todos ustedes son uno solo".
(Gálatas 3:26–28)

Palabra de Dios.

Todos: Demos gracias a Dios.

¡Aleluya! ¡Gloria a Dios!

¡Alelu! ¡Alelu! ¡Aleluya!
¡Alelu! ¡Alelu! ¡Aleluya!
¡Alelu! ¡Alelu! ¡Aleluya!
¡Gloria a Dios! ¡Gloria al Señor!

Planificación de la lección

RESPONDEMOS

____ minutos

Conexión con la vida Lea la pregunta de *Respondemos*. Invite a un miembro de la comisión de la liturgia para que hable a los niños sobre la celebración de los Tres Días.

Pida a los niños que digan la oración en *Respondemos*. Luego pintarán el marco.

Respondemos en oración

_ minutos

- **Apague** las luces del salón. Pida a los niños que permanezcan en silencio y piensen en el don de Jesús, la Eucaristía, y en su padecimiento, muerte y resurrección.
- **Reúna** a los niños en el lugar de oración. Recen la Señal de la Cruz y la oración.
- **Haga** una pausa después de haber respondido *Te alabamos, Señor* al finalizar la lectura del texto bíblico.
- **Entregue** a cada niño un cuadrado de papel de color rojo y muéstreles como formar un capullo en flor. Los niños pegarán los capullos en la rama del árbol.
- **Canten** juntos "¡Aleluya! ¡Gloria a Dios!".

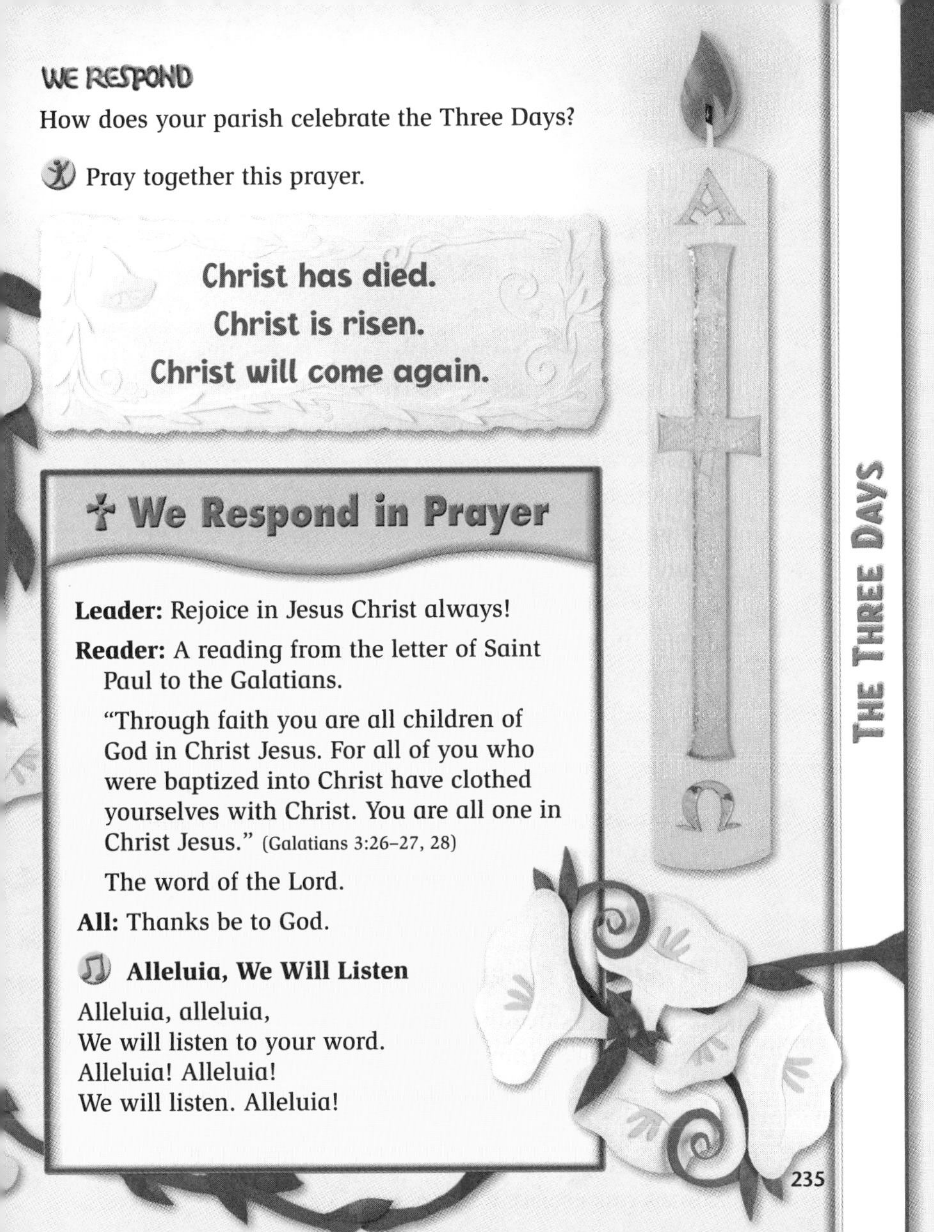

PREPARING TO PRAY

The children will listen to a reading from Scripture.

- Choose a volunteer to read Scripture and another leader to be the prayer leader. Give the children time to prepare their parts.
- Play "Alleluia, We Will Listen," #20 on the Grade 2 CD.

The Prayer Space

- Display a tree branch. Have available small squares of red tissue or construction paper (one for each child) and glue.
- Place a white tablecloth on the prayer table. On the table place a bowl of holy water, a crucifix or cross, and the Bible opened to one of the gospel accounts of the death and Resurrection of Jesus Christ.

Lesson Plan

WE RESPOND ____ minutes

Connect to Life Read the *We Respond* question. Invite one of the members of the parish liturgy committee to talk with the children about the celebration of the Three Days.

Ask the children to pray the *We Respond* prayer. Then have them color the frame.

We Respond in Prayer ____ minutes

- **Turn out** the overhead lights. Ask the children to reflect quietly about Jesus' gift of the Eucharist and his suffering, death, and Resurrection.
- **Invite** the children to gather in the prayer space. Pray the Sign of the Cross and the prayer.
- **Pause** after praying aloud the response to the Scripture reading: *Thanks be to God.*
- **Give** each child a square of red paper. Demonstrate how to pinch the paper to make a flower bud. Help the children glue their buds to the tree branch.
- **Sing** together "Alleluia, We Will Listen."

CONEXION

La liturgia

Procesión de los Tres Días

Las procesiones son parte de la liturgia de la Semana Santa, comenzando el Domingo de Ramos. El Jueves Santo, el Santísimo Sacramento se lleva hasta el altar de reposo. El Viernes Santo la congregación va en procesión a venerar la cruz. Durante la Vigilia Pascual, el cirio pascual se lleva hasta el interior de la iglesia. Planifique una procesión a la iglesia durante el desarrollo de este capítulo.

CONEXION CON EL HOGAR

Compartiendo lo aprendido

Recuerde a los niños compartir con sus familias lo aprendido en este capítulo.

Para más información y actividades adicionales visite a Sadlier

www.CREEMOSweb.com

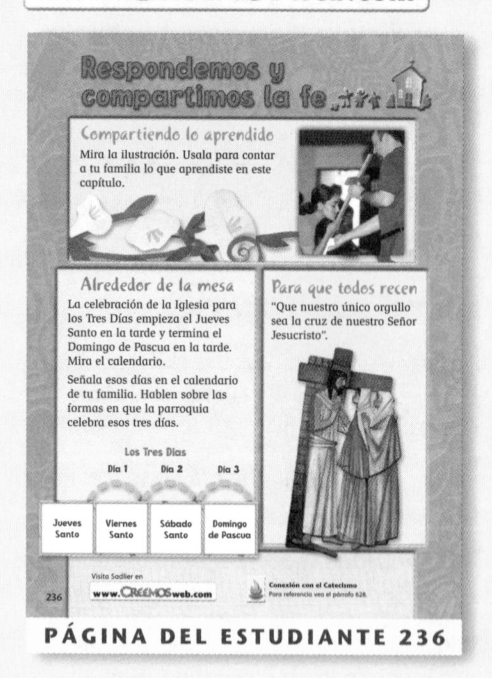

Respondemos y compartimos la fe

Compartiendo lo aprendido

Mira la ilustración. Usala para contar a tu familia lo que aprendiste en este capítulo.

Alrededor de la mesa

La celebración de la Iglesia para los Tres Días empieza el Jueves Santo en la tarde y termina el Domingo de Pascua en la tarde. Mira el calendario.

Señala esos días en el calendario de tu familia. Hablen sobre las formas en que la parroquia celebra esos tres días.

Los Tres Días

	Día 1	Día 2	Día 3
Jueves Santo	Viernes Santo	Sábado Santo	Domingo de Pascua

Para que todos recen

"Que nuestro único orgullo sea la cruz de nuestro Señor Jesucristo".

Visita Sadlier en www.CREEMOSweb.com

Conexión con el Catecismo
Para referencia vea el párrafo 628.

236

PÁGINA DEL ESTUDIANTE 236

 **Liturgia para esta semana**

Visite **www.creemosweb.com** para las lecturas bíblicas de esta semana y otros materiales propios del tiempo.

Respondemos y compartimos la fe

Proyecto individual

Distribuya copias del patrón 21. Lea las instrucciones. Explique: *Un tríptico es una pieza de arte que consta de tres paneles.* Comente cada uno de los símbolos en los paneles y momento de la celebración de los Tres Días el que representa cada uno de ellos.

Los niños pintarán los paneles y luego recortarán el tríptico. Entregue a cada niño cartulina de color blanco para que enmarque su tríptico.

Muestre a los niños como plegar el tríptico siguiendo las líneas marcadas. Anime a los niños a llevarlos a sus casas y explicarles a sus familias lo que aprendieron acerca de la celebración de los Tres Días.

Proyecto en grupo

Averigüe los nombres de las personas que serán bautizadas durante la Vigilia Pascual. Los niños prepararán tarjetas para cada uno de ellos y las decorarán con los símbolos correspondientes al Bautismo, Confirmación y Eucaristía. Pida a los niños que escriban un mensaje personal en la tarjeta para que la persona se sienta bienvenida a la familia de la Iglesia.

Pídale al pastor o al director del Rito de Iniciación Cristiana para Adultos (RICA) que les entregue las tarjetas a los nuevos miembros de la Iglesia.

We Respond and Share the Faith

Individual Project

Distribute copies of Reproducible Master 21. Read the directions. Explain: *A triptych is an art piece that has three panels. Discuss the symbol on each panel and what Three-Day liturgical celebration it represents.*

Have the children color the panels. Then have them cut out the triptychs. Give each child a piece of white construction paper on which to mount his or her triptych.

Show the children how to fold the triptych along the fold lines shown. Encourage the children to share the triptychs with their families. Have them explain to their families what they learned about the Church's celebration of the Three Days.

Group Project

Find out the names of the people who will be baptized during the Easter Vigil. Have the children make cards for them by decorating the cover of the card with appropriate symbols of Baptism, Confirmation, and Eucharist. Ask each child to write a personal message inside the card, welcoming the person to the Church.

Ask the pastor or RCIA director to give the cards to the new Church members.

Connection

To Liturgy

A Three-Day Procession

Processions are part of the liturgy of Holy Week, beginning with the palm procession on Passion Sunday. On Holy Thursday the Blessed Sacrament is carried into the altar of repose. On Good Friday to the sanctuary to venerate the cross. At the Easter Vigil the paschal candle is carried into the church. Plan a class procession into the church while presenting this chapter.

Home Connection

Sharing What I Learned

Remind the children to share with their families what they learned in this chapter.

For additional information and activities, encourage families to visit Sadlier's

www.CREEMOSweb.com

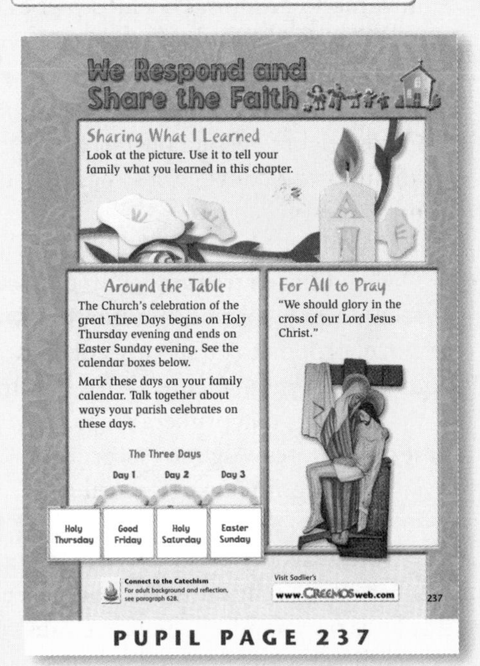

We Respond and Share the Faith

Sharing What I Learned

Look at the picture. Use it to tell your family what you learned in this chapter.

Around the Table

The Church's celebration of the great Three Days begins on Holy Thursday evening and ends on Easter Sunday evening. See the calendar boxes below.

Mark these days on your family calendar. Talk together about ways your parish celebrates on these days.

The Three Days

Day 1 Day 2 Day 3

Holy Thursday | Good Friday | Holy Saturday | Easter Sunday

For All to Pray

"We should glory in the cross of our Lord Jesus Christ."

Connect to the Catechism
For adult background and reflection, see paragraph 628.

Visit Sadlier's www.CREEMOSweb.com

237

PUPIL PAGE 237

This Week's Liturgy

Visit **www.creemosweb.com** for this week's liturgical readings and other seasonal material.

Capítulo 22 Dios nos llama a amar y a servir

Ojeada

En este capítulo los niños aprenderán que Dios nos llama a amarlo y servirlo.

Contenido doctrinal	Para referencia del *Catecismo de la Iglesia Católica*
Los niños aprenderán que:	párrafo
• Somos llamados por Dios.	30
• Casados y solteros son llamados por Dios.	1658
• Los sacerdotes son llamados por Dios.	1578
• Hermanas y hermanos religiosos son llamados por Dios.	1618

Referencia catequética

¿De qué manera ha sido llamado por Dios?

Dios llama a cada uno, por nuestro nombre, a amarlo y servirlo. En el bautismo recibimos la gracia para responder al llamado de Dios. Podemos vivir ese llamado de diversas maneras. Por ejemplo, cuando enseña, sirve a Dios.

También servimos a Dios casados o solteros. Los solteros sirven a Dios en sus relaciones familiares o en sus trabajos. Otros celebran el sacramento del matrimonio y sirven a Dios amando a su cónyuge, a sus hijos, y en sus relaciones con otras personas.

Algunos hombres son llamados al sacramento del Orden. Existen tres grados en este sacramento: diáconos, sacerdotes y obispos. Algunos diáconos son ordenados con el propósito de servir y colaborar con los sacerdotes; diaconado permanente. Otros hombres son ordenados diáconos en una primera etapa de su proceso para llegar a ser sacerdotes. Algunos sacerdotes son llamados a servir a la Iglesia como obispos y reciben así *"la plenitud del sacramento del Orden"* (CIC 1557).

Algunas personas son llamadas a servir como hermanas y hermanos religiosos. Pertenecen a congregaciones y sirven a Dios trabajando y rezando en sus comunidades. Aun cuando desempeñemos diferentes papeles en la vida, todos somos llamados a amar y servir a Dios.

¿Cómo responden al llamado de Dios las personas que le rodean?

Mirando la vida

Historia para el capítulo

Lorenzo entró a su casa corriendo, estaba muy contento. "¡Mamá! ¡Papá! ¡Adivinen que va a pasar el domingo! El coro de niños va a cantar en la celebración del aniversario de la hermana Angela. Hoy el padre Alberto nos escuchó cantar y nos pidió cantar el domingo. ¿Sabían que hace veinte años que la hermana Angela está trabajando en Saint Jerome?"

El papá de Lorenzo recordó que la hermana Angela lo había ayudado en muchas oportunidades. "Una vez se me cayeron los libros que llevaba y la hermana se detuvo y me ayudó a recogerlos uno por uno".

La mamá comentó, "La hermana Angela recibirá una sorpresa al ver todo lo que la parroquia ha preparando. Ella ha trabajado mucho para ayudar a la parroquia. Siempre encuentra la manera de ayudar a las familias, especialmente a las más necesitadas. Fue ella quien comenzó muchos programas de Saint Jerome que resultaron tan buenos para todos en la parroquia".

El domingo por la tarde los miembros de la parroquia se reunieron en el salón parroquial. Varias familias y miembros de la comunidad habían decorado el lugar y habían preparado comida para la fiesta. Cuando la hermana entró al salón, todos gritaron "¡Sorpresa!" y la aplaudieron. El padre Alberto tomó la palabra:

"Gracias, hermana, por compartir el amor de Dios con esta parroquia durante todos estos años". Luego, invitó al coro de niños a que cantara la canción que el hermano Fredrick les había enseñado especialmente para la ocasión.

Al finalizar el canto, la hermana Ángela se acercó al micrófono."Hacen que me sienta especial. Vine a Saint Jerome a trabajar en la obra de Dios y he disfrutado de este trabajo junto a todos ustedes. Gracias por su cariño. Y ahora, creo que debemos continuar con la fiesta".

¿Por qué las personas de la parroquia de Saint Jerome prepararon una fiesta para la hermana Angela?

God Calls Us to Love and Serve

Overview

In this chapter the children will learn that everyone is called by God to love and serve him.

Doctrinal Content	For Adult Reading and Reflection *Catechism of the Catholic Church*
The children will learn:	Paragraph
• We are called by God.	30
• Married people and single people are called by God.	1658
• Priests are called by God.	1578
• Religious sisters and brothers are called by God.	1618

Catechist Background

How have you been called by God?

God has called each of us by name to love and serve him. In Baptism we receive the grace to answer God's call. We live out our calling in many ways. For example, when you teach, you are serving God through your profession as a teacher.

We also serve God through our particular state in life. Some people remain single throughout their lives and serve God in their relationships with their family, coworkers, and others. Other people celebrate the sacrament of Matrimony and serve God first by loving their spouse and children. They also serve God in relationships with others.

Some men are called to the sacrament of Holy Orders. There are actually three orders, or degrees, to this sacrament: deacons, priests, and bishops. Some deacons are ordained for the purpose of helping and serving and assisting priests in their role. This is called the permanent diaconate. Other men are ordained deacons as a step in the process of becoming a priest. Some priests are called to serve the Church in the role of bishop, and thus receive *"the fullness of the sacrament of Holy Orders"* (CCC 1557).

Finally, some people are called by God to serve as religious brothers and sisters. These people belong to religious communities and serve God through working and praying in their communities and loving and serving others.

Although we may have different states in life, single, married, ordained, or vowed religious, all of us are called by God to love and serve him. The way we live our lives is our answer to God's call.

How do you see people around you responding to God's call?

Focus on Life

Chapter Story

Lorenzo came running into the house all excited. "Guess what, Mom and Dad! The children's choir is going to sing for Sister Angela's anniversary celebration on Sunday. Father Albert heard us today and invited us to sing on Sunday. Can you believe Sister has been at Saint Jerome's for twenty years?"

Lorenzo's father said, "Sister Angela has helped me many times. Once I dropped books I was carrying. Sister stopped and helped me to pick up all the books."

Lorenzo's mother said, "Sister Angela will be so surprised by everything the parish is doing for her. Sister has worked hard to help the parish. She is always finding ways to help families, especially those who are in need. She has started many of the successful programs that Saint Jerome offers for single people, families, children, and teenagers."

On Sunday afternoon the members of Saint Jerome's parish gathered in the parish hall. Many families and parish members had decorated and made food for the celebration. As Sister walked into the hall, everyone said, "Surprise" and then clapped. Then Father Albert spoke. He said, "Thank you, Sister, for sharing God's love with the parish through all the years you've been here." Father then invited the children's choir to sing the special song Brother Fredrick had taught them.

Then Sister Angela went to the microphone. She said, "How special you make me feel. I came to Saint Jerome's to do God's work, and I've enjoyed doing this work with many of you. Thank you for your kindness. Now, let's continue the celebration."

Why were the people of Saint Jerome's parish having a celebration for Sister Angela?

Guía para planificar la lección

1 NOS CONGREGAMOS

Pasos de la lección	Presentación	Materiales
pág. 238 **Oración** **Mirando la vida**	• Alabar y dar gracias a Dios. • Reflexionar y comentar las instrucciones y la pregunta.	En el lugar de oración: fotografías de revistas y periódicos de personas ayudando a otras; un recipiente con agua bendita

2 CREEMOS

Pasos de la lección	Presentación	Materiales
pág. 238 *Somos llamados por Dios.*	• Leer el texto sobre las diferentes maneras en que podemos servir a Dios. Realizar la actividad.	• crayones o marcadores • lápices
pág. 240 *Casados y solteros son llamados por Dios.*	• Presentar el texto que habla de las personas casadas y solteras.	
pág. 242 *Los sacerdotes son llamados por Dios.*	• Leer el texto sobre la manera en que los sacerdotes sirven a Dios y a los demás. Realizar la actividad sobre la manera en que los sacerdotes viven el servicio. • Leer y comentar el texto *Como católicos.*	
pág. 244 *Hermanas y hermanos religiosos son llamados por Dios.*	• Leer el texto sobre las hermanas y hermanos religiosos. • Señalar *Vocabulario* y su definición.	• crayones • copias del patrón 22 • tijeras, pegamento, papel cartulina

3 RESPONDEMOS

Pasos de la lección	Presentación	Materiales
pág. 244	• Responder a la pregunta por escrito.	
páginas 246 y 248 **Repaso**	• Completar las oraciones 1 a 5. • Completar *Reflexiona y ora.*	
páginas 246 y 248 **Respondemos y compartimos la fe**	• Repasar *Recuerda* y *Vocabulario.* • Leer y comentar *Nuestra vida católica.*	

Para ideas, actividades y otras oportunidades visite Sadlier en **www.CREEMOSweb.com**

Lesson Planning Guide

Lesson Steps	Presentation	Materials
1 WE GATHER		
page 239  **Prayer**	• Praise and thank God.	For the prayer space: magazine and newspaper photos of people helping; bowl of holy water
 **Focus on Life**	• Reflect and discuss the directive and question.	
2 WE BELIEVE		
page 239 *We are called by God.*	• Read the text about ways we can serve God. Do the activity.	• highlighters or crayons • pencils
page 241 *Married people and single people are called by God.*	• Present the text about single and married people.	
page 243 *Priests are called by God.*	• Read the text about ways priests serve God and others. Do the activity about the ways priests serve. • Read and discuss the *As Catholics* text.	
page 245 *Religious sisters and brothers are called by God.*	• Read the text about religious sisters and brothers. • Point out the *Key Word* and definition.	• crayons • copies of Reproducible Master 22 • scissors, glue, construction paper
3 WE RESPOND		
page 245	• Respond to the question in writing.	
pages 247 and 249 **Review**	• Complete questions 1–5. • Complete the *Reflect & Pray* activity.	
pages 247 and 249 **We Respond and Share the Faith**	• Review the *Remember* statements and *Key Word.* • Read and discuss *Our Catholic Life.*	

For additional ideas, activities, and opportunities: Visit Sadlier's **www.CREEMOSweb.com**

Conexiones

Las vocaciones

A medida que trabajen en las diferentes actividades de este capítulo, ayude a los niños a reconocer que cada uno de nosotros recibe el llamado a amar y servir a Dios. Algunas personas se casan y comparten su amor a Dios con sus familias y con los demás. Otros permanecen solteros y buscan la manera de dar amor en su comunidad y en la iglesia. Otros sirven a Dios como sacerdotes y religiosos. Si es posible, invite personas casadas y solteras, sacerdotes y religiosos para que conozcan a los niños y les expliquen de que manera viven el amor y el servicio a Dios en sus vidas.

La Iglesia

Muchos de los santos de la Iglesia dedicaron su vida a mostrar el amor de Dios a través del servicio a los demás. Mientras estudian este capítulo, puede contar a los niños historias de algunos santos. Por ejemplo, puede hablarles de Santa Margarita de Escocia que estaba casada con el rey de aquel país y se dedicaba a ayudar a los pobres y menesterosos. También puede contarles sobre San Vicente de Paul, un sacerdote que ayudaba a los pobres. (Recursos: libros sobre la vida de los santos, Enciclopedia Católica, sitios católicos en Internet.)

FE y MEDIOS

- Recuerde a los niños que muchas personas, entre ellos escritores, actores, directores y periodistas de noticieros, sirven a Dios a través de su trabajo en los medios de comunicación, y que entre aquellos que sirven a Dios a través de los medios se cuentan sacerdotes, hermanas y hermanos religiosos, y otras personas que trabajan en ministerios de la Iglesia en todo el mundo.
- Muestre a los niños publicaciones impresas y sitios en Internet de una o más comunidades de hermanas y hermanos religiosos.

Liturgia para esta semana

Visite **www.creemosweb.com** para las lecturas bíblicas de esta semana y otros materiales propios del tiempo.

Necesidades individuales

Crisis Familiares

Esté atento a la situación familiar de cada uno de los niños. En este capítulo, cuide que las conversaciones se mantengan en un plano objetivo. Vea que los niños piensen en las familias en general y no en sus familias en particular.

RECURSOS ADICIONALES

Video *The Parable,* Council of Churches. Muestra a un payaso ayudando a la gente. Su bondad y su interés por la felicidad de otros le cuesta la vida. Su muerte tiene un singular efecto en la gente con quien se ha encontrado. (22 minutos)

Para ideas visite a Sadlier en

www.CREEMOSweb.com

Connections

To Vocations

As you work through the chapter, help the children appreciate the fact that we are each called to love and serve God. Some people marry and share their love of God with their families and others. Some people are single and find ways to share their love in their communities and in the Church. Still others serve God as priests and religious. If possible, invite married and single people, priests, and religious to meet with the children and explain how they love and serve God in their lives.

To Church

Many of the saints of the Church committed their lives to showing God's love through service to others. As you teach the chapter, you may wish to tell the children stories about some saints. For example, you can speak with them about Saint Margaret of Scotland who was married to the king of her country. She gave to the poor and needy. Also talk about Saint Vincent de Paul who was a priest who helped those who were poor. (Resources: books of saints, Catholic Encyclopedia, Catholic Web sites)

FAITH and MEDIA

- Remind the children that many people, among them writers, editors, actors, directors, and newscasters, serve God through work in media, and that those who serve God through media include many priests, religious sisters and brothers, and others working in Church ministries around the world.
- Try to show the children both the print publications and the Web sites of one or more communities of religious sisters and brothers.

This Week's Liturgy

Visit **www.creemosweb.com** for this week's liturgical readings and other seasonal material.

Meeting Individual Needs

Families in Crisis

Be sensitive to all the children's family situations. Keep most discussions objective for this chapter. Have the children think about families in general, not about their own families.

ADDITIONAL RESOURCES

Books

Called to Serve, Albert J. Nevins, *Our Sunday Visitor,* 1993. This book explains how children can serve the Church by being altar servers.

The Seven Sacraments, Lawrence G. Lovasik, Catholic Book Publishing, 1978. Details each of the sacraments in children's language, emphasizing Matrimony and Holy Orders.

To find more ideas for books, videos, and other learning material visit Sadlier's

www.CREEMOSweb.com

Meta catequética

• Explicar que todas las personas son llamadas a servir a Dios, en su vida de casados, de solteros, como sacerdotes o como hermanas y hermanos de una congregación religiosa

PREPARANDOSE PARA ORAR

En la oración en *Nos Congregamos* los niños alaban y dan gracias a Dios Padre y le piden su ayuda.

• Pida a un voluntario ser el guía leyendo las palabras que corresponden al líder.

El lugar de oración

• Coloque fotografías de periódicos y revistas que muestren personas que se ayudan mutuamente. (Incluya fotografías de sacerdotes o hermanas y hermanos.) Si fuera posible, muestre fotografías de personas de la parroquia local. Estas imágenes mostrarán el llamado a amar y servir a los demás que recibimos cuando nos bautizamos.

• Coloque en la mesa un recipiente con agua bendita para recordar el bautismo.

Dios nos llama a amar y a servir

NOS CONGREGAMOS

✝ **Líder:** Dios, Padre nuestro, en nuestro bautismo nos llamaste por nuestro nombre haciéndonos miembros de tu pueblo, la Iglesia.

Todos: Te alabamos por tu bondad. (Repetir)
Te agradecemos tus dones. (Repetir)

Líder: Te pedimos fortaleza para vivir en amor y servicio a los demás como lo hizo tu Hijo, Jesucristo. Te lo pedimos en su nombre.

Todos: Amén.

Piensa en alguna vez en que alguien a quien quieres te llamó por tu nombre. ¿Qué hiciste?

CREEMOS

Somos llamados por Dios.

Leemos en la Biblia que Dios dice: "Yo te llamé por tu nombre, tú eres mío". (Isaías 43:1)

Cuando somos **llamados por Dios** somos invitados a amarle y a servirle.

Amamos y servimos a Dios de muchas formas. Como miembros de la Iglesia rezamos y respetamos el nombre de Dios. Participamos en la misa y en otros sacramentos. Aprendemos sobre Dios por las enseñanzas de Jesús y de la Iglesia. Contamos a otros las cosas maravillosas que Dios ha hecho por nosotros.

238

Planificación de la lección

NOS CONGREGAMOS ____ minutos

✝ **Oración**

• Llame a cada niño por su nombre y pídale que se acerque al lugar de oración.

• Cada niño mojará la punta de sus dedos en agua bendita y rezará la Señal de la Cruz en silencio.

• Pida al líder que comience la oración.

Mirando la vida

• Pida a los niños que lean las instrucciones y la pregunta. Invítelos a hablar sobre lo que sienten cuando sus padres los llaman por sus nombres. Dígales que en este capítulo aprenderán que Jesús nos llama a todos nosotros a amarlo y servirlo. Relate la *Historia para el capítulo* de la página 238A.

CREEMOS ____ minutos

Pida un voluntario que lea en voz alta la afirmación *Creemos* y el primer párrafo de la página 238. Los niños subrayarán o resaltarán la última oración.

Pida a los niños que piensen de que manera pueden amar y servir a Dios ahora. Escriba sus respuestas en una hoja de papel. Solicite la colaboración de un niño que lea el segundo párrafo de la página 238. Luego, el grupo comparará sus respuestas en la hoja de papel con las que se dan en el libro.

Pregunte *Cuando sean mayores, ¿creen que podrán amar y servir a Dios de otra manera?* Un voluntario leerá los dos ultimos párrafos en las páginas 238 y 240. Recalque: *Somos llamados a amar y servir a Dios durante toda nuestra vida.*

God Calls Us to Love and Serve

22

WE GATHER

 **Leader:** God, our Father, in Baptism you called us by name making us members of your people, the Church.

All: We praise you for your goodness. (echo)
We thank you for your gifts. (echo)

Leader: We ask you to strengthen us to live in love and service to others as your Son, Jesus, did. We ask this in his name.

All: Amen.

Think about a time when someone you love called your name. What did you do?

WE BELIEVE

We are called by God.

We read in the Bible that God says, "I have called you by name: you are mine." (Isaiah 43:1)

When we are **called by God**, we are invited by God to love and serve him.

We love and serve God now in many ways. As members of the Church, we pray and respect God's name. We take part in the Mass and the other sacraments. We learn about God from the teachings of Jesus and the Church. We tell others the wonderful things God has done for us.

239

Catechist Goal

- To explain that all people are called to serve God as married, single, priests, or religious brothers and sisters

Preparing to Pray

In this gathering prayer the children praise and thank God the Father and ask for his help.

- Ask a volunteer to be the prayer leader. Have this person read the leader's words.

The Prayer Space

- Display photographs from magazines and newspapers showing people helping one another. (Try to include pictures of priests or religious sisters and brothers.) If possible include photos of people in your parish. These pictures will help illustrate our baptismal call to love and serve others.
- On the prayer table place a bowl of holy water to remind the children of their Baptism.

Lesson Plan

WE GATHER ___ minutes

Prayer

- Say each child's name and ask him or her to gather in the prayer space.
- Have the children dip their fingers in the holy water and pray the Sign of the Cross quietly.
- Ask the prayer leader to begin the prayer.

Focus on Life

- Ask the children to read the directive and question. Invite them to share experiences they have had when parents called them by name. Tell the children that in this chapter they will learn that we are all called by God to love and serve him. Share the *Chapter Story* on guide page 238B.

WE BELIEVE ___ minutes

Invite a volunteer to read aloud the *We Believe* statement and the first paragraph on page 239. Ask the children to highlight or underline the last sentence.

Ask the children to think of ways they can love and serve God now. Write these ways on chart paper. Then ask a volunteer to read the second paragraph on page 239. Have the children look at the list on the chart paper and compare their list with the ways mentioned in the text.

Ask *When you are older, do you think there will be other ways you will love and serve God?* Have a volunteer read the last two paragraphs on pages 239 and 241. Emphasize: *We are called to love and serve God throughout our lives.*

Nuestra respuesta en la fe

- Responder al llamado de Dios a amarlo y servirlo, y mostrar nuestra gratitud por los sacerdotes y las hermanas y hermanos religiosos

llamados por Dios

Materiales

- marcadores o crayones
- copias del patrón 22

Cuando crecemos Dios nos llama a servir en diferentes formas. Podemos servir a Dios como solteros, casados, como sacerdotes, como hermanos o religiosas. Todas estas formas de servir a Dios son importantes para la Iglesia. Juntos trabajamos para llevar el amor de Dios a otros.

Habla sobre una persona que conoces que ama y sirve a Dios. ¿Qué hace esa persona?

Casados y solteros son llamados por Dios.

Las personas solteras y casadas sirven a Dios en forma parecida. Ellos:

- aman y cuidan de sus familiares
- participan en las actividades de las parroquias
- hablan sobre Jesús y la Iglesia a los demás
- trabajan para hacer de su comunidad un lugar mejor
- ayudan a los necesitados
- rezan por los demás.

Los solteros comparten el amor de Dios con su familia, la comunidad y la Iglesia. Los casados celebran el sacramento del Matrimonio. Los esposos comparten el amor de Dios con sus hijos. Enseñan a sus hijos sobre Jesús y la Iglesia. Les enseñan a vivir como católicos.

240

Conexión con el hogar

Pida a los niños hablar sobre la experiencia de hacer con sus familias la actividad del patrón 19.

Planificación de la lección

CREEMOS (continuación)

Permita que los niños permanezcan en silencio durante unos momentos para pensar en las personas que aman y sirven a Dios que ellos conozcan. Cada uno escribirá el nombre de la persona en quien pensó. Los niños que lo deseen podrán decirle al resto del grupo en quién pensaron y de que manera esa persona ama y sirve a Dios.

Pida la colaboración de un voluntario que lea en voz alta la afirmación *Creemos* y la primera oración de la página 240. Otros voluntarios leerán la lista de acciones en esa misma página. Ponga énfasis en la siguiente idea: *Las personas casadas y las solteras aman y sirven a Dios ayudando a otras personas.*

Señale que las personas casadas y las solteras nos ayudan a celebrar la Eucaristía. Explique: *Algunas personas se ofrecen para ser lectores durante la misa, o ministros especiales de la Eucaristía. Otros se ofrecen para cantar o tocar instrumentos.* Pregunte de que otra manera pueden ayudar en la parroquia las personas casadas y las solteras.

Lea en voz alta el último párrafo. Señale: *Las personas casadas celebran el sacramento del matrimonio. Eso significa que tienen ciertas responsabilidades con su pareja y con sus hijos.*

Oración Reúna al grupo en el lugar de oración para rezar por vocaciones.

As we grow older we are called to serve God in different ways. We may serve God as single people, married people, priests, or religious brothers or sisters. These ways of serving God are all important to the Church. Together we work to bring God's love to others.

Talk about a person you know who loves and serves God. What does that person do?

Married people and single people are called by God.

Single people and married people serve God in many of the same ways. They:

- love and care for their families
- take part in parish activities
- tell others about Jesus and the Church
- work to make their communities better places
- help people in need
- pray for others.

Single people share God's love in their families, communities, and the Church. Married people celebrate the sacrament of Matrimony. A husband and wife share God's love with each other and with their children. They teach them about Jesus and the Church. They show them how to live as Catholics.

241

Our Faith Response

- To answer God's call to love and serve him and to show our gratitude for priests and religious brothers and sisters

called by God

Materials

- highlighters or crayons
- copies of Reproducible Master 22

Home Connection Update

Ask the children to talk about their experiences of working together with their families on the Reproducible Master 19.

Lesson Plan

WE BELIEVE (continued)

Give the children a few moments of silence to think of people they know who love and serve God. Then have each child write one person's name. Invite volunteers to share the names of the persons and how they love and serve God.

Have a volunteer read aloud the *We Believe* statement and the first sentence on page 241. Then ask volunteers to read the listed sentences aloud. Stress: *Married people and single people love and serve God by helping others.*

Point out that married and single people help us to celebrate the Eucharist. Explain: *Some volunteer to be readers at Mass or special ministers of the Eucharist. Some volunteer to play musical instruments or sing.* Then ask about other ways that married and single people help the parish community.

Read aloud the last paragraph. Point out: *Married people celebrate the sacrament of Matrimony. They have certain responsibilities to each other and their children.*

Pray Invite the group to gather in the prayer space to pray for vocations.

Como católicos...

Vestiduras

Lea en voz alta el texto *Como católicos*. Pida a los niños que miren las fotografías y vean las vestiduras que usan los sacerdotes para celebrar los sacramentos. (Capítulos: 4, Bautismo; 5, Confirmación; 12, Reconciliación; 15 a 19, Eucaristía). Recuerde a los niños la tabla del calendario de la Iglesia en el capítulo 6 y pídales que busquen los diferentes colores que el sacerdote usa en cada tiempo litúrgico. Explique: *El sacerdote usa una casulla roja en Pentecostés.*

Los sacerdotes son llamados por Dios.

Algunos hombres son llamados, invitados, a servir como sacerdotes a Dios y a la Iglesia. Un hombre se hace sacerdote cuando recibe el sacramento del Orden Sagrado.

Los sacerdotes pasan sus vidas compartiendo el amor de Dios con el pueblo. Ellos comparten el mensaje de Jesús y nos ayudan a vivir como Jesús vivió.

Los sacerdotes dirigen la celebración de la misa y otros sacramentos. Ellos nos enseñan sobre la fe católica. Trabajan en parroquias, escuelas, hospitales y comunidades en todo el mundo.

Escribe una forma en que los sacerdotes sirven a Dios y a los demás. Recuerda darles las gracias.

____

Como católicos...

Durante la celebración de los sacramentos los sacerdotes usan ropa especial llamada vestiduras. El sacerdote usa una túnica blanca llamada alba y una estrecha bufanda alrededor de la garganta llamada estola. Encima se pone una capa llamada casulla. El sacerdote usa casullas de diferentes colores para diferentes ocasiones. El color nos dice que tiempo o fiesta estamos celebrando. Algunos de los colores son: morado, rosa, blanco, rojo, verde y dorado.

Este domingo en la misa fíjate en el color de la casulla que está usando el sacerdote.

242

Planificación de la lección

CREEMOS (continuación)

Cotejo rápido

✔ *¿Qué significa que somos llamados por Dios?* (Dios nos invita a amarlo y servirlo.)

✔ *¿De qué manera pueden servir a Dios las personas casadas y las solteras?* (Cualquier acción que se describe en la página 240.)

Pida a un voluntario que lea la afirmación *Creemos* en la página 242. Lea los tres párrafos siguientes. Pregunte a los niños acerca de los sacerdotes que ellos conocen. Anímelos a comentar oportunidades en que han visto a un sacerdote sirviendo a Dios a través del cuidado y la ayuda a personas de la parroquia.

Comenten las fotografías en las páginas 242 y 243. Ayude a los niños a describir las actividades que se están llevando a cabo.

Lea las instrucciones. Los niños escribirán sus respuestas. Recuerde a los niños que deben agradecer a los sacerdotes de la parroquia el trabajo que ellos realizan.

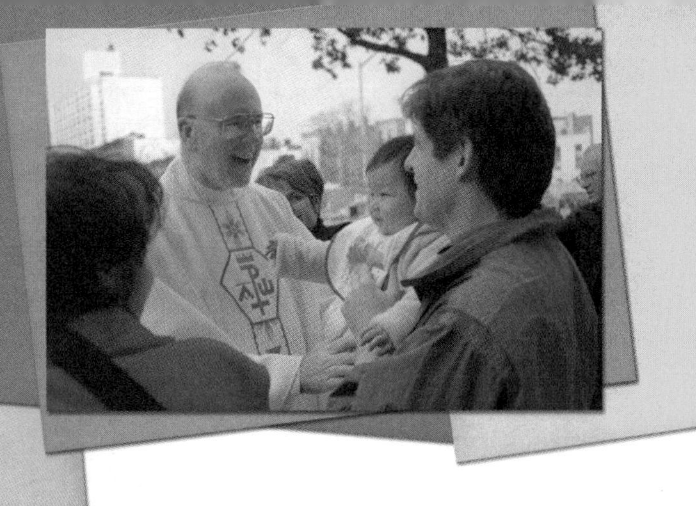

As Catholics...

During the sacraments, priests wear special clothing called vestments. The priest wears a long robe, called an alb, with a narrow scarf, called a stole, around his neck. He covers both of these with another vestment called a chasuble. The priest wears different color chasubles at different times. The color tells us something about the Church season or feast being celebrated. Some of the colors you might see are purple, rose, white, red, green, and gold.

This Sunday at Mass look to see what color chasuble the priest is wearing.

Priests are called by God.

Some men are called, or invited, to serve God and the Church as priests. A man becomes a priest when he receives the sacrament of Holy Orders.

Priests spend their lives sharing God's love with people. They share the message of Jesus and help us to live as Jesus did.

Priests lead the celebration of the Mass and other sacraments. They teach us about our Catholic faith. They work in parishes, schools, hospitals, and communities all over the world.

Write one way priests serve God and others. Remember to thank them.

____

243

As Catholics...

Vestments

Read aloud the *As Catholics* text. Have the children look through their texts to find pictures of priests wearing vestments to celebrate the sacraments. (Chapters: 4, Baptism; 5, Confirmation; 12, Reconciliation; 15 to 19, Eucharist) Refer the children to the Church year chart in Chapter 6 to find the colors the priest wears in different seasons. Explain: *The priest wears a red chasuble on Pentecost.*

Lesson Plan

WE BELIEVE (continued)

Quick Check

✔ *What does being called by God mean?* (God invites us to love and serve him.)

✔ *What are some of the same ways that married and single people can serve God?* (any of the ways described on page 241)

Ask a volunteer to read the *We Believe* statement on page 243. Then read the three paragraphs that follow. Have the children tell about the priests whom they know. Encourage them to mention times that they have seen a priest serving God by caring for the people of the parish.

Discuss the photographs on pages 242 and 243. Help the children name the activities pictured.

Read the directions. Have the children write their responses. Remind the children to remember to thank the priests of the parish for all they do.

Banco de Actividades

Iglesia

Invitado especial

Materiales: crayones o marcadores, papel de dibujo

Pida a un sacerdote o a una hermana o hermano religioso que hable con los niños sobre su vida y su trabajo. Si esto no es posible, pida que grabe un mensaje o una cinta de vídeo para que los niños puedan escucharlo o verlo.

La Sagrada Escritura

Dios nos llama por nuestro nombre

Materiales: Cartulina cortada en rectángulos de 30 cm x 5cm (12 in. x 2 in.), uno para cada niño, marcadores (confeti brillante y pegamento, opcional)

Entregue un rectángulo de cartulina o cartón a cada niño. Dígales que escriban su nombre con todo cuidado y que la decoren con los colores y diseños que prefieran. En el reverso de la placa, pídales que escriban *Dios me llama por mi nombre.* Puede reunir todas las placas y colocarlas en el tablero de anuncios bajo el título “Dios nos llama por nuestro nombre”.

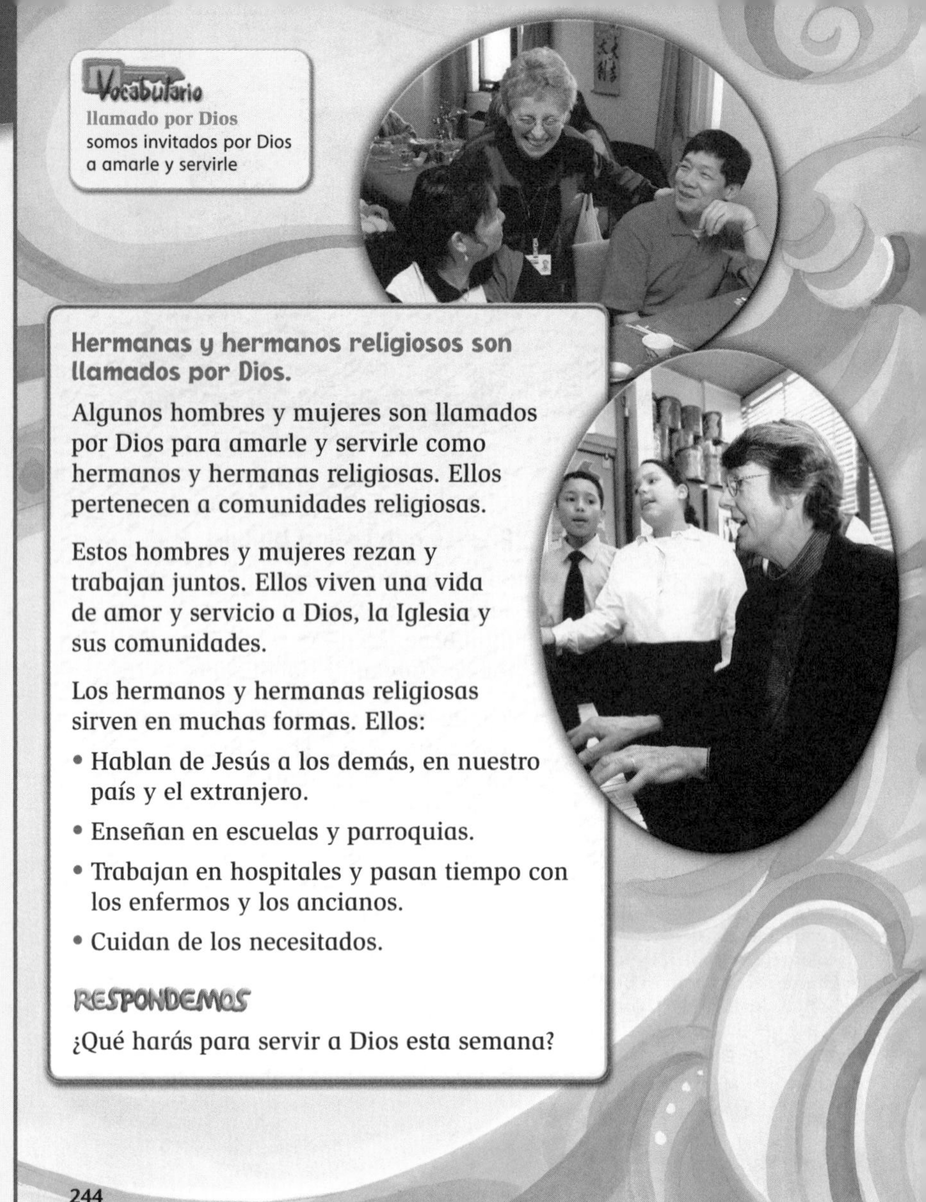

Vocabulario

llamado por Dios
somos invitados por Dios a amarle y servirle

Hermanas y hermanos religiosos son llamados por Dios.

Algunos hombres y mujeres son llamados por Dios para amarle y servirle como hermanos y hermanas religiosas. Ellos pertenecen a comunidades religiosas.

Estos hombres y mujeres rezan y trabajan juntos. Ellos viven una vida de amor y servicio a Dios, la Iglesia y sus comunidades.

Los hermanos y hermanas religiosas sirven en muchas formas. Ellos:

- Hablan de Jesús a los demás, en nuestro país y el extranjero.
- Enseñan en escuelas y parroquias.
- Trabajan en hospitales y pasan tiempo con los enfermos y los ancianos.
- Cuidan de los necesitados.

RESPONDEMOS

¿Qué harás para servir a Dios esta semana?

244

Planificación de la lección

CREEMOS (continuación)

Pida la colaboración de voluntarios que lean la afirmación *Creemos* y los dos primeros párrafos de la página 244. Recalque lo siguiente: *Las hermanas y los hermanos religiosos viven, rezan y trabajan juntos en comunidad.*

Pida la colaboración de voluntarios que lean el resto del texto. Anime a los niños a compartir historias de hermanas y hermanos religiosos que ellos conozcan o de quienes han oído hablar.

Distribuya copias del patrón 22. Lea las instrucciones. Los niños armarán el rompecabezas. (las piezas forman un corazón). Estimule a los niños a que compartan el mensaje del rompecabezas con sus familiares y amigos.

Vocabulario Escriba *Llamados por Dios* en la pizarra. Pida a los niños que describan lo que esta frase significa para ellos. Pregunte si alguno de ellos quisiera dar ejemplos de personas que han respondido al llamado de Dios.

RESPONDEMOS ____ minutos

Conexión con la vida Pida que un voluntario lea en voz alta la pregunta de *Respondemos.* Comente las respuestas del grupo. Permita que los niños tengan un minuto para pensar en sus respuestas.

Oración Los niños rezarán en silencio sobre el llamado a amar y servir a Dios.

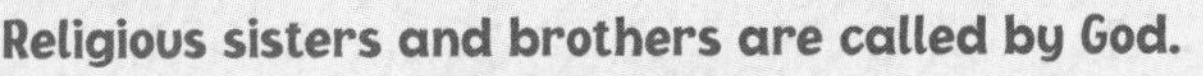

Religious sisters and brothers are called by God.

Some women and men are called by God to love and serve him as religious sisters and brothers. They belong to religious communities.

These women and men pray and work together. They live a life of loving service to God, the Church, and their communities.

Religious sisters and brothers serve in many ways.

- They tell others about Jesus either in our country or in faraway places.
- They teach in schools and parishes.
- They work in hospitals and spend time with those who are sick or elderly.
- They care for people who are in need.

WE RESPOND

What is the one thing you will do to serve God this week?

Key Word

called by God invited by God to love and serve him

245

Activity Bank

Church

Guest Speaker

Materials: crayons or markers, drawing paper

Ask a priest, a religious brother or sister to speak in person to the children about their lives and work. If this is not possible, ask the speakers to record an audio or videotape to play to the group.

Scripture

Called by Name

Materials: poster board or heavy construction paper cut into 12-in. by 2-in. strips, one for each child, colored markers, (glitter and glue—optional)

Give each child a pre-cut paper strip. Have the children carefully print their name and then decorate the plaque by using their favorite colors and designs. On the back of the name plaque have them write *God calls me by name*. You may want to collect all the plaques to display on a bulletin board with the title: "God Calls Each of Us by Name."

Lesson Plan

WE BELIEVE (continued)

Ask volunteers to read the *We Believe* statement and the first two paragraphs on page 245. Stress: *Religious brothers or sisters live, pray, and work together in communities.*

Ask volunteers to read the remaining text. Encourage the children to share stories of religious brothers and sisters about whom they know or whom they have heard.

Distribute copies of Reproducible Master 22. Read the directions. Have the children put the puzzle pieces together. (The pieces form a heart.) Encourage the children to share the puzzle message with their families and friends.

Key Word Write *Called by God* on the board. Ask the children to describe what the phrase means to them. Encourage individuals to provide examples of people who have answered God's call.

WE RESPOND

____ minutes

Connect to Life Ask a volunteer to read aloud the *We Respond* question. Discuss the children's responses. Provide a minute of quiet time in which they can think about their response.

Pray Ask the children to pray quietly about loving and serving God

BANCO DE ACTIVIDADES

Conexión curricular

El arte del lenguaje

Materiales: papel cuadriculado, lápices de colores

Los niños trabajarán en grupos. Entregue a cada grupo una hoja de papel cuadriculado. Cada grupo preparará un crucigrama. Pídales que usen las palabras que aprendieron en este capítulo. (Palabras posibles: servir, hermana, hermano, sacerdote, casado, soltero, nombre, comunidad.) Recorra los grupos y vea como van armando los crucigramas. Luego, los grupos intercambiarán crucigramas y los resolverán. Puede escribir en la pizarra las palabras que los grupos incluyeron en los crucigramas y luego usar esta lista para evaluar el nivel de comprensión de contenido del capítulo alcanzado por los niños.

CONEXION CON EL HOGAR

Compartiendo lo aprendido

Recuerde a los niños compartir con sus familias lo aprendido en este capítulo.

Para más información y actividades adicionales visite a Sadlier

www.CREEMOSweb.com

Planifique por adelantado

Lugar de oración: globo terráqueo o mapamundi, Biblia

Materiales: copias del patrón 23, 2–3 CD

Repaso

____ minutos

Repaso del capítulo

Los niños completarán las preguntas 1 a 4. Lea las preguntas en voz alta. Asegúrese de que todos los niños comprendan cual es la respuesta correcta y por qué.

Pídales que miren la pregunta cinco y que piensen de que manera las personas pueden amar y servir a Dios. Después de que todos hayan terminado de escribir, anímelos a compartir sus respuestas.

Reflexiona y ora Diga a los niños que escribirán su propia oración para la actividad de *Reflexiona y ora.* Explique lo que deben hacer para completar las oraciones. Permita que los niños dispongan de tiempo suficiente para completar las oraciones.

Repaso — Capítulo 22

Encierra en un círculo la respuesta correcta.

1. Sólo los solteros y los casados sirven a Dios.
   Sí (No) ?
2. Mostramos nuestro amor a Dios cuando celebramos los sacramentos.
   (Sí) No ?
3. Sólo las mujeres pueden pertenecer a comunidades religiosas.
   Sí (No) ?
4. Los sacerdotes dirigen la celebración de la misa y otros sacramentos.
   (Sí) No ?

Contesta esta pregunta.

5. ¿Cómo la Iglesia ama y sirve a Dios?
   Vea la página 238.

Reflexiona y ora

Dios, quiero servirte como

246

PÁGINA DEL ESTUDIANTE 246

Respondemos y compartimos la fe

____ minutos

Recuerda Pida al grupo que lea en voz alta las cuatro afirmaciones *Creemos.* Solicite la colaboración de voluntarios que deseen resumir lo que aprendieron en este capítulo.

Nuestra vida católica

Lea en voz alta "Elizabeth Ann Seton". En un mapa de los Estados Unidos, señale las ciudades de Nueva York y Emmitsburg, en Maryland. Si fuera posible, muestre a los niños una imagen de Santa Elizabeth Ann Seton.

Respondemos y compartimos la fe

Compartiendo lo aprendido

Mira la ilustración. Usala para contar a tu familia lo que aprendiste en este capítulo.

Para que todos vean

"En primer lugar, por medio de Jesucristo doy gracias a mi Dios por cada uno de ustedes". Romanos 1:8

Recuerda

- Somos llamados por Dios.
- Casados y solteros son llamados por Dios.
- Los sacerdotes son llamados por Dios.
- Hermanas y hermanos religiosos son llamados por Dios.

NUESTRA VIDA CATOLICA

Isabel Ana Seton

Santa Isabel Ana Seton fue la primera persona de los Estados Unidos nombrada santa. Ella fue bautizada en la iglesia episcopal. Se casó y tuvo cinco hijos. Cuando su esposo murió, se convirtió al catolicismo. Empezó la primera escuela católica en Maryland. También empezó una comunidad religiosa, Hermanas de la Caridad. Esta sigue enseñando, trabajando en hospitales y ayudando en parroquias.

Visita Sadlier en www.CREEMOSweb.com

Conexión con el Catecismo
Para referencia vea los párrafos 30, 1604, 1658, 1578 y 1618.

248

PÁGINA DEL ESTUDIANTE 248

______ minutes

Chapter Review Have the children complete questions 1–4. Then read the questions aloud. Make sure that all the children understand the correct answers and the reason why each is correct.

Ask the children to look at the fifth question. Invite them to think of ways people love and serve God. After everyone has finished writing, invite the children to share their answers.

Reflect & Pray Tell the children that they will compose their own prayer for *Reflect & Pray.* Then explain to the children what they need to do to complete the sentences. Allow the children time to complete the prayer.

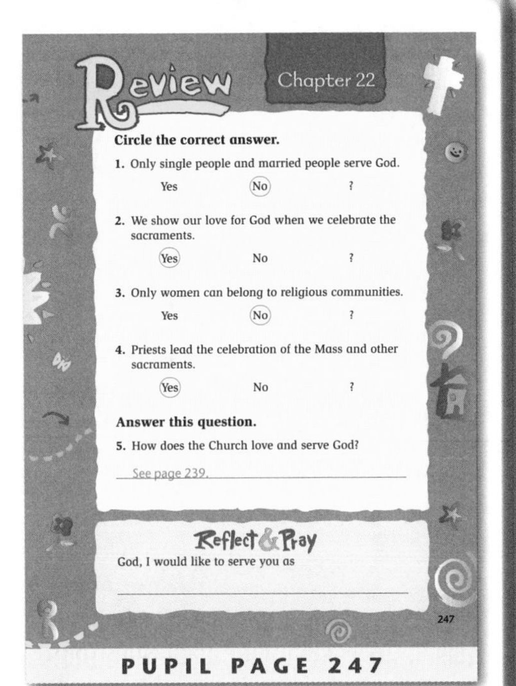

Review Chapter 22

Circle the correct answer.

1. Only single people and married people serve God.
   Yes (No) ?
2. We show our love for God when we celebrate the sacraments.
   (Yes) No ?
3. Only women can belong to religious communities.
   Yes (No) ?
4. Priests lead the celebration of the Mass and other sacraments.
   (Yes) No ?

Answer this question.

5. How does the Church love and serve God?
   See page 239.

Reflect & Pray

God, I would like to serve you as

247

PUPIL PAGE 247

We Respond and Share the Faith

____ minutes

Remember Invite the children to read aloud the four *We Believe* statements. Ask volunteers to summarize what they have learned in this chapter.

Our Catholic Life Read aloud "Elizabeth Ann Seton." On a map of the United States, point out New York City and Emmitsburg, Maryland. If possible, show the children a picture of Saint Elizabeth Ann Seton.

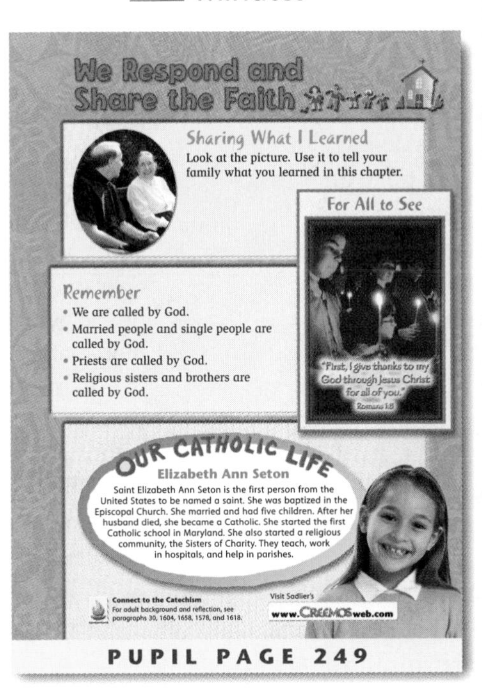

We Respond and Share the Faith

Sharing What I Learned

Look at the picture. Use it to tell your family what you learned in this chapter.

For All to See

"First, I give thanks to my God through Jesus Christ for all of you." Romans 1:8

Remember

- We are called by God.
- Married people and single people are called by God.
- Priests are called by God.
- Religious sisters and brothers are called by God.

OUR CATHOLIC LIFE

Elizabeth Ann Seton

Saint Elizabeth Ann Seton is the first person from the United States to be named a saint. She was baptized in the Episcopal Church. She married and had five children. After her husband died, she became a Catholic. She started the first Catholic school in Maryland. She also started a religious community, the Sisters of Charity. They teach, work in hospitals, and help in parishes.

Connect to the Catechism
For adult background and reflection, see paragraphs 30, 1604, 1658, 1578, and 1618.

Visit Sadlier's
www.CREEMOSweb.com

PUPIL PAGE 249

Activity Bank

Curriculum Connection

Language Arts

Materials: chart paper, colored pencils

Have the children work in groups. Give each group a sheet of chart paper. Each group is to design a word-search puzzle. Ask the children to use words or terms in this chapter. (Possible words: serve, sister, brother, priest, married, single, name, community) Go to each group and check the progress of the puzzles. Then invite the groups to exchange puzzles and solve them. You might want to list on the board the terms from each group's puzzle and use this list as a way to evaluate the children's understanding of the chapter.

Home Connection

Sharing What I Learned

Remind the children to share with their families what they learned in this chapter.

For additional information and activities, encourage families to visit Sadlier's

www.CREEMOSweb.com

Plan Ahead for Chapter 23

Prayer Space: globe or world map, Bible

Materials: Grade 2 CD; copies of Reproducible Master 23

La Iglesia vive

Ojeada

En este capítulo los niños se concentrarán en la Iglesia de hoy.

Contenido doctrinal	Para referencia del *Catecismo de la Iglesia Católica*
Los niños aprenderán que:	párrafo
• Los católicos pertenecen a comunidades parroquiales.	2179
• Los obispos dirigen y sirven a la Iglesia.	886
• El papa es el líder de toda la Iglesia.	882
• La Iglesia está en todo el mundo.	831

Referencia catequética

¿Cómo sería su parroquia sin orden y personas a cargo?

Del mismo modo que Jesús es el sacramento de Dios, un signo visible del Dios invisible, la Iglesia es el sacramento de Cristo resucitado. La Iglesia es visible y tangible, y está disponible para que todo el mundo la vea. Parte de su visibilidad es el testimonio que damos al vivir nuestras vidas de acuerdo con la voluntad de Dios, y otra parte es la estructura de la Iglesia.

A nivel local los católicos nos unimos en parroquias, donde rezamos, trabajamos para ayudar a los demás y celebramos los sacramentos. Cada parroquia tiene un párroco sacerdote designado para guiar y servir a la parroquia. Las parroquias se agrupan en áreas llamadas diócesis. Las diócesis están guiadas por un obispo. La Iglesia mundial es guiada por el papa, quien es el obispo de Roma.

Cuando Jesús vivió en la tierra designó apóstoles, para que continuaran con su ministerio. Llamó a Pedro como cimiento de esta misión: "Y yo te digo que tú eres Pedro, y sobre esta piedra voy a construir mi iglesia" (Mateo 16:18). El papa, sucesor de Pedro, y los obispos, continúan el trabajo de los apóstoles. Lo llamamos sucesión apostólica porque se remonta al tiempo de los apóstoles.

La fe católica se practica en todo el mundo. Somos uno, unidos por una fe común y el liderazgo del papa. Hay mucha diversidad en nuestra expresión de fe y de alabanza. Nuestra diversidad nos recuerda la inmensidad y grandeza de Dios. En nuestra unidad y diversidad la Iglesia es un sacramento de Dios para el mundo.

¿Qué haría para apoyar y animar a los líderes de la Iglesia?

Mirando la vida

Historia para el capítulo

¡Hola! Mi nombre es Alicia. Mi familia y yo pertenecemos a la parroquia de San Juan el Bautista. La fiesta de San Juan es el 24 de junio. Todos los años en esa fecha mi parroquia organiza una feria. Muchas personas de la parroquia trabajan en la feria. Reúnen fondos para ayudar a las personas de la parroquia, y también comparten lo recaudado con los necesitados.

Antes de que comience la feria, los trabajadores se reúnen en la iglesia para rezar. Nuestro párroco, el padre Ramón, nos da una bendición especial. Rezamos juntos y le pedimos a Dios que el clima esté bueno.

El año pasado ayudé a mis padres a trabajar en el puesto de limonada de la feria. Le alcanzaba los limones a mi papá, que los cortaba al medio y los exprimía. También ayudé a vender los vasos de limonada.

No trabajamos todo el tiempo en la feria. Mi familia participó en algunos de los juegos y en otros entretenimientos. Además, hablamos con otras personas de nuestra parroquia, y nos encontramos con personas que viven en parroquias cercanas.

Faltan dos semanas para la feria de este año. Creo que mis padres y yo vamos a ayudar en el puesto de pizza. Mamá me dijo que puedo ayudarla a esparcir el queso y los ingredientes sobre la masa.

Sé que voy a divertirme mucho en la feria, trabajando en el puesto, participando en los juegos y otros entretenimientos. Espero que las próximas dos semanas pasen volando.

¿Te gustaría ayudar en una feria parroquial? ¿Qué te gustaría hacer?

The Church Lives Today

Overview

In this chapter the children will focus on the Church today.

Doctrinal Content	For Adult Reading and Reflection *Catechism of the Catholic Church*
The children will learn:	Paragraph
• Catholics belong to parish communities.	2179
• Bishops lead and serve the Church.	886
• The pope is the leader of the Church.	882
• The Church is in every part of the world.	831

Catechist Background

What would your parish be like without an order and people in charge?

Just as Jesus is the sacrament of God, a visible sign of an invisible God, so the Church is the sacrament of the risen Christ. Thus the Church is visible and tangible, readily available for the world to see. Part of this visibility is the witness we provide by living our lives according to God's will. Another part of this visibility is the order or structure of the Church.

Catholics are united at the local level in parishes where we worship, work to help others, and celebrate the sacraments. Each parish has a pastor, the priest appointed to lead and serve the parish. Parishes are grouped in regions called dioceses. The diocese is led by a bishop. The Church worldwide is led by the pope, who is the bishop of Rome.

Jesus called apostles, to carry out his ministry. He appointed Peter as the very foundation of this mission: "And so I say to you, you are Peter, and upon this rock I will build my church" (Matthew 16:18). The pope is the successor of Peter, and the bishops today continue to carry out the work of the apostles. We call this apostolic succession because it goes back to the time of the apostles.

The Catholic faith is practiced throughout the world. We are one, united by common belief and the leadership of the pope. But there is much diversity in our expression of belief and worship. Our diversity reminds us of the vastness and greatness of God. In our unity and diversity the Church is a sacrament of God to the world.

What might you do to support and encourage Church leaders?

Focus on Life

Chapter Story

Hello! My name is Alicia. My family and I belong to Saint John the Baptist parish. Saint John's feast day is June 24. During this week every year, our parish has a fair. Many people of the parish work at the fair. They try to raise money to help people of the parish. They also share money with people in need.

Before the fair opens, the workers gather in the church to pray. Then our pastor, Father Ramone, says a special blessing. We pray together and ask God for good weather.

Last year at the fair, I helped my parents work at the lemonade booth. I handed the lemons to my dad. He cut the lemons and squeezed them for the juice. I also helped to sell the cups of lemonade.

We were not working all the time at the fair. My family went on the rides and played some of the games. We talked with other people from our parish. We also met some people who live in nearby parishes.

It is two weeks until this year's fair. I think my parents and I are going to help out at the pizza booth. Mom told me I could help her sprinkle the toppings on top of the dough.

I know that I will have a lot of fun at the fair, working at the booth, going on the rides, and playing some games. I hope the next two weeks go quickly.

Would you like to help out at a parish fair? What would you like to do?

Guía para planificar la lección

1 NOS CONGREGAMOS

Pasos de la lección	Presentación	Materiales
pág. 250 **Oración**  **Mirando la vida**	• Escuchar la lectura de la Sagrada Escritura.  Responder cantando. • Comentar las preguntas.	• para el lugar de oración: mapamundi o globo terráqueo, Biblia  Canción "Vienen con alegría", 2–3 CD

2 CREEMOS

Pasos de la lección	Presentación	Materiales
pág. 250 *Los católicos pertenecen a comunidades parroquiales.*	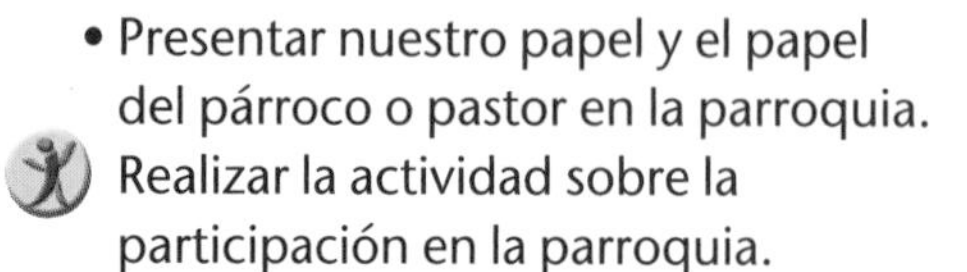 • Presentar nuestro papel y el papel del párroco o pastor en la parroquia. Realizar la actividad sobre la participación en la parroquia.	
pág. 252 *Los obispos dirigen y sirven a la Iglesia.*	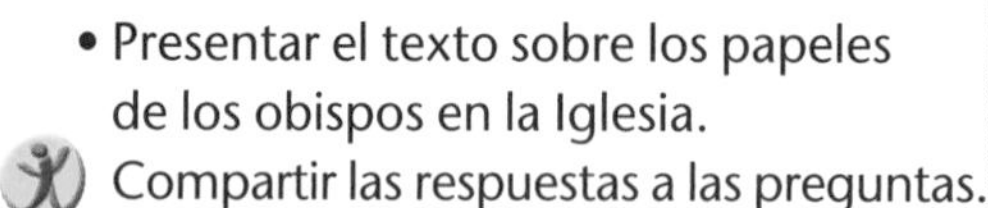 • Presentar el texto sobre los papeles de los obispos en la Iglesia. Compartir las respuestas a las preguntas.	• el nombre de la diócesis y del obispo de su diócesis
pág. 254 *El papa es el líder de toda la Iglesia.*	• Leer y comentar el texto sobre el papel del papa. 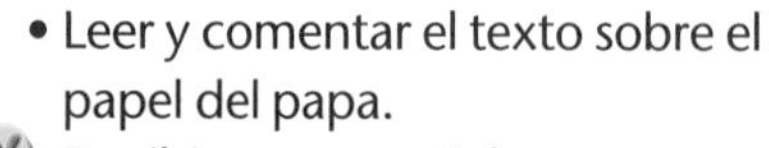 Escribir y compartir las respuestas a la pregunta. • Leer y comentar *Como católicos.*	
pág. 256 *La Iglesia está en todo el mundo.*	• Leer y comentar el texto y las fotografías. • Señalar *Vocabulario* y sus definiciones.	• resaltador o crayón • copias del patrón 23 • crayones o lápices de colores

3 RESPONDEMOS

Pasos de la lección	Presentación	Materiales
pág. 256	• Comentar las respuestas a la pregunta.	
páginas 258 y 260 **Repaso**	• Completar las preguntas 1 a 5. • Completar *Reflexiona y ora.*	
páginas 258 y 260 **Respondemos y compartimos la fe**	• Repasar *Recuerda* y *Vocabulario.* • Leer y comentar *Nuestra vida católica.*	

Para ideas, actividades y otras oportunidades visite Sadlier en **www.CREEMOSweb.com**

Lesson Planning Guide

1 WE GATHER

Lesson Steps	Presentation	Materials
page 251 **Prayer**	• Listen to Scripture. 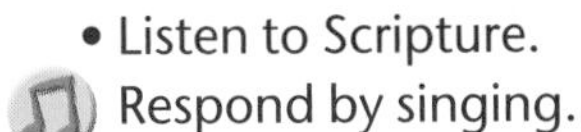 Respond by singing.	• For prayer space: globe or world map, Bible "Rejoice in the Lord Always," #22, Grade 2 CD
 **Focus on Life**	• Discuss the questions.	

2 WE BELIEVE

Lesson Steps	Presentation	Materials
page 251 *Catholics belong to parish communities.*	• Present our role and the pastor's role in the parish. Do the activity about participating in the parish.	
page 253 *Bishops lead and serve the Church.*	• Present the text about the roles of bishops in the Church. Share responses to the questions.	• the name of your diocese and of the bishop of your diocese
page 255 *The pope is the leader of the Church.*	• Read and discuss the text about the role of the pope. Write and share responses to the question. • Read and discuss the *As Catholics* text.	
page 257 *The Church is in every part of the world.*	• Read and discuss the text and photographs. • Point out the *Key Words* and definitions.	• highlighter or crayon • copies of Reproducible Master 23 • crayons or colored pencils

3 WE RESPOND

Lesson Steps	Presentation	Materials
page 257	• Discuss responses to the question.	
pages 259 and 261 **Review**	• Complete questions 1–5. • Complete *Reflect & Pray.*	
pages 259 and 261 **We Respond and Share the Faith**	• Review *Remember* and *Key Words.* • Read and discuss *Our Catholic Life.*	

For additional ideas, activities, and opportunities: Visit Sadlier's **www.CREEMOSweb.com**

Conexiones

La liturgia

En este capítulo los niños aprenderán sobre los líderes de la Iglesia: el papa y los obispos. Señale que cuando nos reunimos en misa rezamos por los líderes de la Iglesia. Rezamos por ellos en las intercesiones generales durante la Liturgia de la Palabra, y el sacerdote ora por los líderes en la oración eucarística durante la Liturgia de la Eucaristía. Anime a los niños a escuchar nuestras plegarias por los líderes de la Iglesia el próximo domingo en la misa.

La familia

Mientras trabajan en este capítulo, invite a los niños a comentar sobre el liderazgo dentro de sus familias. Pídales que hablen de como sus padres y otros adultos les enseñan sobre el modo en que Dios quiere que vivamos. Los niños también verán que sus familias participan en las actividades parroquiales. Anímelos a hablar sobre el buen ejemplo que pueden dar a sus familias, hablando de Dios con respeto y compartiendo la comprensión de su fe.

Liturgia para esta semana

Visite **www.creemosweb.com** para las lecturas bíblicas de esta semana y otros materiales propios del tiempo.

FE y MEDIOS

- Después de observar las ilustraciones de los católicos alrededor del mundo mostrando su fe de modos diferentes, considere ayudar a los niños a buscar en el Internet más imágenes y descripciones de costumbres católicas en otros países. Es posible incluir los países de algunos de los familiares de los niños o países que les gustaría visitar.
- Después de comentar el trabajo de los misioneros, recuerde a los niños que las organizaciones misioneras como Maryknoll y Catholic Relief Services (CRS - Servicios católicos de ayuda) usan medios de comunicación (revistas, televisión, radio e Internet) para comunicar su trabajo al mundo. Si tiene tiempo pueden visitar el área para niños del sitio de Maryknoll o de CRS, donde los niños pueden observar y leer sobre las obras de los misioneros que comparten el amor de Dios alrededor del mundo.

Necesidades individuales

Niños con necesidades especiales

Tenga en cuenta que las actividades en grupos resultan agotadoras para los niños con necesidades especiales. Ponga atención a señales de frustración o fatiga en estos niños, y limite el tiempo dedicado a actividades en grupos.

RECURSOS ADICIONALES

Video *Santa Rosa de Lima,* Paulinas Distribuidora. Presenta la vida de esta santa, el amor que tuvo por Dios y por los pobres de su tiempo y su afán misionero. (93 minutos)

Para ideas visite a Sadlier en

www.CREEMOSweb.com

Connections

To Liturgy

In this chapter the children will learn about Church leaders, such as the pope and bishops. Point out to the children that we pray for the Church leaders when we gather for Mass. We pray for them in the general intercessions during the Liturgy of the Word. The priest prays for the leaders in the eucharistic prayer during the Liturgy of the Eucharist. Encourage the children to listen for our prayers for Church leaders at Mass next Sunday.

To Family

As you work through the chapter, invite the children to discuss leadership within their family. Ask them to share the different ways in which their mothers, fathers, or other adults teach them about the way God wants us to live. The children also see that their families participate in parish activities. Encourage the children to talk about the good example they are able to give to their families, talking respectfully about God, and sharing their understanding of their faith.

FAITH and MEDIA

- After the children have looked at the pictures of Catholics around the world showing their faith in different ways, consider helping the children search online for more pictures and descriptions of Catholic customs in other countries. These might include the countries of some of the children's ancestors or countries the children would like to visit.
- After discussing the work of missionaries, remind the children that missionary organizations such as Maryknoll and Catholic Relief Services (CRS) use media—including magazines, television, radio, and the Internet—to tell the world about their work. If you have time, you might visit the children's area of either the Maryknoll or CRS Web site, where the children can see and read about missionaries sharing God's love around the world.

Meeting Individual Needs

Children with Special Needs

Keep in mind that group activities are physically demanding for children with special needs. Look for signs of frustration or fatigue in these children. Limit the time spent on group activities.

ADDITIONAL RESOURCES

Book *Karol from Poland*, M. Leonora Wilson, Daughters of St. Paul, 1999. The life and duties of Pope John Paul II are outlined in this children's book.

Video *My Father's House*, Franciscan Communications. Follows a seven-year-old girl who explores her church as God's house and sees what she has been told about the liturgy.

To find more ideas for books, videos, and other learning material visit Sadlier's

www.CREEMOSweb.com

Meta catequética

• Describir las tareas de los miembros de la parroquia, los obispos, el papa, y explicar las prácticas de los católicos alrededor del mundo

Preparandose para orar

En la oración en *Nos congregamos*, los niños celebrarán la palabra de Dios escuchando y respondiendo con una canción.

• Escoja un líder y un lector para la oración.

• Escuchen la canción *"Vienen con alegría"*, 2–3 CD. Practiquen la canción. Pida a algunos voluntarios que preparen una coreografía para la canción y la enseñen al resto del grupo.

El lugar de oración

• Muestre un mapamundi o un globo terráqueo.

• Coloque una Biblia abierta en Filipenses 4:4-5 en la mesa de oración.

23 La Iglesia vive

Nos congregamos

✝ **Líder:** Vamos a escuchar una lectura de la carta de Pablo a los filipenses.

Lector: "Alégrense siempre en el Señor. Repito: ¡Alégrense! Que todos los conozcan a ustedes como personas bondadosas". (Filipenses 4:4–5)

Palabra de Dios.

Todos: Te alabamos, Señor.

Vienen con alegría

Vienen con alegría, Señor,
cantando vienen con alegría, Señor,
los que caminan por la vida, Señor,
sembrando tu paz y amor.

Perteneces a tu familia y a tu curso en la escuela. ¿En qué se parecen esos grupos? ¿En qué se diferencian?

Creemos

Los católicos pertenecen a comunidades parroquiales.

Como católicos pertenecemos a una familia parroquial. Una parroquia es una comunidad de católicos que rinden culto y trabajan juntos. Como parroquia nos reunimos a rezar. A celebrar los sacramentos. Cuidamos de los necesitados. Aprendemos a vivir como seguidores de Jesús.

250

Planificación de la lección

Nos congregamos ___ minutos

✝ **Oración**

• Pida a los niños que se congreguen en el lugar de oración. Diga al líder que comience.

• Pida al lector que se detenga brevemente después de la lectura. Los niños responderán cantando y bailando.

Mirando la vida

• Dibuje una tabla de dos columnas en un papel cuadriculado o en la pizarra. Pida voluntarios que mencionen cosas que los niños hacen con sus familias. Escríbalas en la primera columna de la tabla. Luego, diga a los voluntarios que comenten sobre las actividades que hacen con sus compañeros de clase. Escriba estas actividades en la segunda columna. Ayude a los niños a identificar que actividades son parecidas y cuales son diferentes. Además, es posible ayudar a la conversación entre los niños, pidiéndoles que hablen sobre la cantidad de miembros en cada grupo. Luego, comparta la *Historia para el capítulo* de la página 250A.

Creemos ___ minutos

Lea la afirmación de *Creemos* de la página 250. Explique: *Nuestra parroquia es una comunidad de personas que se apoyan y ayudan unas a otras.* Pida un voluntario que lea los dos primeros párrafos en las paginas 250 y 252. Ponga énfasis en lo siguiente: *Como comunidad parroquial alabamos y trabajamos juntos.*

Escriba en la pizarra las palabras *párroco o pastor.* Explique: *El párroco o pastor lidera y sirve a todas las personas de la parroquia. Trabaja con ellos para ayudar a otras personas.* Pida que un voluntario lea el último párrafo.

The Church Lives Today

WE GATHER

✝ **Leader:** Let us listen to a reading from the letter of Paul to the Philippians.

Reader: "Rejoice in the Lord always. I shall say it again: rejoice! Your kindness should be known to all." (Philippians 4:4–5)

The word of the Lord.

All: Thanks be to God.

♫ **Rejoice in the Lord Always**

Rejoice in the Lord always,
Again I say, rejoice! (Repeat)
Rejoice! Rejoice!
Again I say, rejoice! (Repeat)

You belong to your family and to your class in school. How are these groups the same? How are they different?

WE BELIEVE

Catholics belong to parish communities.

As Catholics we belong to a parish family. A parish is a community of Catholics who worship and work together. As a parish, we come together to pray. We celebrate the sacraments. We care for those in need. We learn to live as followers of Jesus.

Catechist Goal

- To describe the duties of parish members, bishops, the pope, and explain the practices of Catholics around the world

Preparing to Pray

For this gathering prayer the children will celebrate the word of God by listening and responding in song.

- Choose a prayer leader and reader.
- Play "Rejoice in the Lord Always". Have the children practice singing. Ask a few volunteers to make up dance steps for the song and to teach them to the entire group.

The Prayer Space

- Display a globe or world map.
- On the prayer table place a Bible opened to Philippians 4:4–5.

Lesson Plan

WE GATHER

___ minutes

✝ **Prayer**

- Invite the children to gather in the prayer space. Ask the leader to begin.
- Ask the reader to pause briefly after the reading. Then invite the children to respond by singing and dancing.

Focus on Life

- On chart paper or on the board, draw a two-column chart. Ask volunteers to name things the children do with their families. List these things in the first column of the chart. Then ask volunteers to identify things they do with their classmates. List these activities in the second column. Help the children to identify what activities are the same and what ones are different. You may also prompt the discussion by having children talk about the numbers of members of the groups. Then share the Chapter Story on guide page 250B.

WE BELIEVE

___ minutes

Read the *We Believe* statement on page 251. Explain: *Our parish is a community of people who support and help one another.* Have a volunteer read the first two paragraphs on pages 251 and 253. Emphasize: *As a parish community we worship and work together.*

Write the word *pastor* on the board. Explain: *The pastor leads and serves all the people of the parish. He works with them to help others.* Ask a volunteer to read the last paragraph.

Nuestra respuesta en la fe

- Reconocer la obra de los líderes parroquiales y de la Iglesia

párroco o pastor
obispos
diócesis
papa

Materiales

- CD de segundo grado
- copias del patrón 23

Conexión con el hogar

Pida a los niños que hablen de la experiencia de compartir con sus familias lo aprendido en el capítulo 22.

Una parroquia tiene un párroco asignado por un obispo. El **párroco** es el sacerdote que dirige y sirve a la parroquia. El dirige la parroquia en la celebración de los sacramentos, en oración y en enseñanza.

Juntos, el párroco y los miembros de la parroquia, continúan la misión de Jesús. Algunas personas ayudan en la parroquia como ministros. Juntos todos en la parroquia se preocupan por las necesidades de los demás.

El padre ____________________ es mi párroco. Mi parroquia continúa la misión de Jesús

____________________________________.

Los obispos dirigen y sirven a la Iglesia.

Jesús escogió doce apóstoles para dirigir a sus seguidores. Escogió a Pedro para ser el líder de los apóstoles. Pedro y los demás apóstoles fueron los primeros líderes de la Iglesia.

Pedro y los apóstoles escogieron otros hombres para dirigir y servir a la Iglesia. Estos líderes se conocieron como obispos. Los **obispos** son líderes de la Iglesia que continúan la misión de los apóstoles. Hoy los obispos dirigen y sirven en la Iglesia.

Los obispos son escogidos por el papa para dirigir y cuidar de una diócesis. Una **diócesis** es un área de la Iglesia dirigida por un obispo. Una diócesis está compuesta por todos los católicos que viven en un área.

252

Planificación de la lección

CREEMOS (continuación)

Pida a los niños que trabajen en parejas. Permita el tiempo suficiente para compartir sus respuestas.

Lea en voz alta la afirmación *Creemos* de la página 252. Pida a un voluntario que lea en voz alta los dos primeros párrafos. Pregunte: *¿Quiénes fueron los primeros líderes de la Iglesia?* (Pedro y los otros apóstoles)

Escriba en la pizarra *diócesis.* Diga la palabra en voz alta. Pídales que la repitan. Lea en voz alta el tercer y cuarto párrafo en las páginas 252 y 254.

Pida tres voluntarios que representen a tres obispos. Entregue a cada uno un papel donde usted haya escrito una de las formas en que el obispo sirve a su diócesis: *Guío y sirvo a las personas de mi diócesis. Fomento la enseñanza de Jesús. Ayudo a las personas a acercarse más a Dios.* Pídales que se presenten como obispos y que lean como ayudan a las personas de sus diócesis.

Lea las preguntas en voz alta. Escriba el nombre de su diócesis y del obispo diocesano en la pizarra o en un papel cuadriculado. Recuerde a los niños que *El obispo guía y sirve a las personas que pertenecen a todas las parroquias de su diócesis.*

Cotejo rápido

✔ *¿Qué es una parroquia?* (Es una comunidad de católicos que juntos alaban a Dios y trabajan.)

✔ *¿Qué es una diócesis?* (Es un área de la Iglesia liderada por un obispo.)

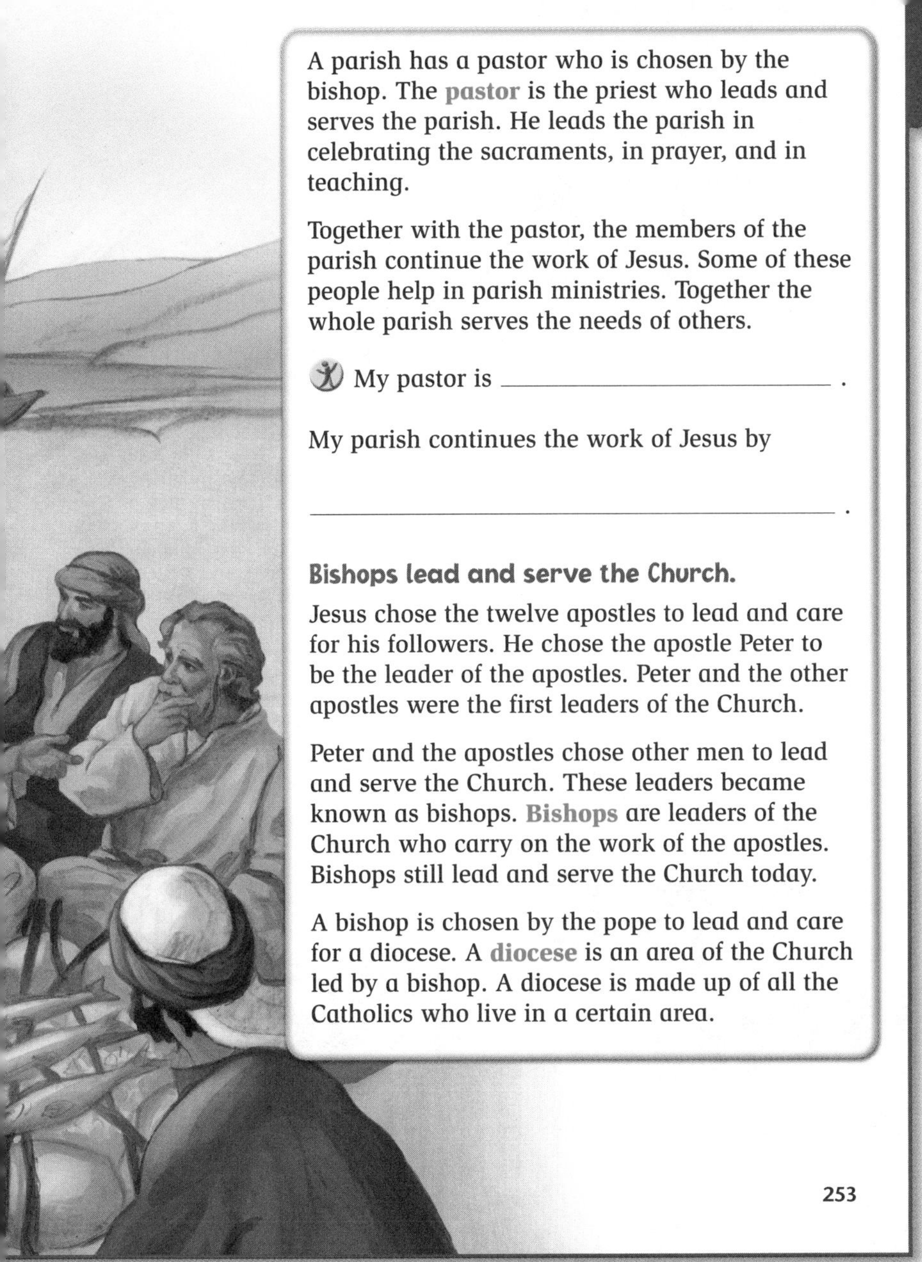

A parish has a pastor who is chosen by the bishop. The **pastor** is the priest who leads and serves the parish. He leads the parish in celebrating the sacraments, in prayer, and in teaching.

Together with the pastor, the members of the parish continue the work of Jesus. Some of these people help in parish ministries. Together the whole parish serves the needs of others.

My pastor is ______________________.

My parish continues the work of Jesus by

______________________________.

Bishops lead and serve the Church.

Jesus chose the twelve apostles to lead and care for his followers. He chose the apostle Peter to be the leader of the apostles. Peter and the other apostles were the first leaders of the Church.

Peter and the apostles chose other men to lead and serve the Church. These leaders became known as bishops. **Bishops** are leaders of the Church who carry on the work of the apostles. Bishops still lead and serve the Church today.

A bishop is chosen by the pope to lead and care for a diocese. A **diocese** is an area of the Church led by a bishop. A diocese is made up of all the Catholics who live in a certain area.

253

Our Faith Response

- To express appreciation for our parish and Church leaders

pastor
bishops
diocese
pope

Materials

- Grade 2 CD
- copies of Reproducible Master 23

Home Connection Update

Ask the children to talk about their experiences when sharing what they learned in chapter 22 with their families.

Lesson Plan

WE BELIEVE (continued)

Invite the children to work in pairs. Allow enough time for the partners to report their responses to the group.

Read aloud the *We Believe* statement on page 253. Ask a volunteer to read aloud the first two paragraphs. Ask: *Who were the first leaders of the Church?* (Peter and the other apostles)

Write the word *diocese* on the board. Pronounce it for the children and then have them pronounce it. Read aloud the third and fourth paragraphs.

Ask for three volunteers to pretend that each is a bishop. Give each one a slip of paper on which you have written a way a bishop serves his diocese: *I guide and serve the people in my diocese; I pass on the teaching of Jesus; I help my people grow closer to God.* Ask the volunteers to introduce themselves as bishops and read the way they help the people of their diocese.

Read aloud the questions. Write the names of your diocese and the bishop of your diocese on the board or on chart paper. Remind the children: *The bishop leads and serves the people of all the parishes in your diocese.*

Quick Check

✔ *What is a parish?* (It is a community of Catholics who worship and work together.)

✔ *What is a diocese?* (It is an area of the Church led by a bishop.)

Banco de Actividades

Saludo al obispo

Materiales: grabadora de audio o video filmadora

Prepare con los niños un mensaje de saludo y agradecimiento al obispo de su diócesis. Grabe a los niños leyendo el mensaje. Los niños explicarán al obispo lo que han aprendido este año sobre Jesús, la Iglesia y los sacramentos. Luego, diga a todos que canten una canción apropiada. Pida la dirección de la oficina del obispo y envíe la cinta con una nota de explicación.

Como católicos...

Radio Vaticana

Lea el texto de *Como católicos*. Anime a los niños a escuchar los programas de Radio Vaticana y a ingresar al sitio del Vaticano en la red o a informar al grupo lo que han aprendido.

El obispo guía y sirve a los miembros de su diócesis. El transmite las enseñanzas de Jesús. El ayuda al pueblo a acercarse a Dios.

¿A qué diócesis pertenece tu parroquia? ¿Quién es el obispo de tu diócesis?

El papa es el líder de toda la Iglesia.

El papa es el obispo de Roma, Italia. El **papa** es el líder de toda la Iglesia que continúa el trabajo de San Pedro. Con los obispos, el papa ayuda a los católicos a ser discípulos de Jesús.

El papa sirve y cuida de la Iglesia. El predica la buena nueva de Jesucristo a todo el mundo. El papa viaja a otros países. Donde quiera que va celebra misa y habla con el pueblo. El enseña sobre el amor de Dios. El pide a la gente que se amen y se cuiden uno al otro.

Si el Papa viniera a tu parroquia, ¿qué le dirías o preguntarías?

____

Como católicos...

El papa vive en un lugar especial de Roma llamado Ciudad del Vaticano. Los mensajes del papa y otros programas pueden escucharse todos los días, en cuarenta idiomas diferentes, en la radio del Vaticano. También son trasmitidos por la radio y el Internet en la red del Vaticano. www.vatican.va

Escucha los mensajes del papa en la radio del Vaticano o busca en el sitio web.

254

Planificación de la lección

CREEMOS (continuación)

Pida a los niños que formen dos grupos. Asigne uno de los párrafos de la página 254 a cada grupo. Explique: *Cada grupo leerá su párrafo y comentará los puntos importantes del mismo.* Luego, pida a un representante de cada grupo que comparta los puntos importantes con el otro grupo. Las respuestas posibles de los grupos son las siguientes:

- Primer párrafo: El papa es el obispo de Roma, continúa el trabajo de San Pedro, ayuda a los católicos a ser discípulos de Jesús.
- Segundo párrafo: El papa sirve a toda la Iglesia y se ocupa de todos, anuncia la buena noticia de Jesucristo, celebra la Misa. El papa viaja y escucha a las personas, le pide a las personas que se ocupen los unos de los otros, enseña sobre el amor de Dios.

Anime a los niños a imaginar que ocurriría si el papa visitara su parroquia. Pregunte: *¿Qué te gustaría preguntar al papa?* Pida a los niños que escriban sus respuestas, y a algunos voluntarios que las compartan. Dramaticen una visita imaginaria del papa a la parroquia.

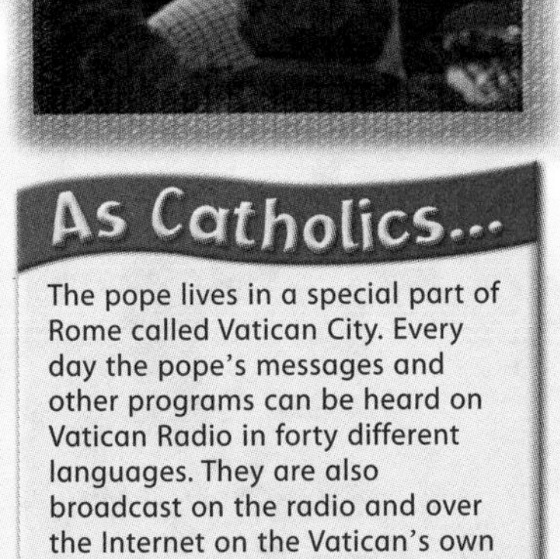

The bishop guides and serves the members of his diocese. He passes on the teachings of Jesus. He helps the people to grow closer to God.

What diocese is your parish part of? Who is the bishop of your diocese?

The pope is the leader of the Church.

The pope is the bishop of Rome in Italy. The **pope** is the leader of the Church who continues the work of Saint Peter. With the other bishops, the pope helps Catholics to be disciples of Jesus.

The pope serves and cares for the Church. He preaches the good news of Jesus Christ to everyone. The pope travels to other countries. Wherever he is, the pope celebrates Mass and talks to the people. He teaches them about God's love. He asks people to love and care for one another.

If the pope were coming to your parish, what would you tell or ask him?

____

As Catholics...

The pope lives in a special part of Rome called Vatican City. Every day the pope's messages and other programs can be heard on Vatican Radio in forty different languages. They are also broadcast on the radio and over the Internet on the Vatican's own Web site. www.vatican.va

Listen to the pope's message on Vatican Radio or log on to the Vatican's Web site.

255

Activity Bank

Greeting to the Bishop

Materials: audio tape recorder or video camera

With the children prepare a hello and thank-you greeting for the bishop of your diocese. Record the children reading the message. Have some of the children explain to the bishop what they have learned this year about Jesus, the Church, and the sacraments. Then have everyone sing an appropriate song. Ask for the address of the bishop's office and send the tape with an explanatory note.

As Catholics...

Vatican Radio

Read the *As Catholics* text. Encourage the children to listen to broadcasts of Vatican Radio and to check the Vatican's Web site and report what they learn to the group.

Lesson Plan

WE BELIEVE (continued)

Have the children form two groups. Assign one of the paragraphs on page 255 to each group. Explain: *Each group will read the paragraph and then discuss the important points in the paragraph.* Then ask a representative from each group to share the important points with the other groups. Possible group responses are the following.

- First paragraph: The pope is the bishop of Rome; he continues the work of Saint Peter; he helps Catholics to be disciples of Jesus.
- Second paragraph: The pope serves and cares for the entire Church; he preaches the good news of Jesus Christ; he celebrates Mass. The pope travels and listens to people; he asks people to take care of one another; he teaches about God's love.

Encourage the children to imagine what it would be like if the pope visited their parish. Ask: *What would you ask or tell the pope?* Have the children write their answers. Invite volunteers to share their responses. Act out an imaginary parish visit from the pope.

Banco de Actividades

Inteligencia múltiple

Expresión musical

Enseñe la siguiente canción con la música de "Las mañanitas".

A rezar voy a la iglesia,
y a escuchar a mi pastor,
que me habla de mi líder,
mi adorado Señor.

Con el párroco yo canto,
y al obispo escucho yo,
en la misa del domingo,
cuando alabamos a Dios.

Ideas

Una ayuda visual

Ayude a los niños a comprender el alcance de las responsabilidades de un obispo, con un organizador gráfico. Escriba el nombre de la diócesis y del obispo en el centro del círculo y algunas de las parroquias vecinas dentro del círculo. Señale a los niños que el obispo de la diócesis lidera y se ocupa de todas las personas de esas parroquias.

La Iglesia está en todo el mundo.

Los católicos en todas partes del mundo creen lo mismo. Comparten y celebran la misma fe sobre la Santísima Trinidad, Jesús, el Hijo de Dios, la Iglesia, María y los santos. Ellos celebran la Eucaristía y los otros sacramentos. También reconocen al papa como líder de la Iglesia.

Sin embargo, los católicos en el mundo muestran su fe en diferentes formas. Mira las ilustraciones para ver diferentes formas en que los católicos rezan y muestran su fe.

En Polonia el día de Nochebuena, el padre parte un pan especial llamado *oplatki*. El dará un pedazo a cada miembro de la familia. Esta es una señal de paz y amor.

En la fiesta de Corpus Cristi, la fiesta del Cuerpo y Sangre de Cristo, el sacerdote presenta la Eucaristía a todos los presentes. El sacerdote y el pueblo cantan himnos a Jesús mientras caminan por el pueblo.

Vocabulario

párroco sacerdote que dirige y sirve a una parroquia

obispos líderes de la Iglesia que continúan la misión de los apóstoles

diócesis área de la Iglesia dirigida por un obispo

papa líder de toda la Iglesia que continúa la misión de San Pedro

RESPONDEMOS

¿Qué puedes decir a niños de otros países sobre la forma en que tu parroquia reza y celebra?

256

Planificación de la lección

CREEMOS (continuación)

Pida un voluntario que lea el primer párrafo de la página 256. Pida a los niños que resalten y subrayen las creencias que todos los católicos comparten y celebran.

Lea en voz alta los tres últimos párrafos. Pídales que hablen sobre las fotografías. Pregunte: *¿Hay personas que celebran su fe del mismo modo en que ustedes los hacen?* Señale que las familias en los Estados Unidos también celebran algunas de las celebraciones católicas que se realizan en otros países.

Distribuya copias del patrón 23. Lea las instrucciones. Después de que los niños respondan a las pistas, pida que un voluntario complete la frase (m,u,n,d,o: mundo).

Vocabulario Repasen juntos las palabras del *Vocabulario* y sus definiciones.

RESPONDEMOS

____ minutos

Conexión con la vida Pida que un voluntario lea en voz alta la pregunta de la sección *Respondemos*. Pida voluntarios que compartan sus respuestas.

Oración Concluya la lección haciendo que los niños recen a Dios en silencio por todos sus hermanos y hermanas católicos que se encuentran en todo el mundo.

The Church is in every part of the world.

Catholics in every part of the world have the same beliefs. They share and celebrate the same beliefs about the Blessed Trinity, Jesus, the Son of God, the Church, Mary, and the saints. They all celebrate the Eucharist and the other sacraments. They look to the pope as the leader of the Church.

However, Catholics around the world also show their faith in different ways. Look at the pictures and the ways Catholics pray and show their faith.

On Christmas Eve the father in a Polish family breaks a wafer called *oplatki*. He will give a piece of the wafer to each member of his family. This is a sign of love and peace.

On the Feast of Corpus Christi, or the Feast of the Body and Blood of Christ, the priest carries the Eucharist for all to worship. The priest and people sing songs to Jesus as they walk through their town.

Key Words

pastor the priest who leads and serves the parish

bishops leaders of the Church who carry on the work of the apostles

diocese an area of the Church led by a bishop

pope the leader of the Church who continues the work of Saint Peter

WE RESPOND

What could you tell children from another country about the way your parish prays and celebrates?

257

ACTIVITY BANK

Multiple Intelligences

Musical

Teach the following song to the tune of "Go 'Round and 'Round the Village."

We worship God together.
We worship God together.
We worship God together,
as a parish community.

We try to help all people.
We try to help all people.
We try to help all people
in our parish community.

Teaching Tip

A Visual Aid

You can help the children understand the scope of their bishop's responsibilities by making a graphic organizer. Write the names of the diocese and bishop in the center of a circle. Insert the names of some of the nearby parishes within the circle. Point out to the children that the bishop of the diocese leads and cares for all the people in these parishes.

Lesson Plan

WE BELIEVE (continued)

Ask a volunteer to read the first paragraph on page 257. Have the children highlight or underline what beliefs all Catholics share and celebrate.

Read aloud the last three paragraphs. Ask the children to discuss the photographs: *Are any of these people celebrating their faith in the same ways you do?* Point out that some of the Catholic celebrations that occur in other countries are also celebrated by families in the United States.

Distribute copies of Reproducible Master 23. Read the directions. After the children have answered the clues, invite a volunteer to complete the sentence. (w, o r, l, d; world)

Key Words Review together the *Key Words* and their definitions.

WE RESPOND ____ minutes

Connect to Life Have a volunteer read aloud the *We Respond* question. Ask volunteers to share their responses.

Pray Conclude the lesson by having the children pray silently to God for all of their Catholic brothers and sisters around the world.

Banco de Actividades

Inteligencia múltiple

Expresión oral y habilidad lingüística

Materiales: papel

Pida a los niños que recuerden las numerosas tareas que tiene el papa para guiar a la Iglesia. Los niños escribirán una pregunta que un periodista puede hacerle al papa, como por ejemplo: "*¿Por qué viaja a otros países?*" Los niños deben basar las preguntas en la información que aparece en sus libros. Anime a algunos voluntarios a compartir sus preguntas y obtener las respuestas del grupo.

Iglesia

Celebraciones

Materiales: papel para escribir

Pida a los niños que miren las fotografías en las páginas 256 y 257. Los niños eligirán una celebración en la que les gustaría participar. Diga a cada niño que escriba por qué le gustaría celebrar nuestra fe católica de ese modo.

Conexion con el Hogar

Compartiendo lo aprendido

Recuerde a los niños compartir con sus familias lo aprendido en este capítulo.

Para más información y actividades adicionales visite a Sadlier

www.CREEMOSweb.com

Planifique por adelantado

Lugar de oración: lámina o estatua de Jesús, serpentinas de colores

Materiales: 2–3 CD, copias del patrón 24

___ minutos

Repaso del capítulo Pida a los niños que completen las preguntas 1 a 4. Cuando los niños terminen con el ejercicio, lea las preguntas en voz alta y pida a voluntarios que compartan las respuestas. Lea la quinta pregunta. Hable con los niños sobre las cosas que los católicos comparten y celebran. Permita que los niños tengan tiempo para escribir sus respuestas y luego, sugiera que algunos voluntarios compartan sus respuestas con el resto de la clase.

Reflexiona y ora Pida a los niños que lean y completen la actividad *Reflexiona y ora* en forma individual.

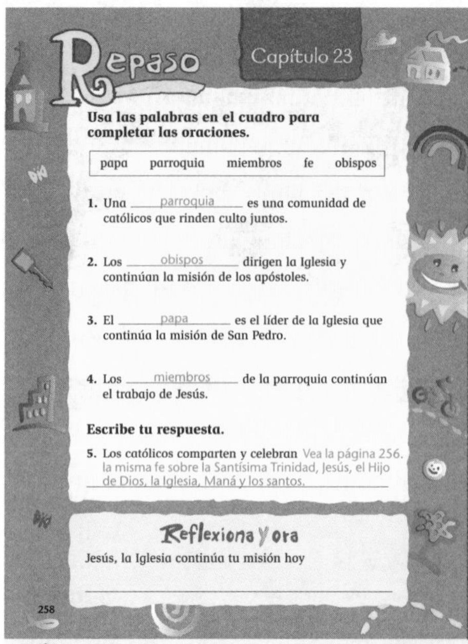

Repaso — Capítulo 23

Usa las palabras en el cuadro para completar las oraciones.

papa parroquia miembros fe obispos

1. Una parroquia es una comunidad de católicos que rinden culto juntos.
2. Los obispos dirigen la Iglesia y continúan la misión de los apóstoles.
3. El papa es el líder de la Iglesia que continúa la misión de San Pedro.
4. Los miembros de la parroquia continúan el trabajo de Jesús.

Escribe tu respuesta.

5. Los católicos comparten y celebran Vea la página 256. la misma fe sobre la Santísima Trinidad, Jesús, el Hijo de Dios, la Iglesia, Maná y los santos.

Reflexiona y ora

Jesús, la Iglesia continúa tu misión hoy

258

PÁGINA DEL ESTUDIANTE 258

Respondemos y compartimos la fe

___ minutos

Recuerda Pida a los niños que mencionen cuatro cosas que aprendieron en este capítulo. Escriba las respuestas en la pizarra. Luego, consulte las afirmaciones de *Creemos*. Pida a voluntarios que lean en voz alta las oraciones. Después de cada oración, los niños compararán la lista de respuestas en la pizarra con las afirmaciones del libro.

Nuestra vida católica

Lea en voz alta "Misioneros" Pregunte: *¿De qué modo puedes ser un misionero?* Permita que los niños tengan tiempo de pensar en la pregunta. Pida a voluntarios que compartan sus ideas. Escriba las respuestas en la pizarra.

Respondemos y compartimos la fe

Compartiendo lo aprendido

Mira la ilustración. Usala para contar a tu familia lo que aprendiste en este capítulo.

Para que todos vean

"Alégrense siempre en el Señor." Filipenses 4:4

Recuerda

- Los católicos pertenecen a comunidades parroquiales.
- Los obispos dirigen y sirven a la Iglesia.
- El papa es el líder de toda la Iglesia.
- La Iglesia está en todo el mundo.

Nuestra vida católica

Misioneros

Todos somos llamados a ser misioneros. Los misioneros enseñan a otros sobre Jesús. Podemos ser misioneros en nuestros hogares, escuelas y vecindarios. Podemos compartir nuestra fe en Jesús y vivir como él. Algunos misioneros llevan la buena nueva de Jesucristo a gente que vive en otros países, aprenden su idioma y su forma de vida para compartir el amor de Dios.

Visita Sadlier en www.CREEMOSweb.com

Conexión con el Catecismo

260

PÁGINA DEL ESTUDIANTE 260

_____ minutes

Chapter Review Have the children complete the Review questions 1–4. Once they have finished, read the questions aloud, and have volunteers share their responses. Read the fifth question. Talk with the children about things Catholics share and celebrate. Allow time for the children to write their answers. Then invite volunteers to share their responses.

Reflect & Pray Ask the children to read and complete the *Reflect & Pray* activity independently.

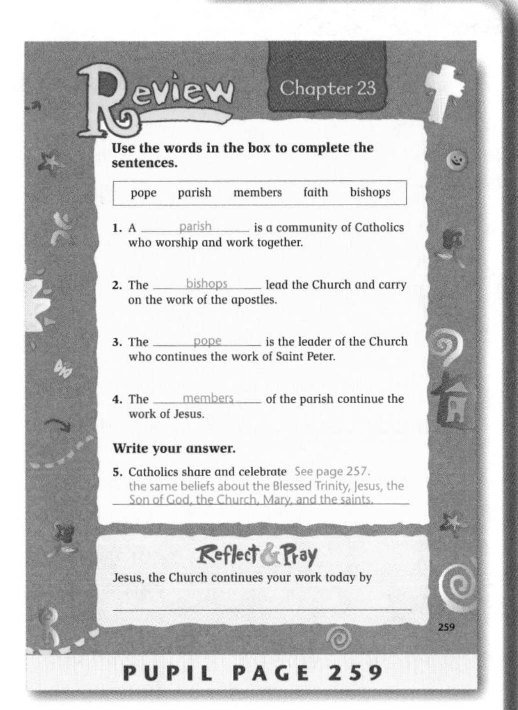
Review Chapter 23

Use the words in the box to complete the sentences.

pope	parish	members	faith	bishops

1. A parish is a community of Catholics who worship and work together.
2. The bishops lead the Church and carry on the work of the apostles.
3. The pope is the leader of the Church who continues the work of Saint Peter.
4. The members of the parish continue the work of Jesus.

Write your answer.

5. Catholics share and celebrate See page 257. the same beliefs about the Blessed Trinity, Jesus, the Son of God, the Church, Mary, and the saints.

Reflect & Pray

Jesus, the Church continues your work today by

259

PUPIL PAGE 259

We Respond and Share the Faith

_____ minutes

Remember Ask the children to name four things that they learned in this chapter. List their responses on the board. Then refer them to the *We Believe* statements. Invite individuals to read aloud the sentences. After each sentence, have the children compare the list of their responses to the statements in the text.

Our Catholic Life Read aloud "Missionaries." Ask: *In what ways can you be a missionary?* Allow the children time to reflect on the question. Ask for volunteers to share their ideas. Write their responses on the board.

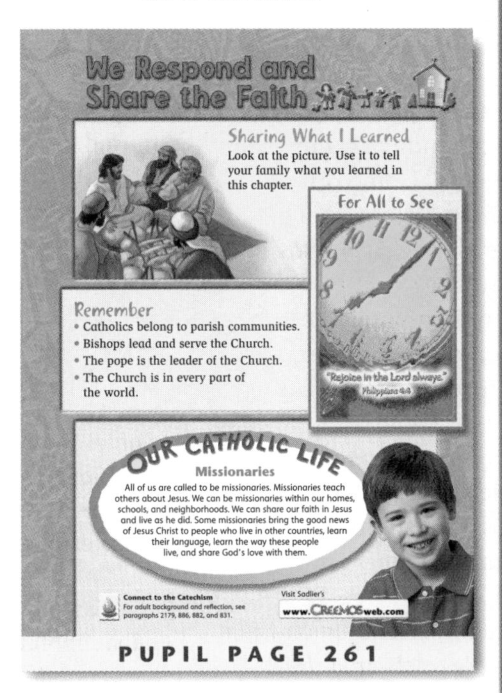
We Respond and Share the Faith

Sharing What I Learned

Look at the picture. Use it to tell your family what you learned in this chapter.

For All to See

"Rejoice in the Lord always." Philippians 4:4

Remember
- Catholics belong to parish communities.
- Bishops lead and serve the Church.
- The pope is the leader of the Church.
- The Church is in every part of the world.

Our Catholic Life

Missionaries

All of us are called to be missionaries. Missionaries teach others about Jesus. We can be missionaries within our homes, schools, and neighborhoods. We can share our faith in Jesus and live as he did. Some missionaries bring the good news of Jesus Christ to people who live in other countries, learn their language, learn the way these people live, and share God's love with them.

Connect to the Catechism: For adult background and reflection, see paragraphs 2179, 886, 882, and 831.

Visit Sadlier's www.CREEMOSweb.com

PUPIL PAGE 261

Activity Bank

Multiple Intelligences

Verbal-Linguistic

Materials: writing paper

Have the children recall the many things the pope does to lead the Church. Ask them to write one question an interviewer might ask the pope such as, *"Why do you travel to other countries?"* Children should base questions on the information in their text. Encourage volunteers to share their questions and elicit answers from the group.

Church

Celebrations

Materials: writing paper

Direct attention to the photos on pages 256 and 257. Have the children choose one celebration in which they would like to participate. Ask each child to write why he or she would like to celebrate our Catholic faith in this way.

Home Connection

Sharing What I Learned

Remind the children to share with their families what they learned in this chapter.

For additional information and activities, encourage families to visit Sadlier's

www.CREEMOSweb.com

Plan Ahead for Chapter 24

Prayer Space: picture or statue of Jesus, colorful streamers

Materials: Grade 2 CD; copies of Reproducible Master 24

Rezamos

Ojeada

En este capítulo los niños aprenderán cómo rezaba Jesús y de qué modo la oración nos acerca a Dios.

Contenido doctrinal	Para referencia del *Catecismo de la Iglesia Católica*
Los niños aprenderán que:	párrafo
• La oración nos mantiene cerca de Dios.	2560
• Jesús oraba a Dios, su Padre.	2599
• Jesús nos enseña a orar.	2759
• Rezamos como Jesús rezó.	2767

Referencia catequética

¿Por qué reza?

No es posible mantener una relación sin comunicación. Esta comunicación puede ser oral, escrita, o permaneciendo juntos en silencio, o simplemente pensando en el otro. Nuestra relación con Dios no puede existir sin comunicación, y nuestra manera de comunicarnos con Dios es la oración. Podemos rezar de diferentes maneras y en diferentes lugares, esa es la base de nuestra relación con Dios.

El mejor ejemplo de como rezar lo tenemos en Jesús, quien rezaba al Padre con frecuencia. El aprendió a rezar con su familia y con la comunidad de fe judía. Como otros judíos de su tiempo, Jesús viajaba al Templo de Jerusalén a rezar. La reunión de los cristianos durante la misa tiene sus orígenes en estas práctica, Jesús también rezaba solo.

Jesús fue un ejemplo de como rezar, nos enseñó a rezar. Cuando sus discípulos le preguntaron como debían rezar, él les enseñó el Padrenuestro. Esta oración está en el Evangelio de Mateo 6:9–13 y Lucas 11:1–4. La iglesia primitiva daba esta oración como regalo a los catecúmenos que se preparaban para el Bautismo; se le consideraba uno de los tesoros de la iglesia. Hoy seguimos enseñándo esta oración a los niños, como un tesoro: la mejor manera de rezar y permanecer en comunión con Dios.

Recemos, pues, como Jesús rezó. Recemos en comunidad, especialmente cuando nos congregamos para celebrar la misa. Pásemos tiempo a solas con Dios. Sin la oración no hay relación con Dios.

¿De qué manera el ejemplo de Jesús puede ayudarle a mejorar su vida de oración?

Mirando la vida

Historia para el capítulo

Nicolás y Natalia Grapkis eran mellizos y disfrutaban haciendo cosas juntos. Su papá era guardabosques, y a menudo llevaba a los mellizos en excursiones para enseñarles acerca de los árboles, los pájaros y otros animales. Pero esta era la primera vez que los llevaba al Monte Agamenticus. Los mellizos no podían contener su entusiasmo. ¡Por fin cumplirían su sueño! Sus mochilas estaban cargadas con la merienda, botellas de agua, binoculares y un equipo de primeros auxilios.

En el camino iban cantando y pronto el sendero se tornó más empinado.

"¿Quieren que nos detengamos a descansar?" Preguntó el papá.

"¡No! ¡No! Sigamos", respondieron los mellizos.

El Sr. Grapkis vio que había un árbol en el camino y dijo a los niños que lo esperaran mientras él despejaba el sendero. Pero los niños tenían tantos deseos de explorar que se alejaron. De pronto, Nicolás pisó una piedra cubierta de musgo, resbaló y se torció el tobillo.

"¡Papá! ¡Nicolás se cayó!" Natalia trató de llamar al papá pero él no podía oírla.

Se asustaron. ¿Qué pasaría si el papá no los encontraba? ¿Cómo se las arreglaría Natalia para ayudar a su hermano? Natalia recordó lo que el papá les había enseñado:

"Papá siempre dice que no hay que asustarse y que hay que pedirle a Dios que nos ayude". Comenzaron a rezar pidiendo a Dios que el papá los encontrara pronto.

Al cabo de dos horas escucharon ruidos más arriba en el sendero, y comenzaron a gritar:

"¡Papá! ¡Estamos aquí! ¡Papá!"

Casi inmediatamente vieron aparecer al papá sobre un peñasco. El Sr. Grapkis llegó hasta donde estaban los mellizos, los abrazó a los dos y rezó: "Gracias, Señor".

Mientras ayudaban a Nicolás a bajar dieron gracias a Dios por estar juntos nuevamente.

¿Cómo la oración ayudó a la familia Grapkis?

Overview

In this chapter the children will learn about the way Jesus prayed and the way prayer brings us closer to God.

Doctrinal Content	For Adult Reading and Reflection *Catechism of the Catholic Church*
The children will learn:	Paragraph
• Prayer keeps us close to God.	2560
• Jesus prayed to God his Father.	2599
• Jesus teaches us to pray.	2759
• We pray as Jesus did.	2767

Catechist Background

Why do you pray?

No relationship can exist without some form of communication. That communication may involve talking, listening, writing, being together in silence, or simply being held in one another's thoughts. So, too, our relationship with God cannot exist without communication. We call that communication prayer. Prayer, which can take many forms and be in many places, is the basis for our relationship with God.

Our greatest example of how to pray is Jesus, who prayed often to God his Father. Jesus learned to pray from his family and the Jewish community of faith. Like other Jews of his time, Jesus would travel to the Temple in Jerusalem to pray. Our gathering together for Mass has its beginnings in these ancient community forms of prayer. Jesus also went off alone to pray.

In addition to being an example of how to pray, Jesus also taught us how to pray. When his disciples asked him how to pray, Jesus taught them the Our Father. We find this prayer in Scripture in Matthew 6:9–13 and Luke 11:1–4. The early Church gave this prayer to catechumens preparing for Baptism as a great gift, one of the treasures of the Church. Today, we continue to teach this prayer to our children, not simply words to memorize, but as the treasure that it is: the very way to pray and remain in communion with God.

We pray, then, as Jesus prayed. We pray in community, especially as we gather weekly to celebrate the Mass together. And we pray alone, spending time quietly with our God. Without prayer our relationship with God could not exist.

How can the example of Jesus improve the quality of prayer in your life?

Focus on Life

Chapter Story

Nick and Natalie Grapkis were twins. They enjoyed doing things together. Their father was a forest ranger who often took the twins on trips to learn about trees, birds, and animals. But today was the first time their dad was taking them for a hike up Mount Agamenticus. The twins were so excited. Their wish was finally coming true. Their back-packs were already filled with snacks, bottled water, binoculars, and a first-aid kit.

As the twins and their dad hiked along the trail, they sang songs. Soon the trail grew steeper. Their dad asked, "Do you want to stop and rest now?" But the twins called out, "No way, Dad! Keep going."

Mr. Grapkis noticed that a tree had fallen across the trail up ahead. He told the twins to stay where they were while he went ahead to clear the trail. But Nick and Natalie were anxious to explore. So they wandered off the trail. Suddenly Nick's foot slipped on a mossy rock and he sprained his ankle. Natalie called out, "Dad, help!" But dad could not hear her.

Nick and Natalie were both afraid. What if their father could not find them? How could Natalie help Nick by herself? Natalie said to Nick, "Dad always says not to panic and to pray for God's help." The twins started to pray. They asked God to let their father find them soon.

About two hours had passed. Then the twins heard sounds on the trail above them. They shouted, "Dad, Dad, we're over here!" In a few moments they saw their father come over the ridge. Mr Grapkis hugged both of his children and said, "Thank you, God." As Dad and Natalie helped Nick back down the hiking trail, they thanked God that they were all together again.

How did prayer help the Grapkis family?

Guía para planificar la lección

Pasos de la lección	Presentación	Materiales
 **NOS CONGREGAMOS**		
pág. 262 **Oración**  **Mirando la vida**	• Rezar el comienzo de la oración eucarística de la misa.  Responder cantando "Hosanna". 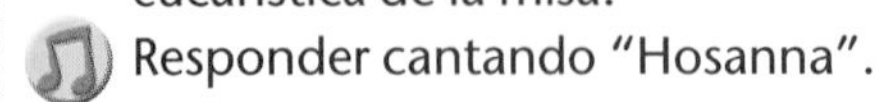 • Comentar las preguntas.	En el lugar de oración: lámina o estatua de Jesús, serpentinas multicolores  Cantar "Hosanna" 2–3 CD
2 CREEMOS		
pág. 262 *La oración nos mantiene cerca de Dios.*	• Leer y comentar el texto sobre la oración. Completar la actividad.	• crayones o marcadores
pág. 264 *Jesús oraba a Dios, su Padre.*	• Presentar el texto sobre Jesús y la oración. • Compartir los momentos de oración.	
pág. 266 *Jesús nos enseña a orar.*	• Leer el texto sobre el Padrenuestro. • Comentar el significado de las frases que componen el Padrenuestro. Proponer gestos para acompañar la oración del Padrenuestro.	
pág. 268 *Rezamos como Jesús rezó.*	• Presentar el texto sobre la oración. Comentar los momentos en que los miembros de la parroquia rezan juntos. • Leer y comentar *Como católicos.* • Señalar *Vocabulario* y sus definiciones.	• crayones o lápices de colores • copias del patrón 24 • instrumento musical (opcional)
 **RESPONDEMOS**		
pág. 268	• Rezar a Dios en silencio.	
páginas 270 y 272 **Repaso**	• Completar las oraciones 1 a 5. • Completar *Reflexiona y ora.*	
páginas 270 y 272 **Respondemos y compartimos la fe**	• Repasar *Recuerda* y *Vocabulario.* • Leer y comentar *Nuestra vida católica.*	

Para ideas, actividades y otras oportunidades visite Sadlier en **www.CREEMOSweb.com**

Lesson Planning Guide

1 WE GATHER

Lesson Steps	Presentation	Materials
page 263 **Prayer**	• Pray the beginning of the eucharistic prayer from the Mass. Respond by singing "Sing Hosanna."	For the prayer space: picture or statue of Jesus, colorful streamers 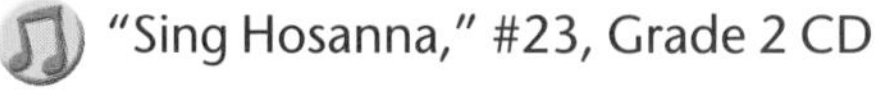 "Sing Hosanna," #23, Grade 2 CD
 **Focus on Life**	• Discuss the questions.	

2 WE BELIEVE

Lesson Steps	Presentation	Materials
page 263 *Prayer keeps us close to God.*	• Read and discuss the text about prayer. Complete the activity.	• highlighter or crayon
page 265 *Jesus prayed to God his Father.*	• Present the text about Jesus and prayer. Share times of prayer.	
page 267 *Jesus teaches us to pray.*	• Read the text about the Lord's Prayer. • Discuss the meaning of the words we pray in the Lord's Prayer. Make up actions to use while praying the Our Father.	
page 269 *We pray as Jesus did.*	• Present the text about the prayer. Discuss times when our parish prays together. • Read and discuss the *As Catholics* text. • Point out *Key Words* and definitions.	• crayons or colored pencils • copies of Reproducible Master 24 • instrumental music (option)

3 WE RESPOND

Lesson Steps	Presentation	Materials
page 269	• Offer a quiet prayer to God.	
pages 271 and 273 **Review**	• Complete questions 1–5. • Complete *Reflect & Pray.*	
pages 271 and 273 **We Respond and Share the Faith**	• Review *Remember* and *Key Words.* • Read and discuss *Our Catholic Life.*	

For additional ideas, activities, and opportunities: Visit Sadlier's **www.CREEMOSweb.com**

Conexiones

Administración de la creación

Jesús vivió su vida al servicio de la voluntad de su Padre. Cada uno de nosotros está llamado a servir a los demás. La oración puede ser una expresión de mayordomía cuando intercedemos por las necesidades de nuestra parroquia. Invite al encargado de la pastoral para que hable a los niños acerca de esas necesidades. El invitado podrá explicar al grupo que sus oraciones son necesarias para ayudar a la parroquia a llevar a cabo la obra de Dios. Los niños escribirán una breve oración dedicada a la parroquia local: "Oración por nuestra parroquia".

Las vocaciones

A lo largo de todo este capítulo los niños aprenderán que la oración fortalece nuestra relación con Dios. La palabra *vocación* significa "llamado". Algunas personas reciben un llamado especial a ser sacerdotes, monjes o monjas, y viven una vida de oración y de servicio activo hacia el prójimo. Pregúnteles a los niños si conocen a algún sacerdote o a algún hermano o hermana de una congregación religiosa. Anímelos a orar a diario por aquellos que han respondido al llamado a vivir al servicio de la Iglesia.

FE Y MEDIOS

- Después de comentar sobre la vida contemplativa (*Nuestra vida católica*), evalúe la posibilidad de visitar sitios en el Internet de una o más comunidades contemplativas, para que los niños vean fotografías de estos hombres y mujeres y conozcan como desarrollan su vida de trabajo y oración. Recuerde a los niños que el Internet es ahora uno de los principales lugares donde los jóvenes y otras personas pueden aprender más acerca de las vocaciones, ya sea el sacerdocio como otras expresiones de la vida religiosa. Este es sólo un ejemplo de como los medios pueden ayudar a la Iglesia a realizar la obra de Dios en el mundo.

Liturgia para esta semana

Visite **www.creemosweb.com** para las lecturas bíblicas de esta semana y otros materiales propios del tiempo.

Necesidades individuales

Niños con atención deficiente

Asigne el papel de asistentes a los niños que tienen dificultad para mantener la atención en las tareas escolares. Pídales, por ejemplo, que distribuyan y recojan los materiales necesarios para cada actividad. Exprese su reconocimiento por la ayuda que ellos le brindan.

RECURSOS ADICIONALES

Video *Padrenuestro* Hispanic Telecommunications Network. (30 minutos)

Para ideas visite a Sadlier en

www.CREEMOSweb.com

Connections

To Stewardship

Jesus lived his life in service to the will of his Father. Each of us is called to serve others. Prayer can be a form of stewardship when we intercede for the needs of our parish. Invite the pastoral associate to share with the children what those needs are. The visitor can let the children know that their prayer support is needed to help the parish do God's work. Have the children compose a short "Prayer for Our Parish."

To Vocations

Throughout the chapter, the children learn that prayer strengthens our relationship with God. The word vocation means "calling." Some people are called in a special way to become priests, monks, or nuns; they live a life of prayer and of active service to others. Ask the children if they know anyone who is a religious sister or brother, or a priest. Encourage the children to pray every day for those who have answered the call to religious life.

FAITH and MEDIA

▶ After discussing the contemplative life (*Our Catholic Life*), consider visiting the Web sites of one or more contemplative communities to show the children pictures of these men and women as they go about their lives of work and prayer. Remind the children that the Internet is now one of the main places where young people and others can go to find out more about vocations, both to the priesthood and to the religious life. This is just one more example of how media can help the Church do the work of Jesus in the world.

This Week's Liturgy
Visit **www.creemosweb.com** for this week's liturgical readings and other seasonal material.

Meeting Individual Needs

Children with Attention Deficit Disorder

Assign children who have difficulty staying on task to be special helpers. Ask them to distribute and collect supplies as needed. Look for ways to praise them for their help.

ADDITIONAL RESOURCES

Book *Daily Prayers,* George Brundage, Catholic Book Publishing, 1994. This book shows children that God is always listening to their prayers—morning, noon, and night.

Video *Jesus' Teaching Ministry, A Kingdom Without Frontiers* series, CCC of America, 1997. Jesus teaches his disciples the Lord's Prayer. (first segment: 10 minutes)

To find more ideas for books, videos, and other learning material visit Sadlier's

www.CREEMOSweb.com

Meta catequética

• Averiguar de que manera la oración nos acerca a Dios, como rezó Jesús, y cual es el significado del Padrenuestro

Preparandose para orar

Los niños alabarán y agradecerán a Dios cantando.

• Escuchen la canción "Hosanna" 2–3 CD.

• Entregue algunos instrumentos de percusión para que los niños acompañen la canción.

• Otros niños cortarán trocitos de cartulina para usarlos mientras cantan durante la oración.

El lugar de oración

• Coloque una imagen de Jesús.

• Decore el lugar de oración con serpentinas multicolores.

24 Rezamos

Nos congregamos

✝ **Líder:** El Señor esté con vosotros.

Todos: Y con tu espíritu.

Líder: Levantemos el corazón.

Todos: Lo tenemos levantado hacia el Señor.

Líder: Demos gracias al Señor, nuestro Dios.

Todos: Es justo y necesario.

♫ **Hosanna**

¡Hosanna! ¡Hosanna! ¡Hosanna!
¡Hosanna! ¡Hosanna! ¡Hosanna!

Viva el Hijo de David. Viva el Hijo de David.
Hosanna en el cielo. Hosanna en el cielo.

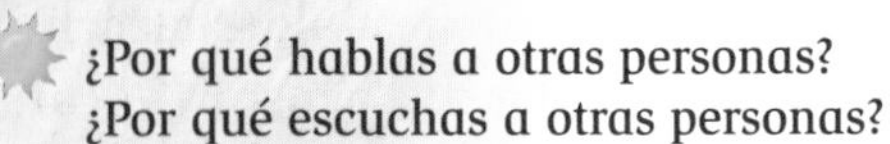

¿Por qué hablas a otras personas?
¿Por qué escuchas a otras personas?

Creemos

La oración nos mantiene cerca de Dios.

Podemos acercarnos más a Dios por medio de la oración. **Orar** es hablar y escuchar a Dios. No importa como recemos, Dios está con nosotros.

Hablamos con Dios de diferentes cosas. Compartimos nuestros pensamientos. Algunas veces le pedimos ayuda o perdón. Otras veces le damos gracias por su amor y sus bendiciones.

262

Planificación de la lección

Nos congregamos ___ minutos

✝ **Oración**

• Diga a los músicos que lleven los instrumentos al lugar de oración.

• Otros niños traerán un puñado de papel picado. Pídales que tiren papel picado al aire cada vez que cantan el nombre de Jesús.

• Guíe a los niños en la oración de alabanza.

Mirando la vida

• Pida a los niños que compartan sus respuestas a las preguntas. Pregunte: *¿Con qué personas hablan a diario? ¿Cómo se sienten cuando les habla alguien que a ustedes les gusta? ¿Por qué es importante escuchar a la otra persona?* Dé ejemplos de situaciones en que escuchar es verdaderamente importante—incluso para salvar vidas.

• Lea la *Historia para el capítulo* en la página 262A.

Creemos ___ minutos

Pida a un voluntario que lea en voz alta la afirmación y el primer párrafo de *Creemos*. Ponga énfasis en las siguientes ideas:

• *Dios quiere que lo conozcamos mejor.*

• *Dios siempre está con nosotros—cuando le hablamos y también cuando estamos callados y escuchamos.*

Pregunte *¿De qué podemos hablar con Dios?* (Acepte todas las respuestas que sean razonables y escríbalas en la pizarra.) Luego, pida que un voluntario lea el segundo y el tercer párrafo en las páginas 262 y 264.

We Pray

24

WE GATHER

✝ **Leader:** The Lord be with you.

All: And also with you.

Leader: Lift up your hearts.

All: We lift them up to the Lord.

Leader: Let us give thanks to the Lord our God.

All: It is right to give him thanks and praise.

Sing Hosanna

Sing hosanna! Sing hosanna!
Sing it for Jesus. Sing it for Jesus.
Sing it for friendship. Sing it for friendship.
Sing it forever. Sing it forever. Sing hosanna!
Sing hosanna! Sing hosanna! Sing!

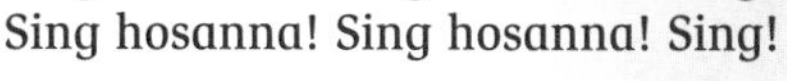

Why do you talk to other people?
Why do you listen to other people?

WE BELIEVE

Prayer keeps us close to God.

We can grow closer to God through prayer. **Prayer** is talking and listening to God. No matter how we pray, God is with us.

We talk to God about different things. We share the things we are thinking about. Sometimes we ask for help or forgiveness. Other times we thank him for his love, or ask his blessing.

263

Chapter 24 • Page 263

Catechist Goal

- To explore how prayer keeps us close to God, how Jesus prayed, and the meaning of the Lord's Prayer

PREPARING TO PRAY

Children will offer God their praise and thanks in word and song.

- Play "Sing Hosanna,". Have the children practice singing.
- Give a few children percussion instruments to play while singing the song.
- Have the other children cut scraps of construction paper into pieces to serve as confetti as they sing during prayer.

The Prayer Space

- Display a picture or statue of Jesus.
- Decorate the space with colorful streamers.

Lesson Plan

WE GATHER

___ minutes

✝ Prayer

- Invite the musicians to bring their instruments to the prayer space.
- Have the other children bring a handful of confetti. Ask these children to toss the confetti in the air each time you sing the name Jesus.
- Lead the children in their prayer of praise.

Focus on Life

- Invite the children to share responses to the questions. Ask: *Whom do you talk to every day? How do you feel when someone you like talks to you? Why is it also important to listen to the other person?* Give examples of when listening is truly important—even lifesaving.
- Share the *Chapter Story* on guide page 262B.

WE BELIEVE

___ minutes

Invite a volunteer to read aloud the *We Believe* statement and the first paragraph. Emphasize the following points:

- *God wants us to know him better.*
- *God is always with us, both when we talk to him and when we are quiet and listen.*

Ask *What can we talk to God about?* (Accept all reasonable responses and list them on the board.) Then have a volunteer read the second and third paragraphs on pages 263 and 265.

Nuestra respuesta en la fe

• Celebrar el don de la oración y nombrar las diferentes maneras de rezar

oración
Templo

Materiales

• marcadores o crayones
• hojas de dibujo
• 2–3 CD
• copias del patrón 24

Conexión con el hogar

Pida a los niños que hablen sobre la experiencia de compartir con sus familias lo que aprendieron en el capítulo 23.

Dios está siempre ahí escuchando nuestras oraciones. El sabe lo que necesitamos y cuida de nosotros.

Orar es escuchar también a Dios. Dios nos habla en la misa, por medio de los sacramentos y por medio de las palabras en la Biblia. Nos habla por medio de los líderes de la Iglesia y por medio de todo el que nos muestra su amor.

¿Quién te ha enseñado a orar?

Jesús oraba a Dios, su Padre.

Cuando Jesús estaba creciendo aprendió a rezar. El rezaba con María y José. Ellos también se reunían con otros judíos para rezar.

Ellos iban a Jerusalén para celebrar los días de fiesta. El **Templo** es el lugar santo en Jerusalén donde los judíos rendían culto a Dios.

Jesús siempre rezó. El quería estar cerca de Dios, su Padre. El le pedía a Dios que estuviera con él. Le daba gracias al Padre por todas sus bendiciones.

Jesús con frecuencia se alejaba para orar. Jesús también oraba cuando estaba con su familia, sus amigos y sus discípulos.

¿En qué momentos rezas sólo? ¿En qué momentos rezas con otros?

264

Planificación de la lección

CREEMOS (continuación)

Pregunte *¿Cómo podemos escuchar a Dios?* Lean juntos el segundo párrafo en la pagina 264. Los niños subrayarán o resaltarán las diferentes maneras en que Dios nos habla.

Lea la pregunta y pida a los niños que escriban sus respuestas.

Lean juntos la afirmación *Creemos* en la página 264. Los niños que lo deseen podrán leer los párrafos en voz alta. Luego, pregunte:

• *¿Dónde rezaban Jesús y su familia?* (en su casa, en el Templo)

• *¿Cómo rezaba Jesús?* (A veces, rezaba a solas. Otras veces, rezaba con su familia, con sus amigos y discípulos.)

Pida a los niños que miren la figura de Jesús. Pregunte: *¿Qué creen que Jesús le estará diciendo a Dios?*

Lea las preguntas. Dibuje un cuadro de dos columnas en la pizarra. En la parte superior de la primera columna escriba *a solas.* En la parte superior de la segunda columna escriba *con otros.* En cada columna escriba las ocasiones en que Jesús oró según los niños las vayan nombrando.

Cotejo rápido

✔ *¿Qué es la oración?* (La oración es hablar y escuchar a Dios.)

✔ *¿Qué es el Templo?* (Es el lugar sagrado en Jerusalén donde el pueblo judío adoraba a Dios.)

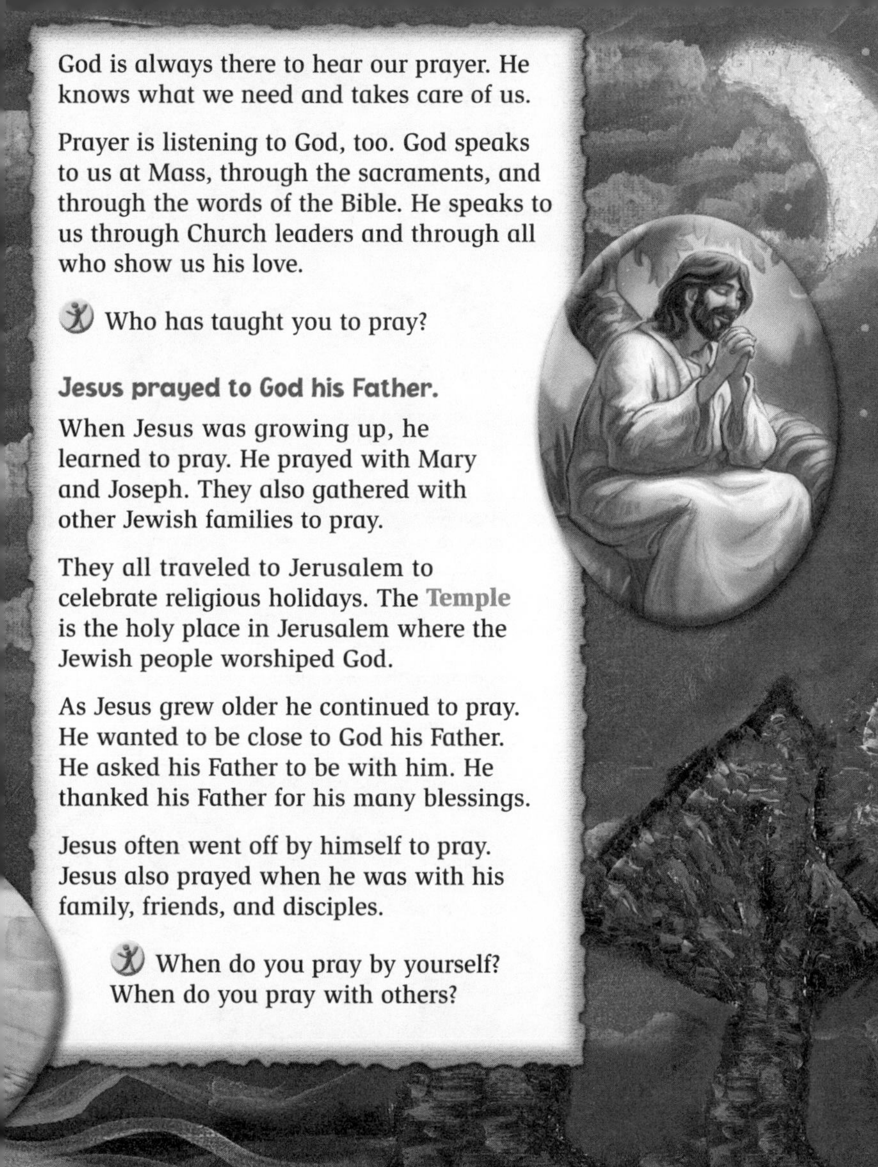

God is always there to hear our prayer. He knows what we need and takes care of us.

Prayer is listening to God, too. God speaks to us at Mass, through the sacraments, and through the words of the Bible. He speaks to us through Church leaders and through all who show us his love.

Who has taught you to pray?

Jesus prayed to God his Father.

When Jesus was growing up, he learned to pray. He prayed with Mary and Joseph. They also gathered with other Jewish families to pray.

They all traveled to Jerusalem to celebrate religious holidays. The **Temple** is the holy place in Jerusalem where the Jewish people worshiped God.

As Jesus grew older he continued to pray. He wanted to be close to God his Father. He asked his Father to be with him. He thanked his Father for his many blessings.

Jesus often went off by himself to pray. Jesus also prayed when he was with his family, friends, and disciples.

When do you pray by yourself? When do you pray with others?

265

Our Faith Response

• To celebrate the gift of prayer and name ways we can pray

prayer
Temple

Materials

- highlighter or crayon
- Grade 2 CD
- copies of Reproducible Master 24

Home Connection Update

Ask the children to talk about their experiences when sharing with their families what they learned in Chapter 23.

Lesson Plan

WE BELIEVE (continued)

Ask *How can we listen to God?* Then read together the second paragraph on page 265. Have the children highlight or underline the ways God speaks to us.

Read the question and ask the children to write their responses.

Read together the *We Believe* statement on page 265. Invite volunteers to read aloud the paragraphs. Then ask:

- *Where did Jesus and his family pray?* (at home, in the Temple)
- *How did Jesus pray?* (Sometimes he prayed alone. Other times he prayed with family, friends and disciples.)

Draw the children's attention to the picture of Jesus. Ask: *What do you think Jesus is saying to God?*

Read the questions. Make a two-column chart on the board. At the top of the first column, write *by yourself*. At the top of the second column, write w*ith others*. In each column write the times the children mention.

Quick Check

✔ *What is prayer?* (Prayer is talking and listening to God.)

✔ *What is the Temple?* (It is the holy place in Jerusalem where the Jewish people worshiped God.)

Banco de actividades

Conexión curricular

Expresión musical y arte del lenguaje

Materiales: instrumentos musicales

Explique a los niños que pueden usar melodías sencillas y bien conocidas como "Los pajaritos que van por el aire", "De colores". Ayúdelos a componer sus propias oraciones de modo que las puedan cantar usando alguna de estas melodías. Prepare con anticipación una variedad de instrumentos para que los niños acompañen el ritmo. Los niños deben tener tiempo suficiente para ensayar y luego pueden tocar y cantar delante de un grupo de niños más pequeños, o delante de los padres.

Jesús nos enseña a orar.

Los discípulos de Jesús querían aprender a orar igual que Jesús. Un día ellos le pidieron: "Señor, enséñanos a orar". (Lucas 11:1)

Jesús les enseñó el Padrenuestro.

El Padrenuestro

Padre nuestro, que estás en el cielo, santificado sea tu nombre;	Hablamos con Dios. Lo alabamos como nuestro Padre amoroso. Decimos que Dios es santo. Honramos y respetamos su nombre.
venga a nosotros tu reino; hágase tu voluntad en la tierra como en el cielo.	Pedimos para que todo el mundo conozca y comparta el amor de Dios. Es lo que Dios quiere para todos.
Danos hoy nuestro pan de cada día;	Pedimos a Dios nos dé lo que necesitamos. Recordamos a los necesitados.
perdona nuestras ofensas, como también nosotros perdonamos a los que nos ofenden;	Pedimos perdón a Dios. Necesitamos el perdón de los demás.
no nos dejes caer en la tentación, y líbranos del mal.	Pedimos a Dios nos cuide de las cosas que están en contra de su amor.

Pide a un compañero hacer una acción de oración para cada una de las partes del Padrenuestro. Después récenlo usando las acciones.

266

Planificación de la lección

CREEMOS (continuación)

Lean juntos en voz alta la afirmación *Creemos* en la página 266.

Explique *Jesús enseñó a los discípulos el Padrenuestro.* Pregunte: *¿Por qué creen que la llamamos Padrenuestro?* (Rezamos a Dios, nuestro Padre. Padre y nuestro son las dos primeras palabras de la oración.)

Señale el cuadro. Pida a los niños que están sentados a la izquierda que lean los versos de la oración en la columna de la izquierda. Pida a los niños sentados a la derecha que lean la explicación de cada verso en la columna de la derecha.

Pida a los niños que se fijen en el cuadro con la oración impresa. Ayude a los niños a proponer un gesto para cada parte de la oración.

Jesus teaches us to pray.

Jesus' disciples wanted to learn how to pray as Jesus did. One day they asked Jesus, "Lord, teach us to pray." (Luke 11:1)

Jesus taught them the Lord's Prayer. It is also called the Our Father.

The Lord's Prayer

Our Father, who art in heaven, hallowed be thy name;	We talk to God. We praise him as our loving Father. We say that God is holy. We honor and respect his name.
thy kingdom come; thy will be done on earth as it is in heaven.	We ask that all people will know and share God's love. This is what God wants for all of us.
Give us this day our daily bread;	We ask God to give us what we need. We remember all people who are hungry or poor.
and forgive us our trespasses as we forgive those who trespass against us;	We ask God to forgive us. We need to forgive others.
and lead us not into temptation, but deliver us from evil. Amen.	We ask God to keep us safe from anything that goes against his love.

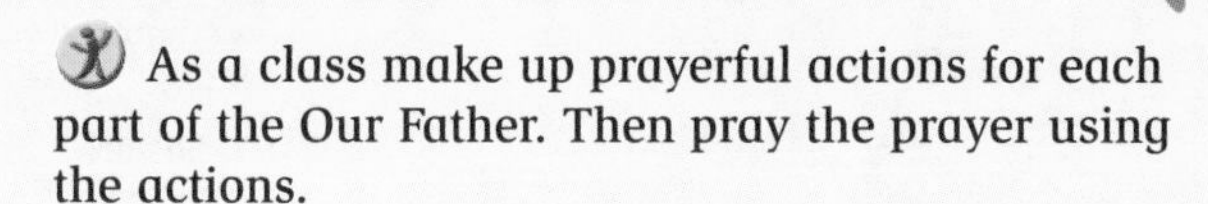

As a class make up prayerful actions for each part of the Our Father. Then pray the prayer using the actions.

267

Activity Bank

Curriculum Connection

Music, Language Arts

Materials: rhythm-band instruments

Have the children use simple, familiar melodies such as "Row, Row, Row Your Boat," "The Farmer in the Dell," or "Here We Go 'Round the Mulberry Bush." Help them to make up their own prayer lyrics to fit these melodies. Have a variety of instruments for the children to use for musical accompaniment. Allow the children time to practice and then play for a group of younger children or parents.

Lesson Plan

WE BELIEVE (continued)

Read aloud together the *We Believe* statement on page 267. Then ask volunteers to read the first paragraph.

Explain *Jesus taught his disciples the Lord's Prayer. We also call this prayer the Our Father.* Ask: *Why do you think we call this prayer the Our Father?* (We are praying to God our Father. Our and Father are the first two words of the prayer.)

Point out the chart. Ask the children sitting on the left side of the room to read the prayer verse in the left column. Ask the children on the right side of the room to read the explanation of the verse in the right-hand column.

Direct attention to the prayer chart. Help the children make up an action for each section of the prayer.

Ideas

La importancia de saber escuchar

Comente con los niños el hecho de que el saber escuchar nos ayuda a conocer mejor a las personas. Pídales que se sienten formando un círculo. Todos los niños de la ronda, por turnos, dirán algo que les gusta hacer. Instruya al grupo para que escuche atentamente a los compañeros. Luego, pida que algunos voluntarios repitan lo que escucharon. Pregúnteles: *¿Han escuchado con atención?*

Como católicos...

La oración matutina y vespertina

Lea el texto *Como católicos*. La explicación se refiere a la Liturgia de las Horas.

Como católicos...

Algunos miembros de la Iglesia se reúnen a rezar en momentos especiales durante el día. Las mañanas y las tardes son dos momentos especiales. En la mañana y en la tarde la gente se reúne y canta salmos. Escuchan lecturas bíblicas. Rezan por el mundo. Dan gracias a Dios por la creación. Muchas comunidades religiosas se reúnen en sus capillas para orar en la mañana y en la tarde. Tu parroquia puede que también se reúna.

Pregunta si tu parroquia se reúne para celebrar en las mañanas y en las tardes.

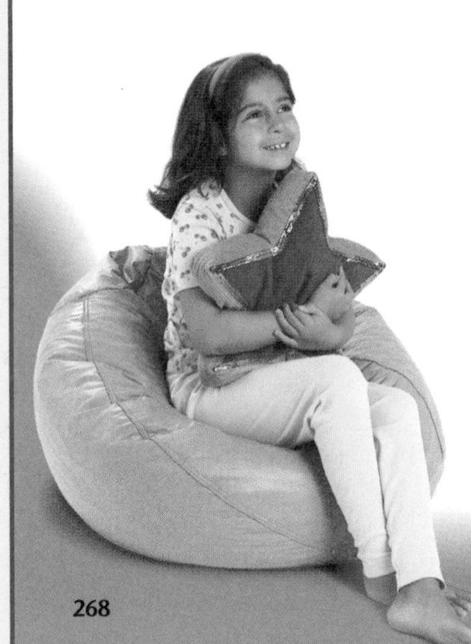

Rezamos como Jesús rezó.

Hay muchas razones para rezar. Rezamos a Dios:

- pidiéndole ayuda
- diciéndole lo hermoso que es el mundo
- pidiéndole perdón
- agradeciendo su amor
- pidiendo su bendición.

Cuando rezamos podemos usar nuestras propias palabras. También rezamos oraciones que hemos aprendido. Hacemos estas oraciones cuando rezamos juntos.

Es importante rezar juntos como miembros de la Iglesia. Como parroquia nos reunimos para celebrar la Eucaristía y otros sacramentos.

Hay otras ocasiones en que rezamos juntos. Habla de esos momentos.

Respondemos

Piensa en una forma en que rezarás con tu familia esta semana.

Ahora siéntate tranquilo y escucha a Dios.

Vocabulario

orar hablar y escuchar a Dios

Templo lugar santo en Jerusalén donde el pueblo judío rendía culto a Dios

268

Planificación de la lección

Creemos (continuación)

Pida a un voluntario que lea en voz alta la afirmación *Creemos* en la página 268. Juntos lean la lista de razones que tenemos para orar. Recuérdeles: *Podemos usar nuestras propias palabras para orar.*

Distribuya copias del patrón 24. Lea las instrucciones y dé a los niños tiempo suficiente para escribir sus propias oraciones. Puede poner música instrumental para que los niños escuchen mientras escriben.

Lea en voz alta el segundo y tercer párrafo.

Comente con los niños en que momento la comunidad parroquial reza unida. Explique: *Rezamos juntos cuando hay celebraciones especiales. Nos reunimos a rezar para pedir la ayuda de Dios.*

Vocabulario Para repasar las palabras del *vocabulario*, escríbalas en la pizarra. Los niños que así lo deseen, pueden escribir oraciones usando estas palabras.

Respondemos

____ minutos

Conexión con la vida Pida que un voluntario lea en voz alta el texto de *Respondemos*. Dé tiempo a los niños para pensar de que manera sus familias pueden rezar junto a la comunidad parroquial.

Oración Pida al grupo que rece en silencio. Le sugerimos que disminuya la intensidad de la luz en el salón y que ponga música instrumental mientras los niños rezan.

We pray as Jesus did.

There are many reasons to pray.
We pray to:

- ask God for help
- tell God how beautiful the world is
- ask God to forgive us
- thank God for his love
- ask for God's blessing for us and others.

When we pray we can use our own words. We can also use prayers that we have learned. We use many of these prayers when we pray together.

Praying together is an important part of being a member of the Church. As a parish we join together to celebrate the Eucharist and the other sacraments.

There are other times when our parish prays together. Talk about some of these times.

WE RESPOND

Think about one way you and your family will pray this week.

Now sit quietly. Talk and listen to God.

Key Words

prayer talking and listening to God

Temple the holy place in Jerusalem where the Jewish people worshiped God

As Catholics...

At special times of the day, many members of the Church come together to pray. Morning and evening are two of these special times. At morning prayer and evening prayer, people gather to pray and sing psalms. They listen to readings from the Bible. They pray for the whole world. They thank God for his creation. Many religious communities gather in their chapels for morning and evening prayer. Your parish may gather, too.

Find out if your parish gathers to celebrate morning and evening prayer.

269

Teaching Tip

Importance of Listening

Point out to the children that listening helps us to know people better. Have the children sit in a circle. Have each child take a turn telling the group about something that he or she likes to do. Encourage the children to listen carefully. Then invite volunteers to repeat what they heard. Ask: *Have you been a good listener?*

As Catholics...

Morning and Evening Prayer

Read the *As Catholics* text. The explanation is referring to the Liturgy of the Hours.

Lesson Plan

WE BELIEVE (continued)

Invite a volunteer to read aloud the *We Believe* statement of page 269. Read together the list of reasons we pray. Remind the children: *We can use our own words to pray.*

Distribute copies of Reproducible Master 24. Read the directions and provide time for the children to write their own prayers. While the children are writing, you may want to play instrumental music.

Read aloud the second and third paragraphs.

Discuss with the children times when our parish prays together. Point out: *We pray together for special feast days. We gather to pray to ask for God's help.*

Key Words To review the *Key Words,* write them on the board. Ask volunteers to use each word in a sentence.

WE RESPOND ____ minutes

Connect to Life Have a volunteer read aloud the *We Respond* text. Provide the children time to reflect on one way their families will pray with your parish.

Pray Have the children pray quietly. You may want to dim the lights and play instrumental music while the children are praying.

Banco de Actividades

Inteligencia múltiple

Lingüística, espacial

Materiales: tiras de papel con frases del Padrenuestro.

Distribuya tiras de papel con una frase del Padrenuestro impresa en cada tira a un grupo de niños, y pídales que se ubiquen según el orden correcto de las frases. Luego, toda la clase rezará junta el Padrenuestro.

Doctrina social de la Iglesia

Llamado a la familia, la comunidad y la participación

Reúna al grupo en el lugar de oración. Recuérdeles que ellos forman parte de la comunidad educativa de la parroquia. Pídales formar un círculo y tomarse de las manos. Luego, cada uno orará por el compañero que está a su derecha: *Señor, bendice a* (nombre del niño o niña). Después que todos hayan orado, recen en voz alta: *Señor, bendice a cada persona de nuestra comunidad educativa. Amén.*

Conexion con el Hogar

Compartiendo lo aprendido

Recuerde a los niños compartir con sus familias lo aprendido en este capítulo.

Anime a los niños a rezar la oración en *para que todos vean* con sus familias.

Para más información y actividades adicionales visite a Sadlier

www.CREEMOSweb.com

Planifique por adelantado

Lugar de oración: láminas de María y de otros santos, una Biblia

Materiales: copias del patrón 25, 2–3 CD, un rosario (opcional); Ave María escrita en un cartel (opcional).

____ minutos

Repaso del capítulo Los niños responderán las preguntas 1 a 4 del *Repaso.* Una vez finalizado el ejercicio, pida a algunos voluntarios que lean en voz alta sus respuestas. Aclare cualquier duda o confusión que pueda haber surgido. Diga a los niños los números de las páginas donde pueden encontrar cada una de las respuestas. Pida a los niños que lean la pregunta número cinco y que completen la oración.

Reflexiona y ora Permita que los niños tengan tiempo suficiente para completar la oración.

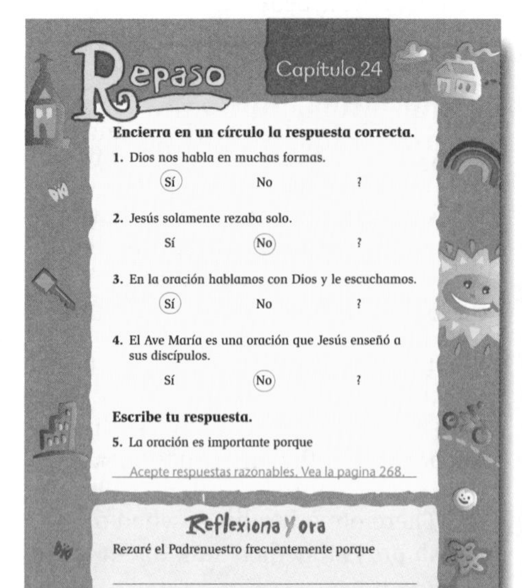
Repaso — Capítulo 24

Encierra en un círculo la respuesta correcta.

1. Dios nos habla en muchas formas.
   (Sí) No ?
2. Jesús solamente rezaba solo.
   Sí (No) ?
3. En la oración hablamos con Dios y le escuchamos.
   (Sí) No ?
4. El Ave María es una oración que Jesús enseñó a sus discípulos.
   Sí (No) ?

Escribe tu respuesta.

5. La oración es importante porque

Acepte respuestas razonables. Vea la pagina 268.

Reflexiona y ora

Rezaré el Padrenuestro frecuentemente porque

270

PÁGINA DEL ESTUDIANTE 270

Respondemos y compartimos la fe

_____ minutos

Recuerda Repase los conceptos fundamentales de este capítulo mientras comentan las cuatro afirmaciones de *Creemos.*

Nuestra vida católica Lea en voz alta "Vida contemplativa". Subraye el hecho de que los sacerdotes y los hermanos y hermanas de comunidades contemplativas rezan por toda las personas del mundo. Recuerde: *En este preciso momento una persona en algún lugar del mundo está rezando por nosotros.*

Respondemos y compartimos la fe

Compartiendo lo aprendido

Mira la ilustración. Usala para contar a tu familia lo que aprendiste en este capítulo.

Para que todos vean

"Señor, enséñanos a orar".

Recuerda

- La oración nos mantiene cerca de Dios.
- Jesús oraba a Dios, su Padre.
- Jesús nos enseña a orar.
- Rezamos como Jesús rezó.

NUESTRA VIDA CATOLICA

Vida contemplativa

Algunas comunidades religiosas pasan todo el día en oración. Ellos viven y trabajan en lugares llamados monasterios, abadías y conventos. El trabajo que hacen cubre los gastos de comida y sus necesidades. Viven una vida de oración. Juntos en comunidad rezan a diferentes horas del día. Las oraciones de estas comunidades son muy importantes para la Iglesia y el mundo.

Visita Sadlier en www.CREEMOSweb.com

Conexión con el Catecismo Para referencia vea los párrafos 2560, 2599, 2759 y 2767.

272

PÁGINA DEL ESTUDIANTE 272

______ minutes

Chapter Review Have the children complete the *Review* questions 1–4. After they are finished, ask volunteers to share their responses. Clear up any confusion they might have. Refer the children to the page on which a specific answer can be found. Ask the children to look at number five. Have them complete the sentence.

Reflect and Pray Allow the children time to complete the sentence.

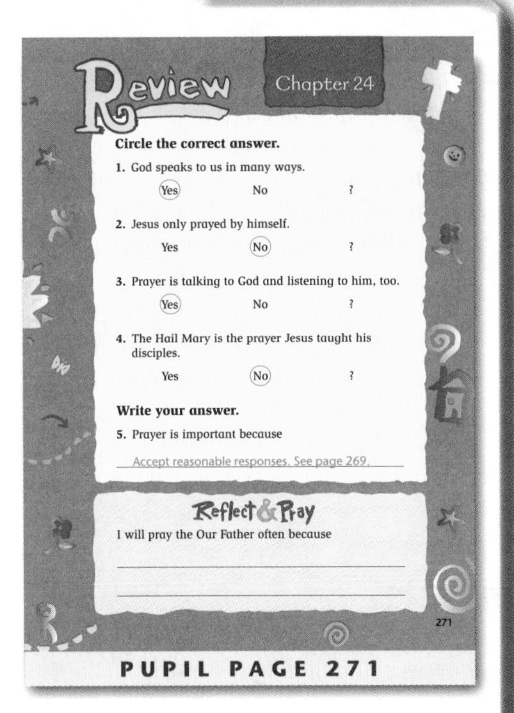
Review Chapter 24

Circle the correct answer.

1. God speaks to us in many ways.
   (Yes) No ?
2. Jesus only prayed by himself.
   Yes (No) ?
3. Prayer is talking to God and listening to him, too.
   (Yes) No ?
4. The Hail Mary is the prayer Jesus taught his disciples.
   Yes (No) ?

Write your answer.

5. Prayer is important because
   Accept reasonable responses. See page 269.

Reflect & Pray
I will pray the Our Father often because

271

PUPIL PAGE 271

We Respond and Share the Faith

____ minutes

Remember Review the important ideas of the chapter by discussing the four *We Believe* statements.

Our Catholic Life Read aloud "Contemplative Life." Emphasize that contemplative priests, brothers, and sisters pray for all the people of the world. Point out: *Somewhere in the world people are praying for us right now.*

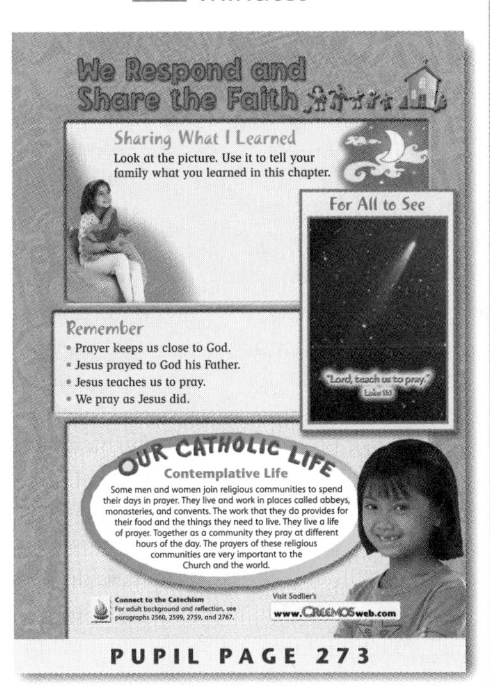
We Respond and Share the Faith

Sharing What I Learned
Look at the picture. Use it to tell your family what you learned in this chapter.

For All to See

"Lord, teach us to pray." Luke 11:1

Remember
- Prayer keeps us close to God.
- Jesus prayed to God his Father.
- Jesus teaches us to pray.
- We pray as Jesus did.

Our Catholic Life
Contemplative Life
Some men and women join religious communities to spend their days in prayer. They live and work in places called abbeys, monasteries, and convents. The work that they do provides for their food and the things they need to live. They live a life of prayer. Together as a community they pray at different hours of the day. The prayers of these religious communities are very important to the Church and the world.

Connect to the Catechism
For adult background and reflection, see paragraphs 2560, 2599, 2759, and 2767.

Visit Sadlier's www.CREEMOSweb.com

PUPIL PAGE 273

Activity Bank

Multiple Intelligences

Linguistic, Spatial

Materials: sentence strips

Prepare a set of sentence strips. Write a verse of the Lord's Prayer on each strip. Distribute the strips to a group of children. Have the group arrange themselves in the correct prayer-verse order. Then invite everyone to say the prayer together.

Catholic Social Teaching

Call to Family, Community, and Participation

Gather in the prayer space. Remind the children that they are part of the parish's learning community. Invite the children to join hands to form a circle. Have the children take turns praying for the person standing on their right: *God bless* (child's name). After the last person has prayed, pray aloud: *God, bless each person in our learning community. Amen.*

Home Connection

Sharing What I Learned

Remind the children to share with their families what they learned in this chapter.

Encourage the children to share the prayer *For all to See* with their families.

For additional information and activities, encourage families to visit Sadlier's

www.CREEMOSweb.com

Plan Ahead for Chapter 25

Prayer Space: pictures of Mary and the other saints, Bible

Materials: Grade 2 CD; copies of Reproducible Master 25; rosary beads (option); Hail Mary prayer poster (option)

Capítulo 25 Honramos a María y los santos

Ojeada

En este capítulo los niños aprenderán que podemos honrar a María y a los santos y aprender de sus ejemplos.

Contenido doctrinal	Para referencia del *Catecismo de la Iglesia Católica*
Los niños aprenderán que:	párrafo
• La Iglesia honra a los santos.	957
• La Iglesia honra a María.	963
• Honramos a María con oraciones especiales.	2676
• Honramos a María en días especiales.	971

Referencia catequética

¿Cómo aprendió a enseñar siguiendo el ejemplo de los demás?

Hemos sidos llamados a ser un pueblo santo, que vive una relación adecuada con Dios y los unos con los otros. Todos recibimos el llamado a cumplir esta vocación grandiosa y sagrada. Del mismo modo en que aprendemos un oficio o aprendemos una habilidad (enseñar por ejemplo), siendo aprendices guiados por un mentor, también aprendemos a ser buenos cristianos siguiendo el ejemplo de otros.

En la Iglesia honramos a los santos como personas que tuvieron una vida fiel y nos muestran con su ejemplo como debemos vivir como cristianos. Reconocemos como santos a todos los miembros de la Iglesia que han muerto y viven ahora con Dios en la vida eterna. Además, reconocemos a algunas personas en particular a través de un proceso llamado canonización. Canonizar a ciertos fieles, quiere decir, proclamar solemnemente "que esos fieles han practicado heroicamente las virtudes y han vivido en la fidelidad a la gracia de Dios" (*CIC* 828). Estos Santos se convierten en modelos e intercesores para nosotros, ayudándonos en nuestro peregrinaje de fe.

Para nosotros, el modelo supremo de discípulo cristiano es María, nuestra madre. Su obediencia y fidelidad a Dios hizo posible nuestra salvación. Honramos a María de un modo especial con devociones, oraciones, fiestas y procesiones, como mentora e intercesora en la santidad cristiana.

Mediante el recuerdo de los fieles que partieron antes que nosotros, la veneración de los santos canonizados y la devoción a María aprendemos a vivir como fieles cristianos.

¿Qué persona santa, canonizada o no, le ayuda a vivir como cristiano?

Mirando la vida

Historia para el capítulo

A Keri le gustaba escuchar las historias de santos que le contaba su abuelo. Esta es la favorita de Keri porque es sobre María y Santa Bernardette.

Había una vez una niña pequeña llamada Bernardette. Vivió hace tiempo en Lourdes, un pueblo pequeño de Francia. Su familia era feliz, y se amaban mucho unos a otros.

Un día Bernardette estaba con otras dos niñas cerca de la barranca de un río. Escuchó un ruido y miró hacia una gruta. Allí Bernardette vio a una señora hermosa que según supo más tarde era María, nuestra santa Madre.

María visitó a Bernardette dieciocho veces durante aquel año. Una vez María le dijo que les pidiera a los sacerdotes que llevaran personas allí para construir una iglesia. También le dijo que bebiera agua de la vertiente, pero Bernardette no veía ninguna. María le dijo que cavara con sus manos en un sitio arenoso. Bernardette lo hizo y comenzó a fluir una vertiente de agua en el sitio en que había cavado. Pronto muchas personas supieron que esta agua era una señal del amor y poder de Dios. Las personas iban a la vertiente a rezar y a sumergirse en el agua. Un hombre ciego y un bebé enfermo se curaron porque creyeron en el amor y el poder de Dios.

En la actualidad existe una hermosa Iglesia en Lourdes cerca del sitio donde María visitó a Bernardette. Cada año miles de personas de todo el mundo llegan hasta allí para rezar. Rezan y cantan en honor de María. Muchas de las personas que han estado en Lourdes han recibido bendiciones especiales de Dios.

¿Te gustaría visitar Lourdes? Explica tu respuesta.

We Honor Mary and the Saints

Overview

In this chapter the children will learn that we can honor Mary and the saints and learn from their example.

Doctrinal Content	For Adult Reading and Reflection *Catechism of the Catholic Church*
The children will learn:	Paragraph
• The Church honors the saints.	957
• The Church honors Mary.	963
• We honor Mary with special prayers.	2676
• We honor Mary on special days.	971

Catechist Background

How have you learned to teach by observing others?

We are called to be saints, good and holy people who live in right relationship with God and one another. All of us are called to this high and holy calling. And just as we learn a trade or a skill, such as teaching, by being apprentices under a mentor, so we learn how to be a good Christians by following the example of others.

In the Church we honor saints as people who lived faithfully and show us by their example how to live as Christians. We acknowledge all the members of the Church who have died and now live with God in everlasting life as saints. In addition we formally acknowledge particular people as saints through a process called canonization. Canonization is the solemn proclamation that a person has "practiced heroic virtue and lived in fidelity to God's grace" (CCC 828). These saints become models and intercessors for us, aiding us in our journey of faith.

The supreme model for us of Christian discipleship is Mary, the Blessed Mother. By her obedience and faithfulness to God, our salvation was made possible. We honor Mary in special ways, through devotions, prayers, feast days, and processions as our mentor and intercessor in Christian holiness.

Remembering the faithful who have gone before us, honoring those saints who have been canonized, and being devoted to Mary are all ways we learn to live a faithful life as Christians.

What holy person, canonized or not, has helped you live as a Christian?

Focus on Life

Chapter Story

Keri liked to listen to her grandfather tell stories about the saints. This is Keri's favorite because it is about Mary and Saint Bernadette.

There once was a young girl named Bernadette. She lived long ago in Lourdes, a small town in France. Her family was happy, and they loved each other very much.

One day Bernadette was with two other girls near the bank of a river. She heard a noise and then looked toward a cave. There Bernadette saw a beautiful lady whom she later learned was Mary, our Blessed Mother.

Mary visited Bernadette eighteen times that year. Mary told Bernadette to tell the priests to bring people there to build a church. Mary also told Bernadette to drink water from the spring, but Bernadette did not see a spring. Mary told her to dig with her hands in a sandy spot. Bernadette did what Mary told her and a spring of water began to flow from the spot where she had dug. Soon many people came to know that this water was a sign of God's love and power. People came to the spring to pray and to wash with the water. A blind man and a sick baby were healed because they believed in God's love and power.

Today a beautiful church stands in Lourdes near the place where Mary visited Bernadette. Every year thousands of people from all over the world go there to pray. They pray and sing in honor of Mary. Many people who have gone to Lourdes have received special blessings from God.

Would you like to visit Lourdes? Tell why.

Guía para planificar la lección

Pasos de la lección	Presentación	Materiales
 **NOS CONGREGAMOS**		
pág. 274 **Oración**  **Mirando la vida**	 Rezar con una canción. • Comentar las preguntas sobre como se honra a las personas.	Para el lugar de oración: imágenes de María y otros santos, Biblia Canción "Santos del Señor", 2–3 CD
2 CREEMOS		
pág. 274 *La Iglesia honra a los santos.*	• Leer el texto y comentar sobre algunos santos.  Completar la actividad.	• marcador o crayones
pág. 276 *La Iglesia honra a María.*  *Lucas 1:28–30, 38*	• Leer el relato bíblico sobre María.  Compartir con los niños las formas de honrar a María como la persona más santa.	• imágenes de María con Jesús, estatua de María • cartulina
pág. 278 *Honramos a María con oraciones especiales.*  *Lucas 1:39, 40–42*	• Leer el relato bíblico. • Aprender el Ave María. Completar la actividad. • Leer y comentar *Como católicos.*	• marcadores o crayones • cuentas de rosario (opcional)
pág. 280 *Honramos a María en días especiales.*	• Presentar el texto sobre como la Iglesia honra a María. • Señalar *Vocabulario* y sus definiciones.	• copias del patrón 25 • crayones o lápices de colores
3 RESPONDEMOS		
pág. 280	• Contestar la pregunta de *Respondemos.*  Honrar a María con una canción.	Canción "Del cielo ha bajado", 2–3 CD
páginas 282 y 284 **Repaso**	• Completar las oraciones 1 a 5. • Completar *Reflexiona y ora.*	
páginas 282 y 284 **Respondemos y compartimos la fe**	• Repasar *Recuerda* y *Vocabulario.* • Leer y comentar *Nuestra vida católica.*	

Para ideas, actividades y otras oportunidades visite Sadlier en **www.CREEMOSweb.com**

Lesson Planning Guide

Lesson Steps	Presentation	Materials
 1 WE GATHER		
page 275 ✚ **Prayer**  **Focus on Life**	 Pray by singing. • Discuss the questions about honoring people.	For prayer space: pictures of Mary and other saints, Bible "Litany of Saints," #24, Grade 2 CD
2 WE BELIEVE		
page 275 *The Church honors the saints.*	• Read the text and discuss some of the saints. Do the activity.	• highlighter or crayon
page 277 *The Church honors Mary.* *Luke 1:28–30, 38*	• Read the Scripture story about Mary. Share ways of honoring Mary as the greatest saint.	• pictures of Mary with Jesus, statue of Mary • chart paper
page 279 *We honor Mary with special prayers.* *Luke 1:39, 40–42*	• Read the Scripture story. • Learn the Hail Mary. Complete the activity. • Read and discuss the *As Catholics* text.	• highlighter or crayon • rosary beads (option)
page 281 *We honor Mary on special days.*	• Present the text about ways the Church honors Mary. • Point out the *Key Words* and definitions.	• copies of Reproducible Master 25 • crayons or colored pencils
3 WE RESPOND		
page 281	• Discuss the *We Respond* question. Honor Mary in song.	"Immaculate Mary," #25, Grade 2 CD
pages 283 and 285 **Review**	• Complete questions 1–5. • Complete the *Reflect & Pray* activity.	
pages 283 and 285 **We Respond in Faith**	• Review *Remember* and *Key Words.* • Read and discuss *Our Catholic Life.*	

For additional ideas, activities, and opportunities: Visit Sadlier's **www.CREEMOSweb.com**

Connections

Doctrina social de la Iglesia

Opción por los pobres e indefensos
En este capítulo los niños aprenderán más sobre los santos y como pueden seguir su ejemplo. Muchos santos dedicaron sus vidas a ayudar a los pobres y a los miembros más vulnerables de la sociedad. Ofrezca ejemplos sencillos de como los niños pueden ayudar a los pobres. Por ejemplo, un hogar para personas sin techo o una tienda benéfica de segunda mano pueden necesitar ropa, medias o toallas de mano y de baño.

La familia

Ponga énfasis en que honramos a quienes amamos y admiramos siguiendo su ejemplo. Anime a los niños a comprender que pueden servir como ejemplos para sus propias familias. Si comparten sus cosas alegremente y ayudan sin que nadie se los pida, otros miembros de la familia podrán ver su buen ejemplo. Sus padres, hermanos y amigos podrán encontrar de que modo derramar el amor de Dios en la comunidad debido al buen ejemplo de los niños.

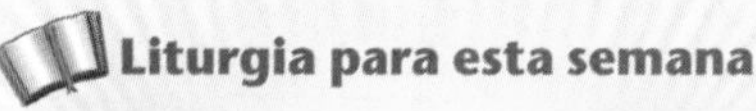

Liturgia para esta semana
Visite **www.creemosweb.com** para las lecturas bíblicas de esta semana y otros materiales propios del tiempo.

FE y MEDIOS

- Quizás quiera contarles a los niños sobre algunos santos que son patrones de diferentes medios de comunicación y de las personas que trabajan en ellos: Santa Clara de Asís (radio y televisión), San Francisco de Sales (periodistas), San Bernardino de Siena (relaciones públicas y publicidad), San Ginés (actores), Santa Cecilia (compositores y músicos), San Lucas (artistas plásticos).
- Después de leer *Nuestra vida católica* recuerde a los niños que las obras de arte que se encuentran en las iglesias actúan como medios de comunicación. En épocas pasadas, cuando eran pocas las personas que sabían leer y escribir, las iglesias eran conocidas como "Biblias de piedra", ya que las personas podían aprender sobre Jesús y los Santos estudiando los vitrales, esculturas y pinturas que adornaban el lugar de adoración.

Necesidades individuales

Niños con atención deficiente

Ayude a que todos los miembros del grupo sean comprensivos con los niños con déficit de atención.

RECURSOS ADICIONALES

Video *Bernardette: la princesa de Lourdes,* Creative Communications Center. Relata la asombrosa visita de la reina del Cielo a Santa Bernadette en Lourdes, Francia, en el año 1858. (30 minutos)

Para ideas visite a Sadlier en

www.CREEMOSweb.com

Connections

To Catholic Social Teaching

Option for the Poor and Vulnerable
In this chapter the children will learn more about the saints and about the ways they can follow the saints' example. Many saints devoted themselves to helping the poor and the most vulnerable members of society. Give examples of simple ways that the children can help poor people. For example, a homeless shelter or thrift shop may need clothing, socks, or wash cloths and towels.

To Family

Emphasize that we honor those we love and admire by following their example. Encourage the children to understand that they can serve as examples for their own families. If they happily share their things and help without being asked, others in the family will see their good example. Their parents, siblings, and friends might find their own ways to spread God's love in the community because the children gave them good example.

This Week's Liturgy
Visit **www.creemosweb.com** for this week's liturgical readings and other seasonal material.

FAITH and MEDIA

- You might want to tell the children about some saints who are the patrons of various media and the people who work in them: Saint Clare of Assisi (radio and television), Saint Francis de Sales (journalists), Saint Bernadine of Siena (public relations and advertising), Saint Genesius (actors), Saint Cecilia (composers and musicians), Saint Luke (artists).
- After reading *Our Catholic Life,* remind the children that the works of art in churches are forms of media. In past ages, when few people knew how to read or write, churches were known as "Bibles in stone" because people could learn about Jesus and the saints by studying the stained-glass windows, sculptures, and paintings that adorned their places of worship.

Meeting Individual Needs

Children with Attention Deficit Disorder

Help everyone in your learning group to be understanding of children with attention deficit disorder.

ADDITIONAL RESOURCES

Book *Mary from Nazareth,* Bruna Battistella, Daughters of St. Paul, 1996. Illustrations and age-appropriate writing help children learn more about Mary, the Mother of God.

Video *Bernadette: The Princess of Lourdes,* CCC, 1990. Animated retelling of the story of Bernadette Soubirous and the apparition of Mary at Lourdes.

To find more ideas for books, videos, and other learning material visit Sadlier's

www.CREEMOSweb.com

Meta catequética

- Reconocer de que modo la Iglesia honra a María y a los santos

PREPARANDOSE PARA ORAR

Para la oración de congregación, los niños rezarán cantando una letanía a María y a los santos.

- Escuchen la canción "Santos del Señor", 2–3 CD. Pida a los niños que practiquen la canción.

El lugar de oración

- Coloque ilustraciones o imágenes de María y otros santos en el lugar de oración.
- Coloque una Biblia abierta al comienzo del Evangelio de Lucas en la mesa de oración.

Honramos a María y a los santos

NOS CONGREGAMOS

✝ Vamos a rezar cantando.

Santos del Señor

Santos del Señor,
santos en el cielo,
rueguen por todos nosotros,
santos del Señor.

¿Qué significa honrar a alguien? ¿Cuáles son algunas formas en que honramos a la gente?

CREEMOS

La Iglesia honra a los santos.

Dios es bueno y santo y quiere que nosotros seamos santos. El comparte su vida con nosotros. Los sacramentos nos ayudan a ser santos. Amar a Dios y a los demás también nos ayuda a ser santos.

La comunidad de la Iglesia honra a las personas santas. **Santos** son todos los miembros de la Iglesia que han muerto y están felices con Dios en el cielo para siempre. Ellos siguieron el ejemplo de Jesús.

274

Planificación de la lección

NOS CONGREGAMOS ___ minutos

✝ Oración

- Recuerde a los niños: *Los santos Pedro y Pablo ayudaron a la Iglesia a crecer.* Explique: *María Magdalena era una amiga y seguidora de Jesús.* Además, diga a los niños que Santa Catalina de Siena vivió muchos años después que San Pedro y Pablo y Santa María Magdalena. Explique: *Santa Catalina era una pacificadora y ayudó también a otros a ser pacificadores.*
- Pida a los niños que empiecen a cantar.

Mirando la vida

- Lea las preguntas y pida voluntarios que las respondan. Ayude a los niños a entender que honramos y celebramos a las personas que respetamos y admiramos. Comparta la *Historia para el capítulo* de la página 274A.

CREEMOS ___ minutos

Pida a un voluntario que lea en voz alta la afirmación *Creemos* en la página 274. Pida a los niños que compartan con sus compañeros lo que aprendieron previamente sobre los santos.

Diga a los niños que en silencio sigan la lectura de los dos primeros párrafos de *Creemos* mientras usted los lee en voz alta. Los niños subrayarán o resaltarán la definición de santos del segundo párrafo. Recalque: *Los santos fueron personas amables y sensibles durante su vida en la Tierra. Compartieron el amor de Dios con muchas personas.*

Lea Pida a voluntarios que lean en voz alta la lista de los santos en la página 276.

We Honor Mary and the Saints

WE GATHER

✝ Let us pray by singing.

Litany of Saints

Saint Peter and Saint Paul,
Saint Mary Magdalene,
Saint Catherine of Siena:

Pray for us.
Pray with us.
Help us to share God's love.

What does it mean to honor someone? What are some ways we honor people?

WE BELIEVE

The Church honors the saints.

God is good and holy and wants us to be holy, too. So he shares his life with us. The sacraments help us to be holy. Loving God and others helps us to be holy, too.

The Church community honors holy people. The saints are holy people. The **saints** are all the members of the Church who have died and are happy with God forever in heaven. They followed Jesus' example.

275

Catechist Goal

- To examine the ways the Church honors Mary and the saints

Preparing to Pray

For this gathering prayer the children pray by singing a litany of Mary and the saints.

- Play a recording of "Litany of the Saints,". Ask the children to practice singing.

The Prayer Space

- Decorate the prayer space with pictures of Mary and other saints.
- On the prayer table, place a Bible opened to the beginning of the Gospel of Luke.

Lesson Plan

WE GATHER ____ minutes

✝ **Pray**

- Remind the children: *Saint Peter and Saint Paul helped the Church to grow.* Explain: *Saint Mary Magdalene was a friend and follower of Jesus.* Also tell the children that Saint Catherine of Siena lived many years after Saints Peter, Paul, and Mary Magdalene. Explain: *Saint Catherine was a peacemaker. She helped other people to be peacemakers, too.*
- Invite the children to begin singing.

Focus on Life

- Read the questions and ask volunteers to respond. Help the children to understand that we honor and celebrate people we respect and admire. Share the *Chapter Story* on guide page 274B.

WE BELIEVE ____ minutes

Invite a volunteer to read aloud the *We Believe* statement on page 275. Ask the children to share what they have previously learned about the saints.

Ask the children to read silently the first two paragraphs of *We Believe* as you read them aloud. Have them highlight or underline the definition of saints in the second paragraph. Stress: *The saints were kind and caring during their lifetime. They shared God's love with many people.*

Read Have volunteers read aloud each pair of saints listed on page 277.

Nuestra respuesta en la fe

- Seguir el ejemplo de María y los santos

santos

procesión

Materiales

- marcador o crayón, cartulina
- 2–3 CD
- copias del patrón 25
- imagen o estatua de María
- cuentas de rosario (opcional)
- crayones o lápices de colores

He aquí algunos de los santos que recordamos:

- San Pedro y San Pablo ayudaron a la Iglesia a crecer.
- Santa Brígida de Irlanda y Santa Catherina de Siena trabajaron por la paz.
- Santa Rosa de Lima y San Martín de Porres ayudaron a los pobres y a los enfermos.
- San Juan Bosco y Santa Francisca Cabrini empezaron escuelas para enseñar a los niños sobre el amor de Dios.

San Juan Bosco

Recordamos a todos los santos en el cielo el 1 de noviembre en la fiesta de Todos los Santos.

¿Cuáles son algunos santos que conoces? ¿Cómo puedes imitar su ejemplo?

La Iglesia honra a María.

Dios escogió a María para ser la madre de su Hijo, Jesús. Dios bendijo a María de manera especial. Ella estuvo libre de pecado desde el primer momento de su vida. Ella estaba llena de gracia. Durante toda su vida ella hizo la voluntad de Dios. Pocos meses antes de nacer Jesús, Dios envió un ángel a María.

 Lucas 1:28–30, 38

El ángel le dijo a María: "¡Te saludo, favorecida de Dios! El Señor está contigo". (Lucas 1:28) Después el ángel le dijo que no tuviera miedo. El ángel le dijo que Dios quería que ella fuera la madre de su Hijo. María le dijo al ángel que ella haría lo que Dios quería.

276

Conexión con el hogar

Pida voluntarios hablar de experiencia de rezar con sus familias Juan 11:1.

Planificación de la lección

CREEMOS (continuación)

Lluvia de ideas realice con los niños una "lluvia de ideas" sobre formas de seguir el ejemplo de los santos. Escriba todas las respuestas en la pizarra o en un papel grande. (Respuestas posibles: ser pacificadores, ayudar a los pobres y enfermos, compartir lo que sabemos sobre el amor de Dios.) Luego, los niños escribirán como pueden seguir el ejemplo de los santos.

Presente las razones de por que la iglesia honra a María según se explica en el primer párrafo de *Creemos* en la página 276.

Pida a los niños que se pongan de pie mientras un voluntario lee el relato bíblico de la visita del ángel a María. Pida que dos voluntarios dramaticen la historia.

Cotejo rápido

✔ *¿Quiénes son los santos?* (Son todos los miembros de la Iglesia que han muerto y están felices para siempre junto a Dios en el cielo.)

✔ *¿Cómo supo María que Dios la había elegido para ser la madre de su Hijo Jesús?* (La visitó un ángel y le dijo el mensaje de Dios.)

Saint Frances Cabrini

Here are some of the saints we remember.

- Saint Peter and Saint Paul helped the Church to spread and grow.
- Saint Brigid of Ireland and Saint Catherine of Siena were peacemakers.
- Saint Rose of Lima and Saint Martin de Porres helped the poor and the sick.
- Saint John Bosco and Saint Frances Cabrini began schools to teach children about God's love.

We remember all the saints in heaven on November 1, the feast of All Saints.

What saints do you know about? How can you follow their example?

The Church honors Mary.

God chose Mary to be the mother of his own Son, Jesus. So God blessed her in a special way. Mary was free from sin from the very first moment of her life. She was always filled with grace. All through her life she did what God wanted. A few months before Jesus was born, God sent an angel to Mary.

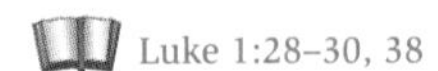
Luke 1:28–30, 38

The angel said to Mary, "Hail, favored one! The Lord is with you." (Luke 1:28) Then the angel told Mary not to be afraid. The angel said that God wanted her to be the mother of his own Son. Mary told the angel she would do what God wanted.

277

Chapter 25 • Page 277

Our Faith Response

- To follow the example of Mary and the saints

saints
procession

Materials

- highlighter or crayon, chart paper
- Grade 2 CD
- copies of Reproducible Master 25
- picture or statue of Mary
- rosary beads (optional)
- crayons or colored pencils

Home Connection Update

Ask volunteers to share their families' experiences praying John 11:1.

Lesson Plan

WE BELIEVE (continued)

Brainstorm with the children ways we can follow the saints' example. Write all responses on the board or chart paper. (Possible responses: Be peacemakers; help people who are poor or sick; share what we know about God's love.) Then have the children write how they can follow one saint's example.

Present the reasons why the Church honors Mary as explained in the first paragraph of *We Believe* on page 277.

Ask the children to stand as a volunteer reads the Scripture story of the angel's visit to Mary. Have two volunteers act out the story.

Quick Check

✔ *Who are saints?* (They are all the members of the Church who have died and are happy with God forever in heaven.)

✔ *How did Mary know that God had chosen her to be the mother of his Son, Jesus?* (An angel visited her and told her what God wanted.)

Como católicos...

El rosario

Lea *Como católicos* después de trabajar en esta página. Muestre un rosario a los niños. Distribuya copias del patrón 25. Señale las oraciones que decimos en las diferentes cuentas. Pida a los niños que coloreen las cuentas en su tiempo libre. Anime a los niños a compartir el diagrama del rosario con sus familias.

María es la madre de Jesús. Jesús la amó y la respetó. Nosotros también la amamos y la respetamos como nuestra madre. María es una santa. Ella es la mayor entre los santos. Ella es ejemplo para todos los discípulos de Jesús.

¿Cómo podemos rendir honor a María como la mayor entre los santos?

Honramos a María con oraciones especiales.

María tenía una prima llamada Isabel. Isabel también estaba esperando un bebé. María fue a visitarla.

Lucas 1:39, 40–42

Cuando Isabel vio a María, se puso muy contenta. El Espíritu Santo ayudó a Isabel a darse cuenta de que Dios había escogido a María para ser la madre de su Hijo. Isabel dijo a María: "¡Dios te ha bendecido más que a todas las mujeres, y ha bendecido a tu hijo!" (Lucas 1:42)

Estas palabras son parte de una oración de la Iglesia, el Ave María.

Dios te salve María,
llena eres de gracia,
el Señor es contigo;
bendita tú eres entre todas
las mujeres y bendito es el fruto
de tu vientre, Jesús.
Santa María, Madre de Dios,
ruega por nosotros pecadores, ahora y
en la hora de nuestra muerte. Amén.

Subraya las palabras de Isabel a María. Reza un Ave María.

Como católicos...

El rosario es una oración en honor a María. Usamos cuentas cuando rezamos el rosario. Empezamos con la señal de la cruz, luego rezamos el Credo, un Padrenuestro, tres Ave Marías y un Gloria. Después hay cinco grupos de diez cuentas con las que rezamos diez Ave Marías. Cada grupo de cuentas empieza con un Padrenuestro y termina con un Gloria.

Mientras rezamos las Ave Marías pensamos en la vida de Jesús y María. Esta semana reza el rosario en familia.

278

Planificación de la lección

CREEMOS (continuación)

Diga a un voluntario que lea el primer párrafo de la página 278. Escriba en un papel: *María es*_________. Pida a voluntarios que propongan cinco formas diferentes de completar la oración. (la madre de Jesús, nuestra madre, una mujer santa, la más grande entre los santos, un ejemplo para todos.)

Ayude a los niños a entender que podemos honrar a María siguiendo su ejemplo en nuestras vidas diarias. Explique: *Dios quiere que aprendamos de María y los santos. Dios quiere que amemos y cuidemos a los demás.*

Diga a los niños que miren la ilustración. Explique: *La imagen muestra a María y a Isabel. Isabel era la prima de María. Cuando María esperaba a su bebé fue a visitar a Isabel, que también esperaba un bebé.* Señale que el bebé de Isabel fue Juan, el primo de Jesús. Juan fue luego conocido como Juan el Bautista.

Comparta con los niños el relato bíblico de la página 278. Explique: *Isabel le dio la bienvenida a María con palabras de alabanza. Repetimos esas palabras cuando rezamos el Ave María.*

Pida a los niños que miren la oración. Explique que la palabra *ave* significa "hola". También significa "alégrate". Ayude a los niños a comprender que nos dirigimos a María de este modo para manifestar nuestra alegría. Luego, lean juntos y en voz alta las palabras del Ave María.

Los niños subrayarán las palabras de Isabel. Luego, sugiérales decorar el marco de la oración, y pida que compartan sus dibujos cuando hayan terminado. Luego, recen juntos el Ave María.

Mary is Jesus' mother. Jesus loved and honored her. We love and honor Mary as our mother, too. Mary is a holy woman. She is the greatest of saints. She is an example for all of Jesus' disciples.

How can we honor Mary as the greatest saint?

We honor Mary with special prayers.

Mary had a cousin named Elizabeth. Elizabeth was going to have a baby, too. Mary went to visit her.

Luke 1:39, 40–42

When Elizabeth saw Mary, she was very happy and excited. The Holy Spirit helped Elizabeth to know that God had chosen Mary to be the mother of his own Son. Elizabeth said to Mary, "Most blessed are you among women, and blessed is the fruit of your womb." (Luke 1:42)

These words to Mary are part of one of the Church's prayers, the Hail Mary.

Hail Mary, full of grace,
the Lord is with you!
Blessed are you among women,
and blessed is the fruit of your womb,
Jesus.
Holy Mary, Mother of God,
pray for us sinners,
now and at the hour of our death. Amen.

Underline Elizabeth's words to Mary. Pray the Hail Mary.

As Catholics...

The rosary is a prayer in honor of Mary. When we pray the rosary we use beads as we pray. We begin with the Sign of the Cross, the Apostles' Creed, Our Father, three Hail Marys and a Glory to the Father. Then there are five sets of ten beads to pray Hail Marys. Each set begins with the Our Father and ends with the Glory to the Father.

As we pray each set of beads, we think about the lives of Jesus and Mary. This week pray the rosary with your family.

279

As Catholics...

The Rosary

After working on this page, read *As Catholics*. Show the children a rosary. Distribute copies of Reproducible Master 25. Point out the prayers we say on the different beads. Have the children color the beads in their free time. Encourage them to share the rosary diagram with their families.

Lesson Plan

WE BELIEVE (continued)

Invite a volunteer to read the first paragraph on page 279. Write on chart paper: *Mary is* ———. Have volunteers tell you five different ways of finishing the sentence. (Jesus' mother, our mother, a holy woman, the greatest of saints, an example for all)

Help the children to understand that we can honor Mary by following her example in our everyday lives. Explain: *God wants us to learn from Mary and the saints. He wants us to love and care for others*

Direct attention to the illustration. Explain: *The picture shows Mary and Elizabeth. Elizabeth was Mary's cousin. Mary was going to have a baby. She visited Elizabeth, who was also going to have a baby.* Point out that Elizabeth's baby was Jesus' cousin, John. John later became known as John the Baptist.

Share the Scripture story on page 279. Explain: *Elizabeth greeted Mary with words of praise. We pray these words when we pray the Hail Mary.*

Direct attention to the prayer. Explain that the word *hail* means "hello." It can also mean "rejoice." Help the children to understand that we address Mary in this way to express our joy. Then invite the children to read the words of the Hail Mary aloud with you.

Have the children underline Elizabeth's words. Then ask the children to add decorations to the prayer frame. When they have finished, ask them to share their drawings. Then pray the Hail Mary together.

Banco de Actividades

Familia

Entrevista sobre los santos

Materiales: papel cuadriculado y papel para escribir

Pida a los niños que entrevisten a los miembros de su familia sobre sus santos favoritos. Los niños escribirán estas preguntas para su entrevista: *¿Quién es tu santo favorito? ¿Qué te gusta o admiras de este santo?* Sugiera a los niños: *Pide a tu familia que comparta sus respuestas contigo mientras escriben sus respuestas.* Invite a los niños a comparar los resultados de sus entrevistas con el grupo. Es posible que quiera realizar un cuadro con la información obtenida de las entrevistas en un una hoja grande de papel.

Nota para enseñar

Sobre los santos

Antes de presentar este capítulo, es posible que quiera consultar los libros del programa *Creemos* correspondientes al Kinder y el primer curso. En estos libros se presentan las historias de santos específicos.

Honramos a María en días especiales.

Los católicos honramos a María durante el año. Nos reunimos para celebrar la misa en días especiales de fiestas a María. He aquí algunos de esos días.

santos son todos los miembros de la Iglesia que han muerto y están felices con Dios en el cielo para siempre

procesión es una caminata de oración

Fecha	celebramos
1 de enero	María, Madre de Dios.
15 de agosto	María está en el cielo.
8 de diciembre	María fue concebida sin pecado original.

Algunas comunidades parroquiales se reúnen para honrar a María haciendo una procesión. **Procesión** es una caminata de oración. Mientras se camina, la gente reza y canta. El 12 de diciembre muchas parroquias hacen una procesión en honor a Nuestra Señora de Guadalupe.

Dentro y fuera de las casas y las iglesias, con frecuencia la gente coloca estatuas e imágenes de María.

Respondemos

¿Qué puedes hacer para honrar a María?

Del cielo ha bajado

Del cielo ha bajado la madre de Dios.
Cantemos el Ave a su concepción.

Ave, ave, ave María.
Ave, ave, ave María.

280

Planificación de la lección

Creemos (continuación)

Lea en voz alta el primer párrafo de la página 280. Ayude a los niños a comprender la tabla. Recalque: *En estos días nos congregamos en nuestra parroquia para celebrar la misa.* Señale que también honramos a María de diferentes maneras en otros días del año.

Pida voluntarios para leer el segundo y tercer párrafos. Luego recalque: *Podemos honrar a María todos los días del año.* Los niños describirán sus imágenes favoritas de María.

Distribuya el patrón 25. Pida a los niños que completen la actividad en clase o que trabajen en casa.

Vocabulario Escriba las palabras del *Vocabulario* en la pizarra. Pida a los niños que piensen en otras palabras o frases que vengan a su mente cuando vean cada palabra. Escriba estas palabras o frases alrededor de la palabra del *Vocabulario* que corresponda.

Respondemos ____ minutos

Conexión con la vida Lea la pregunta en *respondemos.* Pida voluntarios para que compartan sus respuestas. Luego, planifiquen juntos una celebración en honor de María.

Lea la letra de "Del cielo ha bajado". Explique que *Ave* significa "hola", y que María es el nombre de la madre de Jesús en latín, español e italiano. Reproduzca "Del cielo ha bajado", y sugiera a los niños practicar la canción.

Oración Diga a los niños que deben caminar en procesión, y pídales que canten "Del cielo ha bajado".

We honor Mary on special days.

Catholics honor Mary during the year. On special days, called feast days, the whole parish gathers for Mass. Here are some of Mary's feast days.

Key Words

saints all the members of the Church who have died and are happy with God forever in heaven

procession a prayer walk

Date	We gather to celebrate
January 1	Mary is the Mother of God.
August 15	Mary is in heaven.
December 8	Mary was free from sin from the very first moment of her life.

Sometimes parish communities gather to honor Mary by having a procession. A **procession** is a prayer walk. While walking, people pray and sing. On December 12, many parishes have a procession to honor Mary as Our Lady of Guadalupe.

Inside and outside homes and churches, people often put statues and pictures of Mary.

WE RESPOND

What can you do to honor Mary?

Immaculate Mary

Immaculate Mary,
your praises we sing.
You reign now in heaven
with Jesus our King.
Ave, Ave, Ave, Maria!
Ave, Ave, Maria!

281

Activity Bank

Family

Saint Interview

Materials: chart paper, writing paper

Ask the children to interview family members about their favorite saints. Have the children write these questions for their interview: *Who is your favorite saint? What do you like or admire about this saint?* Suggest to the children: *Ask your family to share their answers with you as you write their responses for each question.* Invite the children to share the results of their interviews with the group. You may wish to chart the interview data on a large sheet of chart paper.

Teaching Note

About the Saints

Before presenting this chapter, you may want to refer to the Kindergarten and Grade 1 texts of the *We Believe* program. The stories of specific saints are presented in these books.

Lesson Plan

WE BELIEVE (continued)

Read aloud the first paragraph on page 281. Help the children understand the chart. Stress: *On these days we gather with our parish to celebrate the Mass.* Point out that we honor Mary in different ways on other days throughout the year.

Ask volunteers to read the second and third paragraphs. Then stress: *We can honor Mary every day of the year.* Ask the children to describe their favorite pictures of Mary.

Distribute Reproducible Master 25. Have the children do the activity now or work on it at home.

Key Words Write the *Key Words* on the board. Invite the children to think of other words or phrases that come to mind when they see each word. Write these words and phrases around the related *Key Word*.

WE RESPOND

____ minutes

Connect to Life Read the *We Respond* question. Invite volunteers to share their responses. Then plan together a celebration to honor Mary.

Read the words of "Immaculate Mary." Explain that *Ave* means "hail" or "hello," and that Maria is the Latin, Spanish, and Italian name for Mary. Play "Immaculate Mary," and have the children practice singing.

Pray Have the children walk in a procession. Ask them to sing "Immaculate Mary."

BANCO DE ACTIVIDADES

Conexión multicultural

Veneración de María

Materiales: mapamundi, cartulina, tijeras, pegamento o cinta adhesiva, marcadores de colores

Ubique Guatemala en un mapamundi. Explique que los artistas guatemaltecos crearon una hermosa corona que colocan sobre su estatua favorita de María para venerarla. La corona está decorada con diamantes, esmeraldas y perlas. Durante el mes de octubre (el mes dedicado al rezo del rosario) los guatemaltecos honran a Nuestra Señora del Rosario con celebraciones, canciones, fiestas y oraciones.

Sugiera a los niños que imaginen que están participando de las celebraciones en Guatemala. Distribuya cartulina, tijeras, pegamento o cinta adhesiva y marcadores. Pida a los niños que diseñen coronas para María, la madre de Dios.

CONEXION CON EL HOGAR

Compartiendo lo aprendido

Recuerde a los niños compartir con sus familias lo aprendido en este capítulo.

Anime a los niños a entrevistar a los miembros de sus familias acerca de su santo favorito.

Para más información y actividades adicionales visite a Sadlier

www.CREEMOSweb.com

Planifique por adelantado

Lugar de oración: imágenes de familias disfrutando y cuidando de la creación, Biblia

Materiales: 2–3 CD, copias del patrón 26, tijeras, pegamento, papel de dibujo

____ minutos

Repaso del capítulo
Explique a los niños que ahora van a repasar lo que han aprendido. Pida a los niños que completen las preguntas de 1 a 4 y que compartan sus respuestas. Esté preparado para indicar la página en la que pueden encontrar la respuesta a una pregunta específica. Luego, pida que los niños respondan a la quinta pregunta, y que voluntarios compartan sus respuestas.

Reflexiona y ora Permita que los niños tengan un tiempo en silencio para reflexionar sobre como pueden seguir el ejemplo de los santos. Recuerde: *María es la más grande entre los Santos.* Pida a los niños que completen la afirmación y la oración de *Reflexiona y ora.*

Repaso Capítulo 25

Usa las palabras en el cuadro para completar la oración.

Isabel	Santos	Ave María	honran	María

1. María es la mayor entre los santos.
2. El Ave María es una oración de la Iglesia a María.
3. Días de fiesta y procesiones en honor a María.
4. Los santos son todos los miembros de la Iglesia que han muerto y están felices en el cielo con Dios para siempre.
5. ¿Por qué recordamos a los santos? Vea la página 274. Porque ellos siguieron el ejenplo de Jesús. Debemos seguir el ejemplo de los santos.

Reflexiona y ora

Los santos nos muestran como ser santos. Ellos

282

PÁGINA DEL ESTUDIANTE 282

Respondemos y compartimos la fe

____ minutos

Recuerda Use las cuatro afirmaciones *Creemos* para enfatizar los puntos principales del capítulo. Pida a los niños que lean las cuatro afirmaciones. Pregunte: *¿A quiénes honra la iglesia?* (a María y a los Santos). *¿Cómo honra la iglesia a María?* (con oraciones y días especiales).

Nuestra vida católica Lea en voz alta "Obras de arte". Ayude a los niños a comprender que los trabajos de los artistas honran a Jesús, María y los Santos. Explíqueles que la contemplación de estas obras de arte puede ayudarnos a orar.

Respondemos y compartimos la fe

Compartiendo lo aprendido

Mira la ilustración. Usala para contar a tu familia lo que aprendiste en este capítulo.

Para que todos vean

"¡Dios te ha bendecido más que a todas las mujeres!" Lucas 1:42

Recuerda

- La Iglesia honra a los santos.
- La Iglesia honra a María.
- Honramos a María con oraciones especiales.
- Honramos a María en días especiales.

NUESTRA VIDA CATÓLICA

Obras de arte

Nuestras iglesias siempre tienen hermosas obras de arte. Pinturas y vitrales muestran escenas de la vida de Jesús o de los santos. Nos cuentan historias por medio de pinturas. Los artistas nos enseñan lo que Jesús, la Santísima Madre y los santos hicieron. Mirar estas obras nos ayuda a rezar.

Visita Sadlier en www.CREEMOSweb.com

Conexión con el Catecismo
Para referencia vea los párrafos 957, 963, 2676 y 971.

284

PÁGINA DEL ESTUDIANTE 284

______ minutes

Chapter Review Explain to the children that they will now review what they have learned. Ask the children to complete questions 1–4. Invite the children to share their answers. Be ready to refer them to the page on which they will find a specific answer. Next have them answer the fifth question. Ask volunteers to share their responses.

Reflect & Pray Provide quiet time for the children to reflect on ways we can follow the saints' example. Remind the children: Mary is the greatest saint. Invite the children to complete the *Reflect & Pray* statement and prayer.

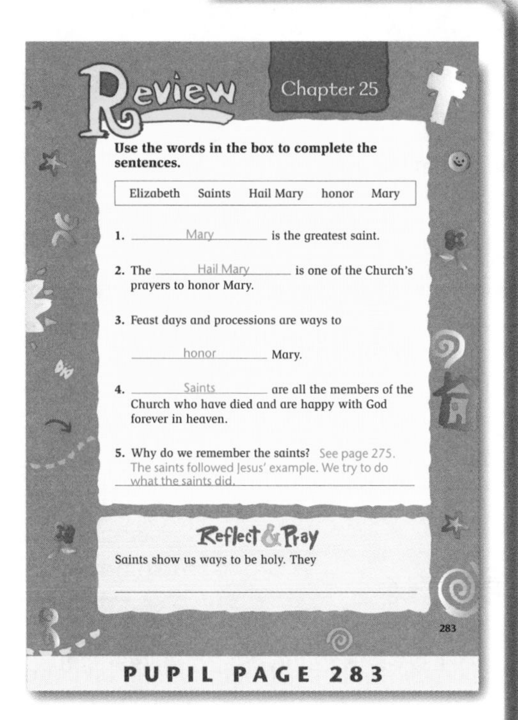

Review Chapter 25

Use the words in the box to complete the sentences.

Elizabeth Saints Hail Mary honor Mary

1. Mary is the greatest saint.
2. The Hail Mary is one of the Church's prayers to honor Mary.
3. Feast days and processions are ways to honor Mary.
4. Saints are all the members of the Church who have died and are happy with God forever in heaven.
5. Why do we remember the saints? See page 275. The saints followed Jesus' example. We try to do what the saints did.

Reflect & Pray

Saints show us ways to be holy. They

283

PUPIL PAGE 283

We Respond and Share the Faith

____ minutes

Remember Use the four *We Believe* statements to emphasize the main points of the chapter. Have the children read the four statements. Ask: *Whom does the Church honor?* (Mary and the saints) *How does the Church honor Mary?* (with special prayers and special days)

Our Catholic Life Read aloud "Works of Art." Help the children to understand that the artists' works honor Jesus, Mary, and the saints. Explain that looking at these works of art can help us pray.

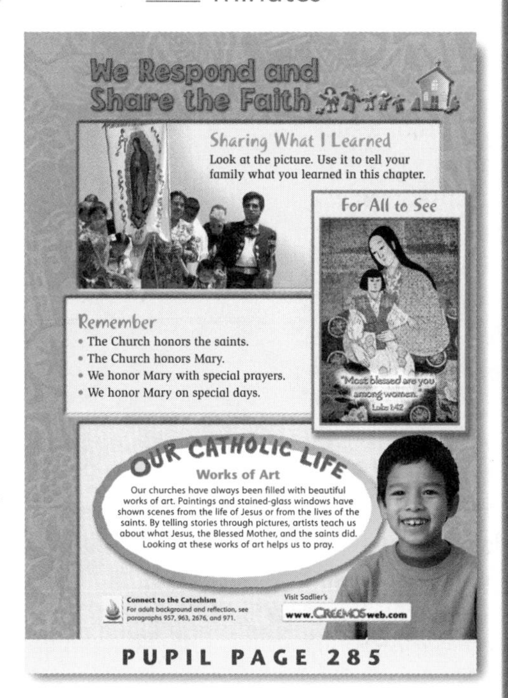

We Respond and Share the Faith

Sharing What I Learned

Look at the picture. Use it to tell your family what you learned in this chapter.

For All to See

"Most blessed are you among women." Luke 1:42

Remember
- The Church honors the saints.
- The Church honors Mary.
- We honor Mary with special prayers.
- We honor Mary on special days.

Our Catholic Life

Works of Art

Our churches have always been filled with beautiful works of art. Paintings and stained-glass windows have shown scenes from the life of Jesus or from the lives of the saints. By telling stories through pictures, artists teach us about what Jesus, the Blessed Mother, and the saints did. Looking at these works of art helps us to pray.

Connect to the Catechism
For adult background and reflection, see paragraphs 957, 963, 2676, and 971.

Visit Sadlier's
www.CREEMOSweb.com

PUPIL PAGE 285

Activity Bank

Multicultural Connection

Honoring Mary

Materials: world map, construction paper, scissors, glue or tape, colored markers

Locate Guatemala on a world map. Explain that to honor Mary, artists in Guatemala make a beautiful crown to place on their favorite statue of her. The crown is made of diamonds, emeralds, and pearls. During the month of October (the month dedicated to the Rosary), the people of Guatemala honor Our Lady of the Rosary with celebrations, songs, feasts, and prayers.

Invite the children to imagine they are taking part in the celebrations in Guatemala. Distribute construction paper, scissors, glue or tape, and markers. Have the children design crowns for Mary, the Mother of God.

Home Connection

Sharing What I Learned

Remind the children to share with their families what they learned in this chapter.

Encourage the children to interview their family members about their favorite saint.

For additional information and activities, encourage families to visit Sadlier's

www.CREEMOSweb.com

Plan Ahead for Chapter 26

Prayer Space: pictures of families enjoying and caring for creation; Bible

Materials: Grade 2 CD; copies of Reproducible Master 26, scissors, glue, drawing paper

Mostramos amor y respeto

Ojeada

En este capítulo los niños aprenderán que debemos amar y respetar a toda la creación de Dios.

Contenido doctrinal	Para referencia del *Catecismo de la Iglesia Católica*
Los niños aprenderán que:	párrafo
• Vivimos en el amor de Dios.	1694
• Jesús nos enseñó a amar a los demás.	1823
• Amamos y respetamos a los demás.	1825
• Respetamos la creación de Dios.	307

Referencia catequética

¿Cuál ha sido el mayor regalo que ha recibido?

Dios nos creó por amor para que vivamos con él. Como dice San Juan: "Dios es amor, y el que vive en el amor, vive en Dios y Dios en él" (1 Juan 4:16). Dios nos colma de regalos, y llamamos "gracia" a esos regalos especiales que Dios nos da. Vivimos rodeados de la gracia de Dios. Recibimos su gracia de manera especial en los sacramentos, que nos ayudan a abrir nuestros ojos y nuestros corazones para descubrir la gracia presente a nuestro alrededor.

El mayor regalo de Dios a nosotros es su Hijo, Jesucristo. Por la muerte y resurrección de Jesús alcanzamos una nueva vida. La vida y las enseñanzas de Jesús nos muestran el camino hacia esa nueva vida. Jesús nos enseñó como vivir una vida fiel al amor de Dios. Poco antes de su muerte, él dijo a sus discípulos: "Les doy este mandamiento nuevo: Que se amen los unos a los otros. Así como yo los amo a ustedes, así deben amarse ustedes los unos a los otros. Si se aman los unos a los otros, todo el mundo se dará cuenta de que son discípulos míos". (Juan 13:34 y 35)

Todas las enseñanzas de la Iglesia sobre la justicia social y la moral personal tienen su origen en esta afirmación de fe fundamental: somos creados a imagen de Dios y debemos amarnos y respetarnos unos a otros. Esta afirmación se extiende, también, al ambiente donde se desarrolla nuestra vida; somos buenos administradores de la creación de Dios cuando cuidamos todo lo que él ha creado.

Al cuidar nuestro mundo y amarnos unos a otros, aceptamos el don de amor que Dios nos da y, así, llegamos a ser portadores de ese don para otros.

¿De qué manera muestra su amor y respeto por la creación de Dios?

Mirando la vida

Historia para el capítulo

Cintia iba caminando con sus amigos cuando de pronto escuchó un ruido de algo que se movía entre los arbustos. Les pidió que se detuvieran para ver de que se trataba. Los demás niños tenían curiosidad por saber que era, pero por mucho que se esforzaron no lograron ver nada. Luego escucharon el mismo sonido una vez más y esta vez vieron que se trataba de un pequeño pajarito que se movía en el pasto, cerca de los arbustos.

La primera reacción de Cintia fue recoger el pajarito y llevarlo a su casa, pero algo en su interior le decía que no lo hiciera. Entonces les preguntó a sus amigos:

"¿Qué debemos hacer?"

Pida a los niños que escriban un final para la historia de Cintia, sus amigos y el pájaro. Los niños pueden trabajar individualmente, en pares o en grupos. Al finalizar la actividad, los niños compartirán con el resto de la clase el final que escribieron. Además, podrían preparar historietas para compartir con sus compañeros o con sus familias.

We Show Love and Respect

Overview

In this chapter the children will learn about loving and respecting all of God's creation.

Doctrinal Content	For Adult Reading and Reflection *Catechism of the Catholic Church*
The children will learn:	Paragraph
• We live in God's love.	1694
• Jesus taught us to love others.	1823
• We love and respect others.	1825
• We respect God's creation.	307

Catechist Background

What is the greatest gift you have ever received?

God created us out of love to live in love with him. As Saint John tells us, "God is love, and whoever remains in love remains in God and God in him" (1 John 4:16). God lavishes us with many gifts, and we call God's gifts to us "grace." Grace abounds all around us. We receive grace in a special way in the sacraments, which help to open our eyes and hearts to see the grace present all around us.

The greatest gift God has given to us is his Son, Jesus Christ. Through Jesus' death and Resurrection we have new and everlasting life. Through Jesus' life and teaching we learn the way to that new life. Jesus taught us how to live a life faithful to God's love. Before his death, Jesus told his disciples, "I give you a new commandment: love one another. As I have loved you, so you also should love one another. This is how all will know that you are my disciples, if you have love for one another" (John 13:34–35).

All of the Church's teachings on social justice and personal morality stem from this core belief: that we are created in God's image and must treat one another with love and respect. This belief extends to the environment as well. We become good stewards of God's creation by caring for what God has made.

By caring for the world and loving one another we accept God's gift of love for us, and we become gift-givers like our God.

How do you show love and respect for God's creation?

Focus on Life

Chapter Story

Cindy and her friends were walking together. Cindy told everybody to stop when she heard a noise in the nearby bushes. The friends wondered what was making the noise. They looked hard but could not see anything in the bushes. Then they heard the noise again. They saw a small bird on the grass near the edge of the bushes.

At first Cindy wanted to scoop up the bird and take it home. Something inside her told her not to do that. She asked her friends, "What do you think we should do?"

Now invite the children to write an ending to the story of Cindy's friends and the bird. They can work independently, in pairs, or in groups. Have the children share the endings they have written. The children can also prepare storyboards to share with each other and their families.

Guía para planificar la lección

Pasos de la lección	Presentación	Materiales
1 NOS CONGREGAMOS		
pág. 286 **Oración** **Mirando la vida**	• Escuchar la lectura de la Sagrada Escritura. Responder con una canción. • Comentar las preguntas.	 "Amor de Dios/O Love of God", 2–3 CD • fotografías de familias disfrutando y cuidando unos de otros y de la creación (opcional)
 **2 CREEMOS**		
pág. 286 *Vivimos en el amor de Dios.*	• Presentar el texto sobre el don de la fe, la esperanza y el amor. Completar la palabra que falta.	• crayones o lápices de colores
pág. 288 *Jesús nos enseñó a amar a los demás.*	• Presentar el texto sobre las diferentes maneras de amar a Dios y a los demás. • Leer el relato bíblico sobre el nuevo mandamiento de Jesús. Realizar la actividad.	
pág. 290 *Amamos y respetamos a los demás.* *Juan 13:34–35*	• Leer el texto sobre como mostrar amor y respeto. Completar la actividad.	• marcadores o crayones
pág. 292 *Respetamos la creación de Dios.*	• Presentar el texto sobre el respeto a la creación de Dios. • Leer y comentar *Como católicos.* • Señalar *Vocabulario* y su definición.	• lápices de colores • copias del patrón 26, tijeras, pegamento, hojas de dibujo
3 RESPONDEMOS		
pág. 292	Completar la actividad.	
páginas 294 y 296 **Repaso**	• Completar las preguntas 1 a 5. • Completar *Reflexiona y ora*	
páginas 294 y 296 **Respondemos y compartimos la fe**	• Repasar *Recuerda* y *Vocabulario.* • Leer y comentar *Nuestra vida católica.*	

Para ideas, actividades y otras oportunidades visite Sadlier en **www.CREEMOSweb.com**

Lesson Planning Guide

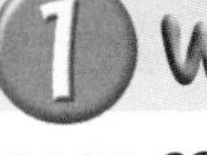

Lesson Steps	Presentation	Materials
1 WE GATHER		
page 287 **Prayer** **Focus on Life**	• Listen to Scripture. Respond by singing. • Discuss the questions.	 "Amor de Dios/O Love of God," 2–3 CD • pictures of families enjoying and caring for each other and creation (optional)
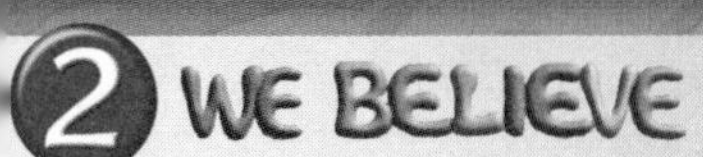		
page 287 *We live in God's love.*	• Present the text about the gifts of faith, hope, and love. Do the missing word activity.	• colored pencils or crayons
page 289 *Jesus taught us to love others.*	• Present the text about the ways to love God and others. • Read the Scripture story about Jesus' new commandment. Do the activity.	
page 291 *We love and respect others.* *John 13:34–35*	• Read the text about showing love and respect. Complete the activity.	• highlighters or crayons
page 293 *We respect God's creation.*	• Present the text about respecting God's creation. • Read and discuss the *As Catholics* text. • Present the *Key Word* and definition.	• colored pencils • copies of Reproducible Master 26, scissors, glue, drawing paper
3 WE RESPOND		
page 293	Complete the activity.	
pages 295 and 297 **Review**	• Complete questions 1–5. • Complete the *Reflect & Pray* activity.	
pages 295 and 297 **We Respond and Share the Faith**	• Review *Remember* and *Key Word*. • Read and discuss *Our Catholic Life.*	

For additional ideas, activities, and opportunities: Visit Sadlier's **www.CREEMOSweb.com**

Connections

La Comunidad

A lo largo de este capítulo enfatice la idea de que una manera de compartir el amor de Dios es mostrando amor y respeto por los miembros de nuestra comunidad. Pida la colaboración de los niños para hacer una lista de "Nos respetamos" (ejemplos: escuchar con atención, ser amables, hablar respetuosamente). Escriba las sugerencias en un cartel con un marco colorido para llamar la atención de los posibles lectores. Pida a los niños que miren el cartel regularmente y que lean en voz alta las diferentes maneras de mostrar respeto por los demás. Ayude a los niños a comprender que el respeto hacia los demás es un don de amor.

Administración de la creación

Ayude a los niños a comprender que Dios a todos nos dio dones y talentos especiales. Nos ha entregado los dones para nuestro propio goce, pero también para que sirvamos a otros con generosidad. Explique al grupo que el uso que hacemos de nuestros talentos es una de las maneras en que expresamos nuestro amor por los demás. Ayude a los niños a identificar sus talentos. Anímelos a pensar de que manera pueden usar esos talentos y otras bendiciones que hayan recibido para ayudar a otras personas.

FE y MEDIOS

- Esta puede ser una buena oportunidad para pedir a los niños que comenten alguna historia que hayan visto, oído o leído en los medios (televisión, cine, Internet, periódicos o revistas) acerca de personas que sean un ejemplo de vida para los demás.
- Puede aprovechar este capítulo para comentar con el grupo el hecho de que los medios ayudan a crear conciencia y a apreciar la maravilla de la creación de Dios. Los medios también nos ayudan a aprender a cuidar de todo lo que Dios nos dio y a compartirlo con los más necesitados. Los niños pueden visitar sitios tales como Catholic Conservation Center, que usa los recursos que ofrece la red para promover una administración de la creación fortalecida por la oración.

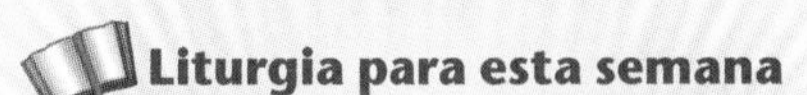

Liturgia para esta semana

Visite **www.creemosweb.com** para las lecturas bíblicas de esta semana y otros materiales propios del tiempo.

Necesidades individuales

Niños alérgicos

En este curso sugerimos que los niños se reúnan a rezar al aire libre. Averigüe si en su clase hay niños que presenten cuadros alérgicos. Avise a los padres que se está planificando una actividad al aire libre y pídales que instruyan a los niños acerca de las precauciones que deben tomar.

Pida a los niños que le avisen inmediatamente si experimentan algún tipo de dificultad.

RECURSOS ADICIONALES

Video *¿Quién es Dios nuestro Padre?* Hispanic Telecommunications Network. Serie *Así Vivimos. . . Porque Creemos*—Video #2. Dios se reveló en la Biblia y en Jesús, su Hijo, que se encarnó y vivió entre nosotros. Por él conocemos a Dios: un Dios que es nuestro padre, que nos ama y que nos creó a su imagen y semejanza. (15 minutos)

Para ideas visite a Sadlier en

www.CREEMOSweb.com

Connections

To Community

As you work through the chapter, emphasize that showing love and respect in our community is one way of sharing God's love. Have the children contribute to a list of "Ways of Respect." (examples: listen politely; act kindly; speak respectfully) Write suggestions on a poster with a colorful border to attract attention. Periodically call attention to the poster and have the children read the ways aloud. Help the children to see that showing respect for others is a gift of love.

To Stewardship

Help the children understand that God gave everyone special gifts and talents. He gives us gifts for our own enjoyment, but also so that we may generously serve others. Explain that one way we show our love for others is by using our talents. Help the children identify their talents. Encourage them to think about the ways they can use these talents and other blessings in their lives to help other people.

FAITH and MEDIA

- You might ask the children to name some stories they have seen, heard, or read in the media (on television, in the movies, on the Internet, or in newspapers or magazines) about people who are setting a good example for others.
- You might point out to the children that the media help increase our awareness and appreciation of the gifts of God's creation. We can also learn through the media ways to care for God's gifts and to share what we have with people who are in need. Consider having the children visit the Web site of an organization such as the Catholic Conservation Center that uses the Internet to promote prayerful stewardship of God's creation.

Meeting Individual Needs

Children with Allergies

It is recommended that the children gather for prayer in an outdoor setting. Try to find out if any of the children have allergies. Notify these children's parents about the outside prayer gathering. Ask the parents to talk to the children about what they should avoid. Encourage the children to tell you immediately if they have problems.

ADDITIONAL RESOURCES

Book *Teach Me About God's Creation,* Joan Ensor Plum, Our Sunday Visitor, 1999. This book features activities and readings designed to help teach young children to have respect for all of God's gifts.

Video *Gifts of God,* George Brundage, Catholic Book Publishing, 1994. God's gifts are described in this children's book.

To find more ideas for books, videos, and other learning material visit Sadlier's

www.CREEMOSweb.com

Meta catequética

• Describir y cuidar los numerosos dones que Dios nos dio en la creación y explicar en que consisten los dones de fe, esperanza y amor

Preparandose para orar

Durante la oración de congregación, los niños escucharán una lectura bíblica y responderán con una canción.

• Escuchen la canción "Amor de Dios/O Love of God", 2–3 CD. Los niños aprenderán a cantar la canción.

• Designe a un niño para que sea el líder de la oración y otro para que sea el lector. Permita que tengan tiempo de preparar sus partes.

El lugar de oración

• Si es posible, planifique desarrollar la actividad al aire libre. Si esto no fuera posible, coloque fotografías de familias disfrutando y cuidando unos de otros y de la creación.

26 Mostramos amor y respeto

Nos congregamos

Líder: Vamos a escuchar una lectura de la carta de Pablo a los corintios.

Lector: "Tener amor es saber soportar. El amor jamás dejará de existir. Tres cosas hay que son permanentes: la fe, la esperanza y el amor; pero la más importante de las tres es el amor".
(1 Corintios 13:4, 8, 13)

Palabra de Dios.

Todos: Te alabamos Señor.

Amor de Dios /O Love of God

Amor de Dios, convócanos.
Amor de Dios, haznos uno.
Que compartamos lo que recibimos
para construir la comunidad,
para construir la comunidad.

¿Cuáles son algunas personas a quienes quieres? ¿Cómo les muestras tu cariño?

Creemos

Vivimos en el amor de Dios.

Dios nos ha dado muchos regalos. Nos ha dado su creación y sus leyes para que lo conozcamos y lo amemos. Nos ha dado su palabra en la Biblia y la Iglesia para ayudarnos y guiarnos.

286

Planificación de la lección

Nos congregamos ____ minutos

Oración

• Si se encuentran al aire libre, pídales a los niños que se sienten mientras escuchan la lectura de la Sagrada Escritura.

• Pídales que se pongan de pie, formen un círculo tomándose de las manos y canten "Amor de Dios".

Mirando la vida

Comente las respuestas a las preguntas. Ayude a los niños a reconocer que a veces damos regalos para expresar nuestro amor. Dígales que en este capítulo aprenderán acerca de estos tres dones de Dios: fe, esperanza y caridad.

Creemos ____ minutos

Lea la afirmación *Creemos* en la página 286. Pida a un voluntario que lea los dos primeros párrafos en las páginas 286 y 288. Dibuje un círculo grande en una hoja de papel y escriba *Jesús* en el centro. Pregunte: *¿Qué otros dones de Dios menciona el texto?* (el mundo, la creación, las leyes de Dios, la palabra de Dios en la Biblia, la Iglesia, la fe, la esperanza, la caridad). Escriba cada uno de estos dones dentro del círculo, rodeando el nombre de Jesús. Pregunte: *¿Por qué creen que escribí el nombre de Jesús en el centro?* (porque Jesús es el mayor de todos los dones).

Pida que algunos voluntarios lean la descripción del don de la fe, la esperanza y la caridad. Ponga énfasis en lo siguiente: *El amor es el mayor don que podemos darle a Dios.*

We Show Love and Respect

WE GATHER

 **Leader:** Let us listen to a reading from Paul to the Corinthians.

Reader: "Love is patient, love is kind. Love never fails. Faith, hope, love remain, these three; but the greatest of these is love."
(1 Corinthians 13:4, 8, 13)

The word of the Lord.

All: Thanks be to God.

Amor de Dios /O Love of God

O love of God, gather us,
amor de Dios, haznos uno,
that we may share the gifts we are given;
para construir la comunidad,
para construir la comunidad.

Who are some of the people you love? How do you show your love for them?

WE BELIEVE

We live in God's love.

God has given us many gifts. He has given us creation and laws to know and love him. He has given us his word in the Bible and the Church to help and guide us.

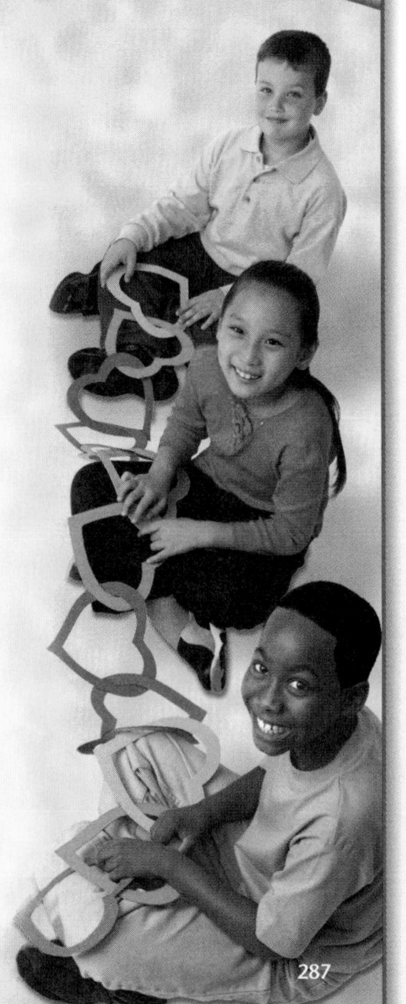

287

Chapter 26 • Page 287

Catechist Goal

• To describe and care for the many gifts that God has given us in creation and to explain the gifts of faith, hope, and love

Preparing to Pray

For this gathering prayer, the children will listen to a Scripture reading and respond in song.

• Play "Amor de Dios/O Love of God," 2–3 CD Have the children practice singing.

• Choose volunteers to be the prayer leader and reader. Have them prepare what they will read.

The Prayer Space

• If possible, plan to pray outdoors. If this is not possible, display pictures of families enjoying and caring for each other and creation.

Lesson Plan

WE GATHER

___ minutes

Prayer

• If you are praying outdoors, ask the children to sit as they listen to the reading from Scripture.

• Ask the children to stand, join hands to form a circle, and to sing "Amor de Dios/O Love of God".

 **Focus on Life**

Discuss the responses to the questions. Help the children to see that sometimes we give gifts to express our love. Tell the children that in this chapter they will learn about God's gifts of faith, hope, and love.

WE BELIEVE

___ minutes

Read the *We Believe* statement on page 287. Then have a volunteer read the first two paragraphs on pages 287 and 289. Draw a large circle on chart paper. Write *Jesus* in the center of the circle. Then ask: *What are the other gifts of God mentioned in the text?* (the world, creation, God's laws, God's word in the Bible, the Church, faith, hope, and love) Write each gift in the circle surrounding Jesus' name. Then ask: *Why do you think we wrote Jesus' name in the center of the circle?* (because Jesus is God's greatest gift)

Invite volunteers to read the description of the gifts of faith, hope, and love. Then stress: *Love is the greatest gift we can give to God.*

Capítulo 26 • Pág. 288

Nuestra respuesta en la fe

- Expresar gratitud por los dones que Dios nos dio y expresar amor y respeto por los demás

mandamiento nuevo

Materiales

- 2–3 CD
- copias del patrón 26

Conexión con el hogar

Pregunte a los niños los resultados de la entrevista sobre el santo favorito.

El mejor regalo de Dios es su Hijo, Jesús. Por Jesús podemos compartir la gracia, la vida y el amor de Dios. Recibimos la gracia cada vez que celebramos los sacramentos. Somos fortalecidos por el Espíritu Santo. Tenemos los dones de fe, esperanza y caridad.

La fe nos ayuda a creer en Dios, Padre, Hijo y Espíritu Santo. Creemos en Dios y todo lo que ha hecho por nosotros.

La esperanza nos ayuda a creer en Jesús y en la promesa de que Dios siempre nos ama.

La caridad hace posible que amemos a Dios y a los demás. Dios siempre comparte su amor con nosotros.

Encierra en un círculo una letra sí y otra no para encontrar la palabra que completa la oración.

J (A) E (M) S (O) U (R) S

El mejor regalo que Dios nos ha dado es

amor

¿Qué palabra forman las letras restantes? Jesús

Jesús nos enseñó a amar a los demás.

Dios nos ama tanto que envió a su Hijo a compartir su amor con nosotros. Jesús compartió el amor de Dios con todo el mundo. El pidió a sus seguidores hacer lo mismo.

Jesús enseñó a sus seguidores a amar a Dios y a los demás. El nos enseñó a: rezar al Padre, vivir en familia, ser buen amigo y vecino, amar y respetar a los pobres y los enfermos.

288

Planificación de la lección

CREEMOS (continuación)

Ayude a los niños a completar la actividad. Deben encerrar en un círculo las letras en forma alternada, comenzando por la segunda de la hilera. Una vez finalizado, pida a un voluntario que lea la oración completa. Ayúdelos a darse cuenta de que las letras restantes deletrean el nombre de Jesús.

Pida un voluntario para leer la afirmación *Creemos* en la página 288. Solicite otros voluntarios para leer en voz alta los tres párrafos que le siguen en las páginas 288 y 290. Escriba en la pizarra: *Jesús nos mostró el camino a* ______. A medida que los voluntarios leen los párrafos, escriba la frase correspondiente en la pizarra. Anime al grupo a comentar cada una de las afirmaciones y dar ejemplos que ilustren qué significa cada una de ellas.

Lea en voz alta el texto bíblico. Pregunte: *¿Qué creen que significa ser discípulo de Jesús?* Subraye la importancia de amarnos unos a otros como el camino para cumplir con el mandamiento nuevo que nos dio Jesús.

Pida a los niños que miren las ilustraciones que muestran a Jesús en las páginas 288 y 289. Comenten, en cada caso, de que manera Jesús expresa su amor y que podemos hacer nosotros para seguir su ejemplo. Los niños trabajarán en pares; entrégueles una hoja grande de papel a cada par. Pídales que hagan dibujos que muestren de que manera somos discípulos de Jesús. Una vez finalizados los trabajos, anime a cada par a compartir su dibujo con el resto de la clase.

God's greatest gift is his Son, Jesus. Jesus gives us a share in grace, God's life and love. We receive grace each time we celebrate the sacraments. We are strengthened by the Holy Spirit. We are filled with the gifts of faith, hope, and love.

Faith helps us to believe in God the Father, the Son, and the Holy Spirit. We believe in God and all that he has done for us.

Hope makes it easier to trust in Jesus and in God's promise to love us always.

Love makes it possible for us to love God and others. God always shares his love with us.

Circle every other letter to find a word to complete this sentence.

J (L) E (O) S (V) U (E) S

The greatest gift we can give God is our

love

What word do the remaining letters spell? Jesus

Jesus taught us to love others.

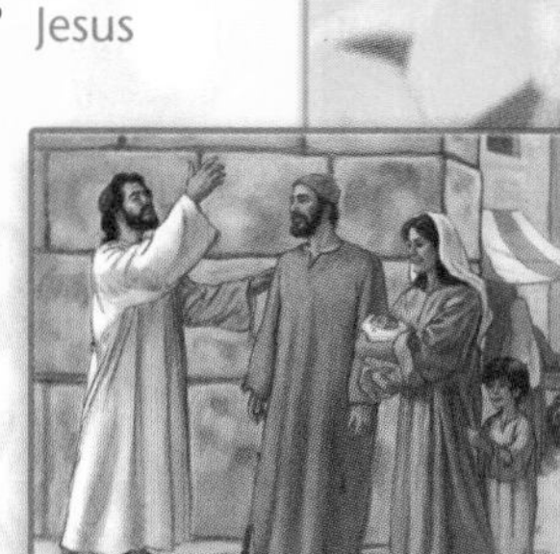

God loves us so much that he sent his Son to share his love with us. Jesus shared God's love with all people. He asked his followers to do the same.

Jesus taught his followers to love God and one another. He showed us the way to: pray to the Father, live as a family, be a good friend and neighbor, and love and respect those who are poor and sick.

289

Chapter 26 • Page 289

Our Faith Response

- To express gratitude for God's gifts and love and respect for others

new commandment

Materials

- Grade 2 CD
- copies of Reproducible Master 26

Home Connection Update

Ask the children to talk about the interviews about their families' favorite saint.

Lesson Plan

WE BELIEVE (continued)

Help the children complete the activity by circling every other letter in the word scramble. When they have finished, invite a volunteer to read the completed sentence. Explain that the remaining letters spell Jesus.

Ask a volunteer to read the *We Believe* statement on page 289. Then invite volunteers to read aloud the following three paragraphs on pages 289 and 291. On the board write: *Jesus showed us the way to* ____. As a volunteer reads each way, write it on the board. Encourage the children to discuss each statement and provide examples of what each means.

Read aloud the Scripture passage. Ask: *What do you think it means to be a disciple of Jesus?* Emphasize the importance of loving one another as a way to follow Jesus' new commandment.

Direct the children's attention to the pictures of Jesus on pages 288 and 289. For each picture discuss how Jesus is showing love and how people can follow his example. Have the children work in pairs. Give each pair a large sheet of drawing paper. Ask the partners to illustrate ways we show that we are disciples of Jesus. When finished ask the pairs to share their drawings with the entire group.

BANCO DE ACTIVIDADES

Inteligencia múltiple

Expresión oral y habilidad lingüística

Los niños prepararán un noticiero que incluya entrevistas a testigos que informen sobre las diversas maneras en que algunas personas demostraron durante el día que eran discípulos de Jesús. Por ejemplo:

- Un discípulo de Jesús, un estudiante de segundo grado, hoy fue visto mientras ayudaba a un vecino a quien se le había caído la bolsa con las compras del supermercado.

Los niños presentarán los informes como si estuvieran conduciendo un noticiero televisado.

Planificación de la lección

CREEMOS (continuación)

Cotejo rápido

✔ *¿Cuál es el mayor regalo que le damos a Dios?* (Nuestro amor.)

✔ *¿Qué mandamiento nuevo nos dio Jesús?* (Jesús dijo que debemos amarnos unos a los otros.)

Permita que los niños tengan unos minutos de silencio para leer la afirmación *Creemos* y sus dos párrafos en las páginas 290 y 292. Después, pregunte: *¿Cómo nos ayuda cumplir con el mandamiento nuevo que nos dio Jesús?*

Pida a voluntarios representar situaciones de personas cumpliendo con el nuevo mandamiento de Jesús. Puede sugerir situaciones. (Por ejemplo: un compañero de clase dejó caer sus lápices o la mamá de alguno de ellos tuvo que trabajar hasta muy tarde.) Después de cada actuación, pida al grupo que explique de qué manera las personas mostraron su amor a Dios y a los demás.

Lea las instrucciones. Los niños usarán marcadores o crayónes para marcar su decisión.

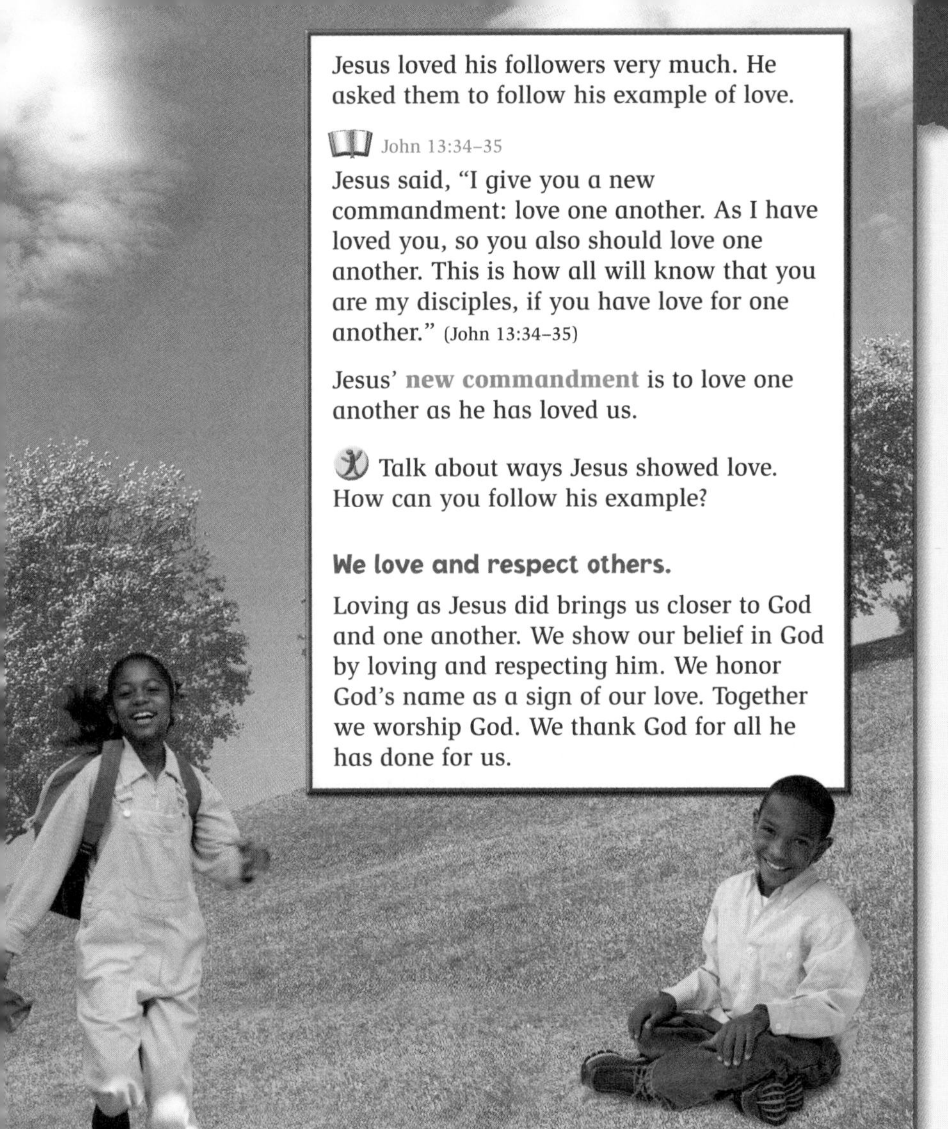

Jesus loved his followers very much. He asked them to follow his example of love.

John 13:34–35

Jesus said, "I give you a new commandment: love one another. As I have loved you, so you also should love one another. This is how all will know that you are my disciples, if you have love for one another." (John 13:34–35)

Jesus' **new commandment** is to love one another as he has loved us.

Talk about ways Jesus showed love. How can you follow his example?

We love and respect others.

Loving as Jesus did brings us closer to God and one another. We show our belief in God by loving and respecting him. We honor God's name as a sign of our love. Together we worship God. We thank God for all he has done for us.

291

Activity Bank

Multiple Intelligences

Verbal-Linguistic

Have the children prepare a good news program that includes eyewitness reports about ways people showed that they were disciples of Jesus during the day. For example:

- One of Jesus' disciples, a second grader, was seen today helping his neighbor pick up groceries that had fallen all over the sidewalk.

Have the children pretend that they are presenting these reports on a television news show.

Lesson Plan

We Believe (continued)

Quick Check

✔ *What is the greatest gift we can give God?* (It is our love.)

✔ *What new commandment did Jesus give us?* (Jesus said to love one another as he has loved us.)

Allow a few minutes of quiet time for the children to read silently the *We Believe* statement and its two paragraphs on pages 291 and 293. When they have finished, ask: *What does following Jesus' new commandment help us to do?*

Invite volunteers to stage short skits that show people following Jesus' new commandment. You might want to suggest some situations. (for example: The child sitting next to you dropped his pencil case and everything spilled out; or mom had to work late.) After each skit, have the group explain how the people showed love for God and for one another.

Read the directions. Have the children use a highlighter or crayon to indicate their decision.

Nota para enseñar

La necesidad de cultivar el respeto por nosotros mismos

Nuestra capacidad de respetar a los demás, a sí mismos y a los pequeños de segundo grado, debe estar fundada en un saludable respeto hacia uno mismo. Considere de que manera está alimentando ese sentimiento de respeto hacia usted mismo/a ocupándose de sus necesidades espirituales, emocionales e intelectuales. De este modo estará en mejores condiciones de ayudar a los niños a desarrollar sentimientos de respeto hacia ellos mismos.

Como católicos...

Administración de la creación

Lea el texto *Como católicos* a los niños. Comenten lo que pueden hacer para ayudar a aquellos que carecen de alimentación suficiente. Ayúdelos a comprender que es nuestra responsabilidad como católicos ayudar a otros. Señale que hay muchas maneras de hacerlo.

Cumplir el nuevo mandamiento de Jesús nos ayuda a seguir los mandamientos de Dios. Tratamos de amar a nuestra familia, amigos y a todo el mundo como él lo hizo. Respetamos y obedecemos a los que nos cuidan. Tratamos de ser amables, justos y fieles. Compartimos lo que tenemos. Respetamos las pertenencias de los demás.

Vocabulario

nuevo mandamiento el mandamiento de Jesús de amarnos unos a otros como él nos ama

Subraya la oración que dice cómo vas a cumplir hoy el nuevo mandamiento de Jesús.

Respetamos la creación de Dios.

Dios nos pide respetar su regalo de la creación. Dios creó la tierra y el mar, el sol, la luna y las estrellas. Dios creó a todos los animales y las plantas. El también nos creó. Todo lo creado por Dios es bueno.

Los humanos tienen un lugar especial en la creación de Dios. Dios nos ha pedido cuidar de los regalos de la creación. Los regalos de la creación de Dios están en todas partes.

Cuidamos del mundo. Protegemos todo lo que Dios ha creado. Trabajamos juntos para compartir la bondad de la creación.

RESPONDEMOS

Escribe una manera en que ayudarás a cuidar de la creación.

____

Como católicos...

Los regalos de la creación pertenecen a todo el mundo. Sin embargo, hay muchas partes en el mundo donde hay personas con hambre y sed. Debemos compartir lo que tenemos. También tenemos que ayudarlos a cultivar comida y encontrar agua. Esto significa cuidar de la creación de Dios. Averigua lo que tu vecindario está haciendo para cuidar de la creación de Dios.

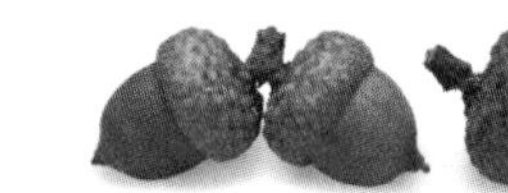

292

Planificación de la lección

CREEMOS (continuación)

Pida a un voluntario que lea la afirmación *Creemos* y el primer párrafo en la página 292. Los niños resaltarán o subrayarán la última oración en sus textos.

Solicite la colaboración de otros voluntarios que lean los dos últimos párrafos. Explique: *Porque ocupamos un lugar especial en la creación de Dios, tenemos la responsabilidad de cuidar nuestro mundo.*

Distribuya copias del cancionero patrón 26. Ayude a los niños a preparar cancioneros. Anímelos a compartir los dibujos y las canciones con sus familiares y amigos. Pídales que lean las canciones y las canten con usted. Pídales que encierren en un círculo las palabras que representen dones de Dios.

Vocabulario Escriba la palabra del *Vocabulario* en la pizarra. Ayude a los niños a recordar el mandamiento nuevo de Jesús. Pídales que expliquen de que manera podemos mostrar amor y respeto unos por otros.

RESPONDEMOS ____ minutos

Conexión con la vida Los niños completarán la actividad *Respondemos* escribiendo las maneras en que podemos cuidar de la creación de Dios durante esta semana. Permita que los niños tengan unos momentos en silencio para agregar una manera más en que podemos cuidar de la creación.

Anime a los niños a escribir el final de la *Historia para el capítulo* en la página 286A.

new commandment
Jesus' commandment to love one another as he has loved us

Following Jesus' new commandment helps us to follow all of God's commandments. We try to love our family, friends, and all people as he did. We respect and obey all those who take care of us. We also try to be kind, fair, and truthful. We share the things we have. We respect the belongings of other people.

Underline the sentence that tells how you will follow Jesus' new commandment today.

We respect God's creation.

God asks us to respect his gift of creation. God created the land and the sea, the sun, moon, and stars. God created all the animals and plants. He created us, too! All that God created is good.

People have a special place in God's creation. God has asked us to take care of his gifts of creation. The gifts of God's creation are everywhere!

We care for the world. We protect all that God created. We work together to share the goodness of creation.

As Catholics...

The gifts of creation belong to all people everywhere. However, there are many parts of the world where people are hungry and thirsty. So we share what we have. We also help them to grow food and find water. This is part of what it means to care for God's creation. Find out what your neighborhood is doing to take care of God's creation.

WE RESPOND

Write one way you will help to care for creation.

____

293

Teaching Note

Nurturing Self-Respect

Your own ability and the ability of your second graders to respect others must be founded on a healthy sense of self-respect. Evaluate how you are doing in nurturing your own self-respect by tending to your spiritual, emotional, and intellectual needs. By doing this, you will be better able to help the children develop self-respect.

As Catholics...

Stewardship

After working on these two pages, read the *As Catholics* text to the children. Discuss what they can do to help others who do not have enough to eat. Encourage all to see that as Catholics it is our responsibility to care for others. Emphasize that there are many ways we can do this.

Lesson Plan

WE BELIEVE (continued)

Ask a volunteer to read aloud the *We Believe* statement and the first paragraph on page 291. Have the children highlight or underline the last sentence in their texts.

Invite volunteers to read the last two paragraphs. Explain: *Because we have a special place in God's creation, we have the responsibility to care for the world.*

Distribute copies of Reproducible Master 26. Help the children to make song booklets. Encourage them to share the song and pictures with their families and friends. Have the children read the words. Then ask the children to sing the song with you. Have them circle the names of God's gifts in the song.

Key Words Print the *Key Word* on the board. Have the children recall Jesus' new commandment. Ask them to suggest ways in which they can show love and respect for one another.

WE RESPOND ____ minutes

Connect to Life Ask the children to complete the *We Respond* activity by writing the ways we can care for God's creation this week. Allow a few quiet moments for the children to think of one more way that they will help care for creation.

Invite the children to write an ending for the *Chapter Story* on guide page 286B.

BANCO DE ACTIVIDADES

Comunidad

Invitados especiales

Invite a personas de la comunidad para hablar con los niños sobre la manera en que ellos pueden cuidar del mundo creado por Dios. Algunas sugerencias: personas que trabajen en represas o embalses, o en centros de reciclado, productores rurales, oceanógrafos, guarda parques y guardabosques, personas que trabajan en la protección de la vida silvestre.

Ayude a los niños a preparar las preguntas que quieran formularle a la persona invitada y anímelos a que ellos mismos le hagan las preguntas durante la visita.

CONEXION CON EL HOGAR

Compartiendo lo aprendido

Recuerde a los niños compartir con sus familias lo aprendido en este capítulo.

Para más información y actividades adicionales visite a Sadlier en

www.CREEMOSweb.com

Repaso

____ minutos

Repaso del capítulo Lea las instrucciones del *Repaso.* Los niños responderán las preguntas 1 a 4. Cuando los niños hayan finalizado con el ejercicio, refuerce la actividad pidiéndoles que lean en voz alta las respuestas correctas. Luego, los niños responderán la pregunta número cinco; dígales que vuelvan a la página 288 para buscar la información que los ayudará a responder esta pregunta. Después de responder esta última pregunta, los niños compartirán sus respuestas con el resto del grupo.

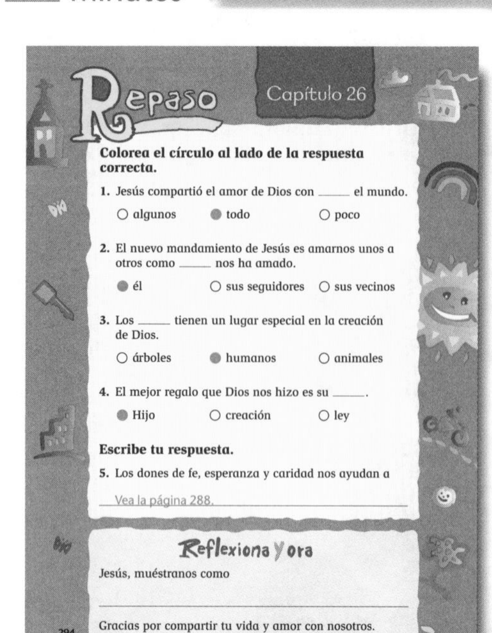

Repaso — Capítulo 26

Colorea el círculo al lado de la respuesta correcta.

1. Jesús compartió el amor de Dios con ____ el mundo.
   - ○ algunos ● todo ○ poco
2. El nuevo mandamiento de Jesús es amarnos unos a otros como ____ nos ha amado.
   - ● él ○ sus seguidores ○ sus vecinos
3. Los ____ tienen un lugar especial en la creación de Dios.
   - ○ árboles ● humanos ○ animales
4. El mejor regalo que Dios nos hizo es su ____.
   - ● Hijo ○ creación ○ ley

Escribe tu respuesta.

5. Los dones de fe, esperanza y caridad nos ayudan a

Vea la página 288.

Reflexiona y ora

Jesús, muéstranos como

Gracias por compartir tu vida y amor con nosotros.

294

PÁGINA DEL ESTUDIANTE 294

Reflexiona y ora Dé tiempo suficiente para que los niños completen la oración. Quizás sería oportuno poner música que estimule la reflexión mientras los niños escriben.

Respondemos y compartimos la fe

____ minutos

Recuerda Un voluntario leerá en voz alta las cuatro afirmaciones *Creemos.* A medida que escuchan la lectura de cada afirmación, anímelos a que resuman lo que han aprendido.

Nuestra vida católica En este último capítulo los niños reflexionarán sobre todo lo que han aprendido durante este año y utilizarán este espacio en sus libros para escribir de que manera vivieron una *Vida católica* durante este año y de que manera esperan seguir creciendo como católicos. Explique en que consiste la actividad y asegúrese de que todos hayan comprendido el propósito de la misma.

Respondemos y compartimos la fe

Compartiendo lo aprendido

Mira la ilustración. Usala para contar a tu familia lo que aprendiste en este capítulo.

Para que todos recen

Reúne a tu familia. Lean estas palabras de una de las cartas de San Pablo.

"Tener amor es saber soportar; es ser bondadoso; es no tener envidia, ni ser presumido, ni orgulloso, ni grosero, ni egoísta; es no enojarse ni guardar rencor; es no alegrarse de las injusticias".

1 Corintios 13:4, 5, 6

Hablen sobre el significado de esas palabras para la familia.

Recuerda

- Vivimos en el amor de Dios.
- Jesús nos enseñó a amar a los demás.
- Amamos y respetamos a los demás.
- Respetamos la creación de Dios.

NUESTRA VIDA CATÓLICA

Cuenta tu historia aquí.

Pega tu foto aquí.

Visita Sadlier en www.CREEMOSweb.com

Conexión con el Catecismo: Para referencia vea los párrafos 1694, 1823, 1825 y 307.

296

PÁGINA DEL ESTUDIANTE 296

______ minutes

Chapter Review Read the *Review* directions. Then have the children complete questions 1–4. Once they have finished, reinforce the review by asking the children to say aloud each of the correct answers. Then have the children look at the fifth question. Invite the children to revisit page 289 and use the information that they find there to help them. After they have finished, invite the children to share their answers.

Reflect & Pray Allow time for the children to complete the prayer. You may wish to play reflective background music while the children are writing.

Review Chapter 26

Fill in the circle beside the correct answer.

1. Jesus shared God's love with ____ people.
   ○ a few ● all ○ some
2. Jesus' new commandment is to love one another as ____ loved us.
   ● he ○ his followers ○ his neighbors
3. ____ have a special place in God's creation.
   ○ Plants ● People ○ Animals
4. God's greatest gift to us is his ____.
   ● Son ○ creation ○ law

Write your answer.

5. The gifts of faith, hope, and love help us

See page 289.

Reflect & Pray

Jesus, you show us

Thank you for sharing your life and love with us.

295

PUPIL PAGE 295

We Respond and Share the Faith

____ minutes

Remember Ask a volunteer to read the *We Believe* statements. As each statement is read, encourage volunteers to summarize what they learned.

Our Catholic Life In this final chapter the children will reflect on what they have learned this year. They will use the space in their books to record how they have lived a *Catholic life* and how they hope to continue to grow as Catholics. Explain the activity and encourage questions from the children to be sure that all understand the assignment.

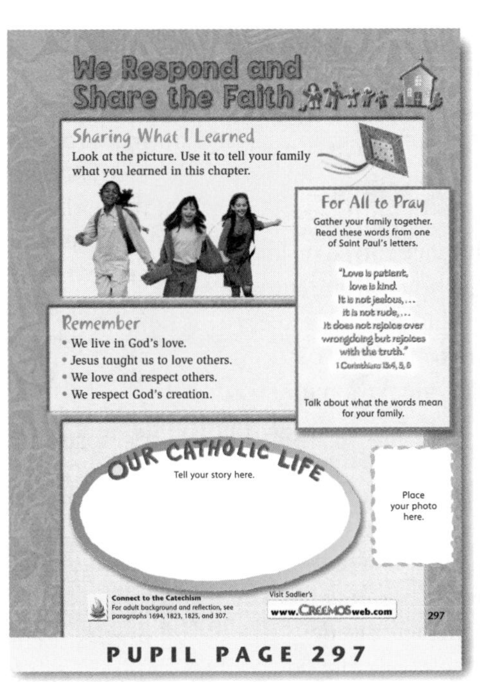
We Respond and Share the Faith

Sharing What I Learned

Look at the picture. Use it to tell your family what you learned in this chapter.

For All to Pray

Gather your family together. Read these words from one of Saint Paul's letters.

"Love is patient, love is kind. It is not jealous, . . . it is not rude, . . . it does not rejoice over wrongdoing but rejoices with the truth." 1 Corinthians 13:4, 5, 6

Talk about what the words mean for your family.

Remember

- We live in God's love.
- Jesus taught us to love others.
- We love and respect others.
- We respect God's creation.

OUR CATHOLIC LIFE

Tell your story here.

Place your photo here.

Connect to the Catechism
For adult background and reflection, see paragraphs 1694, 1823, 1825, and 307.

Visit Sadlier's www.CREEMOSweb.com

297

PUPIL PAGE 297

ACTIVITY BANK

Community

Guest Speakers

Invite guest speakers to speak to the children about ways they can care for God's creation. Some speaker possibilities: reservoir workers, recycling-center workers, farmers, fish wardens, oceanographers, park and forest rangers, wildlife preserve workers.

Help the children compose questions they would like to ask the speaker. Encourage the children to ask the guests these questions.

HOME CONNECTION

Sharing What I Learned

Remind the children to share with their families what they learned in this chapter.

For additional information and activities, encourage families to visit Sadlier's

www.CREEMOSweb.com

Tiempo de Pascua

Adviento | Navidad | Tiempo Ordinario | Cuaresma | Tres Días | Tiempo de Pascua | Tiempo Ordinario

"Los cincuenta días que median entre el domingo de Resurrección y el domingo de Pentecostés se han de celebrar con alegría y júbilo, como si se tratara de un solo y único día festivo, como 'un gran domingo'. Estos son los días más apropiados para el canto del *Aleluya*".

(Normas universales sobre el año litúrgico, 22)

Ojeada

En este capítulo los niños aprenderán que Pascua es el tiempo cuando la Iglesia celebra la resurrección de Jesús.

Para referencia Vea el párrafo 641 del *Catecismo de la Iglesia Católica*.

Referencia catequética

¿De qué manera celebra la Pascua?

La Iglesia celebra los cincuenta días entre los Domingos de Pascua y Pentecostés como un solo día festivo. San Atanasio lo llamó "el gran domingo" porque Pascua es al año lo que el domingo es a la semana. "La Resurrección de Cristo es *cumplimiento de las promesas* del Antiguo Testamento y del mismo Jesús durante su vida terrenal" (*CIC* 652). La resurrección confirma la divinidad de Jesús. Al morir en la cruz, nos liberó de la esclavitud del pecado y al resucitar nos abrió las puertas a una nueva vida.

La resurrección fue un hecho corroborado por los testigos que vieron la tumba vacía y por los encuentros de los discípulos con el Señor resucitado. Este hecho trascendente constituye el núcleo de nuestra fe, es la verdad primaria que atestiguan todos los seguidores de Cristo. "Y si Cristo no resucitó, el mensaje que predicamos no vale para nada, ni tampoco vale para nada la fe que ustedes tienen" (1 Corintios 15:14).

El tiempo de Pascua incluye las celebraciones de la Ascensión, regreso de Jesucristo a los cielos con su Padre y Pentecostés. La Ascensión se celebra el jueves de la sexta semana de Pascua, o el domingo siguiente, en algunas diócesis. La Iglesia se regocija de que las apariciones de Jesús resucitado culminen "con la entrada irreversible de su humanidad en la gloria divina" (*CIC* 659).

El tiempo de Pascua concluye con la venida del Espíritu Santo, que señala el cumplimiento de la Pascua de Cristo. El Abogado prometido vino a fortalecer y unir a la Iglesia que se manifestó ante el mundo en aquel primer Pentecostés.

¿De qué manera ayudará a otros a vivir la Pascua como un tiempo de gozo y de vida nueva?

Mirando la vida

Historia para el capítulo

La familia de Andrés Watanabe vivía cerca de Washington D.C. Se habían mudado a su casa nueva en enero y la mamá iba a trabajar a la ciudad todos los días.

Andrés quería ir a Washington, ¡había tanto para ver allí! Varias veces le había pedido a su madre que lo llevara y la respuesta era siempre la misma:

"Iremos en primavera, cuando florezcan los cerezos".

Andrés quería ir a Washington para visitar el Museo Aéreo y Espacial, y el zoológico. Su hermana mayor quería visitar la Casa Blanca, la residencia del presidente. Andrés y su hermana buscaron información en sitios de Internet para averiguar cuando florecerían los cerezos y aprendieron que esto ocurría a comienzos de la primavera. El primer día de primavera, Andrés pensó: "Dentro de poco iremos a Washington".

Una noche, en la primera semana de abril, la mamá de Andrés estaba muy sonriente durante la cena. Antes de que todos se levantaran de la mesa, dijo:

"Tengo buenas noticias, hoy leí que los cerezos ya están floreciendo, así que iremos a Washington el próximo sábado".

Andrés estaba tan entusiasmado que se levantó, corrió alrededor de la mesa y luego abrazó a su madre. La hermana mayor también demostró su alegría:

"¡Genial! ¡Ojalá mañana fuese sábado!"

La hermanita más pequeña al ver que todos estaban contentos comenzó a aplaudir.

"Lo primero que haré mañana será contarle a mis amigos. ¡Washington nos espera!" dijo Andrés con enorme entusiasmo.

¿Cómo Andrés y su hermana mostraron su entusiasmo por la buena noticias dada por su mamá?

"The fifty days from Easter Sunday to Pentecost are celebrated in joyful exultation as one feast day. . . These above all others are the days for the singing of the *Alleluia.*"

(Norms Governing Liturgical Calendars, 22)

Overview

In this chapter the children will learn that Easter is a season to celebrate the Resurrection of Jesus Christ.

For Adult Reading and Reflection You may want to refer to paragraphs 1168 and 641 of the *Catechism of the Catholic Church*.

Catechist Background

What are some of the ways in which you celebrate Easter?

The Church celebrates the fifty days from Easter Sunday to Pentecost as one continuous feast day. They have been called "the Great Sunday" by Saint Athanasius because what Sundays are to the week, the Easter season is to the entire year. "Christ's Resurrection is the fulfillment of the promises both of the Old Testament and of Jesus himself during his earthly life" (CCC 652). Jesus' divinity is confirmed by his Resurrection. Dying on the cross, he freed us from the shackles of sin and rising he opened for us the path to new life.

The Resurrection was an event attested to by witnesses to the empty tomb and the disciples' encounters with the risen Lord. This event lies at the heart of our faith; it is the primary truth to which all Christ's followers testify. "If Christ has not been raised, then empty [too] is our preaching; empty, too, your faith" (1 Corinthians 15:14).

The Easter season encompasses the Ascension, the return of Jesus Christ to his Father in heaven, and Pentecost itself. Ascension is celebrated on either the Thursday of the Sixth Week of Easter, or, in many dioceses, on the following Sunday. We rejoice that Jesus' post-Resurrection appearances culminate "with the irreversible entry of his humanity into divine glory" (CCC 659).

The Easter season ends with the coming of the Holy Spirit, signaling the fulfillment of Christ's Passover. The promised Advocate has come to strengthen and unify the Church at the first Pentecost.

How will you help others to experience Easter as a season of new life and joy?

Focus on Life

Chapter Story

Andrew Watanabe's family lived near Washington, D.C. They had moved to their new home in January. Andrew's mother traveled to work in the city every day.

Andrew wanted to visit Washington. There was so much to see there. He had asked his mother to go there several times. Mrs. Watanabe always said, "We'll go in the spring when the cherry blossoms start to bloom."

Andrew wanted to go to Washington to visit the Air and Space Museum and the Washington Zoo. He knew his older sister wanted to visit the White House where the president lives. Andrew and his sister checked Web sites to find out when the cherry blossoms would start to bloom. They learned that this happened in early spring. So on the first day of spring Andrew thought to himself, "We'll go to Washington soon."

One night during the first week of April, Andrew's mom was smiling all during dinner. Finally before everyone left the table, she said, "Well, I have good news. I noticed today that the cherry blossoms are starting to bloom. I guess we can visit Washington next Saturday."

Andrew got so excited he got up from the table. He spun around and then hugged his mother. Andrew's older sister said, "Oh, Mom, that's great. I can hardly wait." When Andrew's baby sister saw how happy everybody else was, she clapped her hands.

Andrew said, "I'm going to tell my friends first thing in the morning. Washington, here we come!"

How did Andrew and his sister show they were excited about their mother's good news?

Guía para planificar la lección

Pasos de la lección	Presentación	Materiales
pág. 298 **Introducción del tiempo**	• Leer la *Historia para el capítulo.* • Presentar el tiempo de Pascua. • Proclamar las palabras impresas en la bandera. Dramatizar diferentes formas de expresar alegría.	

Pasos de la lección	Presentación	Materiales
páginas 298 y 300 *Pascua es el tiempo en que celebramos la Resurrección de Jesús.*	• Presentar el texto sobre la celebración de la Pascua. Dramatizar la historia de la Pascua.	• trajes y accesorios • tizas de colores • lápices o marcadores

Pasos de la lección	Presentación	Materiales
pág. 302	Escribir un mensaje de Pascua sobre Jesús para compartir con otros.	
pág. 302 **Respondemos en oración**	• Celebrar la Pascua en oración. Alegrarse con una canción.	Canción "Salmo 117: Este es el día", 2–3 CD • en el lugar de oración: mantel blanco, Biblia, florero, flores
pág. 304 **Respondemos y compartimos la fe**	• Explicar el proyecto individual de la Pascua. • Explicar el proyecto en grupo de la Pascua.	• copias del patrón 27 • pintura para cartulina (marrón y rosada) • pinceles, tijeras, pegamento, algodón hidrófilo • rectángulo de cartón (uno por niño)

Planificación de la lección

Introducción del tiempo ____ minutos

• **Oración** Canten juntos un *Aleluya* que todos conozcan.

• **Lea** la *Historia para el capítulo* en la página 298A. Pregunte a los niños si alguna vez han visto florecer un cerezo. Explique: *Los cerezos que hay en Washington D.C. fueron un regalo que nos hizo el pueblo japonés en 1912. Hoy hay más de 3,700 árboles cerca de los monumentos, a lo largo del río Potomac. Los cerezos florecen al comienzo de la primavera.*

• **Pida** a los niños que lean en voz alta el título del capítulo. Explique: *Pascua es un tiempo de gran gozo.* Pregunte: *¿Qué símbolos de Pascua y de primavera ven en esta página?* (flores, mariposas).

• **Invite** a los niños a leer juntos las palabras impresas en la bandera.

Lesson Planning Guide

Lesson Steps	Presentation	Materials
1 WE GATHER		
page 299 **Introduce the Season**	• Read the *Chapter Story.* • Introduce the Easter season. • Proclaim words on a banner.  Act out ways of showing happiness.	
2 WE BELIEVE		
pages 299 and 301 *Easter is a season to celebrate the Ressurection of Jesus.*	• Present the text about celebrating the Easter season. Act out the Easter story.	• costumes and props • colored chalk • pencils or highlighters
3 WE RESPOND		
page 303	Write an Easter message about Jesus to share.	
page 303 **We Respond in Prayer**	• Celebrate Easter in prayer. Rejoice in song.	"This Is the Day," #28, Grade 2 CD • prayer space items: white tablecloth, Bible, vase, Easter flowers
page 305 **We Respond and Share the Faith**	• Explain the Easter individual project. • Explain the Easter group project.	• copies of Reproducible Master 27 • poster paint (brown and pink) • paint brushes, scissors, glue, cotton balls • sheets of poster board (one for each child)

Lesson Plan

Introduce the Season ____ minutes

• **Pray** Sing a familiar *Alleluia*.

• **Read** the *Chapter Story* on guide page 298B. Ask the children if they have ever seen a cherry blossom tree. Explain: *The cherry blossom trees in Washington , D.C. were a gift from the people of Japan in the year 1912. Today there are more than 3,700 trees that grow near the monuments along the Potomac River. The flowers blossom in the early spring.*

• **Ask** the children to read aloud the chapter title. Explain: *Easter is a season of great joy.* Ask: *What symbols of Easter and spring do you see on the page?* (flowers, butterflies)

• **Invite** the children to proclaim the words on the banner.

Meta catequética

- Explicar que durante la Pascua celebramos la resurrección de Jesús

Nuestra respuesta en la fe

- Compartir la buena nueva de la Pascua

Materiales

- copias del patrón 27, 2–3 CD
- trajes y accesorios
- pintura para cartel (marrón y rosada)
- pinceles, tijeras, pegamento y algodón hidrófilo, rectángulos de cartón de 21,5 cm x 28cm (uno por niño)

RECURSOS ADICIONALES

Videos *El árbol orgulloso* Liguori Publications. Este video inspirador les cuenta a los niños la historia de la crucifixión de Jesús. (25 minutos)

Para más ideas sobre videos, libros y otros materiales visite a Sadlier en

www.CREEMOSweb.com

27 Tiempo de Pascua

Navidad · Cuaresma · Tres Días · Tiempo de Pascua

Pascua es el tiempo en que celebramos la Resurrección de Jesús.

NOS CONGREGAMOS

¿Cómo muestras que estás feliz? Muestra algunas de las cosas que haces.

CREEMOS

Los Tres Días nos llevan al tiempo de Pascua. Es tiempo de regocijo. El tiempo de Pascua dura cincuenta días.

Durante la Pascua celebramos que Jesús resucitó de la muerte. Damos gracias por la nueva vida que él nos trae.

Escenifiquen este drama de pascua.

Líder: Durante todo el tiempo de Pascua la Iglesia canta "Aleluya". Aleluya quiere decir "Gloria a Dios". Vamos a alabar a Dios.

298

Planificación de la lección

NOS CONGREGAMOS ___ minutos

- **Mirando la vida** Lea la pregunta en *Nos congregamos.* Haga referencia a la *Historia para el capítulo.* Pregunte: *¿Qué hicieron Andrés y su hermana para demostrar su alegría?* Pida que algunos voluntarios representen lo que hacen cuando quieren expresar alegría.

CREEMOS ___ minutos

- **Pida** la ayuda de un voluntario para que lea en voz alta los dos primeros párrafos de *Creemos.* Los niños subrayarán o resaltarán el segundo párrafo.

Organice la dramatización de Pascua. Designe un guía, tres lectores y tres ángeles. El resto de los niños representarán el papel de las mujeres y de los demás discípulos. Ensayen el canto de un Aleluya conocido para el momento cuando deban responder. Los niños que actuarán como lectores necesitarán tiempo para preparar sus textos. Pida a los niños que representarán a las mujeres y a los discípulos que ensayen los movimientos y gestos que correspondan a su papel.

- **Reúna** a los niños en el lugar de oración para que representen la obra teatral de Pascua.

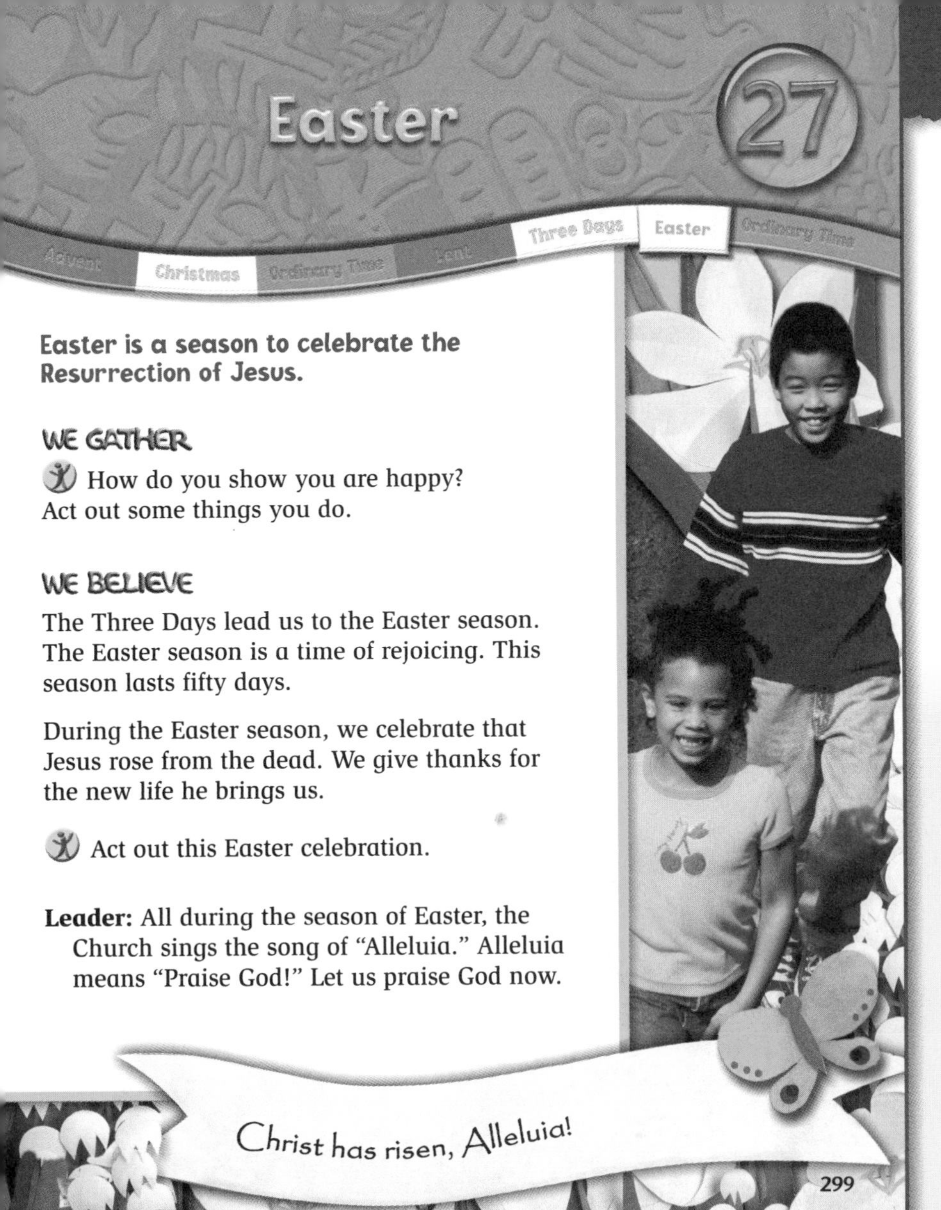

Easter 27

Advent | Christmas | Ordinary Time | Lent | Three Days | Easter | Ordinary Time

Easter is a season to celebrate the Resurrection of Jesus.

WE GATHER

How do you show you are happy? Act out some things you do.

WE BELIEVE

The Three Days lead us to the Easter season. The Easter season is a time of rejoicing. This season lasts fifty days.

During the Easter season, we celebrate that Jesus rose from the dead. We give thanks for the new life he brings us.

Act out this Easter celebration.

Leader: All during the season of Easter, the Church sings the song of "Alleluia." Alleluia means "Praise God!" Let us praise God now.

Christ has risen, Alleluia!

299

Chapter 27 • Easter

Catechist Goal

- To explain that during Easter we celebrate the Resurrection of Jesus

Our Faith Response

- To share the good news of Easter

Materials

- copies of Reproducible Master 27, Grade 2 CD, costumes and props
- poster paint (brown and pink), paint brushes, scissors, glue, and cotton balls, sheets of 81/2 in. x 11 in. poster board (one for each child)

ADDITIONAL RESOURCES

Book *Chicken Sunday,* Patricia Polacco, Philomel Books, 1992. Three friends make Pysanky Easter eggs.

Video *Easter Is: Family Films,* Vision Video, Worcester, PA. Child's father shares the good news of Easter with him. (25 minutes)

To find more ideas for books, videos, and other learning material, visit

www.CREEMOSweb.com

Lesson Plan

WE GATHER

____ minutes

- **Focus on Life** Read the *We Gather* question. Refer to the *Chapter Story*. Ask: *What did Andrew and his sister do to show they were happy?* Invite volunteers to act out things they do to show their happiness.

WE BELIEVE

____ minutes

- **Ask** a volunteer to read aloud the first two *We Believe* paragraphs. Have the children highlight or underline the second paragraph.

Prepare for the children to enact the Easter play. Choose a leader, three readers, and two angels. Have the other children pretend they are the women and other disciples. Practice singing a familiar Alleluia response. Also give those who will read time to practice their parts. Have the children who are the women and disciples practice pantomiming appropriate gestures.

- **Invite** the children to gather in the prayer space. Have them act out the Easter play.

Nota para enseñar

Cuando presentar este capítulo

Presente este capítulo después del domingo de Pascua para ayudar a los niños a entender que la Pascua es un período.

Banco de Actividades

Inteligencia múltiple

Espacial y Lingüística

Materiales: hojas de dibujo, crayones, lápices de colores

Los niños trabajarán en parejas. Pida a cada pareja que prepare un relato ilustrado del relato bíblico de la mañana de Pascua. Explíqueles que pueden dibujar las figuras y luego escribir lo que dicen en un globo, como en las historietas. Una vez finalizado el trabajo, cada pareja podrá mostrar su historia ilustrada al resto de la clase.

Líder: *(Cantemos)* ¡Aleluya, aleluya, aleluya!

Todos: ¡Aleluya, aleluya, aleluya!

Lucas 24:1–9

Lector 1: El primer día de la semana, muy temprano, las mujeres fueron a la tumba. Llevaban especias para ungir el cuerpo de Jesús. Encontraron la piedra fuera de lugar. El cuerpo de Jesús no estaba.

Lector 2: Mientras estaban ahí paradas, dos ángeles se les aparecieron. Las mujeres sintieron miedo.

Angel 1: ¿Están buscando a Jesús? El no está aquí. El resucitó.

Angel 2: Recuerden lo que él les dijo. Que daría su vida por ustedes. Que sería crucificado. Dijo que resucitaría al tercer día.

Lector 3: Las mujeres se alegraron. Corrieron a contar a los otros discípulos lo que habían visto y escuchado.

Todos: *(Cantemos)* ¡Aleluya, aleluya, aleluya!

Como las mujeres en la tumba, nosotros vamos a contar a otros sobre la resurrección de Jesús. Queremos que sepan la buena nueva de que Jesús murió y resucitó por todos. Queremos compartir el gozo de creer en Jesús.

Tiempo de Pascua

300

Planificación de la lección

Creemos (continuación)

- **Pregunte** *¿Cuál fue la buena nueva que el ángel anunció a las mujeres?* (Jesús había resucitado.) *¿Cómo creen que se sintieron las mujeres y los discípulos cuando escucharon esta buena noticia?* (Respuestas posibles: felices, entusiasmados)

Cotejo rápido

✔ *¿Qué celebramos durante el tiempo de Pascua?* (Celebramos la resurrección de Jesús.)

✔ *¿Cuál es la duración del tiempo de Pascua?* (El tiempo de Pascua tiene una duración de cincuenta días.)

Pida a un voluntario que lea el último párrafo de *Creemos* en la página 300. Pregunte: *¿Cuál es la buena nueva de la Pascua?* Solicite la ayuda de un voluntario que escriba en la pizarra, con tizas de color, "Jesús murió y resucitó por todos nosotros".

Leader: *(singing)* Alleluia, alleluia, alleluia!

All: Alleluia, alleluia, alleluia!

Luke 24:1–9

Reader 1: On the first day of the week, at dawn, the women went to the tomb. They were bringing spices to bless Jesus' body. They found the stone rolled away. The body of Jesus was gone!

Reader 2: While they stood there, two angels appeared beside them. The women were frightened.

Angel 1: Are you looking for Jesus? He is not here. He has been raised up.

Angel 2: Remember what Jesus told you. He said that he would give his life for us. He would be crucified. He said that on the third day he would rise again.

Reader 3: Then the women were filled with joy. They ran back to tell the other disciples what they had seen and heard.

All: *(singing)* Alleluia, alleluia, alleluia!

Like the women at the tomb, we go and tell others about Jesus' Resurrection. We want them to know the good news that Jesus died and rose for all people. We want to share the joy that comes from believing in Jesus.

301

EASTER

Chapter 27 • Easter

Teaching Note

When to Present the Lesson

To help the children understand that Easter is a season, present this chapter after Easter Sunday.

Activity Bank

Multiple Intelligences

Spatial, Linguistic

Materials: drawing paper, crayons, colored pencils

Have the children work in pairs. Ask the sets of partners to make a story board of the Scripture account of Easter morning. Explain that they can do this by drawing pictures and writing dialogue in speech balloons. When the children are finished working, ask them to show their Easter story boards to the entire group.

Lesson Plan

WE BELIEVE (continued)

• **Ask** What good news did the angels share with the *women?* (Jesus had risen.) Also ask: *How do you think the women and the disciples felt when they heard this good news?* (Possible responses: happy, excited.)

Quick Check

✔ *What do we celebrate during the Easter season?* (We celebrate the Resurrection of Jesus Christ.)

✔ *How long is the Easter season?* (The Easter season lasts for fifty days.)

• **Have** a volunteer read the last *We Believe* paragraph on page 301. Ask: *What is the good news of Easter?* Have a volunteer use colored chalk to write on the board "Jesus died and rose for all people."

Conexion

Conexión multicultural

Decoración de huevos de Pascua

Explique: *Los huevos simbolizan la nueva vida, por eso los decoramos en Pascua.* Muéstreles fotografías de huevos de Pascua de diferentes países. Díga: *En Grecia, las personas pintan los huevos de color rojo para recordar que Jesús derramó su sangre por nosotros.*

Preparandose para orar

Los niños celebrarán la Pascua rezando.

- Designe tres lectores. Dé tiempo para prepararse.
- Escuchen la canción “Salmo 117: Este es el día”, y practiquen.
- Prepare una celebración especial en un parque o jardín cercano.

El lugar de oración

- Decore el lugar de oración con signos de nueva vida: mariposas, huevos, flores.

TIEMPO DE PASCUA

RESPONDEMOS

¿Qué alegre mensaje de Pascua sobre Jesús te gustaría compartir? Escríbelo aquí.

____

Respondemos en oración

Líder: Jesús, sabemos que vives y que estás con nosotros. ¡Aleluya!

Lector 1: Demos gracias al Señor, porque es bueno, porque es eterna su misericordia. ¡Aleluya!

Todos: Este es el día que hizo el Señor, sea nuestra alegría y nuestro gozo.

Lector 2: Da tu corazón a Jesucristo porque él ha resucitado. ¡Aleluya!

Todos: Este es el día que hizo el Señor, sea nuestra alegría y nuestro gozo.

Lector 3: Creemos. ¡Aleluya, aleluya, aleluya!

Todos: Este es el día que hizo el Señor, sea nuestra alegría y nuestro gozo.

Salmo 117: Este es el día

Este es el día en que actuó el Señor:
sea nuestra alegría y nuestro gozo.
Dad gracias al Señor porque es bueno,
porque es eterna su misericordia.
¡Aleluya, aleluya!

302

Planificación de la lección

RESPONDEMOS

____ minutos

Conexión con la vida Lea la pregunta en *Respondemos*. Permita que el grupo tenga un momento de silencio. Luego, pídales que escriban el mensaje de Pascua en el espacio correspondiente.

- **Reúna** a los niños en el lugar de oración. Recen en voz alta la siguiente oración:

Dios de amor,
al anunciar la nueva de tu resurreción a las santas mujeres
nos traes las nuevas de tu amor
a todos los pueblos de la tierra.
Fortalécenos para que seamos portadores de esa buena nueva
en nuestra vida, en nuestro corazón y en nuestras palabras.
Te lo pedimos por Cristo, nuestro Señor.

Luego, rocíe agua bendita sobre los niños y dígales: *Vayan a compartir la buena nueva de Jesús.*

Respondemos en oración

____ minutos

- **Hagan** la señal de la cruz y comiencen a rezar.
- **Canten** juntos “Salmo 117: Este es el día”.
- **Pida** a los niños que respiren profundo. Dígales que imaginen a Jesús resucitado sonriéndoles. Recuerde a los niños: *El Señor resucitado los ama a todos ustedes y él quiere que compartan con otros el gozo de la Pascua.*
- **Diga** a los niños que la ayuden a decorar el lugar de oración con símbolos de una nueva vida: mariposas, huevos, flores.

WE RESPOND

What joyful Easter message about Jesus would you like to share? Write it here.

____

We Respond in Prayer

Leader: Jesus, we know you are alive and with us today. Alleluia!

Reader 1: Give thanks to the Lord, for he is good, for his mercy lasts forever, alleluia!

All: This is the day the Lord has made; let us rejoice and be glad.

Reader 2: Set your heart on Jesus Christ, for he is risen, alleluia!

All: This is the day the Lord has made; let us rejoice and be glad.

Reader 3: This we believe. Alleluia, alleluia, alleluia!

All: This is the day the Lord has made; let us rejoice and be glad.

This Is the Day

This is the day, this is the day
that the Lord has made, that the Lord has made;
we will rejoice, we will rejoice
and be glad in it, and be glad in it.

This is the day that the Lord has made;
we will rejoice and be glad in it.
This is the day, this is the day
that the Lord has made.

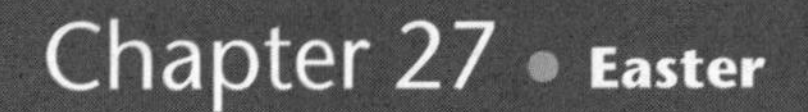

CONNECTION

Multicultural Connection

Decorating Eggs

Explain: *Eggs are symbols of new life. That is why we decorate them on Easter.* Show the children pictures of Easter eggs from different countries. Tell the children: *People in Greece dye eggs red to remember that Jesus shed his blood for us.*

PREPARING TO PRAY

The children will celebrate Easter by praying joyfully together.

- Choose three readers. Give the children time to practice their parts.
- Play "This Is the Day,". Have the children practice singing.
- Make today's prayer celebration special by praying in a nearby garden or park.

The Prayer Space

- Decorate the prayer space with symbols of new life: butterflies, eggs, flowers.

Lesson Plan

WE RESPOND ____ minutes

Connect to Life Read the *We Respond* question. Pause for a minute of quiet time. Then ask the children to write the Easter message in the space provided.

- **Invite** the children to gather in the prayer space. Then pray aloud the following words.

Gracious God,
Through the announcement of the holy women
you bring the good news of your love
to all the peoples of the earth.
Strengthen us to carry that good news
in our lives, in our hearts, and in our words.
We ask this through Christ our Lord.

Sprinkle holy water over the children and say: *Go share the good news of Jesus.*

We Respond in Prayer ____ minutes

- **Make** the sign of the cross and begin praying.
- **Sing** together "This Is the Day."
- **Invite** the children to breathe deeply. Ask them to picture the risen Jesus smiling at them. Remind the children: *The risen Lord loves each of you and wants you to share Easter joy with others.*

CONEXION CON EL HOGAR

Compartiendo lo aprendido

Recuerde a los niños compartir con sus familias lo aprendido en este capítulo.

Anime a los niños a que propongan a sus familias hacer la bandera de Aleluya.

Para más información y actividades adicionales visite a Sadlier

www.CREEMOSweb.com

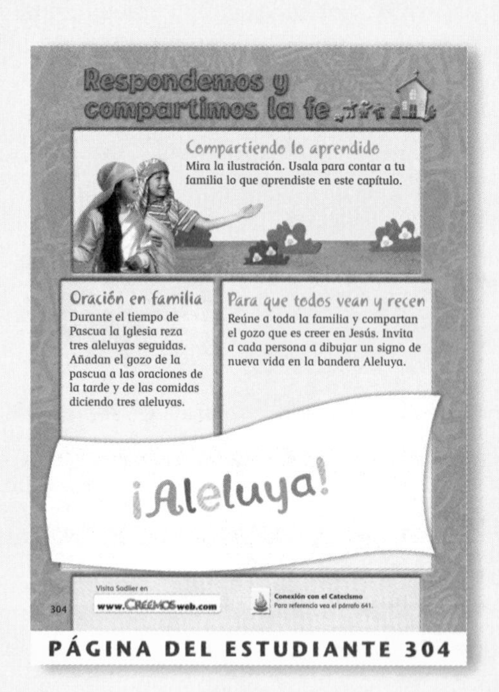
Respondemos y compartimos la fe

Compartiendo lo aprendido

Mira la ilustración. Usala para contar a tu familia lo que aprendiste en este capítulo.

Oración en familia

Durante el tiempo de Pascua la Iglesia reza tres aleluyas seguidas. Añadan el gozo de la pascua a las oraciones de la tarde y de las comidas diciendo tres aleluyas.

Para que todos vean y recen

Reúne a toda la familia y compartan el gozo que es creer en Jesús. Invita a cada persona a dibujar un signo de nueva vida en la bandera Aleluya.

¡Aleluya!

Visita Sadlier en www.CREEMOSweb.com

Conexión con el Catecismo
Para referencia vea el párrafo 641.

304

PÁGINA DEL ESTUDIANTE 304

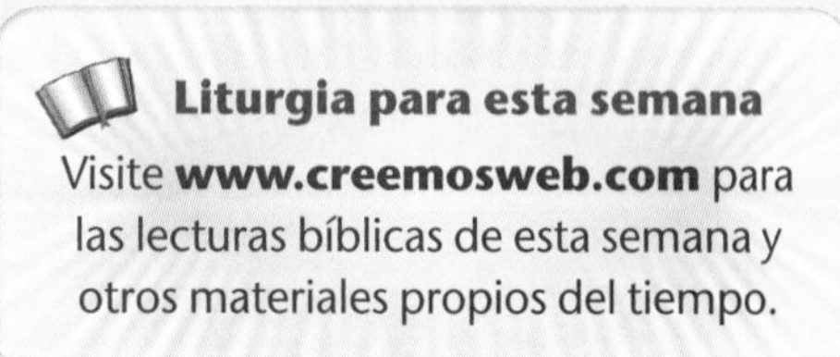
Liturgia para esta semana

Visite **www.creemosweb.com** para las lecturas bíblicas de esta semana y otros materiales propios del tiempo.

Respondemos y compartimos la fe

Proyecto individual

Organice diferentes rincones de trabajo para los niños. En cada rincón coloque un recipiente con pintura para cartulina de color marrón, otro con pintura de color rosado y un recipiente con agua. Coloque, además, pinceles, algodón, tijeras, pegamento, y un rectángulo de cartulina de 21,5cm x 28cm para cada niño.

Ayude a los niños a pegar los símbolos de Pascua en la cartulina. Después, pídales que pinten la rama y luego deberán mojar pequeños copos de algodón en la pintura rosada para simular los capullos de la flor de cerezo. Deben dejar que la rama y los capullos se sequen.

Después de que la rama y los capullos se hayan secado, los niños pegarán los capullos distribuyéndolos sobre la rama. Anímelos a compartir el símbolo del mensaje de Pascua con sus familiares y amigos.

Proyecto en grupo

Pida a los niños que preparen más símbolos del mensaje de Pascua para compartir con otros. Pueden llevarlos al hospital, al hogar de ancianos o a los refugios. Solicite la colaboración de voluntarios que deseen escribir una nota para acompañar el envío. Sugiera a los niños que incluyan una frase que le haga saber a la gente que el grupo está orando por ellos.

We Respond and Share the Faith

Individual Project

Set up a few work stations for the children. At each work station put a container of brown poster paint, a container of pink poster paint, and a container of water. Also place there paint brushes, cotton balls, scissors, glue or paste, and an 81/2 in. x 11 in. sheet of poster board for each child.

Ask the children to glue the sign to the poster board. Then have them paint the branch. Ask the children to dip small pieces of cotton in pink poster paint to make the cherry blossoms. Then let the branches and blossoms dry.

When the branches and blossoms are dry, tell the children to glue the blossoms at different spots on their branches. Encourage the children to share the Easter message sign with their families and friends.

Group Project

Ask the children to make extra Easter message signs. Deliver the signs to local nursing homes, hospitals, and shelters to be displayed. Have volunteers write notes to include with the signs. Ask the writers to tell people that the children are praying for all of them.

Home Connection

Sharing What I Learned

Remind the children to share with their families what they learned in this chapter.

Encourage the children to invite their families to complete the Alleluia banner.

For additional information and activities, encourage families to visit Sadlier's

www.CREEMOSweb.com

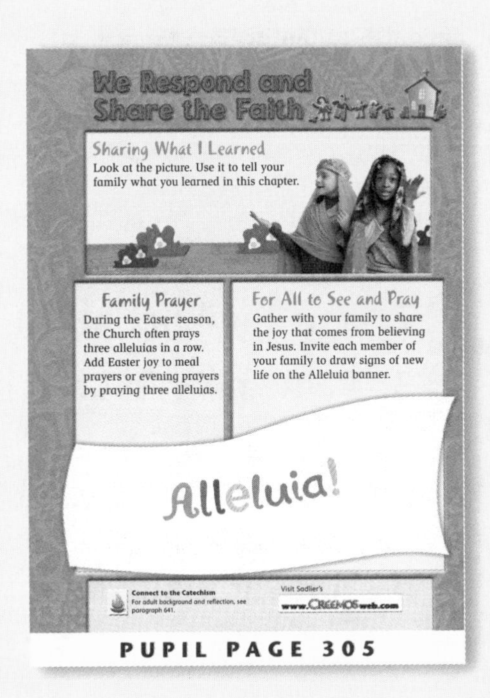
We Respond and Share the Faith

Sharing What I Learned
Look at the picture. Use it to tell your family what you learned in this chapter.

Family Prayer
During the Easter season, the Church often prays three alleluias in a row. Add Easter joy to meal prayers or evening prayers by praying three alleluias.

For All to See and Pray
Gather with your family to share the joy that comes from believing in Jesus. Invite each member of your family to draw signs of new life on the Alleluia banner.

Alleluia!

Connect to the Catechism
For adult background and reflection, see paragraph 641.

Visit Sadlier's
www.CREEMOSweb.com

PUPIL PAGE 305

Los Diez Mandamientos

1. Yo soy el Señor tu Dios: no tendrás más Dios fuera de mí.
2. No tomarás el nombre de Dios en vano.
3. Recuerda mantener santo el día del Señor.
4. Honra a tu padre y a tu madre.
5. No matarás.
6. No cometerás adulterio.
7. No robarás.
8. No darás falso testimonio en contra de tu prójimo.
9. No desearás la mujer de tu prójimo.
10. No codiciarás los bienes ajenos.

The Ten Commandments

1. I am the LORD your God: you shall not have strange gods before me.
2. You shall not take the name of the LORD your God in vain.
3. Remember to keep holy the LORD's Day.
4. Honor your father and your mother.
5. You shall not kill.
6. You shall not commit adultery.
7. You shall not steal.
8. You shall not bear false witness against your neighbor.
9. You shall not covet your neighbor's wife.
10. You shall not covet your neighbor's goods.

El sacerdote nos bendice.
El sacerdote o el diácono dice:
"Podéis ir en paz".

Respondemos:

"Demos gracias a Dios".

Nos vamos a vivir como
seguidores de Jesús.

Nos saludamos.

Nos ponemos de pie y cantamos.

Hacemos la señal de la cruz.

El sacerdote dice:
"El Señor esté con vosotros".

Respondemos:

"Y con tu espíritu".

Nos reunimos en nuestra parroquia.

Recordamos y celebramos lo que Jesús hizo y dijo en la última cena.

Cortar aquí.

Doblar aquí.

Pedimos perdón a Dios y a los demás.

Alabamos a Dios cantando:

“Gloria a Dios en el cielo, y paz en la tierra a los hombres”.

Después el sacerdote nos invita a compartir la Eucaristía. Al recibir el Cuerpo y la Sangre de Cristo respondemos:

“Amén”.

Mientras esto pasa cantamos un himno de acción de gracias.

Nos preparamos para recibir a Jesús. Juntos rezamos o cantamos el Padrenuestro. Después compartimos el saludo de la paz diciendo:

"La paz sea contigo".

Cortar aquí.

Doblar aquí.

La Liturgia de la Palabra

Escuchamos dos lecturas de la Biblia. Después de cada una, el lector dice: "Palabra de Dios". Respondemos:

"Te alabamos, Señor".

Después el sacerdote toma la copa de vino y dice:

"Tomad y bebed todos de él, porque este es el cáliz de mi Sangre ..."

Nos ponemos de pie para decir en voz alta lo que creemos como católicos. Después rezamos por la Iglesia y por todo el mundo. Después de cada petición respondemos:

"Señor, escucha nuestra oración".

Nos ponemos de pie y cantamos **aleluya**.

El sacerdote o el diácono lee el evangelio. Al terminar de leer dice: "Palabra del Señor".

Respondemos:

"Gloria a ti, Señor Jesús".

Doblar aquí.

Cortar aquí.

Cantamos o rezamos:

"Amén".

Creemos que Jesucristo está verdaderamente presente en la Eucaristía.

La Liturgia de la Eucaristía

Con el sacerdote preparamos el altar. Llevamos las ofrendas de pan y vino al altar. El sacerdote prepara esos regalos. Rezamos:

"Bendito seas por siempre, Señor".

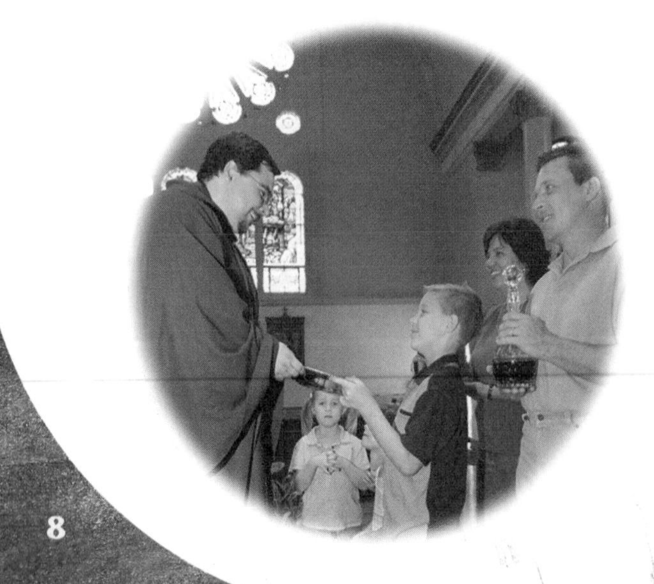

Después recordamos lo que Jesús hizo y dijo en la última cena. El sacerdote toma el pan y dice:
"Tomad y comed todos de él. Esto es mi Cuerpo que será entregado por vosotros".

My Mass Book

Fold on this line.

Cut on this line.

The priest blesses us.
The priest or deacon says,
"Go in peace to love and serve the Lord."
We say,
"Thanks be to God."
We go out to live as Jesus' followers.

We welcome one another.
We stand and sing.
We pray the Sign of the Cross.
The priest says,
"The Lord be with you."
We answer,
"And also with you."

We gather with our parish.
We remember and celebrate what Jesus said and did at the Last Supper.

Fold on this line.

Cut on this line.

We ask God and one another for forgiveness.
We praise God as we sing,

**"Glory to God in the highest,
and peace to his people
on earth."**

Then the priest invites us to share in the Eucharist.
As people receive the Body and Blood of Christ, they answer,

"**Amen.**"

While this is happening, we sing a song of thanks.

We get ready to receive Jesus. Together we pray or sing the Our Father. Then we share a sign of peace.
We say,
"Peace be with you."

Cut on this line.

Fold on this line.

The Liturgy of the Word

We listen to two readings from the Bible.
After each one, the reader says, "The word of the Lord."
We answer,
"Thanks be to God."

Then the priest takes the cup of wine.
He says,
"Take this, all of you, and drink from it: this is the cup of my blood. . . ."

We stand to say aloud what we believe as Catholics.
Then we pray for the Church and all people.
After each prayer we say,
"Lord, hear our prayer."

We stand and sing **Alleluia.**
The priest or deacon reads the gospel.
Then he says,
"The Gospel of the Lord."
We answer,
"Praise to you,
Lord Jesus Christ."

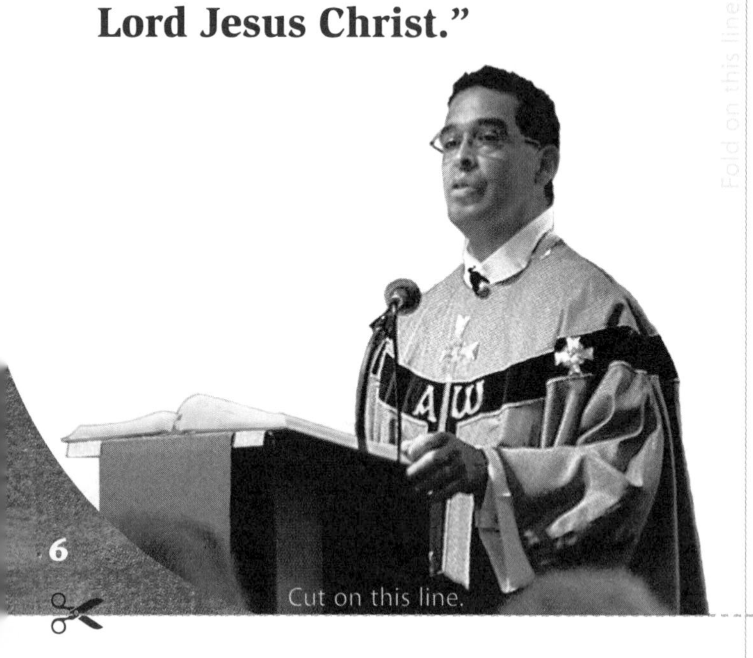

Cut on this line.

Fold on this line.

We sing or pray,

"Amen."

We believe Jesus Christ is really present in the Eucharist.

The Liturgy of the Eucharist

With the priest, we prepare the altar.
People bring gifts of bread and wine to the altar.
The priest prepares these gifts.
We pray,
"Blessed be God for ever."

Then we remember what Jesus said and did at the Last Supper.
The priest takes the bread.
He says,
"Take this, all of you, and eat it: this is my body which will be given up for you."

Oraciones

Señal de la Cruz
En el nombre del Padre, y del Hijo,
y del Espíritu Santo. Amén.

Gloria
Gloria al Padre, y al Hijo, y al
Espíritu Santo.

Como era en el principio, ahora y
siempre, por los siglos de los siglos.
Amén.

Oración para la mañana
Mi Dios, te ofrezco en este día
todo lo que piense, haga y diga,
unido a lo que en la tierra hizo
Jesucristo, tu Hijo.

Oración para la noche
Dios de amor, antes de dormir
quiero agradecerte este día lleno de
tu bondad y de tu gozo.
Cierro mis ojos y descanso
seguro de tu amor.

Oración antes de comer
Bendícenos Señor, y a estos dones
que vamos a recibir
de tu generosidad,
por Cristo nuestro Señor.
Amén.

Oración después de comer
Te damos gracias, Dios
todopoderoso, por este y todos los
dones que de ti hemos recibido,
por Cristo nuestro Señor. Amén.

Credo de los Apóstoles
Creo en Dios, Padre todopoderoso,
Creador del cielo y de la tierra.
Creo en Jesucristo, su único Hijo,
nuestro Señor,
que fue concebido por obra y gracia
del Espíritu Santo,
nació de santa María Virgen,
padeció bajo el poder de Poncio
Pilato, fue crucificado,
muerto y sepultado,
descendió a los infiernos,
al tercer día resucitó
de entre los muertos,
subió a los cielos
y está sentado a la derecha de Dios,
Padre todopoderoso.
Desde allí ha de venir a juzgar
a vivos y muertos.
Creo en el Espíritu Santo,
la santa Iglesia católica,
la comunión de los santos,
el perdón de los pecados,
la resurrección de la carne
y la vida eterna. Amén.

Prayers

Sign of the Cross

In the name of the Father,
and of the Son,
and of the Holy Spirit.
Amen.

Glory to the Father

Glory to the Father,
and to the Son,
and to the Holy Spirit:
as it was in the beginning,
is now, and will be forever.
Amen.

Morning Offering

My God, I offer you today
all that I think and do and say,
uniting it with what was done
on earth, by Jesus Christ,
your Son.

Evening Prayer

Dear God, before I sleep
I want to thank you for this day
so full of your kindness
and your joy.
I close my eyes to rest
safe in your loving care.

Grace Before Meals

Bless us, O Lord, and these your gifts
which we are about to receive
from your goodness.
Through Christ our Lord.
Amen.

Grace After Meals

We give you thanks,
almighty God,
for these and all your gifts,
which we have received,
through Christ our Lord.
Amen.

Apostles' Creed

I believe in God, the Father almighty,
creator of heaven and earth.

I believe in Jesus Christ,
his only Son, our Lord.
He was conceived by the power
of the Holy Spirit
and born of the Virgin Mary.
He suffered under Pontius Pilate,
was crucified, died, and
was buried.
He descended to the dead.
On the third day he rose again.
He ascended into heaven,
and is seated at the right hand
of the Father.
He will come again to judge
the living and the dead.

I believe in the Holy Spirit,
the holy catholic Church,
the communion of saints,
the forgiveness of sins,
the resurrection of the body,
and the life everlasting.
Amen.

Glosario

absolución (página 140) Dios perdona nuestros pecados por medio del sacerdote en el sacramento de la Reconciliación

Antiguo Testamento (página 92) la primera parte de la Biblia

apóstoles (página 28) doce hombres escogidos por Jesús para dirigir la Iglesia

asamblea (página 180) comunidad de personas que se reúne para celebrar la misa

Bautismo (página 52) sacramento que nos libera del pecado y nos da la gracia

Biblia (página 92) libro donde está escrita la palabra de Dios

católicos (página 40) miembros bautizados de la Iglesia, dirigidos y guiados por el papa y los obispos

conciencia (página 128) don de Dios que nos ayuda a saber lo que es bueno y lo que es malo

confesión (página 140) decir nuestros pecados al sacerdote en el sacramento de la Reconciliación

Confirmación (página 64) el sacramento que nos sella con el don del Espíritu Santo y nos fortalece

contrición (página 140) estar arrepentido de nuestros pecados y prometer no volver a pecar

culto (página 40) alabar y dar gracias a Dios

Diez Mandamientos (página 104) diez leyes especiales que Dios dio a su pueblo

diócesis (página 256) área de la Iglesia dirigida por un obispo

discípulos (página 28) los que siguen a Jesús

divino (página 16) palabra usada sólo para describir a Dios

Eucaristía (página 168) el sacramento del Cuerpo y la Sangre de Jesucristo

evangelios (página 92) los cuatro primeros libros del Nuevo Testamento que hablan de las enseñanzas y la vida de Jesús en la tierra

fe (página 40) don de Dios que nos ayuda a confiar y a creer en él

gracia (página 52) la vida de Dios en nosotros

Gran Mandamiento (página 104) enseñanza de Jesús sobre el amor a Dios y a los demás

homilía (página 192) palabras que el sacerdote o el diácono dice sobre las lecturas de la misa para ayudarnos a entenderlas y vivirlas

Iglesia (página 28) todos los bautizados en Cristo y que siguen sus enseñanzas

libre albedrío (página 116) el don de Dios que nos permite tomar decisiones

Liturgia de la Eucaristía (página 204) la parte de la misa en la que las ofrendas de pan y vino se convierten en el Cuerpo y la Sangre de Cristo

Liturgia de la Palabra (página 192) la primera parte de la misa en la que escuchamos la palabra de Dios

llamado por Dios (página 244) invitado por Dios a amarle y a servirle

mandamientos (página 104) leyes de Dios

misa (página 168) la celebración de la Eucaristía

misericordia (página 116) el amor y el perdón de Dios

nuevo mandamiento (página 292) el mandamiento de Jesús de amarnos unos a otros como él nos ama

Nuevo Testamento (página 92) la segunda parte de la Biblia

obispos (página 256) líderes de la Iglesia que continúan la misión de los apóstoles

orar (página 268) hablar y escuchar a Dios

oración eucarística (página 204) la oración más importante de la misa

papa (página 256) líder de toda la Iglesia que continúa la misión de San Pedro

párroco (página 256) sacerdote que dirige y sirve a una parroquia

parroquias (página 40) comunidades que rinden culto y trabajan juntas

pecado (página 116) pensamiento, palabra u obra que cometemos libremente aun cuando sabemos es malo

pecado mortal (página 116) pecado que rompe nuestra relación con Dios

pecado original (página 52) el primer pecado cometido por los primeros humanos desobedeciendo a Dios

pecado venial (página 116) pecado que daña nuestra relación con Dios

Penitencia y Reconciliación (página 128) el sacramento en que recibimos y celebramos el perdón de Dios por nuestros pecados

penitencia (página 140) oración u obra que el sacerdote nos pide hacer para reparar nuestros pecados

procesión (página 280) caminata de oración

resurrección (página 28) Jesús vive después de la muerte

sacramento (página 40) signo especial dado por Jesús

sagrada comunión (página 168) recibir el Cuerpo y la Sangre de Cristo

sagrada familia (página 16) la familia de Jesús, María y José

salmo (página 192) canto de alabanza de la Biblia

Santísima Trinidad (página 16) tres Personas en un solo Dios

Santísimo Sacramento (página 216) otro nombre para la Eucaristía

santos (página 280) todos los miembros de la Iglesia que han muerto y están felices con Dios en el cielo para siempre

tabernáculo (página 216) lugar especial en la iglesia en donde se mantiene el Santísimo Sacramento

Templo (página 268) lugar santo en Jerusalén donde el pueblo judío rendía culto a Dios

ultima cena (página 168) la comida que Jesús compartió con sus discípulos la noche antes de morir

unción con aceite (página 64) hacer la cruz con aceite en la frente de la persona durante la Confirmación

Glossary

absolution (page 141) God's forgiveness of our sins by the priest in the sacrament of Reconciliation

anointing with oil (page 65) tracing a cross on the person's forehead with oil during Confirmation

apostles (page 29) the twelve men chosen by Jesus to be the leaders of his disciples

assembly (page 181) the community of people who join together for the celebration of the Mass

Baptism (page 53) the sacrament in which we are freed from sin and given grace

Bible (page 93) the book in which God's word is written

bishops (page 257) leaders of the Church who carry on the work of the apostles

Blessed Sacrament (page 217) another name for the Eucharist

Blessed Trinity (page 17) the three Persons in one God

called by God (page 245) invited by God to love and serve him

Catholics (page 41) baptized members of the Church, led and guided by the pope and bishops

Church (page 29) all the people who are baptized in Jesus Christ and follow his teachings

commandments (page 105) God's laws

confession (page 141) telling our sins to the priest in the sacrament of Reconciliation

Confirmation (page 65) the sacrament that seals us with the Gift of the Holy Spirit and strengthens us

conscience (page 129) God's gift that helps us to know right from wrong

contrition (page 141) being sorry for our sins and promising not to sin again

diocese (page 257) an area of the Church led by a bishop

disciples (page 29) those who follow Jesus

divine (page 17) a word used to describe God

Eucharist (page 169) the sacrament of the Body and Blood of Jesus Christ

eucharistic prayer (page 205) the most important prayer of the Mass

faith (page 41) a gift from God that helps us to trust God and believe in him

free will (page 117) God's gift to us that allows us to make choices

gospels (page 93) four of the books in the New Testament that are about Jesus' teachings and his life on earth

grace (page 53) God's life in us

Great Commandment (page 105) Jesus' teaching to love God and others

Holy Communion (page 169) receiving the Body and Blood of Christ

Holy Family (page 17) the family of Jesus, Mary, and Joseph

homily (page 193) the talk given by the priest or deacon at Mass that helps us understand the readings and how we are to live

Last Supper (page 169) the meal Jesus shared with his disciples on the night before he died

Liturgy of the Eucharist (page 205) the second main part of the Mass in which the gifts of bread and wine become the Body and Blood of Christ

Liturgy of the Word (page 193) the first main part of the Mass when we listen to God's word

Mass (page 169) the celebration of the Eucharist

mercy (page 117) God's love and forgiveness

mortal sins (page 117) sins that break our friendship with God

new commandment (page 293) Jesus' commandment to love one another as he has loved us

New Testament (page 93) the second part of the Bible

Old Testament (page 93) the first part of the Bible

original sin (page 53) the first man and woman disobeyed God; the first sin

parishes (page 41) communities that worship and work together

pastor (page 257) the priest who leads and serves the parish

a penance (page 141) a prayer or a kind act we do to make up for our sins

Penance and Reconciliation (page 129) the sacrament in which we receive and celebrate God's forgiveness of our sins

pope (page 257) the leader of the Church who continues the work of Saint Peter

prayer (page 269) talking and listening to God

procession (page 281) a prayer walk

psalm (page 193) a song of praise from the Bible

Resurrection (page 29) Jesus' rising from the dead

sacrament (page 41) a special sign given to us by Jesus

saints (page 281) all the members of the Church who have died and are happy with God forever in heaven

sin (page 117) a thought, word, or act that we freely choose to commit even though we know that it is wrong

tabernacle (page 217) the special place in the church in which the Blessed Sacrament is kept

Temple (page 269) the holy place in Jerusalem where the Jewish people worshiped God

Ten Commandments (page 105) ten special laws God gave to his people

venial sins (page 117) sins that hurt our friendship with God

worship (page 41) to give God thanks and praise

Nombre ______________________________

Colorea el círculo al lado de la respuesta correcta.

1. A Jesús, María y José se les llama la _____.

○ Trinidad ○ Sagrada Familia ○ Iglesia

2. La vida de Dios que recibimos en el Bautismo, se llama _____.

○ cruz ○ gracia ○ santidad

3. La Iglesia celebra con signos especiales llamados _____.

○ gracia ○ apóstoles ○ sacramentos

4. La Confirmación nos llama a _____.

○ vivir nuestra fe ○ ser egoísta ○ ser tranquilo

5. Dios el Padre envió a su Hijo, Jesús, para estar con nosotros.

○ Sí ○ No

6. Hay diez sacramentos.

○ Sí ○ No

7. Jesús prometió enviar el Espíritu Santo a sus seguidores.

○ Sí ○ No

8. En Navidad celebramos la venida del Espíritu Santo.

○ Sí ○ No

PRUEBA OPCIONAL

Nombre ____________________

Encierra en un círculo azul las palabras acerca del bautismo. Encierra en un círculo rojo las palabras acerca de la confirmación.

agua

obispo

hacerse miembro de la Iglesia

pila bautismal

perdona el pecado original

imposición de las manos

sellados con el don del Espíritu Santo

Elige uno de estos proyectos. Haz tu trabajo en una hoja de papel.

- Imagina que eres Pedro u otro de los discípulos de Jesús. Escribe una carta a tu casa. Cuéntale a tu familia las cosas que Jesús ha dicho y hecho.

- Haz un dibujo que muestre una forma en que Jesús ha compartido su amor. Habla acerca de tu dibujo.

Grade 2
Unit 1

Name ____________________

Fill in the circle next to the correct answer.

1. Jesus, Mary, and Joseph are called the ____.

○ Trinity ○ Holy Family ○ Church

2. At Baptism we receive God's life, called ____.

○ cross ○ grace ○ holy

3. The Church celebrates with special signs called ____.

○ grace ○ apostles ○ sacraments

4. Confirmation calls us to ____.

○ live our faith ○ be selfish ○ be quiet

5. God the Father sent his Son, Jesus, to be with us.

○ Yes ○ No

6. There are ten sacraments.

○ Yes ○ No

7. Jesus promised to send the Holy Spirit to help his followers.

○ Yes ○ No

8. On Christmas we celebrate the coming of the Holy Spirit.

○ Yes ○ No

ALTERNATIVE ASSESSMENT

Name ____________________

Use a blue crayon to circle the words about Baptism. Use a red crayon to circle the words about Confirmation.

water

bishop

become a member of the Church

pool or font

original sin taken away

laying on of hands

sealed with the Gift of the Holy Spirit

Choose one of these projects. Do your work on a separate piece of paper.

- Imagine you are Peter or one of the other disciples of Jesus. Write a letter home. Tell your family about things Jesus has said and done.
- Draw a picture to show one way Jesus shared God's love. Talk about your picture.

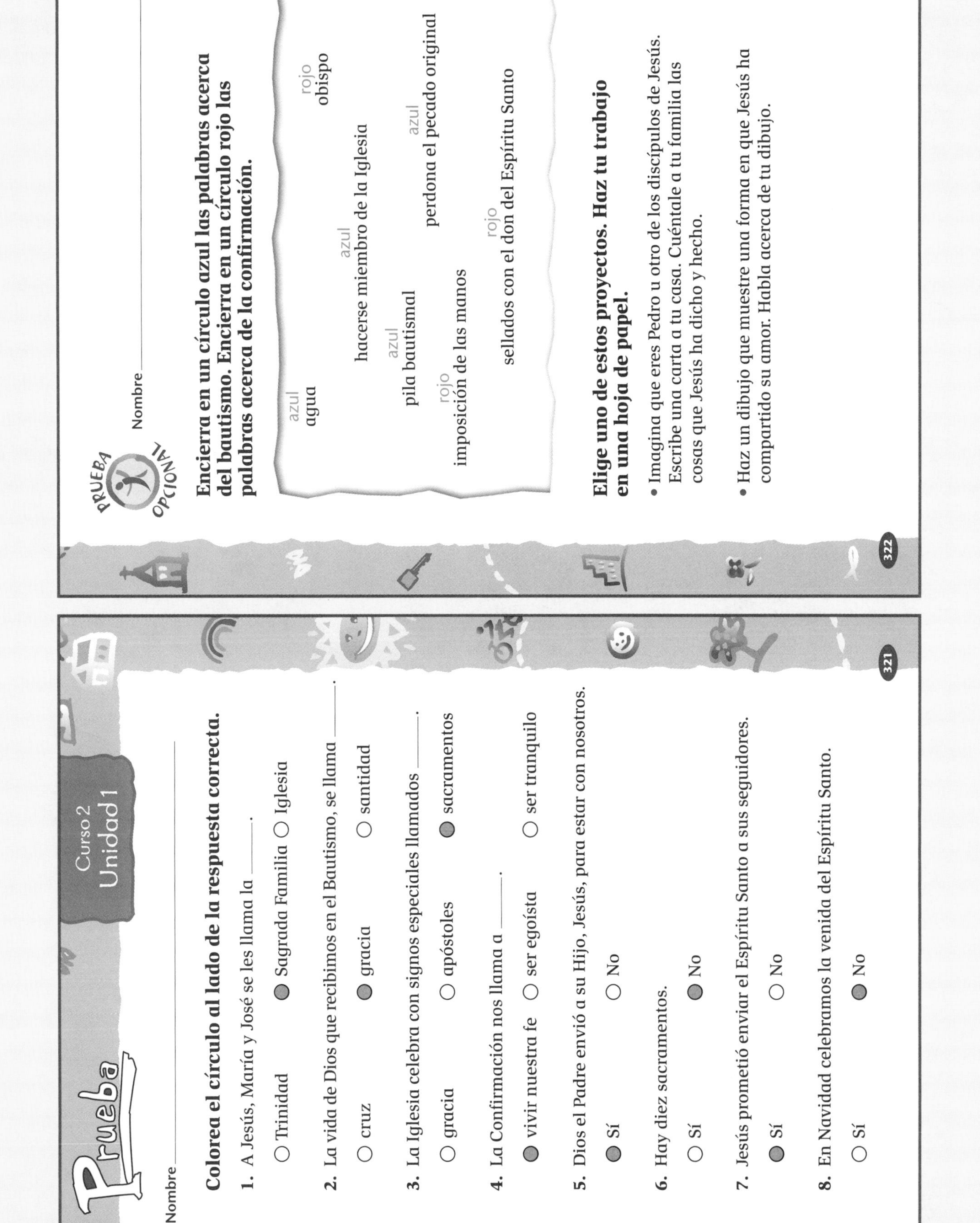

Prueba

Curso 2
Unidad 1

Nombre ____________________

Colorea el círculo al lado de la respuesta correcta.

1. A Jesús, María y José se les llama la ______.

○ Trinidad ● Sagrada Familia ○ Iglesia

2. La vida de Dios que recibimos en el Bautismo, se llama ______.

○ cruz ● gracia ○ santidad

3. La Iglesia celebra con signos especiales llamados ______.

○ gracia ○ apóstoles ● sacramentos

4. La Confirmación nos llama a ______.

● vivir nuestra fe ○ ser egoísta ○ ser tranquilo

5. Dios el Padre envió a su Hijo, Jesús, para estar con nosotros.

● Sí ○ No

6. Hay diez sacramentos.

○ Sí ● No

7. Jesús prometió enviar el Espíritu Santo a sus seguidores.

● Sí ○ No

8. En Navidad celebramos la venida del Espíritu Santo.

○ Sí ● No

321

Prueba Opcional

Nombre ____________________

Encierra en un círculo azul las palabras acerca del bautismo. Encierra en un círculo rojo las palabras acerca de la confirmación.

azul agua

rojo obispo

azul hacerse miembro de la Iglesia

azul pila bautismal

azul perdona el pecado original

rojo imposición de las manos

rojo sellados con el don del Espíritu Santo

Elige uno de estos proyectos. Haz tu trabajo en una hoja de papel.

- Imagina que eres Pedro u otro de los discípulos de Jesús. Escribe una carta a tu casa. Cuéntale a tu familia las cosas que Jesús ha dicho y hecho.
- Haz un dibujo que muestre una forma en que Jesús ha compartido su amor. Habla acerca de tu dibujo.

322

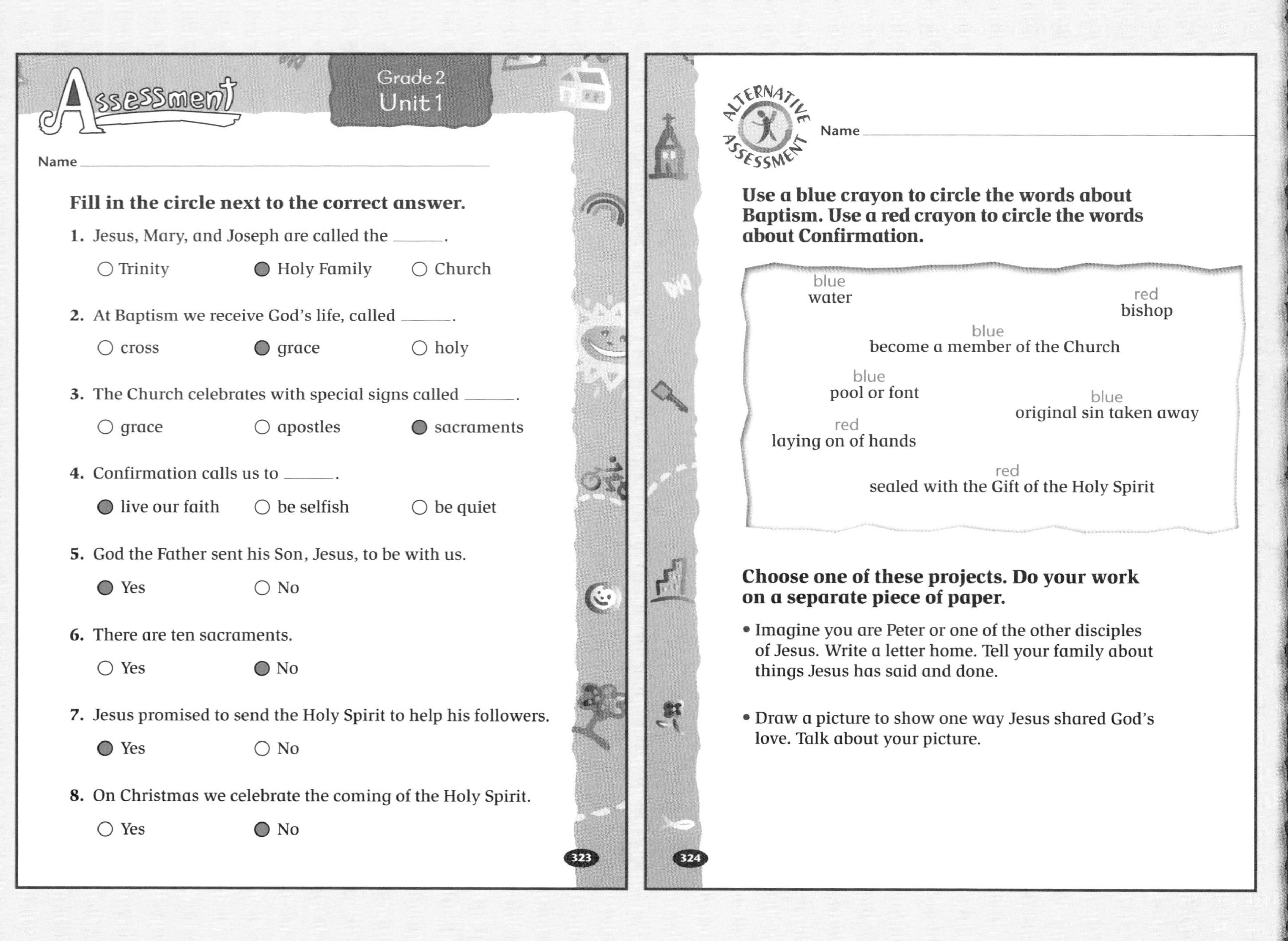

Assessment

Grade 2
Unit 1

Name ______________________

Fill in the circle next to the correct answer.

1. Jesus, Mary, and Joseph are called the ______.

   ○ Trinity ● Holy Family ○ Church

2. At Baptism we receive God's life, called ______.

   ○ cross ● grace ○ holy

3. The Church celebrates with special signs called ______.

   ○ grace ○ apostles ● sacraments

4. Confirmation calls us to ______.

   ● live our faith ○ be selfish ○ be quiet

5. God the Father sent his Son, Jesus, to be with us.

   ● Yes ○ No

6. There are ten sacraments.

   ○ Yes ● No

7. Jesus promised to send the Holy Spirit to help his followers.

   ● Yes ○ No

8. On Christmas we celebrate the coming of the Holy Spirit.

   ○ Yes ● No

323

Alternative Assessment

Name ______________________

Use a blue crayon to circle the words about Baptism. Use a red crayon to circle the words about Confirmation.

blue
water

red
bishop

blue
become a member of the Church

blue
pool or font

blue
original sin taken away

red
laying on of hands

red
sealed with the Gift of the Holy Spirit

Choose one of these projects. Do your work on a separate piece of paper.

- Imagine you are Peter or one of the other disciples of Jesus. Write a letter home. Tell your family about things Jesus has said and done.

- Draw a picture to show one way Jesus shared God's love. Talk about your picture.

324

Nombre ______________________________

Encierra en un círculo la letra al lado de la respuesta correcta.

1. Dios ______ nos perdona si estamos arrepentidos.

a. algunas veces **b.** nunca **c.** siempre

2. ______ es el perdón de Dios de nuestros pecados por medio del sacerdote en el sacramento de la Reconciliación.

a. Absolución **b.** Celebración **c.** Contrición

3. El regalo de Dios que nos permite tomar decisiones es ______.

a. la penitencia **b.** el libre albedrío **c.** la misericordia

4. El ______ Testamento es la parte de la Biblia sobre Jesús y el comienzo de la Iglesia.

a. Nuevo **b.** Antiguo **c.** libre

Traza una línea para unir las partes de la oración.

5. Un acto de contrición •	• nos ayuda a conocer lo bueno y lo malo.
6. El Gran Mandamiento •	• es una oración de arrepentimiento.
7. El don de la conciencia •	• es la enseñanza de Jesús de amar a Dios y a los demás.

8–10. Menciona tres cosas que has aprendido sobre los Diez Mandamientos.

PRUEBA OPCIONAL

Nombre ______________________________

Mira las dos ilustraciones. Escribe dos cosas diferentes que cada niño puede escoger hacer.

El niño podría escoger

____

____

____

______________________________.

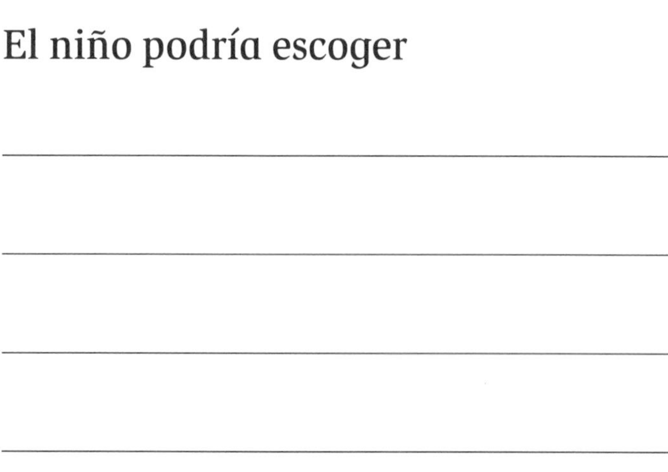

El niño podría escoger

____

____

____

______________________________.

Encierra en un círculo lo que a Jesús le gustaría que el niño escogiera.

Escoge uno de estos proyectos. Haz tu trabajo en una hoja de papel.

- Con tus propias palabras escribe un acto de contrición.
- Haz un cartel que muestre lo que has aprendido acerca de la Biblia.

Name ______________________________

Circle the letter beside the correct answer.

1. God will _____ forgive us if we are sorry.

   a. sometimes **b.** never **c.** always

2. _____ is God's forgiveness of our sins by the priest in the sacrament of Reconciliation.

   a. Absolution **b.** Celebration **c.** Contrition

3. God's gift that allows us to make choices is _____.

   a. penance **b.** free will **c.** mercy

4. The _____ Testament is the part of the Bible about Jesus and the beginning of the Church.

   a. New **b.** Old **c.** Free

Draw a line to match the sentence parts.

5. An act of contrition •	• helps us to know right from wrong.
6. The Great Commandment •	• is a prayer of sorrow.
7. God's gift of conscience •	• is Jesus' teaching to love God and others.

8–10. Tell three things you have learned about the Ten Commandments.

ALTERNATIVE ASSESSMENT

Name ____________________

Look at the two pictures. Write two different things that each child can choose to do.

The child could choose to

____

____

____

____________________.

The child could choose to

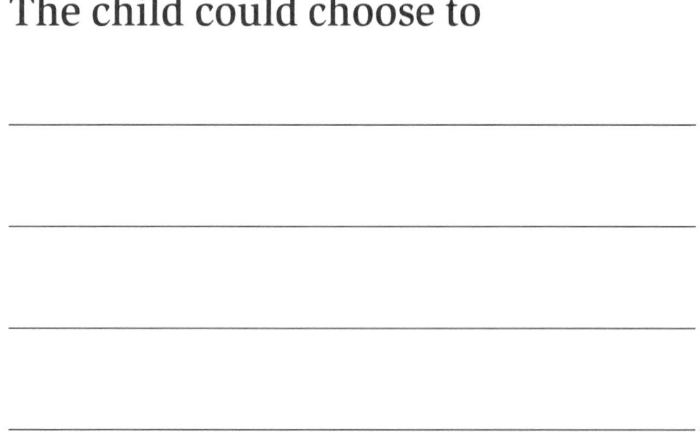

____

____

____

____________________.

Circle the choice Jesus would want each child to make.

Choose one of these projects. Do your work on a separate piece of paper.

- Use your own words to write an act of contrition.
- Make a poster to show what you have learned about the Bible.

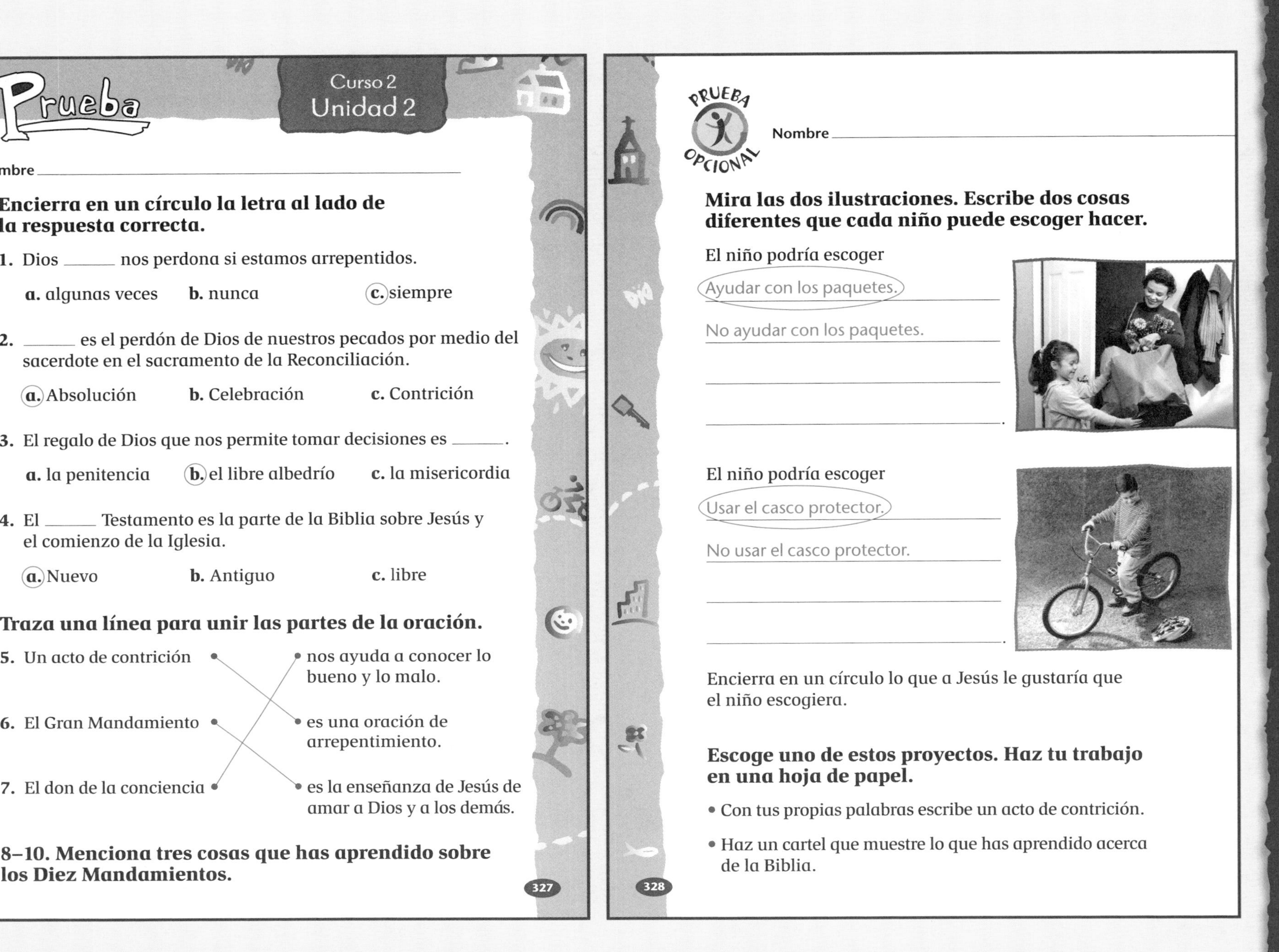

Prueba

Curso 2
Unidad 2

Nombre ______

Encierra en un círculo la letra al lado de la respuesta correcta.

1. Dios ______ nos perdona si estamos arrepentidos.

   a. algunas veces **b.** nunca **(c.)** siempre

2. ______ es el perdón de Dios de nuestros pecados por medio del sacerdote en el sacramento de la Reconciliación.

   (a.) Absolución **b.** Celebración **c.** Contrición

3. El regalo de Dios que nos permite tomar decisiones es ______.

   a. la penitencia **(b.)** el libre albedrío **c.** la misericordia

4. El ______ Testamento es la parte de la Biblia sobre Jesús y el comienzo de la Iglesia.

   (a.) Nuevo **b.** Antiguo **c.** libre

Traza una línea para unir las partes de la oración.

5. Un acto de contrición • — • nos ayuda a conocer lo bueno y lo malo.
6. El Gran Mandamiento • — • es una oración de arrepentimiento.
7. El don de la conciencia • — • es la enseñanza de Jesús de amar a Dios y a los demás.

8–10. Menciona tres cosas que has aprendido sobre los Diez Mandamientos.

327

PRUEBA OPCIONAL

Nombre ______

Mira las dos ilustraciones. Escribe dos cosas diferentes que cada niño puede escoger hacer.

El niño podría escoger

(Ayudar con los paquetes.)

No ayudar con los paquetes.

______

______.

El niño podría escoger

(Usar el casco protector.)

No usar el casco protector.

______

______.

Encierra en un círculo lo que a Jesús le gustaría que el niño escogiera.

Escoge uno de estos proyectos. Haz tu trabajo en una hoja de papel.

- Con tus propias palabras escribe un acto de contrición.
- Haz un cartel que muestre lo que has aprendido acerca de la Biblia.

328

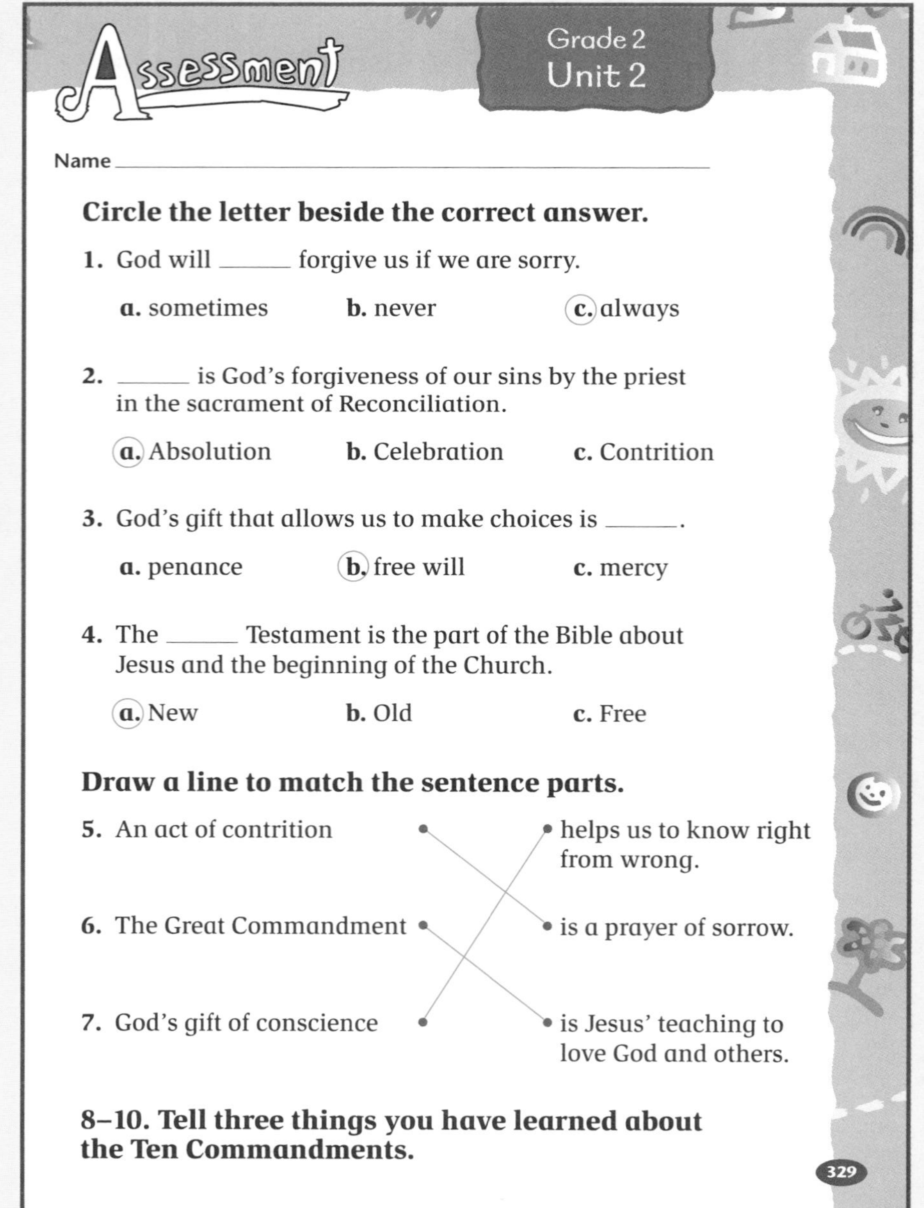

Assessment

Grade 2
Unit 2

Name ____________

Circle the letter beside the correct answer.

1. God will ____ forgive us if we are sorry.

   a. sometimes **b.** never **c.** always

2. ____ is God's forgiveness of our sins by the priest in the sacrament of Reconciliation.

   a. Absolution **b.** Celebration **c.** Contrition

3. God's gift that allows us to make choices is ____.

   a. penance **b.** free will **c.** mercy

4. The ____ Testament is the part of the Bible about Jesus and the beginning of the Church.

   a. New **b.** Old **c.** Free

Draw a line to match the sentence parts.

5. An act of contrition • • helps us to know right from wrong.
6. The Great Commandment • • is a prayer of sorrow.
7. God's gift of conscience • • is Jesus' teaching to love God and others.

8–10. Tell three things you have learned about the Ten Commandments.

329

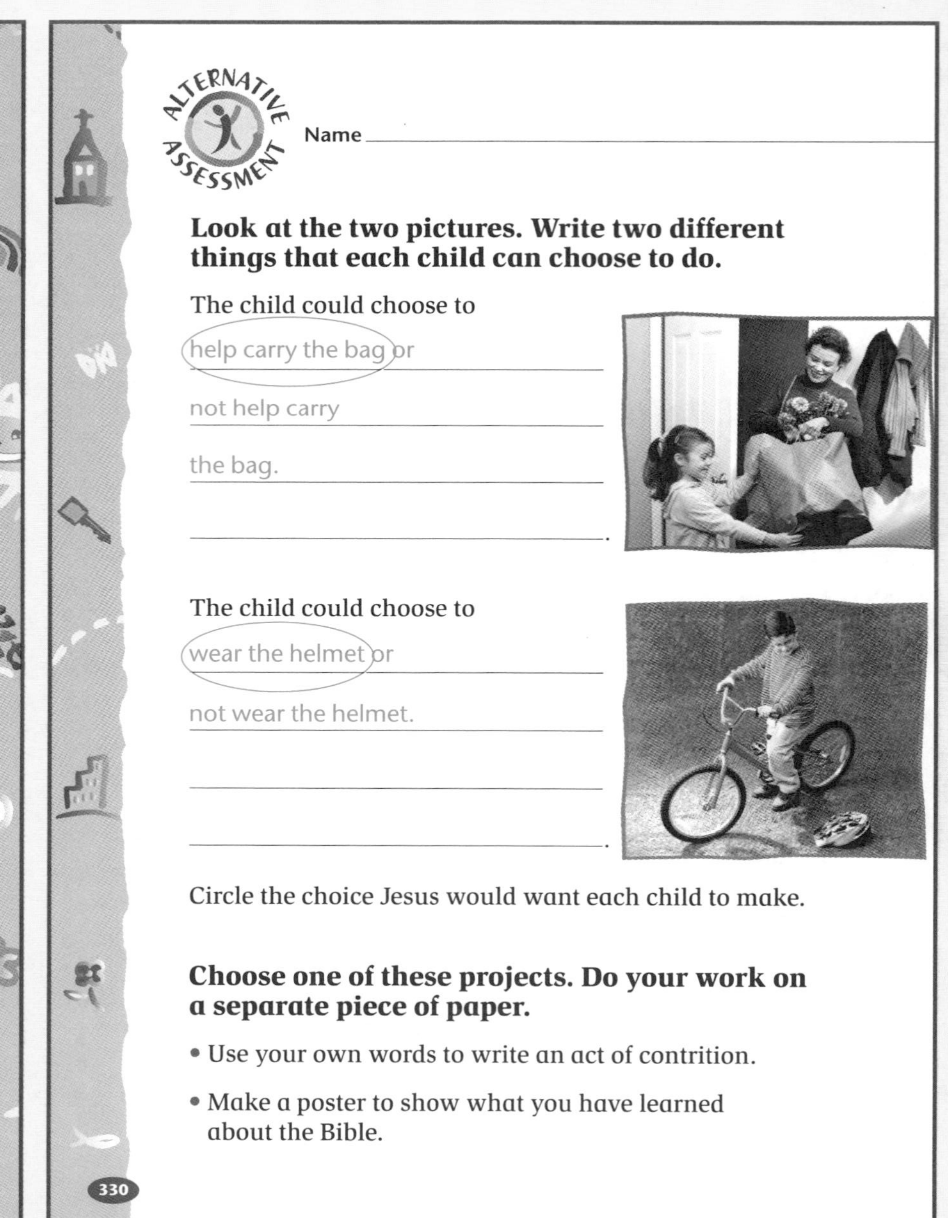

Alternative Assessment

Name ____________

Look at the two pictures. Write two different things that each child can choose to do.

The child could choose to

help carry the bag or

not help carry

the bag.

____________.

The child could choose to

wear the helmet or

not wear the helmet.

____________.

Circle the choice Jesus would want each child to make.

Choose one of these projects. Do your work on a separate piece of paper.

- Use your own words to write an act of contrition.
- Make a poster to show what you have learned about the Bible.

330

Prueba

Curso 2
Unidad 3

Nombre ____________________

Encierra en un círculo la respuesta correcta.

1. En la Eucaristía celebramos lo que Jesús hizo ______.

   en la última cena   durante la Cuaresma

2. La primera lectura de la misa es una historia del ______.

   Antiguo Testamento   Nuevo Testamento

3. Recibimos el Cuerpo y la Sangre de Cristo en la ______.

   homilía   Sagrada Comunión

4. Nos reunimos como comunidad para celebrar la misa.

   Sí   No

5. Jesús está presente en el Santísimo Sacramento.

   Sí   No

6. La misa es solamente una comida.

   Sí   No

7–8. Menciona dos formas en que los primeros cristianos amaron y sirvieron a los demás.

____

____

PRUEBA OPCIONAL

Nombre ____

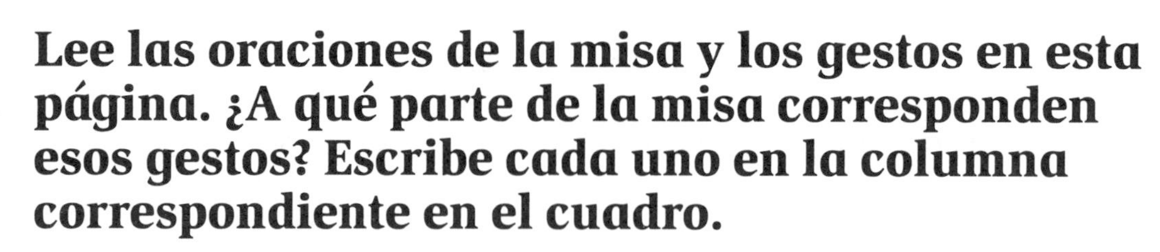

Lee las oraciones de la misa y los gestos en esta página. ¿A qué parte de la misa corresponden esos gestos? Escribe cada uno en la columna correspondiente en el cuadro.

Proclamación del evangelio

oración eucarística

preparación de las ofrendas de pan y vino

respuesta al salmo

saludo de paz

el credo

Cordero de Dios

escuchar el evangelio

recibir la comunión

oración de los fieles

Liturgia de la Palabra	Liturgia de la Eucaristía
______________________	______________________
______________________	______________________
______________________	______________________
______________________	______________________
______________________	______________________
______________________	______________________

Assessment

Grade 2
Unit 3

Name ____

Circle the correct answer.

1. In the Eucharist we celebrate what Jesus did ______.

at the Last Supper   during Lent

2. The first reading of the Mass is a story from the ______.

Old Testament   New Testament

3. We receive the Body and Blood of Christ in ______.

the homily   Holy Communion

4. At the beginning of the Mass, we gather as a community.

Yes   No

5. Jesus is present in the Blessed Sacrament.

Yes   No

6. The Mass is only a meal.

Yes   No

7–8. Name two ways the early Christians loved and served others.

____

____

Name ____________________

Read the prayers and actions of the Mass below. In what part of the Mass does each belong? Write each in the correct column of the chart.

proclaim the gospel

eucharistic prayer

prepare the gifts of bread and wine

psalm response

sign of peace

the creed

Lamb of God

listen to the homily

receive Holy Communion

prayer of the faithful

Liturgy of the Word	Liturgy of the Eucharist

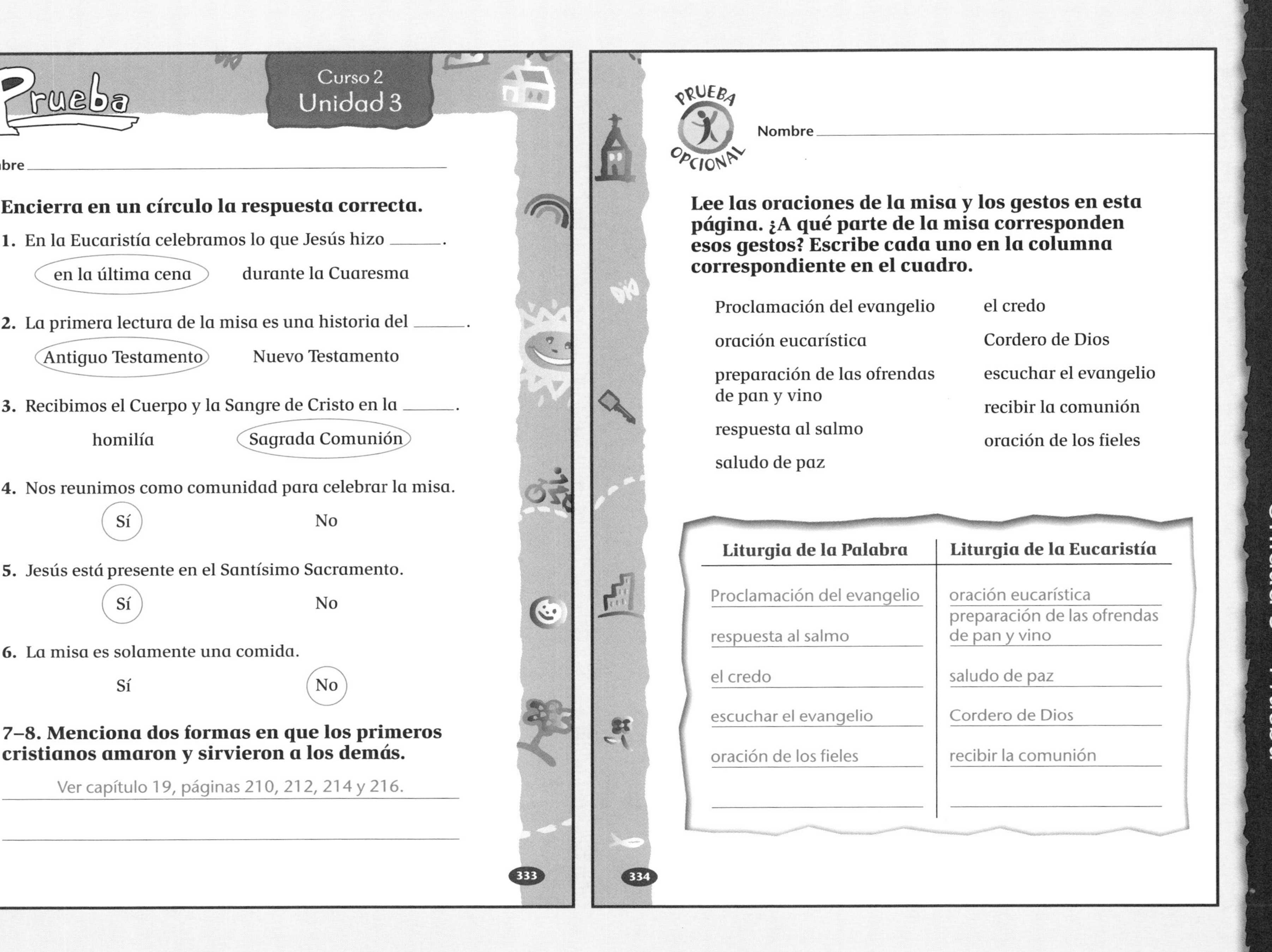

Prueba

Curso 2
Unidad 3

Nombre ____________________

Encierra en un círculo la respuesta correcta.

1. En la Eucaristía celebramos lo que Jesús hizo ______.
   (en la última cena) durante la Cuaresma
2. La primera lectura de la misa es una historia del ______.
   (Antiguo Testamento) Nuevo Testamento
3. Recibimos el Cuerpo y la Sangre de Cristo en la ______.
   homilía (Sagrada Comunión)
4. Nos reunimos como comunidad para celebrar la misa.
   (Sí) No
5. Jesús está presente en el Santísimo Sacramento.
   (Sí) No
6. La misa es solamente una comida.
   Sí (No)

7–8. Menciona dos formas en que los primeros cristianos amaron y sirvieron a los demás.

Ver capítulo 19, páginas 210, 212, 214 y 216.

333

PRUEBA OPCIONAL

Nombre ____________________

Lee las oraciones de la misa y los gestos en esta página. ¿A qué parte de la misa corresponden esos gestos? Escribe cada uno en la columna correspondiente en el cuadro.

Proclamación del evangelio
oración eucarística
preparación de las ofrendas de pan y vino
respuesta al salmo
saludo de paz
el credo
Cordero de Dios
escuchar el evangelio
recibir la comunión
oración de los fieles

Liturgia de la Palabra	Liturgia de la Eucaristía
Proclamación del evangelio	oración eucarística
respuesta al salmo	preparación de las ofrendas de pan y vino
el credo	saludo de paz
escuchar el evangelio	Cordero de Dios
oración de los fieles	recibir la comunión

334

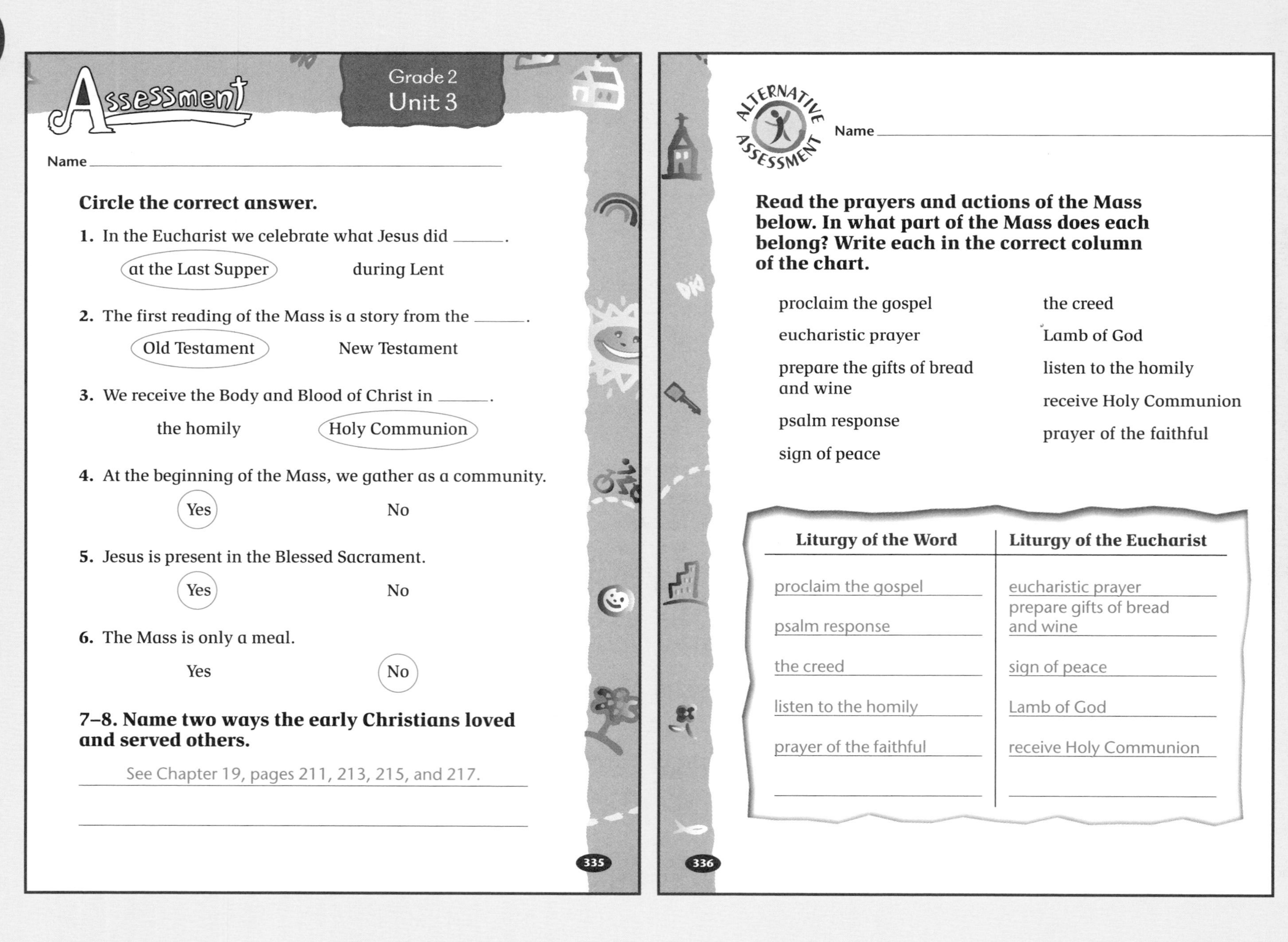

Assessment

Grade 2
Unit 3

Name ______

Circle the correct answer.

1. In the Eucharist we celebrate what Jesus did ______.

   (at the Last Supper) during Lent

2. The first reading of the Mass is a story from the ______.

   (Old Testament) New Testament

3. We receive the Body and Blood of Christ in ______.

   the homily (Holy Communion)

4. At the beginning of the Mass, we gather as a community.

   (Yes) No

5. Jesus is present in the Blessed Sacrament.

   (Yes) No

6. The Mass is only a meal.

   Yes (No)

7–8. Name two ways the early Christians loved and served others.

See Chapter 19, pages 211, 213, 215, and 217.

Alternative Assessment

Name ______

Read the prayers and actions of the Mass below. In what part of the Mass does each belong? Write each in the correct column of the chart.

- proclaim the gospel
- eucharistic prayer
- prepare the gifts of bread and wine
- psalm response
- sign of peace
- the creed
- Lamb of God
- listen to the homily
- receive Holy Communion
- prayer of the faithful

Liturgy of the Word	Liturgy of the Eucharist
proclaim the gospel	eucharistic prayer
psalm response	prepare gifts of bread and wine
the creed	sign of peace
listen to the homily	Lamb of God
prayer of the faithful	receive Holy Communion

Nombre ____________________

Colorea el círculo al lado de la respuesta correcta.

1. Una _____ es el área de la Iglesia dirigida por un obispo.

○ diócesis ○ parroquia ○ vecindario

2. _____ es hablar y escuchar a Dios.

○ Penitencia ○ Rezar ○ Templo

3. La más grande de los santos es _____.

○ María ○ Isabel ○ José

4. El Papa es el líder de toda la Iglesia.

○ Sí ○ No

5. El Padrenuestro es una oración en honor a María.

○ Sí ○ No

6. Los santos están felices con Dios en el cielo.

○ Sí ○ No

7–8. Escribe dos formas en que la Iglesia honra a María.

____

9–10. Escribe dos formas en que mostramos respeto por la creación de Dios.

____

PRUEBA OPCIONAL

Nombre ____________________

Completa el crucigrama.

Horizontales

2. todos los miembros de la Iglesia que han muerto y que están felices con Dios en el cielo para siempre
4. hablar y escuchar a Dios

Verticales

1. sacerdote que dirige y sirve a una parroquia
3. lugar santo en Jerusalén donde el pueblo judío rendía culto a Dios

Name ______________________________

Fill in the circle beside each correct answer.

1. A _____ is an area of the Church led by a bishop.

○ diocese ○ parish ○ neighborhood

2. _____ is talking and listening to God.

○ Penance ○ Prayer ○ Temple

3. The greatest saint is _____.

○ Mary ○ Elizabeth ○ Joseph

4. The pope is the leader of the whole Church.

○ Yes ○ No

5. The Our Father is a prayer to honor Mary.

○ Yes ○ No

6. The saints are happy with God in heaven.

○ Yes ○ No

7–8. Write two ways the Church honors Mary.

____

9–10. Write two ways that we show we respect God's creation.

____

ALTERNATIVE ASSESSMENT

Name ______________________________

Complete the crossword puzzle.

Across

1. talking and listening to God

2. members of the Church who have died and are happy with God forever in heaven

Down

1. the priest who leads and serves the parish

3. a holy place where Jewish people worship God

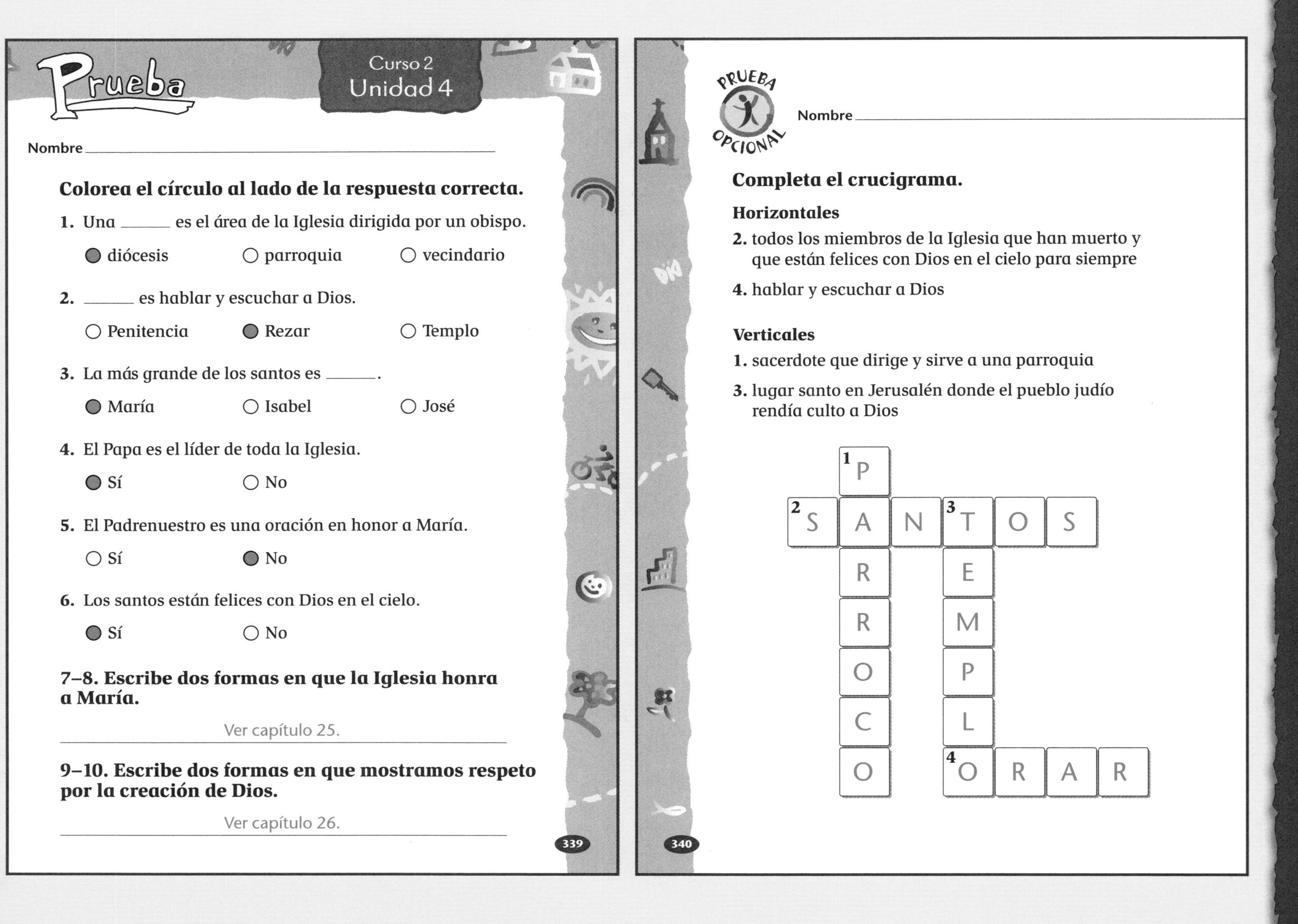

Prueba

Curso 2
Unidad 4

Nombre ____________________

Colorea el círculo al lado de la respuesta correcta.

1. Una ______ es el área de la Iglesia dirigida por un obispo.

● diócesis ○ parroquia ○ vecindario

2. ______ es hablar y escuchar a Dios.

○ Penitencia ● Rezar ○ Templo

3. La más grande de los santos es ______.

● María ○ Isabel ○ José

4. El Papa es el líder de toda la Iglesia.

● Sí ○ No

5. El Padrenuestro es una oración en honor a María.

○ Sí ● No

6. Los santos están felices con Dios en el cielo.

● Sí ○ No

7–8. Escribe dos formas en que la Iglesia honra a María.

Ver capítulo 25.

9–10. Escribe dos formas en que mostramos respeto por la creación de Dios.

Ver capítulo 26.

PRUEBA OPCIONAL

Nombre ____________________

Completa el crucigrama.

Horizontales

2. todos los miembros de la Iglesia que han muerto y que están felices con Dios en el cielo para siempre

4. hablar y escuchar a Dios

Verticales

1. sacerdote que dirige y sirve a una parroquia

3. lugar santo en Jerusalén donde el pueblo judío rendía culto a Dios

	1 P					
2 S	A	N	3 T	O	S	
	R		E			
	R		M			
	O		P			
	C		L			
	O		4 O	R	A	R

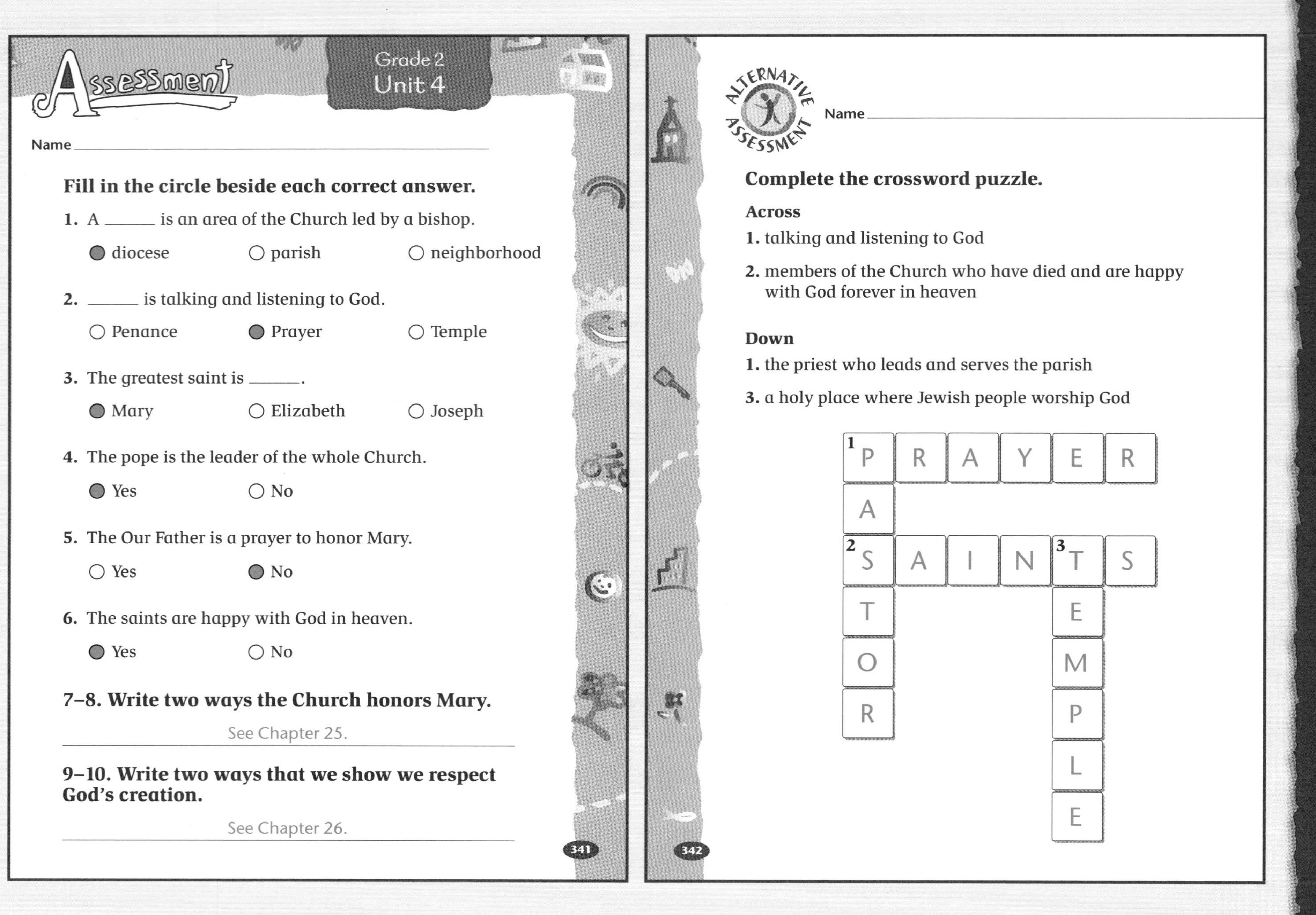

Assessment

Grade 2
Unit 4

Name ______

Fill in the circle beside each correct answer.

1. A ______ is an area of the Church led by a bishop.
   - ● diocese ○ parish ○ neighborhood
2. ______ is talking and listening to God.
   - ○ Penance ● Prayer ○ Temple
3. The greatest saint is ______.
   - ● Mary ○ Elizabeth ○ Joseph
4. The pope is the leader of the whole Church.
   - ● Yes ○ No
5. The Our Father is a prayer to honor Mary.
   - ○ Yes ● No
6. The saints are happy with God in heaven.
   - ● Yes ○ No

7–8. Write two ways the Church honors Mary.

See Chapter 25.

9–10. Write two ways that we show we respect God's creation.

See Chapter 26.

Alternative Assessment

Name ______

Complete the crossword puzzle.

Across

1. talking and listening to God
2. members of the Church who have died and are happy with God forever in heaven

Down

1. the priest who leads and serves the parish
3. a holy place where Jewish people worship God

1 P	R	A	Y	E	R
A					
2 S	A	I	N	3 T	S
T				E	
O				M	
R				P	
				L	
				E	

CAPÍTULO 1 CURSO 2

Nombre ____________________

Canten juntos la canción.

Dibuja algo que muestre lo que Jesús hizo.

Name ____________________

Sing the song together.

Draw pictures to show what Jesus did.

Luke 8:22–25

The Storm at Sea

("Twinkle, Twinkle")

One night on a boat at sea,
Jesus slept so peacefully.
Suddenly a great storm came,
Wind and waves and driving
rain.
Water poured into the boat.
It could no longer stay afloat!

Jesus' friends let out a cry,
"Jesus, help or we will die!"
Jesus spoke to winds and sea,
To the waves, "Be still," said he.
The friends of Jesus were
amazed
Because the wind and waves
obeyed.

Nombre ______________________________

Usa un color para llenar todos los espacios marcados con **X**.

Usa otro color para llenar los espacios marcados con **0**.

Name ______________________________

Use one color to fill in all the **X** spaces.
Use another color to fill in the **O** spaces.

Nombre ______________________________

Usa la clave para buscar las palabras que completen cada oración en esta página. Las oraciones dicen algo importante sobre nuestra Iglesia.

A	C	E	G	I	J	M	N	R	S	T	U	O
1	2	3	4	5	6	7	8	9	10	11	12	13

Nuestra Iglesia celebra siete

___ ___ ___ ___ ___ ___ ___ ___ ___ ___ ___.
10 1 2 9 1 7 3 8 11 13 10

Ellos son ___ ___ ___ ___ ___ ___ especiales
10 5 4 8 13 10

que ___ ___ ___ ___ ___ nos ha dado.
6 3 10 12 10

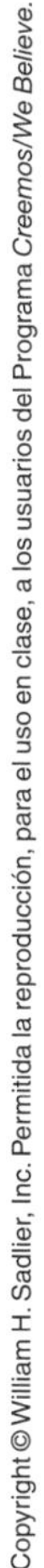

CHAPTER 3
GRADE 2

Name ____

Use this code to find the words to complete each sentence below. The sentences tell something important about our Church.

A	C	E	G	I	J	M	N	R	S	T	U
1	2	3	4	5	6	7	8	9	10	11	12

Our Church celebrates seven

___ ___ ___ ___ ___ ___ ___ ___ ___ ___.
10 1 2 9 1 7 3 8 11 10

They are special ___ ___ ___ ___ ___
10 5 4 8 10

given to us by ___ ___ ___ ___ ___.
6 3 10 12 10

Nombre ______________________________

Mi bautismo

Llena la información que hace falta.
Pide a tu familia que te ayude.

El día de mi bautismo fue ______________________

Mis padrinos son ______________________

____

El sacerdote que me bautizó fue

____

Fui bautizado en la iglesia

____

Algunas personas que lo celebraron conmigo fueron

____

____

____

Name ______________________________

My Baptism

Fill in the missing information.
Ask your family to help you.

My Baptism

The date of my Baptism was ______________________

My godparents are ______________________

____

The priest who baptized me was

____

The church where I was baptized was

____

Some people who celebrated with me were

____

____

____

Nombre ______________________________

Busca las palabras de la confirmación en el rompecabezas. Enciérralas en un círculo. Después usa la palabra correcta para completar la oración al final de la página.

ungido
sella
fuego
fuerte
aceite
obispo

La Confirmación es el sacramento que nos ______________ con los dones del Espíritu Santo.

Name ________________________________

Find Confirmation words in the puzzle. Circle them. Then use the correct word to complete the sentence at the bottom of the page.

anointing
seals
fire
strong
oil
bishop

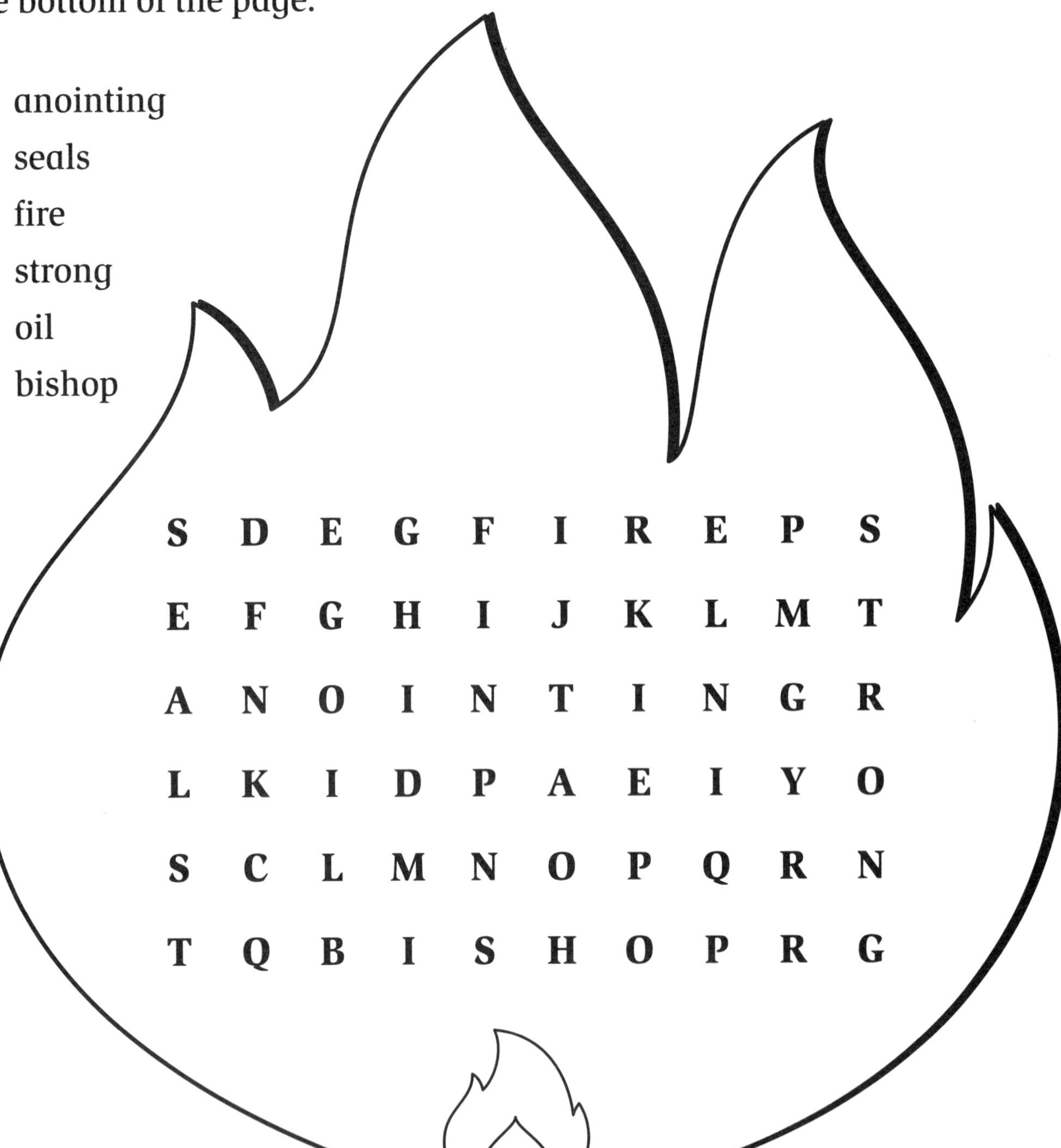

Confirmation is the sacrament that ______________ us with the Gift of the Holy Spirit.

Nombre ______________________________

1. Colorea los espacios de la rueda del año litúrgico.
2. Recorta la rueda y pégala a un cartón amarillo o gris.
3. Recorta la manecilla.
4. Usa un alfiler para sujetar la manecilla a la rueda.
5. Lleva la manecilla al tiempo litúrgico que estamos celebrando.

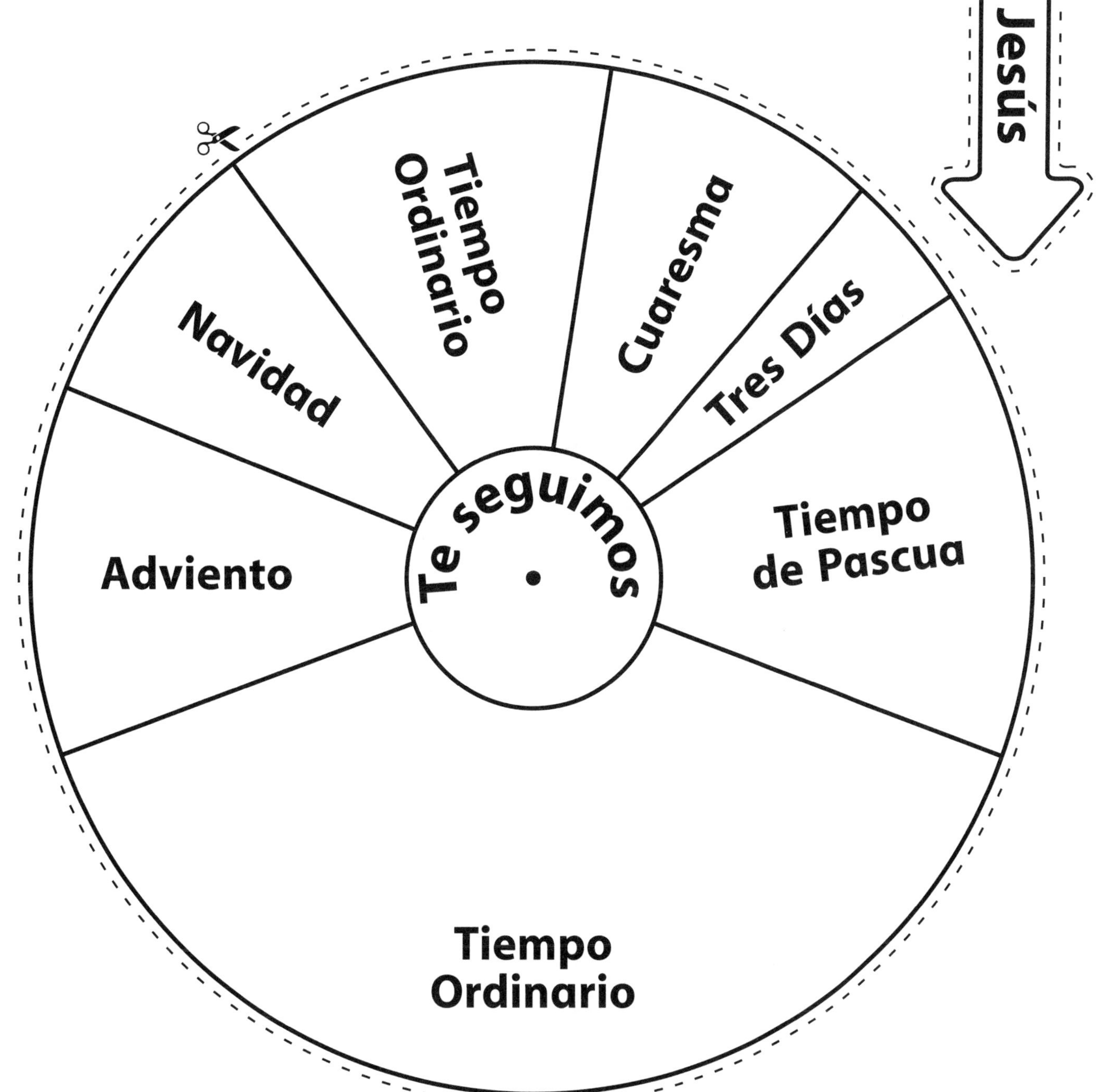

Name ______________________________

1. Color the spaces on the Church-year wheel.
2. Cut out the wheel and glue it to a piece of yellow or gray construction paper.
3. Cut out the pointer.
4. Use a paper fastener to attach the pointer to the wheel.
5. Move the pointer to the Church-year season we are celebrating now.

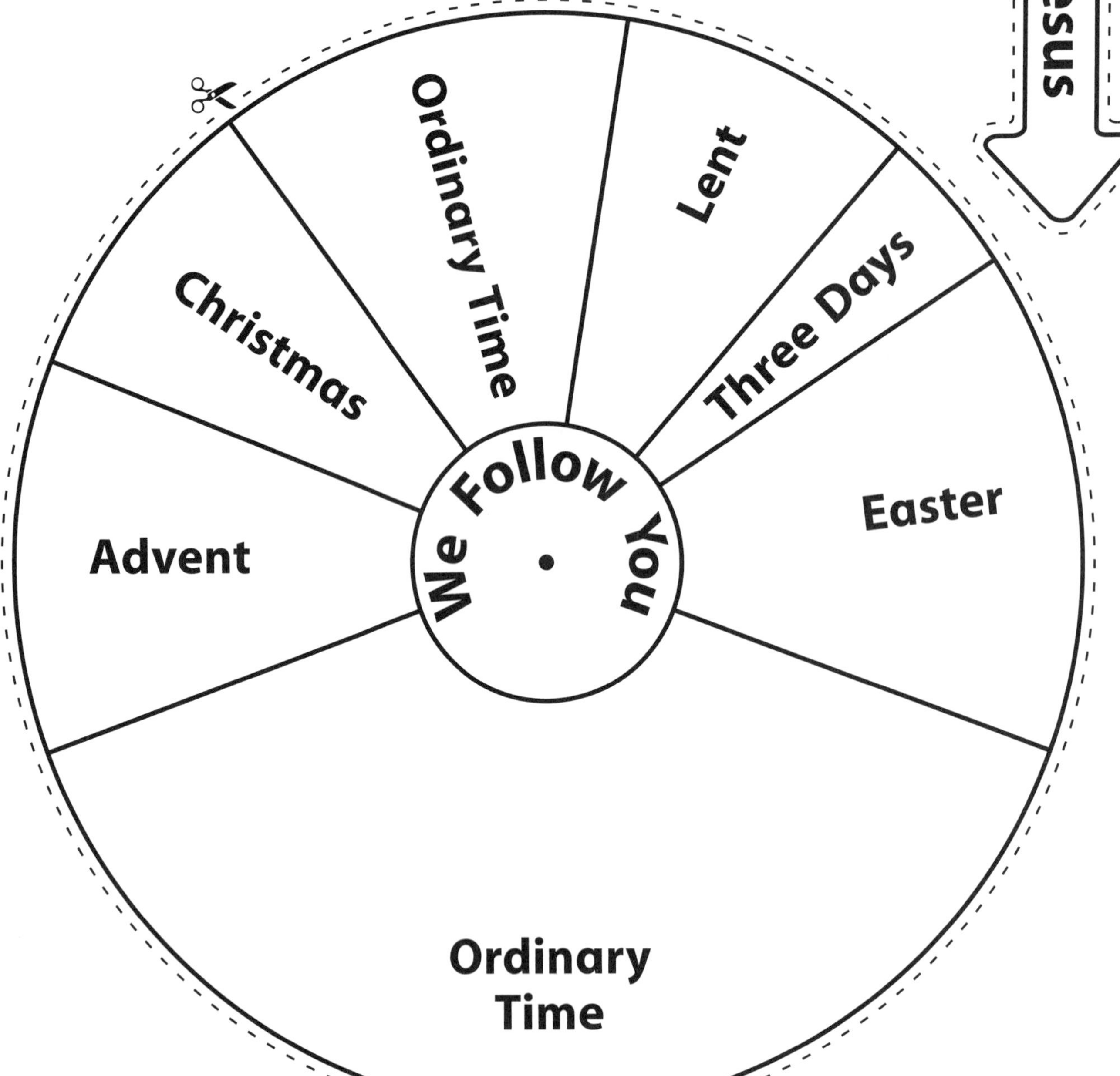

Nombre ____

Busca las letras escondidas en el dibujo. Ordena las letras para encontrar la palabra que completa la oración. Escribe la palabra en la línea de abajo. Colorea la escena del jardín.

Name ____

Find the letters hidden in the picture. Unscramble the letters to find the word that completes the prayer. Write the word on the line provided. Color the garden scene.

Nombre ______________________________

He aquí dos historias sobre algunos líderes que podemos leer en el Antiguo Testamento.

La historia de José

Lee conmigo

José creció en una familia numerosa. El tenía once hermanos, pero José era el favorito de su padre. Su padre le dio un manto de muchos colores.

Los hermanos de José le tenían envidia. Sentían tanta envidia que lo vendieron a unos comerciantes que pasaban por el camino. Esos hombres llevaron a José a Egipto, un país lejos de su casa.

Años mas tarde la familia de José sufría hambre. Los hermanos fueron a Egipto buscando que comer. José ayudó a su familia en Egipto. Perdonó a sus hermanos y les dio a ellos y a su padre comida y un lugar para vivir.

Atrás de la hoja, escribe o dibuja lo que recuerdas sobre José.

La historia de la reina Esther

Lee conmigo

Hace mucho tiempo una linda joven judía llamada Esther vivía en Persia. Esther fue escogida por el rey de Persia para ser su esposa.

Un día, el tío de la reina Esther llegó a verla. El le contó que uno de los siervos del rey había dicho mentiras sobre los judíos que vivían en el reino. El siervo quería que el rey matara a todos los judíos del país.

Esther tuvo miedo. Fue a ver al rey y le contó las mentiras de ese siervo y sobre el plan de matar a su pueblo. El rey le creyó a la reina. Esther salvó a todos los judíos que vivían en Persia.

Atrás de la hoja, escribe o dibuja lo que aprendiste sobre Esther.

Name ____

Here are stories about leaders we can read about in the Old Testament.

The Story of Joseph

Read Along

Joseph grew up in a large family. He had eleven brothers, but Joseph was his father's favorite. His father gave him a coat of many colors.

Joseph's brothers were jealous of Joseph. They were so jealous that they sold him to some passing merchants. These men took Joseph to Egypt, a country far from his home.

Many years later Joseph's family was starving, so his brothers went to Egypt looking for food. Joseph helped his family in Egypt. He forgave his brothers and gave his father and brothers food and a place to live.

On the back of the worksheet, write or draw what you remember about Joseph.

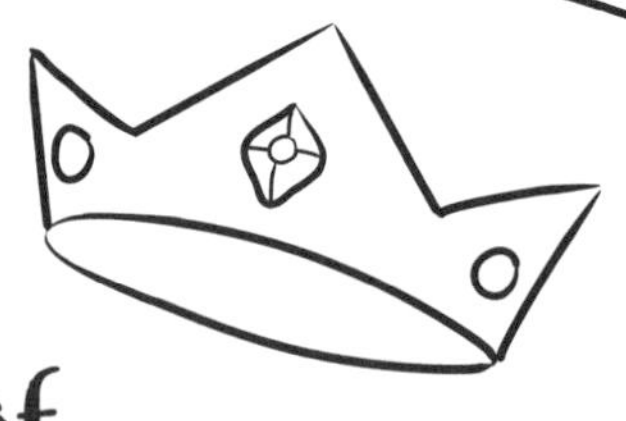

The Story of Queen Esther

Read Along

A beautiful young Jewish girl named Esther lived in the country of Persia a long time ago. Esther was chosen by the King of Persia to become his wife.

One day, Queen Esther's uncle came to see her. He told her that one of the king's servants had told lies about the Jews in the kingdom. The servant wanted the king to kill all the Jewish people in the country.

Esther was afraid. She went to the king and told him about the servant's lies and about the plan to kill her people. The king believed her. Esther had saved all the Jewish people living in Persia.

On the back of the worksheet, write or draw what you have learned about Esther.

CAPITULO 9 CURSO 2

Nombre ______________________________

Resuelve el rompecabezas. Usa las palabras del cuadro y las oraciones incompletas como pistas.

Gran	felices	domingo	verdad	alabamos

Horizontales

3. Jesús nos enseñó el ______ Mandamiento.

5. Vamos a la parroquia para la misa el ______ o el sábado en la tarde.

Verticales

1. Mostramos respeto por los demás cuando decimos la ______.

2. Cuando ______ a Dios, le mostramos nuestro amor.

4. Mostramos nuestro amor a Dios y a los demás cuando estamos ______ y agradecidos por nuestra familia y amigos.

Name ____

Solve the puzzle. Use the words in the box and the incomplete sentences as clues.

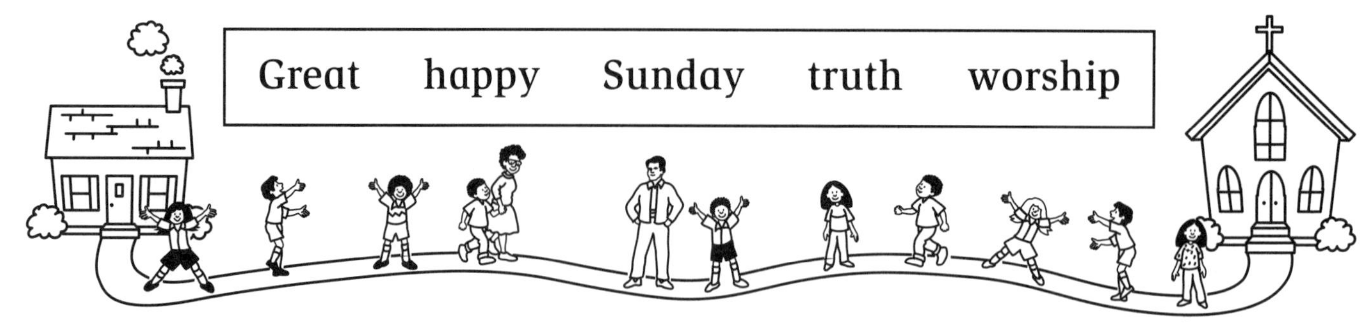

Across

1. Jesus taught us the ______ Commandment.

4. We join our parish for Mass on ______ or Saturday evening.

5. When we ______ God, we show him our love.

Down

2. We show respect for others when we tell the ______.

3. We show our love for God and others when we are ______ and thankful for our family and friends.

1 2 3 4 5

Nombre ______________________________

Lee las siguientes historias. Encierra en un círculo la decisión amorosa que cada niño puede tomar.

Marisela está viendo su programa de televisión favorito. Sus papás están ocupados pintando la cocina. Cuando el teléfono empieza a sonar, Marisela puede escoger:

- responder el teléfono por sus papás
- seguir viendo televisión y dejar que sus papás dejen de pintar para responder al teléfono.

Jaime está en la tienda con su papá. El está viendo un juego de carreras que realmente le gusta. Jaime señala el juego a su papá. Su papá le dice: "No podemos jugar ahora. No tengo suficiente dinero". Jaime puede escoger:

- mostrar a su papá que está enojado
- decir, "Puedo esperar, papá. No es tan importante".

Escribe una decisión bondadosa que Juan puede tomar.

La hermana menor de Juan acaba de aprender como montar bicicleta. Cuando ella le muestra lo bien que puede hacerlo, se cae.

Juan puede decidir ______________________________

____

Name ______________________________

Read the following stories.

Circle the loving choice that each child can make.

Marisela is watching her favorite TV program. Her parents are busy painting the kitchen. When the telephone starts to ring, Marisela can choose to

- answer the phone for her parents

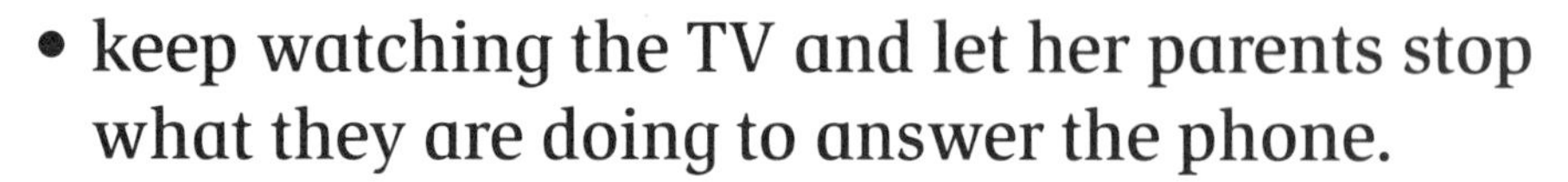

- keep watching the TV and let her parents stop what they are doing to answer the phone.

Jaime is with his father in the store. He sees a racing game that he really wants. Jaime points out the game to his dad. Jaime's dad says, "We can't get the game today. I don't have enough money."

Jaime can choose to

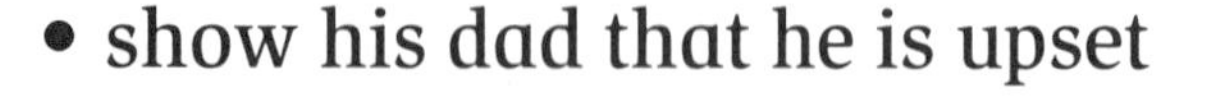

- show his dad that he is upset
- say, "I can wait, Dad. It's not that important."

Write a loving choice that John can make.

John's younger sister has just learned how to ride her new bike. When she shows him how well she can do, she falls.

John can choose to ______________________________

____

Nombre ______________________________

- Recorta el cordero.
- Pégale bolitas de algodón.
- Escribe tu nombre detrás del cordero.
- Pega el cordero a un palillo.

Name ____

- Cut out the sheep.
- Glue cotton balls to the sheep.
- Write your name on the back of the sheep.
- Tape the sheep to a straw or stick.

Nombre ______________________________

Haz este letrero para ponerlo en una de las perillas de tu casa.

1. Recórtalo siguiendo las líneas de puntos.
2. Traza el letrero sobre un cartón. Recorta todo el contorno.
3. Engoma la parte atrás del letrero y pégalo al cartón.
4. Colorea el letrero. Haz un dibujo en la parte de atrás.

Name ____

Make this sign to put on one of your doorknobs at home.

1. Cut along the dashed lines.
2. On construction paper, trace the sign. Cut out the shape.
3. Glue the back of your doorknob sign to the construction paper shape.
4. Color the sign. Add your own decorations to the back.

Nombre ____

Haz un paisaje de Adviento. Recorta cada pieza de la escena.

Name ________________________________

Make an Advent picture. Cut out each piece of scenery.

Nombre ____

Colores y recorta las tarjetas de los "regalos de Jesús". Compártelos con tu familia durante el tiempo de Navidad.

Te doy árboles y plantas. Cuando los veas, recuerda que quiero que crezcas en el amor de Dios.

Te doy los animales. Cuando los veas o los oigas, recuerda que quiero que los cuides.

Te doy el viento. Cuando lo oigas o sientas, recuerda que el Espíritu Santo está contigo.

Te doy la luna y las estrellas. Cuando las veas brillar, recuerda que soy la Luz del Mundo.

Te doy los océanos, rios y lagos. Cuando los veas,recuerda que Dios comparte su vida contigo.

Te doy piedras y rocas. Cuando las veas o las cojas, recuerda que el Espíritu Santo te ayudara a ser fuerte.

Name ______________________________

Color and cut out the “Gifts from Jesus” cards. Share them with your family during the Christmas season.

I give you trees and plants. When you see them, remember I want you to grow in God’s love.

I give you the animals. When you see them or hear them, remember I want you to care for them.

I give you the wind. When you hear it or feel it, remember that the Holy Spirit is with you.

I give you the moon and stars. When you see them shining, remember that I am the Light of the World.

I give you the oceans, rivers, and lakes. When you see them, remember that God shares his life with you.

I give you stones and rocks. When you see them or hold them, remember the Holy Spirit will help you to be strong.

Nombre ____

Busca las palabras de Jesús. Encierra en un círculo cada tercera letra. Escribe la letra en los espacios vacíos del cuadro. Después colorea el cuadro.

C	D	(Y)	E	F	O	G	H	S	I	J	O
K	L	Y	M	N	E	O	P	L	Q	R	P
S	T	A	U	V	N	W	X	D	Y	Z	E
Z	Y	V	X	W	I	V	U	D	T	S	A

Name ____

Find the words of Jesus. Circle every third letter below. Print the letters in the empty spaces on the sign. Then color the sign.

C	D	A	E	F	M	G	H	T	I	J	H
K	L	E	M	N	L	O	P	I	Q	R	V
S	T	I	U	V	N	W	X	G	Y	Z	B
Z	Y	R	X	W	E	V	U	A	T	S	D

Jesus said,

“I ___ ___   ___ ___ ___

___ ___ ___ ___ ___ ___

___ ___ ___ ___ ___.”

John 6:51

Nombre ______________________________

Al celebrar la misa, sacerdotes y diáconos visten ropas especiales llamadas vestiduras.

El sacerdote viste un vestido blanco y largo llamado alba.

Sobre el alba el sacerdote viste una estola.

Sobre la estola el sacerdote viste una casulla.

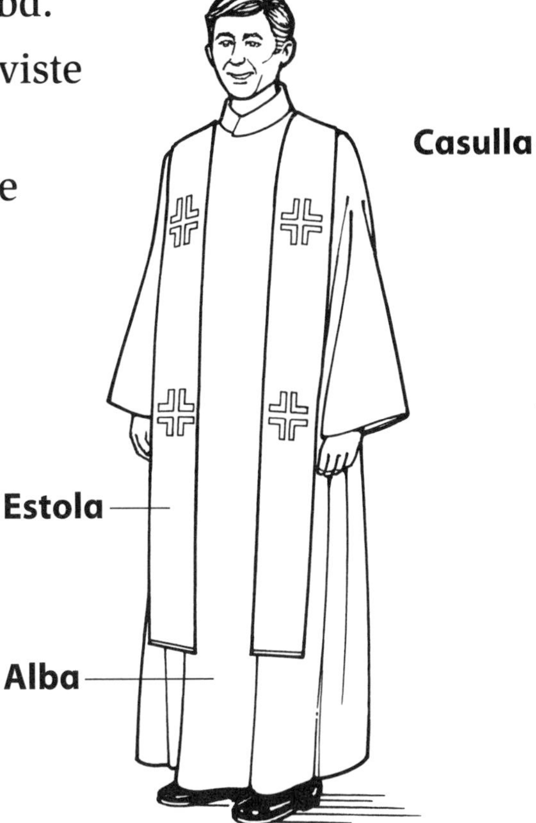

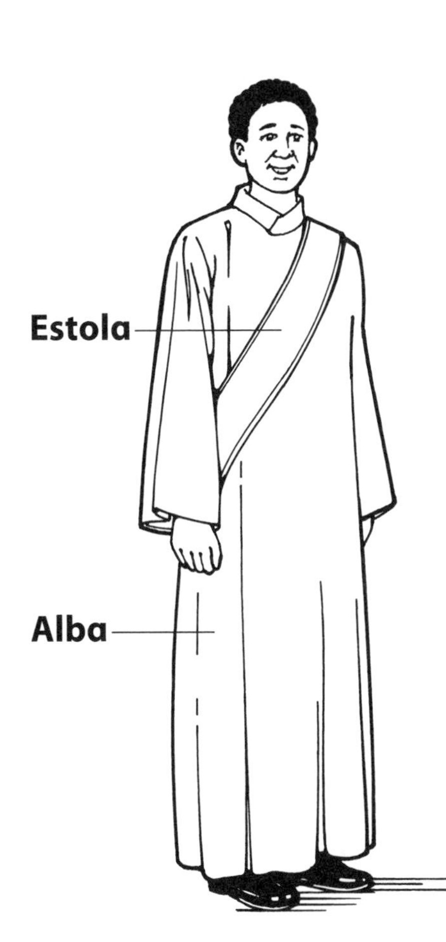

Cuando un diacono está presente en la misa, él viste un alba y una estola que la extiende desde su hombro izquierdo hasta su lado derecho.

¿Qué tiempo litúrgico del año estás celebrando hoy? Colorea la estola y la casulla del sacerdote con el color del tiempo. Si es tiempo de Navidad o de Pascua, colorea el cuello y el centro de la casulla de dorado.

Name ____

When celebrating Mass, priests and deacons wear special clothes called vestments.

A priest wears a long, white robe that is called an alb.

Over the alb the priest wears a stole.

Over the stole the priest wears a chasuble.

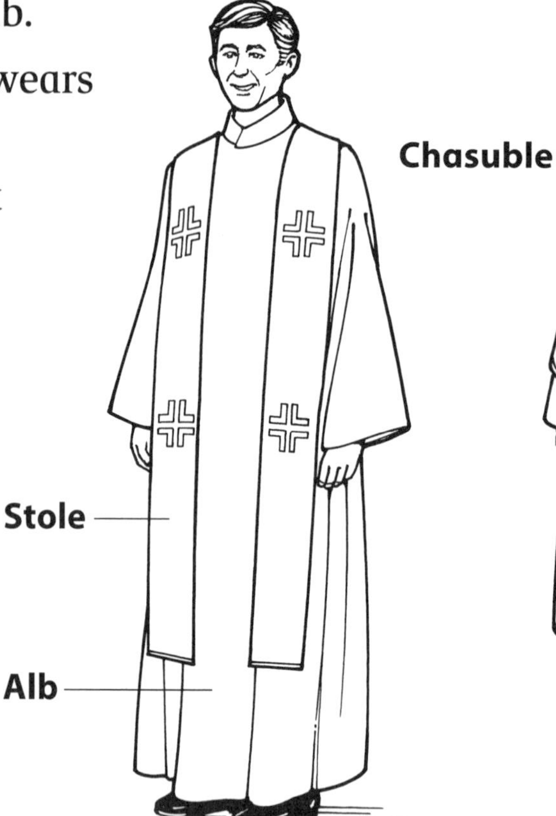

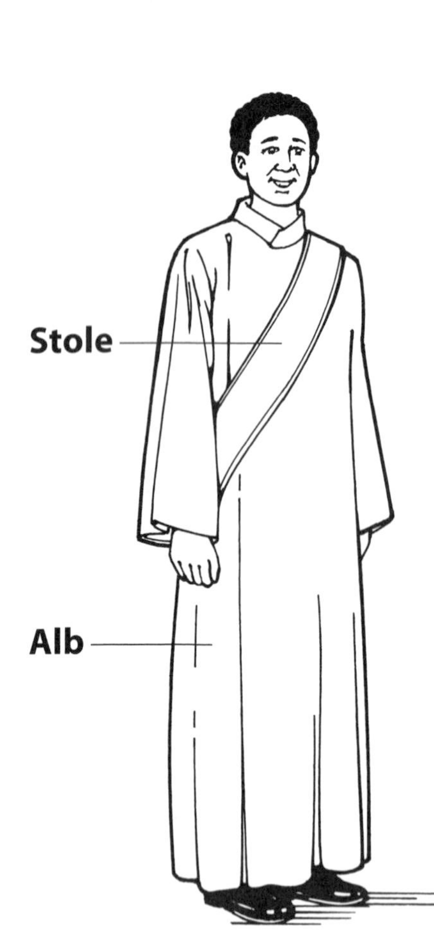

When a deacon is present at Mass, he wears an alb and a stole that stretches from his left shoulder to his right side.

What season of the Church year are you celebrating now? Color the priest's stole and chasuble the color of the season. If it is the Christmas season or Easter season, color the neckline and center of the chasuble gold.

Nombre ______________________________

Busca las siguientes palabras que están escondidas en el rompecabezas. Usa dos palabras para escribir una oración acerca de la Liturgia de la Palabra. Escribe la oración en las líneas.

____

____

Name ______________________________

Find the following words hidden in the puzzle. Use two words in a sentence about the Liturgy of the Word. Write the sentence below the puzzle.

____

____

Nombre ____________________

Colorea el dibujo.

El pan y el vino

Con la música de "Un elefante"

El pan y el vino
el pan y el vino,
Jesús nos da como regalo.
O buen Jesús, te agradecemos todo
lo bueno que nos has dado.

Name ______________________________

Color the picture on the song card.

Jesus, You Are Bread for Us

Jesus, you are bread for us.
Jesus, you are life for us.
In your gift of Eucharist
We find love.

When we feel we need a friend,
You are there with us, Jesus.
Thank you for the friend you are.
Thank you for the love we share.

Nombre ____

Piensa en las formas en que puedes llevar la paz de Jesús a los demás. Usa cada letra en la palabra paz. Escribe maneras en que puedes ser un pacificador. Mira el ejemplo de abajo.

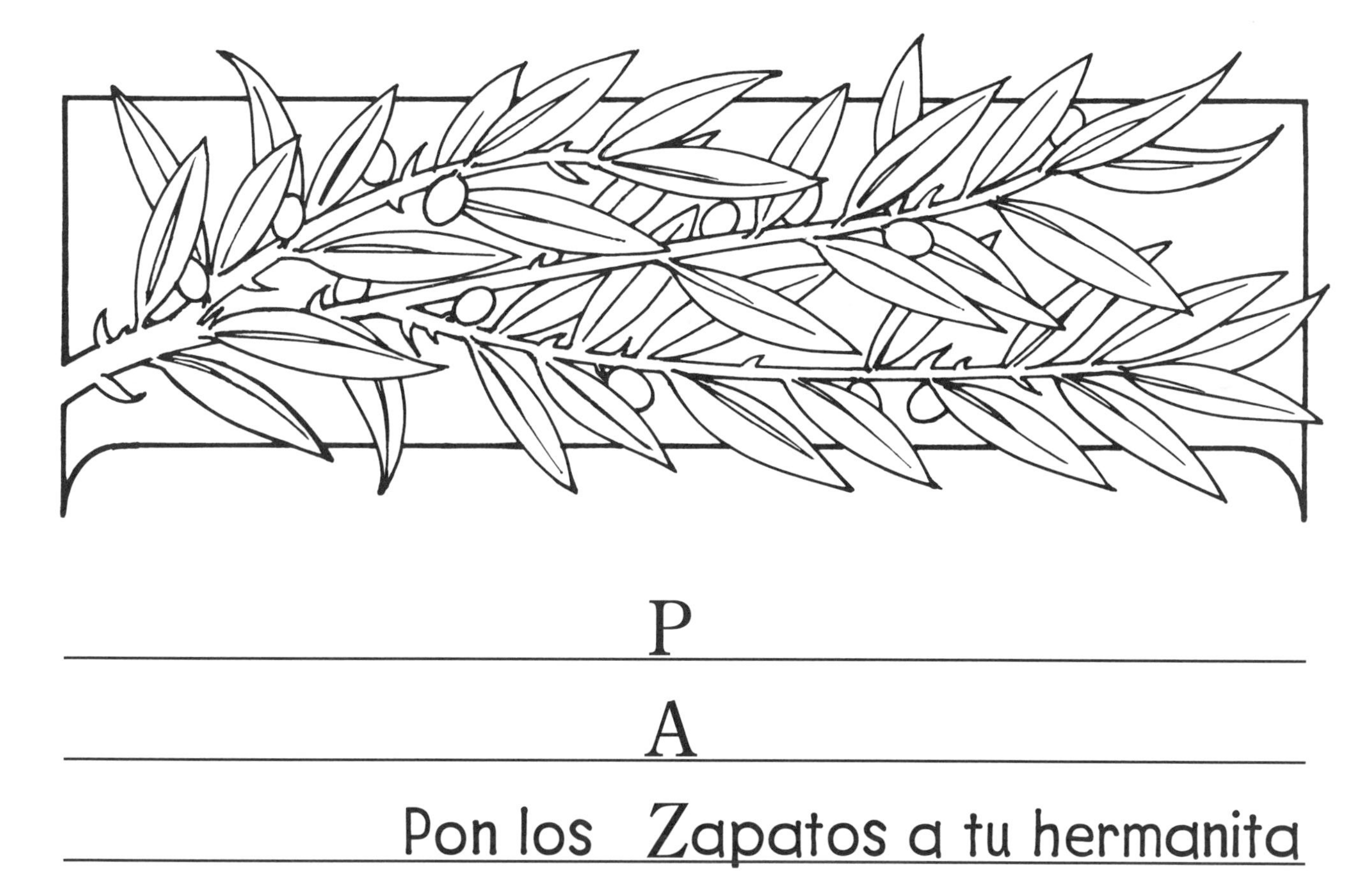

P ____

A ____

Pon los Zapatos a tu hermanita

Name ____

Think of ways you can spread Jesus' peace with others. Use each letter in the word peace. Write ways you can be a peacemaker. One is done for you.

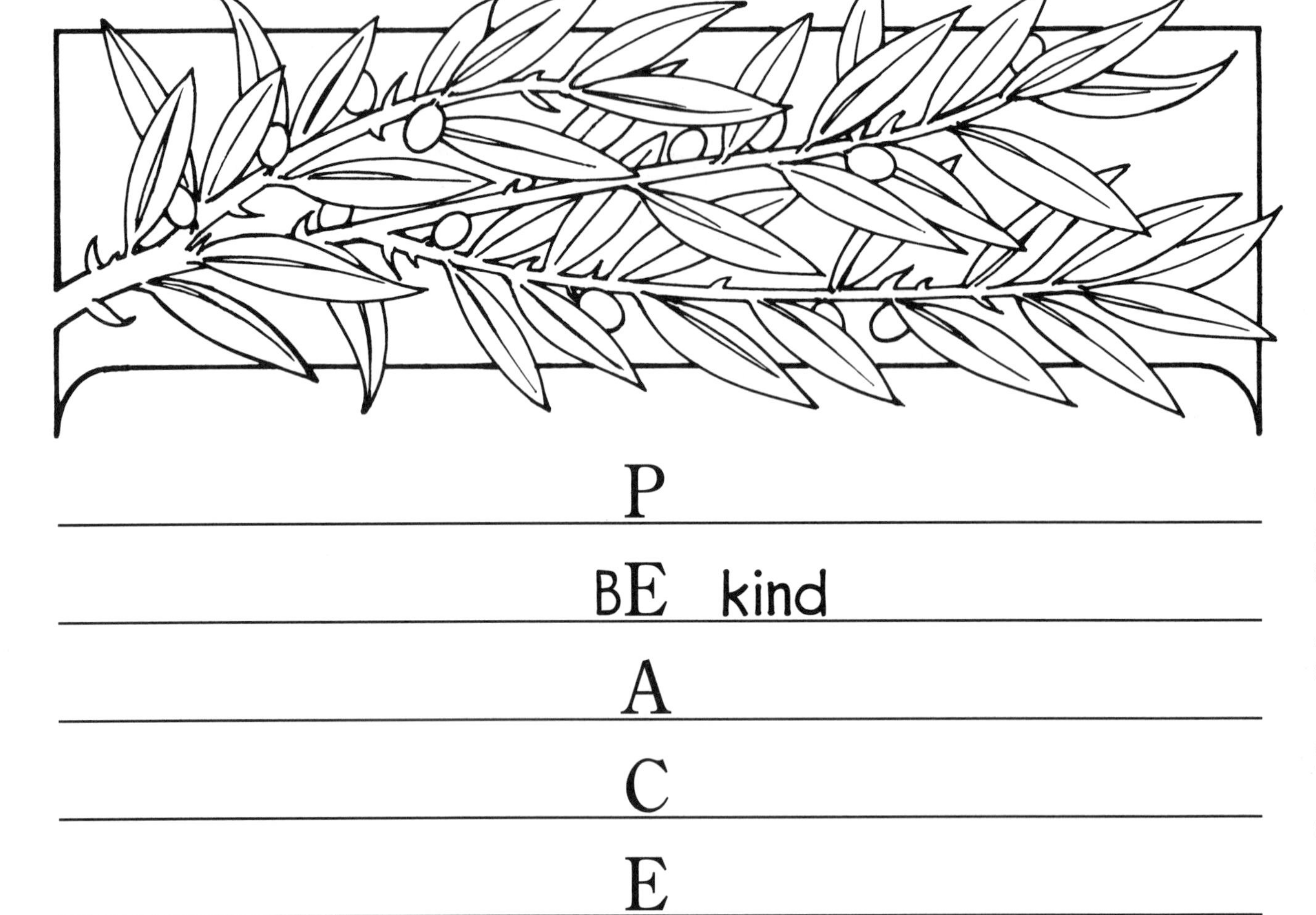

P ____________________

BE kind ____________________

A ____________________

C ____________________

E ____________________

Nombre ______________________________

1. Recorta la rueda. Pega la aguja.
2. Decide lo qué harás cada semana de Cuaresma para mostrar que amas a Dios y a los demás.
3. Mueve la aguja al lugar en la rueda que diga lo que vas a hacer.

• Cuaresma es

Name ______________________________

1. Cut out the wheel. Attach the pointer.
2. Decide what you will do each week of Lent to show God and others your love.
3. Move the pointer to the part of the wheel that tells what you will do.

Lent is

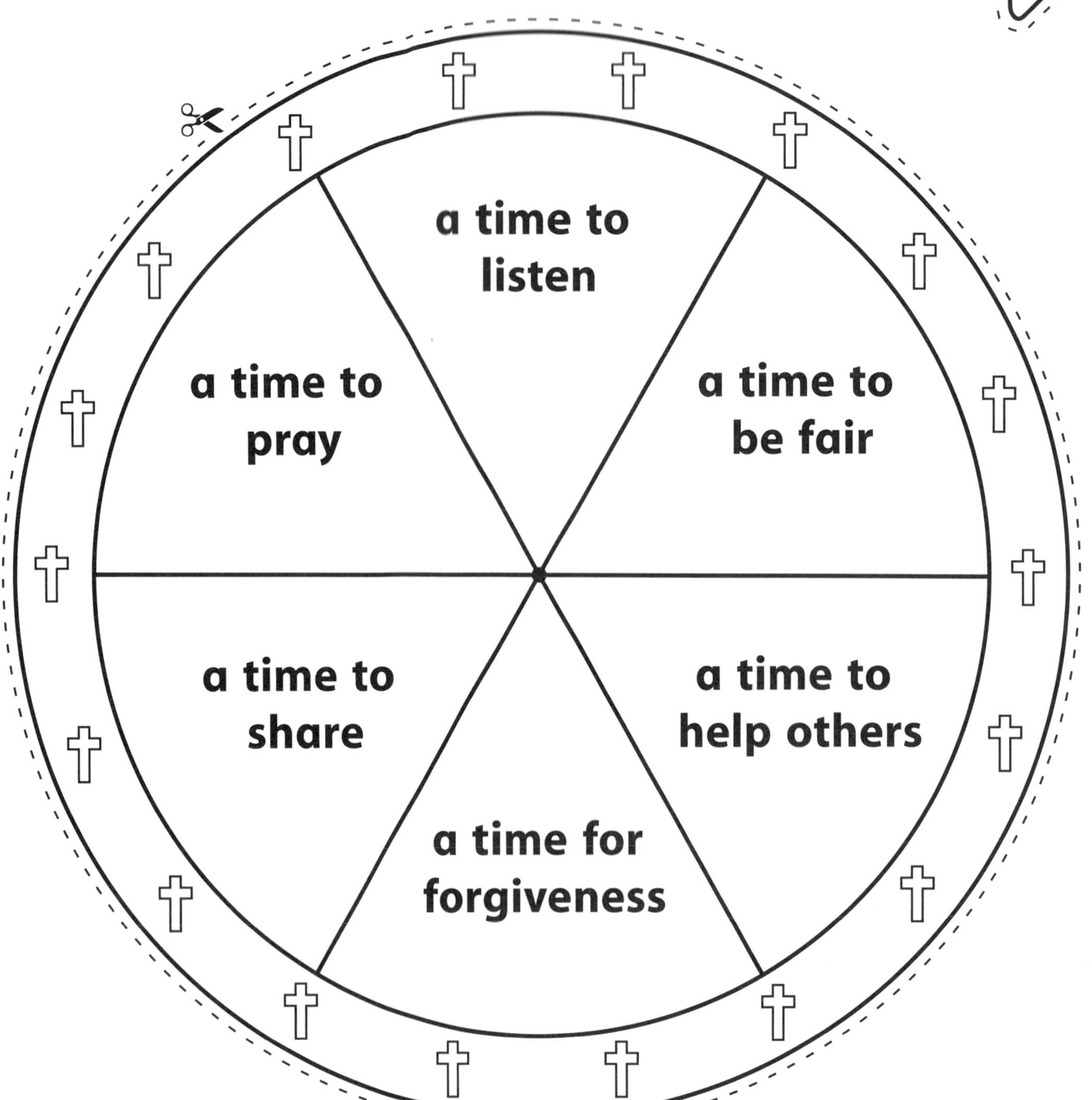

Nombre ____

Explica lo que celebramos durante los Tres Días.
Colorea cada dibujo del tríptico.

Name ______________________________

Show what we celebrate during the Three Days.
Color each picture of the triptych.

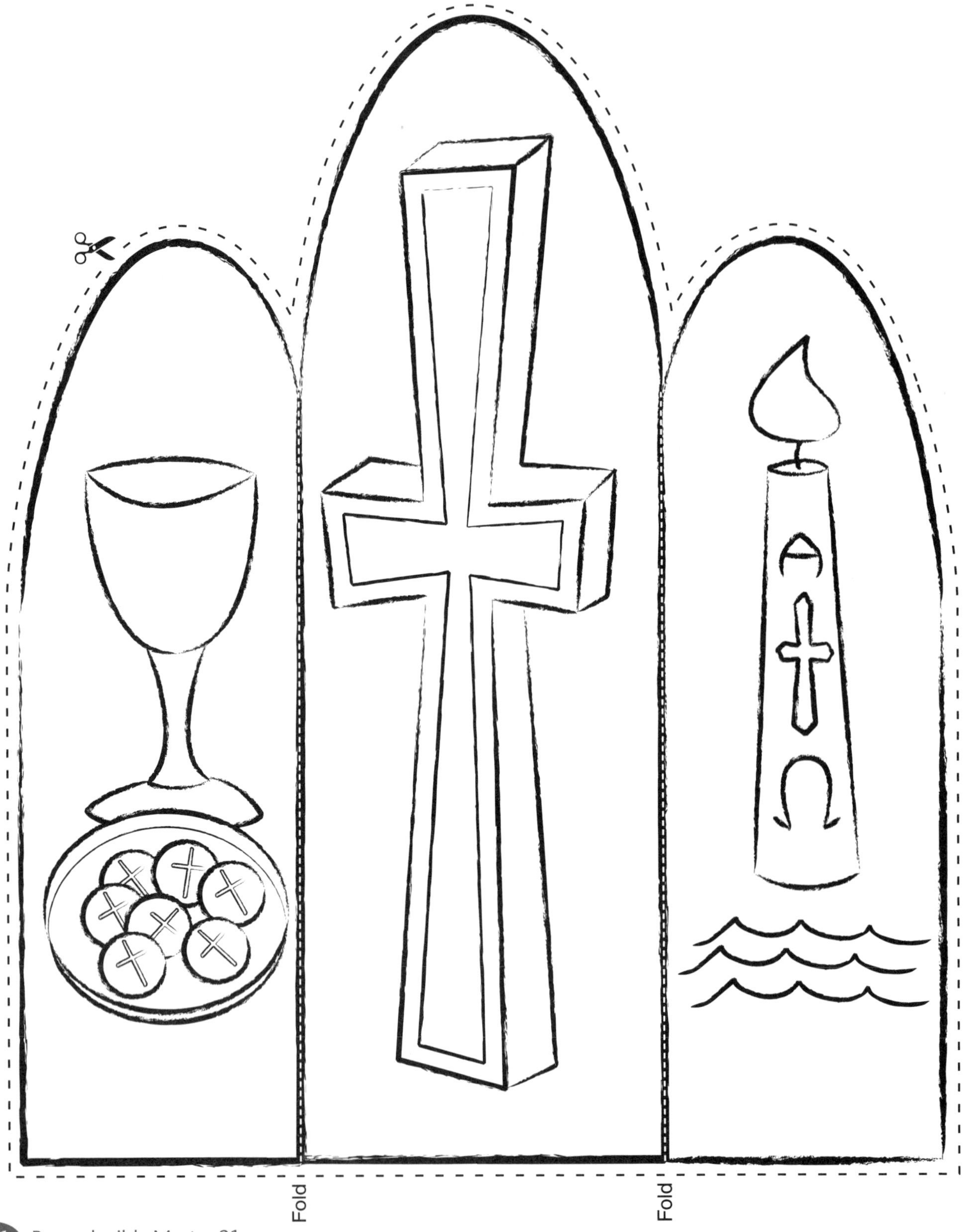

Fold

Fold

Nombre ____

Sigue las indicaciones de este rompecabezas:

- Recorta el letrero "**Sirven a Dios**".
- Pégalo en la parte de abajo de un papel de construcción.
- Colorea de rojo las piezas del rompecabezas
- Arma el rompecabezas.
- Pega las piezas arriba del letrero "**Sirven a Dios**".

Name ______________________________

Follow these puzzle directions:

- Cut out the "**Serve God**" sign.
- Glue it to the bottom of a piece of construction paper.
- Color the puzzle pieces red. Cut them out.
- Put the puzzle pieces together to form a shape.
- Glue the pieces above the "**Serve God**" sign.

Nombre ______________________________

Busca la palabra que completa la oración.
Usa las siguientes pistas.

1. Esta letra está en mar pero no en bar. ____

2. Esta letra está en mula pero no en mala. ____

3. Esta letra está en luna pero no en lupa. ____

4. Esta letra está en dos pero no en vos. ____

5. Esta letra está en sol pero no en sal. ____

Los católicos viven en todas partes del

____ ____ ____ ____ ____.
1 2 3 4 5

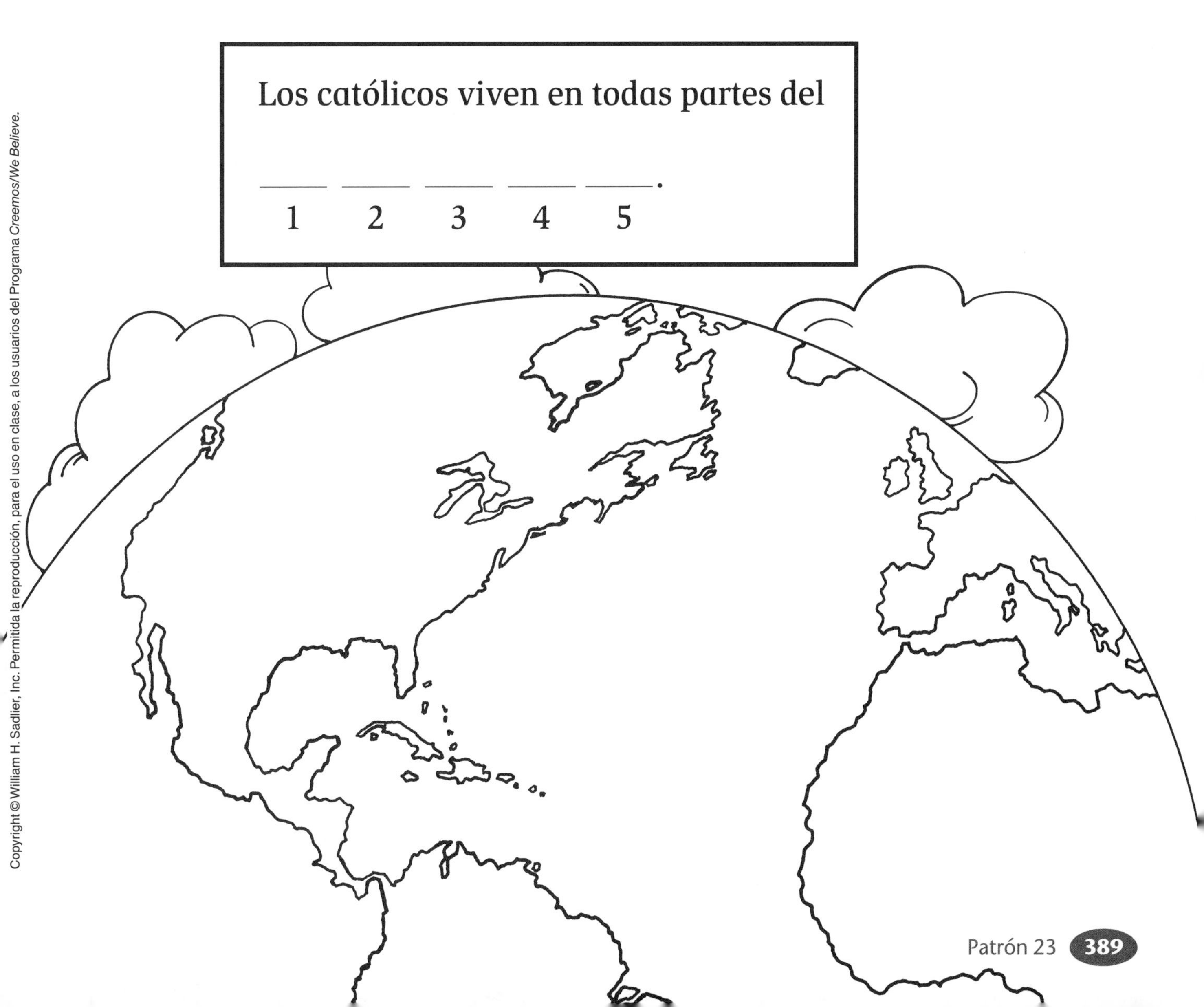

Name ______________________________

Find the word that completes the sentence.
Use the following clues.

1. This letter is in wake but not in bake. ____

2. This letter is in rock but not in rack. ____

3. This letter is in cart but not in cast. ____

4. This letter is in love but not in dove. ____

5. This letter is in card but not in cart. ____

Catholics live in every part of the

____ ____ ____ ____ ____.
1 2 3 4 5

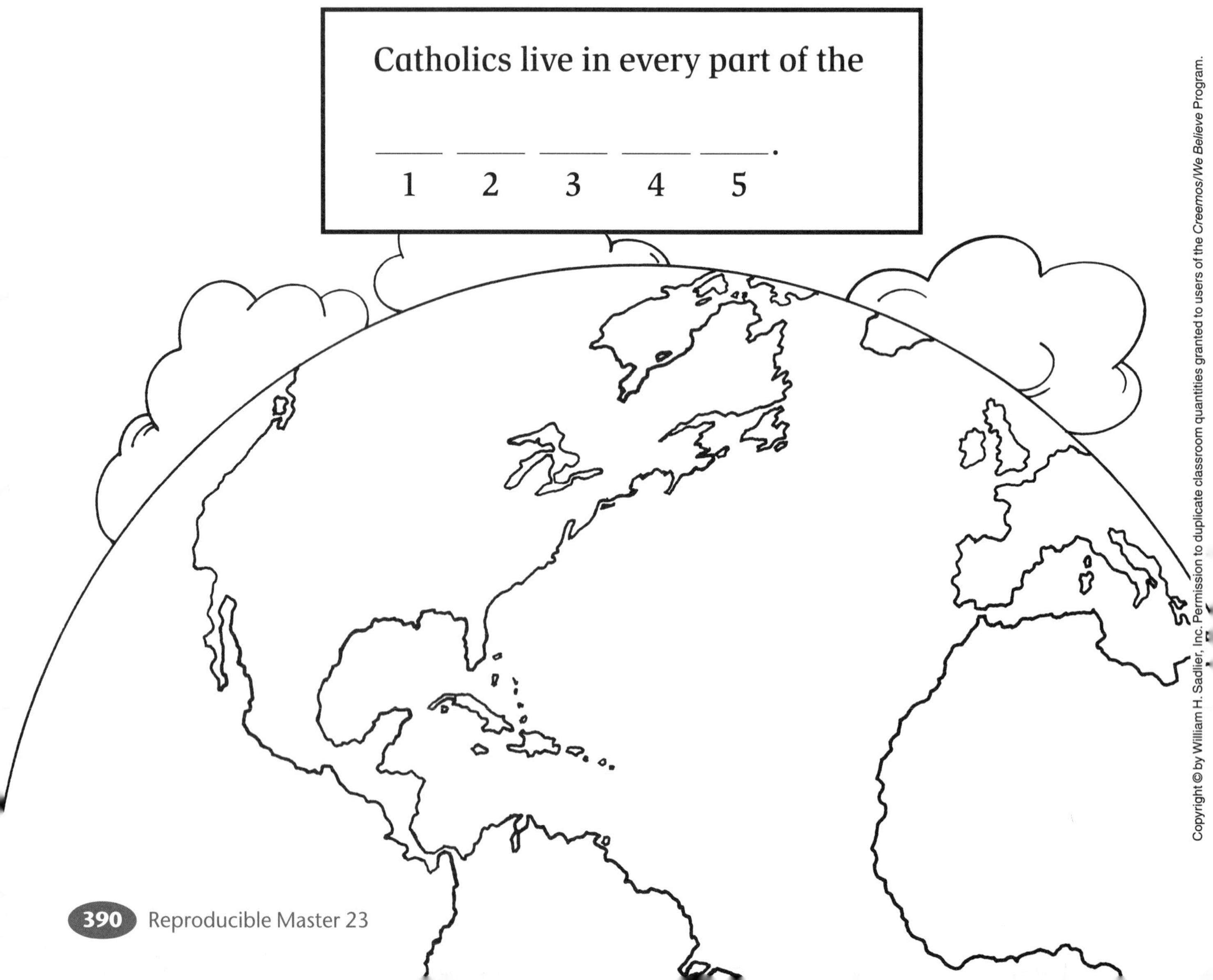

Nombre ____________________

Le rezamos a Dios por muchas razones. Cuando hablamos a Dios podemos usar nuestras propias palabras. En cada cuadro de abajo escribe una oración a Dios.

Petición	Alabanza
____________________	____________________
____________________	____________________
____________________	____________________
____________________	____________________
____________________	____________________

Perdón	Acción gracia
____________________	____________________
____________________	____________________
____________________	____________________
____________________	____________________
____________________	____________________

Name ______________________________

We pray to God for many reasons. When we talk to God we can use our own words. In each box below write a prayer to God.

Ask for help	Give praise
____________	____________
____________	____________
____________	____________
____________	____________
____________	____________

Ask for forgiveness	Give thanks
____________	____________
____________	____________
____________	____________
____________	____________
____________	____________

Nombre ____

El rosario es una oración especial en honor a María.

Colorea las cuentas del rosario.

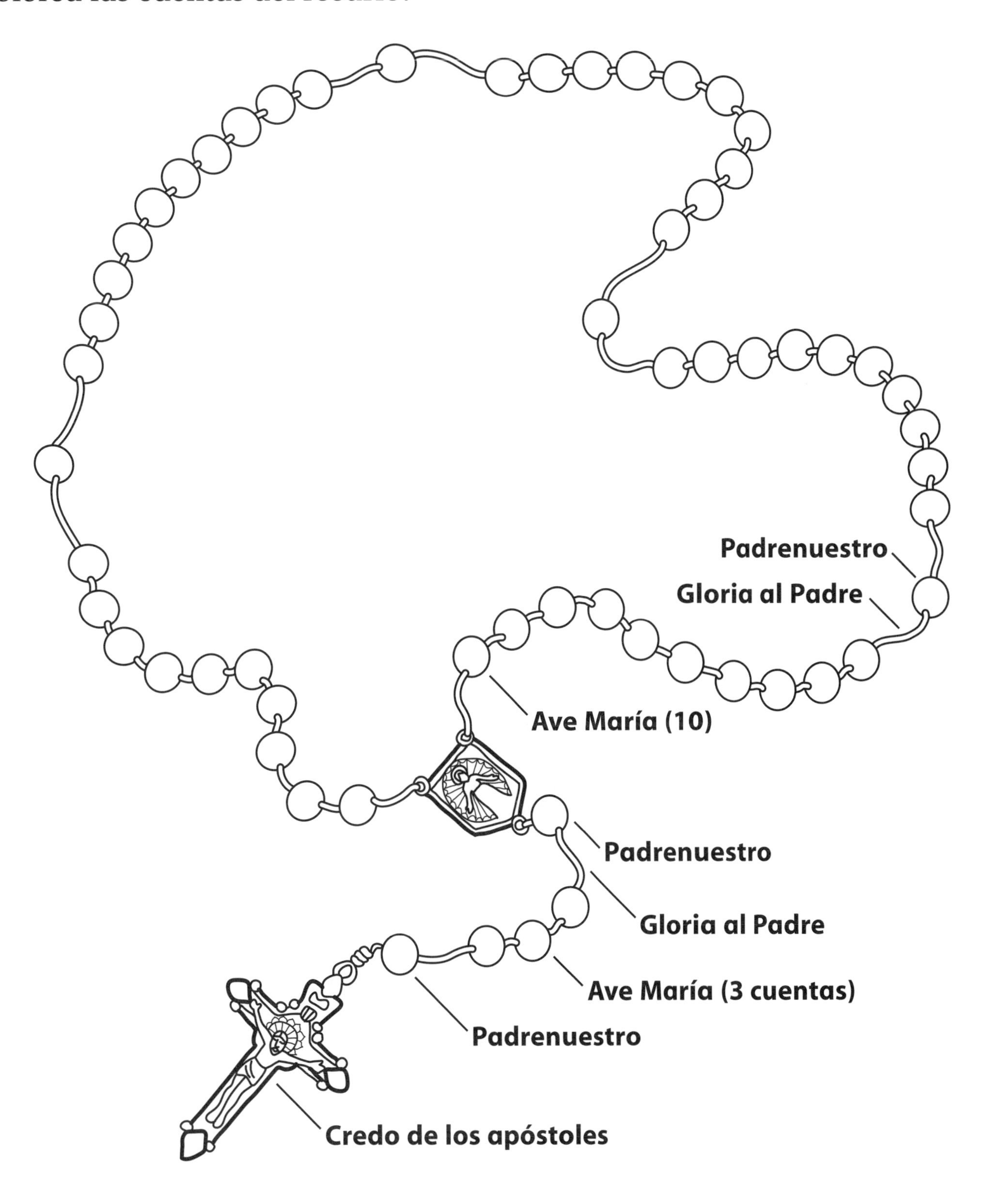

Name ______________________________

The rosary is a special prayer in honor of Mary.
Color in the beads.

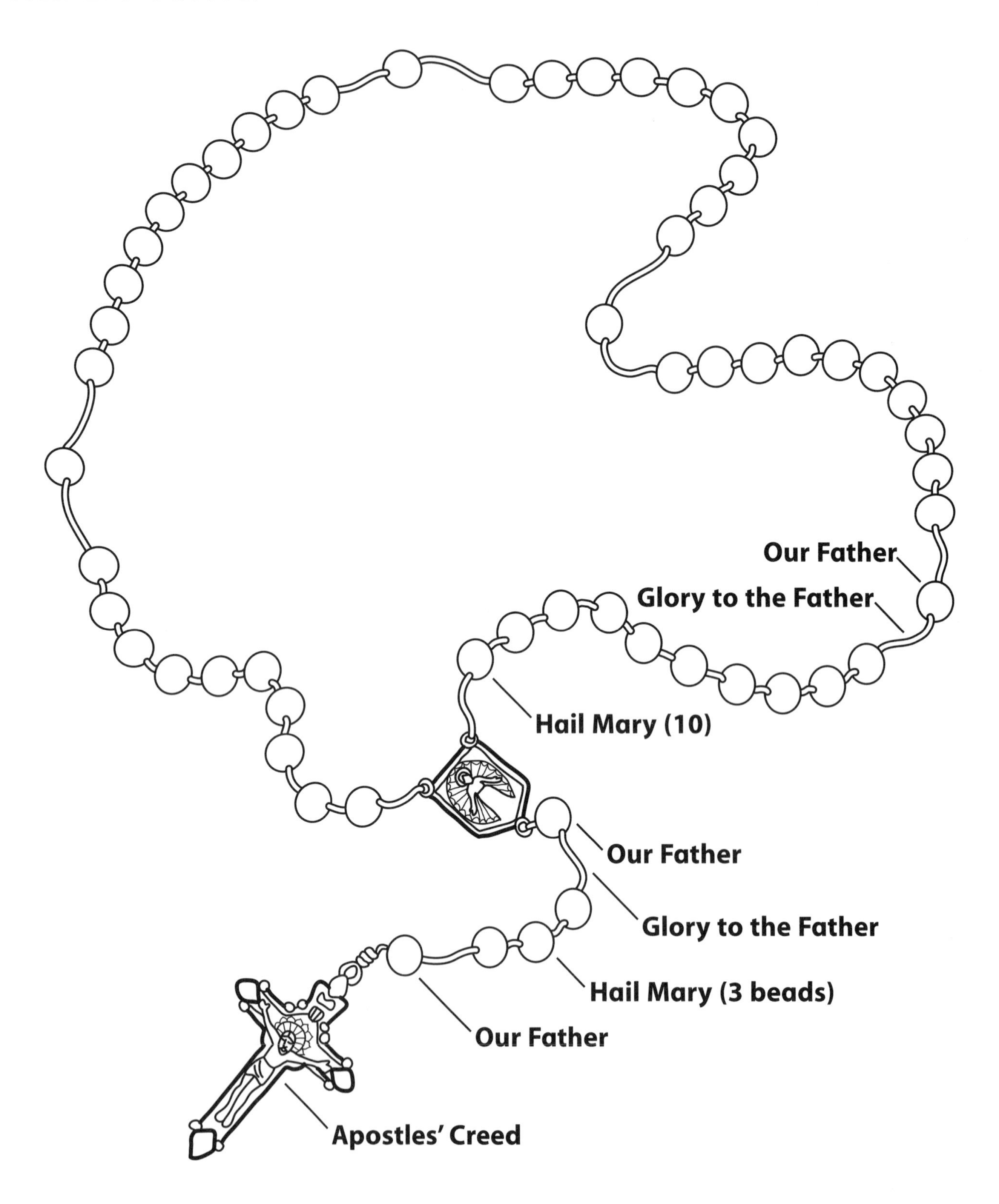

Nombre ______________________________

Celebra el mundo de Dios con este poema. Haz un folleto de poemas. Recorta siguiendo las líneas de puntos. Pega cada estrofa en una página de tu folleto. Dibuja algunos de los regalos de la creación por cada estrofa.

Dios hizo el mundo

Dios hizo el mundo muy ancho y grande,
con sus manos lo llenó de bendiciones.
Dios hizo el cielo muy alto y azul,
y a todos los niños también.

Dios hizo el sol, la luna y las estrellas,
iluminando el mundo de lejos y de cerca.
Dios hizo el mundo con cuidado amoroso
y a todos los niños también.

Dios hizo al gorrión y a la rosa,
regalos para el oído, el ojo y la nariz.
Dios hizo que las bellas voces se oyeran,
cuando todos los niños cantan.

Name ______________________________

Celebrate God's world in song. Make a song booklet. Cut along the dotted lines. Paste each verse to a page in your booklet. Draw a picture of the gifts of creation for each verse.

God Made the World

God made the world so broad and grand,
filled it with blessings from his hand.
God made the sky so high and blue,
and all the little children too.

God made the sun, the moon and stars,
lighting the world from near and far.
God made the world with tender care
and all the little children there.

God made the sparrow and the rose,
gifts for the ear, the eye and nose.
God made the beauty voices bring,
when all the little children sing.

Nombre ______________________________

Recorta siguiendo las líneas de puntos.
Pega el cuadro sobre una cartulina.
Pinta de café la rama.
Coloca flores de cerezo en la rama.
Comparte el mensaje de Pascua con tu familia y amigos.

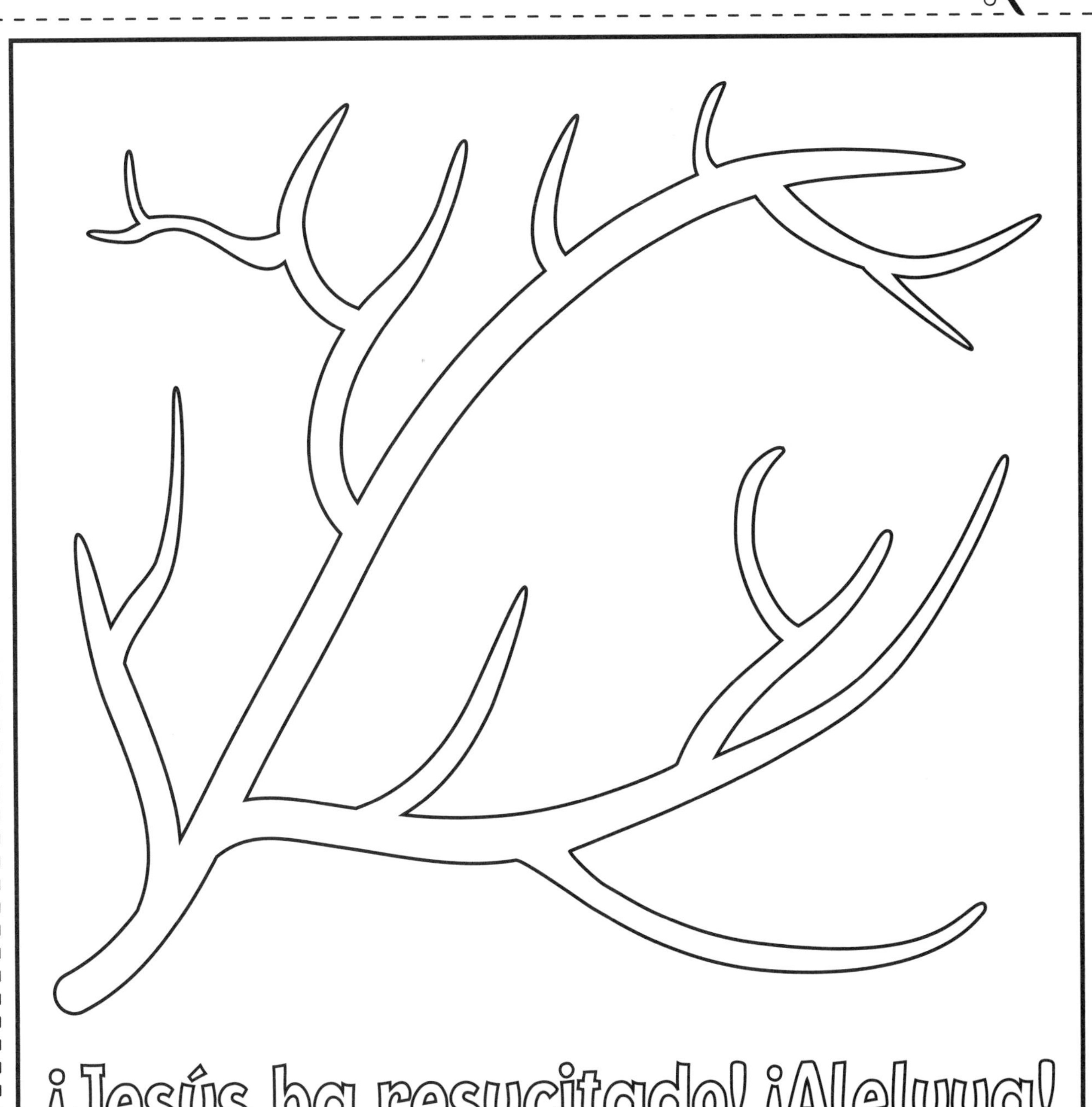

¡Jesús ha resucitado! ¡Aleluya!

Name ______________________________

Cut along the dotted lines.
Paste the sign on a piece of poster board.
Paint the branch brown.
Add cherry blossoms.
Share the Easter message with your family and friends.

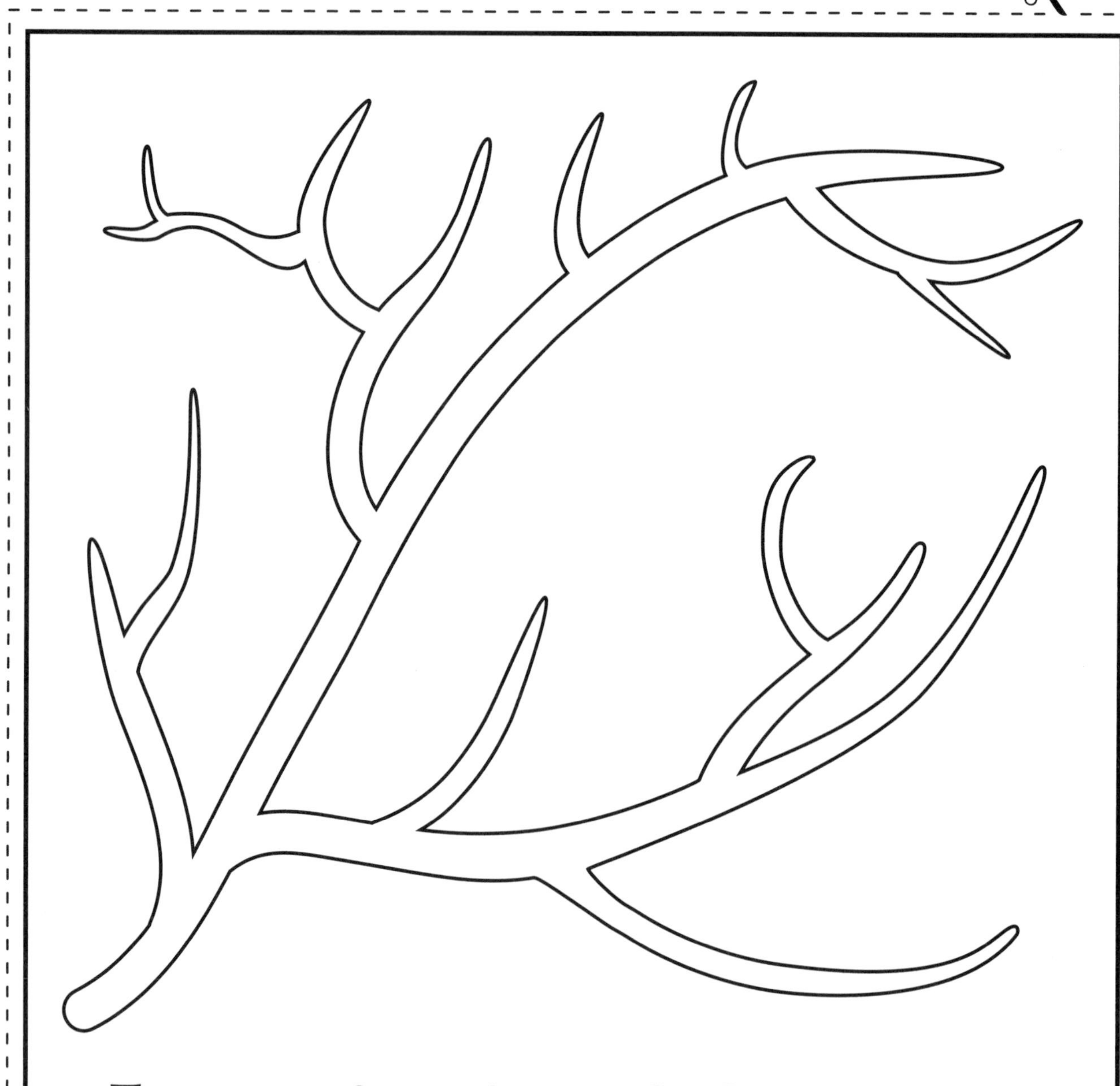

UNIDAD 1

COMPARTIENDO LA FE en familia

Por qué los niños deben conocer las historias de sus familias

La narración de historias es una actividad que acontece en forma natural en la mayoría de las familias. Esta situación nos permite imaginar a niños sentados a los pies de la abuela, escuchándola absortos. Sin embargo, la realidad por lo general es menos pintoresca. Las familias cuentan historias en forma espontánea e informal, a menudo sin darse cuenta de lo que hacen. La narración de historias es una parte importante de la vida hogareña por muchas razones.

Las historias nos brindan un sentido de pertenencia y nos conectan con algo que es más grande que nosotros mismos. Esto adquiere renovada importancia cuando las familias extendidas se alejan más unas de otras. En ocasiones el "único" modo de llegar a conocer a un abuelo o primo es por medio de una historia. A los niños les gusta escuchar su propia historia: su nacimiento y bautismo, quiénes estaban presentes y de qué manera afectó su llegada a los demás. Así descubren que ocupan un lugar único en la familia.

La narración de historias promueve un sentido de empatía. Todas las familias tienen historias de dolor y felicidad, de éxitos y fracasos. Cuando hablamos de la historia de nuestra familia con honestidad, estamos más dispuestos a aceptar las dificultades que enfrentan. Si vamos un poco más allá, terminamos conectándonos con nuestra historia religiosa. Nos damos cuenta de que manera nos ha afectado durante toda nuestra vida. Dios ha estado junto a cada uno de nosotros en las buenas y en las malas.

Lo que aprenderá su hijo en la unidad 1

La primera unidad presenta a los niños uno de los aspectos más profundos y reconfortantes de nuestra fe: Jesucristo está siempre con nosotros. Los niños profundizarán su comprensión de que Jesús es el Hijo de Dios y la segunda Persona de la Santísima Trinidad, que se hizo hombre. Además, aprenderán los acontecimientos fundamentales de la vida de Jesús en la tierra y apreciarán el hecho de que Jesucristo nos dio la Iglesia. Los niños se verán a sí mismos como miembros de una comunidad celebrante de creyentes. Ellos son parte de una comunidad que celebra su fe viva a través de los siete sacramentos y que descubre a Jesús en cada sacramento. La unidad finaliza con un capítulo dedicado al sacramento del Bautismo y otro que describe íntegramente el sacramento de la Confirmación.

Cita para recordar

"Haz siempre lo correcto: así gratificarás a algunos y sorprenderás al resto".

Mark Twain

Del Catecismo

"Los padres son los primeros responsables de la educación de sus hijos".

(Catecismo de la Iglesia Católica, 2223)

El lenguaje de Dios

por Mattie Stepanek

¿Sabes qué lenguaje habla Dios?
Dios habla el lenguaje de todos.
Porque Dios nos creó a todos y nos dio a todos diferentes lenguajes.
Y Dios nos entiende a todos.
Y, ¿sabes cuál es el lenguaje preferido de Dios?
Su lenguaje preferido no es el de los adultos sino el de los niños, porque los niños son especiales para Dios.
Los niños saben como compartir y nunca pierden la canción de su corazón.

(*Journey through Heartsongs*, Mattie J.T. Stepanek. Nueva York: VSP Books, Hyperion, 2001).

UNIT 1 SHARING FAITH as a Family

Why Children Need to Know Their Family Story

Storytelling comes naturally in most families. This might bring to mind images of children sitting in rapt attention at Granny's feet, but the reality is generally less picturesque. Families tell stories informally and spontaneously, often without realizing it. It is an important part of home life for a number of reasons.

Stories convey a sense of belonging and connect us with something larger than ourselves. This becomes critical as extended families move farther away from one another. Sometimes the only way to "know" a grandparent or cousin is through a story. Children like to hear their own story—about when they were born or baptized, who was there, and how their arrival affected others. It lets them know they hold a unique place in the family.

Storytelling fosters a sense of empathy. Every family has stories of hurt as well as happiness, of failure as well as success. When we talk honestly about our family history, we can more readily understand the difficulties that other families face. In an even broader vein, we ultimately connect with our religious story. We realize how it has affected our whole life. God has been with each of us through good times and bad.

What Your Child Will Learn in Unit 1

Unit 1 presents the children with one of the most profound and comforting aspects of our faith: Jesus Christ is with us always. The children will grow in their understanding that Jesus is the Son of God and is the second Person of the Blessed Trinity who became man. They will learn the major events of Jesus' life on earth and appreciate the fact that Jesus Christ gave us the Church. The children will see themselves as part of a celebrating community of believers. They are part of a community that celebrates its living faith through the seven sacraments and meets Jesus in each of the sacraments. The unit concludes with a chapter devoted to the sacrament of Baptism and a chapter fully describing the sacrament of Confirmation.

Note the Quote

"Always do right, this will gratify some and astonish the rest."

MarkTwain

From the Catechism

"Parents have the first responsibility for the education of their children."

(Catechism of the Catholic Church, 2223)

The Language of God

by Mattie Stepanek

Do you know what
Language God speaks?
God speaks Every-Language.
That's because God made
Everyone and gave
Everyone different languages.
And God understands
all of them.
And, do you know what is
God's Favorite language?
God's favorite language is
Not grown-up's language,
But the Language of Children.
That's because children
Are special to God.
Children know how to share,
And they never lose
Their Heartsongs.

(*Journey through Heartsongs.* Mattie J.T. Stepanek. New York: VSP Books, Hyperion, 2001.)

UNIDAD 2 COMPARTIENDO LA FE en familia

Lo que la Iglesia puede enseñar a las familias sobre el perdón

El modo en que la Iglesia entiende la reconciliación resulta ser un ejemplo útil que pueden seguir las familias. Es un proceso que requiere principalmente de tres pasos.

En primer lugar, debemos experimentar un cambio de corazón. En términos religiosos este cambio se llama *conversión*. Significa reconocer, por nuestra cuenta o con la ayuda de otros, que lo que dijimos o hicimos ha lastimado o herido a otra persona y que estamos arrepentidos. Ya que la conversión viene del corazón, no resulta si alguien nos obliga a disculparnos.

En segundo lugar, necesitamos expresar este arrepentimiento de algún modo, por lo general, debemos hablar con la persona a la que hemos herido. La *confesión* es buena para el alma porque nos permite liberarnos de lo que nos preocupa. La expresamos mediante palabras y gestos que de algún modo dicen: "Lo siento. Te amo. Deseo que terminen nuestras desavenencias".

El arrepentimiento genuino nos lleva finalmente a la *resolución*, a fin de que no cometamos los mismos errores. Podríamos cambiar la forma en que nos comunicamos para evitar que nuestras palabras sean malentendidas. Podría significar que debemos estar atentos a las situaciones tensas que nos impulsan a actuar con brusquedad.

Ninguna familia puede vivir en perfecta armonía. El perdón es una práctica que nos ayuda a sanar nuestras heridas y a seguir adelante.

Lo que aprenderá su hijo en la unidad 2

La segunda unidad presenta a los niños una historia de la Iglesia que culmina con la forma en como la Iglesia nos cuida a todos hoy. Los niños aprenderán que Jesús tuvo muchos seguidores a quienes les enseñó muchas cosas y precisamente, una de sus enseñanzas estuvo relacionada con la oración. Se les explicará el significado del Padrenuestro. En continuidad con el relato sobre la Iglesia, esta unidad presenta a Jesús como el Buen Pastor. Los sucesos que rodearon la muerte y resurrección de Jesús se presentan ante los niños de primer grado de una manera accesible para ellos. La venida del Espíritu Santo en Pentecostés da comienzo a la historia de la Iglesia. Los niños comprenderán que el Espíritu Santo ayudó a que la Iglesia creciera en los primeros tiempos y continúa ayudando a la Iglesia hoy a través del liderazgo del papa y los obispos.

Cita para recordar

"Tenemos que aprender a hacer las cosas antes de hacerlas; aprendemos haciéndolas".

Aristóteles

Del Catecismo

"Las relaciones en el seno de la familia entrañan una afinidad de sentimientos, afectos e intereses que provienen sobre todo del mutuo respeto de las personas".

(Catecismo de la Iglesia Católica, 2206)

Biblia P y R

P: ¿Dónde puedo encontrar historias sobre el perdón?

–Seattle, Washington.

R: El perdón fue uno de los principales temas de Jesús. Lea Mateo 18:21-35 y Lucas 15:11-32 para encontrar historias que ilustren el concepto de perdón.

¿Sabías?

En una encuesta reciente se preguntó a las personas si eran miembros de alguna iglesia o sinagoga.

64% respondió que sí.

36% respondió que no.

(Tendencia más reciente de membresía de las iglesias, 18 al 20 de marzo de 2002, Organización Gallup).

UNIT 2 SHARING FAITH as a Family

What the Church Can Teach Families About Forgiveness

The way in which the Church understands Reconciliation can be a helpful model for families to follow. It is primarily a three-step process:

We must first experience a change of heart. In religious terms, this is called *conversion*. It means coming to a realization, either on our own or with the help of another, that what we have done or said is hurtful and we regret it. Because this must come from the heart, it never works when someone forces us to apologize.

Secondly, we need to express this in some way—usually to the person we have hurt. *Confession* is good for the soul because it allows us to let go of what troubles us. We do this with words and gestures that say in some way, "I'm sorry. I love you. I want this disagreement to end."

Genuine remorse brings us, in the end, to a *resolution* so that the same patterns don't repeat themselves. We might change the way we communicate so that our words are not misunderstood. It might mean being more attentive to stressful situations that cause us to snap at one another.

No family is going to live in perfect harmony. Forgiveness is a practice that helps us heal and move on.

What Your Child Will Learn in Unit 2

In this unit, the children will feel Jesus' call to peace and reconciliation. They will grasp more fully the importance of listening to the word of God as found in the Old Testament and the New Testament. Leading from this is a chapter devoted to explaining the Ten Commandments and the Great Commandment. The children will appreciate that true freedom comes from following God's laws. Making bad choices and turning away from God's love is discussed in the context of Jesus' promise to give us his forgiveness. God always loves us and shows us mercy. A large part of this unit (two chapters) is devoted to the sacrament of Penance and Reconciliation.

Note the Quote

"For the things we have to learn before we can do them, we learn by doing them."

Aristotle

From the Catechism

"The relationships within the family bring an affinity of feelings, affections and interests, arising above all from the members' respect for one another."

(Catechism of the Catholic Church, 2206)

Bible Q & A

Q: Where can I find stories about forgiveness?

-Seattle, Washington

A: Forgiveness was one of Jesus' major themes. For stories that illustrate forgiveness, read Matthew 18:21-35 and Luke 15:11-32.

Did You Know?

In a recent survey, people were asked: Are you a member of a church or synagogue?

64% answered yes

36% answered no

(Most Recent Church Membership Trend, Mar 18–20, 2002, The Gallup Organization)

UNIDAD 3

COMPARTIENDO LA FE en familia

Cinco maneras de ayudar a su hijo a prestar atención durante la misa

El domingo por la mañana es el momento en que los padres ponen a prueba su paciencia cuando los niños se quejan de tener que ir a la iglesia. La liturgia católica está más orientada a los adultos y a menudo los niños tienen razón en quejarse de que no la entienden. A continuación le ofrecemos cinco sugerencias que lo ayudarán a mejorar esta situación.

Lean juntos el evangelio del día antes de la misa. A los niños les interesan las historias sobre Jesús y escuchan con atención cuando conocen la historia.

Enseñe a su hijo las respuestas de las oraciones que se dicen en misa. Esto permitirá que su hijo participe en el intercambio de oraciones que repiten el celebrante y la congregación.

Señale los gestos que hace el celebrante. Ayude a su hijo a concentrarse en un gesto en particular durante cada misa. Por ejemplo, ¿en qué momento de la misa el sacerdote hace la señal de la cruz, levanta las manos o se inclina?

Anime a su hijo a buscar ciertos símbolos durante la misa. Podrían ser los siguientes: el cáliz, el leccionario, el color de la vestimenta del sacerdote o una vela.

Después de la misa, pida a su hijo que diga una cosa que haya escuchado durante la homilía. Si su hijo no se siente presionado, llegará a disfrutar de este momento y lo vivirá como una experiencia de aprendizaje.

Es probable que esta participación parcial en la misa no logre calmar a su hijo ni evite que se sienta inquieto; sin embargo, permitirá que su hijo profundice su conocimiento y lo mantendrá atento durante parte del tiempo.

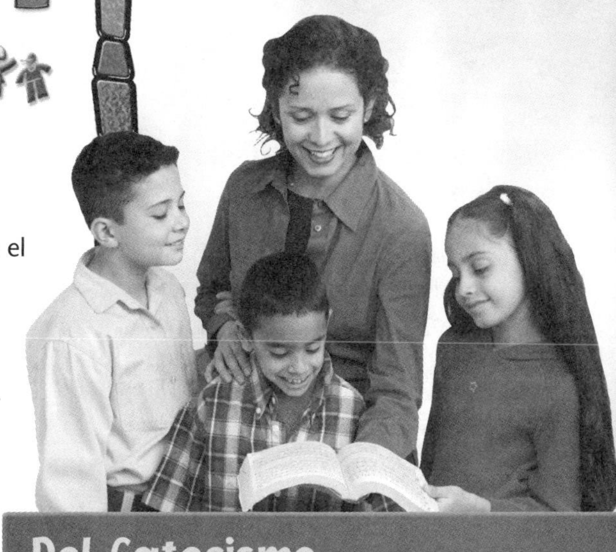

Del Catecismo

"La familia cristiana es una comunidad de fe, esperanza y caridad, posee en la Iglesia una importancia singular".

(Catecismo de la Iglesia Católica, 2204)

Lo que aprenderá su hijo en la unidad 3

La tercera unidad presenta la Eucaristía de una forma en que los niños de segundo grado puedan comprenderla y apreciarla. Los niños entenderán que Jesús se dio a sí mismo como un don en la última cena. Durante la misa recordamos lo que Jesús hizo en la última cena. De modo que los niños percibirán la misa como sacrificio y comida. El resto de la unidad describe cada parte de la misa (Ritos Iniciales, Liturgia de la Palabra, Liturgia de la Eucaristía, Rito de Conclusión). Además, se explican las distintas funciones o papeles de los participantes de la misa. Se pone énfasis en la presencia real de Jesús en el Santísimo Sacramento. Al escuchar la oración de despedida al finalizar la misa, los niños se comprometen a responder al llamado de Jesús a compartir el amor de Dios con el prójimo.

Los medios importan

Su hijo aprenderá más sobre la misa en esta unidad. Piense en la misa del domingo pasado y en las palabras que dijo el sacerdote durante la oración de despedida: "Podéis ir en paz". Tome una revista o periódico de noticias y corte algunos artículos que muestren a personas amando o sirviendo al Señor. Compártalos con su hijo. Este es un modo maravilloso de contrarrestar las noticias deprimentes e incluso atemorizantes que los niños ven a diario en la televisión.

Bendición eucarística

"Qué sagrada es esta fiesta en la que Cristo es nuestro alimento: recordamos su pasión, la gracia llena nuestros corazones, y recibimos un anticipo de la gloria futura".

Tomás de Aquino

UNIT 3 SHARING FAITH as a Family

Five Ways to Help Your Child Pay Attention During Mass

American children watch an estimated 3–5 hours of television a day. Such a statistic is reason for parents to be media-savvy and to become pro-active about the use of media in the home. Here are some areas for consideration.

Media requires an audience. The choice of being an active or passive consumer is up to us. "Talking back" is a way of critically evaluating what we are watching. Ask yourself, "Does the message support or undermine the values that we as a family hold dear?"

Media creates its own reality. With rare exception, everything on television or in the movies is edited, usually to create a specific effect. Because young children are so literal, they take what they see at face value. Thus, what adults can dismiss as fantasy, children take to heart.

Monitor what they watch by restricting choices and using credible review and ratings systems.

Media is a business. Every form of media, from TV to the Internet, has something to sell. Children are easy targets for such marketing. Talk to your child about such sales techniques and, together, develop a response to it.

Active participation in the media doesn't mean we can't enjoy it. It does mean we take responsibility for what we consume and we help our children to do the same.

At www.webelieveweb.com you'll find ways you can use media to interact in positive ways with your child.

What Your Child Will Learn in Unit 3

Unit 3 is all about the Eucharist, presented in ways that second graders can grasp and appreciate. The children will understand that Jesus gave us the gift of himself at the Last Supper. At Mass, we remember what Jesus did at the Last Supper. Thus, the children will perceive the Mass as both a sacrifice and a meal. The rest of the unit details each part of the Mass (the Introductory Rites, the Liturgy of the Word, the Liturgy of the Eucharist, and the Concluding Rites). The various roles of all the participants at Mass are also explained. Emphasis is placed on the real presence of Jesus in the Blessed Sacrament. As we are commissioned at the dismissal of every Mass, the children commit themselves to answering Jesus' call to share God's love with others.

From the Catechism

[The Christian family] "is a community of faith, hope and charity; it assumes singular importance in the Church."

(Catechism of the Catholic Church, 2204)

Media Matters

Your child will be learning more about the Mass in this unit. Think back to last Sunday's Mass and how the priest said at dismissal, "Go in peace to love and serve the Lord." Take a news magazine or newspaper and cut out articles that show people loving and serving the Lord. Share these with your child. This is a wonderful way to balance the more depressing or even frightening news children see every day on TV.

Eucharistic Blessing

How holy this feast in which Christ is our food: his passion is recalled, grace fills our hearts, and we receive a pledge of the glory to come.

Thomas Aquinas

UNIDAD 4 COMPARTIENDO LA FE en familia

Tómese un tiempo para comer en familia

Todos coinciden en que compartir juntos una comida es un aspecto beneficioso de la vida familiar. Aunque muchas veces es muy difícil lograrlo. Los deportes, el trabajo, los traslados en las horas pico, todo se convierten en obstáculo para lograr estos encuentros. Sin embargo, hay muchas familias que le dan prioridad a las comidas.

A continuación presentamos algunos consejos prácticos para que su familia pueda hacer lo mismo.

- Una vez por mes, prepare una comida especial que esté relacionada con una actividad familiar. ¡Organice una noche de fiesta!
- Escoja una noche de "comida familiar preferida" cada semana, con un menú determinado en el que podría incluir: pizza, pastas, hamburguesas o burritos. Ponga énfasis en la simplicidad y en generar el deseo de compartir esa comida que todos disfrutarán.
- Decida de antemano los asuntos que *no se comentarán* durante la comida. Algunas familias no quieren compartir juntas una comida porque pasan la mayor parte del tiempo discutiendo o corrigiéndose unos a otros. Ponga énfasis en que una buena conversación ayuda a la digestión ¡mucho más que cualquier antiácido!
- Si la cena no es un buen momento, escoja otra comida. Es posible que algunos integrantes de la familia, aunque no todos piensen igual, consideren al desayuno una forma muy agradable de comenzar juntos el día.

En definitiva, recuerde que el momento de las comidas es la ocasión ideal para la oración en familia.

Del Catecismo

"La familia cristiana es el primer ámbito para la educación en la oración".

(Catecismo de la Iglesia Católica, 2685)

Biblia P y R

P: Cuando pequeña me sentía muy cerca de María. ¿Cómo puedo ayudar a mis hijos a conocerla mejor? ¿Qué versículos debo leer?

—Coventry, Rhode Island

R: Lea Lucas 1:26-38, Juan 2:1-11 y Juan 19:25-27 para conocer más sobre María.

Lo que aprenderá su hijo en la unidad 4

La cuarta unidad se enfoca en las formas en que los niños pueden vivir su fe. En primer lugar, conocerán la vocación de los laicos, sacerdotes y hermanos y hermanas religiosos. Luego, se concentrarán en nombrar la parroquia local, la diócesis y el obispo y a partir de allí lograrán comprender el lugar que ocupa la Iglesia en el mundo entero. Los niños profundizarán su conocimiento sobre la oración y la manera en que Jesús rezaba. Esto permitirá la presentación del Padrenuestro y las formas en que podemos orar. Además, los niños tendrán la oportunidad de aprender más sobre María, su vida, las fiestas dedicadas a ella y la oración del Ave María. La cuarta unidad también presenta la vida de otros santos y las diversas festividades y expresiones de devoción popular. El segundo curso finaliza con una síntesis inspiradora de los Diez Mandamientos y el mandamiento nuevo de Jesús.

El llamado de Dios

En esta unidad, su hijo reconocerá que Dios nos llama a usar nuestros dones de fe, esperanza y amor para servir a otros. Juntos, como familia, respondan a este llamado.

Puede comenzar buscando en la parroquia que proyecto de servicio sería apropiado para su familia. Por ejemplo: visitar personas que permanecen recluidas. Una vez que haya elegido el proyecto, reúnanse con su familia y decidan que compromiso y responsabilidades asumirá cada miembro de la familia.

Después de participar en esta tarea, pida a cada miembro compartir su experiencia personal.

UNIT 4 SHARING FAITH as a Family

Helping Children Make Good Choices

"It is widely accepted that sitting down together to share a meal is a beneficial part of family life. It is also hard to do. Sports, work, and the rush hour commute all present obstacles to such gatherings. Nevertheless, many families are making mealtime a priority.

Here are some practical ways your family can do the same.

- Connect a special meal once a month to a family activity. Make a night of it!
- Designate a weekly "family favorite" night around a particular food, such as pizza, pasta, burgers, or burritos. The emphasis is on simplicity and generating anticipation for a meal everyone enjoys.
- Decide what *can't* be brought to the table. Sometimes families don't want to eat together because the time is spent arguing with or correcting each other. Placing emphasis on good conversation helps the digestion better than the best antacid!
- If dinner doesn't work, decide on another meal. Breakfast can be a delightful way for some, if not all, of the family to start the day.

In conclusion, don't forget that mealtimes can be ideal occasions for family prayer.

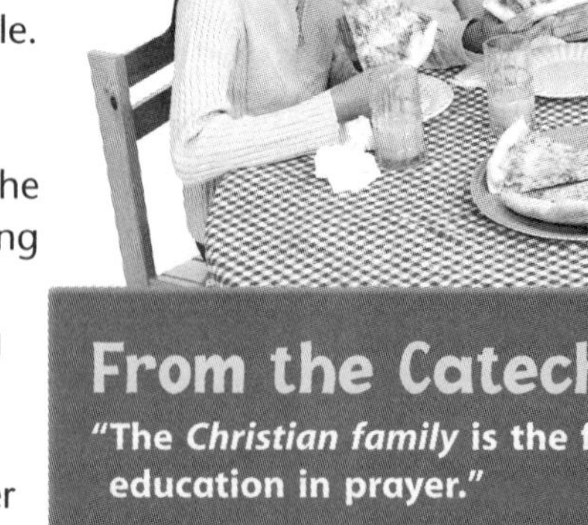

From the Catechism

"The *Christian family* is the first place of education in prayer."

(Catechism of the Catholic Church, 2685)

What Your Child Will Learn in Unit 4

Unit 4 focuses on the ways that the children can live out their faith. They are first presented with the vocations of lay people, priests, and religious brothers and sisters. Focus is then directed from naming the local parish, diocese, and bishop to a clearer understanding of the Church throughout the world. The children will become more aware of what prayer is as well as how Jesus prayed. This leads to a presentation of the Our Father and ways we can pray. Unit 4 also offers the children an opportunity to learn more about Mary, the events in her life, her feast days, and the great prayer, Hail Mary. Examples of other saints are given as well as a commentary on feast days and popular devotions. Grade 2 is concluded with an inspiring summary of Jesus' new commandment and the Ten Commandments.

Bible Q & A

Q: When I was a child, I felt very close to Mary. How can I help my son to get to know her better? What verses should I read?

-Coventry, Rhode Island

A: To appreciate Mary more deeply, turn to Luke 1:26–38, John 2:1–11, and John 19:25–27.

God's Call

In this unit, your child will recognize that God calls each one of us to use our gifts of faith, hope, and love to serve others. Together, as a family, answer this call.

You can start by researching a service project in your parish or community that would be appropriate for your family. This might be sorting food in a food bank, or visiting shut-ins, etc. Once you have selected a project, meet as a family to discuss each family member's commitment and responsibilities (time, safety issues, tasks, etc.) Then go and serve!

Following your family's participation, ask each family member to share her or his personal experience of answering God's call to serve others.

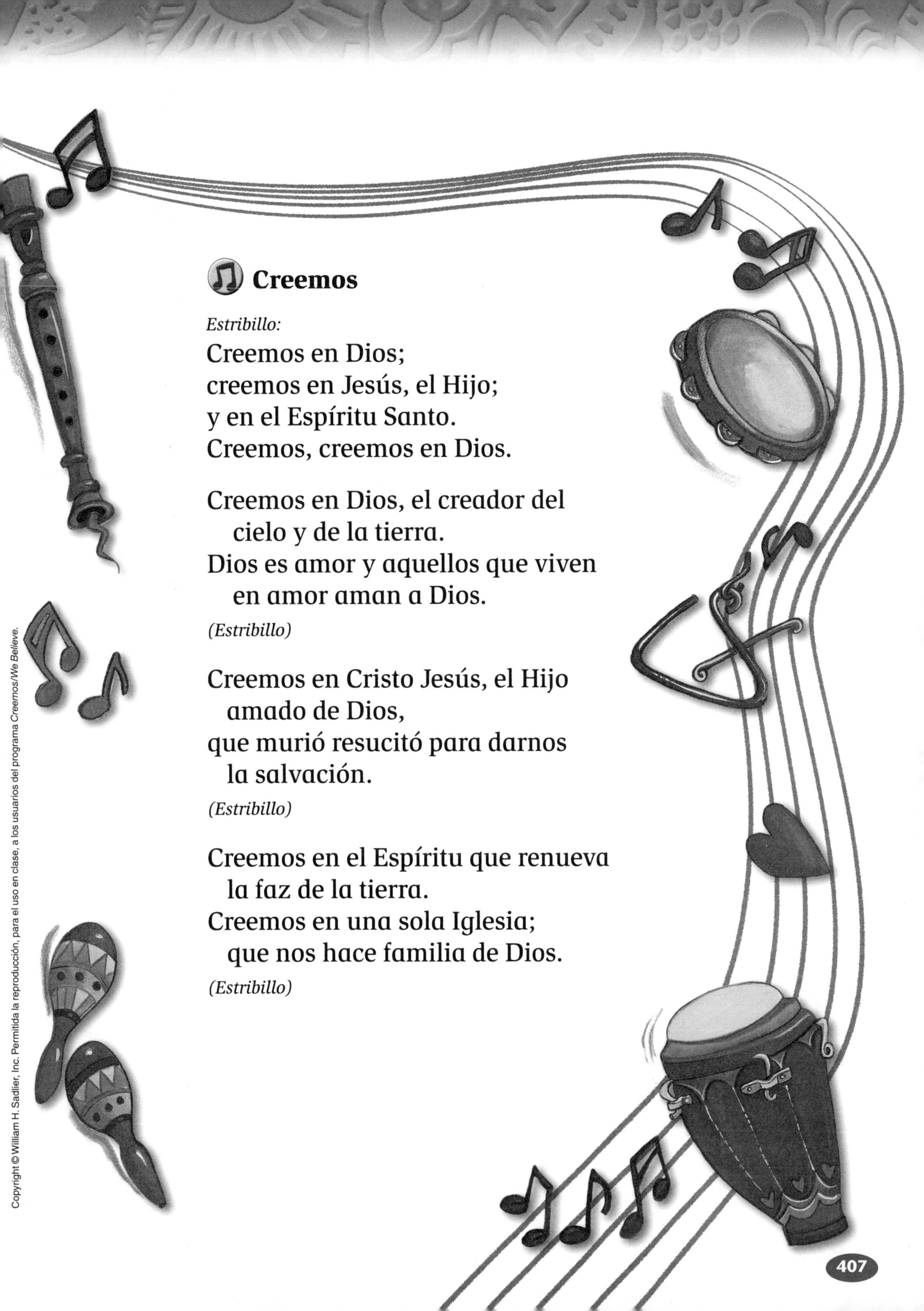

Creemos

Estribillo:
Creemos en Dios;
creemos en Jesús, el Hijo;
y en el Espíritu Santo.
Creemos, creemos en Dios.

Creemos en Dios, el creador del
cielo y de la tierra.
Dios es amor y aquellos que viven
en amor aman a Dios.

(Estribillo)

Creemos en Cristo Jesús, el Hijo
amado de Dios,
que murió resucitó para darnos
la salvación.

(Estribillo)

Creemos en el Espíritu que renueva
la faz de la tierra.
Creemos en una sola Iglesia;
que nos hace familia de Dios.

(Estribillo)

We Believe, We Believe in God

Refrain:
We believe in God;
we believe, we believe in Jesus;
we believe in the Spirit who gives us life.
We believe, we believe in God.

We believe in God, our creator,
the maker of heaven and earth.
God is love, and those who live in love
live in God, and God in them.

(Refrain)

We believe in Jesus Christ, our Lord,
the beloved Son of God.
Jesus died for us, then rose again,
and forever is God with us.

(Refrain)

We believe in the Holy Spirit,
who renews the face of the earth.
We believe we are part of a living Church,
and forever we will live with God.

(Refrain)

Equipo de desarrollo

Rosemary K. Calicchio
Vice Presidenta de Publicaciones

Melissa D. Gibbons
Directora de Investigaciones
y Desarrollo

Blake Bergen
Director Editorial

Alberto Batista

Erik Bowie

Joanna Dailey

Thelma Delgado

Maureen Gallo

Mary Ellen Kelly

Ruby Norfolk

Dignory Reina

Mary Ann Trevaskiss

Joanne Winne

Equipo consultor de Sadlier

Patricia Andrews
Directora, Educación Religiosa
Iglesia Nuestra Señora de Lourdes
Slidell, LA

Eleanor Ann Brownell, D.Min.
Vice Presidenta, Religión

Michaela M. Burke
Directora, Servicios de Consultoría

Judith A. Devine
Consultora Nacional de Ventas

Hermana Helen Hemmer, IHM
Consultora de Religión
Formación Espiritual

William M. Ippolito
Director Ejecutivo de Proyectos

Saundra Kennedy, Ed.D.
Consultora y Especialista en
Entrenamiento

Marie Murphy, Ph.D.
Consultora Nacional de
Religión e Investigación

Equipo de edición y operaciones

Deborah Jones
Vice Presidenta de Publicaciones
y Operaciones

Vince Gallo
Director Creativo

Francesca Moore

Jim Saylor

Eileen Gewirtzman

Barbara Brown

Douglas Labidee

Photo Credits

Cover Photography: Getty: *wheat & grapes*, Ken Karp: *children*. Eakal Ali: 276–277 *background*, 292–293 *background*. AP Photo Archive/Ben Margot: 280–281, 285 *top*. Art Resource: 82. Lori Berkowitz: 180. Jane Bernard: 38–39, 45 *top left*, 166, 168, 169, 173 *top*, 181 *top*, 224, 228. Black Sheep/Hideaki Ohmura: 46–47, 48–49. Karen Callaway: 37 *bottom*, 44 *top right*, 50, 51, 53, 56 *top*, 57 *top*, 61, 62, 63, 68 *top*, 69 *top*, 70, 87, 96, 97 *center*, 98 *top left*, 99 *top right*, 108 *top*, 126–127, 136, 137, 138, 139, 144 *top*, 176–177, 178–179, 181 *bottom*, 185 *top*, 190–191, 197 *top*, 200–201, 203, 204, 205, 208 *top*, 209 *top*, 213, 215, 221 *top*, 307, 308, 309 *bottom right* and *bottom left*, 310, 311, 312, 313 *bottom right* and *bottom left*, 314. CORBIS/Paul Barton: 141 *right*; Ed Bock: 104–105; Chuck Savage: 160. Mug Shots: 140 *left*; Raymond Gehman: 193 *bottom right*; Rob Lewine: 196 *center*, 197 *center*; AFP: 255 *top*, 260 *top*; Jonathan Blair: 256, 290, 297 *top*. Crosiers/Gene Plaisted, OSC: 20, 21, 32 *center left*, 33 *center right*, 44 *center*, 45 *center*, 102–103, 120, 121 *center*, 184 *center*, 185 *center*, 204, 205. Neal Farris: 10, 11, 22–23, 34, 35, 37 *top*, 64, 65, 69 *bottom*, 97 *bottom*, 108 *center*, 109 *bottom*, 109 *center*, 128–129, 133 *top*, *bottom*, 141 *left*, 146 *center*, 174, 221 *bottom*, 242 *left*, 257, 268, 273 *top*, 273 *bottom*. Getty: 16–17 *background*, 45 *bottom*, 56 *left*, 57 *center*, 98 *bottom left*, 99 *bottom right*, 100 *school sign*, 140 *right*, 147 *center*, 220 *center*, 221 *center*, 241, 248 *top*, 254–255 *bottom*. Ken Karp: 26–27, 28–29, 33 *top*, *bottom*, 71 *top right*, 76 *top*, 111, 116–117, 121 *bottom*, 134–135, 145 *top*, 146 *top left*, *bottom left*, 147 *top right*, *bottom right*, 162–163, 175, 185 *bottom*, 197 *bottom*, 202, 209 *bottom*, 210–211, 249 *bottom*, 250–251, 261, 274–275, 285 *bottom*, 286–287, 291, 300–301, 304–305, 309 *top left*, 313 *top left*, 320, 328, 330, 331, 332, 399, 400, 401, 402, 403, 404, 405, 406. Greg Lord: 21, 57, 62–63 *background*, 243. *The Messenger*/Liz Quirin: 252. Natural Selection Stock Photography: 216–217. Orion Press: 64–65 *background*. Panos Pictures/Chris Sattlberger: 193 *left*; Jan Banning: 192 *top*. Photo Edit/Tony Freeman: 71 *bottom left*, 225 *left*; Richard Hutchings: 225 *right bottom*, 229; Michael Newman: 225 *top*. Chris Sheridan: 244 *top*, 244 *bottom*, 245. Superstock: 161 *bottom*, 188–189 *background*, 200–201 *background*, 240, 260 *bottom*, 261 *center*, 298–299. TimePix/Jayanta Shaw: 192 *bottom*, 196 *top*; Steve Liss: 269. W. P. Wittman, Photography: 36, 126–127 *background*, 144 *center*, 145 *center*, 167, 172 *center*, 173 *center*, 208 *center*, 209 *center*, 232, 236 *top*, *bottom*, 237 *bottom*, 242 *right*, 248 *bottom*, 249 *top*, 249 *center*, 284–285 *center*, 308 *bottom left*, 309 *top right*, 312 *bottom left*, 313 *top right*.

Illustrator Credits

Cover Design: Kevin Ghiglione. Series Patterned Background Design: Evan Polenghi. Bernard Adnet: 34–35. James Bernardin: 12–13, 14–15, 20, 21, 80–81, 84 *top*, 85 *top*, 86, 90–91, 96 *top*, 97 *top*, 100–101, 109 *top*, 110, 120, 124–125, 132, 164–165, 172, 252–253, 261, 264, 265, 272, 288–289, 296 *top*. Teresa Berasi: 204–205. Linda Bild: 280–281. Janet Broxon: 238–239, 240–241. Gwen Connelly: 244–245, 250–251. Margaret Cusack: 186–187. Jeanne de la Houssaye: 190–191. Ed Gazsi: 214, 220, 276–277, 278–279, 284 *top*. Adam Gordon: 34–35. Annie Gusman: 166–167. Lisa Henderling: 266–267. John Hovell: 212–213. W. B. Johnston: 114–115, 140–141, 164–165 *bottom*. Rita Lascaro: 345, 346, 353, 354, 365, 366, 367, 368, 371, 372, 375, 376, 387, 388, 391, 392. Martin Lemelman: 273 *top right*. Chris Lensch: 128–129, 133. Andy Levine: 60 *top*, 68 *left*, 69 *center*. Anthony Lewis: 98–99, 108. Lori Lohstoeter: 134–135. Deborah Melmon: 262–263, 407–408. Judith Moffatt: 122–123. Amy Ning: 136–137. Marian Nixon: 10–11. Louis Pappas: 357, 358, 375, 376, 379, 380, 381, 382, 389, 390. Larry Paulsen: *background illustration for Repaso/Review, Respondemos y compartimos la fe/We Respond and Share the Faith pages*. Donna Perrone: 138–139. Ceciliá Pluá: 180–181, 264–265 *background*. Karen Pritchett: 124–125 *border*. Jesse Reisch: 174–175, 176–177, 184 *top*. Saul Rosenbaum: 52. Rich Rossi: 112–113. Zina Saunders: 351, 352, 359, 360, 373, 374, 385, 386, 393, 394, 395, 396, 397, 398. Bob Shein: 88–89, 193. Neil Slave: 28–29. Suzanne Staud: 24–25, 32. Steve Sullivan: 349, 350, 361, 362, 363, 364, 369, 370, 377, 378. Susan Swan: 70–75, 78–85, 146–161, 222–237, 298–303. Terry Taylor: 110–111 *background*. Candace Whitman: 58–59.

Acknowledgments

Scripture excerpts are taken from the *New American Bible with Revised New Testament and Psalms* Copyright © 1991, 1986, 1970, Confraternity of Christian Doctrine, Inc., Washington, D.C. Used with permission. All rights reserved. No part of the *New American Bible* may be reproduced by any means without permission in writing from the copyright owner.

Excerpts from *La Biblia con Deuterocanónicos*, versión popular, copyright © 1966, 1970, 1979, 1983, William H. Sadlier, Inc. Distribuido con permiso de la Sociedad Bíblica Americana. Reservados todos los derechos.

Excerpts from the English translation of *Rite of Baptism for Children* © 1969, International Committee on English in the Liturgy, Inc. (ICEL); excerpts from the English translation of *Lectionary for Mass* © 1969, 1981, ICEL; excerpts from the English translation of *The Roman Missal* © 1973, ICEL; excerpts from the English translation of *Rite of Penance* © 1974, ICEL; excerpts from the English translation of *Rite of Confirmation, 2nd Edition* © 1975, ICEL; excerpts from the English translation of *A Book of Prayers* © 1982, ICEL; excerpts from the English translation of *Book of Blessings* © 1988, ICEL, Inc. All rights reserved.

Excerpts from the *Ritual conjunto de los sacramentos* © 1976, CELAM, Departamento de Liturgia Apartado Aéreo 5278, Bogotá, Colombia. Reservados todos los derechos.

Excerpts from the *Misal romano* © 1993, Conferencia Episcopal Mexicana, Obra Nacional de la Buena Prensa, A.C. Apartado M-2181, 06000 México, D.F. Reservados todos los derechos.

Excerpts from *Catholic Household Blessings and Prayers* Copyright © 1988, United States Catholic Conference, Inc., Washington, D.C. (The selection in Chapter 14, page 161, has been adapted.) Used with permission. All rights reserved.

English translation of the Lord's Prayer, the Apostles' Creed, the Gloria in Excelsis, the Sursum Corda, the Sanctus, and the Gloria Patri are by the International Consultation on English Texts. (ICET)

"Ven, Espíritu Santo" © 1995, Jaime Cortez. Obra publicada por OCP Publications. Derechos reservados. "Salmo 39: Aquí estoy Señor" © 1999, José Luis Castillo. Obra publicada por OCP Publications. Derechos reservados. "Yes, We Will Do What Jesus Says" © 1993, Daughters of Charity and Christopher Walker. Published by OCP Publications, 5536 NE Hassalo, Portland, OR 97213. All rights reserved. Used with permission. "We Celebrate with Joy" © 2000, Carey Landry. Published by OCP Publications, 5536 NE Hassalo, Portland, OR 97213. All rights reserved. Used with permission. "El Señor es tierno y compasivo" © 1989, Fernando Rodriguez. OCP Publications. Derechos reservados. "We Come to Ask Forgiveness" © 1986, Carey Landry and North American Liturgy Resources. All rights reserved. "Levántate" © 1989, Cesáreo Gabaráin. Obra publicada por OCP Publications. Derechos reservados. "Stay Awake" © 1988, 1989, 1990, Christopher Walker. Published by OCP Publications, 5536 NE Hassalo, Portland, OR 97213. All rights reserved. Used with permission. "Pan de vida" © 1988, 1995, 1999, Bob Hurd y Pia Moriarty. Obra publicada por OCP Publications. Derechos reservados. "Cantaré alabanzas al Señor" © 1973, Ricardo Mishler. Obra publicada por OCP Publications. Derechos reservados. "God Is Here" © 1990, Carey Landry and North American Liturgy Resources (NALR), 5536 NE Hassalo, Portland, OR 97213. All rights reserved. Used with permission.

"Tu palabra me llena" © 1981, Raúl Carranza. OCP Publications. Derechos reservados. "Take the Word of God with You" text © 1991, James Harrison. Music © 1991, Christopher Walker. Text and music published by OCP Publications, 5536 NE Hassalo, Portland, OR 97213. All rights reserved. Used with permission. "Nosotros somos su pueblo/We Are God's People" © 1998, Jaime Cortez. Obra publicada por OCP Publications. Derechos reservados. "¡Aleluya! ¡Gloria a Dios!" © 1991, Carlos Rosas. Obra publicada por OCP Publications. Derechos reservados. "Alleluia, We Will Listen" © 1997, Paul Inwood. Published by OCP Publications, 5536 NE Hassalo, Portland, OR 97213. All rights reserved. Used with permission. "Vienen con alegría" © 1979, Cesáreo Gabaráin. Obra publicada por OCP Publications. Derechos reservados. "Rejoice in the Lord Always" this arrangement © 1975, North American Liturgy Resources. All rights reserved. "Hosanna" © 1997, Jaime Cortez. Obra publicada por OCP Publications. Derechos reservados. "Sing Hosanna" © 1997, Jack Miffleton. Published by OCP Publications, 5536 NE Hassalo, Portland, OR 97213. All rights reserved. Used with permission. "Santos del Señor" © 1993, Jaime Cortez. Obra publicada por OCP Publications. Derechos reservados. "Litany of Saints" music © 1992, John Schiavone. Published by OCP Publications, 5536 NE Hassalo, Portland, OR 97213. All rights reserved. Used with permission. "Amor de Dios/O Love of God" © 1994, 1995, 2000, Bob Hurd y Pia Moriarty. Obra publicada por OCP Publications. Derechos reservados. "Salmo 117: Este es el día" © 1968, Miguel Manzano. Obra publicada por OCP Publications. Derechos reservados. "This Is the Day" Text: Irregular; based on Psalm 118:24; adapt. by Les Garrett. Text and music © 1967, Scripture in Song (a division of Integrity Music, Inc.). All rights reserved. "Creemos" (traducción, "We Believe, We Believe in God" © 1995, Carey Landry. Obra publicada por OCP Publications, 5536 NE Hassalo, Portland, OR 97213.) Derechos reservados. Usado con permiso. "We Believe, We Believe in God" © 1979, North American Liturgy Resources (NALR), 5536 NE Hassalo, Portland, OR 97213. All rights reserved. Used with permission.

Excerpts from the English translation of the *Catechism of the Catholic Church* for use in the United States of America, © 1994, United States Catholic Conference, Inc.—Libreria Editrice Vaticana. English translation of the *Catechism of the Catholic Church: Modifications from the Editio Typica* copyright © 1997, United States Catholic Conference, Inc.—Libreria Editrice Vaticana.

Excerpts from the *Catecismo de la Iglesia Católica* © 1992, Traducción al español de *Catecismo de la Iglesia Católica: Modificaciones basadas en la Editio Typica,* © 1997, United States Catholic Conference, Inc.—Libreria Editrice Vaticana.

The seven themes of Catholic Social Teaching are taken from *Sharing Catholic Social Teaching: Challenges and Directions* © 1998, United States Conference of Catholic Bishops, Inc., Washington, D.C. (USCCB); excerpts from the *General Directory for Catechesis* © 1997, Libreria Editrice Vaticana—United States Conference of Catholic Bishops, Inc. Used with permission. All rights reserved.

The seven themes of doctrina social de la Iglesia are taken from *Compartiendo la Enseñanza Social Católica: Desafios y rumbos* © 1988, United States Conference of Catholic Bishops, Washington, D.C.; excerpts from the *Directorio general para la catequesis* © 1997, Libreria Editrice Vaticana—United States Conference of Catholic Bishops, Washington, D.C. Used with permission. All rights reserved.

Excerpts from the English translation of the "Norms for the Liturgical Year and the Calendar" from *Documents on the Liturgy, 1963–1979: Conciliar, Papal, and Curial Texts* © 1982, International Committee on English in the Liturgy, Inc. All rights reserved.

Excerpt from *Children's Daily Prayer,* 2001–2002, Elizabeth McMahon Jeep © 2001, Archdiocese of Chicago: Liturgy Training Publications, 1800 North Hermitage Ave., Chicago, IL 60622. All rights reserved. Used with permission.

On the Pastoral Care of the Liturgy, John Paul II, March 8, 1997.

Excerpt from Mark Twain, Card sent to the *Young People's Society, Greenpoint Presbyterian Church, Brooklyn [February 16, 1901].*

The poem "Language of God," from *Journey Through Heartsongs,* Mattie J.T. Stepanek. Copyright © 2001, Mattie J.T. Stepanek. Reprinted with permission from VSP Books / Hyperion Books for Children.

Excerpt from survey, *Most Recent Church Membership Trend,* March 18–20, 2002, The Gallup Organization, Princeton, NJ. Permission granted.

Planificando el año

		Pág.	Fecha

Planning Your Year

Notas / Notes